Von den gleichen Autoren
in der Reihe der
ULLSTEIN BÜCHER

Wege der deutschen Literatur. Eine geschichtliche
Darstellung (323/324)

Ferner erschienen:

Wege der französischen Literatur. Ein Lesebuch.
Herausgegeben von Karl Voss (508/509)

WEGE

DER DEUTSCHEN LITERATUR

Ein Lesebuch

zusammengestellt von

Hermann Glaser

Jakob Lehmann

Arno Lubos

ULLSTEIN BÜCHER

ULLSTEIN BUCH NR. 372/373
IM VERLAG ULLSTEIN GMBH, FRANKFURT/M — BERLIN

ORIGINALAUSGABE
des Verlags Ullstein GmbH, Frankfurt/M — Berlin
Umschlagentwurf: Hans Leistikow
Alle Rechte vorbehalten
Printed in Germany, West-Berlin 1966   Gesamtherstellung Druckhaus Tempelhof

VORWORT

Es ist die Absicht dieses LESEBUCHS, die literarhistorischen Entwicklungslinien innerhalb des deutschen Sprachraums zum Erlebnis zu bringen, die vielfältigen WEGE DER DEUTSCHEN LITERATUR aufzuzeigen und nachvollziehbar zu machen. Die exemplarisch zu verstehenden Texte sollen über ihren geschichtlichen Aspekt hinaus Welthaltung und Lebensgefühl der Epochen und ihrer Strömungen widerspiegeln und letztlich in künstlerischer Gestaltung verdichtete menschliche Zeugnisse schlechthin darstellen. So wird ein Gang durch einen rund tausend Jahre umfassenden Zeitraum, der von den ersten althochdeutschen Beispielen bis zur modernen Kurzgeschichte reicht, ermöglicht — ein Gang, der zugleich einen Kreis um das stets starke und jeweils naheliegende Zentrum des Allgemein-Menschlichen schlägt. Das Lesebuch will somit historischen, phänomenologischen und anthropozentrischen Interessen dienen.

Im Rahmen der vorliegenden Auswahl (seit Luther in neuer deutscher Orthographie, vorher mit häufig beigegebener Übersetzung) stehen neben der Lyrik in allen ihren Spielformen, vom lapidaren Spruch über hohe Gedankenlyrik bis zum rein lyrischen Gedicht, Szenen aus Spielen, Tragödien und Komödien, und die verschiedenen Arten gedanklicher und dichterischer Prosa, d.h. Ausschnitte aus theoretischen Programm- oder Kampfschriften, Abhandlungen, Briefen, ferner Ausschnitte aus Romanen und Novellen, Kurzgeschichten, Legenden usw. Bestimmend für die Auswahl waren das Typische des einzelnen Textes, der stellvertretend für viele andere stehen muß, eine gewisse Abgeschlossenheit und Knappheit des betreffenden Auszuges, seine Verständlichkeit ohne größere Einführung und weitere Zusammenhänge, seine Aussagemächtigkeit, seine Attraktiva, die über das bloß historisch Bedeutsame hinaus Interesse wecken und wachhalten sollen, sowie sein Schwerpunktcharakter. Bei der Auswahl der Texte war es also maßgebend, inwieweit die herangezogene Quelle akzentuierend die geistige und künstlerische Situation, die Lebensauffassung und den dichterischen Gestaltungswillen wiedergibt, nicht aber wichtig, unter allen Umständen die »größten« Namen und Werke »unterzubringen« — wenn sich auch häufig das Charakteristische zugleich als das Überzeitlich-Bleibende, das inhaltlich und formal Bedeutsame als das persönlich und menschlich Hervorragende erweist. Der Leser möchte nicht fragen (allein der zur Verfügung stehende knappe Raum würde eine positive Beantwortung unmöglich machen), ob dieser oder jener Autor und dieses oder jenes Werk vertreten seien, sondern ob die aneinandergereihten Texte eine Wesensschau der Epoche und ihrer Tendenzen zu vermitteln vermögen. Die Autoren- und Werkangabe tritt zurück gegenüber den auf das jeweilige Grunderleben abgestimmten Leitgedanken, die den Lesestücken vorangestellt sind. Die Glossen ermöglichen eine raschere Gesamtorientierung; sie stellen Gedächtnisstützen dar, erleichtern den Vergleich mehrerer literarischer Werke bzw. Verfasser nach Motiv- oder Gattungsgleichheit und verweisen auf die Verschiedenheit der Antworten zu den oft über die Epochen hinweg gleichbleibenden Fragen und Problemen. Die Einleitungen zu den Epochen geben dementsprechend keine Auskunft über einzelne Dichter und literarhistorisches Detail; sie vermitteln zu den herausgestellten anthropozentrischen Merkmalen eine Übersicht in Form der Lesehilfe.

Gerade in diesen, das jeweils Wesentliche festhaltenden Leitgedanken (wie auch in den Epochebezeichnungen und ihren Unterbegriffen) ist dieser Band bei aller ihm eigenen Selbständigkeit mit dem Band *Wege der deutschen Literatur — Eine geschichtliche Darstellung* (Ullstein Buch Nr. 323/324) verbunden: die wichtigsten Randglossen des literaturgeschichtlichen Werkes erscheinen im Lesebuch als Textüberschriften. Hier wie dort erschließen sie den Epochentitel näher, deuten Eigenheiten der betreffenden Kunstwerke und die wichtigsten Anliegen des künstlerischen Schaffens eines Zeitraumes und seines Denkens an; sie geben in pointierter Kürze eine Art Quintessenz der Darstellung und somit insgesamt einen Gliederungsaufriß der ganzen Epoche und ihrer Unterabschnitte. Sie versuchen hier wie dort das »in der Vielfalt der Erscheinungen Bleibende, Daseinerhellende, Lebensnotwendige, Menschen- wie Personbildende des betreffenden Zeitabschnitts« zu formulieren.

Der Leser kann somit neben der für sich stehenden und für sich möglichen Lektüre des Lesebuchs oder der geschichtlichen Darstellung auch beide, in den gemeinsamen Glossen miteinander »verzahnte« Bände zusammen verwenden, indem er bald die Literaturgeschichte durch die Quellen und Textbelege des Lesebuchs ergänzt und vertieft bzw. kritisch nachprüft, bald zu der Lektüre der Texte die geschichtliche Darstellung heranzieht.

Auf keinen Fall soll durch ein Lesebuch das Erlebnis des gesamten Dichtwerkes ausgeschlossen oder ersetzt werden. Mehr noch als die literaturgeschichtliche Darstellung wird es gerade zu einer solchen Ganzlektüre hinführen, indem die im Ausschnitt vermittelten Proben zum Weiter-, Wieder- oder Neulesen anregen. Damit sind auch Auszüge aus Romanen, Novellen und Dramen gerechtfertigt. Als »Notizbuch« hat ein literarhistorisches Lesebuch schließlich selbst für jenen Leser Wert, dem das Gesamtwerk durchaus und gut bekannt ist.

ALTDEUTSCHE DICHTUNG

Altdeutsche Dichtung meint den auf uns überkommenen Schatz literarischer Zeugnisse von den germanischen Relikten, wie sie uns aus späteren Überlieferungen erhalten blieben, über die christliche Missionsliteratur und die ersten antiken Wiederbelebungsversuche bis hin zur großen Blütezeit der mittelhochdeutschen Dichtung im ritterlich-höfischen Geist und zu deren Verfall mit dem Aufkommen bürgerlicher und volkstümlicher Ansprüche.

Auf die VORCHRISTLICHEN URSPRÜNGE weisen die »Merseburger Zaubersprüche« hin, in denen *Wort und Magie* [1] die für die germanische Kultdichtung bezeichnende enge Verbindung eingingen und damit in spruchhafter Kürze für den Gebrauch bei Gottesdienst und weltlichen Anlässen zur Verfügung standen. Mit dem Einbruch der Völkerwanderung und aus ihren gewaltigen Umbrüchen heraus wandte sich die Thematik der Dichtung der Leistung großer einzelner zu; *der Helden Tatenruhm* [2] wurde nunmehr in den Helden- und Preisliedern vor versammelter Gefolgschaft vom Sänger gesungen. Daß die Zeit bei aller Größe der Geschehnisse auch ständige Bedrohung, Leid und tiefe Tragik in sich barg, beweist das *wêwurt skihit* [3] (Unheil geschieht), wie es etwa im »Hildebrandslied« als Besiegung und Tötung des Sohnes durch den Vater erscheint.

Aus solcher Gefährdung des einzelnen und aller erklärt sich zum Teil die freudige Hinwendung der germanischen Stämme zur Geborgenheit im Christentum, die sich vom 3. bis 8. Jahrhundert vollzog und die ENTFALTUNG DER KIRCHLICHEN LITERATUR einleitete. Die Hingabe an den neuen »Gefolgsherren« erfolgte im Zeichen eines ernst genommenen Treueschwurs: *Ek gelôbo in got* [4]. Aus eingeborenem Bedürfnis sann der christliche Germane über *Weltschöpfung und -ende* [5] nach, und die überkommene Lebensschau eines tapferen und auf gegenseitige Treue ruhenden Gefolgschaftswesens bestimmte in der Dichtung auch noch jene eigenartige Tönung christlicher Gestalten, ja Christi selbst, die *zwischen Stolz und Demut* [6] lag. Mit dem Eintritt in die antike Überlieferung vollzog eine neue *poetische Formung* [7] nicht nur äußerlich den Bruch mit der germanischen Dichtung; das Lateinische selbst löste streckenweise das Althochdeutsche ab, und die Inhalte öffneten sich einer bislang unbekannten Innigkeit und Lieblichkeit lyrischen Gefühls. Die Klosterreformen, Ausgangspunkt für die weltweite Auseinandersetzung zwischen Kaiser- und Papsttum, stellten mit ihrem unüberhörbaren *Memento mori!* [8] die Menschen unter den herben Dualismus von Diesseits und Jenseits, bis mit der Marienlyrik, die Maria als menschennahe Mittlerin zu Gott feiert, wieder versöhnlichere Töne anklangen. Der weltliche Gegenschlag zur Askese von Cluny war das *Carpe diem!* [9] — Genieße den Tag!, das uns aus den sinnen- und genußfrohen, übermütigen Liedern der fahrenden Kleriker und Studenten zugerufen wird.

Der Prozeß der Verweltlichung erreichte im 12. Jahrhundert, der RITTERLICH-HÖFISCHEN BLÜTEZEIT, seinen Höhepunkt. Der fahrende Spielmann verbreitete Erzählstoffe aus der ganzen Welt, die Kreuzzüge weckten das Interesse an Märchen, Abenteuern und wunderbaren Geschichten, aus denen sich immer deutlicher die Idealgestalt des tapferen, vornehmen Ritters herauskristallisierte, der sich — vor allem vom romanischen Westen her — eine eigene exklusive Lebenshaltung und Weltschau schuf. Wie die Harmonie von Leib und Seele das Ideal des höfisch gebildeten Menschen bestimmte, so suchte die ritterliche Kultur insgesamt einen Ausgleich der Spannungen zwischen Sollen und Wollen, Jenseits und Diesseits, zwischen *gotes hulde und der werlt êre* [10]. Damit entstand eine idealistische, aristokratische Kunst, deren Kern in den großen Versepen dieser Zeit zu suchen ist. Neben ihnen, die zunächst französische Vorbilder nachahmten, bald aber zu selbständigen Leistungen gelangten, steht im Volksepos von *der Nibelunge nôt* [11] nicht die strahlende höfische Welt der Ritter aus der Artus-Tafelrunde, sondern die düstere, unheilkündende Welt des germanischen Heldenliedes im Vordergrund, ohne freilich die ritterliche Zeit seiner Entstehung ganz verheimlichen zu können.

Zu einer besonderen Stellung gelangte neben dem Herren- und Gottes-Dienst der Ritter der Frauendienst. Die höfische Minne wurde zum großen Anliegen in einer Gesellschaft, in der die Frau eine gesellschaftliche und sittliche Erhöhung erfuhr. *Liep unde leit* [12], die selig erlebte Spannung des Liebenden zwischen süßem Leid und leidvoller Seligkeit, steigern sich bis zur Dämonie des Natürlichen oder religiösen Verklärung im Bild der Minnegrotte aus »Tristan und Isolde« und beschäftigen seither immer neu die künstlerischen Gestaltungen aller Epochen. In der Lyrik wird das gleiche Thema in bald großartig-leidenschaftlichen, bald intim-zärtlichen Sprachgebilden variiert, und die Erziehungsgabe der Frau wird so hoch eingeschätzt, daß, *swer guotes wîbes minne hât* [13], gefeit erscheint gegen alles Schlechte.

Höhepunkt und Wende dieser höfischen Kultur bedeutete Walther von der Vogelweide, der angesichts der zerrütteten Reichsgewalt den kommenden Verfall voraussieht und in erschütternden politischen Gedichten *des Reiches Not* [14] beklagt. Der HERBST DES MITTELALTERS setzte ein. Mit zunehmender Übertreibung und Verkünstelung war auch des *Minnesangs Ende* [15] nicht mehr aufzuhalten; bürgerliche Derbheit und bäuerlich zupackende Urwüchsigkeit verdrängten das unglaubhaft gewordene Spiel um nie erfüllte Minne und verlegten die Schauplätze der Handlung von Turnierplatz und fürstlicher Kemenate weg in Bauernstube, Scheune und Stall. Der soziale Umbruch des ausgehenden 13. Jahrhunderts ist unverkennbar auch in der Dichtung, und die Diskrepanz zwischen *Bauer und Rittersmann* [16] fand ihre gelungene satirische Gestaltung in der tragikomischen Lebensgeschichte des Tunichtgut Meier Helmbrecht.

Die Bedürfnisse des Volkes führten zur Entstehung *volkstümlicher Lieder* [17], die in ihren allgemeinen Themen des täglichen Lebens mit Liebe, Arbeit, Abschiednehmen und Tod von Mund zu Mund quer durch alle Stände gehen. Die Predigerorden kamen mit ihren *Volkspredigten* [18] diesem Anliegen der Menge ebenso entgegen wie die Versuche einer — fern aller Gelehrsamkeit der Scholastik — aufblühenden Mystik, welche die Vereinigung mit Gott, eine *Geburt Gottes in der Seele* [19], anstrebte. Das gleiche gilt für die um die Mysterien des Weihnachts-, Passions- und Ostergeschehens kreisenden *geistlichen Schauspiele* [20], die eine bildhaft-mimische Katechese darstellten und einen zunehmenden Glanz und Pomp entfalteten, gegen den dann erst die Reformation focht.

In den allgemein immer unsicherer werdenden Verhältnissen nahm die Sehnsucht nach *Recht und Frieden* [21] zu; sie fand ihren Niederschlag in den ersten Rechtsniederschriften in deutscher Prosa, wie sie vom »Sachsenspiegel« ausgingen und sich bald über viele deutsche Lande verbreiteten. Das Krisenbewußtsein der Zeit wurde stärker; die kommenden Ereignisse warfen ihre Schatten voraus.

Vorchristliche Ursprünge

Merseburger Zaubersprüche

1

Eiris sâzun idisi,   sâzun hera duoder.
suma hapt heptidun,   suma heri lezidun,
suma clûbôdun   umbi cuoniouuidi:
insprinc haptbandun,   invar vîgandun.

2

Phol ende Uuodan   vuorun zi holza.
dû uuart demo Balderes volon   sîn vuoz birenkit.
thû biguol en Sinthgunt,   Sunna era suister;
thû biguol en Frîia,   Volla era suister;
thû biguol en Uuodan,   sô hê uuola conda:
sôse bênrenkî,   sôse bluotrenkî,
sôse lidirenkî:
bên zi bêna,   bluot zi bluoda,
lid zi geliden,   sôse gelîmida sîn.

1

Einstmals setzten sich Idise, setzten sich hierhin, dorthin und dahin, manche Hafte hefteten, manche lähmten das Heer (der Feinde), manche klaubten um heilige Fesseln: Entspring den Haftbanden, entfahr den Feinden! —

2

Vol und Wotan ritten in den Wald. Da ward dem Fohlen Balders sein Fuß verrenkt. Da besprach ihn Sinthgunt (und) Sonne, ihre Schwester. Da besprach ihn Frija (und) Volla, ihre Schwester, da besprach ihn Wotan, der es wohl konnte: Wie die Beinrenke, wie die Blutrenke, wie die Gliedrenke: Bein zu Bein, Blut zu Blut, Glied zu Glied, als ob sie geleimt seien! —

(Übersetzt v. Fr. v. der Leyen)

Das alte Atli-Lied

Gudrun ist nach dem Tode Siegfrieds dem Hunnenkönig Atli als Gemahlin in sein Land gefolgt. Da Atli aber gern den Schatz der Nibelungen für sich hätte, lädt er seine Schwäger zu einer Fahrt ins Hunnenland ein. Gudrun, die um ihre Brüder besorgt ist, sendet ihnen heimlich eine Warnung: ihren Ring, den sie mit Wolfshaar umsponnen hat.

Atli sandte Botschaft   aus zu Gunnar,
einen klugen Reiter,   Knefröd geheißen.
Er kam zu Gjukis Hof   und zu Gunnars Halle,
den herdnahen Bänken   und dem Bier, dem süßen. . . .

»Atli gebot mir,   daß aus ich ritte
auf kauendem Pferde   durch den pfadlosen Myrkwid,
euch beide zu bitten,   daß zur Bank ihr kämet
mit ringgeschmückten Helmen,   zu hausen bei Atli.

Er schenkt euch Schilde   und geschabte Lanzen,
goldgeschmückte Helme   und der Hunnen Menge,
silbernes Sattelzeug,   südländische Röcke,
geschärfte Speerspitzen,   schäumende Rosse.

Die weite Gnitaheide   will er euch geben,
klirrende Gere   und goldene Steven,
strahlende Kleinode,   die Gestade des Danp,
den mächtigen Wald,   den sie Myrkwid heißen.«

Das Haupt wandte Gunnar,   und zu Högni sprach er:
»Was sagt uns der Bruder,   da wir solches hören?
Nicht wüßte ich Gold   auf der Gnitaheide,
daß wir andres nicht hätten,   ebenso vieles.« . . .

Högni:
»Was riet uns wohl die Frau,   da den Ring sie sandte,
mit Wolfshaar umwunden?   Warnung, mein ich, bot sie!
Ein Haar des Heidewolfs   haftete am Goldring:
Wölfisch wird der Weg uns   zur Wohnung Atlis.«

Es schwiegen die Schwäger   und die Schwertmagen alle,
die Berater und Vertrauten   und die Reichen des Landes.
Wie dem König gebührt,   gebot da Gunnar,
herrlich in der Halle,   voll hohen Mutes:

»Erhebe dich, Fjörnir!   In die Halle laß bringen
der Krieger Goldschalen   durch der Knechte Hände!

Genießen sollen Wölfe   des Nibelungenerbes,
grimme Grauröcke,   wenn Gunnar ausbleibt;
braunzottige Bären   sollen beißen mit den Hauern,
wenn der König nicht kommt,   der Krieger Meute!« . . .

Ausschreitend ließen sie   laufen übers Bergland
die kauenden Pferde   durch den pfadlosen Myrkwid.

Die Hunnenmark bebte,   wo die Hartgemuten zogen;
sie spornten die Renner   über sprießende Felder.

Das Hunnenland sahn sie   und die hohen Zinnen,
Budlis Krieger stehn   auf der Burg, der hohen,
den Saal der Südvölker,   mit Sitzen erfüllt,
mit verbundenen Reihen   blinkender Schilde. . . .

Die Schwester sah sie,   als in den Saal sie traten,
ihre beiden Brüder —   von Bier war sie nüchtern —:
»Verraten bist du, Gunnar!   Du Reicher, was vermagst Du
wider hunnische Hinterlist?   Aus der Halle geh eilend!

Besser tätst du, Bruder,   in der Brünne zu reiten,
als mit ringgeschmückten Helmen   zu hausen bei Atli;
dann säßest du im Sattel   sonnenhelle Tage,
ließest notfahle Leichen   die Nornen beweinen
und hunnische Heermaide   Harm erdulden
und schicktest Atli   in den Schlangenhof.
Der Schlangenhof ist nun   beschieden dir selbst!«

Gunnar:
»Versäumt ist's, Schwester,   zu sammeln die Niblunge,
zu weit ist's, die Helden   zur Heerfahrt zu entbieten
von des Rheines Rotgebirg,   die Recken ohne Tadel!«

Sie griffen Gunnar,   begannen ihn zu knebeln,
den Burgundenfreund,   und banden ihn fest.

Sieben erschlug   mit dem Schwert Högni,
in heiße Flamme   flog der achte.
So besteht ein Held   im Streit die Feinde,
wie Högni bestand   der Hunnen Überzahl.

Sie fesselten Högni   mit harten Banden;
es gingen die Hunnen   zu Gunnars Haft.
Sie fragten den Kühnen,   ob er kaufen wolle,
der Goten Herr,   mit dem Gold sein Leben.

Gunnar:
»Högnis Herz soll   in der Hand mir liegen,
blutig geschnitten   aus der Brust dem Helden
mit schlimm beißendem Sachsschwert, dem Sohne des Volkskönigs.«

Sie schnitten dem Hjalli   das Herz aus der Brust;
blutig auf der Schüssel   brachten sie es Gunnar.

So rief da Gunnar,   der Goten König:
»Hier hab' ich das Herz   Hjallis des feigen,
ungleich dem Herzen   Högnis des kühnen:
Gar heftig bebt es   hier auf der Schüssel;
es bebte zwiefach,   da in der Brust es lag.«

Da lachte Högni,   als zum Herzen sie schnitten
dem kühnen Kampfbaum;   zu klagen vergaß er.
Blutig auf der Schüssel   brachten sie es Gunnar.

Jetzt rief Gunnar,   der Gernibelung:
»Hier hab' ich das Herz   Högnis des kühnen,
ungleich dem Herzen   Hjallis des feigen:
Gar schwach bebt es   auf der Schüssel hier;
es bebte minder,   da in der Brust es lag.

So wenig wird, Atli,   ein Auge dich sehen,
wie du selber, König,   die Kleinode schaust!

Einzig bei mir   ist all verhohlen
der Hort der Niblunge: Nicht lebt mehr Högni!
Immer war mir Zweifel,   da wir zwei lebten:
Aus ist er nun,   da ich einzig lebe.

Nun hüte der Rhein   der Recken Zwisthort,
der schnelle, den göttlichen   Schatz der Niblunge!
Im wogenden Wasser   das Welschgold leuchte,
doch nimmer an den Händen   der Hunnensöhne!«

Atli:
»Der Gefangne ist gebunden: Bringt nun den Wagen!«
Der Zaumzerrer   zog den Schatzwart,
den Herrn der Schlacht,   hin zum Tod.

Atli, der reiche,   ritt auf Glaum,
der Sieggötter Sproß,   von Speeren umringt.
Da sprach Gudrun,   Gjukis Tochter,
in die Halle tretend —   den Tränen sie wehrte —:

»So geh dir's, Atli,   wie dem Gunnar du
die Eide gehalten,   die einst du schwurst
bei der südlichen Sonne   und Siegvaters Felsen,
bei dem Roß des Ruhbetts   und dem Ringe Ulls!«

Den lebenden Herrscher   warf in den Hof,
wo Schlangen krochen,   der Krieger Schar.
Aber Gunnar,   der edle König,

mit der Hand die Harfe   hochgemut schlug;
die Saiten klangen.   So soll ein kühner
Ringvergeuder   den Reichtum hüten. . . .

»Hüter der Schwerter,   du hast deiner Söhne
blutige Herzen   mit Honig verzehrt!
Du Mutiger magst   menschliche Leichen
hungrig verzehren   und auf den Hochsitz entsenden.

Nimmer kommen   zu den Knien dir
Erp und Eitil,   die immer frohen;
auf dem Sitz im Saal   siehst du nimmer
die Goldspender   Gere schäften.«

Getöse ward im Saal,   Toben der Mannen,
Weinen unter Gewanden,   Wehklagen der Hunnen.
Das Weib allein   beweinte nimmer
ihre bärenkühnen Brüder   und blühenden Kinder,
die jungen, arglosen,   die sie von Atli gewann.

Gold verschenkte   die Schwanenweiße,
rote Ringe   reichte sie den Mannen;
das Schicksal ließ sie wachsen   und die Schätze wandern,
die Königin schonte   der Schatzkammern nicht. . . .

Blut gab mit dem Schwerte   dem Bett sie zu trinken
mit helgieriger Hand;   die Hunde löste sie,
trieb sie vors Tor;   die Trunkenen weckte sie
mit heißem Brande: so rächte sie die Brüder.

Dem Feuer gab sie alle,   die innen waren,
den Bau der Budlunge;   die Balken stürzten,
die Schatzkammern rauchten,   die Schildmaide innen
sanken entseelt   in sengende Lohe.

(Übertragen von F. Genzmer)

[3] **Wêwurt skihit**

Hildebrandslied

Ik gihôrta dat seggen,
dat sih urhêttun   ænon muotîn,
Hiltibrant enti Hadubrant   untar heriun tuêm.
sunufatarungo   iro saro rihtun,
garutun se iro gûdhamun,   gurtun sih iro suert ana.
helidos, ubar hringâ,   dô sie tô dero hiltiu ritun.
Hiltibrant gimahalta [Heribrantes sunu]:   her uuas hêrôro man,
ferahes frôtôro;   her frâgên gistuont

fôhêm uuortum,   hwer sîn fater wâri
fireo in folche, ...
. . . .   ' eddo hwelîhhes cnuosles dû sîs.
ibu dû mî ênan sagês,   ik mî dê ôdre uuêt,
chind, in chunincrîche: chûd ist mir al irmindeot.'
Hadubrant gimahalta,   Hiltibrantes sunu:
' dat sagêtun mî   ûsere liuti,
alte anti frôte,   dea êrhina wârun,
dat Hiltibrant hætti mîn fater: ih heittu Hadubrant.
forn her ôstar giweit,   flôh her Ôtachres nîd,
hina miti Theotrîhhe   enti sînero degano filu.
her furlaet in lante   luttila sitten
prût in bûre   barn unwahsan,
arbeo laosa: her raet ôstar hina.
sîd Dêtrîhhe   darbâ gistuontun
fateres mînes: dat uuas sô friuntlaos man.
her was Ôtachre   ummet tirri,
degano dechisto   miti Deotrîchhe. . . . . .

Ich hörte das sagen,
daß sich ausforderten   einzeln bei der Begegnung
Hildebrand und Hadubrand   zwischen den Heeren beiden,
Vater und Sohn.   Sie sahen nach ihrer Rüstung,
bereiteten ihre Brünnen,   banden sich ihre Schwerter um,
die Helden über die Ringe,   da sie ritten zu jenem Kampf.

Hildebrand anhub,   er war der ältere Mann,
des Lebens erfahrener,   zu fragen begann er
mit wenigen Worten,   wer da wäre sein Vater
im Heervolk der Helden . . . . .
    . . . . . Oder welches Geschlechtes du seist?
Wenn du mir einen sagst,   ich mir die andern weiß,
Kind, im Königreiche   kenn ich doch allen Adel!
Hadubrand antwortete,   Hildebrands Sohn:
Das haben gesagt mir   Leute von uns hier,
alte und kluge,   die einstmals lebten,
daß Hildebrand hieße mein Vater: ich heiße Hadubrand.
Vordem er ostwärts ritt,   floh vor Otachers Wut
hin zu Dietrich   und seiner Degen vielen.
Da ließ er im Lande   verlassen zurück
sein junges Weib im Haus,   unerwachsen das Kind,
des Erbes verwaist;   er ritt ostwärts fort,
weil nun Dietrich   zu darben begann
nach meinem Vater;   er war doch ein so freundloser Mann!
Auf Otacher war er   unmäßig ergrimmt,
aber bei Dietrich   der Degen liebster.

Er war immer dem Volke voran,   ihm war Fechten immer zur Lust.
Kund war er   kühnen Männern.
Ich glaube nicht, daß er noch lebt . . .
Nun helfe mir Gott (sprach Hildebrand)   vom Himmel droben,
daß du trotzdem nicht mit so nahe Versipptem
Verhandlung je führtest . . .
Da wand er vom Arme   gewundene Baugen
aus Kaisergold,   so wie sie jener König ihm gab,
der Hunnen Herr: Daß ich dir es in Huld nun gebe!

Hadubrand sprach,   Hildebrands Sohn:
Mit dem Gere soll man   Gaben empfangen,
Spitze wider Spitze . . .
Du scheinst mir, Hüne, alter,   ein übermäßig Schlauer,
lockst mich mit deinen Worten,   willst mich mit deiner Lanze werfen.
So alt wie du bist,   so viel Erzbetrug führst du.
Das haben gesagt mir   Seefahrende hier
westwärts übers Wendelmeer,   daß ihn wegnahm ein Kampf:
Tot ist Hildebrand,   Herebrands Sohn.

Hildebrand sprach,   Herebrands Sohn:
Wohl erseh ich an deiner Rüstung,
daß du hast daheim   einen Herrn, einen edlen,
daß dich dieses Reiches König   nicht als Recken vertrieb.
Wohlan nun, waltender Gott,   Wehgeschick vollzieht sich.
Ich wallte der Sommer und Winter   sechzig außer Landes,
wo man immer mich fand   im Volke der Krieger
und bei keiner Stadt doch   starb ich des Todes.
Nun soll mich der eigene Sohn   mit dem Eisen zerhauen,
treffen mit seinem Schwerte,   oder aber ich erschlage ihn selbst.
Doch leichthin kannst du,   wenn dir deine Kraft dazu taugt,
mir altem Mann   abjagen die Waffen,
die Rüstung rauben,   wenn du ein Recht dazu hast.
Der soll doch der ärgste   der Ostleute sein,
der dir nun weigert den Kampf, wenn's dich so wohl danach lüstet,
den gemeinsamen Zweikampf: wenn du mußt, so versuch's,
wer von uns seine Rüstung   räumen heut soll
oder über diese Brünnen   beide walten!

Da ritten sie erst   mit den Eschenschäften zusammen,
in scharfen Schauern,   daß in den Schilden es stand.
Dann stapften zusammen   die Starken im Flußkampf,
zerhieben harmlich   die hellen Schilde,
bis ihnen die lindenen   lützel wurden,
zerwirkt von den Waffen . . .

(Übersetzt von H. Naumann)

Entfaltung der kirchlichen Literatur

[4] Ek gelôbo in got

WULFILA · *Bibelübersetzung (Codex Argenteus)*

Atta unsar þu in himinam, weihnai namô þein.
Vater unser du in [den] Himmeln, geweiht werde [der] Name dein.
qimai þiudinassus þeins. waírþái wilja þeins
[Es] komme [die] Herrschaft deinige. [Es] werde [der] Wille deiner
swê in himina jah ana aírþai. hlaif unsarana þana
wie in [dem] Himmel [als] auch auf Erden. Brot unseres das
sinteinan gif uns himma daga. jah aflêt uns
tägliche gib uns [an] diesem Tage. Und erlaß uns,
þatei skulans sijaima, swaswê jah weis aflêtam
daß Schuldige wir seien, gleichwie auch wir erlassen
þaim skulam unsaraim. jah ni briggais uns
den Schuldnern unsern. Und nicht mögest du bringen uns
in fraistubnjai, ak lausei uns af þamma ubilin
in Versuchung, sondern [er-]löse uns von dem Üblen;
untê þeina ist þiudangardi jah mahts jah wulþus
denn deines ist [die] Herrschaft und [die] Macht und [die] Herrlichkeit
in aiwins. amên.
in Ewigkeit. Amen.

[5] Weltschöpfung und -ende

Wessobrunner Gebet

Dat gafregin ih mit firahim   firiuuizzo meista,
dat ero ni uuas   noh ûfhimil,
noh paum . . .   noh pereg ni uuas,
ni . . . nohheinîg   noh sunna ni scein,
noh mâno ni liuhta,   noh der mâreo sêo.
Dô dâr niuuiht ni uuas   enteo ni uuenteo,
enti dô uuas der eino   almahtîco cot,
manno miltisto,   enti dâr wârun auh manake mit inan
cootlîhhe geistâ.   enti cot heilac . . .
Cot almahtîco, dû himil enti erda gauuorahtôs, enti dû mannun sô manac
coot forgâpi, forgip mir in dîno ganâdâ rehta galaupa enti côtan uuilleon,
uuîstôm enti spâhida enti craft, tiuflun za uuidarstantanne enti arc za
piuuîsanne enti dînan uuilleon za gauurchanne.

Das sagte man mir so   als das seltsamste Wunder,
daß einst nicht die Erde war   noch oben der Himmel:
Kein Baum war,   kein Berg war,
kein Stern schien,   kein Strahl von der Sonne,
noch glänzte der Mond   und das Meer nicht, das hehre:
Da kein wenig noch war   von Enden und Wenden,
da war doch in Allmacht   der eine Gott,
der Männer mildester,   und mit ihm viele
gütige Geister.   Und Gott, der heilige . . .

Allmächtiger Gott, der du Himmel und Erde gemacht hast und den Menschen so viel Gutes gegeben, gib mir in deiner Gnade rechten Glauben und guten Willen, Weisheit und Klugheit und Kraft, den Teufeln zu widerstehen und das Böse zu meiden und deinen Willen zu vollbringen!

(Übersetzt von E. Schönfelder)

Muspilli

Uuanta sâr sô sih diu sêla   in den sind arhevit
enti si den lîhhamun   likkan lâzzit,
sô quimit ein heri   fona himilzungalon,
daz andar fona pehhe: dâr pâgant siu umpi.
sorgên mac diu sêla,   unzi diu suona argêt,
za uuederemo herie   si gihalôt uuerde . . .
Daz hôrtih rahhôn   dia uueroltrehtuuîson,
daz sculi der antichristo   mit Eliase pâgan.
der uuarch ist kiuuâfanit,   denne uuirdit untar in uuîc arhapan.
khenfun sint sô kreftîc,   diu kôsa ist sô mihhil.
Elias strîtit   pi den euuîgon lîp,
uuili dên rehtkernôn   daz rîhhi kistarkan:
pidiu scal imo helfan   der himiles kiuualtit.
der antichristo   stêt pi demo altfîante,
stêt pi demo Satanase,   der inan varsenkan scal:

pidiu scal er in deru uuîcsteti   uunt pivallan
enti in demo sinde   sigalôs uuerdan.
doh uuânit des vilo   . . . gotmanno,
daz Elias in demo uuîge   aruuartit uuerde.
sô daz Eliases pluot   in erda kitriufit,
sô inprinnant die pergâ,   poum ni kistentit
ênîhc in erdu,   ahâ artruknênt,
muor varsuuilhit sih,   suilizôt lougiu der himil,
mâno vallit,   prinnit mittilagart,
stên ni kistentit.   verit denne stûatago in lant,
verit mit diu vuiru   viriho uuîsôn:
dâr ni mac denne mâk andremo   helfan vora demo mûspille.

denne daz preita uuasal   allaz varprinnit,
enti vuir enti luft   iz allaz arfurpit,
uuâr ist denne diu marha,   dâr man dâr eo mit sînên mâgon piehc ?
diu marha ist farprunnan,   diu sêla stêt pidungan.
ni uueiz mit uuiu puaze: sô verit si za uuîze ...
Sô daz himilisca horn   kilûtit uuirdit,
enti sih der suanâri   ana den sind arhevit,
der dâr suannan scal   tôtên enti lepêntên,
denne hevit sih mit imo   herio meista.
daz ist allaz sô pald,   daz imo nioman kipâgan ni mac ...
uuirdit denne furi kitragan   daz frôno chrûci,
dâr der hêligo Christ   ana arhangan uuard.
denne augit er dio mâsûn,   dio er in deru menniskî anfenc,
dio er duruh desse mancunnes   minna fardolêta.

Denn sobald sich die Seele auf den Weg erhebt und den Leichnam liegen läßt, so kommt ein Heer von den Himmelsgestirnen, das andere von der Hölle: da kämpfen sie darum.

Sorgen mag die Seele, bis die Sühne ergeht, zu welchem Heer sie geholt werde ...

Das hört ich künden die Gerechten der Welt, daß der Antichrist werde mit Elias kämpfen. Der Unhold ist gewaffnet: dann wird unter ihnen Krieg erhoben.

Die Kämpen sind so kräftig, die Sache ist so groß. Elias kämpft für das ewige Leben, er will den Rechtgläubigen das Reich stärken: darum soll ihm der helfen, der des Himmels waltet.

Der Antichrist steht bei dem alten Feind, er steht bei dem Satan, der ihn versenken wird.

Darum soll er auf der Walstatt wund hinfallen und auf dem Platz dort sieglos werden. Doch glauben viele Diener Gottes, daß Elias in dem Streit verletzt werde.

Wenn des Elias Blut auf die Erde tropft, so entbrennen die Berge, kein Baum bleibt stehen, keiner auf der Erde, die Wasser vertrocknen, das Moor saugt sich auf, es verschwelt in der Lohe der Himmel, der Mond fällt, es brennt Mittelgart. Kein Stein bleibt stehen.

Es fährt der Tag des Gerichts in das Land. Er fährt mit dem Feuer, die Menschen zu strafen. Da kann kein Mage (Verwandter) dem anderen helfen vor dem Weltbrand (Muspilli).

Wenn der breite (Flammen-) Regen alles verbrennt und Feuer und Luft alles wegfegt, wo ist dann die Mark (Grenzland), um die man immer mit seinen Magen stritt ?

Die Mark ist verbrannt, die Seele steht in Trauer. Sie weiß nicht, wie sie büßen soll: so fährt sie zur Strafe ...

Wenn dann das himmlische Horn erklingt und sich der Richter zur Reise erhebt, der da richten soll die Toten und die Lebenden, dann erhebt sich mit ihm der Heere größtes. Das ist so kühn, daß niemand ihm vermag zu begegnen ...

Es wird dann einer getragen das Kreuz des Herrn, daran der heilige Christ gehangen wurde. Dann zeigt er die (Wund-)Male, die er in der Menschenwelt empfing, die er um der Liebe zu den Menschen willen erduldete.

(Übersetzt von Fr. v. d. Leyen)

[6] **Zwischen Stolz und Demut**

Heliand

Die Gefährten Krists
erwachten bei den Worten.   Da gewahrten sie das Volk
in brausendem Gedränge   den Berg heraufziehen,
wütende Waffenträger.   Den Weg wies Judas,
der grimmig gesinnte.   Die Juden folgten,
die feindliche Volksschar.   Man führte auch Feuer mit,
Flammen in Gefäßen,   Fackeln; die brachten sie
brennend aus der Burg,   da den Berg empor sie
streitend stiegen.   Die Stätte wußte Judas,
wohin er die Leute   leiten sollte.
Er sagte beim Zuge   zum Zeichen des Erkennens
dem Volke im voraus,   daß sie fälschlich nicht fingen
irgendeinen anderen: »Ich gehe zuerst hin
und küsse und grüße ihn.   So kennt ihr den Krist dann,
und den sollt ihr fangen   mit Volkes Macht,
ihn binden auf dem Berge   und zur Burg ihn von hinnen
geleiten vor die Leute.   Sein Leben hat er
verwirkt mit seinen Worten.«   Und weiter zog nun
das Volk, bis zum Krist hin   gekommen waren
die grimmigen Juden.   Mit den Jüngern stand da
der Herr, der hehre,   und harrte des Schicksals,
der Stunde der Entscheidung.   Da schritt ihm der treulose
Judas entgegen,   vor Gottes Sohn
mit dem Haupte sich neigend,   seinen Herrn begrüßend,
und küßte den Fürsten   und erfüllte sein Wort
und wies ihn der Waffenschar,   wie sein Wort es versprochen.
Das litt in Langmut   der Leute Gebieter,
der Walter dieser Welt,   und wandte sich zu ihm
und fragte ihn frei: »Wozu führst du mir dieses Volk her?
Wozu geleitest du diese Leute?   Und an den leidigen, bösen Haufen
verkaufst du mit deinem Kusse mich,   den Kindern der Juden,
verrätst mich dieser Rotte?«   Dann redete er die Männer an,

die Führer des Volkes,   und fragte sie, wen sie
mit solchem Gesinde   zu suchen kämen
so dringlich im Dunkel,   »als gedächtet ihr Not
einem Manne zu machen.«   Die Menge erwiderte
und sagte, daß der Heiland   auf dem Holme hier oben
ihnen angezeigt wäre,   »der Aufruhrstifter
im Volke der Juden,   der frevelnd Sohn Gottes
selber sich heißt.   Ihn suchen wir hier
und griffen ihn gerne.   Aus Galiläa stammt er
von Nazarethburg.«   Als nunmehr der Krist
so sicher sagte,   daß er selber der sei,
da fuhr solche Furcht   ins Volk der Juden,
daß in raschem Entsetzen   sie rücklings fielen
und alle eilends   die Erde suchten
mit dem Rücken, die Recken.   Die Reisigen konnten
seiner Stimme nicht stehen,   wie streitbar sie waren.
Doch erhoben sie sich wieder von dem Holme,   erhoben sich wieder,
sammelten Mut   und machten erbost
und haßvoll sich näher,   bis den heiligen Krist
die Reisigen umringten.   Vor der ruchlosen Tat
standen bestürzt   und erstarrt in jähem
Jammer die Jünger   Jesu und sagten:
»Wär’ es dein Wille,   mein waltender Fürst,
daß sie mit der Speere   Spitzen uns töten,
von Waffen wund,   nichts wäre uns besser,
als hier vor dir,   unserm Herrn, zu sterben,
bleich und blutig.«   Da brauste im Zorn auf
der kühne Petrus,   der kräftige Degen,
wild wallt’ ihm sein Mut,   kein Wort konnt’ er sprechen
vor Harm im Herzen,   daß den Herrn man ihm dort
mit Banden wollte binden;   erbost ging er hin,
der kampfkühne Degen,   vor den König zu treten,
hart vor seinen Herrn,   im Herzen nicht schwankend,
in der Brust nicht verzagt,   und zog sein Schwert
zum Streit von der Seite   und stob entgegen
dem vordersten Feind   mit der Fäuste Kraft.
Dem Malchus ward   durch des Messers Schneide
die rechte Seite,   da rot gezeichnet,
das Gehör verhauen.   Am Haupt ward er wund,
daß blutig vom Schwert   ihm Backen und Ohr
barst im Gebeine.   Das Blut sprang nach
und wallte aus der Wunde.   Die Wange war schartig
dem vordersten der Feinde.   Das Volk machte Raum,
es scheute den Schwertbiß.   Da schalt den Simon
sein Fürst und befahl ihm,   sofort sein Schwert
in die Scheide zu schieben.   »Wenn die Scharen ich hier,

die bewehrten, wollte mit Waffen bekämpfen,
dann mahnte ich den hehren, mächtigen Gott,
den heiligen Vater im Himmelreich,
mir der Engel eine Anzahl von oben zu senden,
die kundig des Krieges. Da könnten die Menschen
deren Sturm nicht widerstehen. Auch die stolzeste Menge
in geschlossenen Scharen hätte schnell vor ihnen
ihr Leben verloren. Allein nun hat es
der ewige Vater anders geordnet:
Wir sollen dulden in Demut, was dieses Volk uns
Bitteres bringt, nicht entbrennen in Zorn,
uns nicht wider sie wehren. Denn wer da im Waffenstreit
grimmigen Gerhaß gerne austrägt,
der fällt oft durch die Schärfe des feindlichen Schwertes,
vom Blute besudelt. Wir sollen mit unseren Taten
nichts vernichten.« Dann nahte er dem Manne,
fügte gar fein das Fleisch zusammen,
und heil war sofort des Hauptes Wunde,
der Biß des Schwertes, aufs beste. Dann sprach er
zu der wilden Waffenschar: »Gar wunderlich dünkt's mich,
wenn euch gelüstete, mir Leides zu tun,
warum fingt ihr mich nicht, wenn ich frei vor dem Volk stand
im Weihtum drinnen, wo ich so manches
Wahrwort sagte? Sonnenschein war da,
das teure Tageslicht. Da tatet ihr mir
kein Leid bei dem Licht, und nun lauft ihr zusammen
in düsterer Nacht, wie beim Diebe man tut,
den man vorhat zu fangen, der frevelnd sein Leben
verwirkte, der Wicht.« Die wilden Juden nun
griffen den Gottessohn, die grimmigen Leute,
der haßvolle Haufe, und hart umdrängten
die vermessenen Männer ihn, der Meintat nicht achtend,
und fesselten die Fäuste ihm fest zusammen,
die Arme beide mit Banden. Er brauchte solche Qualen
mitnichten zu dulden, solch namenloses Leid,
solche Trübsal nicht zu ertragen. Doch er tat es für die Menschen,
weil er die Leute erlösen wollte,
aus der Hölle sie holen ins Himmelreich,
in die weite Wonne; drum wehrte er sich nicht,
was die Argen auch Übles ihm antun mochten.
Da ward gar verwegen das wilde Volk,
der hochfahrende Haufen, daß den heiligen Krist sie
in Banden gebunden bringen konnten,
ihn führen in Fesseln. Die Feinde eilten
von dem Berg zu der Burg. Der Geborene Gottes
ging dahin in der Heerschar, an den Händen gebunden,

betrübt zu Tal.   Sein treues Gesinde
war von ihm geflohen,   wie zuvor er gesagt.
Doch war's nicht Verzagtheit,   die sie zwang, den Sohn Gottes,
den lieben, zu verlassen.   Schon lange vorher war's
der Wahrsager Wort,   es würde so werden.
Drum vermochten sie's nicht zu vermeiden. Doch der Menge gingen nach
Johannes und Petrus,   die Helden beide,
und folgten von ferne,   zu erfahren begierig,
was die grimmigen Juden   wohl jetzt dem Sohn Gottes,
ihrem Herrn, wollten antun . . .

(Übersetzt von E. Schönfelder)

[7] Poetische Formung

OTFRIED VON WEISSENBURG · *Evangelienbuch*

Fuar tho sancta Maria,   thiarna thiu mara
   mit ilu ioh mit mînnu   zi ther iru maginnu.
So si in ira hus giang,   thiu uuirtun sia erlicho intfiang . . .:
   »uuola uuard dih lebenti   ioh giloubenti!
Giuuihit bistu in uuibon   ioh untar uuoroltmagadon:
   ist furist alles uuihes   uuahsmo reues thines.
Uuio uuard ih io so uuirdig   fora druhtine,
   thaz selba muater sin   giangi innan hus min? . . .
Allo uuihi in uuorolti,   thir gotes boto sageti,
   sie quement so gimeinit   ubar thin houbit!«

Ging da die heilige Maria,   die herrliche Jungfrau,
   in Eile und in Liebe   zu ihrer Verwandten.
Als sie in ihr Haus ging,   empfing die Wirtin sie ehrfürchtig:
   »Heil ist gekommen über dich lebende   und glaubende!
Geweiht bist du unter den Weibern   und unter der Welt Jungfrauen:
   Das Allerheiligste ist   die Frucht deines Leibes.
Wie wurde ich je so würdig   vor dem Herrn,
   daß selber seine Mutter   ging in mein Haus?
Alle Heiligkeiten in der Welt,   die dir Gottes Bote sagte,
   sie kommen so vereinigt   über dein Haupt.«

[8] Memento mori

Nun denket alle

Nû denchent, wîb unde man,
war ir sulint werdan.
ir minnônt tisa brôdemi
unde wânint iemer hie sîn.

si ne dunchet iu nie sô minnesam,
eina churza wîla sund ir si hân.
ir ne lebint nie sô gerno manegiu zît,
ir muozent verwandelôn disen lîp . . .

Nun denket alle, Weib und Mann,
was aus euch soll werden dann.
Ihr minnet diese Erdenwelt
und wähnet stets hier zu sein.
Dünkt sie euch noch so minnenswert,
nur kurze Frist wird euch gewährt:
Lebtet ihr noch so gern manche Zeit,
ihr müßt verwandeln diesen Leib. . . .

Mit dieser Welt ist's so getan,
wer nach ihr beginnt zu fahn,
dem macht sie es so wunderlieb,
los von ihr kommen mag er nie.
Ergreifet er sie sehr,
so hätt' er gerne mehr.
Das tut er bis an sein Ende
und dann hält er noch fest.

Ihr wähnt hier immer zu leben,
einst müßt ihr Antwort geben.
Ihr müsset alle sterben,
ihr könnt des nicht ledig werden,
in einem Nu der Mann vergeht,
schnell wie die Brau zusammen sich dreht.
Des will ich mich vermessen,
so schnell wird sein vergessen.

(Übersetzt von K. Wolfskehl
und Fr. v. d. Leyen)

[9] **Carpe diem**

Archipoeta · *Vagantenbeichte*

Heißer Scham und Reue voll,
wildem Grimm zum Raube,
schlag ich voller Bitterkeit
an mein Herz, das taube:
windgeschaffen, federleicht,
locker wie vom Staube,
gleich ich loser Lüfte Spiel
gleich ich einem Laube!

Denn indes ein kluger Mann
sorglich pflegt zu schauen,
daß er mög auf Felsengrund
seine Wohnung bauen:
bin ich Narr dem Flusse gleich,
den kein Wehr darf stauen,
der sich immer neu sein Bett
hinwühlt durch die Auen.

Wie ein meisterloses Schiff
fahr ich fern dem Strande,
wie der Vogel durch die Luft
streif ich durch die Lande.
Hüten mag kein Schlüssel mich,
halten keine Bande.
Mit Gesellen geh ich um —
O, 's ist eine Schande!

Traurigkeit — ein traurig Ding,
das mich mag verschonen,
Scherz geht über Honigseim,
der will sich verlohnen.
Mir ist in Frau Venus Dienst
eine Lust zu fronen,
die in eines Tropfen Herz
nie hat mögen wohnen.

Auf dem breiten Wege geh
ich nach Art der Jugend,
lasse mich mit Sünden ein,
ungedenk der Tugend:

mehr nach irdischer Begier
als gen Himmel lugend,
geistlich tot, zu jeder Lust
meinen Leib befugend . . .

Mein Begehr und Willen ist
in der Kneipe sterben,
wo mir Wein die Lippen netzt,
bis sie sich entfärben.
Aller Englein Jubelchor
wird dann für mich werben:
'Laß den wackern Zechkumpan,
Herr, dein Reich ererben!' . . .

'So die Verse, wie der Wein!'
ist bei mir zu sagen;
nie bring ich ein Werk zustand,
fehlt mir was zu nagen;
nimmer taugte, was ich je
schrieb bei leerem Magen —
hinterm Glas will mit Ovid
ich den Wettstreit wagen . . .

(Übersetzt von L. Laistner)

Die ritterlich höfische Blütezeit

[10] Gotes hulde und der werlt êre

HARTMANN VON AUE · *Der arme Heinrich*

Ein ritter sô gelêret was,
daz er an den buochen las,
swaz er dar an geschriben vant:
der was Hartman genant,
dienstman was er ze Ouwe,
er nam im manige schouwe
an mislîchen buochen:
daran begunde er suochen,
ob er iht des vunde,
dâ mite er swaere stunde
möhte senfter machen,
und von sô gewanten sachen,
daz gotes êren töhte
und dâ mite er sich möhte
gelieben den liuten.

nu beginnet er iu diuten
eine rede, die er geschriben vant.
dar umbe hât er sich genant,
daz sîner arbeit,
die er dar an hât geleit,
iht âne lôn belîbe,
und swer nâch sînem lîbe
si hœre sagen oder lese,
daz er im bitende wese
der sêle heiles hin ze gote.
man seit, er sî sîn selbes bote
unde erlœse sich dâ mite,
swer über des andern schulde bite.
  Er las daz selbe maere,
wie ein herre waere

se Swâben geseȝȝen:
an dem enwas vergeȝȝen
nie deheiner der tugende,
die ein ritter in sîner jugent
ze vollem lobe haben sol.
man sprach dô niemen alsô wol
in allen den landen.
er hete ze sînen handen
geburt und dar zuo rîcheit;
ouch was sîn tugent vil breit.
swie ganz sîn habe wære,
sîn geburt unwandelbære
und wol den fürsten gelîch,
doch was er unnâch alsô rîch
der gebürte und des guotes
sô der êren und des muotes.

Sîn name der was erkennelich;
und hieȝ der herre Heinrich
und was von Ouwe geborn.
sîn herze hâte versworn
valsch und alle dörperheit
und behielt ouch vaste den eit
stæte unz an sîn ende.
âne alle missewende
stuont sîn geburt und sîn leben.
im was der rehte wunsch gegeben
ze werltlîchen êren:
die kunde er wol gemêren
mit aller hande reiner tugent.
er was ein bluome der jugent,
der werlte vröude ein spiegelglas,
stæter triuwe ein adamas,
ein ganziu krône der zuht.
er was der nôthaften vluht,
ein schilt sîner mâge,
der milte ein glîchiu wâge:
im enwart über noch gebrast.
er truoc den arbeitsamen last
der êren über rücke.
er was des râtes brücke
und sanc vil wol von minnen.

alsus kund er gewinnen
der werlte lop unde prîs.
er was hövesch unde wîs.

Dô der herre Heinrich
alsô geniete sich
êren unde guotes
und vrœlîches muotes
und werltlîcher wünne
(er was vür al sîn künne
geprîset unde geêret):
sîn hôchmuot wart verkêret
in ein leben gar geneiget.
an im wart erzeiget,
als ouch an Absalône,
daȝ diu üppige krône
werltlîcher süeȝe
vellet under vüeȝe
abe ir besten werdekeit,
als uns diu schrift hât geseit.
eȝ spricht an einer stat dâ:
mêdiâ vîtâ
in morte sûmus.
daȝ diutet sich alsus,
daȝ wir in dem tôde sweben,
sô wir aller beste wænen leben...
An herrn Heinrîche wart wol schîn:
der in dem hœhsten werde
lebet ûf dirre erde,
derst der versmâhte vor gote.
er viel von sînem gebote
ab sîner besten werdekeit
in ein versmæhelîcheȝ leit:
in ergreif diu miselsuht.
dô man die swæren gotes zuht
gesach an sînem lîbe,
manne unde wîbe
wart er dô widerzæme.
nû sehet wie genæme
er ê der werlte wære,
und wart nû alse unmære,
daȝ in niemen gerne ane sach...

Über die Aussprache des Mittelhochdeutschen und die Bedeutung einzelner Wörter vgl. S. 519.

WOLFRAM VON ESCHENBACH · *Parzival*

Die Lehre des Ritters Gurnemanz

So hört! Um edel zu empfinden,
laßt Scham nicht aus der Seele schwinden.
Ein schamlos Herz, was taugt das noch?
Wenn aller Ehren Zierde doch
gleich Mauserfedern ihm entfällt
und es der Hölle sich gesellt.
Ihr seid von Anblick auserkoren
und wohl zum Volkesherrn geboren.
Daß Euer Adel sich nicht neige,
nein, hoch und immer höher steige,
laßt euch der Dürftigen erbarmen
und helft in ihrer Not den Armen
mit Milde und mit Gütigkeit.
Übt Euch in Demut allezeit.
Der Würdge, der in Armut kam,
ringt oft sich ab mit stolzer Scham.
Wollt Ihr die Drangsal ihm versüßen,
so wird Euch Gottes Gnade grüßen.
Denn ihm geht's schlimmer als den andern,
die bettelnd vor die Fenster wandern.
Prägt fest Euch diese Vorschrift ein:
Lernt weislich arm und reich zu sein.
Denn wirft der Herr sein Gut dahin,
das ist nicht echter Herrensinn;
doch nur den Schatz zu mehren,
das wird ihn auch nicht ehren.
Gebt jedem Ding sein rechtes Maß.
Ich kann nicht leugnen, denn ich sah's,
daß Ihr des Rats bedürftig seid.
Was sich nicht ziemt, das laßt beiseit.
Vor allem sollt Ihr nicht viel fragen,
doch wohlbedächtig Antwort sagen,
daß, was der Frager ihr entnimmt,
auch recht zu seiner Frage stimmt.
Gebrauchet aller Eurer Sinne,
daß Ihr des Wahren werdet inne.
Folgt meinem Wort und übt im Streit
bei kühnem Mut Barmherzigkeit.
Sofern Ihr nicht im Lanzenbrechen
habt schweres Herzeleid zu rächen,
will der Besiegte sich ergeben,
so nehmt sein Wort und laßt ihn leben.

Der Klausner Trevizent über den Gral

Sein Wirt sprach: Mir ist wohl bekannt,
es wohnt gar manche tapfre Hand
auf Munsalväsche bei dem Gral,
und rastlos ziehn durch Berg und Tal
sie, die Templeisen, in die Weite.
Ob Sieg, ob Fall ihr Los im Streite,
sie tragen alles mit Geduld;
sie tun's um ihrer Sünden Schuld.
Doch soll ich Kunde geben,
wovon die Helden leben,
so sag' ich Euch: sie speist ein Stein
von einer Art so hehr und rein . . .
Auch wurde keinem Mann so weh,
kommt dieser Stein ihm zu Gesicht,
stirbt er die nächste Woche nicht,
und von dem Tag an altert er
in Farb' und Antlitz nimmermehr.
Ein jeder blüht, sei's Mann, sei's Maid,
wie in des Lebens bester Zeit,
mag er zweihundert Jahr ihn schaun,
nur daß die Locken ihm ergraun.
So gibt dem Menschen dieser Stein
die Kraft, daß er von Fleisch und Bein
jung bleibt trotz der Jahre Zahl,
und dieser Stein heißt auch der Gral.

Zu ihm kommt eine Sendung heut,
die seine höchste Kraft ihm beut;
denn am Karfreitag jedes Jahr
zeigt sich ein Anblick wunderbar:
Weiß aus blauen Himmelshöhn
fliegt eine Taube leuchtend schön
und bringt herab zu diesem Stein
eine Oblat weiß und fein;
die legt sie auf dem Steine nieder
und schwingt sich auf zum Himmel wieder.
Davon ist ihm die Macht gegeben,
mit paradiesisch reichem Leben
in Speisen und Getränken
die Seinen zu beschenken,
daß alles frei der Wunsch genießt,
was Duftiges von Früchten sprießt
und was von Wild auf Erden lebt,
läuft, schwimmt und in den Lüften schwebt.

Die Pfründe gibt des Grales Kraft
der ritterlichen Bruderschaft.

Doch höret auch, wie man vernimmt,
wer für des Grales Dienst bestimmt.
Schriftzüge an des Steines Rand
verkünden, wie der ist genannt. . . .

Wenn Ritterschaft, sprach Parzival,
zugleich der Seele Seligkeit
sich samt des Leibes Ruhm im Streit
erjagen kann mit Schild und Schwert —
stets hab' ich Ritterschaft begehrt.
Ich stritt, wo ich zu streiten fand;
auch sind die Taten meiner Hand
vom Ruhme nicht mehr allzu weit.
Versteht sich Gott auf rechten Streit,
so soll er mich zum Gral ernennen.
Fürwahr, sie sollen bald mich kennen:
Wer Kampf sucht, findet ihn bei mir —
Herr, sprach der Wirt, dort müßtet Ihr
vor zu hochfahrendem Gebaren
mit sanftem Willen Euch bewahren.
In Demut still Euch zu bescheiden,
möcht' Eurer Jugend leicht entleiden.
Doch Hoffart kam zu Fall von je. —
Sein Auge überquoll vom Weh,
das ihm die Märe brachte,
die er zu künden dachte.

Dann sprach er noch von Tränen naß:
Es war ein König Anfortas
und ist noch heut. Mich Armen
und Euch muß stets erbarmen
die herzergreifend grimme Not,
die Hoffart ihm zum Lohne bot.
So hat die Jugend und die Macht
an ihm der Welt viel Leid gebracht
und daß er warb um Minne,
doch nicht mit keuschem Sinne. . . .
Bis heut verwehrt mit Heldenkraft
den Gral die werte Bruderschaft
dem Volk aus allen Gauen,
und keiner durft' ihn schauen,
der nicht des Grales Ruf vernahm.
Ein einzger Unberufner kam;
das war ein töricht junger Gast.

Der trug mit fort der Sünde Last,
daß er kein Wort des Mitleids sprach
bei seines Wirtes Ungemach.
Traun, ich will niemand schelten;
doch mög' er's noch entgelten,
daß er den Wirt nicht mochte fragen,
den Gottes Hand so schwer geschlagen ...

Herr und lieber Ohm, vernehmt!
Begann nun Parzival beschämt,
getraut' ich mir's vor Scham zu sagen,
möcht' ich Euch meinen Kummer klagen.
Zeigt gütge Nachsicht meinem Leid,
da Ihr doch meine Zuflucht seid.
Ich bin so sehr zu schelten;
laßt Ihr's mich streng entgelten,
so bleib' ich alles Trostes bar,
bleib' unerlöst auf immerdar
von Herzenspein und Reue.
Nun ratet mir in Treue,
klagt menschlich meine Torheit mit!
Der einst nach Munsalväsche ritt,
der dort die große Trübsal schaute
und doch sich nicht zu fragen traute
und seitdem trägt der Sünde Lohn,
das bin ich selbst, ich Unglückssohn! —

Was sagst du, Neffe? rief im Leide
der Wirt, dann mögen wohl wir beide
herzlichen Klageruf erheben
und allen Freuden Abschied geben.
Wie ließest du dein Glück entfliehn!
Fünf Sinne hat dir Gott verliehn;
sie dachten wenig, dir zu dienen.
Wie ward dein fühlend Herz von ihnen
so schlecht bewahrt in jener Stunde
bei Anfortas und seiner Wunde!
Doch will ich Rat dir nicht versagen;
du selber auch sollst nicht verzagen.
Macht dir mein Wort die Seele kühn
und deine Jugend wieder grün,
daß du des Herzens Unmut stillst
und nicht an Gott verzweifeln willst,
darfst auf Ersatz du freudig hoffen,
und Gottes Gnaden stehn dir offen.

(Übersetzt von W. Hertz)

[11] Der Nibelunge nôt

Nibelungenlied

Auf der Kampfstätte in der Halle am Hunnenhof sind nach blutigen Gemetzel nur noch Gunther und Hagen übriggeblieben. Dietrich sucht sie zusammen mit Hildebrand auf und hält ihnen ihre Untaten vor. Dann fordert er sie auf, sich gegen freies Geleit in ihre Heimat zu ergeben. Als Hagen das Angebot ablehnt, beginnt Dietrich den Kampf, in dem Hagen verwundet wird.

2353 Hagenen bant dô Dietrîch und fuort' in, dâ er vant
   die edeln küneginne, und gab ir bî der hant
   den küenesten recken, der ie swert getruoc.
   nâch ir vil starkem leide dô wart si vrœlîch genuoc.

2354 Vor liebe neic dem degene daʒ Etzelen wîp:
   »immer sî dir sælic dîn herze und ouch dîn lîp.
   du hâst mich wol ergetzet aller mîner nôt.
   daʒ sol ich immer dienen, mich ensûme's der tôt.«

2355 Dô sprach der herre Dietrîch: »ir sult in lân genesen,
   edeliu küneginne. und mac daʒ noch gewesen,
   wie wol er iuch ergetzet, daʒ er iu hât getân!
   er sol des niht engelten, daʒ ir in seht gebunden stân.«

2356 Dô hieʒ si Hagenen füeren an sîn ungemach,
   dâ er lac beslozzen unt dâ in niemen sach.
   Gunther der künec edele rüefen dô began:
   »war kom der helt von Berne? der hât mir leide getân.«

2357 Dô gie im hin engegene der herre Dietrîch.
   daʒ Guntheres ellen daʒ was vil lobelîch:
   done beit ouch er niht mêre, er lief her für den sal.
   von ir beider swerten huop sich ein grœʒlîcher schal.

2358 Swie vil der herre Dietrîch lange was gelobet,
   Gunther was sô sêre erzürnet und ertobet,
   wand' er nâch starkem leide sîn herzevîent was:
   man saget eʒ noch ze wunder, daʒ dô her Dietrîch genas.

2359 Ir ellen und ir sterke beide wâren grôʒ.
   palas unde türne von den slegen dôʒ,
   dô si mit swerten hiuwen ûf die helme guot.
   eʒ het der künec Gunther einen hêrlîchen muot.

2360 Sît twang in der von Berne, sam Hagenen ê geschach.
   daʒ bluot man durch die ringe dem helde vliezen sach
   von einem scharpfen swerte: daʒ truoc her Dietrîch.
   dô het gewert her Gunther nâch müede lobelîche sich.

2361 Der herre wart gebunden   von Dietrîches hant,
     swie künege niene solden   lîden solhiu bant.
     er dâht', ob er si lieze,   den künec und sînen man,
     alle, die si fünden,   die müesen tôt vor in bestân.

2362 Dietrîch von Berne   der nam in bî der hant:
     dô fuort' er in gebunden,   da er Kriemhilde vant.
     dô was mit sînem leide   ir sorgen vil erwant.
     si sprach: »willekomen Gunther   ûzer Burgonden lant.«

2363 Er sprach: »ich solde iu nîgen,   vil edele swester mîn,
     ob iuwer grüezen möhte   genædeclîcher sîn.
     ich weiz iuch, küneginne,   sô zornec gemuot,
     daz ir mich und Hagenen   vil swache grüezen getuot.«

2364 Dô sprach der helt von Berne: »vil edeles küneges wîp,
     ez enwart nie gîsel mêre   sô guoter ritter lîp,
     als ich iu, vrouwe hêre,   an in gegeben hân:
     nu sult ir die ellenden   mîn vil wol geniezen lân.«

2365 Si jach, si tæt' ez gerne.   dô gie her Dietrîch
     mit weinenden ougen   von den helden lobelîch.
     sît rach sich grimmeclîchen   daz Etzelen wîp:
     den ûz erwelten degenen   nam si beiden den lîp.

2366 Si lie si ligen sunder   durch ir ungemach,
     daz ir sît dewedere   den andern nie gesach,
     unz si ir bruoder houbet   hin für Hagenen truoc.
     der Kriemhilde râche   wart an in beiden genuoc.

2367 Dô gie diu küneginne,   dâ si Hagenen sach.
     wie rehte fîentlîche   si zuo dem recken sprach!
     »welt ir mir geben widere,   daz ir mir habt genomen,
     sô muget ir noch wol lebende   heim zen Burgonden komen.«

2368 Dô sprach der grimme Hagene: »diu rede ist gar verlorn,
     vil edeliu küneginne.   jâ hân ich des gesworn,
     daz ich den hort iht zeige,   die wîle daz si leben,
     deheiner mîner herren,   sô sol ich in niemen geben.«

2369 »Ich bringe'z an ein ende«,   sô sprach daz edel wîp.
     dô hiez si ir bruoder   nemen sâ den lîp.
     man sluoc im abe daz houbet: bî hâre si ez truoc
     für den helt von Tronege.   dô wart im leide genuoc.

2370 Alsô der ungemuote   sîns herren houbet sach,
wider Kriemhilde   dô der recke sprach:
»du hâst eʒ nâch dîm' willen   z'einem ende brâht,
und ist ouch rehte ergangen,   als ich mir hête gedâht.

2371 Nu ist von Burgonden   der edel künec tôt,
Gîselher der junge,   und ouch her Gêrnôt.
den schaz den weiʒ nu niemen   wan got unde mîn:
der sol dich, vâlandinne,   iemer wol verholen sîn.«

2372 Si sprach: »sô habt ir übele   geltes mich gewert.
sô wil ich doch behalten   daʒ Sîfrides swert.
daʒ truoc mîn holder vriedel,   do ich in jungest sach,
an dem mir herzeleide   von iuwern schulden geschach.«

2373 Si zôch eʒ von der scheiden: daʒ kunde er niht erwern.
dô dâhte si den recken   des lîbes behern.
si huob eʒ mit ir handen,   daʒ houpt si im abe sluoc.
daʒ sach der künec Etzel: dô was im leide genuoc.

2374 »Wâfen«, sprach der fürste,   »wie ist nu tôt gelegen
von eines wîbes handen   der aller beste degen,
der ie kom ze sturme   oder ie schilt getruoc!
swie vîent ich im wære,   eʒ ist mir leide genuoc.«

2375 Dô sprach der alde Hildebrant: »ja geniuʒet si es niht,
daʒ si in slahen torste.   swaʒ halt mir geschiht,
swie er mich selben bræhte   in angestlîche nôt,
iedoch sô wil ich rechen   des küenen Tronegæres tôt.«

2376 Hildebrant mit zorne   zuo Kriemhilde spranc,
er sluoc der küneginne   einen swæren swertes swanc.
jâ tet ir diu sorge   von Hildebrande wê.
waʒ mohte si gehelfen,   daʒ si sô grœʒlîchen schrê?

2377 Dô was gelegen aller   dâ der veigen lîp.
ze stücken was gehouwen   dô daʒ edele wîp.
Dietrîch und Etzel   weinen dô began:
si klageten inneclîche   beidiu mâge unde man.

2378 Diu vil michel êre   was dâ gelegen tôt.
die liute heten alle   jâmer unde nôt.
mit leide was verendet   des küneges hôchgezît,
als ie diu liebe leide   z'aller jungeste gît.

2379 I'ne kan iu niht bescheiden,   was sider dâ geschach:
wan ritter unde vrouwen   weinen man dâ sach,
dar zuo die edeln knehte,   ir lieben friunde tôt.
hie hât daʒ mære ein ende: daʒ ist der Nibelunge nôt.

GOTTFRIED VON STRASSBURG · *Tristan und Isolde*

Der edele senedaere	Wer sehnend liebt mit edlem Sinne,
der minnet senediu maere.	minnt Sang von Sehnen und von Minne.
von diu swer seneder maere ger,	Wer solcher Mären trägt Begier,
der envar niht verrer danne her;	der fahr' nicht weiter als her zu mir,
ich wil in wol bemaeren	da ich ihm zu berichten weiß
von edelen senedaeren,	eines edlen Paares Liebespreis,
die reine sene wol tâten schîn:	dem reine Minn' erfüllt den Sinn:
ein senedaere und ein senedaerîn,	ein Minner, eine Minnerin,
ein man ein wîp, ein wîp ein man,	ein Mann ein Weib, ein Weib ein Mann,
Tristan Isolt, Isolt Tristan ...	Tristan Isold, Isold Tristan.

Tristan hält als Brautwerber am irischen Hof für König Marke um Isoldens Hand an. Auf der Heimfahrt trinken er und Isolde versehentlich den Liebestrank, den die Königin der Vertrauten ihrer Tochter, Brangäne, mitgegeben hatte. Dadurch entbrennen sie in unlöschbarer Liebe zueinander.

Hie mite strichen die kiele hin.
si beide hæten under in
guoten wint und guote var.
nu was diu fröuwîne schar,
Îsôt und ir gesinde,
in wazzer unde in winde
des ungevertes ungewon.
unlanges kâmen sî dâvon
in ungewonlîche nôt.
Tristan, ir meister, dô gebôt,
daz man ze lande schielte
und eine ruowe hielte.
nu man gelante in eine habe,
nu gie daz volc almeistec abe
durch banekîe ûz an daz lant;
nu gie ouch Tristan zehant
begrüezen unde beschouwen
die liehten sîne frouwen;
und alse er zuo ir nider gesaz
und redeten diz unde daz
von ir beider dingen,
er bat im trinken bringen.
nune was dâ nieman inne
âne die küneginne
wan kleiniu juncrföuwelîn.
der einez sprach: »seht, hie stât wîn
in disem vezzelîne.«

nein, ezn was niht mit wîne,
doch ez ime gelîch wære,
ez was diu wernde swære,
diu endelôse herzenôt,
von der si beide lâgen tôt.
nu was aber ir daz unerkant:
si stuont ûf und gie hin zehant,
dâ daz tranc und daz glas
verborgen unde behalten was.
Tristande, ir meister, bôt si daz:
er bôt Îsôte vürbaz.
si tranc ungerne und über lanc
und gap dô Tristande unde er tranc
und wânden beide, ez wære wîn.
inmitten gienc ouch Brangæne în
und erkande daz glas
und sach wol, waz der rede was:
si erschrac so sêre unde erkam,
daz ez ir alle ir kraft benam
und wart rehte alse ein tôte var.
mit tôtem herzen gie si dar;
si nam daz leide, veige vaz,
si truoc ez dannen und warf daz
in den tobenden, wilden sê:
»ouwê mir armen«, sprach si,
ouwê Tristan und Îsôt,   [»ouwê!...
diz tranc ist iuwer beider tôt.«

Nû daʒ diu maget unde der man,
Isôt unde Tristan,
den tranc getrunken beide, sâ
was ouch der werlde unmuoʒe dâ,
Minne, aller herzen lâgærin,
und sleich zir beider herzen în.
ê sîs ie wurden gewar,
dô stieʒ sir sigevaten dar
und zôch si beide in ir gewalt:
si wurden ein und einvalt,
die zwei und zwîvalt wâren ê;
si zwei enwâren dô niemê
widerwertic under in:

Isôte haʒ der was dô hin.
diu süenærinne Minne
diu hæte ir beider sinne
von haʒʒe alsô gereinet,
mit liebe alsô vereinet,
daʒ ietweder dem andern was
durchlûter alse ein spiegelglas.
si hæten beide ein herze,
ir swære was sîn smerze,
sîn smerze was ir swære;
si wâren beide einbære
an liebe unde an leide...

[13] **Swer guotes wîbes minne hât**

HEINRICH VON MORUNGEN · *In so hohen Seligkeiten*

In sô hôhe swebender wunne
    sô gestuont mîn herze an fröuden nie.
ich var alse ich fliegen kunne
    mit gedanken iemer umbe sie,
sît daʒ mich ir trôst enpfie,
    der mir durch die sêle mîn
    mitten in daʒ herze gie.

Swaʒ ich wunneclîches schouwe,
    daʒ spil gegen der wunne die ich hân.
luft und erde, walt und ouwe,
    suln die zît der fröude mîn enpfân.
mir ist komen ein hügender wân
    unde ein wunneclîcher trôst
    des mîn muot sol hôhe stân.

Wol dem wunneclîchen mêre,
    daʒ sô suoʒe durch mîn ôre erklanc,
und der sanfte tuonder swêre,
    diu mit fröuden in mîn herze sanc,
dâ von mir ein wunne entspranc
    diu vor liebe alsam ein tou
    mír ûʒ von den ougen dranc.

Sêlic sî diu süeʒe stunde,
    sêlic sî diu zît, der werde tac,
dô daʒ wort gie von ir munde,
    daʒ dem herzen mîn sô nâhen lac,
daʒ mîn lîp von fröude erschrac,
    unde enweiʒ vor wunne joch
    waʒ ich von ir sprechen mac.

In so hohen Seligkeiten
  wogte freudig mir die Brust noch nie.
Kreisend wie auf Flügelspreiten
  schweb ich in Gedanken stets um sie,
seit sie mir den Trost verlieh,
  der mir in die Seele ging
  und mein Herz zwang auf die Knie.

Alle Wonne rings im Kreise
  spiegle wider meine Fröhlichkeit.
Stimmet ein in meine Weise,
  Luft und Erde, Wald und Feldgebreit,
teilet meine gute Zeit!
  Hell in einem Hoffnungswahn
  schwelgt mein Herz, zum Glück bereit.

Preis dem Wort, dem wonnereichen,
  das so süß mir in den Ohren sang,
Preis der Leidlust ohnegleichen,
  die mein Blut bewegt voll Überschwang!
Freude mir daraus entsprang,
  die als frischer Liebestau
  hell aus meinen Augen drang.

Segen sei der süßen Stunde,
  Segen sei dem lichten Frühlingstag,
wo mir klang von ihrem Munde,
  was ich nimmermehr vergessen mag,
daß vor lauter Jubel zag
  meine Zunge kaum noch weiß,
  was sie ihr zum Lobe sag.

(Übertragen von K. E. Meurer)

WALTHER VON DER VOGELWEIDE · *So die Blumen*

Sô die bluomen ûz dem grase dringent,
  same si lachen gegen der spilnden sunnen,
  in einem meien an dem morgen fruo,
und diu kleinen vogellîn wol singent
  in ir besten wîse die si kunnen,
  waz wünne mac sich dâ gelîchen zuo?
ez ist wol halb ein himelrîche.
  suln wir sprechen waz sich deme gelîche,
  sô sage ich waz mir dicke baz
  in mînen ougen hât getân,
    und tæte ouch noch, gesæhe ich daz.

Swâ ein edeliu schœne frowe reine,
　　wol gekleidet unde wol gebunden,
　　dur kurzewîle zuo vil liuten gât,
hovelîchen hôhgemuot, niht eine,
　　umbe sehende ein wênic under stunden,
　　alsam der sunne gegen den sternen stât, —
der meie bringe uns al sîn wunder,
　　waʒ ist dâ sô wünneclîches under,
　　als ir vil minneclîcher lîp?
　　wir lâʒen alle bluomen stân,
　　　　und kapfen an daʒ werde wîp.

Nû wol dan, welt ir die wâhrheit schouwen!
　　gên wir zuo des meien hôhgezîte!
　　der ist mit aller sîner krefte komen.
seht an in und seht an schœne frouwen,
　　wederʒ dâ daʒ ander überstrîte:
　　daʒ beʒʒer spil, ob ich daʒ hân genomen.
owê der mich dâ welen hieze,
　　deich daz eine dur daz ander lieʒe,
　　wie rehte schiere ich danne kür!
　　hêr Meie, ir müeset merze sîn,
　　　　ê ich mîn frowen dâ verlür.

Walther von der Vogelweide · *Frau vernehmet*

Frowe, vernemt dur got von mir diʒ mære:
　　ich bin ein bote und sol iu sagen,
ir sünt wenden einem rittêr swære,
　　der si lange hât getragen.
daʒ sol ich iu künden sô:
　　ob ir in welt frœiden rîchen,
　　sicherlichen
　　des wirt manic herze frô.

Frowe, enlât iuch des sô niht verdrieʒen,
　　ir engebt im hôhen muot.
des mugt ir und alle wol genieʒen,
　　den ouch frœide sanfte tuot.
dâ von wirt sîn sin bereit,
　　ob ir in ze frœiden bringet,
　　daʒ er singet
　　iuwer êre und werdekeit.

Frowe, sendet im ein hôhgemüete,
　　sît an iu sîn frœide stât.
er mac wol genieʒen iuwer güete,
　　sît diu tugent und êre hât.

frowe, gebt im hôhen muot.
welt ir, sîn trûren ist verkêret,
daʒ in lêret
daʒ er daʒ beste gerne tuot.

'Jâ möhte ich michs an in niht wol gelâʒen,
daʒ er wol behüete sich.
krumbe wege die gênt bî allen strâʒen:
dâ vor, got, behüete mich.
ich wil nâch dem rehten varn,
ze leide im der mich anders lêre.
swar ich kêre,
dâ müeʒe mich doch got bewarn.'

WALTHER VON DER VOGELWEIDE · *Unter der Linde*

Under der linden
an der heide,
dâ unser zweier bette was,
dâ mugt ir vinden
schône beide
gebrochen bluomen unde gras.
vor dem walde in einem tal —
tandaradei!
schône sanc diu nahtegal.

Ich kam gegangen
zuo der ouwe,
dô was mîn friedel komen ê.
dâ wart ich enpfangen,
hêre frouwe,
daʒ ich bin sælic iemer mê.
kust er mich? wol tûsentstunt!
tandaradei!
seht, wie rôt mir ist der munt.

Dô het er gemachet
alsô rîche
von bluomen eine bettestat.
des wirt noch gelachet
inneclîche,
kumt iemen an daʒ selbe pfat.
bî den rôsen er wol mac —
tandaradei!
merken, wâ mirz houbet lac.

Daz er bî mir læge,
wesseʒ iemen,
—nu enwelle got—sô schamt ich mich,
wes er mit mir pflæge,
niemer niemen
bevinde daʒ wan er unt ich
und ein kleineʒ vogellîn!
tandaradei!
daʒ mac wol getriuwe sîn.

[14] **Des Reiches Not**

WALTHER VON DER VOGELWEIDE · *Klagegedicht*

Ich saʒ ûf eime steine
und dahte bein mit beine,
dar ûf satzt' ich den ellenbogen;
ich hete in mîne hant gesmogen
daʒ kinne und ein mîn wange.

dô dâhte ich mir vil ange,
wie man zer werlte solte leben;
deheinen rât kond' ich gegeben,
wie man driu dinc erwurbe,
der deheineʒ niht verdurbe.
diu zwei sint êre und varnde guot,
der ietwederʒ dem andern schaden tuot;
daʒ dritte ist gotes hulde,
der zweier übergulde.
die wolte ich gern in einen schrîn.
jâ leider des'n mac niht gesîn,
daʒ guot und werltlich êre
und gotes hulde mêre
zesamene in ein herze komen.
stîg' unde wege sint in benomen:
untriuwe ist in der sâʒe,
gewalt vert ûf der strâʒe,
fride unde reht sint sêre wunt:
diu driu enthabent geleites niht, diu zwei enwerden ê gesunt.

WALTHER VON DER VOGELWEIDE · *Elegie*

Owê war sint verswunden alliu mîniu jâr!
ist mir mîn leben getroumet, oder ist eʒ wâr?
daʒ ich ie wânde eʒ wære, was daʒ alles iht?
dar nâch hân ich geslâfen und enweiʒ es niht.
nû bin ich erwachet, und ist mir unbekant,
daʒ mir hie vor was kündic als mîn ander hant.
liut unde lant, dâr inn ich von kinde bin erzogen,
die sint mir worden frömde, reht als eʒ sî gelogen.
die mîne gespilen wâren, die sint træge unt alt.
vereitet ist daʒ velt, verhouwen ist der walt.
wan daʒ daʒ waʒʒer fliuʒet, als eʒ wîlent flôʒ,
für wâr mîn ungelücke wânde ich wurde grôʒ.
mich grüeʒet maneger trâge, der mich bekande ê wol.
diu welt ist allenthalben ungenâden vol.
als ich gedenke an manegen wünneclîchen tac,
die mir sint enpfallen als in daʒ mer ein slac:
iemer mêre ouwê!

Owê wie jæmerlîche junge liute tuont,
den ê vil hovelîchen ir gemüete stuont!
die kunnen niuwan sorgen. ouwê wie tuont si sô!
swar ich zer werlte kêre, dâ ist nieman frô.
tanzen, lachen, singen zergât mit sorgen gar;
nie kein kristenman gesach sô jæmerlîche schar.

nû merkent, wie den frouwen ir gebende stât;
die stolzen ritter tragent an dörpellîche wât.
uns sint unsenfte brieve her von Rôme komen,
uns ist erloubet trûren und fröide gar benomen.
daʒ müet mich inneclîchen — wir lebten ie vil wol —
daʒ ich nû für mîn lachen weinen kiesen sol.
die vogel in der wilde betrüebet unser klage.
waʒ wunders ist, ob ich dâ von an fröiden gar verzage?
wê waʒ spriche ich tumber man durch mînen bœsen zorn?
swer dirre wünne volget, der hât jene dort verlorn
iemer mêr ouwê.

Owê wie uns mit süeʒen dingen ist vergeben!
ich sihe die gallen mitten in dem honege sweben.
diu Welt ist ûʒen schœne, wîʒ, grüen unde rôt,
und innân swarzer varwe, vinster sam der tôt.
swen si nû habe verleitet, der schouwe sînen trôst:
er wirt mit swacher buoʒe grôʒer sünde erlôst.
dar an gedenket, ritter! eʒ ist iuwer dinc.
ir tragent die liehten helme und manegen herten rinc,
dar zuo die vesten schilte und diu gewîhten swert.
wolte got, wan wær ich der sigenünfte wert!
sô wolte ich nôtic armman verdienen rîchen solt.
joch meine ich niht die huoben noch der hêrren golt.
ich wolte sælden krône êweclîchen tragen,
die mohte ein soldenære mit sîme sper bejagen.
möht ich die lieben reise gevaren über sê,
sô wolte ich denne singen wol, und niemer mêr ouwê,
niemer mêr ouwê.

Herbst des Mittelalters

[15] **Minnesangs Ende**

Neidhart von Reuental · *Wintertanz*

Rûmet ûʒ die schämel und die stüele!
heiʒ die schragen
vürder tragen!
hiute sul wir tanzens werden müeder.
Werfet ûf die stuben, so ist eʒ küele
daʒ der wint
an diu kint
sanfte waeje durch diu übermüeder!

Sô die voretanzer danne swîgen,
sô sult ir alle sîn gebeten,
daʒ wir treten
aber ein hovetänzel nâch der gîgen.

Los ûʒ! ich hoer in der stuben tanzen.
junge man,
tuot iuch dan!
da ist der dorfwîbe ein michel trünne.
Dâ gesach man michel ridewanzen.
zwêne gigen:
dô si swigen,
daʒ was geiler getelinge wünne.
Seht, dô wart ze zeche vor gesungen.
durch diu venster gie der galm.
Adelhalm
tanzet niwan zwischen zweien jungen.

Gesâht ir ie gebûren sô gemeiten
als er ist?
wiʒʒe krist!
er ist al ze vorderst anme reien.
Einen veʒʒel zweier hende breiten
hât sîn swert.
harte wert
dunket er sich sîner niuwen treien.
diust von kleinen vier und zweinzec tuochen.
die ermel gênt im ûf die hant.
sîn gewant
sol man an eim oeden kragen suochen.

[16] Bauer und Rittersmann

WERNHER DER GARTENAERE · *Meier Helmbrecht*

Dô si dô mit freuden gâʒen,
der wirt niht wolte lâʒen,
er frâgte in der maere,
wie der hovewîse waere,
dâ er waere gewesen bî.
»sage mir, sun, wie der sî;
sô sage ich dir denne,
wie ich etewenne
bî mînen jungen jâren
die liute sach gebâren.«

»vater mîn, daʒ sage mir,
zehant sô wil ich sagen dir,
swes dû mich frâgen wil.
der niuwen site weiʒ ich vil.«
»Wîlen dô ich was ein kneht
und mich dîn ene Helmbreht,
der mîn vater was genant,
hin zu hove hêt gesant
mit kaesen unde mit eier,
als noch tuot ein meier,

dô nam ich der ritter war
und merkte ir geverte gar.
si wâren hovelîch unde gemeit
und kunden niht mit schalcheit,
als nû bî disen zîten kan
manec wîp und manec man.
die riter hêten einen site,
dâ liebtens sich den frouwen mite:
einez ist buhurdieren genant,
daz tete ein hoveman mir bekant,
dô ich in frâgte der maere,
wie ez genennet waere.
si fuoren sam si wolden toben
(dar umbe hôrte ich si loben),
ein schar hin, diu ander her.
ez fuor diser unde der,
als er enen wolde stôzen.
under mînen genôzen
ist ez selten geschehen,
daz ich ze hove hân gesehen.
als sie danne daz getâten,
einen tanz si dô trâten
mit hôchvertigem sange,
daz kurzte die wîle lange.
vil schiere kom ein spilman,
mit sîner gîgen huob er an.
dô stuonden ûf die frouwen
die möhte man gerne schouwen,
die ritter gegen in giengen,
bî handen si si viengen.
dâ was wunne überkraft
von frouwen unde von ritterschaft
in süezer ougenweide.
juncherren unde meide
si tanzten froelîche,
arme unde rîche.
als des danne nimmer was,
sô gie dar einer unde las
von einem, der hiez Ernest.
swaz ieglîcher aller gernest
wolde tuon, daz vand er.
dô schôz aber der ander
mit dem bogen zuo dem zil.
maneger freuden was dâ vil.
ener jeite, dieser birste.
der dô was der wirste,

der waere nû der beste.
wie wol ich etewenne weste,
waz triuwe und êre mêrte,
ê valscheit ez verkêrte!
die valschen und die lôsen,
die diu reht verbôsen
mit ir listen kunden,
die herren in dô niht gunden
dâ ze hove der spîse.
der ist nû der wîse,
der lôsen unde liegen kan,
der ist zu hove ein werder man
und hât guot und êre
leider michels mêre,
danne ein man, der rehte lebet
und nâch gotes hulden strebet.
als vil weiz ich der alten site.
sun, nu êre mich dâ mite.
und sage mir die niuwen.«
»Daz tuon ich entriuwen.
daz sint nû hovelîchiu dinc:
trinkâ, herre, trinkâ trinc!
trink daz ûz, sô trinke ich daz.
wie möhte uns immer werden baz?
vernim, waz ich bediute.
ê vant man werde liute
bî den schoenen frouwen:
nû muoz man si schouwen
bî dem veilen wîne.
daz sint die hoehsten pîne
den âbent und den morgen,
wie si daz besorgen,
ob des wînes zerinne,
wie der wirt gewinne
einen der sî alsô guot,
dâ von si haben hôhen muot.
daz sint nû ir brieve von minne:
›vil süeziu lîtgebinne,
ir sult füllen uns den maser!
ein affe und narre waser,
der ie gesente sînen lîp
für guoten wîn umbe ein wîp.‹
swer liegen kan, der ist gemeit,
triegen daz ist hoevescheit.
er ist gefüege, swer den man
mit guoter rede versnîden kan.

swer schiltet schalclîche,
der ist nû tugentrîche.
der alten leben, geloubet mir,
die dâ lebent alsam ir,
die sint nû in dem banne
und sint wîbe und manne
ze genôze alsô maere
als ein hâhaere.
âht und ban, daʒ ist ein spot.«
Der alte sprach: »daʒ erbarme got
und sî im immer gekleit,
daʒ diu unreht sint sô breit!
die alten turnei sint verslagen,

und sint die niuwen für getragen.
wîlen hôrt man kroyieren sô:
›heyâ, ritter, wis et frô!‹
nû kroyiert man durch den tac:
›jagâ ritter, jagâ jac!
stichâ stich! slahâ slach!
stümbel den, der ê gesach!
slach mir disem abe den fuoʒ!
tuo mir dem der hende buoʒ!
dû solt mir disen hâhen
und enen rîchen vâhen!
der gît uns wol hundert phunt.‹
mir sint die site alle kunt...«

[17] Das volkstümliche Lied

Winterreis

Es ist ein reis entsprungen
auß einer wurzel zart,
als uns die alten sungen,
auß Jesse kam die art
und hat ein blümlein bracht
mitten im kalten Winter
wol zu der halben nacht.

Das reislein, das ich meine,
darvon Esaias sagt,
hat uns gebracht alleine
Mari, di reine magd:
aus gottes ewgem rat
hat sie ein kind geboren
wol zu der halben nacht.

Erntelied

Es ist ein Schnitter, heißt der Tod,
hat Gewalt vom großen Gott,
heut wetzt er das Messer,
es schneid't schon viel besser,
bald wird er drein schneiden,
wir müssen's nur leiden.
Hüt dich, schöns Blümelein!

Viel hunderttausend ungezählt
da unter die Sichel hinfällt:
rot Rosen, weiß Lilgen,
beid wird er austilgen!
ihr Kaiserkronen,
man wird euch nicht schonen.
Hüt dich, schöns Blümelein!

Was heut noch grün und frisch da
wird morgen weggemäht: [steht,
die edel Narzissel,
die englische Schlüssel,
die schön Hyazinth,
die türkische Bind.
Hüt dich, schöns Blümelein!

Trutz, Tod! komm her, ich fürcht dich
trutz! komm und tu ein Schnitt. [nit,
Wenn er mich verletzet,
so werd ich versetzet,
ich will es erwarten,
in himmlischen Garten.
Freu dich, schöns Blümelein!

Verschneiter Weg

Es ist ein schne gefallen,
und ist es doch nit zeit,
man wirft mich mit den pallen,
der Weg ist mir verschneit.

Mein haus hat keinen gibel,
es ist mir worden alt,
zerbrochen sind die rigel,
mein stüblein ist mir kalt.

Ach lieb, laß dichs erparmen,
daß ich so elend pin,
und schleuß mich in dein arme!
so fert der winter hin.

Laß rauschen

Ich hort ein sichellin rauschen
und klingen wohl durch das korn,
ich hort eine feine magt klagen,
sie het ir lieb verlorn.

La rauschen, lieb, la rauschen!
ich acht nit, wie es ge;
ich hab mir ein bulen erworben
in feiel und grünen kle.

Hast du ein bulen erworben
in feiel und grünen kle,
so ste ich hie alleine,
tut meinem herzen we.

[18] **Volkspredigt**

BERTHOLD VON REGENSBURG · *Von den zwei Büchern*

Uns hât der allmehtige got zwei grôziu buoch gegeben, dâ wir an lesen
suln und lernen guotiu ding und nütziu ding, der uns zuo lîbe und zuo sele
nôt ist. Wanne der allmehtige got hât uns alliu ding zuo nutze und zuo
guote geschaffen, einhalp zuo dem lîbe und anderhalp zuo der sêle. Und
alsô hât er uns die sternen gegeben an dem himel und allez daz ûf ertrîch
ist und wie ir iu daz nütze machen sült an der sêle. Und dâ von sult ir
lesen an iuwern buochen, an dem himel und an der erden. Ir sult an der
erden lernen und an boumen und an dem korne und an den bluomen und
an dem grase. Alt tet der guote sant Bernhart.

Ich suoche den gehiuren
an allen crêatiuren.

Sô möhten alle crêatiure wol sprechen, ob sie künden sprechen, unser
vil manicvaltiu wunder enhaben wir von uns selber nit, wir haben sie von
dem, des dîn sêle gernde ist.

> Sô suoche ich den gehiuren
> an allen crêatiuren,
> an aller vögelin sange
> und aller seiten clange.

Sô möhte aller vögelin sange und harpfen clange wol sprechen, ob sie künden sprechen, unser manicvalte wünneclîche stimme und unser süezen stimme die habent wir von uns selber niht, wir habent sie von dem, des diu sêle begernde ist.

> Ich suoche den gehiuren
> an allen creatiuren,
> an aller bluomen varwe
> und aller wurze crefte.

Sô möhten vil wol sprechen bluomen unde wurze, ob sie künden sprechen, unser maniger ley liehte varwe und unser wünneclîche süeze craft die habent wir von uns selber niht, wir habent sie von dem, des dîn sêle begernde ist. Und alsô hat der almehtige got alle ding dem menschen zuo dienste und zuo nutze geschaffen zuo dem lîbe und zuo der sêle. Wan swenne du eine bluomen sihst, diu schœner ist danne diu ander, sô soltu dir gedenken, ô wol dir, lieber got, wie schœne und genæme du ein bluomen wider die andern hâst geschaffen, und alsô hâst du einer wurz mêr craft gegeben danne der andern, und alsô hâst du einem menschen mê tugende gegeben danne dem andern, und des soltu got loben und êrn und solt im danken der manicvalten gnaden, die er an dir begangen hât, daz er dir als maniger hande crêatiure zuo dienste und zuo nutze hât beschaffen, einhalp zuo dem lîbe und anderhalp zuo der sêlen, als der guote sant Bernhart, dô man den frâgte, wie er als wîse wære, dô sprach er, ich lern ez an den boumen.

Dâ mügt ir gar vil an lernen gouter dinge. Wan die buome glîchent den liuten und die liute den buomen, und dâ von sprichet ein heilige: sie gênt sam die boume. Und ein wîser man siht an einem boume wol, ob er guot obz treit oder niht; ûzen an der rinden siht erz wol, ob halt niergent kein obz an dem boume ist noch deheiniu bluot. Und alsô siht ein wîse man wol an den liuten, weder sie tugendhaft sîn oder nit. Daz siht ein wîser man gar wol, ob du reine fruht in dînem herzen treist, daz ist reine tugent, diu got liep ist. Und als du einen boum sihst, der guot obz treit, sô solt du dir gedenken, ôwê, lieber herre, wan wær ich sô tugenthaft, daz ich dir wol geviele an mînen tugenden, als daz obz den liuten gevellet. Und alsô sult ir iuch flîzen, daz ir den edelen boumen glîchet. Ir sült iuch an guoten gedanken üeben, als die boume mit der blüete. Swanne ein boum gout obz tragen wil, sô muoz er des êrsten blüewen mit edeler blüete, und dar nâch treit er obz, daz die liute labt. Und alsô soltu dich mit gedanken üeben mit guoten dingen, wanne swer guote gedanke hât, der sol die gedanke mit guoten werken volle füeren, daz die liute labt, daz diu edele bluot iht verderbe; so gevellest du gote wol.

Du solt ouch ûzen an der rinden nit gar zuo hôhvertig sîn mit gewande und mit gebærden. Etliche boume die sint ûzen an der rinden gar sleht und bringent niemer deheine guote fruht, als die aspen und die birken und eteliche ander boume. Sô sint eteliche, die habent bleter, diu klaffent alle zît, und die selben boume bezeichent die liute, die dâ vil geklaffent und die dâ unnützelîchen redent. Daz ist gar eine grôze missetât. Daz ist liegen und triegen und nachreden und ander bœse zungen.

Und daz ir der zungen gar flîzeclîchen hüeten sult gar wol vor unnützen worten, daz hât uns got erzöugt an zwein dingen an uns selber. Daz ein ist: ir seht wol, daz der almehtige got aller der glider mer uns gegeben hât, wan der zungen. Er hât uns zwei ougen, er hât uns zwei ôrn gegeben, zwei türlîn an der nâsen, zwô hende und zwên füeze, und danne an den henden zehen vinger, und zehen zêhen an den füezen. Sô hât er uns niuwen eine zungen gegeben. Dâ mit sîn wir gemant, daz wir nit zuo vil gesneren suln und gebrehten. Nu seht ir wol, wie die geistlîchen liute orden haben in klôstern, daz die niemer geturrent gereden in sumelîchen orden, wan als man in erloubt. Dâ mit uns ouch erzöuget ist, daz wir nit vil gereden süllen. Und als du ein unnütze rede wellest tuon, sô gedenke dar an, daz dir got niuwen eine zungen hât geben . . .

Und alsô sult ir an iuwern buochen lernen. Wan iu der almehtige got alle ding zuo nutze hât geschaffen, einhalp an dem libe und anderhalp an der sêle. Und dâ von wil ich iu ein letzen lesen oder sagen, die iu der almehtige got an dem himel hât geschriben, an daz buoch, daz ir bî der naht sult lesen. An der erden sult ir bî dem tage lesen an den nidern buochen, sô sult ir an den obern buochen bî der naht lesen an dem himel. Wanne der almehtige got gar vil wunders dar an geschriben, ob ir ez erkentet, daz iu allez gar nütze und guot ist zuo lîbe und zuo sêlen.

[19] **Geburt Gottes in der Seele**

MEISTER ECKHART · *Von der Abgeschiedenheit*

Wahre Abgeschiedenheit bedeutet, daß der Geist so unbeweglich steht in allem, was ihm widerfährt . . . wie ein breiter Berg unbeweglich steht in einem kleinen Winde. Diese unbewegliche Abgeschiedenheit macht am meisten den Menschen gottähnlich. Denn daß Gott Gott ist, das beruht auf seiner unbeweglichen Abgeschiedenheit: aus der fließt seine Lauterkeit, seine Einfachheit und seine Unwandelbarkeit. Soll also der Mensch Gott gleich werden (soweit einer Kreatur Gleichheit mit Gott zukommen kann), so kann es nur durch Abgeschiedenheit geschehen. Die versetzt dann den Menschen in Lauterkeit, und von dieser in Einfachheit, und von dieser in Unwandelbarkeit; und diese Eigenschaften bringen eine Gleichheit zwischen Gott und dem Menschen zustande. Durch Gnade muß diese Gleichheit zustande kommen: die nur erhebt den Menschen über das Zeitliche und läutert ihn von allem Vergänglichen . . .

In dieser unbeweglichen Abgeschiedenheit ist Gott ewiglich gestanden und steht er noch. Selbst da er Himmel und Erde schuf und alle Kreatur, das ging seine Abgeschiedenheit so wenig an, als ob er nie etwas geschaffen hätte. Ja, ich behaupte: alle Gebete und alle guten Werke, die der Mensch hier in der Zeit verrichten mag, von denen wird Gottes Abgeschiedenheit so wenig bewegt, als ob es so etwas gar nicht gäbe, und Gott wird gegen den Menschen deshalb um nichts milder und geneigter, als wenn er das Gebet oder gute Werk nie verrichtet hätte. Ja, selbst als der Sohn in der Gottheit Mensch werden wollte und ward und die Marter litt, das ging die unbewegliche Abgeschiedenheit Gottes so wenig an, als ob er niemals Mensch geworden wäre.

Nun könntest du sagen: Da höre ich ja, daß alles Gebet und alle guten Werke verloren sind, da Gott sich ihrer ja doch nicht annimmt, daß man ihn damit bestimmen könnte; und man sagt doch, Gott will um alles gebeten sein! — Hier mußt du wohl aufmerken und mich (ob du's vermöchtest) auch recht verstehen: mit einem ersten ewigen Blicke — wenn wir da einen ersten Blick annehmen sollen — schaute Gott alle Dinge, wie sie geschehen sollten, und schaute in demselben Blicke, wann und wie er die Kreatur schaffen würde; er schaute auch das geringste Gebet und gute Werk, das jemand verrichten würde, und er schaute, welches Gebet und welche Andacht er erhören würde; er sah, daß du ihn morgen dringlich anrufen und ernstlich bitten wirst; und dies Anrufen und Gebet wird Gott nicht erst morgen erhören, sondern er hat es erhört in seiner Ewigkeit, ehe du Mensch wurdest . . . So steht also Gott allezeit in seiner unbeweglichen Abgeschiedenheit; und ist doch darum der Leute Gebet und gute Werke nicht verloren, sondern wer gut tut, dem wird auch gut gelohnt . . . Aber wenn er uns zürnt oder uns etwas Liebes tut, so werden nur wir gewandelt: er bleibt unwandelbar; so wie der Sonnenschein den kranken Augen weh tut und den gesunden wohl, und dabei doch selber ungewandelt bleibt. Gott schaut nicht in die Zeit, und vor seinem Auge geschieht nichts Neues . . .

Nun zu der Frage, was der Gegenstand der lauteren Abgeschiedenheit sei? Nicht dies oder das ist ihr Gegenstand; sie geht auf ein reines Nichts, denn sie geht auf den höchsten Zustand, in welchem Gott ganz nach seinem Willen in uns walten kann . . .

Nun frage ich weiter: was ist des abgeschiedenen Herzens Gebet? Darauf antworte ich folgendermaßen: Abgeschiedenheit und Lauterkeit kann überhaupt nicht beten. Denn wer betet, der begehrt etwas von Gott, daß es ihm zuteil werde, oder er begehrt, daß Gott ihm etwas abnehme. Das abgeschiedene Herz begehrt aber nichts und hat auch nichts, dessen es gern ledig wäre. Darum steht es alles Gebetes ledig, und besteht sein Gebet nur darin: einförmig zu sein mit Gott . . .

Daß Gott in einem abgeschiedenen Herzen lieber ist wie in jedem anderen, das ersehen wir daraus. Fragst du mich nämlich: Was sucht Gott

in allen Dingen? so antworte ich dir mit dem Buche der Weisheit, wo er
sagt: In allen Dingen suche ich Ruhe! Nirgends ist volle Ruhe, als allein
in dem abgeschiedenen Herzen. Darum ist Gott lieber dort, als in irgend
einem anderen Wesen oder in irgend einer anderen Tugend ...

Darum ist Abgeschiedenhet das Allerbeste: denn sie reinigt die Seele,
läutert das Gewissen, entzündet das Herz und erweckt den Geist, sie gibt
dem Begehren Schnelle; sie übertrifft alle Tugenden: denn sie macht uns
Gott erkennen, sie scheidet das Kreatürliche ab und vereint die Seele
mit Gott ...

(Übersetzt von H. Büttner)

[20] **Geistliches Schauspiel**

Osterspiel von Einsiedeln

Maria-Magdalena:

> »Aber wir wollen gehen und zu seinem Grabhügel eilen.
> Wenn wir ihn als Lebenden geliebt haben,
> So wollen wir ihm auch als Toten Liebe erweisen.«

Sie mögen ALLE singen:

> »Wer wird uns den Stein zurückwälzen vom Eingang?«

Der Engel: »Wen sucht ihr, wen, ihr Weinenden?«

Die Frauen: »Wir — Jesum Christum.«

Wieder der Engel:

> »In Wahrheit, er ist nicht hier.«

Die Frauen mögen im Chore singen, während sie zurückkehren:

> »Zum Grabmal sind wir Klagenden gekommen,
> Wir sahen den Engel des Herrn sitzen,
> Der sagte, daß Jesus auferstanden sei!«

Die Frauen mögen sich zum Darsteller des Apostels Petrus wenden
und singen:

> »Siehe, wir haben den Anblick des Engels gesehen.
> Und wir haben dessen Antwort gehört,
> Der bezeugt, daß der Herr lebt.
> So ist es notwendig, daß du Simon glaubst.«

Osterspiel von Muri

Pilatus:

> »Got der muse uch wol bivarn.
> Gant hin und schichent daz asso,
> daz wir der hute werden fro.«

JUDAEI ET CUSTODES: »Ir drige sullent ligen hie,
so ligen ander situn die,
so ligen dise dorte
und die an ienme orte.
Wachent wol und slafent nicht,
so wird uich, daʒ uich ist virphlicht.
Wend abir ir nicht bihalten daʒ
so mussen wir uich sin gihaʒ;
da von so hutent sere.«

CUSTOS: »Herre, uf unse eire,
er ist uns also bivoln,
daʒ er uns niemer wirt virstoln.«

[21] Recht und Friede

EIKE VON REPGOW · *Sachsenspiegel*

Vorrede

Ich zimbere, sô man saget, bî wege,
des muʒ ich mangen meyster hân.
Ich hân bereitit nucze stege,
dâr manger bî beginnet gân.
Ich enkan di lûte machen nicht
vornunftig algemeyne.
Al lêre ich sie des rechtes phlicht,
mir enhelfe got der reyne. —

Swer mîne lêre nicht vernymt,
wil her myn bûch beschelden sân,
sô tût her daʒ im missezimt.
Wen swer sô swimmen nicht enkan,
wil her deme waʒʒer wîʒen daʒ,
sô ist her unversunnen.
Si lêren daʒ si lesen baʒ,
di eʒ vorneme nicht enkunnen. —

Allen lûten ich enkan
zu danke sprechen noch ensol.
Mîn bûch en hôrte nie der man,
deme eʒ al behagete wol.
Doch trôstet daʒ wol mynen mut,
swaʒ eynem dar an wirret,
daʒ eʒ wol tûsent dünket gût,
sus blîb ich unverirret. —

Diʒ recht enhân ich erdâcht,
eʒ habn von aldere an uns brâcht
unse gûten vorvaren.
mag ich ouch, ich wil bewaren,
daʒ myn schaz under der erde
mit mir nicht verwerde.
Von gotes halben die gnâde mîn
sal alle der werlde gemeyne sîn.

Von den zwei Schwertern

Twei swert lit got in ertrike to bescermene de kristenheit. Deme pavese
is gesat dat geistlike, deme keisere dat wertlike. Deme pavese is ok gesat
to ridene to bescedener tiet up eneme blanken perde, unde de keiser sal
ime den stegerep halden, dur dat de sadel nicht ne winde. Dit is de

beteknisse: swat deme pavese widersta, dat he mit geistlikeme rechte nicht gedwingen ne mach, dat it de keiser mit wertlikem rechte dwinge deme pavese gehorsam to wesene. So sal ok de geistlike gewalt helpen deme wertlikem rechte, of it is bedarf.

Allerlei Strafen

Swe so holt houwet oder gras snit oder vischet in enes anderen mannes watere an wilder wage, sin wandel dat sint dre schillinge: den scaden gilt he uppe recht. Vischet he in diken, die gegraven sin, oder houwet he holt, dat gesat ist, oder barende böme, oder brict he sin ovet oder howet he malbome oder grevet he up stene, die to marcstenen gesat sin, he mut drittich schillinge geven. Vint man ene in der stat, man mut ine wol panden oder uphalden vor den scaden ane des richteres orlof. Swe nachtes gehouwen gras oder gehouwen holt stelet, dat sal man richten mit der weden. Stelt he't des dages, it gat to hut unde to hare. Swelk water strames vlüt, dat is gemene to varene unde to vischene inne.

Bannforst

Do got den menschen geschup, do gaf he ime gewalt over vische unde vogele unde alle wilde dier. Dar umme hebbe wie is orkünde von godde, dat nieman sinen lief noch sin gesunt an dissen dingen verwerken ne mach. Doch sint drie stede binnen deme lande to Sassen, dar den wilden dieren vrede geworht is bi koninges banne, sunder bere unde wolven unde vössen; dit hetet banvorste. Dat eine is die heide to Koyne; dat andere die Hart; dat dridde die Magetheide. Swe so hir binnen wilt veit, die sal wedden des koninges ban, dat sin sestich schillinge, swe so durch den banvorst rit, sin boge unde sin armbrust sal ungespannen sin, sin koker sal bedan sin, sine winde unde sine bracken solen up gevangen sin, unde sine hunde gekoppelet.

DER HUMANISMUS

Die Strömungen des deutschen Humanismus sind seit ihren ersten Ansätzen im 14. Jahrhundert der umfassenden Kulturbewegung der italienischen Renaissance verhaftet gewesen. Daraus ergab sich eine neue, für die deutsche Literatur und darüber hinaus für das gesamte deutsche Geistesleben bedeutsame Blickrichtung auf die Antike. Durch die Vermittlung italienischer und seit der Mitte des 15. Jahrhunderts auch griechischer Gelehrter entstanden ein neues Kulturbewußtsein und Menschenbild, das im künstlerischen und heidnischen Charakter der Antike verankert war und sich gegenüber dem mittelalterlichen Geist um ein stärkeres Erlebnis der diesseitigen Welt bemühte. Obgleich der Humanismus der Diesseitigkeit der Renaissance nachfolgte, bewahrte er sich doch — in der Gesamtheit betrachtet — ein religiöses Anliegen, das vor allem in seiner Verbindung mit der Reformation zum Ausdruck kam und ihm im 16. Jahrhundert eine ausgesprochen religiöse Haltung verlieh.

Auch der FRÜHHUMANISMUS in der zweiten Hälfte des 14. Jahrhunderts hatte sich von der religiösen Thematik des Mittelalters nicht gelöst. Es ging ihm vielmehr um eine sprachliche, stilistische Reform nach den Vorbildern der altrömischen und italienischen Rhetorik, um die Überwindung des unbeholfenen mittelalterlichen Latein, um eine neue *italienische Kunstsprache* [1], die sich ebenso im deutschen Sprachgebrauch auswirken konnte. Darüber hinaus kündigte sich bereits eine neue Betrachtung des Menschen, seiner Stellung im Kosmos und seiner Beziehung zu Gott und Ewigkeit an. Der Mensch fühlt sich nicht mehr den jenseitigen Mächten völlig unterlegen und ausgeliefert, er erhebt einen Anspruch auf Eigenwertigkeit, auf Unbeschränktsein und Anerkennung als Mitte der Schöpfung. *Der Wert des Menschen* [2] wird — am bedeutsamsten im »Ackermann aus Böhmen« — gegenüber dem Anspruch des Jenseits in Schutz genommen, er wird so sehr gesteigert, daß er in Rivalität mit den göttlichen Schicksalsmächten gerät.

Dagegen hatte die italienische Renaissance, besonders in der »Novella«, die Ungebundenheit des Menschen, seine Lebenskraft und Diesseitigkeit dargestellt. Vor allem durch die zahlreichen Übersetzungen dieser Literatur gelangte im HOCHHUMANISMUS das egozentrische, auf Formung und Bewältigung der wirklichen Welt bedachte und von Kraftbewußtsein gesteigerte Lebensgefühl auch in den deutschen Kulturbereich. Die Übersetzung, die *Translatio* [3], spielte die eigentliche Vermittlerrolle für die italienische Renaissance. Es geht um originale Abenteuer, um Liebeszwist, verschlungene und überwundene Intrigen, um fürstliche Herrschaft und historische Taten, insgesamt um eine sehr weltfrohe und weltgläubige Menschheit, die den Unterschied von Gut und Böse sehr häufig durch den Beweis ihres Erfolges überdeckt. Religiöse Themen werden nur sehr selten ernsthaft behandelt, der Mensch steht nicht mehr unter dem Zeichen der göttlichen Idee, er ist nur mehr er selbst und lebt sein eigenes Leben. Während sich hier das antik-heidnische Extrem auswirkte, ist auf der Gegenseite eines christlichen Humanismus vor allem der Weg in die antike Philosophie begangen worden, um aus ihr — wie schon in der mittelalterlichen Scholastik — christliche Elemente herauszulösen, vor allem aber um das antike Menschenbild, wie es sich in der Philosophie und in der Persönlichkeit des Philosophen äußert, mit dem christlichen Menschenbild zu verbinden. So werden etwa die Lehren eines Cicero, Cato und Sokrates als dem Christentum gleichwertig empfunden. *Christus und Sokrates* [4] sind bei Erasmus als Vertreter eines gemeinsamen Menschenbildes der Güte und des tugendhaften Lebens nebeneinandergestellt. War dieser Versuch der Synthese gleichsam auf eine Versöhnung zwischen christlich-mittelalterlicher und antiker Welt bedacht, so hat eine durchaus radikale Strömung des Humanismus einen Bruch mit dem Christentum in Form der mittelalterlich-päpstlichen Kirche, der Scholastik und Mystik, mit all den Institutionen, die die Jahrhunderte hindurch das religiöse und künstlerische Leben bestimmten, angestrebt. Der Kampf Ulrichs von Hutten *gegen die Barbarei* [5] ist gekennzeichnet durch den Willen zur schonungslosen Abrechnung. An die Stelle der mittelalterlichen Barbarei sollen die neuen Wissenschaften treten, die die feudalistische und kirchliche Gerichtsbarkeit durch Jurisprudenz, die Scholastik durch eine neue antike Philosophie und die kirchliche Dogmatik durch Veröffentlichung und Untersuchung des Alten und Neuen Testamentes ersetzen.

Damit war zugleich der Schritt zur Reformation getan, vor allem auch der Schritt zur Bibelübertragung Luthers in die *deutsche Gemeinsprache* [6], um jene der Allgemeinheit zugänglich zu machen und der Auslegung zu überlassen. Gerade weil die Übertragung für alle Deutschen da sein sollte, ist eine Sprachform angestrebt, die in allen deutschen Landschaften verstanden werden konnte und die durch eine volkstümliche und treffende Redeweise den einfachen Mann ansprach. Unter Luthers Hand entstand ein neues, dem Volkscharakter angepaßtes Deutsch, das fortan auch in der Dichtung immer mehr hervortrat. Der Weg zu einer deutschen Dichtung, die das humanistische Latein und die inhaltliche Bindung an römische, griechische und italienische Vorbilder überwindet und damit eine deutliche Zäsur zwischen dem Hoch- und SPÄTHUMANISMUS setzt, leitet sich schließlich insgesamt von einem neuen deutschen Volksbewußtsein her. Die reformatorische Trennung von der römischen Kirche und nicht zuletzt die humanistische Beschäftigung mit der deutschen Geschichte hatten eine — vor allem in der neuerwachten historischen Literatur zutage tretende — nationale Gesinnung ausgelöst. Die *Deutsche Nation* [7] wurde als eine historische und völkisch-charakterliche Gemeinsamkeit empfunden, und auch wenn weiterhin das antike Bildungsgut gepflegt wurde, so lockerten sich doch die engen Bindungen an die romanischen Völker. Aus diesem Verlangen nach deutschsprachiger und volksgemäßer Dichtung kamen wieder einige Züge der spätmittelalterlichen Literatur zum Durchbruch. Kernige und häufig sogar unflätige Satiren breiteten sich nicht nur als theologische Streitschriften, sondern gleichermaßen als allgemein-moralische Zeitsatiren und als humoristische Dichtung aus. Der *Grobianismus* [8], der die Welt der »Narren« verspottet oder als Tierallegorie mit versteckter Boshaftigkeit die menschlichen Schwächen hervorschauen läßt, erfreute sich gerade im 16. Jahrhundert großer Beliebtheit.

Auch die Dichtung der *Meistersinger* [9] erlebte erneut eine hohe Blüte: sie war in den Kreisen der Handwerker, vor allem in den großen Städten, weit verbreitet. Der humanistische Einfluß zeigt sich hier in einem eifrigen Kunststreben, in der Wahrung bestimmter Versformen und im Zuschnitt auf würdige, wenn nicht gar gelehrte Themen. Selbst die Gelehrtenzunft, besonders an den Schulen, nahm sich der deutschen Dichtung an; der Anstoß kam immer wieder von der Seite des Protestantismus. Im Drama, zumeist von Magistern und Pastoren verfaßt, von den Schülern gespielt, spricht sich das religiöse Anliegen: *Die christlich Lehrweis'* [10] aus, die zu Pflichterfüllung und Anstand anhalten wollte. Hingegen hatten die von fahrenden Komödiantentruppen aufgeführten und zumeist aus dem Englischen übersetzten Schauspiele es mehr auf effektvolle Abenteuer und großartige Staatsaktionen aus dem Kreise von Königen und Potentaten und deren unglaubliche Hofintrigen abgesehen. Auf der *Spektakelbühne* [11] feierte noch einmal die Renaissance ihren Triumph. Zudem setzte sich gegen Ende des Jahrhunderts eine deutsche Prosadichtung durch, die einerseits auf die Volksdichtung zurückging, zum anderen aber auch eigene dichterische Leistung war. Während das *Volksbuch* [12] Motive aus höfischen Epen, Sagen und Legenden aufgriff und somit den ganzen Bereich des mittelalterlichen Volksglaubens mit seiner Magie- und Zauberwelt übernahm, haben die ersten kunstmäßigen Romane sich dem einfachen und nüchternen Bereich des Bürgerlebens zugewandt. Dem schlichten Inhalt liegt die Absicht zugrunde, das wirkliche Leben zu schildern und eine reale Wegweisung zu geben, die auch den höheren Ständen zur Lehre dient. Die *Bürgertugend* [13] ist nicht nur Ausdruck moralischer Festigkeit, sondern auch eines standesgemäßen Selbstbewußtseins, das der Epoche des Humanismus insgesamt einen starken geistigen Impuls verlieh; war der Humanismus in Deutschland doch überwiegend eine Bewegung des Bürgertums.

Der Frühhumanismus

[1] Italienische Kunstsprache

JOHANN VON NEUMARKT · *Buch der Liebkosung*

O leben, dem alle dinck leben, leben, das mir leben gibt, leben, das mein leben ist, durch das ich leb, an das ich sterb, durch das ich erwecket werd, an das ich verterb, durch das ich mich frewe, an das ich betrubt bin! O lebendiges leben, suzes, liphaftig vnd alleweg czu gedenken, wo bistu, bit ich dich, das ich dich vinde, das ich in mir abnem vnd in dir czu nem vnd bleib. Bis nahen in dem mut, nahen in dem herczen, nahen in der hulf, nahen in dem mund, wen ich vor lib siech, wenn ich an dich sterb, wenn ich erwecket werd, so ich dein gedenck. . . .

Dorumb bekenn ich dir, herr mein got, das du mich geschepfet hast enpfeheleich der vernunft vnd also mich gleich den engeln geschepft hast, wenn ich mag so volkumen werden durch dein wort, das ich kum czu geleicheit der engel vnd das ich hab di gnadsam kur der kinder durch dein eingeborns wort, durch deinen liben sun, in dem dir wol behegleich ist gewesen, durch den man, der dir anhangt vnd mitwesend vnd mitewig ist, Christum Jhesum, den einigen vnsern herren, vnsern erloser, erlewhter vnd troster vnd vnsern vorsprecher, das liht vnser awgen, vnser leben, vnser einige hoffenung, der vns liber gehabt hat wenn sich selber, durch den wir haben ein behaldige turstickeit vnd ein starcke hoffenung, bei dir vnd ein czuvart czu dir czu kumen, wenn er maht gegeben hat gots kinder czu werden auch allen den, di anrufen seinen namen vnd in seinen namen gelawben. . . .

Aber du reinigst aus vns menschen kinder newer di allein, in den dir behegleich ist czu wonen, di du noch awsrihtung deiner tifen heimlichen geriht deiner vnbegrifleichen weisheit, di alleweg gereht sind, allein si verborgen sind, von iren sunden an all ir arnung also vorbedaht hast, das du si von der werld rufest, vnd hast si lebendig gemacht in der werld vnd si gehoht durch dich, reinen. Vnd das thustu niht iczelichem, vnd des wundern sich vnd leidigen sich alle weisen des ertreichs, vnd ich, herr, merck vnd vorht mich vnd erwunder mich der hoh des reichtums deiner weisheit vnd deiner kunste, czu der ich niht bekumen kan. Wenn vnbegreifleich sint di geriht deiner gerehtickeit.

Johann von Tepl · *Der Ackermann aus Böhmen*

Der Tot:

Der Ackermann, der den Tod und die Hinfälligkeit des Irdischen angeklagt hat, erhält vom Tod eine Antwort.

Liebe nicht allzu lieb, leide nicht allzu leit sol vmb gewin vnd vmb verlust bei weisem manne wesen: des tustu nicht. Wer vmb rat bittet vnd rates nicht folgen wil, dem ist auch nicht zu raten. Vnser gutlicher rat kan an dir nicht gehelfen. Es sei dir nu lieb oder leit, wir wellen dir die warheit an die sunnen legen, es hore, wer da welle. Dein kurze vernunft, dein abgeschnitten sinne, dein holes herze wellen aus leuten mer machen, dann sie gesein mugen. Du machst aus einem menschen, was du willt. Es mag doch nicht mer gesein, dann als vil ich dir sagen wil mit vrlaub aller reinen frawen: Ein mensche wirt in sunden enpfangen, mit vnreinem, vngenantem vnflat in muterlichem leibe generet, nacket geboren vnd besmiret als ein binstock: ein ganzer vnlust, ein kotfass, ein vnreine speise, ein stankhaus, ein vnlustiger spulzuber, ein faules as, ein schimelkaste, ein bodenloser sack, ein locherete tasche, ein blasebalk, ein geitiger slunt, ein vbelriechender harnkrug, ein vbelsmeckender eimer, ein betriegender tockenschein, ein leimen raubhaus, ein vnsetig leschkrug vnd ein gemalte betriegnuss. Es merke wer da welle: ein iegliches ganz gewurktes mensche hat neun locher in seinem leibe, aus den allen fleusset so vnlustiger vnd vnreiner vnflat, das nicht vnreiners gewesen mag. So schones mensche gesahestu nie: hettestu eines linzen augen vnd kundest es inwendig durchsehen, dir wurde darabe grawen. Benim vnd zeuch abe der schonsten frawen des sneiders farbe, so sihestu ein schemliche tocken, ein schiere swelkenden blumen vnd kurze taurenden schein vnd einen balde fallenden erdenknollen. Weise mir ein hantvol schone aller schonen frawen, die vor hundert jaren haben gelebet, aus genumen der gemalten an der wende, vnd habe dir des keisers krone zu eigen! Lasshin fliessen liebe, lass hin fliessen leit! Lass rinnen den Rein als ander wasser, von Eseldorf weiser gotling!

Der Ackermann:

Pfei euch boser schandensack! wie vernichtet, vbel handelt vnd vneret ir den werden menschen, gotes aller liebeste creature, do mit ir auch die gotheit smehet! Aller erste prufe ich, das ir lugenhaftig seit vnd in dem paradise nicht getirmet, als ir sprechet. Weret ir in dem paradise gefallen, so westet ir, das got den menschen vnd alle dinge beschaffen hat allzumale gut vnd den menschen vber sie alle gesetzet, im ir aller herschaft befolhen vnd seinen fussen vndertenig gemachet hat, also das der mensche den tieren des ertreichs, den voglen des himels, den fischen des meres vnd allen fruchten der erden herschen solte, als er auch tut. Solte dann der mensche so snode, bose vnd vnrein sein, als ir sprechet, werlich so hette got gar vnreinlichen vnd gar vnnutzlichen gewurket. Solte gotes almechtige wirdige hant so ein vnreines vnd vnfletiges menschenwerk haben gewurket, als ir sprechet, ein streflicher wurker were er. So stunde auch das nicht, das got alle dinge vnd den menschen vber sie alle zumale gut hette beschaffen. Herre Tot, lasset ewer vnnutz claffen! Ir schendet gotes aller hubschestes geschopfe. Engel, teufel, schretlein, clagemuter, das sint geiste in gotes twangwesen: der mensche ist das aller achtberest, das aller behendest vnd das aller freieste gotes werkstuck. Im selber geleiche hat es got gebildet, als er auch selber in der ersten wurkunge der werlte hat gesprochen. Wo hat ie werkman gewurket ein so behendes vnd reiches werkstuck, einen so werkberlichen cleinen closs als eines menschen haubet? In dem ist kunstereiche, allen gottern verborgene abentewer: do ist in des augen apfel das gesichte, der aller gewissest zeuge meisterlich in spiegels weise verwurket; bis an des himmels clare wurket es. Do ist in den oren das ferre wurkende gehoren, gar durchnechtiglichen mit einem dunnen felle vergitert zu prufungs vnd vnderscheit mancherlei susses gedones. Do ist in der nasen der ruch durch zwei locher ein vnd aus geende, gar sinniglichen verzimert zu behegelicher senftikeit alles lustsames vnd wunnesames riechens. Do sint in dem munde zene, die alles leibfuter sint tegelichen malende; darzu der zungen dunnes blat den leuten zu wissen bringet ganz der leute meinunge; auch ist da des smackes allerlei koste lustsame prufunge. Da bei sint in dem kopfe aus herzengrunde geende sinne, mit den ein mensche, wie ferre er will, gar snelle reichet; in die gotheit vnd darvber gar climmet der mensche mit den sinnen. Allein der mensche ist empfahende der vernunft, des edelen hortes; er ist allein der lieblich closs, dem geleichen niemant dann got allein gewurken kan, dar innen alle behende werk, alle kunst vnd meisterschaft mit weisheit sint gewurket. Lat faren, herre Tot! ir seit des menschen feint: darvmb ir kein gutes von im sprechet!

Das XXXIII. capitel; in dem sprichet GOT aus das vrteil des krieges zwischen dem Tode vnd dem clager.

Der lenze, der sumer, der herbest vnd der winter, die vier erquicker vnd hanthaber des jares, die wurden zwistossig mit grossen kriegen. Ir ieder rumpte sich seines guten willen in regen, winden, doner, schawer, sne vnd in allerlei vngewitter vnd wolte ieglicher in seiner wurkunge der beste sein. Der lenze sprach, er erquickte vnd machte guftig alle frucht; der summer sprach, er machte reif vnd zeitig alle frucht; der herbest sprach, er brechte vnd zechte in beiden in stadel, in keller vnd in die heuser alle frucht; der winter sprach, er verzerte vnd vernutzte alle frucht vnd vertribe alle gifttragende wurme. Sie rumpten sich vnd kriegeten faste; sie hetten aber vergessen, das sie sich gewaltiger herschaft rumpten. Ebengeleich tut ir beide. Der clager claget sein verlust, als ob sie sein erberecht were; er wenet nicht, das sie von vns were verlihen. Der Tot rumet sich gewaltiger herschaft, die er doch allein von vns zu lehen hat empfangen. Der claget, das nicht sein ist, diser rumet sich herschaft, die er nicht von im selber hat. Jedoch der krieg ist nicht gar one sache: ir habt beide wol gefochten; den twinget leit zu clagen, disen die anfechtung des clagers die warheit zu sagen. Darvmb, clager, habe ere! Tot, sige! Jeder mensche dem tode das leben, den leib der erden, die sele vns pflichtig ist zu geben.

Der Hochhumanismus

[3] **Translatio**

NIKLAS VON WYLE · *Einleitung zu den »Translationen«*

I

Item in der ersten translatze dises buches von Euriolo vnd lucrecia wirt funden ain grosser fremder handel ainer bulschafft vnd darjnne alle aigenschaft der liebe vnd was die gebürt. besunder daz darinne allwegen entlich mer bitterkait dann süsse vnd mer laides dann froiden funden werd vnd darumb die syg zefliechen vnd zemyden.

II

Item in der andern translatze von gwiscardo vnd Sigismunda wirt funden ain laidsamer truriger vsgange ainer bulschaft vnd grosser liebe zwüschen disen zwayen menschen des der vatter Tancredus ain vrsachh was daz er die selben sigismundam sin tochter zelang verhielt vnd nit usgeben wolt in elicher verhyrung.

III

Item in der dritten translatze wirt funden ain getrüwer nutzlicher rate wie ein mensch der vf der bulschaft in vnordenlicher lieb gebunden vnd gefangen ist sich dero mug ledigen vnd die band siner gefencknüsz brechen. Mit mancherlay warnungen leeren vnd vnderwysungen hier zu dienende.

IV

Item in der vierden. Als dem rychsten vnd mechtigosten der cristenhait burger Cosmo de medicis zu florentz die statt verbotten wart vnd er sins ratz vnd gewaltes da selbs entsetzet etc. wirt funden ain costlicher troste von poggio florentino dem selben poggio gegeben. Vnd daz er das ains vesten gemütz tragen söll. dann was daz gelück geb. mug es ouch nemen etc.

V

Item in der fünften translatze wirt funden ob ain wirt gest ladende, danck sagen söll sinen gesten daz sy komen syen oder billicher die gest dem wirte daz sy geladt vnd von Im wol gespyset syen.

VI

Item in der sechsten translatze wirt funden, ob aim alten mane geburlich
syg jm ain elichs wyb zenemen vnd ob weger ain jungfrowen oder ain
witwen oder ain altes wybe. vnd welches er diser dryen ains tüg. was jm
dann hierjnne begegnen werd. vnd wie sich er darjnne gebürlich halten
söl mit vil andern leeren.

VII

Item in der siebenden translatze findet man Als der grosz alexander die
statt athenas belegert hatt vnd jm begert xxiiij. der eltsten vsz dem
athenischen rat, hin vs zegeben etc. was da von den selben athenischen
geratschlaget vnd alexandro wyslich geantwort wart vnd durch ire wys-
hait sin zorn gestillet vnd erleschet.

VIII

Item in der achten translatze wirt funden wie sanct bernhart sinem
bruder raymundo ritter vf des bitte vnderwysung geben hat wie er sin huse
vnd sin husgesind wyb kinder dienstknecht vnd mägt regieren erkennen
vnd halten söll mit vil andern anhengen hushablicher dingen gut zewissen etc.

IX

Item in der nünden translatze findet man von den lollharten vnd
beguden vnd wem daz hailig armusen zegeben syg vnd wem nit, vnd ob
die priester daz armusen nemen oder Iren ritterlichen solde. vnd waz sy
irer pfründen halb zetund pflichtig syen. vnd besunder ob cristus daz
armusen genomen hab oder nit vnd vil vnd mancherley ander dingen
deshalb Ingezogen daz zewissen gut ist.

X

Item in der zechenden translatze an den durlüchtigen hertzog sigmunden
von österrych gestellet etc. wirt funden ain rate zu lernung der geschriften
vnd was nutzes vnd frucht hiervon entsteen mugen vnd besunder fürsten
vnd herren so land vnd lütte regieren söllen. vnd des gelychen den landen
selbs vud Iren vndertanen.

[4] **Christus und Sokrates**

ERASMUS VON ROTTERDAM · *Vertraute Gespräche. Das fromme Gastmahl*

CHRYSOGLOTTUS: Wenn ich nicht befürchtete, daß ich euch mit meinem
Geschwätz vom Essen abhielte, und wenn ich es für schicklich halten
dürfte, unter so fromme Gespräche etwas aus den profanen Schriftstellern
zu mischen, so wollte ich etwas vorbringen, was mir heute beim Lesen
nicht nur keine Schwierigkeiten gemacht, sondern mich rückhaltlos erfreut hat.

EUSEBIUS: Es braucht durchaus nicht profan genannt werden, was fromm ist und die guten Sitten fördert. Der Heiligen Schrift gebührt zwar überall die höchste Autorität. Trotzdem finde ich häufig genug in den Aussprüchen und Schriften der heidnischen Schriftsteller, zumal der Dichter, soviel Keusches, Heiliges und Göttliches, daß ich mir nichts anderes vorstellen kann, als ein guter Geist habe ihr Herz geleitet, als sie es niederschrieben. Und vielleicht ergießt sich der Geist Christi weiter, als wir in unserer Schulweisheit denken, und es gibt in der Gemeinschaft der Heiligen viele, die nicht in unserm Kalender stehen. Ich öffne mein Herz vor Freunden: Ich kann Ciceros Buch über das Greisenalter, über die Freundschaft, über die Pflichten oder die Tuskullanischen Unterredungen nicht lesen, ohne daß ich das Buch mehrmals küsse und das heilige Herz verehre, das von einer himmlischen Gottheit angeweht war.

CHRYSOGLOTTUS: Zwar scheinen mir die meisten philosophischen Schriften Ciceros etwas Göttliches zu atmen, aber das Büchlein über das Greisenalter halte ich entschieden für seinen Schwanengesang. Als ich es heute wieder las, gefielen mir die folgenden Worte so gut, daß ich sie mir eingeprägt habe:

»Wollte ein Gott mir verleihen, aus einem alten Manne wieder zum Kind zu werden und in der Wiege zu weinen, ich würde mir dies sehr verbitten: und ich wünsche keineswegs nach vollbrachtem Lauf vom Ziel wieder zu den Schranken zurückgerufen zu werden. Was bietet denn dies Leben für Vorteile? Ist es nicht vielmehr voll von Mühseligkeiten? Mag es aber immer seine Vorteile haben, so hat es gewiß auch seinen Überdruß oder sein Maß. Ich habe zwar nicht Lust, das Leben zu beklagen, was viele, und selbst gelehrte Leute, oft getan haben: es gereut mich auch nicht, gelebt zu haben, weil ich so gelebt habe, daß ich glauben darf, nicht umsonst geboren zu sein. Und ich scheide aus dem Leben wie aus einem Gasthaus, nicht wie aus einer Wohnung. Denn die Natur hat uns nur einen Ort zur Einkehr, nicht eine bleibende Heimat angewiesen. O was für ein herrlicher Tag wird das sein, wenn ich in jene göttliche Versammlung und Gemeinschaft der Seelen wandere, da ich aus diesem Gewühl und Gemisch scheide!«

Soweit Cato. Könnte sich ein Christ heiliger ausdrücken? Es wäre zu wünschen, daß alle Gespräche der Mönche, zumal mit den Nonnen, diesem glichen, das Cato mit den heidnischen Jünglingen führte.

EUSEBIUS: Man könnte aber einwenden, daß dies ein erdachtes Gespräch Ciceros sei.

CHRYSOGLOTTUS: Mir gilt es gleichviel, ob dies Lob dem Cato zukommt, weil er so empfunden oder gesprochen hätte, oder dem Cicero, dessen Seele solch heilige Gedanken barg und dessen Feder diese edlen Erkenntnisse in so erlesener Sprache niederschrieb. Trotzdem meine ich: Mag auch Cato diese Aussprüche nicht getan haben, so pflegte er doch solche Gesinnungen im Gespräch zu äußern. Denn so unverfroren war Cicero nicht, daß er den Cato anders hinstellte, als er war, und daß er sich in einem Gespräch zu wenig der Würde bewußt gewesen wäre, die gerade

bei dieser Literaturgattung angebracht ist, zumal das Andenken jenes
Mannes im Gedächtnis der Zeitgenossen noch lebendig war.

URANIUS: Mir scheint der Ausspruch Catos in schönstem Einklang zu
stehen mit dem Wort Pauli, der im zweiten Korintherbrief den himmlischen Wohnsitz, den wir nach diesem Leben erwarten, Haus oder Bau
nennt. Diesen armseligen Leib aber nennt er eine Hütte. Sagt er doch:
»Denn dieweil wir in der Hütte sind, sehnen wir uns und sind beschwert.«

NEPHALIUS: Das stimmt auch mit der Stelle im zweiten Petrusbrief über-
ein: »Ich achte es aber für billig, solange ich in dieser Hütte bin, euch zu
ermahnen und zu erwecken; denn ich weiß, daß ich meine Hütte bald verlassen muß.« Und was ruft uns Christus anderes zu, als daß wir so leben
und wachen sollen, als wenn wir bald sterben würden, und daß wir uns
des Guten befleißigen sollen, da wir ewig leben? Und wenn wir dereinst
die Worte hören: O herrlicher Tag! hören wir dann nicht Paulus selbst
sprechen: »Ich verlange aufgelöst zu werden und bei Christus zu sein.«

CHRYSOGLOTTUS: Glücklich, wer in solcher Gesinnung dem Tod entgegen-
sieht! So herrlich aber Catos Worte sind, man könnte doch tadeln, daß
sein Vertrauen aus Hochmut geboren ist, wovor der Christ sich hüten muß.
In dieser Hinsicht habe ich bei den heidnischen Schriftstellern nie etwas
gelesen, das besser auf einen wahren Christen paßt als die Worte, die
Sokrates zu Kriton sagte, nachdem er den Giftbecher getrunken hatte:
»Ob Gott an unserm Tun Gefallen finden wird, weiß ich nicht; jedenfalls
haben wir uns ernstlich bemüht, ihm zu gefallen. So habe ich denn gute
Hoffnung, daß er unser Mühen gut aufnehmen wird.« Sein ganzes Sinnen
und Trachten war darauf gerichtet, dem Willen Gottes zu entsprechen.
Er setzte aber sein Vertrauen nicht auf seine Werke, sondern gab sich der
guten Hoffnung hin, Gott werde in seiner Güte es ihm zum Guten anrechnen, daß er sich um ein tugendhaftes Leben bemüht habe.

NEPHALIUS: Fürwahr eine bewundernswürdige Gesinnung bei einem, der
Christus und die Heilige Schrift nicht kannte. Wenn ich daher derartiges
bei solchen Männern lese, kann ich mich kaum davon zurückhalten, zu
sagen: Heiliger Sokrates, bitte für uns!

(Übersetzt von H. Schiel)

[5] **Gegen die Barbarei**

ULRICH VON HUTTEN · *Brief an Willibald Pirkheimer*

Wilhelm Budaeus, unter dem Adel Frankreichs der gelehrteste, unter
den Gelehrten der adligste, arbeitet weiter an seinen Anmerkungen zu den
Pandekten. Ich habe einen Freudensprung gemacht, als ich es vernahm.
So hat unsere Zeit also zwei Herkulesse, die gegen die Pest der Unwissenheit zu Felde ziehen. Der eine hat in Frankreich das (verknöcherte) Geschlecht der Juristen niedergekämpft und ausgerottet, der andere (Erasmus)
die, welche die Theologie in Rauch einhüllen wollen, angegriffen und
niedergeworfen. Durch ihn ist Licht und Tag in die Heiligen Schriften

gekommen. Nimm Faber dazu, den Meister, der so trefflich die Philosophie bewältigt und den Aristoteles neu ins Licht gesetzt hat. O Jahrhundert, o Wissenschaften! Es ist eine Lust zu leben, Willibald. Die Hände in den Schoß zu legen, habe ich allerdings noch keine Lust. Nimm den Strick, Barbarei, und suche dir einen Ort der Verbannung!

Der Späthumanismus

[6] **Deutsche Gemeinsprache**

MARTIN LUTHER · *Sendbrief vom Dolmetschen*

Ich hab mich des geflissen im Dolmetschen, daß ich rein und klar Deutsch geben möchte. Und ist uns wohl oft begegnet, daß wir vierzehn Tage, drei, vier Wochen haben ein einziges Wort gesucht und gefragt, haben's dennoch zuweilen nicht funden. Im Hiob arbeiteten wir also, M. Philipps, Aurogallus und ich, daß wir in vier Tagen zuweilen kaum drei Zeilen kunnten fertigen. Lieber, nu es verdeutscht und bereit ist, kann's ein jeder lesen und meistern; lauft einer itzt mit den Augen durch drei, vier Blätter und stoßt nicht einmal an, wird aber nicht gewahr, welche Wacken und Klötze da gelegen sind, da er itzt über hin gehet wie über ein gehoffelt Brett, da wir haben müssen schwitzen und uns ängsten, ehe denn wir solche Wacken und Klötze aus dem Wege räumeten, auf daß man künnte so fein daher gehen. Es ist gut pflügen, wenn der Acker gereinigt ist; aber den Wald und die Stöcke ausrotten und den Acker zurichten, da will niemand an. Es ist bei der Welt kein Dank zu verdienen; kann doch Gott selber mit der Sonnen, ja mit Himmel und Erden, noch mit seines eigenen Sohns Tod keinen Dank verdienen; sie sei und bleibt Welt des Teufels Namen, weil sie ja nicht anders will.

Also habe ich hie Röm. 3 fast wohl gewußt, daß im lateinischen und griechischen Text das Wort »solum« nicht stehet, und hätten mich solchs die Papisten nicht dürfen lehren. Wahr ist's. Diese vier Buchstaben »sola« stehen nicht drinnen, welche Buchstaben die Eselsköpf ansehen, wie die Kühe ein neu Tor, sehen aber nicht, daß es gleichwohl die Meinung des Textes in sich hat, und wo man's will klar und gewaltiglich verdeutschen, so gehöret es hinein. Denn ich habe Deutsch, nicht Lateinisch noch Griechisch reden wollen, da ich Deutsch zu reden im Dolmetschen fürgenommen hatte. Das ist aber die Art unser deutschen Sprache, wenn sie ein Rede begibt von zweien Dingen, der man eins bekennet und das ander verneinet, so braucht man des Worts »solum« (allein) neben dem Wort »nicht« oder »kein«. Als wenn man sagt: »Der Baur bringt allein Korn und kein Geld; nein, ich hab wahrlich itzt nicht Geld, sondern allein Korn. Ich hab allein gessen und noch nicht getrunken. Hast du allein geschrieben und nicht überlesen?« Und dergleichen unzählige Weise in täglichem Brauch.

In diesen Reden allen, ob's gleich die lateinische oder griechische Sprach nicht tut, so tut's doch die deutsche, und ist ihr Art, daß sie das Wort »allein« hinzusetzt, auf daß das Wort »nicht« oder »kein« desto völliger und deutlicher sei. Denn wiewohl ich auch sage: »Der Baur bringt Korn und kein Geld«, so laut doch das Wort »kein Geld« nicht so völlig und deutlich, als wenn ich sage: »Der Baur bringt *allein* Korn und kein Geld«; und hilft hie das Wort »allein« dem Wort »kein« so viel, daß es ein völlige deutsche klare Rede wird. Denn man muß nicht die Buchstaben in der lateinischen Sprachen fragen, wie man soll Deutsch reden, wie diese Esel tun, sondern man muß die Mutter im Hause, die Kinder auf der Gassen, den gemeinen Mann auf dem Markt drumb fragen und denselbigen auf das Maul sehen, wie sie reden, und darnach dolmetschen; so verstehen sie es denn und merken, daß man Deutsch mit ihnen redet.

Als wenn Christus spricht: »Ex abundantia cordis os loquitur.« Wenn ich den Eseln soll folgen, die werden mir die Buchstaben fürlegen und also dolmetschen: »Aus dem Überfluß des Herzen redet der Mund.« Sage mir, ist das Deutsch geredt? Welcher Deutscher versteht solchs? Was ist »Überfluß des Herzen« für ein Ding? Das kann kein Deutscher sagen, er wollt denn sagen, es sei, daß einer allzu ein groß Herz habe oder zu viel Herzes habe, wiewohl das auch noch nicht recht ist; denn »Überfluß des Herzen« ist kein Deutsch, so wenig als das Deutsch ist: »Überfluß des Hauses, Überfluß des Kachelofens, Überfluß der Bank«, sondern also redet die Mutter im Haus und der gemeine Mann: »Wes das Herz voll ist, des gehet der Mund über.« Das heißt gut Deutsch geredt.

Martin Luther · *Ein feste Burg*

Ein feste Burg ist unser Gott,
Ein gute Wehr und Waffen.
Er hilft uns frei aus aller Not,
Die uns itzt hat betroffen.
Der alt böse Feind,
Mit Ernst er's itzt meint,
Groß Macht und viel List
Sein grausam Rüstung ist:
Auf Erd ist nicht seins gleichen.

Mit unser Macht ist nichts getan,
Wir sind gar bald verloren,
Es streit für uns der rechte Mann,
Den Gott hat selbst erkoren.
Fragst Du, wer der ist?
Er heißt Jesu Christ,
Der Herr Zebaoth,
Und ist kein ander Gott,
Das Feld muß er behalten.

Und wenn die Welt voll Teufel wär
Und wollt uns gar verschlingen,
So fürchten wir uns nicht so sehr,
Es soll uns doch gelingen.
Der Fürst dieser Welt,
Wie sau'r er sich stellt,
Tut er uns doch nicht;
Das macht, er ist gericht:
Ein Wörtlein kann ihn fällen.

Das Wort sie sollen lassen stahn
Und kein Dank dazu haben,
Er ist bei uns wohl auf dem Plan
Mit seinem Geist und Gaben.
Nehmen sie den Leib,
Gut, Ehr, Kind und Weib,
Laß fahren dahin!
Sie haben's kein Gewinn,
Das Reich muß uns doch bleiben.

ULRICH VON HUTTEN · *Der Panegyrikus auf den Einzug des Markgrafen Albrecht in Mainz*

Deutschland, sei mir gegrüßt! An Biedermännern so fruchtbar,
Mutter herrlicher Söhne, die durch neuere Taten
Stets die alten vermehrt, noch von der Tugend der Vorzeit
Je sich gänzlich entfernt — du warst in unsern Zeiten
Deinen Vätern an Biedermut gleich — noch hörtest du nie auf,
Deiner würdig zu sein — solang deine wogenden Ströme
Ihren Quellen entfliehn, solang der Himmel Gestirne,
Fische das Meer, die Erde das Tiergeschlecht heget.
Immer wirst du stehn, wirst immer verherrlicht werden,
Mutter tapferer Söhne! Vliese liefert der Serer,
Ebenholz der Inder und Elfenbein; seinen Weihrauch
Bringt der Sabäer, Balsam der Jud' und Golderz der Tagus;
Ihrer Smaragde freut sich die rötliche Thetis; der Lesber
Lobt seine schäumenden Becher, seine Pferde der Thrazer,
Eisen liefert der Chalyber — Deutschland tapfere Männer!
Nie gebrach's dem Heldenland an mutigen Kämpfern.
Stimm den Jubelton an, du edles Volk, und erhebe
Hoch ein Freudengeschrei. Es wall' einher dein Triumphzug
Durch den wimmelnden Heerweg... Hebt das Haupt aus den Dächern!
Jauchzet laut auf, ihr Männer, ihr Frauen und liebliche Mägdlein.
Keinen halte das Alter, keinen die Scham ab! Gepriesen
Will sie werden von uns die hehre Mutter — gepriesen!

(Übersetzt von L. Schubart)

ULRICH VON HUTTEN · *Brief an Kurfürst Friedrich von Sachsen*

Immer waren die Sachsen ein freies Volk, immer unüberwindlich. Oft, wenn fast das ganze Deutschland darniederlag: so standen allein sie, haben sie nur die fremden Heere vertrieben, sie sich das Joch nicht lassen auflegen. In Euch erkenne ich jene Westfalen und die, ehedem Cherusker und Chauker genannt, in jenen römischen Kriegen das glänzendste Beispiel ihrer Tapferkeit und dem deutschen Lande jenen Hermann gaben, einen Heerführer, trefflich und tapfer vor allen, die je gewesen. Dies Zeugnis hat er selbst von den Feinden empfangen, er, der nicht allein sein Vaterland, sondern das ganze Deutschland aus den Händen der Römer, die dazumal in der Blüte ihrer Macht standen, befreite und sie, durch viele und vollständige Niederlagen, aufgerieben, mannhaft zurückgetrieben und hinausgeworfen hat. Was müßte nur dieser dahingeschiedene Befreier fühlen, wenn er sähe, wie, nachdem er die Herrschaft jener mannhaften Römer und Herren des Erdkaisers nicht duldete, nun verweichlichen und weibischen Römern gehorcht wird? Würde er nicht über seine Nachkommen erröten müssen?

Und dann: was für Männer waren doch Eure Ottonen und etliche der Heinriche, auch die waren Eures Blutes. Wie ist in dem mehr als dreißigjährigen Kriege mit Karln dem Großen der Sachsen Tapferkeit anerkannt worden! Wie hat ihre Mannheit geglänzt! Man gedenke auch derer, die endlich der Gotenherrschaft ein Ende gemacht haben. Die Eurigen waren es, die Britanien eroberten und nach Verdrängung der Bewohner das Volk der Angeln und Schotten bildeten. Soll ich erst jener Cimbern und Teutonen gedenken, jenes Unglücks für die Stadt Rom, die einst aus Euren Landen über Italien sich ergossen? Ferner, wie oft ist jene Nation nach Italien gedrungen und hat, mit andern vereint, Gallien verwüstet, auch Hispanien berührt! Auch gegen die Sarmaten haben sie wacker gekämpft; und wie viele glänzende Siege haben doch Eure Landsleute einst über die Hunnen, auch über die Ungarn davongetragen! Vieles noch ist, was ich wissentlich übergehe; denn es ist das eine schon genug: Allein die Sachsen sind niemals der Fremden Knechte gewesen. Das, das müsset Ihr anschauen; dann werdet Ihr, da Eure Vorfahren solche Männer gewesen, nichts Unwürdiges in dieser Art geschehen lassen.

Ihr habt zwar auch selbst das päpstliche Joch auf Euch genommen, einst wie alle, mit Aberglauben angetan. Da jedoch solches Übel als ein allgemeines Übel der Christenheit gelten mag: so werdet Ihr solche Schmach leicht tilgen können durch neuen Ruhm, wenn Ihr das schöne und ehrenvolle Ziel erreicht, daß durch Euch die ganze Nation wieder zur Freiheit kommt und Germanien sich selbst wiedergegeben wird. Ach, ewiger Christus, noch erkennt Deutschland, noch fühlt es nicht, was und wie unwürdig es duldet.

Ist es überhaupt allen ein Schmach, dienstbar zu sein: so ist's doch besonders denen schmachvoll, die selbst andre beherrschen sollten.

So müssen wir entweder nicht mehr des Reiches Herrschaft uns zuschreiben und Kaiser hier erwählen, die es dem Namen nach nur sind, aber keineswegs mit der Tat, oder wir müssen die päpstliche Tyrannei mannhaft abschütteln.

Alle Tugend muß, nach Platos Ausspruch, frei sein; nur die Bösen verdienen die Knechtschaft. Was ist nun besser, den Bösen anzugehören oder als gut zu gelten? Themistokles, der Heerführer, wenn er noch lebte, würde von uns sagen, wie einst von den nur vormals tapferen Eretriern: Sie hätten wohl das Schwert, aber nicht das Herz. Wahrlich, so mag es sein!

Ich wundre mich nur, was Ihr denn denket, Ihr Fürsten? Sehet Ihr mich, einen geringen Ritter, das Joch mit solcher Entrüstung tragen: so ziemte es vielmehr Euch, daß Euch solches zu Herzen ginge. Ja, Ihr selbst möchtet Tränen weinen, wenn Eure Vorfahren, die der wackern Taten so viele getan, Euch gar keine Gelegenheit übrig gelassen hätten, einen Ruhm zu verdienen. Aber wahrlich, den besten und reichsten haben sie Euch hinterlassen. Eilet nur, daß Ihr ihn ergreifet!

THOMAS MURNER • *Narrenbeschwörung*

Der Narren Orden ist so groß,
Daß er füllt alle Weg und Stroß,
Dörfer, Städt, Flecken, Land.
Die hat uns all Sebastian Brant
Mit sich gebracht im Narrenschiff.

Fürsten, Herren Narren sind,
In Klöstern ich auch Narren find.
Wo ich hingreif, da find ich Narren,
Die zu Schiff und auch zu Karren
Kummen sind mit Doktor Brant
Und hant gefüllt als dütsches Land;
Wir sind der Narren überladen.
Närrische Gäst sind nicht ohn' Schaden ...
Die alten, die's gesehen hant,
Sagen, daß in dütsches Land
Der Gecken kam ein großes Heere,
Die sie vertrieben hant mit Wehre;
Jetzt sind die Gecken wieder kummen
Und hant viel Narren mit sich gnummen.

Ich bin Murner, meins Vaters Namen
Darf ich mich vor niemands schamen.
Kennst du mich? das geschieht behend,
Daß ein Narr den andern kennt.
Ich bin ein Narr, das weiß ich wohl,
Und steck der jungen Narren voll,
Daß man in allen meinen Werken
Anders nimmer mehr kann merken,
Als mir die Ärzte das entdecken.
Die Narren werden mich erstecken.
Ich war erst gestern bei einem Mann,
Derselb ist auch gestorben dran,
Aus dem die Narren nicht sind trieben,
Und ist ein Narr im Tod geblieben.
Ich sagt ihm von dem Himmelreich,
Da zeigt er mir den Kolben gleich,
Sein Narrenkappen, seine Ohren:
Er war so voll der jungen Toren,
Daß er daran erworget ist.

JOHANN FISCHART · *Flöh-Hatz*

Der Flöhe Lied

Flöhlied zu singen, wenn sie die Pelze schwingen,
schön in Takt zu bringen.

Die Weiber mit den Flöhen,
Die han ein steten Krieg.
Sie geben aus groß Lehen,
Daß man sie all erschlüg,
Und ließ ihr kein Entrinnen,
Das wär der Weiber Brauch;
So hätten's Ruh beim Spinnen
Und in der Kirchen auch.
Der Krieg hebt an am Morgen
Und währt bis in die Nacht.

Klage des Flohes

O Jupiter, wie kannst zusehen,
Solche Unbilligkeit geschehen,
Dieweil alle Unbilligkeit
Erweckt Gott zur Unwilligkeit?
Ich tu je dies, dazu mich schufst,
Und nähr mich, wie du mich berufst,
Etwa mit einem Tröpflin Bluts,
Und tu's nicht, wie man meint, zum Trutz.

Wir hupfen gleich davon,
Wann wir ein Stichlein han geton,
Und machen nicht viel Federlesen,
Man würd uns sonst gar übel messen.
So stinken wir wie Wandläus nicht,
Dern man sich schämt, wann man sie riecht:
Sondern wir sind das sauberst Tier,
Dessen keiner sich schämet schier.
Wiewohl es uns zum Schaden reicht:
Denn wenn wir stänken auch vielleicht,
Würd uns das sauber Frauenzimmer
Zwischen den Fingern reiben nimmer.
Endlich stechen wir auch keine Beulen
Wie die Schnacken, die dazu heulen,
Sondern es gibt ein rotes Flecklein,
Welches wohl steht an einem Bäcklein;

Und wenn sie solchen Wohlstand wüßten,
Sie litten oft, daß wir sie küßten.
Der Welt Trinkgeld ist Gallentrank,
Welcher verbittert allen Dank.
Die verfolgen uns viel ärger
Als Waidvergifter, Landverherger:
Des steh ich zu einem Schauspiel hier,
Verwund, daß ich kaum Atem zieh,
Und kann dir, Jupiter, kaum sagen,
Was großer Unbill ich muß tragen,
Dieweil mir wird das Herz zu schwach,
Wann ich red und ersinn die Sach.

Notwendige Antwort der Weiber:

Botzlaus, ihr Flöh, flieht all von hinnen,
An Weibern werd ihr nichts gewinnen,
Ihr seht am Hatz hier, den sie treiben,
Daß sie noch eure Erzfeind bleiben.
Derhalben könnt ihr hupfen, springen,
So möcht ihr euch von dannen schwingen.
Das will ich euch, ihr schwarze Knaben,
Mit großem Ernst geraten haben.
Meint ihr, die Weiber lan sich reuten
Von euch, die es vom Mann kaum leiden?
Wiewohl ich erst hab diesen Tag
Vernommen eure große Klag,
Die ihr zu Jupiter dann taten
Vom Weibervolk, so euch sehr schaden.
Aber, ihr falschen Flöh, kommt her!
Ich will euch sein der Jupiter
Und das Recht von seinetwegen sprechen,
Auch über euch den Stab nun brechen.

Also wollt ihr bei Weibern stecken
In Pelzen, Hemden und in Röcken,
Daraus sie euch doch manchmal schrecken.
Gleich wie die Hasen aus den Hecken....
Denn sie sind euch zu hoch und wert,
Daß ihr sie nur zu rühren begehrt.
Es ist kein Gleichnis zwischen euch,
Ihr seid gar schwarz, und sie sind bleich.
Ihr seht wie höllisch Teufelskluppen,
Und sie sehen wie himmlisch Puppen.

[9] **Meistersinger**

Einladung zu einem Meistersingen in Nürnberg (16. Jahrhundert)

Auf heutiger Singschul geben etliche Liebhaber der Kunst den Meister-
singern etliche Gaben zu versingen. Darum sollen erstlich in dem Frei-
Singen gesungen werden wahrhaftige und beweisliche Historien, so zum
Christentum erbaulich sein. Im Hauptsingen soll kein Lied passiert werden,
es wäre dann der Heiligen Göttlichen Schrift gemäß. Nämlich aus dem
Alten und Neuen Testament. Man wird auch vorher ein neu schön Lied
auf unser Art und Weis zusammen singen.

HANS SACHS · *Eine schöne Schulkunst, was ein Singer soll singen*

In dem langen Ton Wolframs

Mein Herz das mag nit Ruhe han,
Darum so will ich heben an,
Zu singen hie auf diesem Plan,
Wiewohl ich nit kann jedermann
Singen und daß ihm Freude geit;
Es ist mir leid,
Seit ich's nit kann vollbringen.
Das doch ziemt einen Singer frei,
Daß er soll künnen mancherlei
Auf das, wo er bei Leuten sei,
Daß er mit süßer Melodei
Den Leuten sing, was man begehr....

Bei den sing er von Meisterschaft
Und von der Sieben Kunsten Kraft;
Ist er mit rechter Kunst behaft,
So bleibt er von ihn' ungestraft;
Bei andren Leuten ziemet bas
Zu singen das,
Was ich hernach will sagen.
Des nehm ein jeder Singer wahr,
Wo er ist bei der Gelehrten Schar,
So sing er von der Gottheit klar
Und von der Maid, die Gott gebar,
Und aus der Heiligen Schrift,
Was sie anbetrifft;
Gift soll er nit zutragen.
Wo er ist bei dem Adel gut,

So sing er nit von solchem
                                        Disputieren,
Sunder sing ihn' aus freiem Mut
Von Rennen, Stechen, Kämpfen
                                        und Turnieren,
Von Fechten, Ringen, Springen viel,
Von Jagen, Beizen, wie man will,
Von solchem ritterlichen Spiel
Manche Historia subtil;
Kann er das meisterlichen, do
Sein Herz wird froh,
So er tut Preis erjagen.

Weiter gib ich dem Singer Lehr,
Wenn er bei schönen Frauen wär,
Der sing von Scham, Zucht und Ehr,
Sein Lob wird ihm gepreiset mehr.
Den Bauern sing er von dem Pflug,
Das ist ihr Fug,
Klug, was zu Feld geschichte;
Auch von der lichten Sommerzeit.
Den Kriegsleuten sei er bereit
Zu singen von Stürmen und Streit,
Den Kaufleuten von Landen weit,
Den Märkt' und Städten ohne Zahl,
Von Berg und Tal;
Alles Lob man ihm jichte (sagte).
Dem Trinker sing von gutem Wein;

Dem Spieler sing von Würfel und
von Karten,
Des mag sein Herz wohl fröhlich sein;
Dem Buhler sing von schönen Frauen
zarten.
Also hab ich ein klein erzählt,

Wie sich ein Singer halten söllt,
Wo der das sein Gesang erschällt,
Damit groß Preis erjagen wöllt,
Der sing, was jedermann zugehört,
Was man begehrt,
Lehrt ihn Hans Sachsens Dichte.

[10] **Die christlich Lehrweis'**

NIKODEMUS FRISCHLIN · *Ruth*

BOAS: Eine reiche Ernt hat Gott beschert,
Damit er Vieh und Leut ernährt,
Dann Gersten und Weizen sich wohl ergeben,
Mein Tenn ist voll, das glaubt mir eben,
So viel ich nicht gehoffet hab,
Von milder und reicher Gottesgab.
Das ist allein der Gottessegen,
Der macht uns reich auf seinen Wegen.
Nun weiß ich, wie es wird gehn:
Es werden viel Fürkäuf aufstehn,
Die werden allenthalb umlaufen
Und Gersten und Weizen da einkaufen,
Und schütten auf ihre Böden hin,
Damit sie suchen doppeln Gewinn.
Dann gemein ist worden die Finanz,
Daß jeder schaut auf seine Schanz,
Und deucht mich jetzt, ich hör das Geschrei
Der Kornverkäufer allerlei:
Ei, wann hat der Neumond ein End,
Daß ich mein Getreid verkaufen künnt!
Der Sabbat ist ihn' oft zu lang
Und ihnen bei ihrem Korn noch bang. . . .
Und steigern da die armen Leut,
Von den sie genommen diese Beut.
Verkaufen wohl die Spreu für Korn,
Damit sie häufen Gottes Zorn. . . .
Nun mag ja keinem hier mehr werden,
Dann zu allerletzt ein Karr mit Erden.
Noch reißen sich die Leut ums Gut,
Verliern dabei all Fried und Mut. . . .
Viel besser ist ein Kraut mit Dank,
Dann ein gemäster Ochs mit Zank,
Ja, besser ist's, arm und fromm sein,
Dann Reichtum haben mit falschem Schein.
Der Geiz nimmt leider überhand,
Darum die Straf kommt übers Land.

[11] **Die Spektakelbühne**

ENGLISCHE KOMÖDIEN UND TRAGÖDIEN

Komödie von der Königin Esther und hoffärtigem Haman

Zu Beginn des Stückes treten der König, sein Rat Haman und zwei Diener vor die Versammlung geladener Fürsten und Potentaten.

KÖNIG: Ich, König Ahasverus, Regierer und Gebieter von India bis in Mohren, über 123 Länder, habe euch, meine lieben Fürsten und Obristen des Landes, zeigen wollen die Pracht und Herrlichkeit unserer Majestät; damit ihr aber den großen, unzähligen und unaussprechlichen Reichtum recht sehen möchtet, habe ich dazu verordnet 180 Tage, in dero Tagen ihr die Pracht anschauen möchtet. Zudem haben wir nun einen jeden Mann jung und alt, klein und groß, arm und reich allhier zu Schloß zusammen am Hofe des Gartens zu panketieren zurichten lassen, auch befohlen, einen jeden seinen Willen zu lassen und daß er, was ihm nur sein Herz gelüstet, bekommen kann, denn in unserm großen Reichtum kann's uns nicht schaden. Dieses Panketieren sollen sie sieben Tage treiben, denn also sehen wir es für gut an, daß unsere geringen Untertanen desto mehr Liebe zu uns tragen.

Nun habt ihr all unseren Reichtum, Silber, Gold und edle Kleinodien gesehen, aber eins haben wir noch, das übertrifft diese alle, welches wir euch jetzt wollen sehen lassen. Bightan und Theres, geht alsobald hin und holet unsere schöne Königin Vasthi mit ihrer königlichen Krone, denn ihre Schöne und Krone müssen wir auch vor allem Volk zeigen.

BIGHTAN: Großmächtigster König, ungern tue ich Ihrer Majestät solche Botschaft bringen. Die Königin Vasthi ist ungehorsam, und kann sie nicht bereden, daß sie zu Ihrer Majestät komme.

KÖNIG: Nicht kommen? Dieses ist ein großer Ungehorsam; bei meiner Krone und Zepter schwör ich, diese Unehre soll nicht ungestraft bleiben. O ihr unverständigen Weibsbilder, wie dürft ihr so hoffärtig werden! Gedenket ihr nicht, daß der Mann euer Herr und Haupt sei, und daß ihr nach seinem Willen leben müsset? Ihr Herren von Persien und Medien consulieret, was man für ein Recht der Königin Vasthi tun soll, denn wir sein gänzlich resolviret, solches nimmer ungestraft zu lassen. Haman, gib deinen Rat!

HAMAN: Großmächtiger König, die Königin Vasthi hat nicht allein an Ihrer Majestät übel getan, sondern auch an uns, ja an allen Mannspersonen hohen und niedrigen Standes im ganzen Lande des Königs, denn es wird solche Tat der Königinnen auskommen für alle Weiber, eben sowohl für unsere, daß sie ihre Männer werden verachten vor ihren Augen und werden dieses sagen: Der König Ahasverus hieß die Königin vor sich kommen, aber sie wollte nicht kommen; so werden nun die Fürstinnen sowohl als alle andern Weiber ihren Männern ungehorsam, wenn sie dieses von der Königin hören sagen, und wird derhalben Verachtung und Zorn genug unter den Eheleuten geben, wenn solchem Übel nicht abgeholfen wird. Derhalben gefällt es Ihrer Majestät, daß man ein Königlich Mandat von Ihm in die 127 Länder ausgehen läßt, daß Vasthi ihres Ungehorsams halben von ihrer Kron abgestürzet und nimmermehr vor Ihre Königlich Majestät kommen dürfe, und der König gebe die Kron und ihr Reich einer andern, die besser ist dann sie, und daß dieses Mandat mit Ernst in sich halte, daß alle Weiber ihre Männer hohen und niedrigen Standes in Ehren halten und ihnen gehorsam sein sollen. Geschieht dieses, so wird es wohl im Lande sein; viel ungehorsame und mutwillige Weiber, so das Regiment führen und das Haupt sein wollen, werden sich den Männern untertänig machen, sich bekehren und an dem Exempel der Königin Vasthi sich spiegeln.

KÖNIG: Mein getreuester und nähester Rat Haman, du hast sehr wohl geraten und gesaget, denn ein jedes Weibsbild würde Vasthi Exempel nachfolgen und ihren Männern nicht gehorsamen. Derhalben uns dein Rat aus der Maßen wohl gefällt; Vasthi soll nicht mehr Königin sein, all ihr Pracht und Herrlichkeit soll ihr genommen werden, und sieh, hie hast du unser Siegel, laß alsobald ein Mandat in unsere Lande ausgehen, nach allen Sprachen unseres Reichs, darunter druck unser Insiegel und laß also schreiben, daß ein jedermann Herr und das Haupt in seinem Hause sein soll und die Frau dem Manne untertan. Nach diesem so ist unser Will und Begehren, daß Schauer in allen Landen gestellt werden, auszusuchen die zartesten und schönsten Jungfrauen, daß sie allhie im Schloß Susan in das Frauenzimmer unter die Hand Hege, des Königs Kämmerer, getan werden, der sie pflege und ziere; und welche Dirne unsern Augen und Herz gefallen wird, Königin an Vasthi statt werde.

HAMAN: Solche zween Befehl von mir mit allem Fleiß sollen ausgerichtet werden.

KÖNIG: So laß uns hineingehen zu unserm Palast, und du, Haman, verschaff, daß Vasthi ihr Schmuck und Zier alsobald genommen werde und erforsche, wo mehr dergleichen böse, mutwillige Weiber, denn dieselben gleichfalls müssen gestrafet werden.

HAMAN: In Untertänigkeit und getreu soll solches geschehen, denn ohnedas bin ich der bösen Weiber Feind.

[12] **Volksbuch**

Historia von D. Johann Fausten
(gedruckt von Johann Spieß zu Frankfurt a. M.)

Wie obgemeldet worden, stunde D. Fausti Datum dahin, das zu lieben, das nicht zu lieben war. Dem trachtete er Tag und Nacht nach, nahme an sich Adlerflügel, wollte alle Gründ am Himmel und Erden erforschen; dann sein Fürwitz, Freiheit und Leichtfertigkeit stache und reizte ihn also, daß er auf eine Zeit etliche zauberische vocabula, figuras, characteres und coniurationes, damit er den Teufeı vor sich möchte fordern, ins Werk zu setzen und zu probieren ihm fürnahme. Kam also zu einem dicken Wald, wie etliche auch sonst melden, der bei Wittenberg gelegen ist, der Spesser-Wald genannt, wie dann D. Faustus selbst hernach bekannt hat. In diesem Wald gegen Abend in einem vierigen Wegscheid machte er mit einem Stab etliche Zirkel herum, und neben zween, daß die zween, so oben stunden, in großen Zirkel hineingingen, beschwure also den Teufel in der Nacht zwischen 9 und 10 Uhr... Da ließ sich der Teufel an, als wann er nicht gern an das Ziel und an den Reihen käme, wie dann der Teufel im Wald einen solchen Tumult anhub, als wolle alles zugrunde gehen, daß sich die Bäume bis zur Erde bogen. Danach ließ der Teufel sich an, als wann der Wald voller Teufel wäre, die mitten und neben des D. Fausti Zirkel her bald danach erschienen, als wann nichts denn lauter Wägen da wären, danach in vier Ecken im Wald gingen in Zirkel zu, als Bolzen und Strahlen, dann bald ein großer Büchsenschuß, darauf eine Helle erschiene. Und sind im Wald viel löblicher Instrument, Musik und Gesäng gehört worden, auch etliche Tänze, darauf etliche Turnier mit Spießen und Schwertern, daß also D. Fausto die Weil so lang gewest, daß er vermeint, aus dem Zirkel zu laufen. Letztlich faßt er wieder ein gottlos und verwegen Fürnehmen und beruhet oder stunde in seiner vorigen condition, Gott geb, was daraus möchte folgen. Hube gleich wie zuvor an, den Teufel zu beschwören, darauf der Teufel ihm ein solche Geplärr vor die Augen machte, wie folget: Er ließ sich sehen, als wann ob dem Zirkel ein Greif oder Drach schwebet und flatterte. Wann dann D. Faustus seine Beschwörung brauchte, da kirrete das Tier jämmerlich. Bald darauf fiel drei oder vier Klafter hoch ein feueriger Stern herab, verwandelte sich zu einer feurigen Kugel, deß dann D. Faust auch gar hoch erschrake. Jedoch liebete ihm sein Fürnehmen, achtet ihm's hoch, daß ihm der Teufel untertänig sein sollte, wie denn D. Faustus bei einer Gesellschaft sich selbsten berühmet, es sei ihm das höchste Haupt auf Erden untertänig und gehorsam. Darauf die Studenten antworteten, sie wüßten kein höher Haupt denn den Kaiser, Papst oder König. Darauf sagt D. Faustus: Das Haupt, das mir untertänig ist, ist höher, bezeugte solches mit der Epistel Pauli an die Epheser, der Fürst dieser Welt, auf Erden und unter dem Himmel usw. Beschwur also diesen Stern zum ersten, andern und dritten Mal. Darauf ging ein Feuerstrom eines Mannes hoch auf, ließ sich wieder herunter; und wurden sechs Lichtlein darauf gesehen. Einmal sprang ein Lichtlein in die Höhe, denn das ander hernieder, bis sich änderte und formierte eine Gestalt eines feurigen Mannes. Dieser ging um den Zirkel herum eine viertel Stund lang. Bald darauf änderte sich der Teufel und Geist in Gestalt eines grauen Mönchs, kam mit Fausto zu Sprach, fragte, was er begehrte. Darauf war D. Fausti Begehr, daß er morgen um 12 Uhr zu Nacht ihm erscheinen sollt in seiner Behausung, deß sich der Teufel eine Weil weigerte. D. Faustus beschwur ihn aber bei seinem Herrn, daß er ihm sein Begehren sollte erfüllen und ins Werk setzen, welches ihm der Geist zuletzt zusagte und bewilligte.

Doktor Faustus, nachdem er morgens zu Haus kam, beschiede er den Geist in seine Kammer, als er dann auch erschiene, anzuhören, was D. Fausti Begehren wäre. Und ist sich zu verwundern, daß ein Geist, wo Gott die Hand abzeucht, dem Menschen ein solch Geplärr kann machen... D. Faustus hebt sein Gaukelspiel wiederum an, beschwur ihn von neuem, legt dem Geist etliche Artikel vor:

I. Erstlich, daß er ihm sollt untertänig und gehorsam sein in allem, was er erbete, fragte und zumute, bis in sein, Fausti, Leben und Tod hinein.

II. Daneben sollt er ihm dasjenig, so er von ihm forschen würd, nicht verhalten.

III. Auch daß er ihm auf alle Interregatorien nichts Unwahrhaftiges respondieren wölle...

Nachdem D. Faustus diese Promission getan, forderte er des andern Tags zu Morgenfrühe den Geist. Dem auferlegte er, daß, sooft er ihn fordere, er ihm in Gestalt und Kleidung eines Franziskanermönchs mit einem Glöcklein erscheinen sollte und zuvor etliche Zeichen geben, damit er am Geläut könnte wissen, wenn er daherkomme. Fragte den Geist darauf, wie sein Name und wie er genennet werde. Antwortet der Geist, er hieß Mephistophiles. Eben in dieser Stund fällt dieser gottlos Mann von seinem Gott und Schöpfer ab, der ihn erschaffen hat, ja er wird ein Glied des leidigen Teufels. Und ist dieser Abfall nichts anders dann sein stolzer Hochmut, Verzweiflung, Verwegung und Vermessenheit, wie den Riesen war, davon die Poeten dichten, daß sie die Berg zusammentragen und wider Gott kriegen wollten, ja wie dem bösen Engel, der sich wider Gott setzte, darum er vonwegen seiner Hoffart und Übermut von Gott verstoßen wurde. Also wer hoch steigen will, der fallet auch hoch herab.

Nach diesem richtet D. Faustus aus großer seiner Verwegung und Vermessenheit dem bösen Geist sein Instrument, Recognition, briefliche Urkund und Bekanntnis auf. Dieses war ein greulich und erschrecklich Werk...

Ich, Johannes Faustus D., bekenne mit meiner eigen Hand öffentlich zu meiner Bestätigung und in Kraft dies Briefs, nachdem ich mir vorgenommen, die Elementa zu spekulieren, und aber aus den Gaben, so mir von oben herab bescheret und gnädig mitgeteilt worden, solche Geschicklichkeit in meinem Kopf nicht befinde und solches von den Menschen nicht erlernen mag, so hab ich gegenwärtigem gesandtem Geist, der sich Mephistophiles nennet, ein Diener des höllischen Prinzen in Orient, mich untergeben, auch denselbigen, mich solches zu berichten und zu lehren, mir erwählet, der sich auch gegen mir versprochen, in allem untertänig und gehorsam zu sein. Dagegen aber ich mich hinwider gegen ihm verspreche und verlobe, daß so 24 Jahr von Dato dieses Briefs an herum und vorüber gelaufen, er mit mir nach seiner Art und Weis, seines Gefallens, zu schalten, walten, regieren, führen, gut Macht haben solle, mit allem, es sei Leib, Seel, Fleisch, Blut und Gut, und das in sein Ewigkeit. Hierauf absage ich allen denen, so da leben, allem himmlischen Heer und allen Menschen, und das muß sein. Zu festem Urkund und mehrer Bekräftigung hab ich diesen Rezeß eigner Hand geschrieben, unterschrieben und mit

meinem hierfür gedrucktem eigen Blut, meines Sinns, Kopfs, Gedanken
und Willen verknüpft, versiegelt und bezeuget usw.

> Subscriptio,
> Johann Faustus, der Erfahrne der Elemente
> und der Geistlichen Doktor.

[13] Bürgertugend

JÖRG WICKRAM · *Der jungen Knaben Spiegel*

Friedbert ist der Sohn einfacher Eltern, Willibald der Adelssohn.

Patric, die gute Frau, hatte sehr große Freude an ihrem Sohn Friedbert.
Und als er eben ein Jahr alt war, genas Concordia auch eines Sohns. Was
aber für Freuden und Köstlichkeit bei dieser Kindertauf und dem Geburtstag fürgangen ist, ist nicht vonnöten zu melden. Dieweil bei unseren Zeiten
von schlichten und gemeinen Bürgern viel Gepräng und Köstlichkeit vor-
geht, denn die Taufdecken und andere Kleidung samt den Kindsbett-
statten auf das köstlichst müssen zugericht sein, das laß ich einen jeden
selbst ermessen. Wie auch die Kinder in ihren kindlichen Jahren auferzogen sind, will ich von Kürze wegen unterlassen und anheben zu schreiben von dem an, da der eine Knabe sechs, der andere sieben Jahr alt
worden ist, wie und in was Tugenden, Künsten und anderen männlichen
Taten der eine durch gute und fleißige Lernung und Unterweisung zu-
genommen und der andere aber von wegen zärtlicher, weicher und unstraf-
barer Auferziehung, der gleich von halsstarriger und böser Gesellschaft
unterwiesen, gar eines unkündigen, groben und unartigen Verstands worden, so daß man den Edlen für einen Bauern und den Bauernsohn für
edel schätzte.

Wenn sich's dann begab, daß Willibald und Friedbert samt ihrem Zuchtmeister spazierten und mit jenen anderen jungen Knaben ihres Alters, so
war allweg Friedbert der freundlichste, züchtigste und ernsthaftigste. Er
unterzog sich nicht viel kindischer Sachen, sondern sucht seine Lust in
den schönen Naturgewächsen, als Blumen und anderen zierlichen Kräu-
tern, deren Gestalt und Schönheit er allweg mit ganzem Fleiß beschauen
und betrachten tat. Seinen Zuchtmeister, soweit sein kindischer Verstand
greifen mocht, von diesen und anderen natürlichen Dingen fraget; auch
ein jedes mit seinem eigenen Namen nach lateinischer Sprache begehrt zu
erlernen, mit rechtem Namen zu nennen. Sobald ihm dann solches von
seinem Meister gesagt, war er gerüstet mit einer Schreibtafel, verzeichnet
ein jedes ganz fleißig auf. Willibald aber, sein vermeintlicher Bruder,
treibt gleich das Widerspiel, suchet Gesellschaft, die mit ihm unzüchtlich
hin und her schwärmen, jetzt schlagen, dann raufen; und nahm sich auch
der Lernung gar wenig und je länger je minder an. Davon ward sein Zuchtmeister unmutig, strafte ihn zuzeiten mit freundlichen Worten, also

sprechend: »Mein allerliebster Willibald, wie magst du deinem Bruder so ganz ungleich leben und siehst doch, wie löblich ihm ansteht, daß er sich nach seiner Jugend so zierlich und weislich halte. Ach, ergötze dich mit ihm und mit dem, darin er Freund und Kurzweil suchet, und folge nicht also den groben, unadeligen Jungen, die sich keine Tugend, sondern aller Unzucht befleißigen. Du siehst von jenen, wie das Alter verlachet und verspottet wird. Alle Zucht, Furcht und Scham ist bei denen in keinem Wert gehalten. Nun schau, mein Willibald, dieser, wiewohl er von Geblüt dir gar nicht verwandt, er tritt in die adligen Fußtapfen, gleich wär er von adligen Eltern geboren. Er gesellt sich zu denjenigen, bei welchen er mag Kunst und Weisheit erfahren, und nicht zu dem unverständigen Pöbel, wie du gewohnt bist. An Vernunft nimmt er zu, so befleißigt er sich aller Tugend und Lernung. Er ist furchtsam, gehorsam und doch fröhlich. Dem wollest du auch nachfolgen!« Es verfing aber gar wenig an ihm und ließ solche Warnung und Lehr allweg zu einem Ohr hinein-, zu dem anderen wieder herausgehen. Wie denn zu unserer Zeit die zartgezognen Söhnlein noch gewohnt sind, so lief er zu seiner Mutter, klaget ihr seine Kümmernis. Die kam dann bald zu dem Zuchtmeister Felix (denn also hieß er mit Namen), bat ihn, daß er der Blödigkeit des Knaben verschonet, er wär doch noch gar kindisch; dazu hätte man ihn nicht zur Schule geschickt, daß er sollt Doktor werden, allein darum, daß er Lust, Freud und Kurzweil mit anderen Jungen seinesgleichen haben möcht. Ihm wäre auch als einem einzigen Sohn nicht vonnöten, viel zu erkunden und zu erfahren, denn er hätte wohl in seines Vaters Haus zu bleiben und sehr großen Guts zu warten. Der gut Felix ließ die Sach also hingehn, wollt nicht viel mehr dazu reden, gleich wie noch geschieht in unseren Schulen, so etwa Vater und Mutter einem Schulmeister ein Kind beheulen. Der Schulmeister wendet seinen möglichen Fleiß an; das Kind ist mutwillig ungezogen, befleißigt sich aller Bübereien und Mutwillens; so dann meint der gute Mann, das Kind zu strafen, streicht's etwa ein wenig mit Ruten; sobald lauft's hin, sagt das Vater und Mutter; die kommen dann mit großem Grimm und Zorn zu dem Schulmeister, verweisen ihm schädlich, sprechen, er habe ihnen ihr Kind gegeißelt wie die Juden unsern Herrn; nehmen bisweilen ihre Kinder wieder aus der Schul; sagen, sie könnten ihre Kinder noch wohl selber strafen. — Unser Sohn hat jetzt schon die Halsstark. Er gibt wenig und alsbald gar nichts um Vater und Mutter. Und das soll auch so sein. —

DAS BAROCK

Im Gegensatz zu dem hauptsächlich vom Bürgertum getragenen deutschen Humanismus war das Barock überwiegend eine Hofkultur, an den absolutistischen Fürstenhöfen und in den Residenzstädten ansässig, mit einer Literatur, die der äußeren Prachtentfaltung der Fürsten- und Adelskreise entsprechen sollte. Es war damit eine literarische Strömung, die von einer starken künstlerischen Absicht beherrscht wurde und sowohl zu einem die höfische Prunkwelt einfangenden Inhalt als auch zu einer ihr höchst angemessenen Sprach- und Stilform hinstrebte. In jeder Weise setzt sich die barocke Dichtung — vergleichbar mit der Malerei und Baukunst — ein überdimensionales Ziel, immer auf Erhöhung und Steigerung des Lebensgefühls bedacht, von heftigen emotionalen Triebkräften angeregt. Ihr Streben richtete sich nach höchster Vollendung, erfüllt von einem starken poetischen Selbst- und Sendungsbewußtsein, in dem auch die Überzeugung lag, daß die deutsche Poesie zu einer bisher einmaligen Geltung aufsteigen könne.

Martin Opitz, der führende Literat der insgesamt in der Barockdichtung vorherrschenden SCHLESISCHEN SCHULE, hat der *Deutschen Poeterei* [1] einen in der europäischen Literatur ebenbürtigen Rang eingeräumt, indem er die Möglichkeiten aufzeigte, den Anforderungen der zeitgenössischen französischen und italienischen (und das bedeutete auch: der römischen und griechischen) Dichtung zu genügen. Die Befolgung dieser Vorbilder verlangte eingehende Beschäftigung mit der poetischen Wissenschaft, die Poesie wurde eine *Gelehrtenkunst* [2]. Gerade deshalb steigerte sich die Barockdichtung häufig in eine — besonders von den Italienern übernommene — Kunststilistik und Allegorienhäufung hinein; der *Manierismus* [3] war Ausdruck antiker, humanistischer Bildung und poetisch formaler Fertigkeit. Neben diesem künstlerischen Willen des Barock findet sich aber auch eine tiefe Innerlichkeit, eine Versenkung des Menschen in den innersten Bereich seiner Existenz. Hier ergab sich eine Antithese zu jeder weltfrohen und weltgläubigen Haltung. Die Erkenntnis der Schwachheit des Menschen, der Leere, Öde und Vergänglichkeit alles Irdischen, der *Vanitas* [4], führte zu resignierender Weltabkehr und zu einer um so stärkeren Sehnsucht nach dem Jenseits. Es ist die Zeit der Drangsale des Dreißigjährigen Krieges mit ihren zahllosen Beispielen menschlicher Hinfälligkeit und auch menschlicher Abgründigkeit und Verwahrlosung. Mit scharfem Spott, mit *Scherz und Schimpf* [5], führt der Dichter in der Komödie die unleidlichen Charaktere heruntergekommener und nur noch durch Schein und Lüge sich rechtfertigender Menschen vor, oder er spricht sich in der Tragödie das ganze leidvoll-chaotische Stimmung des Menschen von der Seele. Die furchtbaren Geschehnisse, die auf der Weltbühne abrollen, sind ein *Triumph der Anarchie* [6], Zeichen der teuflischen Mächte des Diesseits. Der barocke Weltschmerz liegt auch dem subjektiven Bekenntnis der Lyrik zugrunde, da er erfüllt ist von dem Gefühl des Ungenügens, der Verkettung an schicksalhafte Tragik, oder (wie Christian Günther sagte) an *die getreuen Schmerzen* [7].

Kam vor allem in der schlesischen Dichtung der Leidenszustand der Zeit zum Ausdruck, so findet sich in der AUSSERSCHLESISCHEN BAROCKPOESIE eine Mäßigung und Festigung des Menschen. Von Opitz übernahm man das Streben nach einer von fremdländischem Wortgebrauch gereinigten Sprache und war besonders in der Lyrik bestrebt, in schlichter Sprache einen schlichten Inhalt vorzutragen. Dem Gefühl der Einsamkeit und der Resignation stehen Freundschaftsgesinnung, der Glaube an *ein getreues Herze* [8] und die Zuversicht auf göttlichen Schutz und Trost gegenüber; das Wort Paul Flemings *Sei getrost, o meine Seele* [9] entstammt der Gewißheit von göttlicher

Gegenwart und Gnade. Diese innere Sicherheit löst sich aber häufig in Zwiespalt auf, indem der Mensch gleichviel ins Weltleben hineintrachtet und Weltsucht und Weltabkehr in ihm widerstreiten. *Landsknecht und Einsiedler* [10] in Grimmelshausens »Simplizissimus« sind die stellvertretenden Typen dieses antithetischen Lebensgefühls, das zwischen Welt und Gott, Abenteuer und Besinnung hin und her schwankt. Diese Gegensätzlichkeit prägt sich auch in den extremen Typen des barocken *Schelms* [11], des weltoffenen und weltfrohen Abenteurers, Aufschneiders und Phantasten, und des in religiöser Inbrunst versunkenen barocken Mystikers aus.

DIE BAROCKE MYSTIK war die schöpferischste und gedankentiefste Aussage religiös-barocker Innerlichkeit. Als philosophische und theosophische Spekulation, als *Theosophia mystica* [12], will sie das Rätsel des Gegensatzes von Gott und Welt, Gut und Böse ergründen und durch den Glauben an einen pantheistischen, das All sowie das Böse durchwirkenden Gott lösen, während sie als Versenkung in das Wesen Gottes, als visionäre Anschauung, jenseits aller philosophischen Ordnung, als *Ignorantia mystica* [13], das Wunder göttlichen Daseins und menschlichen Berührtseins zu erfahren und anzudeuten versucht.

Die Gläubigkeit des barocken Menschen kam aber auch in der bedeutsamen Wirkung der Jesuitendramen zum Vorschein. DAS JESUITENBAROCK im Dienst der katholischen Gegenreformation ließ gegenüber der diesseitigen Anarchie den *Triumph Gottes* [14] aufleuchten lassen. In mächtigen, das Jenseits umfassenden Bildern, mit einem reichen Aufwand an allegorischen Figuren und Heiligengestalten wird der Untergang des Bösen und der Sieg des gerechten Gottes anklagend, mahnend und zugleich tröstend dargestellt. Das Jesuitendrama war der höchste Ausdruck feierlichen Pathos und von der Wirklichkeit Gottes beseelter Leidenschaft. Wie schon im humanistischen Schuldrama, jedoch ins Religiöse überhöht, war das Ziel die sittliche Bekehrung.

Darüber hinaus lag nahezu dem gesamten Barock die Absicht der Bekehrung und Läuterung zugrunde; und daraus lebt auch die BAROCKE SATIRE mit ihrer sehr weit gespannten Thematik. Moralische, religiöse und nationale Aspekte ergaben zahlreiche satirische Richtungen, die aber gemeinsam auf eine Abkehr vom »Weltwesen«, von der Veräußerlichung des Lebens, hinzielten. Vor allem wandte sich die Dichtung gegen die Prunksucht und Selbstgefälligkeit des Adligen und Bürgers, *gegen Alamode* [15], gegen die von fremdländischen Vorbildern angeregte und von der Barockkultur unterstützte Krankheit der Eitelkeit. Mehr noch: Jedes Laster, jede Schwäche, die gesamte Menschheit ohne Ausnahme, *die böse Welt* [16] wird vor den Richterstuhl zitiert, ihrer Übel angeklagt und der ewigen Verdammnis preisgegeben. So ergab sich neben der höfischen Haltung des Barock eine ausgesprochen weltfeindliche, jenseitsgerichtete, die aus ihrer Glaubenskraft heraus der gesamten Epoche eine starke seelische Dynamik und Ausstrahlung verlieh.

Die Schlesische Schule

[1] **Deutsche Poeterei**

MARTIN OPITZ · *Buch von der deutschen Poeterei*

Ich bin der tröstlichen Hoffnung, es werde nicht alleine die lateinische Poesie, welcher seit der vertriebenen, langwierigen Barbarei viel große Männer aufgeholfen, ungeachtet dieser trübseligen Zeiten und höchster Verachtung gelehrter Leute, bei ihrem Wert erhalten werden, sondern

auch die deutsche, zu welcher ich nach meinem armen Vermögen allbereit
die Fahne aufgesteckt, von stattlichen Gemütern also ausgeübet werden,
daß unser Vaterland Frankreich und Italien wenig wird bevor dürfen
geben.

Von dieser deutschen Poeterei nun zu reden, sollen wir nicht vermeinen,
daß unser Land unter so einer rauhen und ungeschlachten Luft liege, daß
es nicht eben dergleichen zu der Poesie tüchtige Ingenia könne tragen als
irgend ein anderer Ort unter der Sonnen. Wein und Früchte pfleget man zu
loben von dem Orte, da sie herkommen sein; nicht die Gemüter der Menschen. Der weise Anacharsis ist in den scytischen Wüsten geboren worden.
Die vornehmsten Griechen sind in Ägypten, Indien und Frankreich ge-
reiset, die Weisheit zu erlernen. Und über dies, daß wir so viel vornehme
Poeten, so heutiges Tages bei uns erzogen worden, unter Augen können
stellen, erwähnet Tacitus von den Deutschen in dem Buche, das er von
ihnen geschrieben, daß, obwohl weder Mann noch Weib unter ihnen zu
seiner Zeit den freien Künsten obzuliegen pflegeten, faßten sie doch alles,
was sie im Gedächtnis behalten wollten, in gewisse Reimen und Gedichte.
Wie er denn in einem andern Orte saget, daß sie viel von des Arminius
seinen Taten zu singen pflegeten.

Daß ich der Meinung bin, die Deutschen haben eben dieses im Gebrauche
gehabt, bestätigt mich, über das, was Tacitus meldet, auch der alten
Cimbrer und Dänen ebenmäßiger Gebrauch, die von ihren Helden schöne
und geistreiche Lieder erdichtet haben, deren nicht wenig von alten
Jahren her in Dänemark noch vorhanden sind und von vielen gesungen
werden.

Und überdies sind doch eines ungenannten Freiherrns von Wengen,
Junker Winsbeckens, Reinmars von Zweter, der ein Pfälzischer von Adel
und bei Kaiser Friedrich I. und Heinrich VI. aufgewartet hat, Marners,
auch eines Edelmanns, Meister Sigeherrens und anderer Sachen noch vorhanden, die manchen stattlichen lateinischen Poeten an Erfindung und
Zier der Reden beschämen. Ich will nur aus dem Walther von der Vogelweide, Kaiser Philipps Geheimen Rate... einen einigen Ort setzen; daraus
leichtlich wird zu sehen sein, wie hoch sich selbige vornehme Männer,
ungeachtet ihrer adligen Abkunft und Standes, der Poeterei angemaßet...

Daß nun von langer Zeit her dergleichen zu üben in Vergessen gestellt
ist worden, ist leichtlicher zu beklagen, als die Ursache hiervon zu geben.

[2] **Gelehrtenkunst**

MARTIN OPITZ · *Buch von der deutschen Poeterei*

Wiewohl auch bei den Italienern erst Petrarca die Poeterei in seiner
Muttersprache getrieben hat, und nicht sehr unlängst Ronsardus, von dem
gesagt wird, daß er, damit er sein Französisch desto besser auswürgen
könnte, mit den Griechen Schriften ganze zwölf Jahr sich überworfen

habe; als von welchen die Poeterei ihre meiste Kunst, Art und Lieblichkeit bekommen. Und muß ich bei hiesiger Gelegenheit ohne Scheu dieses erinnern, daß ich es für eine verlorene Arbeit halte, im Fall sich jemand an unsere deutsche Poeterei machen wollte, der, nebenst dem, daß er ein Poete von Natur sein muß, in den griechischen und lateinischen Büchern nicht wohl durchtrieben ist und von ihnen den rechten Griff erlernet hat; daß auch alle die Lehren, welche sonsten zu der Poesie erfordert werden und ich jetzund kürzlich berühren will, bei ihm nichts verfangen können.

Weil die Poesie wie auch die Rednerkunst in Dinge und Worte abgeteilet wird, als wollen wir erstlich von Erfindung und Einteilung der Dinge, nachmals von der Zubereitung und Zier der Worte und endlich vom Maße der Silben, Verse, Reime und unterschiedener Art der Carminum und Gedichte reden.

Die Erfindung der Dinge ist nichts anderes als eine sinnreiche Fassung aller Sachen, die wir uns einbilden können, der himmlischen und irdischen, die Leben haben und nicht haben, welche ein Poete ihm zu beschreiben und hervorzubringen vornimmt... An dieser Erfindung hänget stracks die Abteilung, welche bestehet aus einer füglichen und artigen Ordnung der erfundenen Sachen. Hier müssen wir uns besinnen, in was für eine Genere carminis und Art der Gedichte (weil ein jegliches seine besondere Zugehör hat) wir zu schreiben willens sein...

Das Gedichte und die Erzählung selber belangend, nimmt sie es nicht so genau wie die Historien, die sich an die Zeit und alle Umstände notwendig binden müssen, und wiederholet auch nicht, wie Horaz erwähnet, den Trojanischen Krieg von der Helenen und ihrer Brüder Geburt an: läßt viel außen, was sich nicht hinschicken will, und setzet viel, das zwar hingehöret, aber neu und unverhofft ist, untermenget allerlei Fabeln, Historien, Kriegskünste, Schlachten, Ratschläge, Sturm, Wetter und was sonsten zu Erweckung der Verwunderung in den Gemütern vonnöten ist; alles mit solcher Ordnung, als wann sich eines auf das andere selber also gebe und ungesucht in das Buch käme. Gleichwohl aber soll man sich in der dieser Freiheit zu dichten vorsehen, daß man nicht der Zeiten vergesse und in ihrer Wahrheit irre. Wiewohl es Virgil, da er vorgegeben, Eneas und Dido hätten zu einer Zeit gelebet, da doch Dido hundert Jahre zuvor gewesen, dem Kaiser und römischen Volke, durch welches die Stadt Karthago bezwungen worden, zuliebe getan, damit er gleichsam von den bösen Flüchen der Dido einen Anfang der Feindschaft zwischen diesen zweien mächtigen Völkern machte. Ob aber bei uns Deutschen sobald jemand kommen möchte, der sich eines vollkommenen heroischen Werkes unterstehen werde, stehe ich sehr im Zweifel und bin nur der Gedanken, es sei leichtlicher zu wünschen als zu hoffen.

Die Tragödie ist am meisten dem heroischen Gedichten gemäß, ohne daß sie selten leidet, daß man geringe Standespersonen und schlechte Sachen einführe: weil sie nur von königlichem Willen, Totschlägen, Verzweiflungen, Kinder- und Vatermorden, Brande, Blutschanden, Kriege und Aufruhr, Klagen, Heulen, Seufzen und dergleichen handelt. Von

78

derer Zugehör schreibet vornehmlich Aristoteles und etwas weitläufiger
Daniel Heinsius, die man lesen kann.

Die Komödie bestehet in schlichtem Wesen und Personen, redet von
Hochzeiten, Gastgeboten, Spielen, Betrug und Schalkheit der Knechte,
ruhmrätigen Landsknechte, Buhlersachen, Leichtfertigkeit der Jugend,
Geize des Alters, Kuppelei und solchen Sachen, die täglich unter gemeinen
Leuten vorlaufen. Haben derowegen die, welche heutigentags Komödien
geschrieben, weit geirret, die Kaiser und Potentaten eingeführet; weil
solches den Regeln der Komödie schnurstracks zuwiderläuft.

[3] Manierismus

CHRISTIAN HOFMANN VON HOFMANNSWALDAU

Er sah sie über Feld gehen

Es ging die Lesbia in einem Schäferkleide
Als Hirtin, wie es schien, der Seelen, über Feld,
Es schaute sie mit Lust das Auge dieser Welt,
Es neigte sich vor ihr das trächtige Getreide;

Es kriegte meine Lust auch wieder neue Weide
Von wegen dieser Brust, da Venus Wache hält,
Der Schultern, wo sich zeigt der Lieblichkeit Behält;
Und dann der Schönen Schoß, des Hafens aller Freude.

Ich sprach: Ach Lesbia! wie zierlich geht dein Fuß,
Daß Juno, wie mich deucht, sich selbst entfärben muß,
Und Phöbus, dich zu sehn, verjüngt die alte Kerze;

Nicht glaube, Lesbia, daß du den Boden rührst,
Und den geschwinden Fuß auf Gras und Blumen führst:
Es geht ein jeder Tritt auf mein verwundtes Herze.

[4] Vanitas

ANDREAS GRYPHIUS · *Auf die Vergänglichkeit*

Der schnelle Tag ist hin; die Nacht schwingt ihre Fahn
Und führt die Sternen auf. Der Menschen müde Scharen
Verlassen Feld und Werk; wo Tier und Vögel waren,
Traurt jetzt die Einsamkeit. Wie ist die Zeit vertan!

Dem Port naht mehr und mehr sich zu der Glieder Kahn.
Gleich wie dies Licht verfiel, so wird in wenig Jahren
Ich, du und was man hat und was man sieht, hinfahren.
Dies Leben kömmt mir vor als eine Rennebahn.

Laß, höchster Gott! mich doch nicht auf dem Laufplatz gleiten!
Laß mich nicht Ach, nicht Pracht, nicht Lust, nicht Angst verleiten!
Dein ewigheller Glanz sei vor und neben mir!

Laß, wenn der müde Leib entschläft, die Seele wachen,
Und wenn der letzte Tag wird mit mir Abend machen,
So reiß mich aus dem Tal der Finsternis zu Dir!

ANDREAS GRYPHIUS · *Cardenio und Celinde*

Der junge Edelmann Cardenio und seine sündhafte Geliebte Celinde klagen gemeinsam
über ihr verfehltes Leben. Olympia wurde einst von Cardenio geliebt und ist unterdessen
mit Lysander vermählt.

CELINDE: Fahr hin, verfälschte Lust! Fahrt hin, nicht reine Flammen!
Ihr Vorbild höllscher Glut! Celinde will verdammen,
Was ihr Verdammen wirkt. Celinde will allein
Von dieser Stund an Gott ein reines Opfer sein.
Weg, Perlen! Weg, Rubin und indiansche Steine!
Die Tränen, damit ich mein Übeltat beweine,
Sieht der für Perlen an, dem ich befleckte Frau
Zu einer Magd mich selbst auf ewig anvertrau.
Fahr hin, Cardenio! den ich von Gott gezogen;
Cardenio! den ich um Ehr und Ruhm betrogen;
Cardenio! den ich um alles, was geacht,
Um Redlichkeit und Treu und rein Gewissen bracht.
Ade, Cardenio! durch den ich bin entgangen,
Als meiner Strafen Heer mich diese Nacht umfangen.
Ade, Cardenio! Mein Herze bricht entzwei.
Vor Wehmut noch ein Wort: Cardenio! verzeih!

CARDENIO: Celind! ich bin durch mich und nicht durch sie verführet.
Dafern sie meinen Gang als auf der Jagd verspüret,
Riet mir doch mein Verstand, den Netzen zu entgehn,
In die ich willig lief. Glänzt ihr Gesichte schön,
Das mich bezaubert hat, so hieß doch mein Gewissen
Vor diesen Sonnen mich die blöden Augen schließen.
Stritt, lieblichste Syren! ihr artiger Gesang
Mit ihrem Harfenspiel, mit ihrer Lauten Klang,
Mir stund mit jenem frei, die Ohren zu verstopfen.
Geliebt ihr, an mein Herz so lieblich anzuklopfen,
Ich ließ sie selber ein. Der Mensch fällt nur durch sich.
Sucht sie Verzeihung hier, ich selbst verklage mich;
Ich, der in Lust entbrannt, ihr Üppigkeit gepriesen;
Ich, der sie mehr und mehr zu Lastern angewiesen;
Ich, der ihr selbst vertrat die keusche Tugendbahn!
Ach, was ich nicht gewehrt, das hab ich selbst getan.

Hat mir Olympie, die ich umsonst bekrieget,
Nach starker Gegenwehr so herrlich obgesieget,
Konnt ich Celinden denn nicht unter Augen gehn
Und unverletzt dem Pfeil der Liebe widerstehn?
O Wunder dieser Zeit, die ich allein erhebe,
Und vorhin stets verfolgt, Olympie! sie vergebe...
Ich war ihr grimmster Feind, als mich bedaucht, ich liebte.
Sie, Schönste! liebte mich; mich dünkte, sie betrübte.
Itzt lob ich ihre Zucht und unvergleichlich Ehr;
Vor diesem war ich blind und rast je mehr und mehr
Nach eignem Untergang. Ich bin durch sie gestiegen
Und schau Cupido dich vor meinen Füßen liegen.
Der Köcher ist entleert, der Bogen sehnenfrei,
Des Todes strenge Faust bricht seinen Pfeil entzwei.
Die Fackeln löschen aus von meinen steten Zähren.
Vor hast du mich verletzt; jetzt kann ich dich entwehren.
Und mangelt mir noch was, zu dämpfen seine Pein,
So soll Olympiens Sieg des meinen Richtschnur sein.

OLYMPIA: An mir, Cardenio! wird man nichts preisen können.
Ich preise mehr, was ihm der Höchste wollen gönnen.
Was bisher je von ihm zwider mir geschehn,
Rührt daher, daß er mich nicht selbst hat angesehn.
Ihn hat mein nichtig Fleisch, der falsche Schnee der Wangen
Und des Gesichtes Larv und dieser Schmuck gefangen,
Den mir die Zeit abnimmt; nun hat die wahre Nacht
Mein Antlitz recht entdeckt. Herr! dieser Lilien Pracht,
Des Halses Elfenbein sind nur geborgte Sachen.
Wenn das gesteckte Ziel mit mir wird Ende machen
Und mein beklagter Leib, den er so wert geschätzt,
Nun zu der langen Ruh in seine Gruft versetzt...
Denn such er meinen Rest! Was ihm der Sarg wird zeigen,
In dem man mich verschloß, das schätz er für mein eigen!
Das ander war entlehnt.

CELINDE: O wohl und mehr denn wohl
Dem, der so fern sich kennt, weil er noch leben soll,
Nicht, wenn der Tod schon ruft.

PAMPHILIUS: Wohl dem, der stets geflissen
Auf ein nicht flüchtig Gut und unverletzt Gewissen!

LYSANDER: Wohl dem, der seine Zeit nimmt, weil noch Zeit, in acht!

VIREN: Wohl diesem, der die Welt mit ihrer Pracht verlacht!

PAMPHILIUS: Wohl dem, dem Gottes Hand will selbst das Herze rühren!

OLYMPIA: Wohl dem, der sich die Hand des Höchsten lässet führen!

CELINDE: Wohl dem, der jeden Tag zu seiner Gruft bereit!

PAMPHILIUS: Wohl dem, der ewig krönt die ewig Ewigkeit!

CARDENIO: Wer hier recht leben will und jene Kron ererben,
Die uns das Leben gibt, denk jede Stund ans Sterben!

ANDREAS GRYPHIUS · *Horribilicribrifax*

Horribilicribrifax ein heruntergekommener Hauptmann, Harpax sein Diener, Sempronius ein eingebildeter Schulmeister; Horri. und Sempr. rivalisieren um ein adliges Mädchen.

HORRI.: Ihr habt die unvergleichliche Coelestinam lieb?

SEMPRONIUS: Das tu ich zu Trotz Euch und allen, den es leid ist. Quid id ad te?

HORRI.: Ich sage, daß ich ihrer Liebe würdiger bin.

SEMPRONIUS: Mentiris, das heißt auf deutsch, es ist erlogen.

HORRI.: Oh' qual' oltragio! Soll ich dies Wort hören? Was hindert mich, daß ich Euch nicht in einem Streich in hunderttausend Stücke zerteile?

SEMPRONIUS: Quid me retinet, daß ich nicht mit diesem meinem alten, guten spanischen Degen, mit welchem ich auf so vielen Universitäten den Bachanten Löcher geschlagen, den Häschern Schenkel und Köpf abgehauen, die tollsten Teufel blutrünstig gemacht, die Steine auf der Gassen zerspalten, dem Rectori magnifico die Fenster ausgestochen, den Pedellen die Füße gelähmet, eine solche Tat verübe, daß die Sonne am Himmel drüber erschwarze und die Planeten zurücke laufen? Nec dum omnis haebet effoeto in corpore sanguis. Virgil.

HORRI.: Ob ich Euch wohl mit diesem Degen könnte auf andre Meinung bringen (havend' io un giorno nel amfiteatro di Verona ucciso di mia mano molto mille gladiatori) will ich Euch doch dartun aus Eurer eigenen Wissenschaft, daß ich besser sei als Ihr, damit Ihr sehen sollet, daß ich eben wohl studieret bin und in artem aratoriam Verstand habe. Ihr seid ein Gelehrter und macht Profession von dem Buch, als ich von dem Degen. Ist das wahr?

SEMPRONIUS: Rem acu!

HORRI.: Nu wisset Ihr ja wohl, daß man das Buch unter dem linken Arm trägt und den bloßen Degen in der rechten Hand führet, ergo gehen die Gelehrten unten und wir oben an.

SEMPRONIUS: Kalôs. Ergo gefehlet. Als wenn man nicht den Degen auf der linken Seiten trüge und ein offen Buch in der rechten Hand hielte; als wenn man nicht die Feder oben auf den Hut steckte, welches ich weitläuftiger mit vielen Syllogismis, Enthymematibus, Soritibus, Inductionibus, Elenchis, Mesosyllogismis, Argumentationibus crypticis, Distinctionibus, Divisionibus, Exceptionibus ausführen könnte, nisi res esset liquidissima per se und klarer als die Sonne in ipso meridie.

HARPAX: Laßt uns fliehen mein Herr! Er zaubert, er redet der bösen Geister Sprache.

HORRI.: Si me le direte, lo sapero! Als wenn ich nicht mit vielen Sonneten, Madrigalen, Quadrimen, Oden, Canzonen, Concerten, Sarabanden, Serenaden, Aubaden das Widerspiel beweisen könnte! Doch damit ich Euch Schamröte abzwinge und beweise, daß ich ein besser Arator bin als Ihr, so will ich eine Roration halten, die ich getan, als Pappenheim Magdeburg

einnahm und man kurz zuvor in dem Kriegsrat herum fottirete. Habt Ihr
so viel Mut, so beantwortet mir dieselbe Augenblicks.

SEMPRONIUS: Ego sum contentissimus.

HORRI.: Harpax, du sollst unterdessen General Tylli sein. Setze dich
derowegen hier nieder! Bildet euch nun ein, hier sitze General Tylli und
neben ihm Feldmarschall Pappenheim. Hora diamo principio alla narra-
tiva! Es wurd deliberiret, ob man Magdeburg denselben Morgen antasten
oder verziehen sollte, bis unsere Abgeordneten wieder ins Läger kämen.
Don Arias von Toledo, welcher in dem übrigen ein hurtiger Kavalier, aber
in dergleichen Aktionen troppo ardito, hatte vor mir geredet. Ich richtete
mich con la grandezza mia superbissima è con meraviglia e tremore di tutti
circonstanti auf diese meine marmörne Schenckel, gab ihm einen un-
versehnen Blick mit diesen zweien brennenden Karfunkeln oder glänzenden
Laternen dieses meines fleischlichen Turms. Die Franzosen nennen es une
olliade.

HARPAX: Ich zittere und bebe über diesem Angesichte!

HORRI.: Nachmals, als ich sah, daß ich dem Don Arias einen Schrecken
durch alle Beine gejagt und sich die ganze Kompanie über mich entsetzte,
wollte ich die Gemüter etwas sänftigen, damit sie mich mit desto größerer
Anmut hören möchten, dero wegen prima d'ogn'altro, bacio le ginochia
Ihrer Excellenzen des Tylli und des Pappenheim, come se conviene.
Nachmals inchinai la testa gegen die umstehenden Herren und sprach also:

HARPAX: Herr Semproni, ihr habt schon verloren! Ihr werdet dies nimmermehr nachtun.

HORRI.: Sintemal, Ihre exzellenteste Exzellenze, die Zeit sehr kurz,
indem wir den Feind vor der Stirne haben und eine Stunde, Minute, ja
Augenblick uns die Victorie geben oder nehmen kann, diro ancor' io
qualche cosa, und will mit wenigem mein Gemüt entdecken und sagen,
daß ob es wohl uns Kavalieren übel anstehe, mehr mit der Zungen als den
Degen zu reden, und du, mein berühmtes Schwert, tu mia spada ful-
minea, tagliente e fendente! wenn du eine Zunge hättest, eben dies sagen
würdest, nichts destoweniger will ich sagen, weil mir zu sagen gebühret
und die Reihe zu sagen an mich gelanget ist, und will nicht sagen, daß ich
zu beweisen willens, daß ich wohl und viel sagen könnte, sondern will aufs
einfältigste vor euch sagen, was mich dünket, das gesaget werden müßte,
und will nichts weniger sagen, als was gesaget ist von den berühmtesten
Leuten, denn wenn ich etwas anderes sagete, würde ich sagen wider
Kriegsmanier, nach dessen Gewohnheit ich aufgestanden bin, um etwas
zu sagen. Und so jemand unter dem Haufen ist, der sich einbildet, daß
er mir sagen dürfte, ich sollte nicht also sagen, der mache sich herfür
und sage es; ich weiß, daß er nichts andres sagen wird, als was ich sagen
will. Ich sage denn, was drei Personen aus diesem unzähligen und unüber-
windlichen Heere werden sagen, können sagen, müssen sagen, wollen
sagen und sagen auch, sonder ein Wort zu sagen. Die ersten zwei sind Ihre
exzellenteste Exzellenz; (und hiermit machte ich einen Reverenz) die
dritte bin ich. Weil mir aber nicht wohl angeziemet, was zu sagen, so

schweige ich aus Modestie und remittire mich im übrigen auf dieselben, die etwas gesagt haben und noch sagen werden. Hor su, finiamo, la qui. Könnte man wohl was schöneres gesagt haben, Harpax?

HARPAX: Das ist ein schön untereinander gemischtes Gesage. Wäre nicht eine Abschrift davon zu erlangen?

[6] **Triumph der Anarchie**

DANIEL CASPER VON LOHENSTEIN · *Cleopatra*

Cleopatras Versuch, Augustus sich gefügig zu machen, ist gescheitert. Sie begeht Selbstmord, um zu verhindern, daß Augustus sie nach Rom bringt und dort im Triumphzug vorführt. Sie ist als perfekt böses Machtweib geschildert, das sich selber in die chaotische Lage hineinmanövriert hat. Sie und ihre Dienerinnen:

CLEOPATRA: Verflucht und falsches Volk! verteufelte Gemüter!
Ihr gebet Gott für Gold, tauscht für die Seelen Güter,
Gebt Mord für Gottesfurcht und Gift aus für Gewinn,
Werft Ehgemahl und Kind für Hund und Panther hin!
Schätzt für Barmherzigkeit in eignes Fleisch zu rasen.
O daß der Blitz euch nicht die Lichter ausgeblasen!
Daß euch der Regen nicht mit Schwefel hat verzehrt,
Eh ihr die Segel habt auf unsern Port gekehrt!
Wir rasen! Rach' und Angst bestreitet unser Herze!
Die Träne dämpft die Brunst, der Eifer weicht dem Schmerze;
Der Ohnmacht schwaches Weh gewinnt den Kräften ab!
Verscharrt mich, weil ich mich nicht rächen kann, ins Grab.

CHARMIUM: Ist denn kein Mittel nicht, zu fliehen Tod und Banden?

CLEOPATRA: Der Schluß bleibt fest. Hier ist die Arznei schon vorhanden.

CHARMIUM: Wozu hat sie hieher den Feigenkorb versteckt?

CLEOPATRA: Der uns mißgönnte Tod wird durch dies Laub verdeckt.
Schaut Ihr die gelbe Schlang' an diesem Honig saugen?
Schaut, wie ihr Schwanz hier spielt, wie flammen ihr die Augen?
Sie schärft auf unsern Arm schon Zunge, Gift und Zahn.

IRAS: Mein Geist erschüttert sich! Ist dies die sanfte Bahn
Zum Sterben durch den Wurm? durch ein solch Ungeheuer?

CLEOPATRA: Der Schlange brennend Gift ist kein solch rasend Feuer
Als Cäsars Ehrensucht. Man sucht bei Nattern Rat;
Bei Drachen; wenn man nicht bei Menschen Zuflucht hat.

CHARIMUM: Ihr Götter! soll der Molch den Lilgenarm vergiften!

CLEOPATRA: Ja! unsrer hohen Seel des Körpers Pforten lüften.

DIOMEDES: Ja! nun ist's Sterbens Zeit. Der Kaiser hat befohln:
Daß man stracks allen Schatz soll auf die Schiffe holn.
Ich sah Osirens Bild, das niemand noch geschätzet
Und künstlich von Smaragd zusammen ist gesetzet,
Neun Ellenbogen hoch, gleich aus dem Tempel ziehn.

CLEOPATRA: Ihr Götter! ist August so gottlos und so kühn:
            Daß er die Tempel sich nicht scheuet zu berauben?
DIOMEDES: Ja, wo Cleopatra will Dolabellen glauben,
            Was er ins Ohr mir blies, wird heut Agrippa noch
            Sie rauben auf sein Schiff.
CLEOPATRA: Wohl! laßt der Römer Joch
            Zerbrechen, den August auch Sterbende verlachen,
            Weil Menschen ärger sind, mit Schlangen Hochzeit machen.
            Komm, angenehmes Tier! komm, komm und flechte dich
            Um diesen nackten Arm! vermähle durch den Stich
            Der Adern warmem Quell dein züngelnd tötend Küssen.
            Wie? willst du nur dein Maul durch Feigensaft versüßen?
            Ist unsre Marmelhaut nicht Stich und Giftes wert,
            Das die Verdammten oft eh' als ein Blitz verzehrt?
            Soll mir zur Straf jetzt auch der Schlangen Gift gebrechen?...
            Sie hat den Arm verschmäht, sie dürstet nach den Brüsten.
            Komm her. Weil ich den Tod verdient mit meinen Lüsten.
            Nun stich und sauge Gift, wo mancher Rosenmund
            Vor Milch und Honig sog. Sie beißt! Ich werde wund.

[7] Die getreuen Schmerzen

JOHANN CHRISTIAN GÜNTHER

Als er seine Liebe nicht sagen durfte

Ich leugne nicht die starken Triebe
Und seufze nach der Gegenliebe
Der Schönheit, die mich angesteckt.
Der Traum entzückt mir das Gemüte,
So oft mir mein erregt Geblüte
Dein artig Bild auch blind entdeckt.

Allein die Ehrfurcht heißt mich schweigen.
Ein Sklave darf die Ketten zeigen
Und in der Not um Rettung schrein,
Nur ich muß diesen Trost entbehren
Und darf den Jammer nicht erklären:
Das heißt ja zweifach elend sein.

Indessen darf der Mund nicht klagen,
So wird dir doch mein Auge sagen,
Wie tief mein Herz verwundet sei.
Erwäge nur Gestalt und Mienen,
Sie werden dir zum Zeugnis dienen:
Ich kann und mag nicht wieder frei.

Mich deucht, du nimmst es wohl zu Herzen.
Erhalt ich das in meinen Schmerzen,
Daß dir mein Feuer wohlgefällt,
So will ich heimlich gerne brennen
Und dir sonst nichts als dies bekennen:
Du seist die Schönheit dieser Welt.

JOHANN CHRISTIAN GÜNTHER · *Fragment*

Dein armer Dichter kommt schon wieder
Und fällt mit seiner Bürde nieder
Und sieht dich, weil er sonst nicht kann,
Mit Augen voller Schwermut an.

Er hat kein Blut mehr zu den Tränen
Und kann vor Schwachheit nicht mehr schrein;
Mein Heiland, laß das stumme Sehnen
Ein Opfer um Erbarmung sein!

Jetzt schmerzt, jetzt fühl ich ein Gewissen,
Jetzt nagt es mit geheimen Bissen
Den Geist, der vor sich selbst erschrickt,
Indem er rückwärts denkt und blickt . . .

Die außerschlesische Barockpoesie

[8] **Ein getreues Herze**

SIMON DACH · *Lied der Freundschaft*

Der Mensch hat nichts so eigen,
So wohl steht nichts ihm an,
Als daß er Treu' erzeigen
Und Freundschaft halten kann,
Wann er mit seinesgleichen
Soll treten in ein Band,
Verspricht sich, nicht zu weichen,
Mit Herzen, Mund und Hand.

Die Red' ist uns gegeben,
Damit wir nicht allein
Vor uns nur sollen leben
Und fern von Leuten sein;
Wir sollen uns befragen
Und sehn auf guten Rat,
Das Leid einander klagen,
So uns betreten hat.

Was kann die Freude machen,
Die Einsamkeit verhehlt?
Das gibt ein doppelt Lachen,
Was Freunden wird erzählt.
Der kann sein Leid vergessen,
Der es von Herzen sagt,
Der muß sich selbst auffressen,
Der in geheim sich nagt.

Gott stehet mir vor Allen,
Die meine Seele liebt:
Dann soll mir auch gefallen,
Der mir sich herzlich gibt.
Mit diesen Bundsgesellen
Verlach ich Pein und Not,
Geh' auf dem Grund der Höllen,
Und breche durch den Tod.

Ich hab', ich habe Herzen,
So treue, wie gebührt,
Die Heuchelei und Scherzen
Nie wissentlich berührt!
Ich bin auch ihnen wieder
Von Grund der Seelen hold.
Ich lieb' euch mehr, ihr Brüder,
Denn aller Erden Gold.

[9] Sei getrost, o meine Seele

PAUL FLEMING · *In allen meinen Taten*

In allen meinen Taten
Laß ich den Höchsten raten,
Der alles kann und hat.
Er muß zu allen Dingen,
Soll's anders wohl gelingen,
Selbst geben Rat und Tat.

Nichts ist es spat und frühe,
Um alle meine Mühe,
Mein Sorgen ist umsonst.
Er mag's mit meinen Sachen
Nach seinem Willen machen,
Ich stell's in seine Gunst.

Es kann mir nichts geschehen,
Als was er hat versehen
Und was mir selig ist.
Ich nehm es, wie er's giebet;
Was ihm von mir geliebet,
Das hab ich auch erkiest.

Er wolle meiner Sünden
In Gnaden mich entbinden,
Durchstreichen meine Schuld.
Er wird auf mein Verbrechen,
Nicht stracks das Urteil sprechen
Und haben noch Geduld.

Hat er es denn beschlossen,
So will ich unverdrossen
An mein Verhängnis gehn.
Kein Unfall unter allen
Wird mir zu harte fallen,
Ich will ihn überstehn.

(gekürzt)

PAUL GERHARDT · *Neujahrsgesang*

Nun laßt uns gehn und treten
Mit Singen und mit Beten
Zum Herrn, der unserm Leben
Bis hierher Kraft gegeben.

Wir gehn dahin und wandern
Von einem Jahr zum andern:
Wir leben und gedeihen
Vom alten zu dem Neuen.

Durch so viel Angst und Plagen,
Durch Zittern und durch Zagen,
Durch Krieg und große Schrecken,
Die alle Welt bedecken.

Denn wie von treuen Müttern
In schweren Ungewittern
Die Kindlein hier auf Erden
Mit Fleiß bewahret werden,

Also auch, und nichts minder,
Läßt Gott ihm seine Kinder,
Wenn Not und Trübsal blitzen,
In seinem Schoße sitzen.

Ach, Hüter unsers Lebens,
Fürwahr, es ist vergebens
Mit unserm Tun und Machen,
Wo nicht dein' Augen wachen.

Gelobt sei deine Treue,
Die alle Morgen neue!
Lob sei den starken Händen,
Die alles Herzleid wenden.

(gekürzt)

PAUL GERHARDT · *Abendlied*

Nun ruhen alle Wälder,
Vieh, Menschen, Städt' und Felder,
Es schläft die ganze Welt:
Ihr aber, meine Sinnen,
Auf, auf, ihr sollt beginnen,
Was eurem Schöpfer wohlgefällt.

Das Haupt, die Füß und Hände
Sind froh, daß nun zu Ende
Die Arbeit kommen sei:
Herz, freu dich: du sollst werden
Vom Elend dieser Erden
Und von der Sünden Arbeit frei.

Wo bist du, Sonne, blieben?
Die Nacht hat dich vertrieben,
Die Nacht, des Tages Feind:
Fahr hin, ein andre Sonne,
Mein Jesus, meine Wonne,
Gar hell in meinem Herzen scheint.

Nun geht ihr matten Glieder,
Geht hin und legt euch nieder,
Der Betten ihr begehrt:
Es kommen Stund und Zeiten,
Da man euch wird bereiten
Zur Ruh ein Bettlein in der Erd.

Der Tag ist nun vergangen:
Die güldnen Sternen prangen
Am blauen Himmelssaal:
So, so werd ich auch stehen,
Wann mich wird heißen gehen
Mein Gott aus diesem Jammertal.

Mein Augen stehn verdrossen,
Im Hui sind sie verschlossen,
Wo bleibt denn Leib und Seel?
Nimm sie zu deinen Gnaden,
Sei gut für allen Schaden,
Du Aug und Wächter Israel.

Der Leib, der eilt zur Ruhe,
Legt ab das Kleid und Schuhe,
Das Bild der Sterblichkeit:
Die zieh ich aus, dagegen
Wird Christus mir anlegen
Den Rock der Ehr und Herrlichkeit.

Breit aus die Flügel beide,
O Jesu, meine Freude,
Und nimm dein Küchlein ein:
Will Satan mich verschlingen,
So laß die Engel singen,
Dies Kind soll unverletzet sein.

Auch euch, ihr meine Lieben,
Soll heute nicht betrüben
Kein Unfall noch Gefahr:
Gott laß euch selig schlafen,
Stell euch die güldnen Waffen
Ums Bett und seiner Engel Schar.

[10] **Landsknecht und Einsiedler**

HANS JAKOB CHRISTOFFEL VON GRIMMELSHAUSEN

Der abenteuerliche Simplizius Simplizissimus

Simplizius war vordem abenteuernder Landsknecht und begibt sich nun in die Einsiedelei.

Wann sich jemand einbildet, ich erzähle nur darum meinen Lebenslauf, damit ich einen und andern die Zeit kürzen oder, wie die Schalksnarren und Possenreiter zu tun pflegen, die Leute zum Lachen bewegen möchte, so findet sich derselbe weit betrogen! Denn viel Lachen ist mir selbst ein Ekel, und wer die edle, unwiederbringliche Zeit vergeblich hinstreichen läßet, der verschwendet diejenige göttliche Gabe unnützlich, die uns verliehen wird, unserer Seelen Heil in und vermittels derselbigen zu wirken. Warum sollte ich dann zu solcher eitlen Torheit verhelfen und ohne Ursache vergebens anderer Leute kurzweiliger Rat sein? Gleichsam als ob nicht wüßte, daß ich mich hierdurch fremder Sünden teilhaftig machte. Mein lieber Leser, ich bedünke mich gleich wohl zu solcher Profession, um etwas gut zu sein; wer derowegen einen Narren haben will, der kaufe sich zween, so hat er einen zum besten. Daß ich aber zu Zeiten etwas possierlich aufziehe, geschiehet der Zärtlinge halber, die keine heilsame Pillulen können verschlucken, sie seien dann zuvor überzuckert und vergöldt, geschweige, daß auch etwa die allergravitätischsten Männer, wann sie lauter ernstliche Schriften lesen sollen, das Buch ehender hinweg zu legen pflegen als ein anders, das bei ihnen bisweilen ein kleines Lächlein herauspresset. Ich möchte vielleicht auch beschuldigt werden, ob ging ich zuviel Satyrice darein; dessen bin ich aber gar nicht zu verdenken, weil männiglich lieber geduldet, daß die allgemeinen Laster generaliter durchgehechelt und gestrafet, als die eignen Untugenden freundlich korrigieret werden. So ist der theologische Stil bei Herren Omnes (dem ich aber diese meine Historie erzähle) zu jetzigen Zeiten leider auch nicht so gar angenehm, daß ich mich dessen gebrauchen sollte. Solches kann man an einem Marktschreier oder Quaksalber (welche sich selbst vornehme Ärzte, Okulisten, Brüch- und Steinschneider nennen, auch ihre guten pergamentinen Briefe und Siegel darüber haben) augenscheinlich abnehmen, wenn er am offenen Markt mit seinem Hanswurst oder Hanssupp auftritt und auf den ersten Schrei und phantastischen krummen Sprung seines Narren mehr Zulauf und Anhörer bekommt als der eifrigste Seelenhirt, der mit allen Glocken dreimal zusammen läuten lassen, seinen anvertrauten Schäflein eine fruchtbare, heilsame Predigt zu tun.

Dem sei nun, wie ihm wolle, ich protestiere hiermit vor aller Welt, keine Schuld zu haben, wenn sich jemand deswegen ärgert, daß ich den Simplicissimum auf diejenige Mode ausstaffiert, welche die Leute selbst erfordern, wenn man ihnen etwas Nützliches beibringen will. Läßt sich aber indessen ein oder andrer der Hülsen genügen und achtet der Kerne nicht, die darin verborgen stecken, so wird er zwar ... von einer kurzweiligen

Historie seine Zufriedenheit, aber gleichwohl dasjenige bei weitem nicht erlangen, was ich ihm zu berichten eigentlich gedacht gewesen; fange demnach wiederum an, wo ich's im End des fünften Buchs bewenden lassen.

Daselbst hat der geliebte Leser verstanden, daß ich wiederum ein Einsiedler worden, auch warum solches geschehen; gebühret mir derowegen, nunmehr zu erzählen, wie ich mich in solchem Stand verhalten. Die ersten paar Monat, alldieweil auch die erste Hitze noch dauret, ging's trefflich wohlab; die Begierde der fleischlichen Wollüste oder besser zu sagen: Unlüste, denen ich sonst trefflich ergeben gewesen, dämpfte ich gleich anfangs mit ziemlicher geringer Mühe, denn weil ich dem Baccho und der Cereri nicht mehr diente, wollte Venus auch nicht mehr bei mir einkehren. Aber damit war ich darum bei weitem nicht vollkommen, sondern hatte stündlich tausendfältige Anfechtungen; wenn ich etwa an meine alten begangenen losen Stücklein gedachte und eine Reue dadurch zu erwecken, so kamen mir zugleich die Wollüste mit ins Gedächtnis, deren ich etwa da und dort genossen, welches mir nicht allemal gesund war, noch zu meinem geistigen Fortgang auferbaulich. Wie mich seither erinnert und der Sache nachgedacht, ist der Müßiggang mein größter Feind und die Freiheit (weil ich keinem Geistlichen unterworfen, der meiner gepflegt und wahrgenommen hätte) die Ursach gewesen, daß ich nicht in meinem angefangenen Leben beständig verharret. Ich wohnete auf einem hohen Gebirg, die Moß genannt, so ein Stück vom Schwarzwald und überall mit einem finstern Tannenwald überwachsen ist; von demselben hatte ich ein schönes Aussehen gegen Aufgang in das Oppenauer Tal und dessen Nebenzinken; gegen Mittag in das Kintzinger Tal und die Grafschaft Geroltzeck, allwo dasselbe hohe Schloß zwischen seinen benachbarten Bergen das Ansehen hat, wie der König in einem aufgesetzten Kegelspiel; gegen Niedergang konnt ich das Ober- und Unterelsaß übersehen, und gegen Mitternacht, der niederen Markgrafschaft Baden zu, den Rheinstrom hinunter; in welcher Gegend die Stadt Straßburg mit ihrem hohen Münsterturm gleichsam wie das Herz mitten mit einem Leib beschlossen hervorpranget. Mit solchem Aussehen und Betrachtungen so schöner Landesgegend delectierte ich mich mehr, als ich eifrig betete; wozu mich mein Perspektiv, dem ich noch nicht resigniert, trefflich anfrischte. Wann ich mich aber desselbigen wegen der dunklen Nacht nicht gebrauchen konnte, so nahm ich mein Instrument, welches ich zur Stärkung des Gehörs erfunden, zur Hand, und horchte dadurch, wie etwa auf etliche Stunden Wegzeit von mir die Bauernhunde bellen oder sich ein Gewild in meiner Nachbarschaft regte. Mit solcher Torheit ging ich um und ließ mit der Zeit zugleich Arbeiten und Beten bleiben, wodurch sich hiebevor die alten ägyptischen Einsiedler beides Leib und geistliche Weise erhalten. Anfänglich, als ich noch neu war, ging ich von Haus zu Haus in den nächsten Tälern herum und suchte zur Aufenthaltung meines Lebens das Almosen, nahm auch nicht mehr, als was ich plötzlich bedurfte, und sonderlich verachtete ich das Geld, welches die umliegenden Nachbarn für ein großes Wunder, ja für eine sonderbare apostolische Heiligkeit an mir

schätzten. Sobald aber meine Wohnung bekannt war, kam kein Wald-
genoss mehr in den Wald, der mir nicht etwas von Essenspeisen mit sich
gebracht hätte. Diese rühmeten meine Heiligkeit und ungewöhnliches einsiedlerisches Leben auch anderwärts, also daß auch die etwas
weiter wohnenden Leute, entweder aus Vorwitz oder Andacht getrieben,
mit großer Mühe zu mir kamen und mich mit ihren Verehrungen besuchten. Da hatte ich an Brot, Butter, Salz, Käs, Speck, Eiern und dergleichen nicht allein keinen Mangel, sondern auch einen Überfluß, ward
aber darum nicht desto gottseliger, sondern je länger je kälter, saumseliger
und schlimmer, also daß man mich einen Heuchler oder heiligen Schalk
hätte nennen mögen. Doch unterließ ich nicht, die Tugenden und Laster
zu betrachten und zu gedenken, was mir zu tun sein möchte, wenn ich in
den Himmel wollte. Es geschah aber alles unordentlich, ohne rechtschaffe-
nen Rat und einen festen Vorsatz, hierzu einen Ernst anzulegen, welchen
mein Stand und dessen Verbesserung von mir erforderte.

[11] **Der Schelm**

CHRISTIAN REUTER · *Schelmuffskys wahrhaftige, kuriöse und sehr
gefährliche Reisebeschreibung zu Wasser und zu Lande*

Da ich nun so ein bißchen besser zu Jahren kam, so schickte mich meine
Mutter in die Schul und vermeinte nun, einen Kerl aus mir zu machen,
der mit der Zeit alle Leute an Gelehrsamkeit übertreffen würde. Ja, es
wäre dazumal wohl endlich was aus mir geworden, wenn ich hätte Lust,
was zu lernen gehabt; denn so klug, als ich in die Schule ging, so klug kam
ich auch wieder heraus. Meine größte Lust hatte ich an dem Blasrohr,
welches mir meine Frau Großmutter zum Jahrmarkte von der Eselswiese
mitgebracht hatte. Sobald ich denn aus der Schule kam, so schmiß ich
meine Bücher unter die Bank und nahm mein Blasrohr, lief damit auf
den obersten Boden und schoß entweder die Leute auf der Gasse mit auf
die Köpfe oder nach den Spatzianern oder knapfte den Leuten in der
Nachbarschaft die schönen Spiegelscheiben entzwei; und wenn sie denn
so klirrten, konnte ich mich recht herzlich darüber zu lachen; das trieb
ich nun so einen Tag und alle Tage. Ich hatte auch so gewiß mit meinem
Blasrohr zu schießen gelernet, daß ich einem Sperlinge, wenn er gleich
300 Schritt von mir saß, damit das Lebenslicht ausblasen konnte. Ich
machte das Rabenzeug so schüchtern; wenn sie nur meinen Namen nennen
hörten, so wußten sie schon, wie viel er geschlagen hatte.

Als ich nun meine Frau Mutter sah, daß mir das Studieren ganz nicht
zu Halse wollte und nur das Schulgeld für die lange Weile hingeben mußte,
nahm sie mich aus der Schule wieder heraus und tat mich zu einem vornehmen Kaufmann; da sollte ich ein berühmter Handelsmann werden.
Ja, ich hätte es wohl werden können, wenn ich auch Lust dazu gehabt

hätte, denn anstatt da ich sollte die Nummern an den Waren merken und
wie teuer die Elle müßte mit Profit verkauft werden, so hatte ich immer
andere Schelmstücke in Gedanken; und wenn mich mein Patron wohin
schickte, daß ich geschwinde wiederkommen sollte, so nahm ich allemal
erstlich mein Blasrohr mit, ging eine Gasse auf, die andere wieder nieder
und sah, wo Sperlinge saßen; oder wenn wo schöne große Scheiben in
Fenstern waren und es sah niemand heraus, so knapste ich nach denselben
und lief hernach immer meiner Wege wieder fort. Kam ich denn wieder
zu meinem Herrn und war etwa ein paar Stunden über der Zeit außen
gewesen, so wußte ich allemal so eine artige Lügente ihm vorzubringen,
daß er mir seine Lebtag nichts sagte. Zuletzt versah ich's aber dennoch
auch bei ihm, daß es nicht viel fehlte, so hätte er mir mein Blasrohr auf
dem Buckel entzwei geschmissen. Ich aber merkte den Braten und gab
mit meinem Blasrohr reißaus und soll nun noch wieder zu ihm kommen.
Hernach so schickte er zu meiner Frau Mutter und ließ ihr sagen, wie daß
ich allen Unfug mit meinem Blaserohr bei den Leuten angerichtet hätte
und mich ganz zur Handlung nicht schicken wollte. Meine Mutter ließ dem
Kaufmann aber wieder sagen: Es wäre schon gut, und sie wollte mich
nicht wieder zu ihm tun, weil ich indem schon von ihm weggelaufen und
wieder bei ihr wäre; vielleicht kriegte ich zu sonst was besserem Lust. Das
war nun wieder Wasser auf meine Mühle, als meine Mutter dem Kaufmann
solches zur Antwort sagen ließ, und ich hatte zuvor die Leute auf der
Gassen und die schönen Spiegelscheiben in den Fenstern nicht geschoren,
so fupte ich sie hernach allererst, wie ich wieder meinen freien Willen
hatte. Endlich da meine Mutter sah, daß immer Klage über mich kam
und etlichen Leuten die Fenster mußte wieder machen lassen, fing sie zu
mir an: Lieber Sohn Schelmuffsky, du kömmst nun alle sachte zu besserem Verstande und wirst auch fein groß dabei; sage nur, was ich mit dir
anfangen soll, weil du ganz und gar keine Lust zu nirgends hast und nur
einen Tag und alle Tage nichts anderes tust, als daß du mir die Leute in
der Nachbarschaft mit deinem Blasrohr zum Feinde machst und mich in
Ungelegenheit bringst? Ich antwortete aber meiner Frau Mutter hierauf
wieder und sagte: Frau Mutter, weiß sie was? Ich will fremde Länder
und Städte besehen; vielleicht werde ich durch mein Reisen ein berühmter
Kerl, daß hernach, wenn ich wiederkomme, jedweder den Hut vor mir
muß unter den Arm nehmen, wenn er mit mir reden will. Meine Frau
Mutter ließ sich diesen Vorschlag gefallen und meinte, wenn ich's so weit
bringen könnte, sollte ich mich immer in der Welt umsehen, sie wollte mir
schon ein Stück Geld mit auf den Weg geben, daß ich eine Weile daran zu
zehren hätte. Hierauf suchte ich zusammen, was ich mitnehmen wollte,
wickelte alles zusammen in ein Schnupftuch und machte mich reisefertig.
Doch hätte ich mein Blasrohr auch gern mitgenommen. Allein so wußte
ich's nicht mit fortzubringen und besorgte, es möchte mir unterwegs
gestohlen oder genommen werden; ließ also dasselbe zu Hause und ver-
steckte es auf den obersten Boden hinter die Feuermauer und trat in dem
24. Jahre meines Alters meine sehr gefährliche Reise an.

Die barocke Mystik

[12] **Theosophia mystica**

JAKOB BÖHME · *Aurora oder Morgenröte im Aufgang*

Die höchste Tiefe.

Hier merke auf. Der Geist, welcher im Zentrum des Herzens von allen 7 Quellgeistern geboren wird, der ist auch, weil er noch im Leibe ist (wenn er geboren ist), mit Gott inqualierend als ein Wesen, und ist auch kein Unterschied.

Wenn derselbe Geist, welcher im Corpus geboren wird, durch die Augen etwas ansiehet oder durch die Ohren höret oder durch die Nasen riecht, so ist er schon in demselben Dinge und arbeitet darinnen als in seinem Eigentum. Und so es ihm gefällt, ißt er davon und infizieret sich mit dem Dinge und ringet mit ihm, es sei auch ein Ding, so weit es wolle. Also weit als sein ursprünglich und anfänglich Königreich in Gott reichet, also weit kann der Geist augenblicklich regieren und wird von nichts gehalten.

Denn er ist und begreift die Gewalt, wie Gott der Herr Geist. Und ist in diesem zwischen Gott dem Herrn Geist Gottes und des Corpus Geist gar kein Unterschied als nur dieser, daß der Herr Geist die ganze Fülle ist und des Corpus Geist nur ein Stück, welcher durch die ganze Fülle dringet und wo er hinkommt, sich mit demselben Orte infizieret und gleich in demselben Loco mit Gott herrschet.

Denn er ist aus Gott und in Gott und kann nicht gehalten werden als nur durch die 7 Naturgeister des Corpus, welche den animalischen (seelischen) Geist gebären. Die haben den Zügel bei der Hand und können ihn gebären, wie sie wollen.

Nun hat Herr Luzifer die Gottheit in Zorn gebracht, dieweil er mit allen seinen Engeln hat als ein boshaftiger Teufel wider die Gottheit gestritten, im Willen, das ganze Revier unter seine eingeborenen Geister zu bringen, daß dieselben sollten alles formen und bilden; und das ganze Revier sollte sich beugen und mit der angezündeten Schärfe der eingebornen Geister regieren und bilden lassen.

Und wie dieses eine Substanz in Engeln hat, also hat's auch eine Substanz im Menschen. Darum besinnet euch, ihr hoffärtigen, ihr geizigen, ihr neidigen, ihr zornigen, ihr lästerischen, ihr hurischen, ihr diebischen, ihr wucherischen Menschen, was ihr für ein Söhnlein oder Geist in Gott schicket.

Sprichst du: Wir schicken ihn nicht in Gott, sondern nur in unsern Nächsten oder in seine Arbeit, das uns liebet. Nun, so zeige mir einen Ort, da du deinen lüsternen Geist hinschickest, es sei gleich ein Mensch oder Vieh oder Kleider oder Acker oder Geld, oder was genannt mag werden, da nicht Gott ist: Aus Ihm ist alles, und Er ist in allem, und Er ist selber alles und hält und träget alles.

So sprichst du: Er ist aber in vielen Dingen mit seinem Zorne, dieweil es also hart und böse ist und der Gottheit nicht ähnlich. Ja, lieber Mensch, es ist alles wahr: In Silber, Gold, Steinen, Acker, Kleidern, Tieren und Menschen, was begreiflich ist, ist freilich überall der Zorn Gottes.

Du sollst aber wissen, daß auch der Kern der Liebe in allem im verborgenen Zentrum stecket. Oder meinst du, daß du recht tust, daß du dich in Gottes Zorn badest? Siehe zu, daß er dir nicht Leib und Seele anzündet und du ewig darinnen brennest wie Luzifer.

Wenn aber Gott das Verborgene am Ende dieser Zeit wird hervorbringen, so wirst du wohl sehen, wo Gottes Liebe oder Zorn gewesen ist. Darum schaue zu und hüte dich und wende deine Augen vom Bösen, oder du verderbest dich.

Ich nehme Himmel und Erden zum Zeugen, daß ich allhier verrichtet habe, wie mir Gott offenbaret hat, daß es sein Wille sei.

JAKOB BÖHME · *Mysterium magnum*

Der heiligen Welt Gott und der finstern Welt Gott sind nicht zween Götter, es ist ein einiger Gott, er ist selber alles Wesen, er ist Böses und Gutes, Himmel und Hölle, Licht und Finsternis, Ewigkeit und Zeit, Anfang und Ende; wo seine Liebe in einem Wesen verborgen ist, allda ist auch sein Zorn offenbar.

Gleichwie Leib und Seele eins sind und doch auch keins das andere, oder wie das Feuer und das Wasser oder die Luft und die Erde aus einem Urstande sind, und ist doch keines das andere, sind aber miteinander verbunden und wäre eins ohne das andere nichts: Also ist uns auch von dem göttlichen Wesen und dann von der göttlichen Kraft zu verstehen.

Die Kraft im Licht ist Gottes Liebefeuer, und die Kraft in der Finsternis ist Gottes Zornfeuer, und ist doch nur ein einzig Feuer, teilet sich aber in zwei Prinzipia, auf daß eins im andern offenbar werde: Denn die Flamme des Zorns ist die Offenbarung der großen Liebe. Also ist uns zu verstehen, daß die bösen und guten Engel nahe beieinander wohnen, und ist doch die größte, unermeßliche Ferne.

[13] **Ignorantia mystica**

ANGELUS SILESIUS · *Cherubinischer Wandersmann*

Das vermögende Unvermögen

Wer nichts begehrt, nichts hat, nichts weiß, nichts liebt, nichts will,
Der hat, der weiß, begehrt und liebt noch immer viel.

Nichts wollen macht Gott gleich

Gott ist die ew'ge Ruh', weil er nichts sucht noch will.
Willst du ingleichen nichts, so bist du eben viel.

Der tote Wille herrscht

Dafern mein Will' ist tot, so muß Gott, was ich will;
Ich schreib' ihm selber vor das Muster und das Ziel.

Der Gelassenheit gilt's gleich

Ich lasse mich Gott ganz. Will er mir Leiden machen,
So will ich ihm sowohl als ob den Freuden lachen.

Je mehr du aus, je mehr Gott ein

Je mehr du dich aus dir kannst austun und entgießen,
Je mehr muß Gott in dich mit seiner Gottheit fließen.

Du mußt zum Kinde werden

Mensch, wirst du nicht ein Kind, so gehst du nimmer ein,
Wo Gottes Kinder sind; die Tür ist gar zu klein.

Nichts verlangen ist Seligkeit

Die Heil'gen sind darum mit Gottes Ruh' umfangen
Und haben Seligkeit, weil sie nach nichts verlangen.

Der Kinder ist's Himmelreich

Christ, so du kannst ein Kind von ganzem Herzen werden,
So ist das Himmelreich schon deine hier auf Erden.

Die Ichheit schafft nichts

Mit Ichheit suchest du bald die, bald jene Sachen.
Ach, ließest du's doch Gott nach seinem Willen machen!

Ohne warum

Die Ros' ist ohn' warum; sie blühet, weil sie blühet;
Sie acht' nicht ihrer selbst, fragt nicht, ob man sie siehet.

Gott ist ohne Willen

Wir beten: Es gescheh', mein Herr und Gott, dein Wille!
Und sieh, er hat nicht Will', er ist ein' ew'ge Stille.

Mit Schweigen lernt man

Schweig, Allerliebster, schweig! Kannst du nur gänzlich schweigen,
So wird dir Gott mehr Gut's, als du begehrst, erzeigen.

Mit Schweigen wird's gesprochen

Mensch, so du willst das Sein der Ewigkeit aussprechen,
So mußt du dich zuvor des Redens ganz entbrechen.

A, B ist schon genug

Die Heiden plappern viel. Wer geistlich weiß zu beten,
Der kann mit A und B getrost vor Gott hintreten.

Die Gelassenheit

Ich mag nicht Kraft, Gewalt, Kunst, Weisheit, Reichtum, Schein;
Ich will nur als ein Kind in meinem Vater sein.

Gott kann nicht zürnen

Gott zürnet nie mit uns, wir dichten's ihm nur an;
Unmöglich ist es ihm, daß er je zürnen kann.

Der nächste Weg zu Gott

Der nächste Weg zu Gott ist durch der Liebe Tür;
Der Weg der Wissenschaft bringt dich gar langsam für.

Dein Kerker bist du selbst

Die Welt, die hält dich nicht, du selber bist die Welt,
Die dich in dir mit dir so stark gefangen hält.

Das Jesuitenbarock

[14] **Der Triumph Gottes**

JAKOB BIDERMANN · *Cenodoxus, der Doktor von Paris*

Anklage gegen die der Sünde verfallene Seele des Cenodoxus

MORS: Bei eim allein hat es kein Bleiben ...
Ich muß gen noch wohl mehr aufreiben.
Es gilt mir eben alles gleich,
Hoch oder nieder, arm und reich.
Jetzt suech ich umher unter allen,
Wer müßt die nächste Schuld bezahlen.

CHORUS MORTUALIS — DIE TOTENMUSIK:

Sic transit Mundi gloria,
Cum sequuntur funera,
Also vergeht die Ehr der Welt,
Wann man darauf Besingnuß hält.
Omnis enim dignitas
Mera est inanitas.
Dann alle hohe Würdigkeit
Ist lauter, lauter Eitelkeit.

Heri plenus honoribus,
Cras erit esca vermibus.
Wer gestern war fürnehm und weis,
Wird morgen sein der Würmer Speis...
Vita enim hominum,
Nihil est, nisi somnium.
In Summa, unser Lebenszeit
Ist lauter Traum und Eitelkeit.

Christus · S. Petrus · S. Paulus samt den anderen Richtern · Der
Erzengel Michael · Cenodoxophylax, der Schutzengel · Spiritus,
des Doktors Seel · Conscientia, das Gewissen · Panurgus, der Teufel

*Christus setzt sich zu Gericht, verhört des Teufels Anklag über des
Doktors Seel, welche wiewohl sie sich mit nichten zu verantworten
weiß, erlangt sie doch einen Stillstand.*

CHRISTUS: Den Cenodoxum rüeft zu mir
Und ohn Verzug stellt ihn hier für,
Daß er erscheine vor Gericht
Und hör, was Recht und Urteil spricht.

SPIRITUS: Ach Gwissen, gehst dann du auch mit?
Hat man doch dich berufen nit.

CONSCIENTIA: Ja wohl, ich geh dennoch mit dir,
Wann man mich schon nit rüefet für.
Alls, was ich weiß, das will ich reden.

SPIRITUS: Ich will alleinig schon fürtreten,
Laß mich nur an, geh weg von mir.

CONSCIENTIA: Ja wohl, kein Tritt weich ich von dir.
An mir müeßt du, schau mich wohl an,
In Ewigkeit ein Gfährten han.

MICHAEL: Gerechter Richter, hie steht der,
Den du hast heißen kommen her.

CHRISTUS: Laß auch den Klager fürher gehn.

MICHAEL: Hie ist er gleichfalls.

CHRISTUS: Kennst du den?

PANURGUS: Ja, weit besser als niemand sunst.
Zu ihm hab ich gebraucht viel Kunst.

CHRISTUS: Hast du ihm fleißig aufgemerkt
Sinn und Gedanken, Wort und Werk?

PANURGUS: Aufs allerfleißigste alls!

CHRISTUS: Und du, Schutzengel, gleicherfalls?

CENAX: Habs alles fleißig gschrieben ein.

CHRISTUS: Wohlan, so will ich Richter sein.

SPIRITUS: Verschon, o Richter, ach, verschon,
Dann also kann ich nicht bestohn.
Geh nit mit mir so streng zu Gricht,
Ich kann also erhalten nicht.
Das Recht zu führen fehlt mir weit,
Ich bitt nur um Barmherzigkeit.

CHRISTUS: Nichts, nichts. Hast du was, bring es für,
Zu klagen sei erlaubet dir.

PANURGUS: Gestrenger, großer Richter grecht,
Du heißt mich sagen hie vor Recht,
Was du vorhin schon weißt gar wohl,
Wann ich schon jetzund schweigen soll,
Und hast auch selber an dem allen
Schon längst gehabt ein groß Mißfallen.
Doch will ich bringen für mein Wort
Und desto kecker fahren fort,
Dieweil der Handel ist so klar,
Als wär er schon verbscheidet gar.
Dann ich kann seine böse Sachen
Mit Worten mein nit ärger machen,
Weil er sich jederzeit beflissen,
Selbst zu beschweren sein Gewissen,
So gottlos und verruecht zu leben,
Daß ich kunnt setzen nichts darneben,
Und hat mir uberlassen nicht,
Das scheinen kunnt von mir erdicht...
Den aber habn in einer Summen
Ganz alle Laster eingenummen,
All Sünd, all Laster, sag ich keck,
Ich leug nit, seind in ihm gsteckt...
Mit einem Wort ist alles gsagt:
Hoffärtig ist er, das ist klagt;
Darmit ich auch gleich uberwind:
Die Hoffart, Hoffart ist sein Sünd...
O Richter, dein Gerechtigkeit
All da ein Bruch und Schaden leidt,
Oder aber hab sonst kein Ruhe,
Du mußt mir diesen sprechen zu.

SPIRITUS: Erbarme dich, ach, über mich,
O Richter groß, erbarme dich.
Ihr Nebenrichter, habt doch ihr
Auch ein Barmherzigkeit mit mir.

PANURGUS: Wart, wart, hab noch nit ausgeredt.
Jedoch hat er wohl gewißt,
Daß er von dir erschaffen ist,
Daß er von dir zu jeder Zeit

Beruefen wurd zur Seligkeit.
Er aber hat es nur veracht,
Verworfen und darvon getracht.
Und ich hab ihm geruefen kaum,
Verheißen lauter Tand und Traum,
Alsbald hat er mir geben statt,
Gehört und gfolget meinem Rat ...
An allen Orten, Tag und Nacht
Hat er nach eitler Ehr getracht.

SPIRITUS: Verzeih, o Herr, tut euch erbarmen,
Ihr Richter, über mich so Armen ...

PANURGUS: Den armen Leuten hast du zwar
Ein Almusen gereichet dar.
Was Maßen aber, wo und wann?
Was schweigst du also still? Sag an.
Gelt, ich kann dir die Wahrheit deuten,
Freigebig warst bei vielen Leuten.
Wo aber niembd zugegen war,
Gabst einem Armen nit ein Haar ...
Bist keck, so sag, es sei nit wahr ...

CHRISTUS: Was sagst du nun zu dieser Klag?
Kannst du, so tue dein Widerlag.

SPIRITUS: Verschon, o Herr, o Gott, o Gott,
Verschon, es ist zu groß die Not.
Erbarme dich, erbarme dich,
O treuer Heiland, über mich.

CHRISTUS: Es ist nit mehr Barmherzigkeit,
Hie sitzt die streng Gerechtigkeit ...
Laß ab zu bitten, fort mit dir.

Die barocke Satire

[15] Gegen Alamode

FRIEDRICH VON LOGAU · *Deutscher Sinngedichte drei Tausend*

Hofe-Glieder

Was dient bei Hof am meisten; nicht gar die Zunge!
Was dient bei Hof am treusten; das Herz? O nein, die Lunge.

Hofediener

Was muß doch manchen Tölpel so wert bei Hofe machen?
Man kann nicht alles merken: oft sind es Kammersachen.

Seiltänzer bei Hofe

Bei Hofe schwebt das Tänzerseil; davon wann mancher fällt,
So kann es sein, daß er nicht recht die Stange gleiche hält.

Hofediener

Jeder will bei Hofe dienen, aber mehrenteils nur immer
Nicht beim Sorgen, nicht beim Dulden, sondern nur im Tafelzimmer.

Ein Welt-Mann

Was heißt politisch sein? Verdeckt im Strauche liegen
Fein zierlich führen um und höflich dann betrügen.

Brief-Edle

Wo ein gemalter Brief und ausgekaufte Bullen
Wer edel noch nicht ist, erst edel machen sollen,
So kann wohl eine Maus des Adels sich vermessen,
Die einen solchen Brief hat unversehns gefressen.

Auf Bardum

Bardus strebt nach großen Namen, ist von allen Gaben bloß.
Dieses kann man ihm wohl gönnen, daß er heiße Gernegroß.

Auf Bovinum

Bovin ist hochgelehrt, er hat auch alle Winkel
Der Weisheit wohl durchsucht; wer sagt es? O der Dünkel.

Auf Honoratum

Honoratus steiget hoch, ohne Grund, nur wie ein Rauch,
Der, je höher er gleich steigt, mehr und mehr verschwindet auch.

Auf den Lügner Lullum

Wie gut wär Lullus doch zu einem Brillenglas?
Er macht das kleine groß aus nichts macht er was.

Auf einen Selbstgerühmten

Dein Ruhm pflegt aufzugehn, wie Sterne bei der Nacht:
Nur dieses ist nicht gut, daß damals niemand wacht.

Auf einen Ehrgeizigen

Alle Menschen gönnen Dir, daß du möchtest Cäsar werden,
Doch mit dreiundzwanzig Wunden niederliegend auf der Erden.

Reich und grob

Wo der Geldsack ist daheim, ist die Kunst verreiset.
Selten, daß sich Wissenschaft, wo viel Reichtum, weiset:
Ob nun gleich ein goldnes Tuch kann den Esel decken,
Sieht man ihn doch immerzu noch die Ohren recken.

Auf Vitum

Vitus nennt sein Weib Gemahlin; billig! weil sie sich so malt,
Daß um Weißes und um Rotes jährlich er viel Taler zahlt.

Auf Glaucam

Es stritten ihrer zwei, ob schön, ob Glauca häßlich?
Gemalet ist sie schön, natürlich ist sie gräßlich.

Betrug

Betrug und Weiberschminke hat keines nie Bestand:
Die Wahrheit und das Wasser machen beides bald bekannt.

Schminke

Wollt ihr euch, ihr Jungfern, schminken? Nehmet dieses zum Bericht:
Nehmet Öle zu den Farben, Wasserfarben halten nicht.

Auf eine geputzte Frau

Sie pflegt sich hier zu Schmuck und Schminke zu bequemen.
Was wird sie dorten tun? Sie wird sich ewig schämen.

Kleider

Pferde kennt man an den Haaren,
Kleider können offenbaren,
Wie des Menschen Sinn bestellt
und wie weit er Farbe hält.

Kleider

Kleider machen Leute; trifft es richtig ein,
Werdet ihr, ihr Schneider, Gottes Pfuscher sein.

Durch Mühen, nicht durch Schmeicheln

Redlich will ich lieber schwitzen,
Als die Heuchlerbank besitzen.
Besser harte Fäuste strecken,
Als von fremdem Schweiße lecken.
Besser was in Not erwerben,
Als gut leben, furchtsam sterben.

Hans Michael Moscherosch · *Gesichte Philanders von Sittewald*

Komm hierher, sprach Herr Deutsch-Meyr, und als ich zu ihm kam:
Sollst du ein Deutscher sein? sprach er, deine ganze Gestalt gibt uns viel
ein anders zu erkennen. Und glaub ich gewiß, daß du darum deinen Hut
(den er mir mit großem Gelächter ließ vorweisen, denn sie hatten ihn zum
Schauspiel in den Saal an ein Hirschgeweih hängen lassen) unterwegs von

dir geworfen, nur daß man die närrische Form nicht sehen sollte. Denn sobald kann nicht eine welsche, närrische Gattung aufkommen, daß ihr ungeratene Nachkömmlinge nicht sobald dieselbe müßt nachäffen und fast alle viertel Jahr ändern; auch dafür haltet, wo ein ehrlicher gewissenhafter Mann bei seiner alten ehrlichen Tracht bleibe, daß er ein Hudler, ein Halunk, ein Alber, ein Esel, ein Tölpel sein müsse.

Wieviel Gattungen von Hüten habt ihr in wenigen Jahren nicht nachgetragen? Jetzt ein Hut wie ein Anckenhafen, dann wie ein Zuckerhut, wie ein Kardinalshut, dann wie ein Schlapphut ... von Geisenhaar, dann von Kamelshaar, dann von Biberhaar, von Affenhaar, von Narrenhaar, dann ein Hut als ein Schwarzwälder Käs, dann wie ein Schweizer Käs, dann wie ein Holländisch Käs, dann wie ein Münster-Käs: und das ist heut die neue närrische Tracht. Bald kommt eine andre in Gestalt eines Fingerhuts hernach, die närrischer ist: Und diese alle wollt ihr elenden Leute nachmachen? Also das erscheinet, all euer Reichtum und Mittel seien allein mit neuen Trachten zu verschwenden, erworben worden:

> Dann trägt man kurz, dann lange Röck,
> Dann große Hüt, dann spitz wie Weck,
> Dann ärmellang, dann weit, dann eng,
> Dann Hosen mit viel Farb und Spreng,
> Das zeigt, was in dem Herzen leit,
> Ein Narr hat Ändrung alle Zeit.

[16] **Die böse Welt**

ABRAHAM A SANTA CLARA · *Etwas für alle*

Jupiter schaffte, daß ein Monat nach dem anderen hervortreten sollte und ernstlich offenbaren, wie die Menschen die Zeit angewendet.

Januarius war der erste, welcher mußte Antwort geben, und sprach: Es heißt bei den Weltkindern immerdar: O lange, ewige Zeit! Was fangen wir doch an, daß wir die Zeit verkürzen? Dieses geschieht bei dem warmen Ofen, bei Würfel- und Kartenspiel, bei Essen und Trinken, damit man den kurzen Tag mit unterschiedlichen Lustbarkeiten, mit Schlittenfahren, Komödie-Halten und dergleichen verzehre und die gar zu lange Nacht verkürze. Wie Ihnen dann dieses Euer Majestät werde gefallen lassen, ist mir unbewußt.

Februarius gibt Antwort: Euer Majestät, die Welt weiß in diesem Monat um keine Zeit, wohl aber um die Fastnacht. Die Menschen verkleiden sich, als wären sie Götter und Göttinnen. Auch die Gescheiten werfen Witz und Verstand von sich, sie verkleiden und verlieben sich in Rollen und Schellen. Wer sich recht töricht stellen kann, der trägt das Prae davon. Ich ermahne sie zwar zu der Andacht und gebührenden Devotion, aber die antworten, es sei nun keine Zeit dazu, denn es sei Fastnacht. Bacchus,

Cupido und Venus werden allein geehret. Wie Ihnen dann dieses Euer Majestät gefallen lassen, ist mir unbewußt.

Was hat denn Martius für neue Zeitung von der Welt? spricht Jupiter. Martius antwortet: Euer Majestät, die Welt bringt in diesem Monat die Zeit meistens mit Buhlen zu. Die Begierlichkeiten spielen den Meister. Venus, Cupido und Bacchus bekommen die größten Opfer, sonst denkt man an keinen Gott. O großer Gott Jupiter! Es ist keine Furcht, keine Lieb und keine Dankbarkeit gegen den Himmel auf der Welt zu finden. Sie wissen zwar, daß der Winter gewichen und der Frühling wieder angekommen, glauben aber nicht an eine Auferstehung oder ein ewiges Leben, sondern sagen, der Mensch sterbe wie Hund und Katzen.

Wie steht es dann mit dem April? spricht Jupiter. Der April gibt Antwort: Ich bin bei der Welt gar verächtlich. Und ist schon das Sprichwort erwachsen: Im April schickt man Narren, wohin man will. Sie sagen, es komme ihnen die Zeit im April nicht anders vor, als hätten sie einen Rausch, denn sie wanken von einem Tag zu dem anderen, als wie ein voller Mann, der bald auf diese, bald auf jene Seite ungeratene Kapriolen oder krumme Sprünge macht. Sie beklagen sich über das unbeständige Wetter. Und habe es das Ansehen, als wenn gleichsam die Zeit in einem Hundsrausch die Welt nur foppen und tratzen wollte. Derohalben lebet man in ordentlicher Unordnung und Unbeständigkeit. Obwohl man auch etwas in diesem Monat an Gott denkt, ist doch die Devotion gleich wieder aus.

Herbei, du angenehmer Mai! sagt Jupiter, weil ich dich absonderlich der Welt zum Trost und zur Erquickung erschaffen habe, so wird ja die Welt die so schöne und annehmliche Zeit mir zu Ehren wohl anwenden? Der liebliche Mai antwortet: Majestät, die Menschen loben diese Zeit auf das allerbeste, aber an den Herrn der Zeit denken sie gar wenig. Die von der Erde hervorquellenden Silberbächlein, die schattenreichen Laubenhütten, der kühle Abend und die funkelnde, himmelsreizende Nachtdämmerung kitzeln das menschliche Herz dergestalt, daß sie weder an Tod, Teufel oder an Gott denken.

Der Junius antwortet: In dem Junio macht man sich bereit auf den Juli, man setzt sich in den Schatten, macht Kurzweil im Garten mit Brettspiel und Karten.

Der Julius antwortet: Ja, die Welt ist in diesem Monat so faul, daß sie sich sogar keine Zeit nähme zu fliehen, wenn auch der Himmel einfallen sollte. Derohalben erstatte ich Deiner Majestät untertänigen Bericht, daß du, o großer Jupiter, das letzte Gericht nicht wollest lassen anblasen in dem Juli, denn ich versichere, die ganze Welt bliebe schlafend liegen. Die Trägheit ist so groß, daß sie aus lauter Faulheit nicht mag in den Himmel gehen, wenn die Pforte auch noch so weit offen wäre. Es gibt zwar Leut genug, die arbeiten, schneiden und ernten, aber nicht um den Himmel, sondern um das Geld. Denn das Geld ist ihr Gott.

Augustus antwortete: Großmächtiger Himmelsfürst: Die Welt trinket anjetzo den Sauerbrunnen. Derohalben hat sie nicht Zeit, viel an den göttlichen Nektar zu denken. An die ewige Finsternis hat sie gar keinen Glauben und sagt, der beste Himmel sei, welchen der Mensch selbst baue. Derohalben sagt die Welt, müsse man die Rosen brechen, ehe sie verwelken.

Der September gibt Antwort: Es ist überall Vakanzzeit, Vakanz im Studieren und Praktizieren, Vakanz in der Justiz oder Gerechtigkeit, Vakanz in der Zucht und Ehrbarkeit, Vakanz Vormittag, Vakanz Nachmittag. Es ist der Venus keine angenehmere Zeit als die Vakanzzeit. Es ist überall Vakanz, Vakanz in der Kirche, Vakanz in dem Beutel, Vakanz im Gewissen und Wissen.

Der Oktober sagt, er hätte bald selbst nicht Zeit zu antworten, denn die Welt hätte nicht Zeit, an den Himmel zu denken, sondern sei beschäftigt in dem Weinlesen. Aber den Göttern brennt man kein Öl zu Ehren.

Der November gibt Antwort: Euer Majestät, in diesem Monat ist niemand angenehmer als die Komödianten und Taschenspieler, als Gaukler und Seiltänzer. Mit dergleichen Kurzweil verzehrt man die Zeit. Man sieht so seltsame, wunderliche und übernatürliche Sprünge, als wollte ein solcher Gaukelhans über Hals und Kopf aus der Welt laufen. Sie betrachten nicht den schmalen Weg, welcher zu dem Himmel führt, sondern lieben die schlüpfrige Straße, auf welcher schon so viele zu Tod gefallen. Es ist dermalen eine so liederliche Gaukelwelt besonders in diesem Monat, daß die Zeit jedermann zu lang; derohalben sucht man sie auf alle Weis mit langen Bratwürsten zu verkürzen, mit Fressen, Saufen und anderen Lustbarkeiten zuzubringen.

Der Dezember gibt Antwort: Man redet zwar in diesem Monat nicht viel von der Baßgeigen, nicht viel vom Hackbrettl und Dudelsack, wohl aber von Mehl- und Kornsack. Buhlen und Spulen findet man bei Reichen und Armen. Die Jugend buhlt öffentlich auf der Gasse, denn sie sagt, es sei ja nichts Natürliches als Lieben. Buhlen und Spulen laufen zugleich ab. Da heißt es: Was Jupiter zusammengefügt, das solle der Mensch nicht scheiden. Wie aber Ihnen, Euer Majestät, dieses Weber-Konzept werden gefallen lassen, ist mir unbewußt.

So habe ich denn, spricht Jupiter, von allen zwölf Monaten genugsam vernommen, wie die Welt die Zeit zubringe. Doch aber will ich meine Sentenz, die mit Donner und Blitz ist eingeschrieben, erst an jenem Tag, welchen ich mir allein vorbehalte, vollziehen.

DIE AUFKLÄRUNG

Die barocke Spannung zwischen Diesseits und Jenseits suchte der Denker und Dichter der Aufklärungszeit durch eine neue Weltgläubigkeit, getragen von der Vernunft und einem tatkräftigen Schaffen, zu überwinden. Die Welt wird nicht mehr in erster Linie als Wirkungsbereich des Teufels gesehen, sondern kündet in der Ordnung und Gesetzmäßigkeit alles Natürlichen von der schaffenden Schöpferhand Gottes. Um die Gesetze alles Geschaffenen zu erkennen, bedarf es weniger der kirchlichen Offenbarung als des eigenen Verstandes, mit dessen Hilfe die Welt zu erfahren und zu begreifen ist. Empirismus und Rationalismus waren also die charakteristischen Züge im philosophischen Denken der Zeit, das anfangs stark von England her beeinflußt war.

Dadurch, daß der Mensch Verstand, Geist und Vernunft gebraucht, tritt er aus seiner bisherigen Unmündigkeit heraus und wird zur Krone der Schöpfung. Indem er der für alle verbindlichen Wahrheit folgt, überwindet er gesellschaftliche, religiöse und politische Vorurteile und verwirklicht die Tugend der Toleranz und das Ideal der Harmonie von Körper, Geist und Seele. So wie der einzelne zu seinem Glück erziehbar sei, solle auch der Staat dem einzelnen Glück und Selbstentfaltung gewährleisten. Die Gewaltenteilung als Staatsprinzip suchte Tyrannenwillkür und absolutistische Herrschaft zu überwinden und gelangte schließlich zur Proklamation unveräußerlicher Grundrechte des Menschen — gerade auch als Bürger des Staates.

In der Dichtung äußerte sich dieser RATIONALISMUS zunächst in kämpferischen Satiren oder spitzen Aphorismen, getragen von der Absicht, den Menschen ein Licht, eben die *Fackel der Wahrheit* [1], anzustecken und sie zu bessern. Das allgemeine Bemühen um Erkenntnis der Ordnung und Gesetze fand seinen Niederschlag in einer kritischen Betrachtung der Dichtkunst mit dem Ziele einer neuen Systematik und Theorie. *Die Regeln sind alles* [2], wenn der Dichtung die sittliche Erneuerung des Menschen gelingen soll, mögen darunter auch das Spontan-Natürliche und die Phantasie im dichterischen Schaffen leiden und so z. B. spannungsarme Lehrstücke zur Exemplifizierung eines moralischen Satzes statt packender Dramen entstehen. Das *Fabula docet* [3] blieb entscheidend und verschaffte der Tierfabel in Anlehnung an das antike und französische Vorbild neue Freunde. Darüber hinaus predigten viele Zeitschriften *Besinnung auf Vernunft und Gemüt* [4]. Unter ihnen nahm der »Wandsbecker Bote« des Matthias Claudius eine besondere Stellung ein. Die allseits angestrebte *Erziehung des Menschengeschlechts* [5] hatte ihren prominentesten Vertreter in Gotthold Ephraim Lessing; ihm ist der Mensch nur dort wahrhaft Mensch, wo er denkt. Die Geschichte des Menschengeschlechts beweise seine Erziehbarkeit. Den Menschen zu einem absolut sittlichen Wesen zu machen, darin sah Lessing auch die Aufgabe seiner Dichtung. *Die Tugend der Toleranz* [6], eines der hohen Ziele der Aufklärung, fand ihre unvergängliche Gestaltung in der Ringparabel seines Dramas »Nathan der Weise«. Sie ist die bildhafte Antwort des durch vielerlei Leiden und Lebenserfahrungen zum »Humanisten« geläuterten Juden Nathan auf die Frage des selbstsüchtigen Sultans Saladin nach der wahren, echten Religion. Schuf Lessing mit seinem »Nathan« einen bleibenden Beitrag zur Weltliteratur, so ging es ihm in seinem *Kampf um eine deutsche Bühne* [7] um die Brechung des übermächtigen französischen Einflusses zugunsten einer Besinnung auf das dem deutschen Wesen näherstehende Vorbild Shakespeare und um ein neues Verständnis des durch die Franzosen entstellten Griechentums. Damit erwies sich Lessing als Wegbereiter für den Sturm und Drang und die Klassik.

Neben dem Rationalismus lief eine zweite Strömung der Aufklärung, die mehr das barocke Erbe herausstellte: das LITERARISCHE ROKOKO. Indem es in seiner Lebensschau auf *die goldene Mitte* [8] bedacht blieb, ließ es die schmerzliche Spannung des Barock zwischen Lust und Verzweiflung, Lebensfreude und Todessehnen abklingen und gelangte von der bislang stoischen Weltsicht zu einer Philosophie des Gesund-und-Glücklich-Lebens. Die anzustrebende Harmonie von Leib und Seele, die *Kalokagathia* [9], führt zur Grazie, in der Sittlichkeit und Sinnlichkeit sich nicht mehr ausschließen, sondern eins werden. Wieland versuchte das vor allem in seinem Bildungsroman um die Entwicklung des jungen Mannes Agathon nachzuweisen, den sein Lebensweg durchs Abend- und Morgenland, durch Glück und Unglück zur Selbstvollendung führt. Der sittliche Idealismus Wielands verflachte in den Werken der zahlreichen Anakreontiker, die in Wein- und Liebesliedern, Freundschaftsgesängen und tändelnden Spielereien *die Kunst, fröhlich zu sein,* [10] lehrten und priesen. Ihre Idyllen verlegten die Schauplätze der Handlung in eine arkadische Natur, bevölkert von antiken Halbgöttern, wie Grazien und Satyrn; sie schufen so jene Rokokostücke, die uns auch aus der gleichzeitigen Malerei und Gartenarchitektur bekannt sind.

Als dritte Stimme im Konzert der Künste der Aufklärungszeit kann die EMPFIND-SAMKEIT bezeichnet werden. Die Gleichsetzung Natur — Vernunft — Gott führte zu einem bald philosophisch nüchtern vorgetragenen, bald dithyrambisch gesungenen Lobpreis auf *die vollkommene Welt* [11], die als Theodizee, als Gottesbeweis, erscheint. Die Rokokoträume eines arkadischen Schäferdaseins wichen dem *Ideal des natürlichen Menschen* [12], d. h. eines Menschentums, das — wie in der Großartigkeit der unberührt gebliebenen Alpenwelt — noch in vollem Einklang mit der Natur lebt. An Stelle gespielter Sentiments und Verkleidungen klang bereits die Beschwörung Rousseaus an: »Zurück zur Natur!« Der *Preis der höchsten Werte* [13], der aus einer aufklärerisch als gut, weil vernünftig begriffenen Welt heraus angestimmt wurde, umfaßte neben der Natur auch Freundschaft und Liebe, Tugendhaftigkeit und Mannesmut. Vor allem Klopstocks Oden — voll rhapsodischer Begeisterung und hohem Ton, aber auch voll Reflexion und philosophischer Gedanken — schufen hier eine neue lyrische Sageweise, die auf Spätere vorausdeutet. Als Höchstes besang Klopstock *das Heil der Erlösung* [14] in seinem enthusiastisch aufgenommenen großen Versepos »Der Messias«, das noch einmal, statt durch die Tragik in Christi Leiden und Sterben zu erschüttern, dem Optimismus der Zeit huldigte, wonach mit Christi Sühneopfer die Befreiung des Menschengeschlechts endgültig vollzogen sei.

Wie schon bei den drei großen Dichterpersönlichkeiten der Aufklärungsepoche, bei Lessing, Wieland und Klopstock, Ansätze zu Neuem sichtbar werden, so ging es auch den gegen Ende der Epoche aufkommenden Kunsttheorien um eine neue Auffassung vom Schaffen des Künstlers und vom Kunstwerk. In heftiger Opposition zu einer Überbewertung des Nur-Verstandesmäßigen verwiesen sie auf das rationell Nicht-Faßbare, auf das über den Alltag Hinausreichende und Wunderbare und auf die Rolle der Intuition. So wurde — freilich noch in rationalen Betrachtungen — der *Anbruch des Irrationalismus* [15] sichtbar. Er fand seine Ergänzung auf religiöser Seite im Pietismus, der sich auf die Mystik früherer Zeiten besann. Damit war die Schwelle zum Sturm und Drang bereits überschritten.

Der Rationalismus

[1] Die Fackel der Wahrheit

IMMANUEL KANT · *Was ist Aufklärung?*

Aufklärung ist der Ausgang des Menschen aus einer selbst verschuldeten Unmündigkeit. Unmündigkeit ist das Unvermögen, sich seines Verstandes ohne Leitung eines anderen zu bedienen. Selbstverschuldet ist diese Unmündigkeit, wenn die Ursache derselben nicht am Mangel des Verstandes, sondern der Entschließung und des Mutes liegt, sich seiner ohne Leitung eines anderen zu bedienen. Sapere aude! Habe Mut, dich deines eigenen Verstandes zu bedienen! ist also der Wahlspruch der Aufklärung...

Zu dieser Aufklärung aber wird nichts erfordert als Freiheit; und zwar die unschädlichste unter allem, was nur Freiheit heißen mag, nämlich die: von seiner Vernunft in allen Stücken öffentlichen Gebrauch zu machen. Nun höre ich aber von allen Seiten rufen: räsonniert nicht! Der Offizier sagt: räsonniert nicht, sondern exerziert! Der Finanzrat: räsonniert nicht, sondern bezahlt! Der Geistliche: räsonniert nicht, sondern glaubt! (Nur ein einziger Herr in der Welt sagt: räsonniert, so viel ihr wollt und worüber ihr wollt; aber gehorcht!) Hier ist überall Einschränkung der Freiheit. Welche Einschränkung aber ist der Aufklärung hinderlich? welche nicht, sondern ihr wohl gar beförderlich? — Ich antworte: der öffentliche Gebrauch seiner Vernunft muß jederzeit frei sein, und der allein kann Aufklärung unter Menschen zustande bringen; der Privatgebrauch derselben aber darf öfters sehr enge eingeschränkt sein, ohne doch darum den Fortschritt der Aufklärung sonderlich zu hindern. Ich verstehe aber unter dem öffentlichen Gebrauche seiner eigenen Vernunft denjenigen, den jemand als Gelehrter von ihr vor dem ganzen Publikum der Leserwelt macht. Den Privatgebrauch nenne ich denjenigen, den er in einem gewissen ihm anvertrauten bürgerlichen Posten oder Amte von seiner Vernunft machen darf. Nun ist zu manchen Geschäften, die in das Interesse des gemeinen Wesens laufen, ein gewisser Mechanism notwendig, vermittelst dessen einige Glieder des gemeinen Wesens sich bloß passiv verhalten müssen, um durch eine künstliche Einhelligkeit von der Regierung zu öffentlichen Zwecken gerichtet, oder wenigstens von der Zerstörung dieser Zwecke abgehalten zu werden. Hier ist es nun freilich nicht erlaubt, zu räsonnieren; sondern man muß gehorchen. So ferne sich aber dieser Teil der Maschine zugleich als Glied eines ganzen gemeinen Wesens, ja sogar der Weltbürgergesellschaft ansieht, mithin in der Qualität eines Gelehrten, der sich an ein Publikum im eigentlichen Verstande durch Schriften wendet, kann er allerdings räsonnieren, ohne daß dadurch die Geschäfte leiden, zu denen er zum Teile als passives Glied angesetzt ist...

Dieser Geist der Freiheit breitet sich auch außerhalb aus, selbst da, wo er mit äußeren Hindernissen einer sich selbst mißverstehenden Regierung zu ringen hat. Denn es leuchtet dieser doch ein Beispiel vor, daß bei Freiheit für die öffentliche Ruhe und Einigkeit des gemeinen Wesens nicht das Mindeste zu besorgen sei. Die Menschen arbeiten sich von selbst nach und nach aus der Roheit heraus, wenn man nur nicht absichtlich künstelt, um sie darin zu erhalten.

Ich habe den Hauptpunkt der Aufklärung, die des Ausganges der Menschen aus ihrer selbst verschuldeten Unmündigkeit, vorzüglich in Religionssachen gesetzt: weil in Ansehung der Künste und Wissenschaften unsere Beherrscher kein Interesse haben, den Vormund über ihre Untertanen zu spielen; überdies auch jene Unmündigkeit, so wie die schädlichste, also auch die entehrendste unter allen ist. Aber die Denkungsart eines Staatsoberhaupts, der die erstere begünstigt, geht noch weiter und sieht ein: daß selbst in Ansehung seiner Gesetzgebung es ohne Gefahr sei, seinen Untertanen zu erlauben, von ihrer eigenen Vernunft öffentlichen Gebrauch zu machen, und ihre Gedanken über eine bessere Abfassung derselben sogar mit einer freimütigen Kritik der schon gegebenen, der Welt öffentlich vorzulegen; davon wir ein glänzendes Beispiel haben, wodurch noch kein Monarch demjenigen vorging, welchen wir verehren.

GEORG CHRISTOPH LICHTENBERG · *Sudelhefte*

Ich übergebe Euch dieses Büchlein als einen Spiegel, um hinein nach Euch, und nicht als eine Lorgnette, um dadurch und nach andern zu sehen.

Wenn Scharfsinn ein Vergrößerungsglas ist, so ist der Witz ein Verkleinerungsglas. Glaubt ihr denn, daß sich bloß Entdeckungen mit Vergrößerungsgläsern machen ließen? Ich glaube, mit Verkleinerungsgläsern, oder wenigstens durch ähnliche Instrumente in der Intellektualwelt, sind wohl mehr Entdeckungen gemacht worden.

Was man so sehr prächtig Sonnenstäubchen nennt, sind doch eigentlich Dreckstäubchen.

Wer nichts als Chemie versteht, versteht auch die nicht recht.

Sagt, ist noch ein Land außer Deutschland, wo man die Nase eher rümpfen lernt als putzen?

Ich fürchte, unsere allzu sorgfältige Erziehung liefert uns Zwerg-Obst.

Heutzutage machen drei Pointen und eine Lüge einen Schriftsteller.

Wenn ein Buch und ein Kopf zusammenstoßen und es klingt hohl, ist das allemal im Buch?

Ein Buch ist ein Spiegel, wenn ein Affe hineinguckt, so kann freilich kein Apostel heraussehen. Wir haben keine Worte, mit dem Dummen von Weisheit zu sprechen. Der ist schon weise, der den Weisen versteht.

Der Mann hatte soviel Verstand, daß er fast zu nichts mehr in der Welt zu brauchen war.

Ist es nicht sonderbar, daß die Menschen so gerne für die Religion fechten und so ungerne nach ihren Vorschriften leben?

Vom Wahrsagen läßt sich wohl leben in der Welt, aber nicht vom Wahrheit sagen.

Ich bin überzeugt, man liebt sich nicht bloß in andern, sondern haßt sich auch in andern.

Eine Ehe ohne Würze kleiner Mißhelligkeiten wäre fast so was wie ein Gedicht ohne r.

Die Fliege, die nicht geklappt sein will, setzt sich am sichersten auf die Klappe selbst.

Man soll mit dem Licht der Wahrheit leuchten, ohne einem den Bart zu sengen.

Der Weisheit erster Schritt ist: alles anzuklagen, der letzte: sich mit allem zu vertragen.

Die gefährlichsten Unwahrheiten sind Wahrheiten mäßig entstellt.

Eine sklavische Handlung ist nicht immer die Handlung eines Sklaven.

Es ist in vielen Dingen eine schlimme Sache um die Gewohnheit. Sie macht, daß man Unrecht für Recht und Irrtum für Wahrheit hält.

Wer eine Scheibe an seine Gartentür malt, dem wird gewiß hineingeschossen.

Wovon das Herz nicht voll ist, davon geht der Mund über, habe ich öfters wahr gefunden als den entgegengesetzten Satz.

Ordnung führet zu allen Tugenden! Aber was führet zur Ordnung?

Ehe man tadelt, sollte man immer erst versuchen, ob man nicht entschuldigen kann.

Wo Mäßigung ein Fehler ist, da ist Gleichgültigkeit ein Verbrechen.

Es gibt Leute, die können alles glauben, was sie wollen; das sind glückliche Geschöpfe.

Die Frage, ob Frauenzimmer im Dunkeln rot werden, ist eine sehr schwere Frage; wenigstens eine, die sich nicht bei Licht ausmachen läßt.

Es gibt Schwärmer ohne Fähigkeit, und dann sind sie wirklich gefährliche Leute.

Tausend sehen den Nonsens eines Satzes ein, ohne imstande zu sein oder die Fähigkeit zu besitzen, ihn förmlich zu widerlegen.

Auch selbst den weisesten unter den Menschen sind die Leute, die Geld bringen, mehr willkommen als die, die welches holen.

Wenn Religion der Menge schmecken soll, so muß sie notwendig etwas vom haut gout des Aberglaubens haben.

Erst müssen wir glauben, und dann glauben wir.

Es ist eine alte Regel: ein Unverschämter kann bescheiden aussehen, wenn er will, aber kein Bescheidener unverschämt.

Die Leute, die niemals Zeit haben, tun am wenigsten.

Die Menschen denken über die Vorfälle des Lebens nicht so verschieden, als sie darüber sprechen.

Wir leben in einer Welt, worin ein Narr viele Narren, aber ein weiser Mann nur wenige Weise macht.

Allezeit: wie kann dies besser gemacht werden?

[2] **Die Regeln sind alles**

JOHANN CHRISTOPH GOTTSCHED

Versuch einer kritischen Dichtkunst

Zu allererst wähle man sich einen lehrreichen moralischen Satz, der in dem ganzen Gedichte zum Grunde liegen soll, nach Beschaffenheit der Absichten, die man sich zu erlangen vorgenommen. Hierzu ersinne man sich eine ganz allgemeine Begebenheit, worin eine Handlung vorkommt, daran dieser erwählte Lehrsatz sehr augenscheinlich in die Sinne fällt...

Nunmehro kommt es auf mich an, wozu ich diese Erfindung brauchen will; ob ich Lust habe, eine äsopische, komische, tragische oder epische Fabel daraus zu machen?...

Die epische Fabel... ist das Vortrefflichste, was die ganze Poesie zustande bringen kann, wenn sie nur auf gehörige Art eingerichtet wird. Ein Dichter wählt also dabei in allen Stücken das Beste, was er in seinem Vorrate hat, ein so großes Werk damit auszuschmücken. Die Handlung muß wichtig sein, das ist, nicht einzelne Personen, Häuser oder Städte, sondern ganze Länder und Völker betreffen. Die Personen müssen die ansehnlichsten von der Welt, nämlich Könige und Helden und große Staatsleute sein. Die Fabel muß nicht kurz, sondern lang und weitläufig werden und in dieser Absicht mit vielen Zwischenfabeln erweitert sein. Alles muß darin groß, seltsam und wunderbar klingen, die Charaktere, die Gedanken, die Neigungen, die Affekten und alle Ausdrückungen, das ist, die Sprache oder die Schreibart. Kurz, dieses wird das Meisterstück der ganzen Poesie...

Der Poet wählt sich einen moralischen Lehrsatz, den er seinen Zuschauern auf eine sinnliche Art einprägen will. Dazu ersinnt er sich eine allgemeine Fabel, daraus die Wahrheit eines Satzes erhellet. Hiernächst sucht er in der Historie solche berühmte Leute, denen etwas Ähnliches begegnet ist, und von diesen entlehnt er die Namen für die Personen seiner Fabel, um derselben also ein Ansehen zu geben. Er erdenket sodann alle Umstände dazu, um die Hauptfabel recht wahrscheinlich zu machen, und das werden die Zwischenfabeln oder Episodia nach neuer Art genannt.

Dieses teilt er dann in fünf Stücke ein, die ohngefähr gleich groß sind, und ordnet sie so, daß natürlicherweise das letzte aus dem vorhergehenden fließet; bekümmert sich aber nicht, ob alles in der Historie wirklich so vorgegangen oder ob alle Nebenpersonen wirklich so und nicht anders geheißen haben ...

Die Komödie ist nichts anders als eine Nachahmung einer lasterhaften Handlung, die durch ihr lächerliches Wesen den Zuschauer belustigen, aber auch zugleich erbauen kann ...

Die Personen, die zur Komödie gehören, sind ordentliche Bürger oder doch Leute von mäßigem Stande, dergleichen auch wohl zur Not Baronen, Marquis und Grafen sind: nicht, als wenn die Großen dieser Welt keine Torheiten zu begehen pflegten, die lächerlich wären; nein, sondern weil es wider die Ehrerbietung läuft, die man ihnen schuldig ist, sie als auslachenswürdig vorzustellen ...

[3] Fabula docet

CHRISTIAN FÜRCHTEGOTT GELLERT · *Fabeln*

Die Biene und die Henne

»Nun, Biene«, sprach die träge Henne,
»Dies muß ich in der Tat gestehn:
So lange Zeit, als ich dich kenne,
So seh ich dich auch müßig gehn.
Du sinnst auf nichts, als dein Vergnügen!
Im Garten auf die Blumen fliegen
Und ihren Blüten Saft entziehn
Mag eben nicht so sehr bemühn.
Bleib immer auf der Nelke sitzen,
Dann fliege zu dem Rosenstrauch:
Wär ich wie du, ich tät es auch.
Was brauchst du andern viel zu nützen?
Genug, daß *wir* so manchen Morgen
Mit Eiern unser Haus versorgen.«

»Oh!« rief die Biene, »spotte nicht!
Du denkst, weil ich bei meiner Pflicht
Nicht so, wie du bei deinem Eie,
Aus vollem Halse zehnmal schreie;
So, denkst du, wär ich ohne Fleiß.
Der Bienenstock sei mein Beweis,
Wer Kunst und Arbeit besser kenne —
Ich oder eine träge Henne?
Denn, wenn wir auf den Blumen liegen,

So sind wir nicht auf uns bedacht;
Wir sammeln Saft, der Honig macht,
Um fremde Zungen zu vergnügen.
Macht unser Fleiß kein groß Geräusch
Und schreien wir bei warmen Tagen,
Wenn wir den Saft in Zellen tragen,
Uns nicht, wie du, im Neste, heisch,
So präge dir es itzund ein:
Wir hassen allen stolzen Schein;
Und wer uns kennen will, der muß in Rost und Kuchen
Fleiß, Kunst und Ordnung untersuchen.
Auch hat uns die Natur beschenkt
Und einen Stachel eingesenkt,
Mit dem wir die bestrafen sollen,
Die, was sie selber nicht verstehn,
Doch meistern und verachten wollen:
Drum, Henne! rat ich dir, zu gehn.«

O Spötter, der mit stolzer Miene,
In sich verliebt, die Dichtkunst schilt;
Dich unterrichtet dieses Bild.
Die *Dichtkunst* und die stille Biene;
Und, willst du selbst die Henne sein,
So trifft die Fabel völlig ein.
Du fragst: was nützt die Poesie?
Sie lehrt und unterrichtet nie.
Allein, wie kannst du doch so fragen?
Du siehst an dir, wozu sie nützt:
Dem, der nicht viel Verstand besitzt,
Die Wahrheit durch ein Bild zu sagen.

Die beiden Hunde

Zween Hunde dienten einem Herrn;
Der eine von den beiden Tieren,
Joli, verstand die Kunst, sich lustig aufzuführen,
Und wer ihn sah, vertrug ihn gern.
Er holte die verlornen Dinge
Und spielte voller Ungestüm.
Man lobte seinen Scherz, belachte seine Sprünge;
Seht, hieß es, alles lebt an ihm!
Oft biß er mitten in dem Streicheln,
So falsch und boshaft war sein Herz;
Gleich fing er wieder an zu schmeicheln,
Dann hieß sein Biß ein feiner Scherz.

Er war verzagt und ungezogen,
Doch ob er gleich zur Unzeit bellt' und schrie,
So blieb ihm doch das ganze Haus gewogen,
Er hieß der lustige Joli ...
Fidel, der andre Hund, war von ganz anderm Wesen:
Zum Witze nicht ersehn, zum Scherze nicht erlesen,
Sehr ernsthaft von Natur, doch wachsam um das Haus,
Ging öfters auf die Jagd mit aus,
War treu und herzhaft in Gefahr
Und bellte nicht, als wenn es nötig war.
Er stirbt; man hört ihn kaum erwähnen;
Man trägt ihn ungerühmt hinaus.
Joli stirbt auch; da fließen Tränen!
Seht, ihn beklagt das ganze Haus!
Die ganze Nachbarschaft bezeiget ihren Schmerz!
So gilt ein bißchen Witz mehr als ein gutes Herz.

Der sterbende Vater

Ein Vater hinterließ zween Erben:
Christophen, der war klug, und Görgen, der war dumm.
Sein Ende kam, und kurz vor seinem Sterben
Sah er sich ganz betrübt nach seinem Christoph um.
Sohn, fing er an, mich quält ein trauriger Gedanke:
Du hast Verstand, wie wird dir's künftig gehn?
Hör an, ich hab in meinem Schranke
Ein Kästchen mit Juwelen stehn,
Die sollen dein. Nimm sie, mein Sohn,
Und gib dem Bruder nichts davon!
Der Sohn erschrak und stutzte lange.
Ach Vater, hub er an, wenn ich soviel empfange,
Wie kömmt alsdann mein Bruder fort?
Er? fiel der Vater ihm ins Wort,
Für Görgen ist mir gar nicht bange,
Der kömmt gewiß durch seine Dummheit fort!

GOTTHOLD EPHRAIM LESSING · *Fabeln*

Der kriegerische Wolf

Mein Vater glorreichen Andenkens, sagte ein junger Wolf zu einem
Fuchse, das war ein rechter Held! Wie fürchterlich hat er sich nicht in der
ganzen Gegend gemacht! Er hat über mehr als zweihundert Feinde nach
und nach triumphiert und ihre schwarzen Seelen in das Reich des Ver-

derbens gesandt. Was Wunder also, daß er endlich doch einem unterliegen mußte!

So würde sich ein Leichenredner ausdrücken, sagte der Fuchs; der trockene Geschichtsschreiber aber würde hinzusetzen: Die zweihundert Feinde, über die er nach und nach triumphieret, waren Schafe und Esel, und der eine Feind, dem er unterlag, war der erste Stier, den er sich anzufallen erkühnte.

Der Besitzer des Bogens

Ein Mann hatte einen trefflichen Bogen von Ebenholz, mit dem er sehr weit und sehr sicher schoß und den er ungemein wert hielt. Einst aber, als er ihn aufmerksam betrachtete, sprach er: Ein wenig zu plump bist du doch! Alle deine Zierde ist die Glätte. Schade! Doch dem ist abzuhelfen, fiel ihm ein. Ich will hingehen und den besten Künstler Bilder in den Bogen schnitzen lassen. Er ging hin, und der Künstler schnitzte eine ganze Jagd auf den Bogen, und was hätte sich besser auf einen Bogen geschickt als eine Jagd?

Der Mann war voller Freuden. Du verdienst diese Zieraten, mein lieber Bogen! — Indem will er ihn versuchen; er spannt, und der Bogen — zerbricht.

Das Roß und der Stier

Auf einem feurigen Rosse flog stolz ein dreister Knabe daher. Da rief ein wilder Stier dem Rosse zu: Schande! von einem Knaben ließ' ich mich nicht regieren!

Aber ich, versetzte das Roß. Denn was für Ehre könnte es mir bringen, einen Knaben abzuwerfen?

[4] Besinnung auf Vernunft und Gemüt

MATTHIAS CLAUDIUS · *An meinen Sohn Johannes*

»Gold und Silber habe ich nicht; was ich aber habe, gebe ich Dir.«

Lieber Johannes!

Die Zeit kommt allgemach heran, daß ich den Weg gehen muß, den man nicht wiederkömmt. Ich kann Dich nicht mitnehmen; und lasse Dich in einer Welt zurück, wo guter Rat nicht überflüssig ist.

Niemand ist weise von Mutterleibe an; Zeit und Erfahrung lehren hier und fegen die Tenne.

Ich habe die Welt länger gesehen als Du.

Es ist nicht alles Gold, lieber Sohn, was glänzet, und ich habe manchen Stern vom Himmel *fallen* und manchen Stab, auf den man sich verließ, *brechen* sehen.

Darum will ich Dir einigen Rat geben, und Dir sagen, was ich gefunden habe, und was die Zeit mich gelehret hat.

Es ist nichts groß, was nicht gut ist; und ist nichts wahr, was nicht bestehet.

Der Mensch ist hier nicht zu Hause, und er geht hier nicht von ungefähr in dem schlechten Rock umher. Denn siehe nur, alle andren Dinge hier, mit und neben ihm, sind und gehen dahin, ohne es zu wissen; der Mensch ist sich bewußt, und wie eine hohe bleibende Wand, an der die Schatten vorübergehen. Alle Dinge mit und neben ihm gehen dahin, einer fremden Willkür und Macht unterworfen; er ist sich selbst anvertraut und trägt sein Leben in seiner Hand.

Und es ist nicht für ihn gleichgültig, ob er rechts oder links gehe.

Laß Dir nichts weismachen, daß er sich raten könne und selbst seinen Weg wisse.

Diese Welt ist für ihn zu wenig, und die unsichtbare siehet er nicht und kennet sie nicht.

Spare Dir denn vergebliche Mühe, und tue Dir kein Leid, und besinne Dich Dein.

Halte Dich zu gut, Böses zu tun.

Hänge Dein Herz an kein vergänglich Ding.

Die Wahrheit richtet sich nicht nach uns, lieber Sohn, sondern wir müssen uns nach ihr richten.

Was Du sehen kannst, das siehe, und brauche Deine Augen, und über das Unsichtbare und Ewige halte Dich an Gottes Wort.

Bleibe der Religion Deiner Väter getreu, und hasse die theologischen Kannengießer.

Scheue niemand so viel als Dich selbst. Inwendig in uns wohnt der Richter, der nicht trügt, und an dessen Stimme uns mehr gelegen ist, als an dem Beifall der ganzen Welt und der Weisheit der Griechen und Ägypter. Nimm es Dir vor, Sohn, nicht wider seine Stimme zu tun; und was Du sinnest und vorhast, schlage zuvor an Deine Stirne und frage ihn um Rat. Er spricht anfangs nur leise und stammelt wie ein unschuldiges Kind; doch, wenn Du seine Unschuld ehrst, löset er gemach seine Zunge und wird Dir vernehmlicher sprechen.

Lerne gerne von anderen, und wo von Weisheit, Menschenglück, Licht, Freiheit, Tugend usw. geredet wird, da höre fleißig zu. Doch traue nicht flugs und allerdings, denn die Wolken haben nicht alle Wasser, und es gibt mancherlei Weise. Sie meinen auch, daß sie die Sache hätten, wenn sie davon reden können und davon reden. Das ist aber nicht, Sohn. Man hat darum die Sache nicht, daß man davon reden kann und davon redet. Worte sind nur Worte, und wo sie so gar leicht und behende dahinfahren, da sei auf Deiner Hut, denn die Pferde, die den Wagen mit Gütern hinter sich haben, gehen langsameren Schrittes.

Erwarte nichts vom Treiben und den Treibern, und wo Geräusch auf der Gassen ist, da gehe fürbaß.

Wenn Dich jemand will Weisheit lehren, da siehe in sein Angesicht. Dünket er sich noch, und sei er noch so gelehrt und noch so berühmt, laß ihn und gehe seiner Kundschaft müßig. Was einer nicht hat, das kann er auch nicht geben. Und der ist nicht frei, der da will tun können, was er will, sondern der ist frei, der da wollen kann, was er tun soll. Und der ist nicht weise, der sich dünket, daß er wisse, sondern der ist weise, der seiner Unwissenheit inne geworden und durch die Sache des Dünkels genesen ist.

Was im Hirn ist, das ist im Hirn; und Existenz ist die erste aller Eigenschaften.

Wenn es Dir um Weisheit zu tun ist, so suche *sie* und nicht das Deine, und brich Deinen Willen, und erwarte geduldig die Folgen.

Denke oft an heilige Dinge, und sei gewiß, daß es nicht ohne Vorteil für Dich abgehe und der Sauerteig den ganzen Teig durchsäuere.

Verachte keine Religion, denn sie ist dem Geist gemeint, und Du weißt nicht, was unter unansehnlichen Bildern verborgen sein könne.

Es ist leicht zu verachten, Sohn; und verstehen ist viel besser.

Lehre nicht andere, bis Du selbst gelehrt bist.

Nimm Dich der Wahrheit an, wenn Du kannst, und laß Dich gerne ihretwegen hassen; doch wisse, daß *Deine* Sache nicht die Sache der Wahrheit ist, und hüte, daß sie nicht ineinander fließen, sonst hast Du Deinen Lohn dahin.

Tue das Gute vor Dich hin, und bekümmere Dich nicht, was daraus werden wird.

Wolle nur einerlei, und das wolle von Herzen.

Sorge für Deinen Leib, doch nicht so, als wenn er Deine Seele wäre.

Gehorche der Obrigkeit, und laß die andern über sie streiten.

Sei rechtschaffen gegen jedermann, doch vertraue Dich schwerlich.

Mische Dich nicht in fremde Dinge, aber die Deinigen tue mit Fleiß.

Schmeichle niemand, und laß Dir nicht schmeicheln.

Ehre einen jeden nach seinem Stande, und laß ihn sich schämen, wenn er's nicht verdient.

Werde niemand nichts schuldig; doch sei zuvorkommend, als ob sie alle Deine Gläubiger wären.

Wolle nicht immer großmütig sein, aber gerecht sei immer.

Mache niemand graue Haare, doch wenn Du recht tust, hast Du um die Haare nicht zu sorgen.

Mißtraue der Gestikulation, und gebärde Dich schlecht und recht.

Hilf und gib gerne, wenn Du hast, und dünke Dir darum nicht mehr; und wenn Du nicht hast, so habe den Trunk kalten Wassers zur Hand, und dünke Dir darum nicht weniger.

Tue keinem Mädchen Leides, und denke, daß Deine Mutter auch ein Mädchen gewesen ist.

Sage nicht alles, was Du weißt, aber wisse immer, was Du sagest.

Hänge Dich an keinen Großen.

Sitze nicht, wo die Spötter sitzen, denn sie sind die elendesten unter allen Kreaturen.

Nicht die frömmelnden, aber die frommen Menschen achte, und gehe ihnen nach. Ein Mensch, der wahre Gottesfurcht im Herzen hat, ist wie die Sonne, die da scheinet und wärmt, wenn sie auch nicht redet.

Tue was des Lohnes wert ist, und begehre keinen.

Wenn Du Not hast, so klage sie Dir und keinem anderen.

Habe immer etwas Gutes im Sinn.

Wenn ich gestorben bin, so drücke mir die Augen zu und beweine mich nicht.

Stehe Deiner Mutter bei, und ehre sie, solange sie lebt, und begrabe sie neben mir.

Und sinne täglich nach über Tod und Leben, ob Du es finden möchtest, und habe einen freudigen Mut; und gehe nicht aus der Welt, ohne Deine Liebe und Ehrfurcht für den Stifter des Christentums durch irgend etwas öffentlich bezeuget zu haben.

Dein treuer Vater.

MATTHIAS CLAUDIUS · *Gedichte*

Bei dem Grabe meines Vaters

Friede sei um diesen Grabstein her!
Sanfter Friede Gottes! Ach, sie haben
Einen guten Mann begraben,
    Und mir war er mehr;

Träufte mir von Segen, dieser Mann,
Wie ein milder Stern aus bessern Welten!
Und ich kann's ihm nicht vergelten,
    Was er mir getan.

Er entschlief; sie gruben ihn hier ein.
Leiser, süßer Trost, von Gott gegeben,
Und ein Ahnden von dem ew'gen Leben
    Düft' um sein Gebein!

Bis ihn Jesus Christus, groß und hehr,
Freundlich wird erwecken. — Ach, sie haben
Einen guten Mann begraben,
    Und mir war er mehr.

Der Mensch

Empfangen und genähret
  Vom Weibe wunderbar
Kömmt er und sieht und höret
  Und nimmt des Trugs nicht wahr;
Gelüstet und begehret,
  Und bringt sein Tränlein dar;
Verachtet und verehret,
  Hat Freude und Gefahr;
Glaubt, zweifelt, wähnt und lehret.
  Hält nichts und alles wahr;
Erbauet und zerstöret;
  Und quält sich immerdar;
Schläft, wachet, wächst und zehret;
  Trägt braun und graues Haar etc.
Und alles dieses währet,
  Wenn's hoch kommt, achtzig Jahr.
Denn legt er sich zu seinen Vätern nieder,
Und er kömmt nimmer wieder.

Der Tod

Ach, es ist so dunkel in des Todes Kammer,
  Tönt so traurig, wenn er sich bewegt
Und nun aufhebt seinen schweren Hammer
  Und die Stunde schlägt.

Abendlied

Der Mond ist aufgegangen,
Die goldnen Sternlein prangen
  Am Himmel hell und klar;
Der Wald steht schwarz und schweiget,
Und aus den Wiesen steiget
  Der weiße Nebel wunderbar.

Wie ist die Welt so stille,
Und in der Dämmrung Hülle
  So traulich und so hold!
Als eine stille Kammer,
Wo ihr des Tages Jammer
  Verschlafen und vergessen sollt.

Seht ihr den Mond dort stehen?
Er ist nur halb zu sehen,
   Und ist doch rund und schön!
So sind wohl manche Sachen,
Die wir getrost belachen,
   Weil unsre Augen sie nicht sehn.

Wir stolze Menschenkinder
Sind eitel arme Sünder,
   Und wissen gar nicht viel;
Wir spinnen Luftgespinste
Und suchen viele Künste,
   Und kommen weiter von dem Ziel.

Gott, laß uns dein Heil schauen,
Auf nichts Vergänglichs trauen,
   Nicht Eitelkeit uns freun!
Laß uns einfältig werden,
Und vor dir hier auf Erden
   Wie Kinder fromm und fröhlich sein!

Wollst endlich sonder Grämen
Aus dieser Welt uns nehmen
   Durch einen sanften Tod!
Und wenn du uns genommen,
Laß uns in Himmel kommen,
   Du unser Herr und unser Gott!

So legt euch denn, ihr Brüder,
In Gottes Namen nieder;
   Kalt ist der Abendhauch.
Verschon uns, Gott! mit Strafen,
Und laß uns ruhig schlafen,
   Und unsern kranken Nachbar auch!

Zeit und Ewigkeit

Der Mensch lebt und bestehet
Nur eine kleine Zeit,
Und alle Welt vergehet
Mit ihrer Herrlichkeit.
Es ist nur Einer ewig und an allen Enden,
Und wir in seinen Händen ...

GOTTHOLD EPHRAIM LESSING

Fragmente des Wolfenbüttler Ungenannten

Ein Mann, der Unwahrheit unter entgegengesetzter Überzeugung in guter Absicht ebenso scharfsinnig als bescheiden durchzusetzen sucht, ist unendlich mehr wert als ein Mann, der die beste, edelste Wahrheit aus Vorurteil mit Verschreiung seiner Gegner auf alltägliche Weise verteidigt.

Will es denn eine Klasse von Leuten nie lernen, daß es schlechterdings nicht wahr ist, daß jemals ein Mensch wissentlich und vorsätzlich sich selbst verblendet habe? Es ist nicht wahr, sage ich, aus keinem geringeren Grunde, als weil es nicht möglich ist. Was wollen sie denn also mit ihrem Vorwurfe mutwilliger Verstockung, geflissentlicher Verhärtung, mit Vorbedacht gemachter Pläne, Lügen auszustaffieren, die man Lügen zu sein weiß? Was wollen sie damit? Was anderes als — Nein; weil ich auch ihnen diese Wahrheit muß zugute kommen lassen, weil ich auch von ihnen glauben muß, daß sie vorsätzlich und wissentlich kein falsches, verleumderisches Urteil fällen können: so schweige ich und enthalte mich alles Widerscheltens.

Nicht die Wahrheit, in deren Besitz irgend ein Mensch ist oder zu sein vermeint, sondern die aufrichtige Mühe, die er angewandt hat, hinter die Wahrheit zu kommen, macht den Wert des Menschen. Denn nicht durch den Besitz, sondern durch die Nachforschung der Wahrheit erweitern sich seine Kräfte, worin allein seine immer wachsende Vollkommenheit besteht. Der Besitz macht ruhig, träge, stolz —

Wenn Gott in seiner Rechten alle Wahrheit und in seiner Linken den einzigen immer regen Trieb nach Wahrheit, obschon mit dem Zusatze, mich immer und ewig zu irren, verschlossen hielte und spräche zu mir: »Wähle!« — ich fiele ihm mit Demut in seine Linke und sagte: »Vater, gib! die reine Wahrheit ist ja doch nur für dich allein!«

GOTTHOLD EPHRAIM LESSING

Die Erziehung des Menschengeschlechts

Soll das menschliche Geschlecht auf diese höchste Stufen der Aufklärung und Reinigkeit nie kommen? Nie?

Nie? — Laß mich diese Lästerung nicht denken, Allgütiger! — Die Erziehung hat ihr Ziel: bei dem Geschlechte nicht weniger als bei dem Einzelnen. Was erzogen wird, wird zu etwas erzogen.

Die schmeichelnden Aussichten, die man dem Jünglinge eröffnet; die Ehre, der Wohlstand, die man ihm vorspiegelt: was sind sie mehr, als Mittel, ihn zum Manne zu erziehen, der auch dann, wenn diese Aussichten der Ehre und des Wohlstandes wegfallen, seine Pflicht zu tun vermögend sei.

Darauf zwecke die menschliche Erziehung ab: und die göttliche reiche dahin nicht? Was der Kunst mit dem Einzelnen gelingt, sollte der Natur nicht auch mit dem Ganzen gelingen? Lästerung! Lästerung!

Nein; sie wird kommen, sie wird gewiß kommen, die Zeit der Vollendung, da der Mensch, je überzeugter sein Verstand einer immer bessren Zukunft sich fühlet, von dieser Zukunft gleichwohl Bewegungsgründe zu seinen Handlungen zu erborgen, nicht nötig haben wird; da er das Gute tun wird, weil es das Gute ist, nicht weil willkürliche Belohnungen darauf gesetzt sind, die seinen flatterhaften Blick ehedem bloß heften und stärken sollten, die inneren besseren Belohnungen desselben zu erkennen.

Sie wird gewiß kommen, die Zeit eines neuen ewigen Evangeliums, die uns selbst in den Elementarbüchern des Neuen Bundes versprochen wird ...

[6] **Die Tugend der Toleranz**

GOTTHOLD EPHRAIM LESSING · *Nathan der Weise*

Die Parabel von den drei Ringen

> Vor grauen Jahren lebt' ein Mann im Osten,
> Der einen Ring von unschätzbarem Wert
> Aus lieber Hand besaß. Der Stein war ein
> Opal, der hundert schöne Farben spielte,
> Und hatte die geheime Kraft, vor Gott
> Und Menschen angenehm zu machen, wer
> In dieser Zuversicht ihn trug. Was Wunder,
> Daß ihn der Mann im Osten darum nie
> Vom Finger ließ und die Verfügung traf,
> Auf ewig ihn bei seinem Hause zu
> Erhalten? Nämlich so: Er ließ den Ring
> Von seinen Söhnen dem geliebtesten
> Und setzte fest, daß dieser wiederum
> Den Ring von seinen Söhnen dem vermache,
> Der ihm der liebste sei, und stets der liebste,
> Ohn' Ansehn der Geburt, in Kraft allein
> Des Rings, das Haupt, der Fürst des Hauses werde ...
>
> So kam nun dieser Ring von Sohn zu Sohn
> Auf einen Vater endlich von drei Söhnen,
> Die alle drei ihm gleich gehorsam waren,
> Die alle drei er folglich gleich zu lieben
> Sich nicht entbrechen konnte. Nur von Zeit
> Zu Zeit schien ihm bald der, bald dieser, bald

Der dritte, sowie jeder sich mit ihm
Allein befand und sein ergießend Herz
Die andern zwei nicht teilten, würdiger
Des Ringes, den er denn auch einem jeden
Die fromme Schwachheit hatte zu versprechen.
Das ging nun so, solang' es ging. Allein
Es kam zum Sterben, und der gute Vater
Kömmt in Verlegenheit. Es schmerzt ihn, zwei
Von seinen Söhnen, die sich auf sein Wort
Verlassen, so zu kränken. Was zu tun?
Er sendet in geheim zu einem Künstler,
Bei dem er nach dem Muster seines Ringes
Zwei andere bestellt und weder Kosten
Noch Mühe sparen heißt, sie jenem gleich,
Vollkommen gleich zu machen. Das gelingt
Dem Künstler. Da er ihm die Ringe bringt,
Kann selbst der Vater seinen Musterring
Nicht unterscheiden. Froh und freudig ruft
Er seine Söhne, jeden insbesondere,
Gibt jedem insbesondre seinen Segen
Und seinen Ring — und stirbt . . .

Kaum war der Vater tot, so kommt ein jeder
Mit seinem Ring und will der Fürst
Des Hauses sein. Man untersucht, man zankt,
Man klagt. Umsonst; der rechte Ring war nicht
Erweislich . . . Jeder schwur dem Richter,
Unmittelbar aus seines Vaters Hand
Den Ring zu haben (wie auch wahr), nachdem
Er von ihm lange das Versprechen schon
Gehabt, des Ringes Vorrecht einmal zu
Genießen (wie nicht minder wahr). Der Vater,
Beteu'rte jeder, könne gegen ihn
Nicht falsch gewesen sein, und eh' er dieses
Von ihm, von einem solchen lieben Vater,
Argwöhnen lass', eh' müss' er seine Brüder,
So gern er sonst von ihnen nur das Beste
Bereit zu glauben sei, des falschen Spiels
Bezeihen; und er wolle die Verräter
Schon auszufinden wissen, sich schon rächen . . .

Der Richter sprach: »Wenn ihr mir nun den Vater
Nicht bald zur Stelle schafft, so weis' ich euch
Von meinem Stuhle. Denkt ihr, daß ich Rätsel
Zu lösen da bin? Oder harret ihr,
Bis daß der rechte Ring den Mund eröffne? —

Doch halt! Ich höre ja, der rechte Ring
Besitzt die Wunderkraft, beliebt zu machen,
Vor Gott und Menschen angenehm. Das muß
Entscheiden! Denn die falschen Ringe werden
Doch das nicht können! — Nun, wen lieben zwei
Von euch am meisten? — Macht, sagt an! Ihr schweigt?
Die Ringe wirken nur zurück? und nicht
Nach außen? Jeder liebt sich selber nur
Am meisten? — O, so seid ihr alle drei
Betrogene Betrüger! Eure Ringe
Sind alle drei nicht echt. Der echte Ring
Vermutlich ging verloren. Den Verlust
Zu bergen, zu ersetzen, ließ der Vater
Die drei für einen machen . . .

Und also«, fuhr der Richter fort, »wenn ihr
Nicht meinen Rat statt meines Spruches wollt:
Geht nur! — Mein Rat aber ist der: ihr nehmt
Die Sache völlig, wie sie liegt. Hat von
Euch jeder seinen Ring von seinem Vater,
So glaube jeder sicher seinen Ring
Den echten! Möglich, daß der Vater nun
Die Tyrannei des einen Rings nicht länger
In seinem Hause dulden wollen! Und gewiß,
Daß er euch alle drei geliebt und gleich
Geliebt, indem er zwei nicht drücken mögen,
Um einen zu begünstigen. Wohlan!
Es eifre jeder seiner unbestochnen
Von Vorurteilen freien Liebe nach!
Es strebe von euch jeder um die Wette,
Die Kraft des Steins in seinem Ring an Tag
Zu legen, komme dieser Kraft mit Sanftmut,
Mit herzlicher Verträglichkeit, mit Wohltun,
Mit innigster Ergebenheit in Gott
Zu Hilf'! Und wenn sich dann der Steine Kräfte
Bei euren Kindes-Kindeskindern äußern,
So lad' ich über tausend tausend Jahre
Sie wiederum vor diesen Stuhl. Da wird
Ein weis'rer Mann auf diesem Stuhle sitzen,
Als ich, und sprechen. Geht!« — so sagte der
Bescheid'ne Richter . . .

Gotthold Ephraim Lessing

Briefe, die neueste Literatur betreffend

Siebzehnter Brief

»Niemand«, sagen die Verfasser der Bibliothek, »wird leugnen, daß die deutsche Schaubühne einen großen Teil ihrer ersten Verbesserung dem Herrn Professor Gottsched zu danken habe.«

Ich bin dieser Niemand; ich leugne es geradezu. Es wäre zu wünschen, daß sich Herr Gottsched niemals mit dem Theater vermengt hätte. Seine vermeinten Verbesserungen betreffen entweder entbehrliche Kleinigkeiten, oder sind wahre Verschlimmerungen.

Als die Neuberin blühte und so mancher den Beruf fühlte, sich um sie und die Bühne verdient zu machen, sah es freilich mit unserer dramatischen Poesie sehr elend aus. Man kannte keine Regeln; man bekümmerte sich um keine Muster. Unsre »Staats- und Helden-Actionen« waren voller Unsinn, Bombast, Schmutz und Pöbelwitz. Unsere »Lustspiele« bestanden in Verkleidungen und Zaubereien; und Prügel waren die witzigsten Einfälle derselben. Dieses Verderbnis einzusehen, brauchte man eben nicht der feinste und größte Geist zu sein. Auch war Herr Gottsched nicht der erste, der es einsah; er war nur der erste, der sich Kräfte genug zutraute, ihm abzuhelfen. Und wie ging er damit zu Werke? Er verstand ein wenig Französisch und fing an zu übersetzen; er ermunterte alles, was reimen und Oui Monsieur verstehen konnte, gleichfalls zu übersetzen; er verfertigte, wie ein Schweizer Kunstrichter sagt, mit »Kleister und Schere« seinen Cato; er ließ den »Darius« und die »Austern«, die »Elise« und den »Bock im Processe«, den »Aurelius« und den »Witzling«, die »Banise« und den »Hypochondristen« ohne Kleister und Schere machen; er legte seinen Fluch auf das Extemporieren; er ließ den Harlequin feierlich vom Theater vertreiben, welches selbst die größte Harlequinade war, die jemals gespielt worden; kurz, er wollte nicht sowohl unser altes Theater verbessern, als der Schöpfer eines ganz neuen sein. Und was für eines neuen? Eines französierenden; ohne zu untersuchen, ob dieses französierende Theater der deutschen Denkungsart angemessen sei oder nicht.

Er hätte aus unsern alten dramatischen Stücken, welche er vertrieb, hinlänglich abmerken können, daß wir mehr in den Geschmack der Engländer, als der Franzosen einschlagen; daß wir in unsern Trauerspielen mehr sehen und denken wollen, als uns das furchtsame französische Trauerspiel zu sehen und zu denken gibt; daß das Große, das Schreckliche, das Melancholische besser auf uns wirkt, als das Artige, das Zärtliche, das Verliebte; daß uns die zu große Einfalt mehr ermüde, als die zu große Verwickelung usw.

Er hätte also auf dieser Spur bleiben sollen, und sie würde ihn geraden Wegs auf das englische Theater geführt haben. — Sagen Sie ja nicht, daß er auch dieses zu nutzen gesucht, wie sein Cato es beweise. Denn eben dieses, daß er den Addisonschen »Cato« für das beste englische Trauerspiel hält, zeigt deutlich, daß er hier nur mit den Augen der Franzosen gesehen, und damals keinen Shakespeare, keinen Jonson, keinen Beaumont und Fletcher etc. gekannt hat, die er hernach aus Stolz auch nicht hat wollen kennen lernen.

Wenn man die Meisterstücke des Shakespeare mit einigen bescheidenen Veränderungen unsern Deutschen übersetzt hätte, ich weiß gewiß, es würde von bessern Folgen gewesen sein, als daß man sie mit dem Corneille und Racine so bekannt gemacht hat. Erstlich würde das Volk an jenem weit mehr Geschmack gefunden haben, als es an diesen nicht finden kann; und zweitens würde jener ganz andere Köpfe unter uns erweckt haben, als man von diesen zu rühmen weiß. Denn ein *Genie* kann nur von einem *Genie* entzündet werden, und am leichtesten von so einem, das alles bloß der Natur zu danken zu haben scheint, und durch die mühsamen Vollkommenheiten der Kunst nicht abschreckt.

Auch nach den Mustern der Alten die Sache zu entscheiden, ist Shakespeare ein weit größerer tragischer Dichter, als Corneille; obgleich dieser die Alten sehr wohl und jener fast gar nicht gekannt hat. Corneille kommt ihnen in der mechanischen Einrichtung und Shakespeare in dem Wesentlichen näher. Der Engländer erreicht den Zweck der Tragödie fast immer, so sonderbare und ihm eigene Wege er auch wählt; und der Franzose erreicht ihn fast niemals, ob er gleich die gebahnten Wege der Alten betritt. Nach dem »Oedipus« des Sophokles muß in der Welt kein Stück mehr Gewalt über unsre Leidenschaften haben, als »Othello«, als »König Lear«, als »Hamlet« etc. Hat Corneille ein einziges Trauerspiel, das Sie nur halb so gerührt hätte, als die »Zaire« des Voltaire? Und die »Zaire« des Voltaire! Wie weit ist sie unter dem »Mohren von Venedig«, dessen schwache Copie sie ist, und von welchem der ganze Charakter des »Orosmans« entlehnt worden?

Daß aber unsere alten Stücke wirklich sehr viel Englisches gehabt haben, könnte ich Ihnen mit geringer Mühe weitläufig beweisen. Nur das Bekannteste derselben zu nennen: »Doktor Faust« hat eine Menge Szenen, die nur ein Shakespearisches Genie zu denken vermögend gewesen. Und wie verliebt war Deutschland und ist es zum Teil noch in seinen »Doktor Faust«! Einer von meinen Freunden verwahrt einen alten Entwurf dieses Trauerspiels, und er hat mir einen Auftritt daraus mitgeteilt, in welchem gewiß ungemein viel Großes liegt. Sind Sie begierig ihn zu lesen? Hier ist er! — Faust verlangt den schnellsten Geist der Hölle zu seiner Bedienung. Er macht seine Beschwörungen; es erscheinen derselben sieben; und nun fängt sich die dritte Szene des zweiten Aufzugs an ... Was sagen Sie zu dieser Szene? Sie wünschen ein deutsches Stück, das lauter solche Szenen hätte? Ich auch!

Gotthold Ephraim Lessing · *Hamburgische Dramaturgie*

Fünfundsiebzigstes Stück

[Es] ist unleugbar, daß Aristoteles entweder muß geglaubt haben, die Tragödie könne und solle nichts als das eigentliche Mitleid, nichts als die Unlust über das gegenwärtige Übel eines andern erwecken, welches ihm schwerlich zuzutrauen; oder er hat alle Leidenschaften überhaupt, die uns von einem andern mitgeteilt werden, unter dem Worte Mitleid begriffen.

Denn er, Aristoteles, ist es gewiß nicht, der die mit Recht getadelte Einteilung der tragischen Leidenschaften in Mitleid und Schrecken gemacht hat. Man hat ihn falsch verstanden, falsch übersetzt. Er spricht von Mitleid und Furcht, nicht von Mitleid und Schrecken; und seine Furcht ist durchaus nicht die Furcht, welche uns das bevorstehende Übel eines andern für diesen andern erweckt, sondern es ist die Furcht, welche aus unsrer Ähnlichkeit mit der leidenden Person für uns selbst entspringt; es ist die Furcht, daß die Unglücksfälle, die wir über diese verhängt sehen, uns selbst treffen können; es ist die Furcht, daß wir der bemitleidete Gegenstand selbst werden können. Mit einem Worte: Diese Furcht ist das auf uns selbst bezogene Mitleid.

Aristoteles will überall aus sich selbst erklärt werden. Wer uns einen neuen Kommentar über seine Dichtkunst liefern will, welcher den Dacierschen weit hinter sich läßt, dem rate ich, vor allen Dingen die Werke des Philosophen vom Anfange bis zum Ende zu lesen. Er wird Aufschlüsse für die Dichtkunst finden, wo er sich deren am wenigsten vermutet; besonders muß er die Bücher der Rhetorik und Moral studieren. Man sollte zwar denken, diese Aufschlüsse müßten die Scholastiker, welche die Schriften des Aristoteles an den Fingern wußten, längst gefunden haben. Doch die Dichtkunst war gerade diejenige von seinen Schriften, um die sie sich am wenigsten bekümmerten. Dabei fehlten ihnen andere Kenntnisse, ohne welche jene Aufschlüsse wenigstens nicht fruchtbar werden konnten; sie kannten das Theater und die Meisterstücke desselben nicht.

Die authentische Erklärung dieser Furcht, welche Aristoteles dem tragischen Mitleid beifügt, findet sich in dem fünften und achten Kapitel des zweiten Buches seiner Rhetorik. Es war gar nicht schwer, sich dieser Kapitel zu erinnern; gleichwohl hat sich vielleicht keiner seiner Ausleger ihrer erinnert, wenigstens hat keiner den Gebrauch davon gemacht, der sich davon machen läßt. Denn auch die, welche ohne sie einsahen, daß diese Furcht nicht das mitleidige Schrecken sei, hätten noch ein wichtiges Stück aus ihnen zu lernen gehabt; die Ursache nämlich, warum der Stagirit dem Mitleid hier die Furcht, und warum nur die Furcht, warum keine andere Leidenschaft, und warum nicht mehrere Leidenschaften, beigesellt habe. Von dieser Ursache wissen sie nichts, und ich möchte wohl hören, was sie aus ihrem Kopfe antworten würden, wenn man sie fragte: Warum z. E. die Tragödie nicht eben so wohl Mitleid und Bewunderung, als Mitleid und Furcht, erregen könne und dürfe?

Es beruht aber alles auf dem Begriffe, den sich Aristoteles von dem Mitleid gemacht hat. Er glaubte nämlich, daß das Übel, welches der Gegenstand unsers Mitleidens werden solle, notwendig von der Beschaffenheit
sein müsse, daß wir es auch für uns selbst oder für eines von den unsrigen
zu befürchten hätten. Wo diese Furcht nicht sei, könne auch kein Mitleiden Statt finden. Denn weder der, den das Unglück so tief herab-
gedrückt habe, daß er weiter nichts für sich zu fürchten sähe, noch der,
welcher sich so vollkommen glücklich glaube, daß er gar nicht begreife,
woher ihm ein Unglück zustoßen könne, weder der Verzweifelnde noch der
Übermütige pflege mit andern Mitleid zu haben. Er erklärt daher auch das
Fürchterliche und das Mitleidswürdige, eines durch das andere. Alles das,
sagt er, ist uns fürchterlich, was, wenn es einem andern begegnet wäre oder
begegnen sollte, unser Mitleid erwecken würde: und alles das finden wir
mitleidswürdig, was wir fürchten würden, wenn es uns selbst bevorstünde.
Nicht genug also, daß der Unglückliche, mit dem wir Mitleiden haben
sollen, sein Unglück nicht verdiene, ob er es sich schon durch irgend eine
Schwachheit zugezogen, seine gequälte Unschuld, oder vielmehr seine zu
hart heimgesuchte Schuld, sei für uns verloren, sei nicht vermögend, unser
Mitleid zu erregen, wenn wir keine Möglichkeit sähen, daß uns sein Leiden
auch treffen könne. Diese Möglichkeit aber finde sich alsdann, und könne
zu einer großen Wahrscheinlichkeit erwachsen, wenn ihn der Dichter nicht
schlimmer mache, als wir gemeiniglich zu sein pflegen, wenn er ihn vollkommen so denken und handeln lasse, als wir in seinen Umständen würden
gedacht und gehandelt haben, oder wenigstens glauben, daß wir hätten
denken und handeln müssen: kurz, wenn er ihn mit uns von gleichem
Schrot und Korn schildere. Aus dieser Gleichheit entstehe die Furcht, daß
unser Schicksal gar leicht dem seinigen eben so ähnlich werden könne, als
wir ihm zu sein uns selbst fühlen, und diese Furcht sei es, welche das Mitleid gleichsam zur Reife bringe.

So dachte Aristoteles von dem Mitleiden, und nur hieraus wird die
wahre Ursache begreiflich, warum er in der Erklärung der Tragödie, nächst
dem Mitleiden, nur die einzige Furcht nannte. Nicht als ob diese Furcht
hier eine besondere von dem Mitleiden unabhängige Leidenschaft sei,
welche bald mit bald ohne dem Mitleid, so wie das Mitleid bald mit bald
ohne ihr erregt werden könne; welches die Mißdeutung des Corneille war:
sondern weil, nach seiner Erklärung des Mitleids, dieses die Furcht notwendig einschließt; weil nichts unser Mitleid erregt, als was zugleich unsere
Furcht erwecken kann . . .

Das literarische Rokoko

CHRISTOPH MARTIN WIELAND

Die Cyklopen-Philosophie

Polyphem und Odysseus

Der Reichtum, kleines Wichtchen, ist der Weisen Gott.
Das andre all ist Tand und Wortgepränge.
Was frag' ich nach den Tempeln, wo mein Vater
An eurer Meere steilen Ufern thront?
Umsonst berufst du dich auf sie. Ich weiß
Euch keinen Dank dafür. Ich fürchte, mußt du wissen
Mich selbst vor Zeus und seinen Blitzen nicht.
Ich kenne keinen größern Gott als mich
Und werd um euren Zeus mich nie bekümmern.
Fragst du »Warum«, so höre! Kommt ihm etwa
Der Einfall, einen Regenguß herabzuschütten,
So hab ich hier in dieser Felsenhöhle
Ein festes regendichtes Obdach, wo ich rücklings
Die Beine streckend, lieg' und während er
Da oben wettert, ein gebratnes Kalb
In guter Ruhe schmause oder ein Stück Wild;
Und hab ich dann noch einen Eimer Milch dazu
Rein ausgeleert, so lüft ich mich und donnere
Nach meiner Art mit Zeusen um die Wette.
Wenn Boreas von Thraziens Bergen Schnee
Herunterschüttelt, hüll' ich mich in Pelzwerk ein,
Und zünde Feuer an und schere mich
Nicht soviel um den Winter. Auch die Erde muß
Gern oder ungern, Gras, um meine Schafe fett
Zu machen, wachsen lassen, die ich, wem wohl sonst
Als mir? — den Göttern wahrlich nicht! — und diesem Bauch,
Dem größten aller Götter opfre. — Kurz,
Sich Essen und Trinken alle Tage schmecken
Und keinen Gram zum Kopfe steigen lassen,
Das ist gescheiter Leute Jupiter!
Die Konstitutionenmacher aber, die
Durch kunterbunte Gesetze des Menschen Leben
Verkünstelt haben, mag der Henker holen!
Ich werde ihretwegen meiner Seele nicht
Um einen Titel minder gütlich tun und, traun,
Dich nur mit desto größerm Appetit verzehren,
Indes, damit du mir nichts vorzurücken habest,

Sollst du zum Gastgeschenk ein tüchtig Feuer
Und jenen Kessel dort empfangen, der hübsch warm
Dich halten und dein wohlgenährtes Fleisch
Gar trefflich kochen soll. — Nun, kriecht hinein
Und macht euch fertig, mir zum Fest des Gottes, der
Hier wohnt, ein stattlich Opfermahl zu geben.

Es bedarf wohl kaum erinnert zu werden, daß der Cyklops des Euripides in dieser merkwürdigen Rede als Repräsentant aller Gewaltigen seines Gelichters spricht. Denn sie enthält, in möglichster Kürze und Klarheit, eine sehr vollständige kategorische Erklärung der Gesinnungen und Grundsätze aller ein- und zweiäugigen Cyklopen, die von Anbeginn der Welt cyklopisiert haben und bis ans Ende der Tage cyklopisieren werden. Wenn auch (wie ich nicht in Abrede bin), die Cyklopen unsrer aufgeklärten und höchst verfeinerten Zeiten zum Teil nicht immer so frank und frei, wie Polyphem, von der Leber wegsprechen und — aus einer Klugheit oder Heuchelei, welche sie sich bei dem großen Haufen der kleinen Wichtchen, die vor ihrem Weberbaum, wie billig, Respekt tragen, sehr füglich ersparen könnten — wohl gar bei Gelegenheit ganz entgegengesetzte Maximen und Gesinnungen hören lassen: so zeigt doch der Augenschein, daß ihre Handlungen echt cyklopisch und (wenn anders Konsequenz in ihrer innern Verfassung ist) nur aus der alten Cyklopenphilosophie und dem höchst einfachen und bequemen Cyklopenrecht erklärbar sind, welche des Euripides Polyphem ehrlich genug ist, ohne alle Bemäntelung und Verkleisterung, in ihrer ganzen, wie wohl uns kleinen Wichtchen ein wenig anstößigen Nacktheit darzustellen. Was noch weiter über diese reichhaltige Materie zu sagen wäre, überlassen wir dem denkenden Leser zu eigenem Nachdenken und setzen nichts weiter hinzu als: Selig sind, die sich nicht an Polyphem noch über Polyphem ärgern! ...

Die nötigste und nützlichste aller Wissenschaften oder, noch genauer zu reden, diejenige, in welche alle übrigen eingeschlossen sind, ist die Wissenschaft des Menschen:
Der Menschheit eigenes Studium ist der Mensch.
Sie ist eine Aufgabe, an deren vollständiger und reiner Auflösung man noch Jahrtausende arbeiten wird, ohne damit zu Stande gekommen zu sein. Sie anzubauen, zu fördern, immer größere Fortschritte darin zu tun, ist der Gegenstand des Menschenstudiums; und wie könnte dieses auf andere Weise mit Erfolg getrieben werden, als indem man die Menschen, wie sie von jeher waren, und wie sie dermalen sind, nach allen ihren Beschaffenheiten, Verhältnissen und Umständen kennenzulernen sucht?
Die Menschen haben gelebt und vielleicht Jahrtausende gelebt, eh' einer von ihnen auf den Gedanken kam, daß Leben eine Kunst sein könnte; und nach aller Wahrscheinlichkeit ist jede andere Kunst, von den Künsten Tubalkains an schon längst erfunden gewesen, als endlich die scharf-

sinnigen Griechen mit anderen schönen Wissenschaften und Künsten auch diese berühmte »Kunst zu leben«, Philosophie genannt, wo nicht gänzlich erfunden, doch zuerst in Kunstform gebracht und auf einen hohen Grad der Verfeinerung getrieben haben.

Bei weitem der größte Teil der Menschenkinder ließ sich nie etwas von einer solchen Kunst träumen. Die Leute lebten, ohne zu wissen, wie sie es damit machten, wie wir alle Atem holen, verdauen, uns auf mancherlei Art bewegen, wachsen und gedeihen, ohne daß unter Tausenden nur einer weiß oder zu wissen verlangt, nach was für mechanischen Gesetzen und durch welche Verbindung von Ursachen das alles geschehe. Und in diesem dicken Nebel der Unwissenheit leben bis auf diese Stunde nicht nur alle die unzähligen Völker in Asia, Afrika, Amerika und den Inseln des Südmeeres, weiße und olivenfarbne, schwarzgelbe und pechschwarze, bärtige und unbärtige, beschnittene und unbeschnittene, tätowierte und nicht tätowierte, mit und ohne Ringe durch die Nase, von den Riesen in Patagonien bis zu den Zwergen an der Hudsonsbay usf. — sondern auch selbst von dem größten Teile der Einwohner unseres aufgeklärten Europas läßt sich mit gutem Fuge behaupten, daß sie von besagter »Kunst zu leben« ebensowenig wissen und sich ebensowenig darum bekümmern, wie das leichtsinnige Völkchen von Tahiti oder die halberstarrten Bewohner des Feuerlandes, die kaum etwas mehr als Seekälber sind.

Die zwei angelegensten Wünsche, worin alle Menschen übereinkommen, sind: gesund und glücklich zu sein. Zu beiden hat uns die Natur Anlage und unerschöpfliche Hilfsquellen gegeben, und beides in den unzählbaren Individuen, die zusammen den Menschen ausmachen, unendlich vermannigfaltigt. Beides ist nicht ganz in unserer Gewalt und hängt doch in den meisten Fällen und größtenteils von unserem Verhalten ab. Alles in und außer uns ist in unaufhörlicher Bewegung, beides zu erhalten und — zu zerstören. Beides ist ordentlicherweise das Resultat eines der Natur gemäßen Lebens und kann daher auf Regeln zurückgeführt werden, die so notwendig sind als die Natur selbst.

[9] **Kalokagathia**

CHRISTOPH MARTIN WIELAND · *Geschichte des Agathon*

Das erste, was die auf mich selbst geheftete Betrachtung an mir wahrnimmt, ist, daß ich aus zwei verschiedenen und einander entgegengesetzten Naturen bestehe: einer tierischen, die mich mit allen andern Lebendigen in dieser sichtbaren Welt in eine Linie stellt; und einer geistigen, die mich durch Vernunft und freie Selbsttätigkeit unendlich hoch über jene erhebt. Durch jene hange ich auf tausendfache Weise von allem, was außer mir ist, ab, bin den Bedürfnissen, die allen Tieren gemeinsam sind, unterworfen, und selbst in der tätigen Äußerung meiner Triebe an die Gesetze der Bewegung, der Organisation und des animalischen Lebens durch eben dieselbe Notwendigkeit gefesselt, welcher jedes andere Tier untertan ist.

Durch diese fühle ich mich frei, unabhängig, selbsttätig, und bin nicht nur Gesetzgeber und König einer Welt in mir selbst, sondern auch fähig, mich bis auf einen gewissen Grad zum Herrn über meinen Körper und über alles andere, was innerhalb der Grenzen meines Wirkungskreises liegt, zu machen.

Natürlicherweise wird durch diese wunderbare, mir selbst unerklärliche Vereinigung zweier so ungleichartiger Naturen, die tierische auf tausendfache Weise veredelt, die geistige hingegen, die ihrer Natur nach lauter Kraft, Licht und Feuer ist, abgewürdigt, verdüstert, erkältet, und, um mich eines sehr passenden platonischen Bildes zu bedienen, durch die Verwicklung in die niedrigen Geschäfte und Bedürfnisse des Tiers, wie ein Vogel, der an der Leimrute hängen blieb, verhindert, ihren natürlichen freien Flug zu nehmen und sich in ein reineres Element zu gleichartigen Wesen aufzuschwingen.

Gleichwohl, da nun einmal diese Vereinigung das ist, was den Menschen zum Menschen macht: Worin anders könnte die höchste denkbare Vollkommenheit der Menschheit bestehen, als in einer völligen, reinen, ungestörten Harmonie dieser beiden zu Einer verbundenen Naturen? — Eine Vollkommenheit, welche, wie unerreichbar sie auch mir, und vermutlich jedem andern Menschen sein mag, dennoch, insofern ich sie durch getreue Anwendung der Mittel, die in mir selbst liegen, befördern kann, das unverrückte Ziel meiner ernstlichsten Bestrebung sein muß.

Wenn aber eine solche Harmonie unter irgend einer Bedingung stattfinden kann, so ist es gewiß nur unter dieser, daß der tierische Teil meines Wesens von dem geistigen, nicht umgekehrt der letztere von dem ersteren, regiert werde; denn was kann widersinniger sein, als daß der Blinde den Sehenden führe und der Verständige dem Unverständigen gehorche? Diese Unterordnung ist um so gerechter, weil der tierische Teil bei der Regierung des vernünftigen keine Gefahr läuft und nicht die geringste Beeinträchtigung in seinen rechtmäßigen Forderungen von ihm zu besorgen hat: indem dieser zu gut erkennt, was zum gemeinsamen Besten des ganzen Menschen erfordert wird, um dem tierischen Teil etwas zu versagen, was die Natur zu einer Bedingung seiner Erhaltung und seines Wohlseins gemacht hat. Das Tier hingegen weiß nichts von den höhern Bedürfnissen des Geistes; es kümmert sich nichts darum, ob sein unruhiges Bestreben jede seiner Begierden zu befriedigen den Geist in edlern Geschäften und reinern Vergnügungen beeinträchtiget und ist so wenig geneigt, selnen eigennützigen Forderungen Ziel und Maß setzen zu lassen, daß es sich vielmehr jeder Einschränkung entgegen sträubt und, sobald die Vernunft einschlummert oder den Zügel nicht fest genug hält, sich einer Willkürlichkeit und Oberherrschaft anmaßt, wovon die Zerrüttung der ganzen innern Ökonomie des Menschen die unfehlbare Folge ist.

Da nun dies (wie die Erfahrung zeigt) der Fall — wo nicht bei allen, doch gewiß bei der ungleich größern Zahl der Menschen auf dem ganzen Erdboden ist und von jeher gewesen zu sein scheint; und da nicht nur die allgemein anerkannte sittliche Verdorbenheit, sondern selbst der größte

Teil der physischen Übel und Leiden, die das Menschengeschlecht drücken und peinigen, notwendige Folgen dieser Herrschaft des tierischen Teils unsrer Natur über den geistigen sind, und der schändlichen Dienstbarkeit, zu welcher die Vernunft sich nur zu leicht bequemt, wenn der Sirenengesang der Leidenschaften einmal den Eingang zu unserm Herzen gefunden hat: so folgt hieraus als eine Regel, die — ohne Rücksicht auf mögliche, seltene Ausnahmen — mit gutem Fug für allgemein gelten kann: daß ein rastloser Kampf der Vernunft mit der Sinnlichkeit, oder des geistigen Menschen mit dem tierischen, das einzige Mittel sei, wodurch der Verderbnis unsrer Natur und den Übeln aller Arten, die sich aus ihr erzeugen, abgeholfen werden könne; und daß dieser innerliche Krieg in jedem Menschen so lange dauern müsse, bis das zum Dienen geborene Tier die weise und gerechte Herrschaft der Vernunft anerkennt und willig dulden gelernt hat. — Eine Bedingung, wozu das tierische Ich, dessen Tätigkeit immer nur seine eigene Befriedigung zum Zweck hat, schwerlich auf eine andere Art zu bringen ist, als wenn das geistige durch jede mögliche Verstärkung seiner Kraft und Energie eine ganz entschiedene Übermacht gewonnen hat.

Wenn dies, wie ich innigst überzeugt bin, Wahrheit ist, so habe ich von diesem Augenblick an kein dringenderes Geschäft, als mich zu diesem Endzweck aller Kräfte und Hilfsquellen, die in der Natur meines Geistes liegen, in ihrer ganzen Stärke bedienen zu lernen; und nun begreife ich erst, warum der Delphische Apollo (hierin das Organ der höchsten Weisheit, die zu allen Menschen spricht) denen, die in seinen Tempel eingehen, nichts Wichtigeres zu empfehlen wußte, als: Kenne dich selbst! Denn worin anders als in dieser Unbekanntheit mit der hohen Würde unsrer Natur, mit der unendlichen Erhabenheit des Unsichtbaren in uns über das Sichtbare und mit der unerschöpflichen Stärke unsrer bloß durch Nichtgebrauch so wenig vermögenden Geisteskraft, worin anders liegt die erste Quelle aller unsrer Übel? — Ich entschlage mich hierbei jeder Untersuchung, die aus Mangel eines festen Grundes, worauf die Vernunft fußen könnte, sich in bloße Hypothesen verliert. Woher es auch komme — es sei nun, daß die Seele, wie Plato sagt, durch den Sturz aus jenen überhimmlischen Gegenden (dem Element ihres vorigen Lebens) in die Materie, wo sie in einen irdischen Körper gefesselt wird, betäubt, nur langsam und stufenweise wieder zur Besinnung kommen könne; oder daß die Schwäche des kindischen Alters, die langsame und meistens sehr mangelhafte Ausbildung des Instruments, von dessen Tauglichkeit und reiner Stimmung ihre eigene Entwicklung größtenteils abhängt und die übrigen Umstände, deren Einfluß sich bei den meisten auf ihr ganzes Leben erstreckt, hinlänglich sei, jene traurige Erfahrung zu erklären — genug, die Sache selbst liegt am Tage. Nur die Urkunde seiner eigenen Natur und Würde kann den Geist in einen so unnatürlichen Zustand versetzen, daß er, anstatt zu herrschen, dient; anstatt sich vom Stoffe loszuwinden, immer mehr in ihn verwickelt wird; anstatt immer höher emporzusteigen, immer tiefer herabsinkt; anstatt mit Götterspeise sich zu nähren, an tierischen Genüssen oder leeren Schaugerichten sich genügen läßt. Aber selbst in diesem schmählichen Zustande dringt sich ihm ein geheimes Gefühl seiner höhern Natur wider Willen auf; er ist weit entfernt, sich in seiner Erniedrigung wohl zu befinden: er macht sich selbst Vorwürfe über jede seiner unwürdigen Gefälligkeit gegen die Tyrannen, deren Ketten er sich zu tragen schämt, und die ewige Unruhe in seinem Innern, das stete Bestreben, sein eigenes Bewußtsein zu übertäuben, das häufige Wechseln der Gegenstände seiner Begierden und Leidenschaften, das ewige Sehnen nach einem unbekannten Gute, dessen er bei jeder Veränderung vergebens habhaft zu werden hofft, beweiset überflüssig, wie wenig Befriedigung er in jenen Genüssen findet und daß keine Glückseligkeit für ihn ist, so lang ihm ihre reinste Quelle im Grunde seines eigenen Wesens verborgen und verschlossen ist . . .

[10] **Die Kunst, fröhlich zu sein**

SALOMON GESSNER · *Daphnis*

Auf dem Flusse Neäthus, der bei den Clibanischen Bergen entspringt und schnell durch Fluren unter grünen Gewölben vorbeirauscht und stürmisch Land und Bäume dahinreißt, haben die Hirten eine kleine Insel den Nymphen geheiligt, beschattet von hohen Fichten und Wacholder-bäumen. Mitten auf der Insel steht ein Fels mit der Höhle der Nymphen; denn ihre Bilder stehen in selbiger künstlich in Lindenholz geschnitten mit ihren Urnen und mit Schilfkränzen ums Haupt. Man sieht diese Göttinnen da mit grünem Haupthaar unter den Bäumen wandeln oder am Ufer leicht daherschwimmen und dann auf Felsen sich trocknen und an der Sonne schlummern. Die Wellen spielen da sanft mit den beschäumten Wurzeln der Sarbachen und der Weiden, die rings ums Ufer stehen, und tönen lieblich wie Lieder.

So oft der junge Frühling kommt, so oft kommen die Hirten mit ihren Mädchen von beiden Ufern und bringen den Nymphen Blüten von den Bäumen, die über den Fluß sich wölben, und Blumen, die an dem Wasser aufblühen, und bitten die Nymphen, daß sie den Wellen befehlen, daß sie nicht mehr ihr Ufer verschlingen und Feld und Bäume dahinreißen.

Einst schwamm in einem frohen Lenzen eine ganze Flotte von Nachen von beiden Ufern her der Insel zu. Auf jedem Nachen deckte ein grünes Gewölb von wohlriechendem Gesträuch und Blumen die Hirten und die Mädchen, die in selbigem freudig daherfuhren; eine Kette von Blumen schlängelte sich an hohen Stangen, bis an die Spitze hinauf, wo Bänder und Kränze hoch in der Luft flatterten. Sie fuhren daher unter dem lieb-lichen Getöne der Flöten und des Gesanges und landeten an der Insel. Truppen von Jünglingen und Mädchen stiegen ans Gestad, Mädchen, deren Reiz die Göttinnen neidisch machte; jedes entzog dem andern die Blicke der Götter, die aus dem Olymp auf die Wolken heruntergestiegen waren und die Göttinnen einsam gelassen hatten. Denn die Schönheit entzückte hier

durch mannigfaltigen Reiz. Einige entzückten durch die schlanke Länge
des Leibes, andre durch die Weiße der Stirne und des wallenden Busens;
hier entzückte ein ernstes Gesicht wie der Göttin der Jagd, dort ein
Lächeln wie der Venus; hier die reifende Jugend wie die Rose, wenn sie
aus der Knospe sich drängt, dort die vollen Jahre der Jugend wie die
offene Rose. Sie näherten sich Paar und Paar, traten in die heilige Grotte
und gossen ihre Körbchen voll Blumen vor die Füße der Nymphen hin
und umwanden sie mit Ketten von Blumen und schmückten sie mit
Kränzen. Da trat die junge Phillis hervor, ihre Blumen und ihre Kränze
zu bringen; sie war schön wie die Huldgöttinnen, Freud' und Unschuld
reizten im kleinen Gesicht und in jeder Gebärde; ihr braunes Aug' lächelte
schüchtern um sie her, ein unüberwindliches Lächeln, sieghaft wie die
Liebe selbst. So steht die junge Rose, die schönste unter den andern
Blumen, die aus dem Gras um sie her aufwachsen; die Biene schwärmt
zweifelnd umher, sie winken umsonst, denn sie sieht die Rose und sucht
nicht mehr.

Daphnis, der schönste Jüngling, durchlief mit flüchtigen Blicken die
Haufen der Mädchen; sie begegneten tausend redenden Blicken der Mädchen, die ihn lächelnd ansahn, dann sich leise in die Ohren flüsterten, dann
freundlicher lächelnd ihn wieder ansahn. Da sah er die Phillis; ein Seufzer
drängte sich durch seine Brust, und eine Röte stieg ins Gesicht; sein Blick
blieb bei ihr stehen; sie sah ihn an, da sank sein Blick zur Erde, sie ging
zurück und sah ihn schamhaft wieder an; da zitterte Daphnis, sein Herz
bebte, er sah ihr schmachtend nach, voll Angst, sein Auge werde sie unter
der Menge verlieren; aber sie verlor sich nicht, sie stund da und sprach mit
ihren Gespielen; oft flog ihr Blick zum Daphnis, aber schüchtern sank er
schnell wieder ins Gras vor ihren Füßen; oft stund im Gedräng' ein längeres
Mädchen vor die Phillis hin, dann ward Daphnis böse, und wenn es zurück
trat, dann lachte sein Auge der Phillis wieder feuriger zu. So lachen die
Fluren, wenn der Mond aus Wolken hervorgeht.

Johann Peter Uz · *Ein Traum*

O Traum, der mich entzücket!
Was hab ich nicht erblicket!
Ich warf die müden Glieder
In einem Tale nieder,
Wo einen Teich, der silbern floß,
Ein schattigtes Gebüsch umschloß.

Da sah ich durch die Sträuche
Mein Mädchen bei dem Teiche;
Das hatte sich, zum Baden,
Der Kleider meist entladen
Bis auf ein untreu weiß Gewand,
Das keinem Lüftchen widerstand.

Der freie Busen lachte,
Den Jugend reizend machte.
Mein Blick blieb lüstern stehen
Bei diesen regen Höhen,
Wo Zephir unter Lilien blies
Und sich die Wollust fühlen ließ.

Sie fing nun an, o Freuden!
Sich vollends auszukleiden:
Doch ach! indem's geschiehet,
Erwach ich, und sie fliehet.
O schlief ich doch von neuem ein!
Nun wird sie wohl im Wasser sein!

JOHANN WILHELM LUDWIG GLEIM · *Rosen pflücke*

Rosen pflücke, Rosen blühn,
Morgen ist nicht heut!
Keine Stunde laß entfliehn —
Flüchtig ist die Zeit!

Trink und küsse! Sieh, es ist
Heut Gelegenheit!
Weißt Du, wo Du morgen bist?
Flüchtig ist die Zeit!

Aufschub einer guten Tat
Hat schon oft gereut!
Hurtig leben ist mein Rat —
Flüchtig ist die Zeit!

LUDWIG CHRISTOPH HÖLTY · *Lebenspflichten*

Rosen auf den Weg gestreut
Und des Harms vergessen!
Eine kleine Spanne Zeit
Ward uns zugemessen.

Wonne führt die junge Braut
Heute zum Altare,
Eh die Abendwolke taut,
Ruht sie auf der Bahre.

Heute hüpft im Frühlingstanz
Noch der frohe Knabe;
Morgen weht der Totenkranz
Schon auf seinem Grabe.

Ungewisser, kurzer Dau'r
Ist dies Erdeleben
Und zur Freude, nicht zur Trau'r
Uns von Gott gegeben.

Gebet Harm und Grillenfang,
Gebet ihn den Winden;
Ruht bei frohem Becherklang
Unter grünen Linden...

Die Empfindsamkeit

[11] Die vollkommene Welt

GOTTFRIED WILHELM LEIBNIZ · *Theodizee, 1. Teil*

Diese höchste Weisheit nun hat nächst einer gleichfalls unendlichen Gütigkeit nichts anderes als das Beste erwählen können. Denn gleichwie ein kleineres Übel etwas Gutes ist, so ist auch ein geringeres Gutes etwas Böses, weil es einem größeren Guten im Wege stehet, und es würde in den Taten Gottes etwas zu tadeln sein, wenn ein Mittel vorhanden wäre, es besser zu machen. Und gleichwie, wenn in der Mathesis kein Größtes und kein Kleinstes (kein Maximum noch Minimum) und endlich gar nichts Mittleres vorhanden, das könne geteilt werden, alles gleichsteht; oder wenn sich das nicht tun läßt, gar nichts mehr geschicht; ebenso kann man auch von einer vollkommenen Weisheit sagen, die so ordentlich und reguliert ist als die Mathesis, denn wenn unter allen möglichen Welten nicht eine die beste wäre, dann hätte Gott keine hervorgebracht. Ich nenne eine Welt den ganzen Zusammenhang und Begriff aller existierenden Dinge, damit man nicht sage, daß viele Welten zu verschiedenen Zeiten und an verschiedenen Orten existieren könnten. Denn man müßte sie doch alle zusammen vor eine Welt oder, wenn man wollte, vor ein Universum halten. Und wenn man gleich alle Zeiten und alle Orte anfüllte, so bleibt doch allezeit wahr, daß man sie auf unendliche Art würde haben erfüllen können, und daß es unendlich viele mögliche Welten gäbe, unter denen Gott die beste haben erwählen müssen, weil er alles nach der höchsten Ration tut . . .

Es möchte vielleicht ein Gegner, der auf diesen Vernunftschluß nicht antworten kann, durch ein Gegenargument auf den Schluß antworten und sagen, die Welt hätte können ohne Sünde und Elend sein. Allein ich leugne, daß sie alsdann die beste gewesen wäre. Denn man muß wissen, daß in einer jeden möglichen Welt alles verknüpfet ist. Das Universum, es sei, welches es wolle, ist gerade wie ein Ozean, daselbst erstreckt die geringste Bewegung ihre Wirkung auf eine gewisse Weite, ohngedacht dieser Effekt unempfindlicher wird nach dem Unterschied der Weite; dergestalt hat Gott in selbiger einmal vor allemal alles schon vorauseingerichtet, in dem er das Gebet, die guten und bösen Taten und alles Übrige vorausgesehen, ja jede Sache hat in den Begriffen (idealiter) noch vor ihrer Existenz zu dem Entschlusse beigetragen, der über die Existenz aller Dinge ist genommen worden. Also kann in dem Universo ebensowenig etwas geändert werden als in einer Zahl, doch seine Essenz oder seine Individualitatem numeriam ausgenommen. Also wie das geringste Übel, das in dieser Welt geschieht, davon abginge, so würde es nicht mehr diese Welt sein, die nach aller möglichen Überlegung und Betrachtung von dem Schöpfer, der sie erwählet, vor die beste ist gehalten worden.

BARTHOLD HEINRICH BROCKES · *Gedichte*

Kirschblüte bei der Nacht

Ich sahe mit betrachtendem Gemüte
Jüngst einen Kirschbaum, welcher blühte,
In kühler Nacht beim Mondenschein;
Ich glaubt', es könne nichts von größrer Weiße sein.
Es schien, als wär' ein Schnee gefallen;
Ein jeder, auch der kleinste Ast
Trug gleichsam eine rechte Last
Von zierlich weißen runden Ballen.

Es ist kein Schwan so weiß, da nämlich jedes Blatt,
Indem daselbst des Mondes sanftes Licht
Selbst durch die zarten Blätter bricht,
Sogar den Schatten weiß und sonder Schwärze hat.
Unmöglich, dacht' ich, kann auf Erden
Was Weißers aufgefunden werden.
Indem ich nun bald hin, bald her
Im Schatten dieses Baumes gehe,
Sah ich von ungefähr
Durch alle Blumen in die Höhe
Und ward noch einen weißern Schein,
Der tausendmal so weiß, der tausendmal so klar,
Fast halb darob erstaunt, gewahr.
Der Blüte Schnee schien schwarz zu sein
Bei diesem weißen Glanz. Es fiel mir ins Gesicht
Von einem hellen Stern ein weißes Licht,
Das mir recht in die Seele strahlte.
Wie sehr ich mich an Gott im Irdischen ergetze,
Dacht' ich, hat er dennoch weit größre Schätze.
Die größte Schönheit dieser Erden
Kann mit der himmlischen doch nicht verglichen werden.

Die kleine Fliege

Neulich sah ich mit Ergetzen
Eine kleine Fliege sich
Auf ein Erlenblättchen setzen,
Deren Form verwunderlich
Von den Fingern der Natur
So an Farb' als an Figur
Und an bunten Glanz gebildet.
Es war ihr klein Köpfchen grün
Und ihr Körperchen vergüldet;
Ihrer klaren Flügel Paar,
Wenn die Sonne sie beschien,
Färbt' ein Rot fast wie Rubin,
Das, indem es wandelbar,
Auch zuweilen bläulich war.
Liebster Gott, wie kann doch hier
Sich so mancher Farben Zier
Auf so kleinem Platz vereinen
Und mit solchem Glanz vermählen,
Daß sie wie Metallen scheinen,
Rief ich mit vergnügter Seelen.
Wie so künstlich, fiel mir ein,

Müssen hier die kleinen Teile
In einander eingeschränkt,
Durch einander hergelenkt,
Wunderbar verbunden sein!
Zu dem Endzweck, daß der Schein
Unsrer Sonnen und ihr Licht,
Das so wunderbarlich schön
Und von uns sonst nicht zu sehn,
Unserm forschenden Gesicht
Sichtbar werd' und unser Sinn,
Von derselben Pracht gerühret,
Durch den Glanz zuletzt dahin
Aufgezogen und geführet,
Woraus selbst der Sonnen Pracht
Erst entsprungen, der die Welt
Wie erschaffen so erhält
Und so herrlich zubereitet,
Hast du also kleine Fliege,
Da ich mich an dir vergnüge,
Selbst zur Gottheit mich geleitet.

Der Wolf

Es scheint, der Wolf sei mehr zur Strafe als zum Vergnügen auf der Welt;
Denn er ist nicht nur mördrisch, grausam, wild, tückisch, blutbegierig,
                                                                      gräßlich
Und sonderlich fatal den Schafen, er ist dazu noch scheußlich, häßlich,
Dabei auch fürchterlich zu hören, wenn er im Winter heulend bellt,
So daß man fast bei diesem Tier auf die Gedanken kommen sollte,
Gott würd' im Wolfe nicht geehrt, und wenn man ihn auch ehren wollte,
Weil der zu häßlich und zu schädlich; allein man muß hier wohl erwägen,
Daß, ob bei ihm des Schöpfers Wege sich nicht so klar zu Tage legen,
Wir darum gleich nicht schließen müssen, wenn auf der Welt kein Wolf
                                                                      vorhanden,
So wär' es besser, oder denken, vielleicht wär' er von selbst entstanden.
O nein; denn daß wir es nicht wissen, wozu er eigentlich gemacht,
Zeigt deutlich unsern Unverstand, umschränkten Geist und Unbedacht,
Doch keinen Fehl der Schöpfung an. Zudem, wenn wir es wohl ergründen,
Sind auch in Wölfen viele Dinge zu unserm Nutzen noch zu finden.
Wir haben nicht nur ihrer Bälge im scharfen Frost uns zu erfreuen,
Es dienen ihrer Glieder viele zu großem Nutz in Arzeneien.

[12] **Das Ideal des natürlichen Menschen**

ALBRECHT VON HALLER · *Die Alpen*

Ihr Schüler der Natur! geborn' und wahre Weisen!
Die ihr auf Schweizer-Lands beschneiten Mauren wacht,
Ihr, und nur ihr allein kennt keine Zeit von Eisen,
Weil Tugend Müh zur Lust, und Armut glücklich macht;
Das Schicksal hat euch zwar kein Tempe zugesprochen,
Die Wolken, die ihr trinkt, sind schwer von Reif und Strahl;
Der lange Winter kürzt des Frühlings späte Wochen,
Und ein verewigt Eis umringt das kühle Tal;
Doch eurer Sitten Wert hat alles dies verbessert,
Der Elementen Neid hat euer Glück vergrößert.
Wohl dir vergnügtes Volk! dem ein geneigt Geschicke,
Der Lastern reiche Quell den Überfluß versagt;
Dem, den sein Stand vergnügt, dient Armut selbst zum Glücke
Da Pracht und Üppigkeit der Ländern Stütze nagt...

Hier herrscht kein Unterschied, den Hochmut hat erfunden,
Der Tugend untertan und Laster edel macht;
Kein müßiger Verdruß verlängert hier die Stunden,
Die Arbeit füllt den Tag, und Ruh besetzt die Nacht:
Hier läßt kein hoher Geist sich von der Ehrsucht blenden,
Des Morgens Sorge frißt die heut'ge Freude nie.

Die Freiheit teilt dem Volk aus unpartei'schen Händen,
Mit immergleichem Maß Vergnügung, Ruh und Müh.
Die Wollust herrscht hier nicht, sie findet keine Stricke,
Man ißt, man liebt, man schläft, und kennt kein ander Glücke ...

Entfernt vom eiteln Tand der mühsamen Geschäften,
Wohnt hier die Seelenruh und flieht der Stätten Rauch.
Ihr tätig Leben stärkt der Leiber reife Kräften,
Der träge Müßiggang schwellt niemals ihren Bauch.
Die Arbeit weckt sie auf, und stillet ihr Gemüte,
Die Luft macht sie gering, und die Gesundheit leicht,
Dann durch ihr Herze fließt ein unverfälscht Geblüte,
Darin kein erblich Gift von siechen Vätern schleicht.
Das Kummer nicht vergällt, der Jähzorn nicht befeuret,
Kein geiles Eiter fäult, das Schwelgen nicht versäuret ...

Verblendte Sterbliche! die bis zur nahen Bahre
Geiz, Ehr' und Wollust stets an eiteln Hamen hält,
Die ihr die vom Geschick bestimmte Handvoll Jahre
Mit immer neuer Sorg' und leerer Müh vergällt,
Die ihr die Seelenruh in steten Stürmen suchet,
Und an die Klippen nur das irre Steuer richt,
Die ihr was schadet, wünscht, und was euch nutzt, verfluchet,
Ach öffnet ihr zuletzt die schlaffen Augen nicht!
Seht ein verachtet Volk bei Müh und Armut lachen,
Und lernt, daß die Natur allein kann glücklich machen ...

Bei euch, vergnügtes Volk, hat nie in den Gemütern
Der Lastern schwarze Brut den ersten Sitz gefaßt,
Euch sättigt die Natur mit ungesuchten Gütern,
Die kein Verdruß vergällt, kein Wechsel macht verhaßt,
Kein innerlicher Feind nagt unter euren Brüsten,
Wo nie die späte Reu mit Blut die Freude zahlt.
Euch überschwemmt kein Strom von wallenden Gelüsten,
Dawider die Vernunft mit eiteln Lehren prahlt.
Nichts ist, das euch erdrückt, nichts ist, das euch erhebet,
Ihr lebet immer gleich, und sterbet wie ihr lebet.

[13] **Preis der höchsten Werte**

Friedrich Gottlieb Klopstock · *Dem Unendlichen*

Wie erhebt sich das Herz, wenn es dich,
Unendlicher, denkt! Wie sinkt es,
Wenn's auf sich herunterschaut!
Elend schaut's wehklagend dann, und Nacht und Tod!

Allein du rufst mich aus meiner Nacht, der im Elend, der im Tod hilft!
Dann denk ich es ganz, daß du ewig mich schufst,
Herrlicher, den kein Preis, unten am Grab, oben am Thron,
Herr, Herr Gott! den, dankend, entflammt, kein Jubel genug besingt!

Weht, Bäume des Lebens, ins Harfengetön!
Rausche mit ihnen ins Harfengetön, kristallner Strom!
Ihr lispelt, und rauscht, und, Harfen, ihr tönt
Nie es ganz! Gott ist es, den ihr preist!

Donnert, Welten, in feierlichem Gang, in der Posaunen Chor!
Du, Orion, Waage, du auch!
Tönt, all ihr Sonnen auf der Straße voll Glanz,
In der Posaunen Chor!

Ihr Welten donnert,
Und du, der Posaunen Chor, hallest
Nie es ganz, Gott! nie es ganz, Gott!
Gott, Gott ist es, den ihr preist!

FRIEDRICH GOTTLIEB KLOPSTOCK · *Die Frühlingsfeier*

Nicht in den Ozean der Welten alle
Will ich mich stürzen, schweben nicht,
Wo die ersten Erschaffnen, die Jubelchöre der Söhne des Lichts,
Anbeten, tief anbeten und in Entzückung vergehn.

Nur um den Tropfen am Eimer,
Um die Erde nur, will ich schweben und anbeten,
Halleluja! Halleluja! Der Tropfen am Eimer
Rann aus der Hand des Allmächtigen auch!

Da der Hand des Allmächtigen
Die größeren Erden entquollen,
Die Ströme des Lichts rauschten und Siebengestirne wurden,
Da entrannest du, Tropfen, der Hand des Allmächtigen!

Da ein Strom des Lichts rauscht' und unsre Sonne wurde,
Ein Wogensturz sich stürzte wie vom Felsen
Der Wolken herab und den Orion gürtete,
Da entrannest du, Tropfen, der Hand des Allmächtigen!

Wer sind die Tausendmaltausend, wer die Myriaden alle,
Welche den Tropfen bewohnen und bewohnten? Und wer bin ich?
Halleluja dem Schaffenden! Mehr, wie die Erden, die quollen,
Mehr, wie die Siebengestirne, die aus Strahlen zusammenströmten!

Aber du, Frühlingswürmchen,
Das grünlichgolden neben mir spielt,
Du lebst und bist vielleicht,
Ach, nicht unsterblich!

Ich bin herausgegangen, anzubeten,
Und ich weine? Vergib, vergib
Auch diese Träne dem Endlichen,
O du, der sein wird!

Du wirst die Zweifel alle mir enthüllen,
O du, der mich durch das dunkle Tal
Des Todes führen wird! Ich lerne dann,
Ob eine Seele das goldene Würmchen hatte.

Bist du nur gebildeter Staub,
Sohn des Mais, so werde denn
Weder verfliegender Staub,
Oder was sonst der Ewige will!

Ergeuß von neuem du, mein Auge,
Freudentränen!
Du, meine Harfe,
Preise den Herrn!

Umwunden wieder, mit Palmen
Ist meine Harf' umwunden; ich singe dem Herrn!
Hier steh' ich. Rund um mich
Ist alles Allmacht und Wunder alles!

Mit tiefer Ehrfurcht schau' ich die Schöpfung an;
Denn du,
Namenloser, du
Schufest sie!

Lüfte, die um mich wehn und sanfte Kühlung
Auf mein glühendes Angesicht hauchen,
Euch, wunderbare Lüfte,
Sandte der Herr, der Unendliche!

Aber jetzt werden sie still, kaum atmen sie.
Die Morgensonne wird schwül;
Wolken strömen herauf;
Sichtbar ist, der kommt, der Ewige!

Nun schweben sie, rauschen sie, wirbeln die Winde.
Wie beugt sich der Wald, wie hebt sich der Strom!
Sichtbar, wie du es Sterblichen sein kannst,
Ja, das bist du, sichtbar, Unendlicher!

Der Wald neigt sich, der Strom fliehet, und ich
Falle nicht auf mein Angesicht?
Herr, Herr, Gott, barmherzig und gnädig!
Du Naher, erbarme dich meiner!

Zürnest du, Herr,
Weil Nacht dein Gewand ist?
Diese Nacht ist Segen der Erde.
Vater, du zürnest nicht!

Sie kommt, Erfrischung auszuschütten
Über den stärkenden Halm,
Über die herzerfreuende Traube.
Vater, du zürnest nicht!

Alles ist still vor dir, du Naher!
Ringsumher ist alles still.
Auch das Würmchen, mit Golde bedeckt, merkt auf.
Ist es vielleicht nicht seelenlos? Ist es unsterblich?

Ach vermöchte ich dich, Herr, wie ich dürste, zu preisen!
Immer herrlicher offenbarest du dich,
Immer dunkler wird die Nacht um dich
Und voller Segen!

Seht ihr den Zeugen des Nahen, den zückenden Strahl?
Hört ihr Jehovas Donner?
Hört ihr ihn, hört ihr ihn,
Den erschütternden Donner des Herrn?

Herr, Herr, Gott,
Barmherzig und gnädig!
Angebetet, gepriesen
Sei dein herrlicher Name!

Und die Gewitterwinde? Sie tragen den Donner!
Wie sie rauschen, wie sie mit lauter Woge den Wald durchströmen!
Und nun schweigen sie. Langsam wandelt
Die schwarze Wolke.

Seht ihr den neuen Zeugen des Nahen, den fliegenden Strahl?
Höret ihr hoch in der Wolke den Donner des Herrn?
Er ruft: Jehovah! Jehovah!
Und der geschmetterte Wald dampft.

Aber nicht unsere Hütte.
Unser Vater gebot
Seinem Verderber,
Vor unsrer Hütte vorüberzugehn.

Ach, schon rauscht, schon rauscht
Himmel und Erde vom gnädigen Regen!
Nun ist — wie dürstete sie! — die Erd' erquickt,
Und der Himmel der Segensfüll' entlastet.

Sieh, nun kommt Jehova nicht mehr im Wetter;
In stillem, sanftem Säuseln
Kommt Jehovah,
Und unter ihm neigt sich der Bogen des Friedens.

FRIEDRICH GOTTLIEB KLOPSTOCK

Die Sommernacht

Wenn der Schimmer von dem Monde nun herab
   In die Wälder sich ergießt und Gerüche
      Mit den Düften von der Linde
        In den Kühlungen wehn,

So umschatten mich Gedanken an das Grab
   Der Geliebten, und ich seh in dem Walde
      Nur es dämmern, und es weht mir
        Von der Blüte nicht her.

Ich genoß einst, o ihr Toten, es mit euch!
   Wie umwehten uns der Duft und die Kühlung,
      Wie verschönt warst von dem Monde
        Du, o schöne Natur.

[14] Das Heil der Erlösung

FRIEDRICH GOTTLIEB KLOPSTOCK · *Der Messias*

Sing, unsterbliche Seele, der sündigen Menschen Erlösung,
Die der Messias auf Erden in seiner Menschheit vollendet
Und durch die er Adams Geschlechte die Liebe der Gottheit
Mit dem Blute des heiligen Bundes von neuem geschenkt hat.
Also geschah des Ewigen Wille. Vergebens erhub sich
Satan wider den göttlichen Sohn; umsonst stand Juda
Wider ihn auf; er tat's und vollbrachte die große Versöhnung.

Aber, o Werk, das nur Gott allgegenwärtig erkennet,
Darf sich die Dichtkunst auch wohl aus dunkler Ferne dir nähern ?
Weihe sie, Geist Schöpfer, vor dem ich im stillen hier bete;
Führe sie mir als deine Nachahmerin voller Entzückung,
Voll unsterblicher Kraft, in verklärter Schönheit entgegen,
Rüste sie mit jener tiefsinnigen, einsamen Weisheit,
Mit der du, forschender Geist, die Tiefen Gottes durchschauest;
Also werd ich durch sie Licht und Offenbarungen sehen
Und die Erlösung des großen Messias würdig besingen.

Sterbliche, kennt ihr die Ehre, die euer Geschlechte verherrlicht,
Da der Schöpfer der Welt als Erlöser auf Erden gekommen,
So hört meinen Gesang, ihr besonders, ihr wenigen Edlen,
Teure gesellige Freunde des liebenswürdigen Mittlers,
Ihr mit der Zukunft des großen Gerichts vertrauliche Seelen,
Hört mich und singt den ewigen Sohn durch ein göttliches Leben ...

[15] **Anbruch des Irrationalismus**

JOHANN JAKOB BREITINGER · *Kritische Dichtkunst*

Wer meine gegebene Erklärung von dem Neuen, als der Urquelle aller
poetischen Schönheit, vor Augen hat, wird leicht denken könner., daß
auch dieses Neue seine verschiedenen Grade und Staffeln haben müsse, je
nachdem es mehr oder weniger von unsren Sitten abgehet und sich entfernet. Nach dem Grade dieser Entfernung wächst und verstärkt sich die
Verwunderung, die durch das Gefühl dieser Neuheit in uns entsteht; wenn
denn die Entfernung so weit fortgeht, bis eine Vorstellung unsern gewöhnlichen Begriffen, die wir von dem ordentlichen Laufe der Dinge haben,
entgegen zu stehen scheint, so verliert sie den Namen des Neuen und
erhält an dessen Statt den Namen des Wunderbaren. Sobald ein Ding, das
das Zeugnis der Wahrheit oder Möglichkeit hat, mit unsern gewöhnlichen
Begriffen zu streiten scheint, so kann es uns nicht bloß als neu und ungewohnt vorkommen, sondern es wird das Gemüt in eine angenehme und
wundernsvolle Verwirrung hinreißen, welche daher entspringt, weil wir
mit unserm Verstand durch den reizenden Schein der Falschheit durch-
gedrungen, und in dem vermeinten Widerspruch ein geschicktes Bild der
Wahrheit und eine ergötzende Übereinstimmung gefunden haben.

Demnach ist das Wunderbare in der Poesie die äußerste Staffel des
Neuen, da die Entfernung von dem Wahren und Möglichen sich in einen
Widerspruch zu verwandeln scheint. Das Neue geht zwar von dem gewöhnlichen Laufe und der Ordnung der Dinge auch ab, doch entfernt es sich
niemals über die Grenzen des Wahrscheinlichen, es mag uns in Verglei-
chung mit unsern Gewohnheiten und Meinungen noch so fremd und selt-

sam vorkommen, so behält es doch immer den Schein des Wahren und Möglichen. Hingegen legt das Wunderbare den Schein der Wahrheit und Möglichkeit ab und nimmt einen unbetrüglichen Schein des Falschen und Widersprechenden an sich; es verkleidet die Wahrheit in eine ganz fremde, aber durchsichtige Maske, sie den achtlosen Menschen desto beliebter und angenehmer zu machen. In dem Neuen herrscht dem Scheine nach das Wahre über das Falsche; in dem Wunderbaren hat hingegen der Schein des Falschen die Oberhand über das Wahre.

Ich begreife demnach unter dem Namen des Wunderbaren alles, was von einem andern widerwärtigen Bildnis oder vor wahr angenommenen Satze ausgeschlossen wird; was uns, dem ersten Anscheine nach, unsren gewöhnlichen Begriffen von dem Wesen der Dinge, von den Kräften, Gesetzen und dem Laufe der Natur und allen vormals erkannten Wahrheiten in dem Licht zu stehen, und dieselben zu bestreiten dünkt. Folglich hat das Wunderbare für den Verstand immer einen Schein der Falschheit; weil es mit den angenommenen Sätzen desselben in einem offenbaren Widerspruch zu stehen scheint: Alleine dieses ist nur ein Schein, und zwar ein unbetrüglicher Schein der Falschheit; das Wunderbare muß immer auf die wirkliche oder die mögliche Wahrheit gegründet sein, wenn es von der Lüge unterschieden sein und uns ergötzen soll. Denn wofern der Widerspruch zwischen einer Vorstellung und unsren Gedanken eigentlich und begründet wäre, so könnte eine solche keine Verwunderung in uns gebären, ebensowenig als eine offenbare Lüge oder die Erzählung von lediglich unmöglichen und unglaublichen Dingen den Geist des Menschen rühren und belustigen kann; und falls das Wunderbare aller Wahrheit beraubt sein würde, so wäre der gröbste Lügner der beste Poet, und die Poesie wäre eine verderbliche Kunst. Die Poeten sind dem Junius Brutus gleich, der witzig und gescheit war, ob er gleich dem König Tarquinius, dem Stolzen, als wahnwitzig vorkam, weil er sich mit Fleiß angestellt, als ob er im Hirn verrückt wäre, damit er seine Anschläge und Anstalten, der Tyrannei dieses Fürsten ein Ende zu machen, unter dieser Verstellung desto sicherer verbergen möchte. Also sind auch die vermeinten Deliria und Ausschweifungen der poetischen Phantasie mit einer verwundersamen Urteils-Kraft begleitet und ein bequemes Mittel, die Aufmerksamkeit der Menschen zu erhalten und ihre Besserung zu befördern.

Das Wunderbare ist demnach nichts anders als ein vermummtes Wahrscheinliches. Der Mensch wird nur durch dasjenige gerührt, was er glaubt; darum muß ihm ein Poet nur solche Sachen vorlegen, die er glauben kann, welche zum wenigsten den Schein der Wahrheit haben. Der Mensch verwundert sich nur über dasjenige, was er für etwas Außerordentliches hält; darum muß der Poet ihm nur solche Sachen vorlegen, die außer der Ordnung des gemeinen Laufes sind; und diese beiden Grund-Regeln, die einander so sehr entgegenzulaufen scheinen, mit einander zu vergleichen, muß er dem Wunderbaren die Farbe der Wahrheit anstreichen, und das Wahrscheinliche in die Farbe des Wunderbaren einkleiden. Auf einer Seiten sind die Begebenheiten, die aufhören wahrscheinlich zu sein, weil sie allzu

wunderbar sind, nicht fähig, die Menschen zu rühren; auf der andern Seiten, machen die Begebenheiten, die so wahrscheinlich sind, daß sie aufhören wunderbar zu sein, die Leute nicht aufmerksam genug. Mit den
Meinungen hat es eben die Bewandtnis, wie mit den Begebenheiten. Die
Meinungen, die nichts Wunderbares in sich haben, dieses mag in der Groß-
mütigkeit oder in der Zueignung der Meinung, oder in der Nettigkeit des
Gedankens, oder in der Richtigkeit des Ausdruckes bestehen, scheinen
glatt. Jedermann, heißt es, hätte dieses gedenken können. Hingegen scheinen allzu wunderbare Meinungen falsch und über die Schnur getrieben.
In den Romanen von Amadis, von Lancelot und andern irrenden Rittern,
fehlet es fürwahr an Wunderbarem nicht, im Gegenteil sind sie damit
angefüllet, aber ihre Erdichtungen ohne Wahrscheinlichkeit und ihre
allzu wundertätigen Begebenheiten verursachen bei Lesern von gesetztem
Urteil, die an Virgil und seinesgleichen einen Geschmack finden, lauter
Ekel. Kurz, das Wunderbare kann einem richtigen Kopf weder gefallen,
noch Ergötzen bringen, wenn es nicht mit dem Wahrscheinlichen künstlich
vereinigt und auf dasselbe gegründet ist.

DER STURM UND DRANG

Die Überbetonung des Rationalen, die Erstarrung des Vitalen in trockener Regelhaftigkeit und die Einschnürung des Gefühls im Zwang der Ordnung ließen bereits gegen Ende der Aufklärung Gegenstimmen aufkommen; den Umschlag von einer ausgesprochenen Verstandes- zu einer neuen Gefühlskultur vollzog jedoch die revolutionäre Bewegung des Sturm und Drang. Trotz mancher Anklänge an Elemente der Aufklärung, wie Erziehung des Menschen, Sentimentalität, Gefühlsspielerei (des Rokoko), entstand ein ganz anders geartetes Menschen- und Weltbild, das in vielfältiger Weiterentwicklung Klassik und Romantik und die Welt des 19. Jahrhunderts vorbereitete und noch mitbestimmte.

Die zentrale Idee der Freiheit umfaßte nunmehr das gesellschaftliche, politische Leben ebenso wie das persönliche und künstlerische. DIE ANREGER des Sturm und Drang zogen unter dem Kampfruf *Gefühl ist alles* [1] gegen die »Lügen-, Schau- und Maulpropheten der Aufklärung« zu Felde und befreiten das eigentlich Schöpferische, Geniale im Künstler von allen Einengungen vermeintlicher Gesetze. Unter dem Einfluß englischer Philosophen (Hume und Young) gewannen Erfahrung und Phantasie neue Bedeutung; die Kunst wurde, ihres äußerlichen Zweckcharakters entkleidet, zu einer Art Offenbarung: Nicht der Dichter, sondern *es* dichtet in ihm. Poesie sollte — ganz im Sinne Rousseaus — naturhaft, rein und echt, ursprünglich und volkstümlich sein. Ahnen, Staunen und Tätigsein lösten Denken und Ordnen ab.

Dichtung erschien nicht mehr lehr- und lernbar, sondern als Naturgabe; sie sprudle am ursprünglichsten im Volke und werde faßbar in seinen Liedern, die man nun eifrig sammelte. Hier glaubte man den seelischen Kräften auf der Spur zu sein, die die geschichtlichen Epochen prägten und bestimmten und hinter denen als Letztes, als *Urkraft aller Kräfte* [2], Gott sichtbar werde. Tiefste Aufschlüsse über die Urerlebnisse des Menschen, seine Gefühle und Empfindungen aber gebe die Sprache. Wort und Sprache wurden zum entscheidenden Mittel einer Rückbesinnung auf das Natürliche und Ursprüngliche, auf die alles durchwaltende Göttlichkeit. — Es war eine Sternstunde der deutschen Geistesgeschichte, als der junge Goethe diese entscheidenden Anregungen bei einer Begegnung mit Herder in Straßburg empfing. Voll Begeisterung für das neue Geschichtsbild ging ihm am Straßburger Münster auf, was beseelte Geschichte, *beseelte Baukunst* [3] und damit deutsches Wesen ausmache.

An den neuen Vorbildern der Zeit, Homer und Shakespeare, entzündete sich die GENIEBEWEGUNG. Ihr *Titanentrotz* [4], der an mythologischen Gestalten das eigene Empfinden in leidenschaftlichem Aufbegehren (Prometheus) und gleichzeitigem sich sehnend verzehrendem Hingeben (Ganymed) aufleuchten läßt, wird in einer neuen Sprache, bildkräftig und von freien Rhythmen getragen, laut. Das Ideal eines *freien Menschentums* [5] übertrug der junge Dramatiker Goethe aber nicht nur auf Gestalten der antiken Mythologie, sondern auch auf einen ritterlichen Menschen an der Wende der Zeiten wie Götz von Berlichingen, der aus seinem urtümlichen, echten und unverdorbenen Wesen heraus an seiner Zeit zerbrechen mußte.

Weil sich der Mensch aufgehoben wußte in den »kosmisch-metaphysischen Gewalten«, weil er die Gewißheit hatte, mit seinem Schicksal und Gott eins zu sein, durfte er leben wie Egmont, d.h. die Angst und Sorge und das Mißtrauen (als des heiteren Menschen unwürdig) weit von sich schieben und Ja zu seinem Schicksal sagen (*Amor fati* — Liebe zu seiner Bestimmung [6]). Hierin zeigte sich die Lebenssicht des jungen Goethe ebenso wie in dem gewaltigen Willen, die ganze Welt zu erfassen, bei Faust. Daneben fand aber auch die Erfahrung von *Leidenschaft und Leid* [7] ihren dichterischen Niederschlag in dem Briefroman um Werther, mit dem sich Goethe persönliche Erlebnisse von der Seele schrieb und sich in die Zeitströmung der Empfindsamkeit hineinstellte.

Schillers erstes Drama stand mit dem Motto *In tyrannos* [8] — Gegen die Tyrannen — ganz im Banne des Freiheitskampfes der Zeit, dessen Notwendigkeit der Dichter am eigenen Leib verspürt hatte. Karl Moor wird aus Verzweiflung an Mensch, Welt und Gott zum Bandenchef, um sein Leid »an diesem Jahrhundert« zu rächen. Die Kühnheit der Sprache und Szenerie fand ihre Entsprechung in der Wirkung der Erstaufführung der »Räuber« in Mannheim. Von derselben bitteren Anklage — jetzt gegen die korrupten und unmenschlichen Fürstenhöfe gerichtet — war sein Trauerspiel »Kabale und Liebe« geprägt: mit seinem Geschehen um die tragische Liebe des Präsidentensohns Ferdinand zur Musikertochter Luise Miller. Für die gleiche Offenheit der Vorwürfe und Anschuldigungen in seinen Schriften schmachtete Ch. F. D. Schubart auf der Veste Hohenasperg.

Die Auflehnung gegen die alte unmenschliche Ordnung und Gesellschaft formte das Ideal des »rechten Kerls«. Bald von einem ungestümen Tatendrang besessen, bald rührselig weich, ist er der immer wieder in den Werken der übrigen Dichter (neben Goethe und Schiller) erscheinende Typus. *Kerls und Kerlallüren* [9] finden sich besonders in den kämpferischen Dramen dieser Epoche, die voll leidenschaftlichem Aufbegehren und wilder Bewegung dem großen Vorbild Shakespeare zu folgen suchten, es aber nie erreichten, sondern meist in Pathos, Rhetorik oder allzu grober Absichtlichkeit steckenblieben. Hier wird deutlich, wie wenig die Zeit des Sturm und Drang ihren Sinn in sich selber trug, wie sehr sie vielmehr revolutionärer Umbruch und gärende Vorbereitung für das Folgende war. Goethe hat darüber des öfteren abfällig geurteilt, und seine anfängliche Abneigung gegen den jüngeren Schiller rührte entscheidend davon her.

Einander »Bruder sein« war das Ziel des GÖTTINGER HAINS, eines Bundes, dessen Mitglieder aus der Seligkeit der Empfindungen und Gefühle in Gedichten und Idyllen von der *Fülle des Herzens* [10] sangen. Freilich glitten auch sie allzuoft in eine zeitgebotene Rührseligkeit ab. Es war eben nur ein schmaler Grat, der die dichterisch gelungenen Gestaltungen der Freundschaft und Liebe, der Verehrung der Frau als der »schönen Seele«, aber auch der Schwermut und Todesstimmung, vom Abfall in kitschige Sentimentalität trennte. Die bis ins Pathologische vordringenden Seelenstudien eines Karl Philipp Moritz waren davor gefeit. In dem »Seelengemälde« des autobiographischen Romans »Anton Reiser« mit seinen, eine düstere und fatalistische Weltsicht widerspiegelnden *Nachtgedanken* [11] nimmt er Bestrebungen der Romantik wie Erkenntnisse der modernen Psychologie vorweg. So blieben auch hier die Grenzen fließend.

Die Anreger

[1] **Gefühl ist alles**

Johann Georg Hamann · *Aphorismen und Aussprüche*

Das Herz schlägt früher, als unser Kopf denkt — ein guter Wille ist brauchbarer als eine noch so reine Vernunft.

Wenn sich das Herz erklärt, so tut unser Verstand nichts als klügeln.

Ein Herz ohne Leidenschaften, ohne Affekte ist ein Kopf ohne Begriffe, ohne Mark.

Denken Sie weniger und leben Sie mehr!

Werdet wie die Kinder, um glücklich zu sein, heißt schwerlich so viel als: habt Vernunft, deutliche Begriffe! Gesetz und Propheten gehen auf Leidenschaft von ganzem Herzen, von ganzer Seele, von allen Kräften — auf Liebe. Über die deutlichen Begriffe werden die Gerichte kalt und verlieren den Geschmack.

Alle Erscheinungen der Natur sind Träume, Gesichte, Rätsel, die ihre Bedeutung, ihren geheimen Sinn haben. Das Buch der Natur und der Geschichte sind nichts als Chiffern, verborgene Zeichen, die eben den Schlüssel nötig haben, der die Heilige Schrift auslegt und die Absicht ihrer Eingebung ist.

Was ist Klugheit und Narrheit? Ist nicht alles ein Fladen, wie ein Ei dem andern ähnlich? Was für ein leidiger Tröster ist ein Mensch dem andern?

Eine Welt ohne Gott ist ein Mensch ohne Kopf — ohne Herz, ohne Eingeweide, ohne Zeugungsteile.

Der Glaube gehört zu den natürlichen Bedingungen unserer Erkenntniskräfte und zu den Grundtrieben unserer Seele.

Alle Wunder der Heiligen Schrift geschehen in unserer Seele.

Der Glaube ist kein Werk der Vernunft und kann daher auch keinem Angriff derselben unterliegen; weil Glauben so wenig durch Gründe geschieht als Schmecken und Sehen.

Die Liebe brennt, die Klugheit ist kalt. Man muß ein Genie sein, um den Krieg der Elemente in der kleinen Welt zu ihrer Erhaltung regieren zu können. Der Glaube ist aber nicht jedermanns Ding.

Sie wissen es, daß ich ebenso von der Vernunft denke wie St. Paulus vom ganzen Gesetz und seiner Schulgerechtigkeit — ihr nichts als Erkenntnis des Irrtums zutraue, aber sie für keinen Weg zur Wahrheit und zum Leben halte. Der letzte Zweck des Forschers ist, was sich nicht erklären, nicht in deutliche Begriffe zwingen läßt — und folglich nicht zum Ressort der Vernunft gehört.

Die Wahrheit muß aus der Erde herausgegraben werden und nicht aus der Luft geschöpft, aus Kunstwörtern — sondern aus irdischen und unterirdischen Gegenständen erst ans Licht gebracht werden durch Gleichnisse und Parabeln der höchsten Ideen und transzendenten Ahndungen.

Sokrates hatte also freilich gut unwissend zu sein; er hatte einen Genius, auf dessen Wissenschaft er sich verlassen konnte, den er liebte und fürchtete als seinen Gott, an dessen Frieden ihm mehr gelegen war als an aller Vernunft der Ägypter und Griechen.

Durch den Baum der Erkenntnis werden wir der Frucht des Lebens beraubt, und jener ist kein Mittel zum Genusse dieses Endzweckes und

Anfangs. Die Künste der Schule und der Welt berauschen und blähen mehr, als daß sie imstande sind, unseren Durst zu löschen.

In Bildern besteht der ganze Schatz menschlicher Erkenntnisse und Glückseligkeit.

Sinne und Leidenschaften reden und verstehen nichts als Bilder. In Bildern besteht der ganze Schatz menschlicher Erkenntnis und Glückseligkeit. Der erste Ausbruch der Schöpfung und der erste Eindruck ihres Geschichtsschreibers — die erste Erscheinung und der erste Genuß der Natur vereinigen sich in dem Worte: Es werde Licht!

Poesie ist die Muttersprache des menschlichen Geschlechts; wie der Gartenbau älter als der Acker; Malerei — als Schrift; Gesang — als Deklamation; Gleichnisse — als Schlüsse; Tausch — als Handel. Ein tieferer Schlaf war die Ruhe unserer Urahnen, und ihre Bewegung ein taumelnder Tanz. Sieben Tage im Stillschweigen des Nachsinnens oder Erstaunens saßen sie — und taten ihren Mund auf — zu geflügelten Sprüchen.

Rede, daß ich Dich sehe! Dieser Wunsch wurde durch die Schöpfung erfüllt, die eine Rede an die Kreatur durch die Kreatur ist; denn ein Tag sagts dem andern, und eine Nacht tuts kund der andern. Ihre Losung läuft über jedes Klima bis an der Welt Ende, und in jeder Mundart hört man ihre Stimme.

Was ersetzt bei Homer die Unwissenheit der Kunstregeln, die ein Aristoteles nach ihm erdacht, und was bei einem Shakespeare die Unwissenheit oder Übertretung jener kritischen Gesetze? Das Genie, ist die einmütige Antwort.

Genie ist eine Dornenkrone und der Geschmack ein Purpurmantel, der einen zerfleischten Rücken deckt.

[2] Urkraft aller Kräfte

JOHANN GOTTFRIED HERDER

Auch eine Philosophie der Geschichte

Niemand in der Welt fühlt die Schwäche des allgemeinen Charakterisierens mehr als ich. Man malet ein ganzes Volk, Zeitalter, Erdstrich — *wen* hat man gemalt? Man fasset aufeinander folgende Völker und Zeitläufte, in einer ewigen Abwechslung, wie Wogen des Meeres zusammen — *wen* hat man gemalt? *Wen* hat das schildernde Wort getroffen? — Endlich faßt man sie doch in Nichts, als ein allgemeines Wort zusammen, wo jeder vielleicht denkt und fühlt, was er will — unvollkommenes Mittel der Schilderung! wie kann man mißverstanden werden!

Wer bemerkt hat, was es für eine unaussprechliche Sache mit der Eigenheit eines Menschen sei, das Unterscheidende unterscheidend sagen zu können? wie *Er* fühlt und lebet? wie anders und eigen Ihm alle Dinge werden, nachdem sie *sein* Auge siehet, *seine* Seele mißt, *sein* Herz empfindet — welche Tiefe in dem Charakter nur *einer* Nation liege, die, wenn man sie auch oft genug wahrgenommen und angestaunt hat, doch so sehr das Wort fleucht, und im Worte wenigstens so selten einem jeden anerkennbar wird, daß er verstehe und mitfühle — ist das, wie? wenn man das Weltmeer ganzer Völker, Zeiten und Länder übersehen, in einen Blick, ein Gefühl, ein Wort fassen soll! Mattes, halbes Schattenbild von Worte! Das ganze lebendige Gemälde von Lebensart, Gewohnheiten, Bedürfnissen, Landes- und Himmelseigenheiten müßte dazu kommen oder vorhergegangen sein; man müßte erst der Nation sympathisieren, um eine einzige ihrer Neigungen und Handlungen, alle zusammen zu fühlen, *ein* Wort finden, in seiner Fülle sich alles denken — oder man lieset — *ein* Wort.

Wir glauben alle, noch jetzt väterliche und häusliche und menschliche Triebe zu haben, wie sie der Morgenländer — Treue und Künstlerfleiß haben zu können, wie sie der Ägypter besaß: phönizische Regsamkeit, griechische Freiheitsliebe, römische Seelenstärke — wer glaubt nicht zu dem allen Anlage zu fühlen, wenn nur Zeit, Gelegenheit — und siehe! mein Leser, eben da sind wir. Der feigste Bösewicht hat ohne Zweifel zum großmütigsten Helden noch immer entfernte Anlage und Möglichkeit — aber zwischen dieser und »dem ganzen Gefühl des Seins, der Existenz in solchem Charakter« — Kluft! Fehlte es dir also auch an nichts, als an der Zeit, an Gelegenheit, deine Anlagen zum Morgenländer, zum Griechen, zum Römer in Fertigkeiten und gediegne Triebe zu verwandeln — Kluft! nur von Trieben und Fertigkeiten ist die Rede. Ganze Natur der Seele, die durch alles herrscht, die alle übrige Neigungen und Seelenkräfte nach sich modelt, noch auch die gleichgültigsten Handlungen färbet — um diese mitzufühlen, antworte nicht aus dem Worte, sondern gehe in das Zeitalter, in die Himmelsgegend, die ganze Geschichte, fühle dich in alles hinein — nun allein bist du auf dem Wege, das Wort zu verstehen; nun allein aber wird dir auch der Gedanke schwinden, »als ob alles das einzeln oder zusammengenommen auch du seist!« Du alles zusammengenommen? Quintessenz aller Zeiten und Völker? das zeigt schon die Torheit!

Charakter der Nationen! Allein Data ihrer Verfassung und Geschichte müssen entscheiden. Hat nicht ein Patriarch, aber außer den Neigungen, die du ihm beimissest, auch andre gehabt? haben können? Ich sage zu beiden bloß: Allerdings! Allerdings hatte er andre, Nebenzüge, die sich aus dem, was ich gesagt oder nicht gesagt, von selbst verstehen, die ich, und vielleicht andre mit mir, denen seine Geschichte vorschwebt, in dem Worte schon anerkennen, und noch lieber, daß er weit andres haben können — auf anderm Ort, zu der Zeit, mit dem Fortschritte der Bildung, unter den andern Umständen — warum da nicht Leonidas, Cäsar und Abraham ein artiger Mann unsres Jahrhunderts? sein können! aber war's nicht: darüber frage die Geschichte: davon ist die Rede.

So mache ich mich ebenfalls auf kleinfügige Widersprüche gefaßt, aus dem großen Detail von Völkern und Zeiten. Daß kein Volk lange geblieben und bleiben konnte, was es war, daß jedes, wie jede Kunst und Wissenschaft, und was in der Welt nicht? seine Periode des Wachstums, der Blüte und der Abnahme gehabt; daß jedwede dieser Veränderungen nur das Minimum von Zeit gedauert, was ihr auf dem Rade des menschlichen Schicksals gegeben werden konnte — daß endlich in der Welt keine zwei Augenblicke dieselben sind — daß also Ägypter, Römer und Grieche auch nicht zu allen Zeiten dieselben gewesen — ich zittre, wenn ich denke, was weise Leute, zumal Geschichtskenner, für weise Einwendungen hierüber machen können! Griechenland bestand aus vielen Ländern: Athenienser und Böotier, Spartaner und Korinther war sich nichts minder als gleich — Trieb man nicht auch in Asien den Ackerbau? Haben nicht Ägypter einmal eben so gut gehandelt wie Phönizier? Waren die Mazedonier nicht ebenso wohl Eroberer als die Römer? Aristoteles nicht ebenso ein spekulativer Kopf als Leibniz? Übertrafen unsre nordischen Völker nicht die Römer an Tapferkeit? Waren alle Ägypter, Griechen, Römer — sind alle Ratten und Mäuse einander gleich — nein! aber sie sind doch Ratten und Mäuse!

Wie verdrießlich muß es werden, zum Publikum zu reden, wo man vom schreienden Teile (der edler denkende Teil schweigt) sich immer dergleichen und noch ärgere Einwendungen, und in welchem Tone vorgetragen! versehen muß, und sich's denn zugleich versehen muß, daß der große Haufe Schafe, der nicht weiß, was rechts und links ist, dem sogleich nachwähne! Kann's ein allgemeines Bild ohne Untereinander- und Zusammenordnung? kann's eine weite Aussicht geben, ohne Höhe? Wenn du das Angesicht dicht an dem Bilde hältst, an diesem Spane schnitzelst, an jedem Farbenklümpchen klaubest: nie siehest du das ganze Bild — siehest nichts weniger als Bild! Und wenn dein Kopf von einer Gruppe, in die du dich vernarrt hast, voll ist, kann dein Blick wohl ein Ganzes so abwechselnder Zeitläufte umfassen? ordnen? sanft verfolgen? bei jeder Szene nur Hauptwirkung absondern? die Verflößungen still begleiten? und nun — nennen! Kannst du aber nichts von alledem: die Geschichte flimmert und fackelt dir vor den Augen! ein Gewirre von Szenen, Völkern, Zeitläuften — lies erst und lerne sehen! Übrigens weiß ich's, wie du, daß jedes allgemeine Bild, jeder allgemeine Begriff nur Abstraktion sei — Schöpfer allein ist's, der die ganze Einheit einer, aller Nationen in aller ihrer Mannigfaltigkeit denkt, ohne daß ihm dadurch die Einheit schwinde.

JOHANN GOTTFRIED HERDER · *Über den Ursprung der Sprache*

Poesie ist älter als Prosa. Denn was ist die Sprache in ihren Anfängen anderes, als eine Nachahmung der tönenden, handelnden, sich regenden Natur, als eine Sammlung von Elementen der Poesie? Die Natursprache aller Geschöpfe, vom Verstande in Laute gedichtet, ein Wörterbuch der Seele, eine beständige Fabeldichtung voll Leidenschaft und Interesse: das ist die Sprache in ihrem Ursprung, und was ist Poesie anderes?

Unser Jahrhundert hat sich so tief in die dunklen Werkstätten des Kunst- und Verstandesmäßigen verloren, daß es das weite, helle Licht der ursprünglichen Natur in früheren Jahrhunderten nicht mehr zu erkennen vermag. Aus den größten Heldentaten des menschlichen Geistes, die er nur im Zusammenstoß der lebendigen Welt tun und äußern konnte, sind Schulübungen im Staube unserer Lehrkerker geworden; aus den Meisterstücken menschlicher Dichtkunst und Beredsamkeit wurden Kindereien, an welchen greise Kinder Regeln lernen. Wir haben ihren Geist verloren; wir lernen ihre Sprache und fühlen kaum die lebendige Welt ihrer Gedanken. — Dasselbe ist es mit unsern Urteilen über das Meisterstück des menschlichen Geistes, über die Bildung der Sprache überhaupt. Da soll uns das tote Nachdenken Dinge lehren, die nur aus dem lebendigen Hauche der Welt, aus dem Geiste der großen wirksamen Natur den Menschen beseelen, ihn aufrufen und fortbilden konnten. Da sollen die stumpfen, späten Gesetze der Grammatiker das Göttlichste sein, das wir verehren, und dabei die wahre göttliche Sprachnatur vergessen, die sich mit dem menschlichen Geiste vereint bildete, so unregelmäßig sie uns auch scheine.

Ich berufe mich auf das Gefühl derer, die den Menschen im Grunde seiner Kräfte, die das Mächtigste, Große in den Sprachen der Primitiven, ja das Wesen der Sprache überhaupt zu erkennen vermögen — als eine Schatzkammer menschlicher Gedanken, wohin jeder auf seine Art etwas beitrug, eine Summe der Wirksamkeit aller menschlichen Seelen.

J OHANN W OLFGANG G OETHE · *Dichtung und Wahrheit*

[Ich hatte] von Glück zu sagen, daß durch eine unerwartete Bekanntschaft alles, was in mir von Selbstgefälligkeit, Bespiegelungslust, Eitelkeit, Stolz und Hochmut ruhen oder wirken mochte, einer sehr harten Prüfung ausgesetzt ward, die in ihrer Art einzig war ... Denn das bedeutendste Ereignis, was die wichtigsten Folgen für mich haben sollte, war die Bekanntschaft und die daran sich knüpfende nähere Verbindung mit Herder. Er hatte den Prinzen von Holstein-Eutin ... auf Reisen begleitet und war mit ihm bis Straßburg gekommen. Unsere Sozietät, sobald sie seine Gegenwart vernahm, trug ein großes Verlangen, sich ihm zu nähern, und mir begegnete dieses Glück zuerst ganz unvermutet und zufällig. Ich war nämlich in den Gasthof »Zum Geist« gegangen ... und fand gleich unten an der Treppe einen Mann, der eben auch hinaufzusteigen im Begriff war und den ich für einen Geistlichen halten konnte. Sein gepudertes Haar war in eine runde Locke aufgesteckt, das schwarze Kleid bezeichnete ihn gleichfalls, mehr noch aber ein langer schwarzer seidner Mantel, dessen Ende er zusammengenommen und in die Tasche gesteckt hatte. Dieses einigermaßen auffallende, aber doch im ganzen galante und gefällige Wesen, wovon ich schon hatte sprechen hören, ließ mich keineswegs zweifeln, daß er der berühmte Ankömmling sei, und meine Anrede mußte ihn sogleich überzeugen, daß ich ihn kenne. Er fragte nach meinem Namen, der ihm von keiner Bedeutung sein konnte; allein meine Offenheit schien ihm zu gefallen, indem er sie mit großer Freundlichkeit erwiderte und, als wir die Treppe hinaufstiegen, sich sogleich zu einer lebhaften Mitteilung bereit finden ließ. Es ist mir entfallen, wen wir damals besuchten; genug, beim Scheiden erlaubte er mir, ihn bei sich zu sehen... Ich versäumte nicht, mich dieser Vergünstigung wiederholt zu bedienen, und ward immer mehr von ihm angezogen... [Er hatte] ein rundes Gesicht, eine bedeutende Stirn, eine etwas stumpfe Nase, einen etwas aufgeworfenen, aber höchst individuell angenehmen, liebenswürdigen Mund. Unter schwarzen Augenbrauen ein Paar kohlschwarze Augen, die ihre Wirkung nicht verfehlten, obgleich das eine rot und entzündet zu sein pflegte. Durch mannigfaltige Fragen suchte er sich mit mir und meinem Zustande bekannt zu machen, und seine Anziehungskraft wirkte immer stärker auf mich. Ich war überhaupt sehr zutraulicher Natur, und vor ihm besonders hatte ich gar kein Geheimnis. Es währte jedoch nicht lange, als der abstoßende Puls seines Wesens eintrat und mich in nicht geringes Mißbehagen versetzte... Herder konnte allerliebst einnehmend und geistreich sein, aber ebenso leicht eine verdrießliche Seite hervorkehren. Dieses Anziehen und Abstoßen haben zwar alle Menschen ihrer Natur nach, einige mehr, einige weniger, einige in langsamern, andere in schnellern Pulsen... Was Herdern betrifft, so schrieb sich das Übergewicht seines widersprechenden, bittern, bissigen Humors gewiß von seinem Übel und den daraus entspringenden Leiden her...

Die ganze Zeit... besuchte ich Herdern morgens und abends; ich blieb auch wohl ganze Tage bei ihm und gewöhnte mich in kurzem um so mehr an sein Schelten und Tadeln, als ich seine schönen und großen Eigenschaften, seine ausgebreiteten Kenntnisse, seine tiefen Einsichten täglich mehr schätzen lernte. Die Einwirkung dieses gutmütigen Polterers war groß und bedeutend. Er hatte fünf Jahre mehr als ich, welches in jüngeren Tagen schon einen großen Unterschied macht; und da ich ihn für das anerkannte, was er war, da ich dasjenige zu schätzen suchte, was er schon geleistet hatte, so mußte er eine große Superiorität über mich gewinnen. Aber behaglich war der Zustand nicht... Da seine Gespräche jederzeit bedeutend waren, er mochte fragen, antworten oder sich sonst auf eine Weise mitteilen, so mußte er mich zu neuen Ansichten täglich, ja stündlich befördern... Was in einem solchen Geiste für eine Bewegung, was in einer solchen Natur für eine Gärung müsse gewesen sein, läßt sich weder fassen noch darstellen... Was die Fülle dieser wenigen Wochen betrifft, welche wir zusammen lebten, kann ich wohl sagen, daß alles, was Herder nachher allmählich ausgeführt hat, im Keim angedeutet ward und daß ich dadurch in die glückliche Lage geriet, alles, was ich bisher gedacht, gelernt, mir zugeeignet hatte, zu komplettieren, an ein Höheres anzuknüpfen, zu erweitern...

[3] **Beseelte Baukunst**

Johann Wolfgang Goethe · *Von deutscher Baukunst*

Als ich das erste Mal nach dem Straßburger Münster ging, hatt' ich den Kopf voll allgemeiner Erkenntnis guten Geschmacks. Auf Hörensagen ehrt' ich die Harmonie der Massen, die Reinheit der Formen, war ein abgesagter Feind der verworrenen Willkürlichkeiten gotischer Verzierungen. Unter die Rubrik *Gotisch*, gleich dem Artikel eines Wörterbuchs, häufte ich alle synonymische Mißverständnisse, die mir von Unbestimmtem, Ungeordnetem, Unnatürlichem, Zusammengestoppeltem, Aufgeflicktem, Überladenem jemals durch den Kopf gezogen waren. Nicht gescheiter als ein Volk, das die ganze fremde Welt barbarisch nennt, hieß alles *gotisch*, was nicht in mein System paßte, von dem gedrechselten bunten Puppen- und Bilderwerk an, womit unsre bürgerlichen Edelleute ihre Häuser schmücken, bis zu den ernsten Resten der älterer deutschen Baukunst, über die ich auf Anlaß einiger abenteuerlichen Schnörkel in den allgemeinen Gesang stimmte: »Ganz von Zierrat erdrückt«; und so graute mir's im Gehen vorm Anblick eines mißgeformten, krausborstigen Ungeheuers.

Mit welcher unerwarteten Empfindung überraschte mich der Anblick, als ich davor trat. *Ein* ganzer, großer Eindruck füllte meine Seele, den, weil er aus tausend harmonierenden Einzelheiten bestand, ich wohl schmecken und genießen, keineswegs aber erkennen und erklären konnte. Sie sagen, daß es also mit den Freuden des Himmels sei, und wie oft bin ich zurückgekehrt, diese himmlisch irdische Freude zu genießen, den Riesengeist unsrer ältern Brüder in ihren Werken zu umfassen. Wie oft bin ich zurückgekehrt, von allen Seiten, aus allen Entfernungen, in jedem Lichte des Tags, zu schauen seine Würde und Herrlichkeit. Schwer ist's dem Menschengeist, wenn seines Bruders Werk so hoch erhaben ist, daß er nur beugen und anbeten muß. Wie oft hat die Abenddämmerung mein durch forschendes Schauen ermattetes Aug' mit freundlicher Ruhe geletzt, wenn durch sie die unzähligen Teile zu ganzen Massen schmolzen und nun diese einfach und groß vor meiner Seele standen und meine Kraft sich wonnevoll entfaltete, zugleich zu genießen und zu erkennen.

Da offenbarte sich mir in leisen Ahndungen der Genius des großen Werkmeisters. Was staunst du, lispelt er mir entgegen. Alle diese Massen waren notwendig; und siehst du sie nicht an allen älteren Kirchen meiner Stadt? Nur ihre willkürlichen Größen hab' ich zum stimmenden Verhältnis erhoben. Wie über dem Haupteingang, der zwei kleinere zu'n Seiten beherrscht, sich der weite Kreis des Fensters öffnet, der dem Schiffe der Kirche antwortet und sonst nur Tageloch war, wie hoch drüber der Glockenplatz die kleineren Fenster forderte! das all war notwendig, und ich bildete es schön. Aber ach, wenn ich durch die düstern, erhabnen Öffnungen hier zur Seite schwebe, die leer und vergebens da zu stehn scheinen! In ihre kühne, schlanke Gestalt hab' ich die geheimnisvollen Kräfte verborgen, die jene beiden Türme hoch in die Luft heben sollten, deren, ach, nur einer traurig da steht ohne den fünfgetürmten Hauptschmuck. den ich ihm bestimmte, daß ihm und seinem königlichen Bruder die Provinzen umher huldigten! Und so schied er von mir, und ich versank in teilnehmende Traurigkeit. Bis die Vögel des Morgens, die in seinen tausend Öffnungen wohnen, der Sonne entgegenjauchzten und mich aus dem Schlummer weckten. Wie frisch leuchtet' er im Morgenduftglanz mir entgegen, wie froh konnt' ich ihm meine Arme entgegenstrecken, schauen die großen harmonischen Massen, zu unzählig kleinen Teilen belebt; wie in Werken der ewigen Natur, bis aufs geringste Zäserchen, alles Gestalt, und alles zweckend zum Ganzen; wie das festgegründete, ungeheure Gebäude sich leicht in die Luft hebt; wie durchbrochen alles und doch für die Ewigkeit! Deinem Unterricht dank' ich's, Genius, daß mir's nicht mehr schwindelt an deinen Tiefen, daß in meine Seele ein Tropfen sich senkt der Wonneruh des Geistes, der auf solch eine Schöpfung herabschauen und gottgleich sprechen kann: Es ist gut!

Die Geniebewegung

[4] **Titanentrotz**

JOHANN WOLFGANG GOETHE · *Dichtung und Wahrheit*

Dieser Beruhigung für mein Gemüt, die mir nur unter freiem Himmel, in Tälern, auf Höhen, in Gefilden und Wäldern zuteil ward, kam die Lage von Frankfurt zustatten, das zwischen Darmstadt und Homburg mitten inne lag, zwei angenehmen Orten, die durch Verwandtschaft beider Höfe in gutem Verhältnis standen. Ich gewöhnte mich, auf der Straße zu leben und wie ein Bote zwischen dem Gebirge und dem flachen Lande hin und her zu wandern. Oft ging ich allein oder in Gesellschaft durch meine Vaterstadt, als wenn sie mich nichts anginge, speiste in einem der großen Gasthöfe in der Fahrgasse und zog nach Tische meines Wegs weiter fort. Mehr als jemals war ich gegen offene Welt und freie Natur gerichtet. Unterwegs sang ich mir seltsame Hymnen und Dithyramben, wovon noch eine, unter dem Titel »Wanderers Sturmlied«, übrig ist. Ich sang diesen Halbunsinn leidenschaftlich vor mich hin, da mich ein schreckliches Wetter unterwegs traf, dem ich entgegen gehen mußte.

JOHANN WOLFGANG GOETHE

Wanderers Sturmlied

Wen du nicht verlässest, Genius,
Nicht der Regen, nicht der Sturm
Haucht ihm Schauer übers Herz.
Wen du nicht verlässest, Genius,
Wird der Regenwolke

Wird dem Schloßensturm
Entgegen singen
Wie die Lerche
Du dadroben.

Den du nicht verlässest, Genius,
Wirst ihn heben übern Schlammpfad
Mit den Feuerflügeln.
Wandeln wird er
Wie mit Blumenfüßen
Über Deukalions Flutschlamm,
Python tötend, leicht, groß,
Pythius Apollo.

Den du nicht verlässest, Genius,
Wirst die wollnen Flügel unterspreiten,
Wenn er auf dem Felsen schläft,
Wirst mit Hüterfittichen ihn decken
In des Haines Mitternacht.

Wen du nicht verlässest, Genius,
Wirst im Schneegestöber
Wärmumhüllen.
Nach der Wärme ziehn sich Musen,
Nach der Wärme Charitinnen.

Umschwebet mich, ihr Musen,
Ihr Charitinnen!
Das ist Wasser, das ist Erde,
Und der Sohn des Wassers und der Erde,
Über den ich wandle,
Göttergleich.

Ihr seid rein wie das Herz der Wasser,
Ihr seid rein wie das Mark der Erde,
Ihr umschwebt mich, und ich schwebe
Über Wasser über Erde
Göttergleich.

J OHANN W OLFGANG G OETHE · *Dichtung und Wahrheit*

Die Fabel des Prometheus ward in mir lebendig. Das alte Titanen-
gewand schnitt ich mir nach meinem Wuchse zu und fing, ohne weiter
nachgedacht zu haben, ein Stück zu schreiben an, worin das Mißverhältnis
dargestellt ist, in welches Prometheus zu dem Zeus und den neuen Göttern

gerät, indem er auf eigene Hand Menschen bildet, sie durch Gunst der
Minerva belebt und eine dritte Dynastie stiftet. Und wirklich hatten die
jetzt regierenden Götter sich zu beschweren völlig Ursache, weil man sie
als unrechtmäßig zwischen die Titanen und Menschen eingeschobene
Wesen betrachten konnte. Zu dieser seltsamen Komposition gehört als
Monolog jenes Gedicht, das in der deutschen Literatur bedeutend geworden . . .

JOHANN WOLFGANG GOETHE

Prometheus

Bedecke deinen Himmel, Zeus,
Mit Wolkendunst
Und übe, dem Knaben gleich,
Der Disteln köpft,
An Eichen dich und Bergeshöhn;
Mußt mir meine Erde
Doch lassen stehn
Und meine Hütte, die du nicht gebaut,
Und meinen Herd,
Um dessen Glut
Du mich beneidest.

Ich kenn nichts Ärmeres
Unter der Sonn, als euch, Götter.
Ihr nähret kümmerlich
Von Opfersteuern
Und Gebetshauch
Eure Majestät,
Und darbtet, wären
Nicht Kinder und Bettler
Hoffnungsvolle Toren.

Da ich ein Kind war,
Nicht wußte, wo aus noch ein,
Kehrt ich mein verirrtes Auge
Zur Sonne, als wenn drüber wär
Ein Ohr, zu hören meine Klage,
Ein Herz, wie meins,
Sich des Bedrängten zu erbarmen.

Wer half mir
Wider der Titanen Übermut?
Wer rettete vom Tode mich,
Von Sklaverei?
Hast du nicht alles selbst vollendet,

Heilig glühend Herz?
Und glühtest, jung und gut,
Betrogen, Rettungsdank
Dem Schlafenden da droben?

Ich dich ehren? Wofür?
Hast du die Schmerzen gelindert
Je des Beladenen?
Hast du die Tränen gestillet

Je des Geängsteten?
Hat nicht mich zum Manne geschmiedet
Die allmächtige Zeit
Und das ewige Schicksal,
Meine Herren und deine?

Wähntest du etwa,
Ich sollte das Leben hassen,
In Wüsten fliehen,
Weil nicht alle
Blütenträume reiften?

Hier sitz ich, forme Menschen
Nach meinem Bilde,
Ein Geschlecht, das mir gleich sei,
Zu leiden, zu weinen,
Zu genießen und zu freuen sich,
Und dein nicht zu achten,
Wie ich!

JOHANN WOLFGANG GOETHE

An Schwager Kronos

Spute dich, Kronos!
Fort den rasselnden Trott!
Bergab gleitet der Weg.
Ekles Schwindeln zögert
Mir vor die Stirne dein Zaudern.
Frisch, holpert es gleich,
Über Stock und Steine den Trott
Rasch ins Leben hinein!

Nun schon wieder
Den eratmenden Schritt
Mühsam Berg hinauf!
Auf denn, nicht träge denn,
Strebend und hoffend hinan!

Weit, hoch, herrlich der Blick
Rings ins Leben hinein!
Vom Gebirg zum Gebirg
Schwebet der ewige Geist,
Ewigen Lebens ahndevoll.

Seitwärts des Überdachs Schatten
Zieht dich an
Und ein Frischung verheißender Blick
Auf der Schwelle des Mädchens da.
Labe dich! — Mir auch, Mädchen,
Diesen schäumenden Trank,
Diesen frischen Gesundheitsblick!

Ab denn, rascher hinab!
Sieh, die Sonne sinkt!
Eh sie sinkt, eh mich Greisen
Ergreift im Moore Nebelduft,
Entzahnte Kiefer schnattern
Und das schlotternde Gebein,

Trunknen vom letzten Strahl
Reiß mich, ein Feuermeer
Mir im schäumenden Aug,
Mich Geblendeten, Taumelnden
In der Hölle nächtliches Tor.

Töne, Schwager, ins Horn!
Raßle den schallenden Trab,
Daß der Orkus vernehme: wir kommen,
Daß gleich an der Türe
Der Wirt uns freundlich empfange.

[5] Freies Menschentum

JOHANN WOLFGANG GOETHE · *Dichtung und Wahrheit*

Durch die fortdauernde Teilnahme an Shakespeares Werken hatte ich
mir den Geist so ausgeweitet, daß mir der enge Bühnenraum und die
kurze einer Vorstellung zugemessene Zeit keineswegs hinlänglich schienen,
um etwas Bedeutendes vorzutragen. Das Leben des biedern Götz von
Berlichingen, von ihm selbst geschrieben, trieb mich in die historische
Behandlungsart, und meine Einbildungskraft dehnte sich dergestalt aus,
daß auch meine dramatische Form alle Theatergrenzen überschritt und
sich den lebendigen Ereignissen mehr und mehr zu nähern suchte.

Ich hatte mich, sowie ich vorwärts ging, davon mit meiner Schwester
umständlich unterhalten, die an solchen Dingen mit Geist und Gemüt

teilnahm, und ich erneuerte diese Unterhaltung so oft, ohne nur irgend zum Werk zu schreiten, daß sie zuletzt ungeduldig und wohlwollend dringend bat, mich nur nicht immer mit Worten in die Luft zu ergehn, sondern endlich einmal das, was mir so gegenwärtig wäre, auf das Papier festzubringen. Durch diesen Antrieb bestimmt, fing ich eines Morgens zu schreiben an, ohne daß ich einen Entwurf oder Plan vorher aufgesetzt hätte. Ich schrieb die ersten Szenen, und abends wurden sie Cornelien vorgelesen. Sie schenkte ihnen vielen Beifall, jedoch nur bedingt, indem sie zweifelte, daß ich so fortfahren würde, ja sie äußerte sogar einen entschiedenen Unglauben an meine Beharrlichkeit. Dieses reizte mich nur um so mehr, ich fuhr den nächsten Tag fort, und so den dritten; die Hoffnung wuchs bei den täglichen Mitteilungen, auch mir ward alles von Schritt zu Schritt lebendiger, indem mir ohnehin der Stoff durchaus eigen geworden; und so hielt ich mich ununterbrochen ans Werk, das ich geradeswegs verfolgte, ohne weder rückwärts, noch rechts, noch links zu sehn, und in etwa sechs Wochen hatte ich das Vergnügen, das Manuskript geheftet zu erblicken.

JOHANN WOLFGANG GOETHE · *Brief an Herder (Ende 1771)*

Das Resultat meiner hiesigen Einsiedelei kriegen Sie hier in einem Skizzo, das zwar mit dem Pinsel auf Leinwand geworfen, an einigen Orten sogar einigermaßen ausgemalt, und doch weiter nichts als ein Skizzo ist. Keine Rechenschaft geb ich Ihnen, lieber Mann, von meiner Arbeit, noch sag ich meine jetzigen Empfindungen darüber, da ich aufgestanden und in die Ferne getreten bin. Es würde aussehen, als wollt ich Ihr Urteil leiten, weil ich fürchtet, er wandelte an einen Platz, wo ich nicht wünschte. Das aber darf ich sagen, daß ich recht mit Zuversicht arbeitete, die beste Kraft meiner Seele dranwendete, weil ichs tat, um Sie darüber zu fragen, und wußte, Ihr Urteil wird mir nicht nur über dieses Stück die Augen öffnen, sondern vielmehr über diesem Stück mich lehren, es als Meilensäule zu pflanzen, von der wegschreitend ich eine weite, weite Reise anzutreten und bei Ruhestunden zu berechnen habe.

Auch unternehm ich keine Veränderung, bis ich Ihre Stimme höre, denn ich weiß doch, daß alsdann radikale Wiedergeburt geschehen muß, wenn es zum Leben eingehn soll.

JOHANN WOLFGANG GOETHE · *Urgötz*

GOTTFRIED: Es lebe der Kaiser!
ALLE: Er lebe!
GOTTFRIED: Das soll unser vorletztes Wort sein, wenn wir sterben. Ich lieb ihn, denn wir haben einerlei Schicksal. Und ich bin noch glücklicher als er ... Ich weiß, er wünscht sich manchmal lieber Tod, als länger die Seele eines so krüppligen Körpers zu sein. Ruft er zum Fuße: Marsch! der ist eingeschlafen, zum Arm: Heb dich! der ist verrenkt. Und wenn ein Gott

im Gehirn säß, er könnt nicht mehr tun als ein unmündig Kind, die Spekulationen und Wünsche ausgenommen, um die er nur noch schlimmer dran ist. *(Schenkt ein.)* Es geht just noch einmal herum. Und wenn unser Blut anfängt auf die Neige zu gehen, wie der Wein in dieser Flasche erst schwach, dann tropfenweise rinnt — was soll unser letztes Wort sein?

GEORG: Es lebe die Freiheit.

GOTTFRIED: Es lebe die Freiheit!

ALLE: Es lebe die Freiheit!

GOTTFRIED: Und wenn die uns überlebt, können wir ruhig sterben. Denn wir sehen im Geiste unsre Enkel glücklich ... Wenn die Diener der Fürsten so edel und frei dienen wie ihr mir, wenn die Fürsten dem Kaiser dienen, wie ich ihm dienen möchte.

GEORG: Da muß viel anders werden.

GOTTFRIED: Es wird! Es wird! Vielleicht daß Gott den Großen die Augen über ihre Glückseligkeit auftut. Ich hoffs, denn ihre Verblendung ist so unnatürlich, daß zu ihrer Erleuchtung kein Wunder nötig scheint. Wenn sie das Übermaß von Wonne fühlen werden, in ihren Untertanen glücklich zu sein. Wenn sie menschliche Herzen genug haben werden, um zu schmecken, welche Seligkeit es ist, ein großer Mensch zu sein. Wenn ihr wohlgebautes, gesegnetes Land ihnen ein Paradies gegen ihre steifen, gezwungenen, einsiedlerischen Gärten scheint. Wenn die volle Wange, der fröhliche Blick jedes Bauern, seine zahlreiche Familie die Fettigkeit ihres ruhenden Landes besiegelt, und gegen diesen Anblick alle Schauspiele, alle Bildersäle ihnen kalt werden. Dann wird der Nachbar dem Nachbar Ruhe gönnen, weil er selbst glücklich ist. Dann wird keiner seine Grenzen zu erweitern suchen. Er wird lieber die Sonne in seinem Kreise bleiben, als ein Komet durch viele andre seinen schrecklichen, unsteten Zug führen.

GEORG: Würden wir darnach auch reiten?

GOTTFRIED: Der unruhigste Kopf wird zu tun genug finden. Auf die Gefahr, wollte Gott Deutschland wäre diesen Augenblick so. Wir wollten die Gebirge von Wölfen säubern, wollten unserm ruhig ackernden Nachbar einen Braten aus dem Wald holen, und dafür die Suppe mit ihm essen. Wär uns das nicht genug, wir wollten uns mit unsern Brüdern gleich Cherubs mit flammenden Schwertern vor die Grenzen des Reichs gegen die Wölfe, die Türken, gegen die Füchse, die Franzosen, lagern ... und die Ruhe des Ganzen beschützen. Das wäre ein Leben, Georg, wenn man seine Haut für die allgemeine Glückseligkeit setzte ...

[6] **Amor fati**

JOHANN WOLFGANG GOETHE · *Dichtung und Wahrheit*

Zu meinem Gebrauche mußte ich ihn [Egmont] in einen Charakter umwandeln, der solche Eigenschaften besaß, die einen Jüngling besser zieren als einen Mann in Jahren, einen Unbeweibten besser als einen Hausvater, einen Unabhängigen mehr als einen, der, noch so frei gesinnt, durch

mancherlei Verhältnisse begrenzt ist. Als ich ihn nun so in meinen Gedanken verjüngt und von allen Bedingungen losgebunden hatte, gab ich
ihm die ungemessene Lebenslust, das grenzenlose Zutrauen zu sich selbst,
die Gabe, alle Menschen an sich zu ziehen und so die Gunst des Volks,
die stille Neigung einer Fürstin, die ausgesprochene eines Naturmädchens,
die Teilnahme eines Staatsklugen zu gewinnen, ja selbst den Sohn seines
größten Widersachers für sich einzunehmen.

Die persönliche Tapferkeit, die den Helden auszeichnet, ist die Base,
auf der sein ganzes Wesen ruht, der Grund und Boden, aus dem er hervor-
sproßt. Er kennt keine Gefahr und verblendet sich über die größte, die
sich ihm nähert. Durch Feinde, die uns umzingeln, schlagen wir uns allenfalls durch; die Netze der Staatsklugheit sind schwerer zu durchbrechen.
Das Dämonische, was von beiden Seiten im Spiel ist, in welchem Konflikt
das Liebenswürdige [Egmont] untergeht und das Gehaßte [Alba] triumphiert, sodann die Aussicht, daß hieraus ein Drittes [die Freiheit]
hervorgehe, das dem Wunsch aller Menschen entsprechen werde, dieses
ist es wohl, was dem Stücke, freilich nicht gleich bei seiner Erscheinung.
aber doch später und zur rechten Zeit die Gunst verschafft hat, deren es
noch jetzt genießt.

Johann Wolfgang Goethe · *Egmont*

Egmont: Gib mir den Brief. *(Nachdem er hineingesehen:)* Guter ehrlicher
Alter! Warst du in deiner Jugend auch wohl so bedächtig? Erstiegst du
nie einen Wall? Bliebst du in der Schlacht, wo es die Klugheit anrät,
hinten? — Der treue Sorgliche! Er will mein Leben und mein Glück und
fühlt nicht, daß der schon tot ist, der um seiner Sicherheit willen lebt ...
Was soll ich mehr sagen? .. Daß ich fröhlich bin, die Sachen leicht nehme,
rasch lebe, das ist mein Glück; und ich vertausch es nicht gegen die Sicherheit eines Totengewölbes ... Leb ich nur, um aufs Leben zu denken?
Soll ich den gegenwärtigen Augenblick nicht genießen, damit ich des
folgenden gewiß sei? Und diesen wieder mit Sorgen und Grillen verzehren?
Sekretär: Ich bitt Euch, Herr, seid nicht so harsch und rauh gegen den
guten Mann ... Seht, wie sorgfältig er ist, wie leis er Euch berührt.
Egmont: Und doch berührt er immer diese Saite. Er weiß von alters her,
wie verhaßt mir diese Ermahnungen sind; sie machen nur irre, sie helfen
nichts. Und wenn ich ein Nachtwandler wäre und auf dem gefährlichen
Gipfel eines Hauses spazierte, ist es freundschaftlich, mich beim Namen
zu rufen und mich zu warnen, zu wecken und zu töten? Laßt jeden seines
Pfades gehen; er mag sich wahren ... Wenn ihr das Leben gar so ernsthaft
nehmt, was ist denn dran? Wenn uns der Morgen nicht zu neuen Freuden
weckt, am Abend uns keine Lust zu hoffen übrigbleibt, ist's wohl des An-
und Ausziehens wert? .. Schenke mir diese Betrachtungen ...
Sekretär: Verzeiht mir, es wird dem Fußgänger schwindlich, der einen
Mann mit rasselnder Eile daherfahren sieht.

EGMONT: Kind! Kind! nicht weiter! Wie von unsichtbaren Geistern gepeitscht, gehen die Sonnenpferde der Zeit mit unsers Schicksals leichtem Wagen durch; und uns bleibt nichts, als, mutig gefaßt die Zügel festzuhalten und bald rechts, bald links, vom Steine hier, vom Sturze da, die Räder wegzulenken. Wohin es geht, wer weiß es? Erinnert er sich doch kaum, woher er kam... Ich stehe hoch und kann und muß noch höher steigen; ich fühle mir Hoffnung, Mut und Kraft. Noch hab ich meines Wachstums Gipfel nicht erreicht, und steh ich droben einst, so will ich fest, nicht ängstlich stehn. Soll ich fallen, so mag ein Donnerschlag, ein Sturmwind, ja ein selbst verfehlter Schritt mich abwärts in die Tiefe stürzen; da lieg ich mit viel Tausenden. Ich habe nie verschmäht, mit meinen guten Kriegsgesellen um kleinen Gewinst das blutige Los zu werfen, und sollt ich knickern, wenns um den ganzen freien Wert des Lebens geht?

SEKRETÄR: O Herr! Ihr wißt nicht, was für Worte Ihr sprecht! Gott erhalt Euch!

[7] Leidenschaft und Leid

JOHANN WOLFGANG GOETHE · *Die Leiden des jungen Werthers*

18. August

Mußte denn das so sein, daß das, was des Menschen Glückseligkeit macht, wieder die Quelle seines Elends würde?

Das volle warme Gefühl meines Herzens an der lebendigen Natur, das mich mit so vieler Wonne überströmte, das rings umher die Welt mir zu einem Paradiese schuf, wird mir jetzt zu einem unerträglichen Peiniger, zu einem quälenden Geist, der mich auf allen Wegen verfolgt. Wenn ich sonst vom Felsen über den Fluß bis zu jenen Hügeln das fruchtbare Tal überschaute und alles um mich her keimen und quellen sah; wenn ich jene Berge, vom Fuße bis auf den Gipfel, mit hohen dichten Bäumen bekleidet, jene Täler in ihren mannigfaltigen Krümmungen von den lieblichsten Wäldern beschattet sah, und der sanfte Fluß zwischen den lispelnden Rohren dahingleitete und die lieben Wolken abspiegelte, die der sanfte Abendwind am Himmel herüberwiegte; wenn ich dann die Vögel um mich den Wald beleben hörte, und die Millionen Mückenschwärme im letzten roten Strahle der Sonne mutig tanzten, und ihr letzter zuckender Blick den summenden Käfer aus seinem Grase befreite, und das Schwirren und Weben um mich her auf den Boden aufmerksam machte, und das Moos, das meinem harten Felsen seine Nahrung abzwingt, und das Geniste, das den dürren Sandhügel hinunter wächst, mir das innere glühende, heilige Leben der Natur eröffnete: wie faßte ich das alles in mein warmes Herz, fühlte mich in der überfließenden Fülle wie vergöttert, und die herrlichen Gestalten der unendlichen Welt bewegten sich allbelebend in meiner Seele. Ungeheure Berge umgaben mich, Abgründe lagen vor mir, und Wetterbäche stürzten herunter, die Flüsse strömten unter mir, und Wald und Gebirg erklang;

und ich sah sie wirken und schaffen ineinander in den Tiefen der Erde, alle die unergründlichen Kräfte; und nun über der Erde und unter dem Himmel wimmeln die Geschlechter der mannigfaltigen Geschöpfe. Alles, alles bevölkert mit tausendfachen Gestalten; und die Menschen dann sich in Häuslein zusammen sichern, und sich annisten, und herrschen in ihrem Sinne über die weite Welt! Armer Tor! der du alles so gering achtest, weil du so klein bist. — Vom unzugänglichen Gebirge über die Einöde, die kein Fuß betrat, bis ans Ende des unbekannten Ozeans weht der Geist des Ewigschaffenden und freut sich jedes Staubes, der ihn vernimmt und lebt. — Ach, damals, wie oft hab' ich mich mit Fittichen eines Kranichs, der über mich hinflog, zu dem Ufer des ungemessenen Meeres gesehnt, aus dem schäumenden Becher des Unendlichen jene schwellende Lebenswonne zu trinken, und nur einen Augenblick, in der eingeschränkten Kraft meines Busens, einen Tropfen der Seligkeit des Wesens zu fühlen, das alles in sich und durch sich hervorbringt.

Bruder, nur die Erinnerung jener Stunden macht mir wohl. Selbst diese Anstrengung, jene unsäglichen Gefühle zurückzurufen, wieder auszusprechen, hebt meine Seele über sich selbst, und läßt mich dann das Bange des Zustands doppelt empfinden, der mich jetzt umgibt.

Es hat sich vor meiner Seele wie ein Vorhang weggezogen, und der Schauplatz des unendlichen Lebens verwandelt sich vor mir in den Abgrund des ewig offenen Grabs. Kannst du sagen: Das ist! da alles vorübergeht? da alles mit der Wetterschnelle vorüberrollt, so selten die ganze Kraft seines Daseins ausdauert, ach! in den Strom fortgerissen, untergetaucht und an Felsen zerschmettert wird? Da ist kein Augenblick, der nicht dich verzehrte und die Deinigen um dich her, kein Augenblick, da du nicht ein Zerstörer bist, sein mußt; der harmloseste Spaziergang kostet tausend armen Würmchen das Leben, es zerrüttet ein Fußtritt die mühseligen Gebäude der Ameisen, und stampft eine kleine Welt in ein schmähliches Grab. Ha! nicht die große seltene Not der Welt, diese Fluten, die eure Dörfer wegspülen, diese Erdbeben, die eure Städte verschlingen, rühren mich; mir untergräbt das Herz die verzehrende Kraft, die in dem All der Natur verborgen liegt; die nichts gebildet hat, das nicht seinen Nachbar, nicht sich selbst zerstörte. Und so taumle ich beängstigt! Himmel und Erde und ihre webenden Kräfte um mich her! Ich sehe nichts, als ein ewig verschlingendes, ewig wiederkäuendes Ungeheuer.

3. November

Weiß Gott! ich lege mich so oft zu Bette mit dem Wunsche, ja manchmal mit der Hoffnung, nicht wieder zu erwachen; und morgens schlag' ich die Augen auf, sehe die Sonne wieder, und bin elend. O daß ich launisch sein könnte, könnte die Schuld aufs Wetter, auf einen Dritten, auf eine fehlgeschlagene Unternehmung schieben, so würde die unerträgliche Last des Unwillens doch nur halb auf mir ruhen. Weh mir! ich fühle zu wahr, daß an mir allein alle Schuld liegt — nicht Schuld! Genug, daß in mir die Quelle alles Elendes verborgen ist, wie ehemals die Quelle aller Seligkeiten.

Bin ich nicht noch eben derselbe, der ehemals in aller Fülle der Empfindung herumschwebte, dem auf jedem Tritte ein Paradies folgte, der ein Herz hatte, eine ganze Welt liebevoll zu umfassen? Und dies Herz ist jetzt tot, aus ihm fließen keine Entzückungen mehr, meine Augen sind trocken, und meine Sinnen, die nicht mehr von erquickenden Tränen gelabt werden, ziehen ängstlich meine Stirn zusammen. Ich leide viel, denn ich habe verloren, was meines Lebens einzige Wonne war, die heilige belebende Kraft, mit der ich Welten um mich schuf; sie ist dahin! — Wenn ich zu meinem Fenster hinaus an den fernen Hügel sehe, wie die Morgensonne über ihn her den Nebel durchbricht und den stillen Wiesengrund bescheint, und der sanfte Fluß zwischen seinen entblätterten Weiden zu mir herschlängelt — o! wenn da diese herrliche Natur so starr vor mir steht wie ein lackiertes Bildchen, und alle die Wonne keinen Tropfen Seligkeit aus meinem Herzen herauf in das Gehirn pumpen kann, und der ganze Kerl vor Gottes Angesicht steht wie ein versiegter Brunn, wie ein verlechzter Eimer. Ich habe mich oft auf den Boden geworfen und Gott um Tränen gebeten, wie ein Ackersmann um Regen, wenn der Himmel ehern über ihm ist, und um ihn die Erde verdürstet.

Aber ach! ich fühl's, Gott gibt Regen und Sonnenschein nicht unserm ungestümen Bitten, und jene Zeiten, deren Andenken mich quält, warum waren sie so selig? als weil ich mit Geduld seinen Geist erwartete, und die Wonne, die er über mich ausgoß, mit ganzem, innig dankbarem Herzen aufnahm.

15. November

Ich danke dir, Wilhelm, für deinen herzlichen Anteil, für deinen wohlmeinenden Rat, und bitte dich, ruhig zu sein. Laß mich ausdulden, ich habe bei aller meiner Müdseligkeit noch Kraft genug durchzusetzen. Ich ehre die Religion, das weißt du, ich fühle, daß sie manchem Ermatteten Stab, manchem Verschmachtenden Erquickung ist. Nur — kann sie denn, muß sie denn das einem jeden sein? Wenn du die große Welt ansiehst, so siehst du Tausende, denen sie's nicht war, Tausende, denen sie's nicht sein wird, gepredigt oder ungepredigt, und muß sie mir's denn sein? Sagt nicht selbst der Sohn Gottes, daß die um ihn sein würden, die ihm der Vater gegeben hat? Wenn ich ihm nun nicht gegeben bin? wenn mich nun der Vater für sich behalten will, wie mir mein Herz sagt? — Ich bitte dich, lege das nicht falsch aus; sieh nicht etwa Spott in diesen unschuldigen Worten; es ist meine ganze Seele, die ich dir vorlege; sonst wollt' ich lieber, ich hätte geschwiegen: wie ich denn über alles das, wovon jedermann so wenig weiß als ich, nicht gern ein Wort verliere. Was ist's anders als Menschenschicksal, sein Maß auszuleiden, seinen Becher auszutrinken? — Und ward der Kelch dem Gott vom Himmel auf seiner Menschenlippe zu bitter, warum soll ich groß tun und mich stellen, als schmeckte er mir süß? Und warum sollte ich mich schämen, in dem schrecklichen Augenblick, da mein ganzes Wesen zwischen Sein und Nichtsein zittert, da die Vergangenheit wie ein Blitz über dem finstern Abgrunde der Zukunft leuchtet, und alles um mich her versinkt, und mit mir die Welt untergeht. — Ist es da nicht die Stimme der ganz in sich gedrängten, sich selbst ermangelnden und unaufhaltsam hinabstürzenden Kreatur, in den inneren Tiefen ihrer vergebens aufarbeitenden Kräfte zu knirschen: Mein Gott! mein Gott! warum hast du mich verlassen? Und sollt' ich mich des Ausdrucks schämen, sollte mir's vor dem Augenblicke bange sein, da ihm der nicht entging, der die Himmel zusammenrollt wie ein Tuch?

[8] In tyrannos

FRIEDRICH SCHILLER · *Ankündigung der Rheinischen Thalia, 1784*

Ich schreibe als Weltbürger, der keinem Fürsten dient. Frühe verlor ich mein Vaterland, um es gegen die große Welt auszutauschen, die ich nur eben durch die Fernröhre kannte. Ein seltsamer Mißverstand der Natur hat mich in meinem Geburtsort zum Dichter verurteilt. Neigung für Poesie beleidigte die Gesetze des Instituts, worin ich erzogen war, und widersprach dem Plan seines Stifters. Acht Jahre rang mein Enthusiasmus mit der militärischen Regel, aber Leidenschaft für die Dichtkunst ist feurig und stark, wie die erste Liebe. Was sie ersticken sollte, fachte sie an. Verhältnissen zu entfliehen, die mir zur Folter waren, schweifte mein Herz in eine Idealenwelt aus, aber unbekannt mit der wirklichen, von welcher mich eiserne Stäbe schieden — unbekannt mit den Menschen —, unbekannt mit den Neigungen freier, sich selbst überlassener Wesen, denn hier kam nur eine zur Reife, eine, die ich jetzo nicht nennen will; jede übrige Kraft des Willens erschlaffte, indem eine einzige sich konvulsivisch spannte; jede Eigenheit, jede Ausgelassenheit der tausendfach spielenden Natur ging in dem regelmäßigen Tempo der herrschenden Ordnung verloren. Unbekannt mit dem schönen Geschlechte, die Tore dieses Instituts öffnen sich, wie man wissen wird, Frauenzimmern nur, ehe sie anfangen interessant zu werden, und wenn sie aufgehört haben es zu sein — unbekannt mit Menschen und Menschenschicksal mußte mein Pinsel notwendig die mittlere Linie zwischen Engel und Teufel verfehlen, mußte er ein Ungeheuer hervorbringen, das zum Glück in der Welt nicht vorhanden war, dem ich nur darum Unsterblichkeit wünschen möchte, um das Beispiel einer Geburt zu verewigen, die der naturwidrige Beischlaf der Subordination und des Genius in die Welt setzte. — Ich meine die Räuber.
' Dies Stück ist erschienen. Die ganze sittliche Welt hat den Verfasser als einen Beleidiger der Majestät vorgefordert — seine ganze Verantwortung sei das Klima, unter dem es geboren war. Wenn von allen den unzähligen Klageschriften gegen die Räuber eine einzige mich trifft, so ist es diese, daß ich zwei Jahre vorher mir anmaßte, Menschen zu schildern, ehe mir noch einer begegnete.
Die Räuber kosteten mir Familie und Vaterland in einer Epoche, wo noch der Ausspruch der Menge unser schwankendes Selbstgefühl lenken

muß, wo das warme Blut eines Jünglings durch den freundlichen Sonnenblick des Beifalls munterer fließt, tausend einschmeichelnde Ahndungen künftiger Größe seine schwindelnde Seele umgeben und der göttliche Nachruhm in schöner Dämmrung vor ihm liegt — mitten im Genuß des ersten verführerischen Lobes, das ungehofft und unverdient aus entlegenen Provinzen mir entgegenkam, untersagte man mir in meinem Geburtsort bei Strafe der Festung — zu schreiben. Mein Entschluß ist bekannt — ich verschweige das Übrige ... Nunmehr sind alle meine Verbindungen aufgelöst. Das Publikum ist mir jetzt alles, mein Studium, mein Souverän, mein Vertrauter. Ihm allein gehöre ich jetzt an. Vor diesem und keinem anderen Tribunal werde ich mich stellen. Dieses nur fürchte ich und verehr ich. Etwas Großes wandelt mich an bei der Vorstellung, keine andere Fessel zu tragen, als den Ausspruch der Welt — an keinen anderen Thron mehr zu appellieren, als an die menschliche Seele.

FRIEDRICH SCHILLER · *Die Räuber*

Schenke an den Grenzen von Sachsen.

(Karl von Moor in ein Buch vertieft. Spiegelberg trinkend am Tisch.)

KARL VON MOOR *(legt das Buch weg)*: Mir ekelt vor diesem tintenklecksenden Säkulum, wenn ich in meinem Plutarch lese von großen Menschen.
SPIEGELBERG *(stellt ihm ein Glas hin und trinkt)*: Den Josephus mußt du lesen.
MOOR: Der hohe Lichtfunke Prometheus' ist ausgebrannt, dafür nimmt man jetzt die Flamme von Bärlappenmehl — Theaterfeuer, das keine Pfeife Tabak anzündet. Da krabbeln sie nun wie die Ratten auf der Keule des Herkules und studieren sich das Mark aus dem Schädel, was das für ein Ding sei, das er in seinen Hoden geführt hat. Ein französischer Abbé doziert, Alexander sei ein Hasenfuß gewesen; ein schwindsüchtiger Professor hält sich bei jedem Wort ein Fläschchen Salmiakgeist vor die Nase und liest ein Kollegium über die *Kraft*. Kerls, die in Ohnmacht fallen, wenn sie einen Buben gemacht haben, kritteln über die Taktik des Hannibal — feuchtohrige Buben fischen Phrases aus der Schlacht bei Cannä und greinen über die Siege des Scipio, weil sie sie exponieren müssen.
SPIEGELBERG: Das ist ja recht alexandrinisch geflennt.
MOOR: Schöner Preis für euren Schweiß in der Feldschlacht, daß ihr jetzt in Gymnasien lebet und eure Unsterblichkeit in einem Bücherriemen mühsam fortgeschleppt wird. Kostbarer Ersatz eines verpraßten Blutes, von einem Nürnberger Krämer um Lebkuchen gewickelt — oder, wenn's glücklich geht, von einem französischen Tragödienschreiber auf Stelzen geschraubt und mit Drahtfäden gezogen zu werden. Hahaha!
SPIEGELBERG *(trinkt)*: Lies den Josephus, ich bitte dich drum.
MOOR: Pfui! pfui über das schlappe Kastraten-Jahrhundert, zu nichts

nütze, als die Taten der Vorzeit wiederzukäuen und die Helden des Altertums mit Kommentationen zu schinden und zu verhunzen mit Trauerspielen. Die Kraft seiner Lenden ist versiegen gegangen, und nun muß Bierhefe den Menschen fortpflanzen helfen.

SPIEGELBERG: Tee, Bruder, Tee!

MOOR: Da verrammeln sie sich die gesunde Natur mit abgeschmackten Konventionen, haben das Herz nicht, ein Glas zu leeren, weil sie Gesundheit dazu trinken müssen — belecken den Schuhputzer, daß er sie vertrete bei Ihro Gnaden, und hudeln den armen Schelm, den sie nicht fürchten. Vergöttern sich um ein Mittagessen und möchten einander vergiften um ein Unterbett, das ihnen beim Aufstreich überboten wird. — Verdammen den Sadduzäer, der nicht fleißig genug in die Kirche kommt, und berechnen ihren Judenzins am Altare — fallen auf die Knie, damit sie ja ihren Schlamp ausbreiten können — wenden kein Aug' von dem Pfarrer, damit sie sehen, wie seine Perücke frisiert ist. — Fallen in Ohnmacht, wenn sie eine Gans bluten sehen, und klatschen in die Hände, wenn ihr Nebenbuhler bankerott von der Börse geht. — So warm ich ihnen die Hand drückte — »nur noch einen Tag« — Umsonst! — Ins Loch mit dem Hund! — Bitten! Schwüre! Tränen! *(Auf den Boden stampfend.)* Hölle und Teufel!

SPIEGELBERG: Und um so ein paar tausend lausige Dukaten —.

MOOR: Nein! Ich mag nicht daran denken! — Ich soll meinen Leib pressen in eine Schnürbrust und meinen Willen schnüren in Gesetze. — Das Gesetz hat zum Schneckengang verdorben, was Adlerflug geworden wäre. Das Gesetz hat noch keinen großen Mann gebildet, aber die Freiheit brütet Kolosse und Extremitäten aus. Sie verpalisadieren sich ins Bauchfell eines Tyrannen, hofieren der Laune seines Magens und lassen sich klemmen von seinen Winden. — Ah! daß der Geist Hermanns noch in der Asche glimmte! — Stelle mich vor ein Heer Kerls wie ich, und aus Deutschland soll eine Republik werden, gegen die Rom und Sparta Nonnenklöster sein sollen. *(Er wirft den Degen auf den Tisch und steht auf.)*

. . . . .

MOOR: Weg von ihm! Wag' es keiner, ihn anzurühren! — *(Zum Pater, indem er seinen Degen zieht.)* Sehen Sie, Herr Pater! hier stehen neunundsiebzig, deren Hauptmann ich bin, und weiß keiner auf Wink und Kommando zu fliegen, oder nach Kanonenmusik zu tanzen, und draußen stehn siebenzehnhundert, unter Musketen ergraut — aber hören Sie nun! so redet Moor, der Mordbrennerhauptmann: Wahr ist's, ich habe den Reichsgrafen erschlagen, die Dominikuskirche angezündet und geplündert, hab' Feuerbrände in eure bigotte Stadt geworfen und den Pulverturm über die Häupter guter Christen herabgestürzt — aber das ist noch nicht alles. Ich habe noch mehr getan. *(Er streckt seine rechte Hand aus.)* Bemerken Sie die vier kostbaren Ringe, die ich an jedem Finger trage? — Gehen Sie hin und richten Sie Punkt für Punkt den Herren des Gerichts über Leben und Tod aus, was Sie sehen und hören werden — diesen Rubin zog ich einem Minister vom Finger, den ich auf der Jagd zu den Füßen seines Fürsten niederwarf. Er hatte sich aus dem Pöbelstand zu seinem ersten

Günstling emporgeschmeichelt, der Fall seines Nachbars war seiner Hoheit Schemel — Tränen der Waisen huben ihn auf. — Diesen Demant zog ich einem Finanzrat ab, der Ehrenstellen und Ämter an die Meistbietenden verkaufte und den trauernden Patrioten von seiner Türe stieß. — Diesen Achat trag' ich einem Pfaffen Ihres Gelichters zur Ehre, den ich mit eigener Hand erwürgte, als er auf offener Kanzel geweint hatte, daß die Inquisition so in Zerfall käme — ich könnte Ihnen noch mehr Geschichten von meinen Ringen erzählen, wenn mich nicht schon die paar Worte gereuten, die ich mit Ihnen verschwendet habe —

PATER: O Pharao! Pharao!

MOOR: Hört ihr's wohl? Habt ihr den Seufzer bemerkt? Steht er nicht da, als wollte er Feuer vom Himmel auf die Rotte Korah herunter beten, richtet mit seinem Achselzucken, verdammt mit einem christlichen Ach! — Kann der Mensch denn so blind sein? Er, der die hundert Augen des Argus hat, Flecken an seinem Bruder zu spähen, kann er so gar blind gegen sich selbst sein? — Da donnern sie Sanftmut und Duldung aus ihren Wolken, und bringen dem Gott der Liebe Menschenopfer wie einem feuerarmigen Moloch — predigen Liebe des Nächsten und fluchen den achtzigjährigen Blinden von ihren Türen hinweg! — stürmen wider den Geiz und haben Peru um goldner Spangen willen entvölkert und die Heiden wie Zugvieh vor ihre Wagen gespannt. — Sie zerbrechen sich die Köpfe, wie es doch möglich gewesen wäre, daß die Natur hätte können einen Ischariot schaffen, und nicht der Schlimmste unter ihnen würde den dreieinigen Gott um zehn Silberlinge verraten. — O, über euch Pharisäer, euch Falschmünzer der Wahrheit, euch Affen der Gottheit! Ihr scheut euch nicht, vor Kreuz und Altären zu knien, zerfleischt eure Rücken mit Riemen und foltert euer Fleisch mit Fasten; ihr wähnt, mit diesen erbärmlichen Gaukeleien demjenigen einen blauen Dunst vorzumachen, den ihr Toren doch den Allwissenden nennt, nicht anders, als wie man der Großen am bittersten spottet, wenn man ihnen schmeichelt, daß sie die Schmeichler hassen; ihr pocht auf Ehrlichkeit und exemplarischen Wandel, und der Gott, der euer Herz durchschaut, würde wider den Schöpfer ergrimmen, wenn er nicht eben der wäre, der das Ungeheuer am Nilus erschaffen hat. — Schafft ihn aus meinen Augen!

PATER: Daß ein Bösewicht noch so stolz sein kann!

MOOR: Nicht genug — jetzt will ich stolz reden. Geh hin und sage dem hochlöblichen Gericht, das über Leben und Tod würfelt — ich bin kein Dieb, der sich mit Schlaf und Mitternacht verschwört und auf der Leiter groß und herrisch tut. — Was ich getan habe, werd' ich ohne Zweifel einmal im Schuldbuch des Himmels lesen; aber mit seinen erbärmlichen Verwesern will ich kein Wort mehr verlieren. Sag ihnen, mein Handwerk ist Wiedervergeltung — Rache ist mein Gewerbe.

FRIEDRICH SCHILLER · *Kabale und Liebe*

(*Ein alter Kammerdiener des Fürsten, der ein Schmuckkästchen trägt. Die Vorigen.*)

KAMMERDIENER: Seine Durchlaucht der Herzog empfehlen sich Milady zu Gnaden und schicken Ihnen diese Brillanten zur Hochzeit. Sie kommen soeben erst aus Venedig.

LADY (*hat das Kästchen geöffnet und fährt erschrocken zurück*): Mensch! Was bezahlt dein Herzog für diese Steine?

KAMMERDIENER (*mit finsterem Gesicht*): Sie kosten ihn keinen Heller.

LADY: Was? Bist du rasend? *Nichts?* — und (*indem sie einen Schritt von ihm wegtritt*) du wirfst mir ja einen Blick zu, als wenn du mich durchbohren wolltest — *nichts* kosten ihn diese unermeßlich kostbaren Steine?

KAMMERDIENER: Gestern sind siebentausend Landskinder nach Amerika fort — die zahlen alles.

LADY (*setzt den Schmuck plötzlich nieder und geht rasch durch den Saal, nach einer Pause zum Kammerdiener*): Mann! Was ist dir? Ich glaube, du weinst?

KAMMERDIENER (*wischt sich die Augen, mit schrecklicher Stimme, alle Glieder zitternd*): Edelsteine, wie *diese* da — ich hab' auch ein paar Söhne drunter.

LADY (*wendet sich bebend weg, seine Hand fassend*): Doch keinen gezwungenen?

KAMMERDIENER (*lacht fürchterlich*): O Gott! — nein — lauter Freiwillige. Es traten wohl so etliche vorlaute Bursch' vor die Front heraus und fragten den Obersten, wie teuer der Fürst das Joch Menschen verkaufe? — Aber unser gnädigster Landesherr ließ alle Regimenter auf dem Paradeplatz aufmarschieren und die Maulaffen niederschießen. Wir hörten die Büchsen knallen, sahen ihr Gehirn auf das Pflaster spritzen, und die ganze Armee schrie: Juchhe! Nach Amerika! —

LADY (*fällt mit Entsetzen in das Sofa*): Gott! Gott! — Und ich hörte nichts? Und ich merkte nichts?

KAMMERDIENER: Ja, gnädige Frau, warum mußtet Ihr denn mit unserm Herrn gerad' auf die Bärenhatz reiten, als man den Lärmen zum Aufbruch schlug? — Die Herrlichkeit hättet Ihr doch nicht versäumen sollen, wie uns die gellenden Trommeln verkündigten, es ist Zeit, und heulende Waisen dort einen lebendigen Vater verfolgten, und hier eine wütende Mutter lief, ihr saugendes Kind an Bajonetten zu spießen, und wie man Bräutigam und Braut mit Säbelhieben auseinanderriß, und wir Graubärte verzweiflungsvoll dastanden und den Burschen auch zuletzt die Krücken noch nachwarfen in die Neue Welt — oh, und mitunter das polternde Wirbelschlagen, damit der Allwissende uns nicht sollte beten hören —

LADY (*steht auf, heftig bewegt*): Weg mit diesen Steinen — sie blitzen Höllenflammen in mein Herz. — (*Sanfter zum Kammerdiener.*) Mäßige dich, armer, alter Mann. Sie werden wiederkommen. Sie werden ihr Vaterland wiedersehen.

KAMMERDIENER *(warm und voll)*: Das weiß der Himmel. Das werden sie! — Noch am Stadttor drehten sie sich um und schrien: Gott mit Euch, Weib und Kinder! — Es leb' unser Landesvater — am jüngsten Gericht sind wir wieder da! —

LADY *(mit starkem Schritt auf und nieder gehend)*: Abscheulich! Fürchterlich! — *Mich* beredete man, ich habe sie alle getrocknet, die Tränen des Landes. — Schrecklich, schrecklich gehen mir die Augen auf. — Geh du — sag deinem Herrn, ich werd' ihm persönlich danken! *(Kammerdiener will gehen, sie wirft ihm ihre Geldbörse in den Hut.)* Und das nimm, weil du mir Wahrheit sagtest —

KAMMERDIENER *(wirft sie verächtlich auf den Tisch zurück)*: Legt's zu dem übrigen! *(Er geht ab.)*

CHRISTIAN FRIEDRICH DANIEL SCHUBART

Vorbericht zum ersten Bande seiner Gesammelten Gedichte

Hier ist diejenige Sammlung von Gedichten, die ich teils im Gefängnisse, teils in der Freiheit verfertigte. Erstere weint' ich in der Nacht des Jammers nieder; diese macht' ich meist im Taumel der Welt, im Glutgefühl der Jugend und heiligen Freiheit. Wenn die Ergüsse meiner düstersten Empfindungen im Dunste der Einsamkeit bereits manchen Hörer und Leser gefunden haben; so ist mir dies leicht erklärlich. Die Menschheit ist noch so gut, hat noch so manche unverdorbene Seite — mit dem Entzücken des Himmels sag ich dies — daß der verschrieenste Bösewicht am Kerkergeklüfte stutzt, aus der die Stimme des Elenden aufschreit. Ich hab's mit Augen gesehen, wie die von Weltlust und wilder Leidenschaft verzerrtesten Physiognomien, wenn sie eben im Begriff waren, eine laute Lache über irgend eine mißverstandne Wahrheit aufzuschlagen, sich plötzlich in die Falten des Ernsts legten, wenn Gallioten mit ihren Ketten vorüberrasselten, oder wenn der gelbe Gefangene durchs Eisengitter blickte. — Einige, und zwar die edelsten Seelen, nähern sich so gerne der leidenden Menschheit, sie sind nicht ekel beim Anblicke der Lumpen, die das Gerippe des Jammers decken, sind stark genug, hinzublicken aufs faule Stroh, wo der Fesselbeladene liegt und mit Schiefer Stunden wie Tage und Monde wie Schaltjahre in die Felsenwand gräbt. Denn die gute Seele möchte gerne den Geist des Elenden erquicken und mit Samaritermilde Balsam in seine Wunden träufen. Auch solche Menschen — Heil mir! — lernte ich kennen, und ich bin fest überzeugt, daß ich die gute Aufnahme einiger schon von mir bekannten Gedichte mehr diesem angebornen Mitgefühle mit fremder Not, als ihrer innern Güte zu verdanken habe.

Doch wär' es stolze Demut, wenn ich nicht auch glaubte, daß manches Gute, Erbauliche, Natürliche und Schöne in diesen Gedichten enthalten wäre. Ich fühle, was ich schreibe und rede; ich hasse den Schreiber und Schwätzer, dem ewige Lügen aus der Feder und von den Lippen sprudeln, weil er nicht fühlt — oder welches mir eins ist — nicht weiß, was er sagt. Mit dieser Anlage mußt' es mir freilich gelingen, manchmal was Gutes zu sagen, zu schreiben, auch die Saiten nicht ohne Wirkung zu schwingen. —

Und doch hab ich nie ein Gedicht, einen prosaischen Aufsatz, oder ein Klavierstück ausdrücklich für den Druck bestimmt. Ich machte sie meist für meine Freunde, meine Schüler und Schülerinnen, und ließ sie damit als ihrem Eigentume hausen. Daraus entstunden einzelne Abdrücke und endlich die kürzlich herausgekommene Schweizersammlung, die alle mit sinnlosen Druckfehlern verunstaltet sein mußten, weil man mich nicht dabei zu Rate zog, und oft die abgesudelsten Handschriften gebrauchte.

Und auch hier hätte ich noch stille geschwiegen, wenn mir nicht letztere Ausgabe, wovon manche Gedichte nicht einmal die meinigen sind, Verantwortung zugezogen hätte. Ich mußte vom Strohsessel einmal aufstehen und mir endlich von Seiten meines gnädigsten Gebieters die Erlaubnis zu erflehen suchen, eine eigene Ausgabe meiner Gedichte und prosaischen Werke zur Rettung meiner Ehre und zum Besten meiner Familie besorgen zu dürfen. Ich erhielt diese erflehte Erlaubnis, und lege hiermit meine Gedichte den Augen des Publikums dar — mit einer Empfindung, der ich keinen Namen zu geben weiß.

Immer hab ich mein Vaterland herzlich und bieder geliebet, hab oft für meine lieben Deutschen auf dem Ziegelboden meines ehmaligen engern Kerkers gelegen, gebetet und geweint, daß ich mich nicht mehr anschließen durfte an die edle Männerschar, um mit ihr gemeinschaftlich für die Ehre des Ganzen arbeiten zu können. Und nun tret' ich wieder, mit der Begünstigung meines guten Fürsten hervor, und seh dir wieder, Vaterland, du mir so teures Vaterland! ins Gesicht, schüttle den Staub von meinem Gewande, biete dir die warme Hand und weine die Träne des Wiedersehens.

Wüßtest du, in welcher Lage ich die meisten meiner Lieder sang, wie ich sie oft mehr *niederblutete* als *niederschrieb*; und — doch eine Wolke hülle meinen alten Gram in Nacht ein — Genug, ihr meine deutschen Brüder, ihr würdet Gott preisen, der den Einsamen tröstet und ihm Gesang gibt.

Da meine Todesgesänge von mir in der brausenden Jugend niedergeschrieben wurden, so mußten wohl die frommen Empfindungen, die sanften, himmelahndenden Christengefühle unter einer Lava poetischer Floskeln nicht selten ersticken. Und doch sind diese Lieder nicht ohne Segen geblieben. Man hat einige davon in ansehnliche Liedersammlungen eingerückt, und Männer von Geschmack haben sie ihres Beifalls und ihrer Revision gewürdigt. Ich habe also ihre Verbesserung um so williger übernommen, als es uns noch immer an einem Vorrate guter, auf gewisse individuelle Umstände gerichteter Sterbelieder fehlt. Wenigstens sollen sie einige Lücken füllen.

Ich könnte schließen, wenn mich nicht bei meinem neuen Auftritte vor dem Publikum die heiligste Pflicht aufforderte, den großen und edlen

Menschen, die ich teils kenne, teils nicht kenne, den lautesten, herzigsten
Dank für den tätigen Anteil zuzurufen, den sie an meinem Schicksale
genommen haben.

Seelen, die ihr von eurer künftigen Verklärung schon hier so herrliche
Spuren tragt — so wie der goldne Morgen vom heitersten Frühlingstage —
ich blicke hin nach euch vom Walle meiner Veste, so wie ihr wohnt unter
allen vier Winden — und mein heißer inniger Dank zerfließt in den Seufzer:
Du kennst sie ja, die edlen Seelen alle, die dein Ebenbild abstrah-
len; o lohne sie Allbelohner, Lächler, voll Huld und Gnade! mit
jedem Segen, der hier der Wunsch des Weisen, und dort das Verlangen des Christen ist!

Auf der Veste Asperg im Mai 1785   Schubart

CHRISTIAN FRIEDRICH DANIEL SCHUBART

Der Gefangene

Gefangner Mann, ein armer Mann!
   Durchs schwarze Eisengitter
Starr' ich den fernen Himmel an,
   Und wein' und seufze bitter.

Die Sonne, sonst so hell und rund,
   Schaut trüb auf mich herunter;
Und kömmt die braune Abendstund',
   So geht sie blutig unter.

Mir ist der Mond so gelb, so bleich,
   Er wallt im Witwenschleier;
Die Sterne mir — sind Fackeln gleich
   Bei einer Totenfeier.

Mag sehen nicht die Blümlein blühn,
   Nicht fühlen Lenzeswehen;
Ach, lieber säh ich Rosmarin
   Im Duft der Gräber stehen.

Vergebens wiegt der Abendhauch
   Für mich die goldnen Ähren;
Möcht' nur in meinem Felsenbauch
   Die Stürme brausen hören.

Was hilft mir Tau und Sonnenschein
   Im Busen einer Rose;
Denn nichts ist mein, ach! nichts ist mein,
   Im Muttererdenschoße.

Kann nimmer an der Gattin Brust,
 Nicht an der Kinder Wangen,
Mit Gattenwonne, Vaterlust
 In Himmelstränen hangen.

Gefangner Mann, ein armer Mann!
 Fern von den Lieben allen,
Muß ich des Lebens Dornenbahn
 In Schauernächten wallen.

Es gähnt mich an die Einsamkeit,
 Ich wälze mich auf Nesseln;
Und selbst mein Beten wird entweiht
 Vom Klirren meiner Fesseln.

Mich drängt der hohen Freiheit Ruf;
 Ich fühl's, daß Gott nur Sklaven
Und Teufel für die Ketten schuf,
 Um sie damit zu strafen.

Was hab' ich, Brüder, euch getan?
 Kommt doch, und seht mich Armen!
Gefangner Mann! ein armer Mann!
 Ach! habt mit mir Erbarmen!

[9] **Kerls und Kerlallüren**

JOHANN WOLFGANG GOETHE · *Dichtung und Wahrheit*

Ältere Freunde, welche jene Dichtungen, die nun so großes Aufsehen machten, schon im Manuskript gekannt hatten und sie deshalb zum Teil als die ihrigen ansahen, triumphierten über den guten Erfolg, den sie, kühn genug, zum voraus geweissagt. Zu ihnen fanden sich neue Teilnehmer, besonders solche, welche selbst eine produktive Kraft in sich spürten oder zu erregen und zu hegen wünschten.

Unter den erstern tat sich Lenz am lebhaftesten und gar sonderbar hervor ... Man kennt jene Selbstquälerei, welche, da man von außen und von andern keine Not hatte, an der Tagesordnung war und gerade die vorzüglichsten Geister beunruhigte. Was gewöhnliche Menschen, die sich nicht selbst beobachten, nur vorübergehend quält, was sie sich aus dem Sinne zu schlagen suchten, das ward von den bessern scharf bemerkt, beachtet, in Schriften, Briefen und Tagebüchern aufbewahrt. Nun aber gesellten sich die strengsten sittlichen Forderungen an sich und andere zu der größten Fahrlässigkeit im Tun, und ein aus dieser halben Selbstkenntnis entspringender Dünkel verführte zu den seltsamsten Angewohnheiten und Unarten. Zu einem solchen Abarbeiten in der Selbstbeobachtung berechtigte jedoch die aufwachende empirische Psychologie, die nicht gerade alles, was uns innerlich beunruhigt, für bös und verwerflich erklären wollte, aber doch auch nicht alles billigen konnte; und so war ein ewiger nie beizulegender Streit erregt. Diesen zu führen und zu unterhalten, übertraf nun Lenz alle übrigen Un- oder Halbbeschäftigten, welche ihr Inneres untergruben, und so litt er im allgemeinen von der Zeitgesinnung, welche durch die Schilderung Werthers abgeschlossen sein sollte; aber ein individueller Zuschnitt unterschied ihn von allen übrigen, die man durchaus für offene redliche Seelen anerkennen mußte. Er hatte nämlich einen entschiedenen Hang zur Intrige, und zwar zur Intrige an sich, ohne daß er eigentliche Zwecke, verständige, selbstische, erreichbare Zwecke gehabt hätte; vielmehr pflegte er sich immer etwas Fratzenhaftes vorzusetzen, und eben deswegen diente es ihm zur beständigen Unterhaltung. Auf diese Weise war er zeitlebens ein Schelm in der Einbildung, seine Liebe wie sein Haß waren imaginär, mit seinen Vorstellungen und Gefühlen verfuhr er willkürlich, damit er immerfort etwas zu tun haben möchte. Durch die verkehrtesten Mittel suchte er seinen Neigungen und Abneigungen Realität zu geben, und vernichtete sein Werk immer wieder selbst; und so hat er niemanden, den er liebte, jemals genützt, niemanden, den er haßte, jemals geschadet, und im ganzen schien er nur zu sündigen, um sich zu strafen, nur zu intrigieren, um eine neue Fabel auf eine alte pfropfen zu können.

Aus wahrhafter Tiefe, aus unerschöpflicher Produktivität ging sein Talent hervor, in welchem Zartheit, Beweglichkeit und Spitzfindigkeit miteinander wetteiferten, das aber, bei aller seiner Schönheit, durchaus kränkelte, und gerade diese Talente sind am schwersten zu beurteilen. Man konnte in seinen Arbeiten große Züge nicht verkennen; eine liebliche Zärtlichkeit schleicht sich durch zwischen den albernsten und barockesten Fratzen, die man selbst einem so gründlichen und anspruchslosen Humor, einer wahrhaft komischen Gabe kaum verzeihen kann. Seine Tage waren aus lauter Nichts zusammengesetzt, dem er durch seine Rührigkeit eine Bedeutung zu geben wußte, und er konnte um so mehr viele Stunden verschlendern, als die Zeit, die er zum Lesen anwendete, ihm, bei einem glücklichen Gedächtnis, immer viel Frucht brachte und seine originelle Denkweise mit mannigfaltigem Stoff bereicherte . . .

Klingers Äußeres — denn von diesem beginne ich immer am liebsten — war sehr vorteilhaft. Die Natur hatte ihm eine große, schlanke, wohlgebaute Gestalt und eine regelmäßige Gesichtsbildung gegeben; er hielt auf seine Person, trug sich nett, und man konnte ihn für das hübscheste Mitglied der ganzen kleinen Gesellschaft ansprechen. Sein Betragen war weder zuvorkommend noch abstoßend, und wenn es nicht innerlich stürmte, gemäßigt.

Man liebt an dem Mädchen, was es ist, und an dem Jüngling, was er ankündigt, und so war ich Klingers Freund, sobald ich ihn kennen lernte. Er empfahl sich durch eine reine Gemütlichkeit, und ein unverkennbar entschiedener Charakter erwarb ihm Zutrauen.

Auf ein ernstes Wesen war er von Jugend auf hingewiesen: er, nebst einer ebenso schönen und wackern Schwester, hatte für eine Mutter zu sorgen, die, als Witwe, solcher Kinder bedurfte, um sich aufrecht zu erhalten. Alles, was an ihm war, hatte er sich selbst verschafft und geschaffen, so daß man ihm einen Zug von stolzer Unabhängigkeit, der durch sein Betragen durchging, nicht verargte. Entschiedene natürliche Anlagen, welche allen wohlbegabten Menschen gemein sind, leichte Fassungskraft, vortreffliches Gedächtnis, Sprachengabe besaß er in hohem Grade; aber alles schien er weniger zu achten als die Festigkeit und Beharrlichkeit, die sich ihm, gleichfalls angeboren, durch Umstände völlig bestätigt hatten.

Einem solchen Jüngling mußten Rousseaus Werke vorzüglich zusagen. »Emil« war sein Haupt- und Grundbuch, und jene Gesinnungen fruchteten um so mehr bei ihm, als sie über die ganze gebildete Welt allgemeine Wirkung ausübten, ja bei ihm mehr als bei andern. Denn auch er war ein Kind der Natur, auch er hatte von unten auf angefangen; das, was andere wegwerfen sollten, hatte er nie besessen, Verhältnisse, aus welchen sie sich retten sollten, hatten ihn nie beengt; und so konnte er für einen der reinsten Jünger jenes Natur-Evangeliums angesehen werden und in Betracht seines ernsten Strebens, seines Betragens als Mensch und Sohn recht wohl ausrufen: alles ist gut, wie es aus den Händen der Natur kommt! Aber auch den Nachsatz: alles verschlimmert sich unter den Händen der Menschen! drängte ihm eine widerwärtige Erfahrung auf. Er hatte nicht mit sich selbst, aber außer sich mit der Welt des Herkommens zu kämpfen, von deren Fesseln der Bürger von Genf uns zu erlösen gedachte. Weil nun, in des Jünglings Lage, dieser Kampf oft schwer und sauer ward, so fühlte er sich gewaltsamer in sich zurückgetrieben, als daß er durchaus zu einer frohen und freudigen Ausbildung hätte gelangen können: vielmehr mußte er sich durchstürmen, durchdrängen; daher sich ein bitterer Zug in sein Wesen schlich, den er in der Folge zum Teil gehegt und genährt, mehr aber bekämpft und besiegt hat ...

Der Göttinger Hain

[10] Fülle des Herzens

FRIEDRICH LEOPOLD GRAF ZU STOLBERG

Über die Fülle des Herzens

Wenn ich ein Weib hätte, und nun, nach den bängsten Minuten meines Lebens, käme der erwünschte Augenblick, da die Geliebte, beinah ohnmächtig zurücksinkend, mit blassen Wangen, mit bebenden Lippen, mit Tränen in auf mich gerichteten Augen (nur Engel könnten unterscheiden, ob es noch wären Tränen der Leiden oder schon Tränen der Wonne) mit

diesen Tränen mir schweigend sagte: ich habe geboren dein Kind! ich ihr
um den Hals fiele, dann sprachlos vor ihr stünde, und in dem Augenblick
ein Wunsch für mein Kind und ach! für ihr Kind, so schnell in meiner
Seele reifte wie keimte, o! was würd' ich ihm wünschen, dem kleinen
Liebling, den ich mit der Lebensgefahr meiner liebsten Hälfte erkauft
hätte? Nicht Reichtum würd' ich, nicht langes Leben ihm wünschen,
auch nicht Wissenschaft; für solche Wünsche wäre mir der Augenblick zu
teuer. Vater, würd' ich denken, Vater, der dem Hirsche Schnelligkeit,
Stärke dem Löwen und dem Adler Flügel gab, gib diesem Menschen, der
schwach und doch dein Ebenbild ist, gib ihm die menschlichste aller
Gaben, die Eine göttliche Gabe, gib ihm Fülle des Herzens.

. . . . .

Gott hat alles getan, um diese Fülle des Herzens im Menschen zu
erhalten und zu vermehren. Von seiner Geburt an sieht er Eltern, die ihn
lieben, die er lieben muß; Geschwister, deren Liebe vielleicht das reinste
Band in der Natur ist. Bald öffnet sich sein Herz der Wonne der Liebe
und ihrer Wehmut. Wie durchglüht sie, wie durchströmt sie ihn, bis er
Ruhe findet in der süßen ehelichen Umarmung! Dann grüßt ihn bald mit
dem ersten stammelnden: Vater! sein Kind; mehrere folgen dem ersten;
sie erwarten Nahrung, Schutz, Bildung des Herzens und des Verstandes
von ihm. Als würd' er wieder getaucht in die Quelle der Jugend nimmt er
wieder Anteil an Freuden, die er vergessen hatte; alles, was der oft rauhe
Pfad des Lebens an ihm gehärtet hatte, wird im Umgang mit den Kleinen
wieder erweicht, und mancher Genuß glättet nun seine Runzeln, welcher
ehemals seine Tränen trocknete. Der Mann wird vom Weibe zu mancher
sanften Empfindung gestimmt, welche ihm neu war; das Weib lernt vom
Manne manches starke Gefühl, welches die Saiten ihrer zärteren Seele
mächtig durchbebt; früh bilden sich nach ihnen die Empfindungen der
Kinder und geben sanften Flötenton, und die harmonische Zusammenstimmung des Ganzen ist seelenschmelzender als alle Symphonien, sanft
wie Nachtigallenchöre, und dem, der Sonnen kreisen und menschliche
Herzen schlagen hieß, so lieb wie der Lobgesang rollender Sphären.

. . . . .

Was soll ich von dir sagen, göttliche Dichtkunst? Du entströmst der
Fülle des Herzens und bietest die süßen Trunkenheiten deines Nektars
reinen Herzens an. Du erhebst das Herz auf Flügeln des Adlers, und bildest
es zu allem, was groß ist und edel.

Groß und weit und ausgebreitet ist deine Macht; du bist die Tochter
der Natur, hehr und sanft und groß und wahr, wie sie, in angeborner
Einfalt!

Du fleugst gen Himmel, nimmst Flammen vom Altare, wärmest und
erleuchtest das Menschengeschlecht!

FRIEDRICH LEOPOLD GRAF ZU STOLBERG

Lied auf dem Wasser zu singen

Mitten im Schimmer der spiegelnden Wellen
  Gleitet, wie Schwäne, der wankende Kahn;
Ach, auf der Freude sanftschimmernden Wellen
  Gleitet die Seele dahin wie der Kahn;
Denn von dem Himmel herab auf die Wellen
  Tanzet das Abendrot rund um den Kahn.

Über den Wipfeln des westlichen Haines
  Winket uns freundlich der rötliche Schein;
Unter den Zweigen des östlichen Haines
  Säuselt der Kalmus im rötlichen Schein;
Freude des Himmels und Ruhe des Haines
  Atmet die Seel im errötenden Schein.

Ach, es entschwindet mit tauigem Flügel
  Mir auf den wiegenden Wellen die Zeit.
Morgen entschwinde mit schimmerndem Flügel
  Wieder wie gestern und heute die Zeit,
Bis ich auf höherem strahlenden Flügel
  Selber entschwinde der wechselnden Zeit.

LUDWIG HEINRICH CHRISTOPH HÖLTY · *Mainacht*

Wenn der silberne Mond durch die Gesträuche blickt
Und sein schlummerndes Licht über den Rasen geußt
  Und die Nachtigall flötet,
Wandl ich traurig von Busch zu Busch.

Selig preis ich dich dann, flötende Nachtigall,
Weil dein Weibchen mit dir wohnet in einem Nest,
  Ihrem singenden Gatten
Tausend trauliche Küsse gibt.

Überschattet von Laub, girret ein Taubenpaar
Sein Entzücken mir vor; aber ich wende mich,
  Suche dunkle Gesträuche,
Und die einsame Träne rinnt.

Wann, o lächelndes Bild, welches wie Morgenrot
Durch die Seele mir strahlt, find ich auf Erden dich?
  Und die einsame Träne
Bebt mir heißer die Wang herab!

LUDWIG HEINRICH CHRISTOPH HÖLTY · *Auftrag*

Ihr Freunde, hänget, wann ich gestorben bin,
Die kleine Harfe hinter dem Altar auf,
Wo an der Wand die Totenkränze
Manches verstorbenen Mädchens schimmern.

Der Küster zeigt dann freundlich dem Reisenden
Die kleine Harfe, rauscht mit dem roten Band,
Das, an der Harfe festgeschlungen,
Unter den goldenen Saiten flattert.

Oft, sagt er staunend, tönen im Abendrot
Von selbst die Saiten, leise wie Bienenton;
Die Kinder, auf dem Kirchhof spielend,
Hörtens und sahn, wie die Kränze bebten.

Die Liebe

Eine Schale des Harms, eine der Freuden wog
Gott dem Menschengeschlecht; aber der lastende
Kummer senket die Schale;
Immer hebet die andre sich.

Irren, traurigen Tritts wanken wir unsren Weg
Durch das Leben hinab, bis sich die Liebe naht,
Eine Fülle der Freuden
In die steigende Schale streut.

Wie dem Pilger der Quell silbern entgegenrinnt,
Wie der Regen des Mais über die Blüten träuft,
Naht die Liebe: des Jünglings
Seele zittert und huldigt ihr.

Nähm' er Kronen und Gold, mißte der Liebe? Gold
Ist ihm fliegende Spreu; Kronen ein Flittertand;
Alle Hoheit der Erde,
Sonder herzliche Liebe, Staub!

Los der Engel? Kein Sturm düstert die Seelenruh
Des Beglückten! Der Tag hüllt sich in lichtes Blau;
Kuß und Flüstern und Lächeln
Flügelt Stunden an Stunden fort!

Herrscher neideten ihn, kosteten sie des Glücks,
Das dem Liebenden ward; würfen den Königsstab
Aus den Händen und suchten
Sich ein friedliches Hüttendach.

> Unter Rosengesträuch spielet ein Quell und mischt
> Zu begegnenden Bach Silber. So strömen flugs
> Seel' und Seele zusammen,
> Wann allmächtige Liebe naht.

[11] Nachtgedanken

KARL PHILIPP MORITZ · *Anton Reiser*

Aus der Vorrede: »Dieser psychologische Roman könnte auch allenfalls eine Biographie genannt werden, weil die Beobachtungen größtenteils aus dem wirklichen Leben genommen sind. — Wer den Lauf der menschlichen Dinge kennt und weiß, wie dasjenige oft im Fortgange des Lebens sehr wichtig werden kann, was anfänglich klein und unbedeutend schien, der wird sich an die anscheinende Geringfügigkeit mancher Umstände, die hier erzählt werden, nicht stoßen. Auch wird man in einem Buche, welches vorzüglich die innere Geschichte des Menschen schildern soll, keine große Mannigfaltigkeit der Charaktere erwarten: denn es soll die vorstellende Kraft nicht verteilen, sondern sie zusammendrängen und den Blick der Seele in sich selber schärfen.«

Es war die unverantwortliche Seelenlähmung durch das zurücksetzende Betragen seiner eignen Eltern gegen ihn, die er von seiner Kindheit an noch nicht hatte wieder vermindern können. — Es war ihm unmöglich geworden, jemanden außer sich wie seinesgleichen zu betrachten — jeder schien ihm auf irgendeine Art wichtiger, bedeutender in der Welt als er zu sein — daher deuchten ihm Freundschaftsbezeigungen von andern gegen ihn immer eine Art von Herablassung — weil er nun glaubte, verachtet werden zu können, so wurde er wirklich verachtet — und ihm schien oft das schon Verachtung, was ein anderer mit mehr Selbstgefühl nie würde dafür genommen haben. — Und so scheint nun einmal das Verhältnis der Geisteskräfte gegeneinander zu sein; wo eine Kraft keine entgegengesetzte Kraft vor sich findet, da reißt sie ein und zerstört wie der Fluß, wenn der Damm vor ihm weicht. — Das stärkere Selbstgefühl verschlingt das schwächere unaufhaltsam in sich — durch den Spott, durch die Verachtung, durch die Brandmarkung des Gegenstandes zum Lächerlichen. — Das Lächerlichwerden ist eine Art von Vernichtung und das Lächerlichmachen eine Art von Mord des Selbstgefühls, die nicht ihresgleichen hat. — Von allen außer sich gehaßt zu werden ist dagegen wünschens- und begehrenswert. — Dieser allgemeine Haß würde das Selbstgefühl nicht töten, sondern es mit einem Trotz beseelen, wovon es auf Jahrtausende leben und gegen diese hassende Welt Wut knirschen könnte. — Aber keinen Freund und nicht einmal einen Feind zu haben — das ist die wahre Hölle, die alle Qualen der fühlbaren Vernichtung eines denkenden Wesens in sich faßt. — Und diese Höllenqual war es, welche Reiser empfand, sooft er sich aus Mangel an Selbstgefühl für einen würdigen Gegenstand des Spottes und der Verachtung hielt — seine einzige Wonne war dann, wenn er für sich allein war, in lautes Hohngelächter über sich selber auszubrechen und das nun selber gleichsam an sich zu vollenden, was die Wesen außer ihm angefangen hatten. —

> Wenn diese Wesen mich verspotten und zerstören,
> Die stärker und vollkommner sind als ich,
> Warum soll ich des Mitleids Stimme hören
> Und weinen schändlich über mich? —

Da er nun also dem hohnlachenden Zirkel seiner Mitschüler entflohen war — so schweifte er in der einsamen Gegend umher und entfernte sich immer weiter von der Stadt, ohne ein Ziel zu haben, wohin er seine Schritte richtete. — Er ging immer querfeldein, bis es dunkel wurde — da kam er an einen breiten Weg, der zu einem Dorfe führte, das er vor sich liegen sah — der Himmel fing an, sich immer düstrer zu umziehn, und drohte Regenwetter — die Raben fingen an zu krächzen, und zwei, die immer über seinem Kopfe hinflogen, schienen ihm das Geleite zu geben — bis er an den kleinen engen Kirchhof des Dörfchens kam, welcher gleich vornean lag und mit unordentlich übereinandergelegten Steinen eingefaßt war, die eine Art von Mauer vorstellen sollten. — Die Kirche mit dem kleinen spitzen Turme, der mit Schindeln gedeckt war, in der dicken Mauer nach jeder Seite zu nur ein einziges Fensterchen, durch welches das Licht schräg hereinfallen konnte — die Türe wie halb in die Erde versunken und so niedrig, daß es schien, man könne nicht anders als gebückt hineingehen. — Und ebenso klein und unansehnlich, wie die Kirche war, so enge und klein war auch der Kirchhof, wo die aufsteigenden Grabhügel dicht aneinander gedrängt und mit hohen Nesseln bewachsen waren. — Der Horizont war schon verdunkelt; der Himmel schien in der trüben Dämmerung allenthalben dicht aufzuliegen, das Gesicht wurde auf den kleinen Fleck Erde, den man um sich her sah, begrenzt — das Winzige und Kleine des Dorfes, des Kirchhofes und der Kirche tat auf Reisern eine sonderbare Wirkung — das Ende aller Dinge schien ihm in solch eine Spitze hinauszulaufen — der enge dumpfe Sarg war das letzte — hierhinter war nun nichts weiter — hier war die zugenagelte Bretterwand — die jedem Sterblichen den fernern Blick versagt. — Das Bild erfüllte Reisern mit Ekel — der Gedanke an dies Auslaufen in einer solchen Spitze, dies Aufhören ins Enge und noch Engere und immer Engere — wohinter nun nichts weiter mehr lag — trieb ihn mit schrecklicher Gewalt von dem winzigen Kirchhofe weg und jagte ihn vor sich her in der dunklen Nacht, als ob er dem Sarge, der ihn einzuschließen drohte, hätte entfliehen wollen. — Das Dorf mit dem Kirchhofe war ihm ein Anblick des Schreckens, solange er es noch hinter sich sah — auf dem Kirchhofe war ihm ein sonderbarer Schrecken angewandelt — was er so oft gewünscht hatte, schien ihm gewährt zu werden, das Grab schien seine Beute zu fordern und noch stets, sowie er floh, hinter ihm seinen Schlund zu eröffnen — erst da er ein andres Dorf erreichte, war er wieder ruhiger. —

Was ihm aber auf dem Kirchhofe den Gedanken des Todes so schrecklich machte, war die Vorstellung des Kleinen, die, sowie sie herrschend wurde, in seiner Seele eine fürchterliche Leere hervorbrachte, welche ihm zuletzt unerträglich war. — Das Kleine nahet sich dem Hinschwinden, der Vernichtung — die Idee des Kleinen ist es, welche Leiden, Leerheit und Traurigkeit hervorbringt — das Grab ist das enge Haus, der Sarg ist eine Wohnung, still, kühl und klein — Kleinheit erweckt Leerheit, Leerheit erweckt Traurigkeit — Traurigkeit ist der Vernichtung Anfang — unendliche Leere ist Vernichtung. — Reiser empfand auf dem kleinen Kirchhofe die Schrecken der Vernichtung — der Übergang vom Dasein zum Nichtsein stellte sich ihm so anschaulich und mit solcher Stärke und Gewißheit dar, daß seine ganze Existenz nur noch wie an einem Faden hing, der jeden Augenblick zu zerreißen drohte. —

Nun war also auf einmal aller Lebensüberdruß bei ihm verschwunden — er suchte in seiner Seele wieder eine gewisse Ideenfülle hervorzubringen, um sich gleichsam nur von der gänzlichen Vernichtung zu retten — und da er von ungefähr auf die Heerstraße nach Erichshagen geriet, wo seine Eltern wohnten, und ihm nun auf einmal diese ganze Gegend bekannt war — so nahm er sich erst vor, die ganze Nacht durch zu gehen und seine Eltern noch einmal mit einem unvermuteten Besuch zu überraschen. — Eine Meile war er schon von Hannover und hatte also ungefähr noch fünf Meilen zurückzulegen. —

Allein der Gedanke, daß er seinen Eltern nichts von seinem Entschluß hätte entdecken dürfen und doch mit schwerem Herzen von ihnen hätte Abschied nehmen müssen, verleidete ihm diesen Vorsatz wieder, da es überdem gegen Mitternacht stark zu regnen anfing. — Er ging also aufs neue mitten im Regen und Dunkel durch das hohe Korn querfeldein nach der Stadt zu — es war eine warme Sommernacht, und der Regen und die Dunkelheit waren ihm bei dieser menschenfeindlichen nächtlichen Wanderung die angenehmsten Gesellschafter — er fühlte sich groß und frei in der ihn umgebenden Natur — nichts drückte ihn, nichts engte ihn ein — er war hier auf jedem Fleck zu Hause, wo er sich niederlegen wollte, und dem Anblick keines Sterblichen ausgesetzt. — Er fand zuletzt eine ordentliche Wonne darin, durch das hohe Korn hinzugehen ohne Weg und Steg — durch nichts, nicht einmal durch ein eigentliches Ziel gebunden, nach welchem er seine Schritte hätte richten müssen. Er fühlte sich in dieser Stille der Mitternacht frei wie das Wild in der Wüste — die weite Erde war sein Bette — die ganze Natur sein Gebiet. —

So wanderte er die ganze Nacht hindurch, bis der Tag anbrach — und als er die Gegenstände allmählich wieder unterscheiden konnte, so deuchte es ihm nach der Gegend, als ob er ungefähr noch eine halbe Meile von Hannover wäre — auf einmal aber befand er sich, ehe er sich's versah, dicht an einer großen Kirchhofsmauer, die er sonst nie in dieser Gegend bemerkt hatte — er nahm all sein Nachdenken zusammen und suchte sich zu orientieren, aber es war vergeblich — er konnte die lange Kirchhofsmauer aus dem Zusammenhange der übrigen Gegenstände nicht erklären; sie war und blieb ihm eine Erscheinung, welche ihn eine Zeitlang wirklich zweifeln ließ, ob er wache oder träume — er rieb sich die Augen — aber die lange Kirchhofsmauer blieb immer da — überdem war auch durch sein sonderbares Nachtwandern und durch das Wegfallen der gewohnten Pause, wodurch die Vorstellungen des Tages der Natur gemäß unterbrochen werden, seine Phantasie zerrüttet — er fing selbst an, für seinen Verstand zu fürchten, und war vielleicht wirklich dem Wahnwitz nahe, als er endlich die vier Türme von Hannover wieder durch den Nebel sah, und nun wußte er, wo er war. — Die Morgendämmerung hatte ihn getäuscht, daß er die Gegend für eine andre hielt, die noch eine halbe Meile von Hannover lag und mit dieser, die dicht vor der Stadt war, sehr viel Ähnlichkeit hatte. — Der große Kirchhof, in dessen Mitte eine kleine Kapelle stand, war der ordentliche Kirchhof dicht vor Hannover, und Reisern war nun auf einmal die ganze Gegend wieder bekannt — er erwachte wirklich wie aus einem Traume. —

Aber wenn irgend etwas fähig ist, jemanden dem Wahnwitz nahe zu bringen, so sind es wohl vorzüglich die verrückten Orts- und Zeitideen, woran sich alle unsre übrigen Begriffe festhalten müssen. — Dieser neue Tag war für Reisern wie kein neuer Tag, weil zwischen diesem und dem vorhergehenden Tage keine Unterbrechung der Wirkungen seiner vorstellenden Kraft stattgefunden hatte. — Er ging in die Stadt; es war noch frühmorgens, und auf den Straßen herrschte eine Totenstille. — Das Haus, die Stube, worin er wohnte, alles kam ihm anders, fremd und sonderbar vor. — Diese Nachtwanderung hatte eine Veränderung in seinem ganzen Gedankensystem hervorgebracht — er fühlte sich in seiner Wohnung von nun an nicht mehr zu Hause — die Ortsideen schwankten in seinem Kopfe hin und her — er war den ganzen Tag über wie ein Träumender — bei dem allen aber war ihm die Erinnerung an die Nachtwanderung angenehm. — Das Krächzen der beiden Raben, die über seinem Kopfe hinflogen, der kleine Dorfkirchhof, die durchwanderten Kornfelder, alles drängte sich nun in seiner Einbildungskraft zusammen und machte zusammen eine dunkle Gruppe, ein schönes Nachtstück aus, woran sich seine Phantasie noch oft nachher in einsamen Stunden ergötzt hat. —

DIE KLASSIK

Der Ausdruck Klassik will besagen, daß hier das dichterische Bemühen um etwas Musterhaftes, Vorbildliches den Stand hoher Vollendung erreichte. Die »Rückkehr zur Antike« — aus denselben Gründen (zuerst von Johann Joachim Winckelmann) propagiert — trat demgegenüber zurück. In der Klassik erscheint der Mensch unter dem Anspruch von Freiheit und Humanität in seiner Gottähnlichkeit, als höchstes der natürlichen Lebewesen, als »schöne Seele«. Dies hohe Ziel konnte nur von Dichtern erreicht werden, die durch die Weite, Tiefe und Kraft künstlerischer Genialität ausgezeichnet waren; sie fanden sich in Johann Wolfgang Goethe und Friedrich Schiller. Beide führten fort, was in der vorangegangenen Epoche schon vorbereitet worden war: den Entwicklungsgedanken Lessings, den Schöpfungsglauben Klopstocks, das Harmoniestreben Wielands, den Irrationalismus Hamanns, das Schönheitsideal Winckelmanns, das Humanitätsbewußtsein Herders. Aber nicht nur die Verbindung und Vereinigung dieser oft widersprüchlichen Elemente war ihr Werk; das Menschliche schlechthin in seiner Vollendung und Abgründigkeit wird in den bedeutendsten Werken der Klassik auf eine einmalige Weise nachvollziehbar gemacht, wodurch die Ära ihre Geschlossenheit und Zeitlosigkeit erhielt. Die Aufforderung zur alles versöhnenden Menschlichkeit ist dabei das wichtigste Vermächtnis an die nachfolgenden Generationen geblieben.

JOHANN WOLFGANG GOETHE war in seiner dichterischen Frühzeit das chaotisch-bewegte und zerrissene Vorbild der Stürmer und Dränger gewesen. Persönliche Erlebnisse (die Berufung nach Weimar mit der auf ihn dort wartenden Arbeit und die Begegnung mit der Frau von Stein) leiteten die *Wendung zur Klassik* [1] ein. Vor allem erfuhr Goethe durch die Philosophie und Ethik Spinozas, den er nun in der Weimarer Anfangszeit las, die Beruhigung seiner leidenschaftlich erregten Seele: Er erkannte, daß die *Klarheit des Intellekts* [2] für den Menschen eine unabdingbare Notwendigkeit sei. Nicht mehr das individuelle Wollen, sondern das gesetzmäßige Sollen bestimmten fortan seine geistige Welt. Das brachte mit sich, daß Goethe, der zeitlebens ein lebhaftes Interesse für naturwissenschaftliche Probleme zeigte, auch hier das sich Wandelnde auf ein zugrunde liegendes Gleichbleibendes zurückzuführen hoffte — d.h. die Frage nach dem Wechselverhältnis von *Typus und Metamorphose* [3] seine Gedanken immer wieder bestimmte. Die Natur des Menschen aber, die ehemals titanisch, prometheisch, in Stolz und Trotz, als einmalig und grenzenlos ichbezogen gedeutet worden war, trat nun in krassen Gegensatz zu einer überindividuellen und gerade deshalb anerkannten Gesetzmäßigkeit, der man sich — im Kosmischen wie Gesellschaftlichen — zu beugen habe. Der Dualismus von *Gesetz und Dämon* [4] wurde dabei (etwa im »Torquato Tasso«) mit großem Einfühlungsvermögen für beide Seiten abgehandelt. In den »Wahlverwandtschaften« führt das Wissen um den Gegensatz von *Gesetz und Natur* [5] zu einer Bejahung der sittlichen Ordnung der Ehe, die allein den »natürlichen«, amoralischen Triebkräften des Menschen und seiner kreatürlichen Verwirrung Einhalt zu gebieten wisse. Die Konfrontierung von *Gesetz und Geschichte* [6] läßt Goethe alles revolutionäre Geschehen als unvereinbar mit dem Weltganzen erkennen; die Evolution ist ihm die eigentliche Synthese zwischen erstarrender Ordnung und alles zerstörendem Aufruhr.

Ist die eine Wesenskomponente des Dichters so mit Maß, Gesetz, Ordnung zu umreißen, die andere, jene umschließend, wird durch das Gebot der Humanität bestimmt. Menschlichkeit war für Goethe nicht Besitz, sondern Ziel eines unermüdlichen Strebens, Ziel ständigen schweren Ringens. Drei Grundgedanken bewegten den Dichter, die er in seinem Werk zu verwirklichen und für die »Erziehung« des Menschen nutzbar zu machen suchte: die Idee der Schönheit mit dem Prinzip der Wahrheit verschmolzen (*Das Leit-bild des schönen Menschen* [7]; *Zwischen uns sei Wahrheit* [8]) — in der »Griechenland-sehnsucht« verkörpert; das Streben nach einer umfassenden Harmonie (*Geborgenheit in Gott und Welt* [9]) — durch west-östliche Begegnung gefördert; und das Ziel der Sozietät (*Die Bildung zur Gemeinschaft* [10]) — in der neuen Welt Amerikas symbolisiert.

Aus den Schnittpunkten der menschlichen »Daseinslinien«, des Dämonischen, Zufäl-ligen, der Nötigung, Hoffnung und Liebe, erwuchs für Goethe der eigentlich mensch-liche Auftrag: Hin- und hergetrieben, und doch *da* zu sein; gequält und leidend zu leben, und doch zu lieben und zu hoffen. (»Ihr glücklichen Augen / was je ihr gesehn, / es sei wie es wolle, / es war doch so schön.«) *Urbilder* [11] des Menschlichen hat der Dichter in seinem Werk immer wieder beschworen — besonders in seiner Lyrik und in dem »Mensch-heitsgedicht« seines »Faust«.

FRIEDRICH SCHILLERS klassisches Dichtertum wurde eingeleitet durch schwere persönliche Nöte, die symptomatisch sind für das ständige Bedrohtsein seiner Existenz, für sein *Ringen mit dem Schicksal* [12], das den Grund mit legte für sein *dualistisches Weltbild* [13]. Idee und Leben, Hoffnung und Angst, Leben und Tod, Freiheit und Zwang, Glück und Leid, Frieden und Krieg, Form und Stoff, Kunst und Wirklichkeit sind die Gegensätze, die sich dem Dichter ständig aufdrängten. Aus dem Wissen von den Antinomien des Daseins aber erstand in Schiller der durch die Lektüre von Kant mitgeprägte Idealismus: Der Schwerkraft des Lebens, die leidvoll erlebt wird und dadurch stets gegenwärtig bleibt, werden die Ideen und Ideale gegenübergestellt und als etwas begriffen, das es nicht nur zu verehren, sondern zu verwirklichen gilt. Das Schöne soll dabei den Menschen aus seinem physischen Zustand herauslösen und dem sittlichen zuführen, die Auseinandersetzung zwischen Natur und Gesetz zugunsten des Gesetzes entscheiden helfen. So war für Schiller die *ästhetische Erziehung des Menschen* [14] zu-gleich Hinführung zu seiner Würde und Humanität.

Schillers dialektisches Weltbild, sein Schwanken zwischen Optimismus und Pessimis-mus prädestinierten ihn zum Dramatiker. Auf der Bühne vollzieht sich die Auseinander-setzung der irdischen mit den überirdischen Mächten; dabei erscheint selbst noch die *Tragödie als Theodizee* [15], weil auch im Untergang des Menschen die Idee aufleuchtet; selbst dort, wo das »gigantische Schicksal« den Menschen zermalmt, erhebt es ihn noch. So wird auf der »moralischen Anstalt der Schaubühne« eine höhere Gerechtigkeit geübt. Die großen Dramen Schillers kreisen um *Idee und Wirklichkeit* [16]: »Don Carlos« mit der Gegenüberstellung des von humanitärem Pathos bewegten Marquis von Posa und des in der unmenschlichen Gesellschaftsordnung erstarrten spanischen Königs; »Wallen-stein« mit der Konfrontierung des unentschlossenen, realistisch überlegenden und zugleich dämonisch getriebenen Feldherrn und des von jugendlicher Reinheit und Begeisterungs-fähigkeit getragenen Max Piccolomini. Oder aber es steht, wie in der »Maria Stuart«, die ihren Tod als Sühne für vergangene Verbrechen bejahend auf sich nimmt, die *Über-windung der Schuld* [17] im Mittelpunkt. Darin gipfelt Schillers Vorstellung von der Freiheit: der Mensch sei frei dazu, das Gesetz der Sittlichkeit zu verwirklichen, d. h. sich ihm freiwillig zu unterwerfen.

Johann Wolfgang Goethe

[1] Wendung zur Klassik

JOHANN WOLFGANG GOETHE · *Brief an die Mutter*

Weimar, 11. August 1781

Was meine Lage selbst betrifft, so hat sie, ohnerachtet großer Beschwernisse, auch sehr viel Erwünschtes für mich, wovon der beste Beweis ist, daß ich mir keine andere mögliche denken kann, in die ich gegenwärtig hinübergehen möchte. Denn mit einer hypochondrischen Unbehaglichkeit sich aus seiner Haut heraus in eine andere sehnen, will sich, dünkt mich, nicht wohl ziemen. Merck und mehrere andere beurteilen meinen Zustand ganz falsch, sie sehen das nur, was ich aufopfre, und nicht, was ich gewinne, und sie können nicht begreifen, daß ich täglich reicher werde, indem ich täglich so viel hingebe. Sie erinnern sich der letzten Zeiten, die ich bei ihnen, eh' ich hierherging, zubrachte; unter solchen fortwährenden Umständen würde ich gewiß zugrunde gegangen sein. Das Unverhältnis des engen und langsam bewegten bürgerlichen Kreises, zu der Weite und Geschwindigkeit meines Wesens hätte mich rasend gemacht. Bei der lebhaften Einbildung und Ahndung menschlicher Dinge wäre ich doch immer unbekannt mit der Welt und in einer ewigen Kindheit geblieben, welche meist durch Eigendünkel und alle verwandte Fehler sich und andern unerträglich wird. Wieviel glücklicher war es, mich in ein Verhältnis gesetzt zu sehen, dem ich von keiner Seite gewachsen war, wo ich durch manche Fehler des Unbegriffs und der Übereilung mich und andere kennen zu lernen Gelegenheit genug hatte, wo ich, mir selbst und dem Schicksal überlassen, durch so viele Prüfungen ging, die vielen hundert Menschen nicht nötig sein mögen, deren ich aber zu meiner Ausbildung äußerst bedürftig war. Und jetzt noch, wie könnte ich mir, nach meiner Art zu sein, einen glücklicheren Zustand wünschen als einen, der für mich etwas Unendliches hat. Denn wenn sich auch in mir täglich neue Fähigkeiten entwickelten, meine Begriffe sich immer aufhellten, meine Kraft sich vermehrte, meine Kenntnisse sich erweiterten, meine Unterscheidung sich berichtigte und mein Mut lebhafter würde, so fände ich doch täglich Gelegenheit, alle diese Eigenschaften, bald im großen, bald im kleinen, anzuwenden. Sie sehen, wie entfernt ich von der hypochondrischen Unbehaglichkeit bin, die so viele Menschen mit ihrer Lage entzweit, und daß nur die wichtigsten Betrachtungen oder ganz sonderbare, mir unerwartete Fälle mich bewegen könnten, meinen Posten zu verlassen; und unverantwortlich wäre es auch gegen mich selbst, wenn ich zu einer Zeit, da die gepflanzten Bäume zu wachsen anfangen und da man hoffen kann, bei der Ernte das Unkraut vom Weizen zu sondern, aus irgendeiner Unbehaglichkeit davonginge und mich selbst um Schatten, Früchte und Ernte bringen wollte. Indes glauben Sie mir, daß ein großer Teil des guten Muts, womit ich trage und wirke, aus dem Gedanken quillt, daß alle diese Aufopferungen freiwillig sind und daß ich nur dürfte Postpferde anspannen lassen, um das Notdürftige und Angenehme des Lebens, mit einer unbedingten Ruhe, bei Ihnen wieder zu finden. Denn ohne diese Aussicht, und wenn ich mich, in Stunden des Verdrusses, als Leibeignen und Tagelöhner um der Bedürfnisse willen ansehen müßte, würde mir manches viel saurer werden.

JOHANN WOLFGANG GOETHE — FRIEDRICH SCHILLER · *Briefwechsel*

Schiller an Goethe (23. August 1794):

Die neulichen Unterhaltungen mit Ihnen haben meine ganze Ideenmasse in Bewegung gebracht, denn sie betrafen einen Gegenstand, der mich seit etlichen Jahren lebhaft beschäftigt. Über so manches, worüber ich mit mir selbst nicht recht einig werden konnte, hat die Anschauung Ihres Geistes (denn so muß ich den Totaleindruck Ihrer Ideen auf mich nennen) ein unerwartetes Licht in mir angesteckt. Mir fehlte das Objekt, der Körper, zu mehreren spekulativischen Ideen, und Sie brachten mich auf die Spur davon. Ihr beobachtender Blick, der so still und rein auf den Dingen ruht, setzt Sie nie in Gefahr, auf den Abweg zu geraten, in den sowohl die Spekulation als die willkürliche und bloß sich selbst gehorchende Einbildungskraft sich so leicht verirrt. In Ihrer richtigen Intuition liegt alles und weit vollständiger, was die Analysis mühsam sucht, und nur weil es als ein Ganzes in Ihnen liegt, ist Ihnen Ihr eigener Reichtum verborgen; denn leider wissen wir nur das, was wir scheiden. Geister Ihrer Art wissen daher selten, wie weit sie gedrungen sind, und wie wenig Ursache sie haben, von der Philosophie zu borgen, die nur von ihnen lernen kann . . .

Lange schon habe ich, obgleich aus ziemlicher Ferne, dem Gang Ihres Geistes zugesehen, und den Weg, den Sie sich vorgezeichnet haben, mit immer erneuter Bewunderung bemerkt. Sie suchen das Notwendige der Natur, aber Sie suchen es auf dem schwersten Wege, vor welchem jede schwächere Kraft sich wohl hüten wird. Sie nehmen die ganze Natur zusammen, um über das Einzelne Licht zu bekommen; in der Allheit ihrer Erscheinungsarten suchen Sie den Erklärungsgrund für das Individuum auf. Von der einfachen Organisation steigen Sie, Schritt vor Schritt, zu der mehr verwickelten hinauf, um endlich die verwickeltste von allen, den Menschen, genetisch aus den Materialien des ganzen Naturgebäudes zu erbauen. Dadurch, daß Sie ihn der Natur gleichsam nacherschaffen, suchen Sie in seine verborgene Technik einzudringen. Eine große und wahrhaft heldenmäßige Idee, die zur Genüge zeigt, wie sehr Ihr Geist das reiche Ganze seiner Vorstellungen in einer schönen Einheit zusammenhält. Sie können niemals gehofft haben, daß Ihr Leben zu einem solchen Ziele zureichen werde, aber einen solchen Weg auch nur einzuschlagen, ist mehr wert, als jeden andern zu endigen . . .

Beim ersten Anblicke . . . scheint es, als könnte es keine größere Opposita geben als den spekulativen Geist, der von der Einheit, und den intuitiven, der von der Mannigfaltigkeit ausgeht. Sucht aber der erste mit keuschem und treuem Sinn die Erfahrung, und sucht der letzte mit selbsttätiger freier Denkkraft das Gesetz, so kann es gar nicht fehlen, daß nicht beide einander auf halbem Wege begegnen werden . . .

Aber ich bemerke, daß ich anstatt eines Briefes eine Abhandlung zu schreiben im Begriff bin — verzeihen Sie es dem lebhaften Interesse, womit dieser Gegenstand mich erfüllt hat; und sollten Sie Ihr Bild in diesem Spiegel nicht erkennen, so bitte ich sehr, fliehen Sie ihn darum nicht . . .

Meine Freunde sowie meine Frau empfehlen sich Ihrem gütigen Andenken, und ich verharre hochachtungsvoll

Ihr gehorsamster Diener
F. Schiller.

Goethe an Schiller (27. August 1794):

Zu meinem Geburtstage, der mir diese Woche erscheint, hätte mir kein angenehmer Geschenk werden können als Ihr Brief, in welchem Sie, mit freundschaftlicher Hand, die Summe meiner Existenz ziehen und mich, durch Ihre Teilnahme, zu einem emsigern und lebhaftern Gebrauch meiner Kräfte aufmuntern.

Reiner Genuß und wahrer Nutzen kann nur wechselseitig sein, und ich freue mich, Ihnen gelegentlich zu entwickeln: was mir Ihre Unterhaltung gewährt hat, wie ich von jenen Tagen an auch eine Epoche rechne, und wie zufrieden ich bin, ohne sonderliche Aufmunterung auf meinem Wege fortgegangen zu sein, da es nun scheint, als wenn wir, nach einem so unvermuteten Begegnen, mit einander fortwandern müßten. Ich habe den redlichen und so seltenen Ernst, der in allem erscheint, was Sie geschrieben und getan haben, immer zu schätzen gewußt, und ich darf nunmehr Anspruch machen, durch Sie selbst mit dem Gange Ihres Geistes, besonders in den letzten Jahren, bekannt zu werden. Haben wir uns wechselseitig die Punkte klargemacht, wohin wir gegenwärtig gelangt sind, so werden wir desto ununterbrochener gemeinschaftlich arbeiten können.

Alles was an und in mir ist, werde ich mit Freuden mitteilen. Denn da ich sehr lebhaft fühle, daß mein Unternehmen das Maß der menschlichen Kräfte und ihrer irdischen Dauer weit übersteigt, so möchte ich manches bei Ihnen deponieren und dadurch nicht allein erhalten, sondern auch beleben.

Wie groß der Vorteil Ihrer Teilnehmung für mich sein wird, werden Sie bald selbst sehen, wenn Sie, bei näherer Bekanntschaft, eine Art Dunkelheit und Zaudern bei mir entdecken werden, über die ich nicht Herr werden kann, wenn ich mich ihrer gleich sehr deutlich bewußt bin. Doch dergleichen Phänomene finden sich mehr in unserer Natur, von der wir uns doch gerne regieren lassen, wenn sie nur nicht gar zu tyrannisch ist.

Ich hoffe bald einige Zeit bei Ihnen zuzubringen, und dann wollen wir manches durchsprechen . . .

Leben Sie recht wohl und gedenken mein in Ihrem Kreise.

Goethe

Schiller an Goethe (31. August 1794):

[Ich ersehe aus Ihrem Brief,] daß ich in meiner Ansicht Ihres Wesens Ihrem eigenen Gefühl begegnete, und daß Ihnen die Aufrichtigkeit, mit der ich mein Herz darin sprechen ließ, nicht mißfiel. Unsre späte, aber mir manche schöne Hoffnung erweckende Bekanntschaft ist mir abermals ein Beweis, wie viel besser man oft tut, den Zufall machen zu lassen, als ihm durch zu viele Geschäftigkeit vorzugreifen. Wie lebhaft auch immer mein Verlangen war, in ein näheres Verhältnis zu Ihnen zu treten, als zwischen dem Geist des Schriftstellers und seinem aufmerksamsten Leser möglich ist, so begreife ich doch nunmehr vollkommen, daß die so sehr verschiedenen Bahnen, auf denen Sie und ich wandelten, uns nicht wohl früher, als gerade jetzt, mit Nutzen zusammenführen konnten. Nun kann ich aber hoffen, daß wir, soviel von dem Wege noch übrig sein mag, in Gemeinschaft durchwandeln werden, und mit um so größerem Gewinn, da die letzten Gefährten auf einer langen Reise sich immer am meisten zu sagen haben.

Erwarten Sie bei mir keinen großen materialen Reichtum von Ideen; dies ist es, was ich bei Ihnen finden werde. Mein Bedürfnis und Streben ist, aus wenigem viel zu machen, und wenn Sie meine Armut an allem, was man erworbene Erkenntnis nennt, einmal näher kennen sollten, so finden Sie vielleicht, daß es mir in manchen Stücken damit mag gelungen sein. Weil mein Gedankenkreis kleiner ist, so durchlaufe ich ihn eben darum schneller und öfter, und kann eben darum meine kleine Barschaft besser nutzen, und eine Mannigfaltigkeit, die dem Inhalte fehlt, durch die Form erzeugen. Sie bestreben sich, Ihre große Ideenwelt zu simplifizieren; ich suche Varietät für meine kleinen Besitzungen. Sie haben ein Königreich zu regieren, ich nur eine etwas zahlreiche Familie von Begriffen, die ich herzlich gern zu einer kleinen Welt erweitern möchte ...

Leider aber, nachdem ich meine moralischen Kräfte recht zu kennen und zu gebrauchen angefangen, droht eine Krankheit, meine physischen zu untergraben. Eine große und allgemeine Geistesrevolution werde ich schwerlich Zeit haben in mir zu vollenden, aber ich werde tun, was ich kann, und wenn endlich das Gebäude zusammenfällt, so habe ich doch vielleicht das Erhaltungswerte aus dem Brande geflüchtet.

Sie wollten, daß ich von mir selbst reden sollte, und ich machte von dieser Erlaubnis Gebrauch. Mit Vertrauen lege ich Ihnen diese Geständnisse hin, und ich darf hoffen, daß Sie sie mit Liebe aufnehmen ...

Alles bei uns empfiehlt sich Ihrem freundschaftlichen Andenken, und ich bin mit der herzlichsten Verehrung

der Ihrige

Schiller

[2] Klarheit des Intellekts

JOHANN WOLFGANG GOETHE · *Dichtung und Wahrheit*

[Der] Geist, der so entschieden auf mich wirkte und der auf meine ganze Denkweise so großen Einfluß haben sollte, war Spinoza. Nachdem ich mich nämlich in aller Welt um ein Bildungsmittel meines wunderlichen Wesens vergebens umgesehen hatte, geriet ich endlich an die »Ethik« dieses Mannes. Was ich mir aus dem Werke mag herausgelesen haben . . . davon wüßte ich keine Rechenschaft zu geben; genug, ich fand hier eine Beruhigung meiner Leidenschaften, es schien sich mir eine große und freie Aussicht über die sinnliche und sittliche Welt aufzutun. Was mich aber besonders an ihn fesselte, war die grenzenlose Uneigennützigkeit, die aus jedem Satze hervorleuchtete. Jenes wunderliche Wort: »Wer Gott recht liebt, muß nicht verlangen, daß Gott ihn wieder liebe«, mit allen den Vordersätzen, worauf es ruht, mit allen den Folgen, die daraus entspringen, erfüllte mein ganzes Nachdenken. Uneigennützig zu sein in allem, am uneigennützigsten in Liebe und Freundschaft, war meine höchste Lust, meine Maxime, meine Ausübung, so daß jenes freche spätere Wort: »Wenn ich dich liebe, was geht's dich an?« mir recht aus dem Herzen gesprochen ist. Übrigens möge auch hier nicht verkannt werden, daß eigentlich die innigsten Verbindungen nur aus dem Entgegengesetzten folgen. Die alles ausgleichende Ruhe Spinozas kontrastierte mit meinem alles aufregenden Streben, seine mathematische Methode war das Widerspiel meiner poetischen Sinnes- und Darstellungsweise, und eben jene geregelte Behandlungsart, die man sittlichen Gegenständen nicht angemessen finden wollte, machte mich zu seinem leidenschaftlichen Schüler, zu seinem entschiedensten Verehrer. Geist und Herz, Verstand und Sinn suchten sich mit notwendiger Wahlverwandtschaft, und durch diese kam die Vereinigung der verschiedensten Wesen zustande.

Noch war aber alles in der ersten Wirkung und Gegenwirkung, gärend und siedend. Fritz Jacobi, der erste, den ich in dieses Chaos hineinblicken ließ, er, dessen Natur gleichfalls im tiefsten arbeitete, nahm mein Vertrauen herzlich auf, erwiderte dasselbe und suchte mich in seinen Sinn einzuleiten. Auch er empfand ein unaussprechliches geistiges Bedürfnis, auch er wollte es nicht durch fremde Hilfe beschwichtigt, sondern aus sich selbst herausgebildet und aufgeklärt haben. Was er mir von dem Zustande seines Gemütes mitteilte, konnte ich nicht fassen, um so weniger, als ich mir keinen Begriff von meinem eigenen machen konnte. Doch er, der in philosophischem Denken, selbst in Betrachtung des Spinoza, mir weit vorgeschritten war, suchte mein dunkles Bestreben zu leiten und aufzuklären. Eine solche reine Geistesverwandtschaft war mir neu und erregte ein leidenschaftliches Verlangen fernerer Mitteilung. Nachts, als wir uns schon getrennt und in die Schlafzimmer zurückgezogen hatten, suchte ich ihn nochmals auf. Der Mondschein zitterte über dem breiten Rheine, und wir, am Fenster stehend, schwelgten in der Fülle des Hin-

und Widergebens, das in jener herrlichen Zeit der Entfaltung so reichlich
aufquillt.

Die Natur

Eckermann, der Privatsekretär und Adlatus der Spätzeit, gab dem Aufsatz, aus dem
nachfolgende Stelle entnommen ist, die Überschrift »Die Natur«, als er ihn nach dem
Tode der Herzogin Anna-Amalie im Handschriftlichen Journal von Tiefurt fand. 1781
bis 1784 hatten Goethe, Wieland, Herder u. a. ohne Namensnennung Beiträge geliefert.
Goethe entsann sich nicht, den Aufsatz verfaßt zu haben (er stammte wohl von dem
Schweizer Tobler), betonte aber, daß die darin ausgesprochenen Gedanken ganz seinen
Ansichten entsprächen.

Natur! Wir sind von ihr umgeben und umschlungen — unvermögend,
aus ihr herauszutreten, und unvermögend, tiefer in sie hineinzukommen.
Ungebeten und ungewarnt nimmt sie uns in den Kreislauf ihres Tanzes
auf und treibt sich mit uns fort, bis wir ermüdet sind und ihrem Arme
entfallen.

Sie schafft ewig neue Gestalten; was da ist, war noch nie, was war,
kommt nicht wieder — alles ist neu und doch immer das Alte.

Wir leben mitten in ihr, und sind ihr fremde. Sie spricht unaufhörlich
mit uns, und verrät uns ihr Geheimnis nicht. Wir wirken beständig auf sie
und haben doch keine Gewalt über sie.

Sie scheint alles auf Individualität angelegt zu haben und macht sich
nichts aus den Individuen. Sie baut immer und zerstört immer, und ihre
Werkstätte ist unzugänglich.

Sie lebt in lauter Kindern; und die Mutter, wo ist sie? — Sie ist die
einzige Künstlerin: aus dem simpelsten Stoff zu den größten Kontrasten;
ohne Schein der Anstrengung zu der größten Vollendung — zur genauesten
Bestimmtheit, immer mit etwas Weichem überzogen. Jedes ihrer Werke
hat ein eigenes Wesen, jede ihrer Erscheinungen den isoliertesten Begriff,
und doch macht alles eins aus . . .

Es ist ein ewiges Leben, Werden und Bewegen in ihr, und doch rückt
sie nicht weiter. Sie verwandelt sich ewig, und ist kein Moment Stillestehen in ihr. Fürs Bleiben hat sie keinen Begriff, und ihren Fluch hat sie
ans Stillestehen gehängt. Sie ist fest. Ihr Tritt ist gemessen, ihre Ausnahmen selten, ihre Gesetze unwandelbar . . .

Auch das Unnatürlichste ist Natur. Wer sie nicht allenthalben sieht,
sieht sie nirgendwo recht . . .

Ihr Schauspiel ist immer neu, weil sie immer neue Zuschauer schafft.
Leben ist ihre schönste Erfindung, und der Tod ist ihr Kunstgriff, viel
Leben zu haben . . .

Ihre Krone ist die Liebe. Nur durch sie kommt man ihr nahe. Sie macht
Klüfte zwischen allen Wesen, und alles will sich verschlingen. Sie hat alles
isoliert, um alles zusammenzuziehen. Durch ein paar Züge aus dem Becher
der Liebe hält sie für ein Leben voll Mühe schadlos . . .

Sie ist ganz, und doch immer unvollendet. So, wie sie's treibt, kann sie's immer treiben.

Jedem erscheint sie in einer eignen Gestalt. Sie verbirgt sich in tausend Namen und Termen, und ist immer dieselbe.

Sie hat mich hereingestellt, sie wird mich auch herausführen. Ich vertrau mich ihr. Sie mag mit mir schalten. Sie wird ihr Werk nicht hassen . . .

JOHANN WOLFGANG GOETHE · *Italienische Reise*

Hier bin ich wieder, meine Lieben, frisch und gesund. Ich habe die Reise durch Sizilien leicht und schnell getrieben, wenn ich wiederkomme, sollt ihr beurteilen, wie ich gesehen habe. Daß ich sonst so an den Gegenständen klebte und haftete, hat mir nun eine unglaubliche Fertigkeit verschafft, alles gleichsam vom Blatt wegzuspielen.

Ich muß dir vertrauen, daß ich dem Geheimnis der Pflanzenzeugung und -organisation ganz nahe bin und daß es das Einfachste ist, was nur gedacht werden kann. Unter diesem Himmel kann man die schönsten Beobachtungen machen. Den Hauptpunkt, wo der Keim steckt, habe ich ganz klar und zweifellos gefunden; alles übrige seh ich auch schon im Ganzen und nur noch einige Punkte müssen bestimmter werden. Die Urpflanze wird das wunderlichste Geschöpf von der Welt, um welches mich die Natur selbst beneiden soll. Mit diesem Modell und dem Schlüssel dazu kann man alsdann noch Pflanzen ins Unendliche erfinden, die konsequent sein müssen, das heißt: die, wenn sie auch nicht existieren, doch existieren könnten und nicht etwa malerische oder dichterische Schatten und Scheine sind, sondern eine innerliche Wahrheit und Notwendigkeit haben. Dasselbe Gesetz wird sich auf alles übrige Lebendige anwenden lassen . . .

JOHANN WOLFGANG GOETHE · *Schriften zur Naturwissenschaft*

Nirgends wollte man zugeben, daß Wissenschaft und Poesie vereinbar seien. Man vergaß, daß Wissenschaft sich aus Poesie entwickelt habe; man bedachte nicht, daß, nach einem Umschwung von Zeiten, beide sich wieder freundlich, zu beiderseitigem Vorteil, auf höherer Stelle gar wohl wieder begegnen könnten. Freundinnen, welche mich schon früher den einsamen Gebirgen, der Betrachtung starrer Felsen gern entzogen hätten, waren auch mit meiner abstrakten Gärtnerei keineswegs zufrieden. Pflanzen und Blumen sollten sich durch Gestalt, Farbe, Geruch auszeichnen; nun verschwanden sie aber zu einem gespensterhaften Schemen. Da versuchte ich diese wohlwollenden Gemüter zur Teilnahme durch eine Elegie zu locken . . . Höchst willkommen war dieses Gedicht der eigentlich Geliebten [Christiane], welche das Recht hatte, die lieblichen Bilder auf sich zu beziehen; und auch ich fühlte mich sehr glücklich, als das lebendige Gleichnis unsere schöne vollkommene Neigung steigerte und vollendete . . .

Johann Wolfgang Goethe

Die Metamorphose der Pflanzen

Dich verwirret, Geliebte, die tausendfältige Mischung
Dieses Blumengewühls über dem Garten umher;
Viele Namen hörest du an und immer verdränget
Mit barbarischem Klang einer den andern im Ohr.
Alle Gestalten sind ähnlich, und keine gleichet der andern;
Und so deutet das Chor auf ein geheimes Gesetz,
Auf ein heiliges Rätsel. Oh könnt ich dir, liebliche Freundin,
Überliefern sogleich glücklich das lösende Wort!
Werdend betrachte sie nun, wie nach und nach sich die Pflanze,
Stufenweise geführt, bildet zu Blüten und Frucht.
Aus dem Samen entwickelt sie sich, sobald ihn der Erde
Stille befruchtender Schoß hold in das Leben entläßt
Und dem Reize des Lichts, des heiligen, ewig bewegten,
Gleich den zärtesten Bau keimender Blätter empfiehlt.
Einfach schlief in dem Samen die Kraft; ein beginnendes Vorbild
Lag, verschlossen in sich, unter die Hülle gebeugt,
Blatt und Wurzel und Keim, nur halb geformet und farblos;
Trocken erhält so der Kern ruhiges Leben bewahrt,
Quillet strebend empor, sich milder Feuchte vertrauend,
Und erhebt sich sogleich aus der umgebenden Nacht.
Aber einfach bleibt die Gestalt der ersten Erscheinung,
Und so bezeichnet sich auch unter den Pflanzen das Kind.
Gleich darauf ein folgender Trieb, sich erhebend, erneuet,
Knoten auf Knoten getürmt, immer das erste Gebild.
Zwar nicht immer das gleiche; denn mannigfaltig erzeugt sich,
Ausgebildet, du siehst's, immer das folgende Blatt,
Ausgedehnter, gekerbter, getrennter in Spitzen und Teile,
Die verwachsen vorher ruhten im untern Organ.
Und so erreicht es zuerst die höchst bestimmte Vollendung,
Die bei manchem Geschlecht dich zum Erstaunen bewegt.
Viel gerippt und gezackt, auf mastig strotzender Fläche,
Scheinet die Fülle des Triebs frei und unendlich zu sein.
Doch hier hält die Natur mit mächtigen Händen die Bildung
An und lenket sie sanft in das Vollkommnere hin.
Mäßiger leitet sie nun den Saft, verengt die Gefäße,
Und gleich zeigt die Gestalt zärtere Wirkungen an.
Stille zieht sich der Trieb der strebenden Ränder zurücke,
Und die Rippe des Stiels bildet sich völliger aus.
Blattlos aber und schnell erhebt sich der zärtere Stengel,
Und ein Wundergebild zieht den Betrachtenden an.
Rings im Kreise stellet sich nun, gezählet und ohne
Zahl, das kleinere Blatt neben dem ähnlichen hin.
Um die Achse gedrängt, entscheidet der bergende Kelch sich,

Der zur höchsten Gestalt farbige Kronen entläßt.
Also prangt die Natur in hoher, voller Erscheinung,
Und sie zeiget, gereiht, Glieder an Glieder gestuft.
Immer staunst du aufs neue, sobald sich am Stengel die Blume
Über dem schlanken Gerüst wechselnder Blätter bewegt.
Aber die Herrlichkeit wird des neuen Schaffens Verkündung;
Ja, das farbige Blatt fühlet die göttliche Hand,
Und zusammen zieht es sich schnell; die zärtesten Formen,
Zwiefach streben sie vor, sich zu vereinen bestimmt.
Traulich stehen sie nun, die holden Paare, beisammen,
Zahlreich ordnen sie sich um den geweihten Altar.
Hymen schwebet herbei, und herrliche Düfte, gewaltig,
Strömen süßen Geruch, alles belebend, umher.
Nun vereinzelt schwellen sogleich unzählige Keime,
Hold in den Mutterschoß schwellender Früchte gehüllt.
Und hier schließt die Natur den Ring der ewigen Kräfte;
Doch ein neuer sogleich fasset den vorigen an,
Daß die Kette sich fort durch alle Zeiten verlänge
Und das Ganze belebt, so wie das Einzelne, sei.
Wende nun, o Geliebte, den Blick zum bunten Gewimmel,
Das verwirrend nicht mehr sich vor dem Geiste bewegt.
Jede Pflanze verkündet dir nun die ew'gen Gesetze,
Jede Blume, sie spricht lauter und lauter mit dir.
Aber entzifferst du hier der Göttin heilige Lettern,
Überall siehst du sie dann, auch in verändertem Zug.
Kriechend zaudre die Raupe, der Schmetterling eile geschäftig,
Bildsam ändre der Mensch selbst die bestimmte Gestalt!
Oh, gedenke denn auch, wie aus dem Keim der Bekanntschaft
Nach und nach in uns holde Gewohnheit entsproß,
Freundschaft sich mit Macht in unserm Innern enthüllte,
Und wie Amor zuletzt Blüten und Früchte gezeugt.
Denke, wie mannigfach bald die, bald jene Gestalten,
Still entfaltend, Natur unsern Gefühlen geliehn!
Freue dich auch des heutigen Tags! Die heilige Liebe
Strebt zu der höchsten Frucht gleicher Gesinnungen auf,
Gleicher Ansicht der Dinge, damit in harmonischem Anschaun
Sich verbinde das Paar, finde die höhere Welt.

[4] Gesetz und Dämon

JOHANN WOLFGANG GOETHE · *Torquato Tasso*

Tasso lebt am Hof des Herzogs von Ferrara; er verehrt die Prinzessin Leonore schwär-
merisch und unbeherrscht, was bei dieser jedoch zu Befremdung und Entfremdung führt.

PRINZESSIN: Auf diesem Wege werden wir wohl nie
              Gesellschaft finden, Tasso! Dieser Pfad

              Verleitet uns, durch einsames Gebüsch,
              Durch stille Täler fortzuwandern; mehr
              Und mehr verwöhnt sich das Gemüt und strebt,
              Die goldne Zeit, die ihm von außen mangelt,
              In seinem Innern wiederherzustellen,
              So wenig der Versuch gelingen will.

TASSO: O welches Wort spricht meine Fürstin aus,
              Die goldne Zeit, wohin ist sie geflohn,
              Nach der sich jedes Herz vergebens sehnt?
              Da auf der freien Erde Menschen sich
              Wie frohe Herden im Genuß verbreiteten;
              Da ein uralter Baum auf bunter Wiese
              Dem Hirten und der Hirtin Schatten gab,
              Ein jüngeres Gebüsch die zarten Zweige
              Und sehnsuchtsvolle Liebe traulich schlang;
              Wo klar und still auf immer reinem Sande
              Der weiche Fluß die Nymphe sanft umfing;
              Wo in dem Grase die gescheuchte Schlange
              Unschädlich sich verlor, der kühne Faun,
              Vom tapfern Jüngling bald bestraft, entfloh;
              Wo jeder Vogel in der freien Luft
              Und jedes Tier, durch Berg' und Täler schweifend,
              Zum Menschen sprach: Erlaubt ist, was gefällt.

PRINZESSIN: Mein Freund, die goldne Zeit ist wohl vorbei,
              Allein die Guten bringen sie zurück.
              Und soll ich dir gestehen, wie ich denke:
              Die goldne Zeit, womit der Dichter uns
              Zu schmeicheln pflegt, die schöne Zeit, sie war,
              So scheint es mir, so wenig, als sie ist;
              Und war sie je, so war sie nur gewiß,
              Weil sie uns immer wieder werden kann.
              Noch treffen sich verwandte Herzen an
              Und teilen den Genuß der schönen Welt;
              Nur in dem Wahlspruch ändert sich, mein Freund,
              Ein einzig Wort: Erlaubt ist, was sich ziemt.

TASSO: O wenn aus guten, edlen Menschen nur
              Ein allgemein Gericht bestellt entschiede,
              Was sich denn ziemt! anstatt daß jeder glaubt,
              Es sei auch schicklich, was ihm nützlich ist.
              Wir sehn ja, dem Gewaltigen, dem Klugen
              Steht alles wohl, und er erlaubt sich alles.

PRINZESSIN: Willst du genau erfahren, was sich ziemt,
              So frage nur bei edlen Frauen an.
              Denn ihnen ist am meisten dran gelegen,
              Daß alles wohl sich zieme, was geschieht.
              Die Schicklichkeit umgibt mit einer Mauer

Das zarte, leicht verletzliche Geschlecht.
Wo Sittlichkeit regiert, regieren sie,
Und wo die Frechheit herrscht, da sind sie nichts.
Und wirst du die Geschlechter beide fragen:
Nach Freiheit strebt der Mann, das Weib nach Sitte.

TASSO: Du nennst uns unbändig, roh, gefühllos?

PRINZESSIN: Nicht das! Allein ihr strebt nach fernen Gütern,
Und euer Streben muß gewaltsam sein.
Ihr wagt es, für die Ewigkeit zu handeln,
Wenn wir ein einzig nah beschränktes Gut
Auf dieser Erde nur besitzen möchten
Und wünschen, daß es uns beständig bliebe.
Wir sind von keinem Männerherzen sicher,
Das noch so warm sich einmal uns ergab.
Die Schönheit ist vergänglich, die ihr doch
Allein zu ehren scheint. Was übrigbleibt,
Das reizt nicht mehr, und was nicht reizt, ist tot.
Wenn's Männer gäbe, die ein weiblich Herz
Zu schätzen wüßten, die erkennen möchten,
Welch einen holden Schatz von Treu' und Liebe
Der Busen einer Frau bewahren kann;
Wenn das Gedächtnis einzig schöner Stunden
In euren Seelen lebhaft bleiben wollte;
Wenn euer Blick, der sonst durchdringend ist,
Auch durch den Schleier dringen könnte, den
Uns Alter oder Krankheit überwirft;
Wenn der Besitz, der ruhig machen soll,
Nach fremden Gütern euch nicht lüstern machte:
Dann wär' uns wohl ein schöner Tag erschienen,
Wir feierten dann unsre goldne Zeit.

JOHANN WOLFGANG GOETHE · *Grenzen der Menschheit*

Wenn der uralte
Heilige Vater
Mit gelassener Hand
Aus rollenden Wolken
Segnende Blitze
Über die Erde sät,
Küss' ich den letzten
Saum seines Kleides,
Kindliche Schauer
Treu in der Brust.

Denn mit Göttern
Soll sich nicht messen
Irgend ein Mensch.
Hebt er sich aufwärts
Und berührt
Mit dem Scheitel die Sterne,
Nirgends haften dann
Die unsichern Sohlen,
Und mit ihm spielen
Wolken und Winde.

Steht er mit festen,
Markigen Knochen
Auf der wohlbegründeten
Dauernden Erde,
Reicht er nicht auf,
Nur mit der Eiche
Oder der Rebe
Sich zu vergleichen.

Was unterscheidet
Götter von Menschen?
Daß viele Wellen
Vor jenen wandeln,
Ein ewiger Strom:
Uns hebt die Welle,
Verschlingt die Welle,
Und wir versinken.

Ein kleiner Ring
Begrenzt unser Leben,
Und viele Geschlechter
Reihen sie dauernd
An ihres Daseins
Unendliche Kette.

[5] **Gesetz und Natur**

JOHANN WOLFGANG GOETHE · *Die Wahlverwandtschaften*

Zwei Gäste bringen Verwirrung in die Ehe des Barons Eduard mit Charlotte, seiner
einstigen Jugendliebe. Der Verstrickung in die Leidenschaft wird das sittliche Gebot der
Ehe entgegengestellt.

Wer mir den Ehestand angreift, rief er aus, wer mir durch Wort, ja
durch Tat, diesen Grund aller sittlichen Gesellschaft untergräbt, der hat
es mit mir zu tun; oder wenn ich mit ihm nicht Herr werden kann, habe ich
nichts mit ihm zu tun. Die Ehe ist der Anfang und der Gipfel aller Kultur.
Sie macht den Rohen mild, und der Gebildetste hat keine bessere Gelegenheit, seine Milde zu beweisen. Unauflöslich muß sie sein; denn sie
bringt so vieles Glück, daß alles einzelne Unglück dagegen gar nicht zu
rechnen ist. Und was will man von Unglück reden? Ungeduld ist es, die
den Menschen von Zeit zu Zeit anfällt, und dann beliebt er, sich unglücklich zu finden. Lasse man den Augenblick vorübergehen, und man wird
sich glücklich preisen, daß ein so lange Bestandenes noch besteht. Sich
zu trennen, gibt's gar keinen hinlänglichen Grund. Der menschliche Zustand ist so hoch in Leiden und Freuden gesetzt, daß gar nicht berechnet
werden kann, was ein Paar Gatten einander schuldig werden. Es ist eine
unendliche Schuld, die nur durch die Ewigkeit abgetragen werden kann.
Unbequem mag es manchmal sein, das glaub' ich wohl, und das ist eben
recht. Sind wir nicht auch mit dem Gewissen verheiratet, das wir oft gerne
los sein möchten, weil es unbequemer ist, als uns je ein Mann oder eine
Frau werden könnte?

[6] **Gesetz und Geschichte**

JOHANN PETER ECKERMANN · *Gespräche mit Goethe*

Goethe zu Eckermann:

Die Zeit aber ist in ewigem Fortschreiten begriffen, und die menschlichen Dinge haben alle 50 Jahre eine andere Gestalt, so daß eine Einrichtung, die im Jahre 1800 eine Vollkommenheit war, schon im Jahre 1850 vielleicht ein Gebrechen ist.

JOHANN WOLFGANG GOETHE · *Maximen und Reflexionen*

Der Kampf des Alten, Bestehenden, Beharrenden mit Entwicklung, Aus- und Umbildung ist immer derselbe. Aus aller Ordnung entsteht zuletzt Pedanterie; um diese loszuwerden, zerstört man jene, und es geht eine Zeit hin, bis man gewahr wird, daß man wieder Ordnung machen müsse. Klassizismus und Romantizismus, Innungszwang und Gewerbsfreiheit, Festhalten und Zersplittern des Grundbodens – es ist immer derselbe Konflikt, der zuletzt wieder einen neuen erzeugt. Der größte Verstand des Regierenden wäre daher, diesen Kampf so zu mäßigen, daß er ohne Untergang der einen Seite sich ins gleiche stellte; dies ist aber den Menschen nicht gegeben, und Gott scheint es auch nicht zu wollen.

JOHANN WOLFGANG GOETHE · *Die natürliche Tochter*

Im Dunkeln drängt das Künftge sich heran,
Das künftig Nächste selbst erscheinet nicht
Dem offnen Blick der Sinne, des Verstands.
Wenn ich beim Sonnenschein durch diese Straßen
Bewundernd wandle, der Gebäude Pracht,
Die felsengleich getürmten Massen schaue,
Der Plätze Kreis, der Kirchen edlen Bau,
Des Hafens masterfüllten Raum betrachte;
Das scheint mir alles für die Ewigkeit
Gegründet und geordnet; diese Menge
Gewerksam Tätiger, die hin und her
In diesen Räumen wogt, auch die verspricht,
Sich unvertilgbar ewig herzustellen.
Allein wenn dieses große Bild bei Nacht
In meines Geistes Tiefen sich erneut,
Da stürmt ein Brausen durch die düstre Luft,
Der feste Boden wankt, die Türme schwanken,
Gefugte Steine lösen sich herab,

Und so zerfällt in ungeformten Schutt
Die Prachterscheinung. Wenig Lebendes
Durchklimmt bekümmert neuentstandne Hügel,
Und jede Trümmer deutet auf ein Grab.
Das Element zu bändigen, vermag
Ein tiefgebeugt, vermindert Volk nicht mehr,
Und ratlos wiederkehrend füllt die Flut
Mit Sand und Schlamm des Hafens Becken aus.

JOHANN WOLFGANG GOETHE · *Hermann und Dorothea*

Flüchtlinge vor den Heeren der Französischen Revolution ziehen in der Nähe einer
deutschen Kleinstadt vorüber. Hermann, der Sohn des Löwenwirts, will ihnen Hilfe und
Unterstützung bringen; er lernt dabei Dorothea kennen, die er bald darauf als Braut
heimführt.

Aber als der geistliche Herr den goldnen Reif nun
Steckt' an die Hand des Mädchens, erblickt' er den anderen staunend,
Den schon Hermann zuvor am Brunnen sorglich betrachtet.
Und er sagte darauf mit freundlich scherzenden Worten:
»Wie? Du verlobtest dich schon zum zweitenmal? Daß nicht der erste
Bräutigam bei dem Altar sich zeige mit hinderndem Einspruch!«
Aber sie sagte darauf: »O laßt mich dieser Erinnrung
Einen Augenblick weihen! Denn wohl verdient sie der Gute,
Der mir ihn scheidend gab und nicht zur Heimat zurückkam.
Alles sah er voraus, als rasch die Liebe der Freiheit,
Als ihn die Lust, im neuen veränderten Wesen zu wirken,
Trieb nach Paris zu gehn, dahin, wo er Kerker und Tod fand.
›Lebe glücklich!‹ sagt' er. ›Ich gehe; denn alles bewegt sich
Jetzt auf Erden einmal, es scheint sich alles zu trennen.
Grundgesetze lösen sich auf der festesten Staaten,
Und es löst der Besitz sich los vom alten Besitzer,
Freund sich los vom Freund; so löst sich Liebe von Liebe.
Ich verlasse dich hier; und wo ich jemals dich wieder
Finde — wer weiß es? Vielleicht sind diese Gespräche die letzten.
Nur ein Fremdling, sagt man mit Recht, ist der Mensch hier auf Erden;
Mehr ein Fremdling als jemals ist nun ein jeder geworden.
Uns gehört der Boden nicht mehr; es wandern die Schätze;
Gold und Silber schmilzt aus den alten heiligen Formen;
Alles regt sich, als wollte die Welt, die gestaltete, rückwärts
Lösen in Chaos und Nacht sich auf und neu sich gestalten.
Du bewahrst mir dein Herz; und finden dereinst wir uns wieder
Über den Trümmern der Welt, so sind wir erneute Geschöpfe,
Umgebildet und frei und unabhängig vom Schicksal.
Denn was fesselte den, der solche Tage durchlebt hat!
Aber soll es nicht sein, daß je wir, aus diesen Gefahren

Glücklich entronnen, uns einst mit Freuden wieder umfangen,
O, so erhalte mein schwebendes Bild vor deinen Gedanken,
Daß du mit gleichem Mute zu Glück und Unglück bereit seist!
Locket neue Wohnung dich an und neue Verbindung,
So genieße mit Dank, was dann dir das Schicksal bereitet!
Liebe die Liebenden rein und halte dem Guten dich dankbar!
Aber dann auch setze nur leicht den beweglichen Fuß auf;
Denn es lauert der doppelte Schmerz des neuen Verlustes.
Heilig sei dir der Tag; doch schätze das Leben nicht höher
Als ein anderes Gut, und alle Güter sind trüglich.‹
Also sprach er, und nie erschien der Edle mir wieder.
Alles verlor ich indes und tausendmal dacht' ich der Warnung.
Nun auch denk ich des Worts, da schön mir die Liebe das Glück hier
Neu bereitet und mir hier die herrlichsten Hoffnungen aufschließt.
O verzeih, mein trefflicher Freund, daß ich, selbst an dem Arm dich
Haltend, bebe! So scheint dem endlich gelandeten Schiffer
Auch der sicherste Grund des festesten Bodens zu schwanken.«
Also sprach sie und steckte die Ringe nebeneinander.
Aber der Bräutigam sprach mit edler männlicher Rührung:
»Desto fester sei, bei der allgemeinen Erschütterung,
Dorothea, der Bund! Wir wollen halten und dauern,
Fest uns halten und fest der schönen Güter Besitztum.
Denn der Mensch, der zur schwankenden Zeit auch schwankend
gesinnt ist,
Der vermehret das Übel und breitet es weiter und weiter;
Aber wer fest auf dem Sinne beharrt, der bildet die Welt sich.«

[7] Das Leitbild des schönen Menschen

JOHANN JOACHIM WINCKELMANN · *Gedanken über die Nachahmung
der griechischen Werke in der Malerei und Bildhauerkunst*

Der einzige Weg für uns, groß, ja, wenn es möglich ist, unnachahmlich
zu werden, ist die Nachahmung der Alten, und was jemand vom Homer
gesagt, daß derjenige ihn bewundern lerne, der ihn wohl verstehen gelernt,
gilt auch von den Kunstwerken der Alten, sonderlich der Griechen. Man
muß mit ihnen, wie mit seinem Freunde, bekannt geworden sein, um den
Laokoon ebenso unnachahmlich als den Homer zu finden. In solcher
genauen Bekanntschaft wird man, wie Nikomachus von der Helena des
Zeuxis, urteilen: »Nimm meine Augen«, sagte er zu einem Unwissenden,
der das Bild tadeln wollte, »so wird sie dir eine Göttin scheinen.«
Mit diesem Auge haben Michelangelo, Raffael und Poussin die Werke
der Alten angesehen. Sie haben den guten Geschmack aus seiner Quelle
geschöpft, und Raffael in dem Lande selbst, wo er sich gebildet. Man weiß,

daß er junge Leute nach Griechenland geschickt, die Überbleibsel des Altertums für ihn zu zeichnen . . .

Die Kenner und Nachahmer der griechischen Werke finden in ihren Meisterstücken nicht allein die schönste Natur, sondern noch mehr als Natur, das ist, gewisse idealische Schönheiten derselben, die, wie uns ein alter Ausleger des Plato lehrt, »von Bildern, bloß im Verstande entworfen, gemacht sind« . . .

Das allgemeine vorzügliche Kennzeichen der griechischen Meisterstücke ist endlich eine edle Einfalt und eine stille Größe, sowohl in der Stellung als im Ausdrucke. So wie die Tiefe des Meers allezeit ruhig bleibt, die Oberfläche mag noch so wüten, ebenso zeigt der Ausdruck in den Figuren der Griechen bei allen Leidenschaften eine große und gesetzte Seele.

Diese Seele schildert sich in dem Gesichte des Laokoon, und nicht in dem Gesichte allein, bei dem heftigsten Leiden. Der Schmerz, welcher sich in allen Muskeln und Sehnen des Körpers entdeckt und den man ganz allein, ohne das Gesicht und andere Teile zu betrachten, an dem schmerzlich eingezogenen Unterleibe beinahe selbst zu empfinden glaubt: dieser Schmerz, sage ich, äußert sich dennoch mit keiner Wut in dem Gesichte und in der ganzen Stellung. Er erhebt kein schreckliches Geschrei, wie Virgil von seinem Laokoon singt. Die Öffnung des Mundes gestattet es nicht; es ist vielmehr ein ängstliches und beklemmtes Seufzen . . . Der Schmerz des Körpers und die Größe der Seele sind durch den ganzen Bau der Figur mit gleicher Stärke ausgeteilt und gleichsam abgewogen. Laokoon leidet, aber er leidet wie des Sophokles Philoktetes: sein Elend geht uns bis an die Seele; aber wir wünschten, wie dieser große Mann das Elend ertragen zu können.

Der Ausdruck einer so großen Seele geht weit über die Bildung der schönen Natur; der Künstler mußte die Stärke des Geistes in sich selbst fühlen, welche er seinem Marmor einprägte. Griechenland hatte Künstler und Weltweise in einer Person . . .

Die edle Einfalt und stille Größe der griechischen Statuen ist zugleich das wahre Kennzeichen der griechischen Schriften aus den besten Zeiten, der Schriften aus Sokratis Schule; und diese Eigenschaften sind es, welche die vorzügliche Größe eines Raffael machen, zu welcher er durch die Nachahmung der Alten gelangt ist.

Johann Wolfgang Goethe · *Winckelmann*

Das letzte Produkt der sich immer steigernden Natur ist der schöne Mensch. Zwar kann sie ihn nur selten hervorbringen, weil ihren Ideen gar viele Bedingungen widerstreben, und selbst ihrer Allmacht ist es unmöglich, lange im Vollkommnen zu verweilen und dem hervorgebrachten Schönen eine Dauer zu geben; denn genau genommen kann man sagen, es sei nur ein Augenblick, in welchem der schöne Mensch schön sei.

Dagegen tritt nun die Kunst ein: denn indem der Mensch auf den Gipfel der Natur gestellt ist, so sieht er sich wieder als eine ganze Natur an, die in sich abermals einen Gipfel hervorzubringen hat. Dazu steigert er sich, indem er sich mit allen Vollkommenheiten und Tugenden durchdringt, Wahl, Ordnung, Harmonie und Bedeutung aufruft und sich endlich bis zur Produktion des Kunstwerkes erhebt, das neben seinen übrigen Taten und Werken einen glänzenden Platz einnimmt. Ist es einmal hervorgebracht, steht es in seiner idealen Wirklichkeit vor der Welt, so bringt es eine dauernde Wirkung, es bringt die höchste hervor; denn indem es aus den gesamten Kräften sich geistig entwickelt, so nimmt es alles Herrliche, Verehrungs- und Liebenswürdige in sich auf und erhebt, indem es die menschliche Gestalt beseelt, den Menschen über sich selbst, schließt seinen Lebens- und Tatenkreis ab und vergöttert ihn für die Gegenwart, in der das Vergangene und Künftige begriffen ist. Von solchen Gefühlen wurden die ergriffen, die den Olympischen Jupiter erblickten, wie wir aus den Beschreibungen, Nachrichten und Zeugnissen der Alten uns entwickeln können. Der Gott war zum Menschen geworden, um den Menschen zum Gott zu erheben. Man erblickte die höchste Würde und ward für die höchste Schönheit begeistert. In diesem Sinne kann man wohl jenen Alten recht geben, welche mit völliger Überzeugung aussprachen, es sei ein Unglück zu sterben, ohne dieses Werk gesehen zu haben.

Für diese Schönheit war Winckelmann seiner Natur nach fähig; er ward sie in den Schriften der Alten zuerst gewahr, aber sie kam ihm aus den Werken der bildenden Kunst persönlich entgegen, aus denen wir sie erst kennen lernen, um sie an den Gebilden der lebendigen Natur gewahr zu werden und zu schätzen.

[8] Zwischen uns sei Wahrheit

J OHANN W OLFGANG G OETHE · *Iphigenie*

Iphigenie war durch Diana vor der ihr vom Vater zugedachten Opferung nach Tauris entführt worden und waltet dort als Priesterin, in Vertrauen dem dortigen König Thoas zugetan, der sie liebt. Da kommt Orest an, der sich durch den Raub des Tempelbildes der Diana von dem auf ihm lastenden Fluch (er hatte die Mutter und deren Geliebten umgebracht) zu befreien hofft. Iphigenie, die mit dem Bruder nach Griechenland zurückkehren will, ist erst Mitwisserin und Helferin der Raubpläne; dann jedoch gesteht sie Thoas alles.

IPHIGENIE: Jetzt gehn sie, ihren Anschlag auszuführen,
Der See zu, wo das Schiff mit den Gefährten,
In einer Bucht versteckt, aufs Zeichen lauert,
Und haben kluges Wort mir in den Mund
Gegeben, mich gelehrt, was ich dem König
Antworte, wenn er sendet und das Opfer
Mir dringender gebietet. Ach! ich sehe wohl,
Ich muß mich leiten lassen wie ein Kind.
Ich habe nicht gelernt zu hinterhalten,
Noch jemand etwas abzulisten. Weh!
O weh der Lüge! Sie befreiet nicht,

Wie jedes andre wahrgesprochne Wort,
Die Brust; sie macht uns nicht getrost, sie ängstet
Den, der sie heimlich schmiedet, und sie kehrt,
Ein losgedrückter Pfeil, von einem Gotte
Gewendet und versagend, sich zurück
Und trifft den Schützen . . .

THOAS: Es scheint, der beiden Fremden Schicksal macht
Unmäßig dich besorgt. Wer sind sie, sprich,
Für die dein Geist gewaltig sich erhebt.

IPHIGENIE: Sie sind — sie scheinen — für Griechen halt' ich sie.

THOAS: Landsleute sind es? und sie haben wohl
Der Rückkehr schönes Bild in dir erneut?

IPHIGENIE *(nach einigem Stillschweigen)*:
Hat denn zur unerhörten Tat der Mann
Allein das Recht? Drückt denn Unmögliches
Nur er an die gewalt'ge Heldenbrust? . . .
Ist uns nichts übrig? Muß ein zartes Weib
Sich ihres angebornen Rechts entäußern,
Wild gegen Wilde sein, wie Amazonen
Das Recht des Schwerts euch rauben und mit Blute
Die Unterdrückung rächen? Auf und ab
Steigt in der Brust ein kühnes Unternehmen:
Ich werde großem Vorwurf nicht entgehn,
Noch schwerem Übel, wenn es mir mißlingt;
Allein *Euch* leg ich's auf die Kniee! Wenn
Ihr wahrhaft seid, wie ihr gepriesen werdet,
So zeigt's durch euern Beistand und verherrlicht
Durch mich die Wahrheit! Ja, vernimm, o König,
Es wird ein heimlicher Betrug geschmiedet;
Vergebens fragst du den Gefangnen nach;
Sie sind hinweg und suchen ihre Freunde,
Die mit dem Schiff am Ufer warten, auf.
Der ält'ste, den das Übel hier ergriffen
Und nun verlassen hat — es ist Orest,
Mein Bruder, und der andre sein Vertrauter,
Sein Jugendfreund, mit Namen Pylades.
Apoll schickt sie von Delphi diesem Ufer
Mit göttlichen Befehlen zu, das Bild
Dianens wegzurauben und zu ihm
Die Schwester hinzubringen, und dafür
Verspricht er dem von Furien Verfolgten,
Des Mutterblutes Schuldigen, Befreiung.
Uns beide hab' ich nun, die Überbliebnen
Von Tantals Haus, in deine Hand gelegt:
Verdirb uns — wenn du darfst.

THOAS: Du glaubst, es höre
Der rohe Skythe, der Barbar, die Stimme
Der Wahrheit und der Menschlichkeit, die Atreus,
Der Grieche, nicht vernahm?

IPHIGENIE: Es hört sie jeder,
Geboren unter jedem Himmel, dem
Des Lebens Quelle durch den Busen rein
Und ungehindert fließt . . .

IPHIGENIE: Laßt die Hand
Vom Schwerte! Denk an mich und mein Geschick.
Der rasche Kampf verewigt einen Mann:
Er falle gleich, so preiset ihn das Lied.
Allein die Tränen, die unendlichen
Der überbliebnen, der verlass'nen Frau,
Zählt keine Nachwelt, und der Dichter schweigt
Von tausend durchgeweinten Tag' und Nächten,
Wo eine stille Seele den verlornen,
Rasch abgeschiednen Freund vergebens sich
Zurückzurufen bangt und sich verzehrt . . .

THOAS: Und bändigt' ich den Zorn in meiner Brust,
So würden doch die Waffen zwischen uns
Entscheiden müssen; Frieden seh' ich nicht.

OREST: Vergilt den Segen, den sie dir gebracht,
Und laß des nähern Rechtes mich genießen!
Gewalt und List, der Männer höchster Ruhm,
Wird durch die Wahrheit dieser hohen Seele
Beschämt, und reines kindliches Vertrauen
Zu einem edlen Manne wird belohnt . . .

THOAS: So geht!

IPHIGENIE: Nicht so, mein König! Ohne Segen,
In Widerwillen, scheid' ich nicht von dir.
Verbann' uns nicht! Ein freundlich Gastrecht walte
Von dir zu uns: so sind wir nicht auf ewig
Getrennt und abgeschieden. Wert und teuer,
Wie mir mein Vater war, so bist du's mir,
Und dieser Eindruck bleibt in meiner Seele.
Bringt der Geringste deines Volkes je
Den Ton der Stimme mir ins Ohr zurück,
Den ich an Euch gewohnt zu hören bin,
Und seh' ich an dem Ärmsten Eure Tracht:
Empfangen will ich ihn wie einen Gott,
Ich will ihm selbst ein Lager zubereiten,
Auf einen Stuhl ihn an das Feuer laden
Und nur nach dir und deinem Schicksal fragen . . .

THOAS: Lebt wohl!

JOHANN WOLFGANG GOETHE · *Tag- und Jahreshefte (1815)*

Schon im vorigen Jahre waren mir die sämtlichen Gedichte Hafis' in der von Hammerschen Übersetzung zugekommen, und wenn ich früher den hier und da in Zeitschriften übersetzt mitgeteilten einzelnen Stücken dieses herrlichen Poeten nichts abgewinnen konnte, so wirkten sie doch jetzt zusammen desto lebhafter auf mich ein, und ich mußte mich dagegen produktiv verhalten, weil ich sonst vor der mächtigen Erscheinung nicht hätte bestehen können … Alles, was dem Stoff und dem Sinne nach bei mir Ähnliches verwahrt und gehegt worden, tat sich hervor, und dies mit um so mehr Heftigkeit, als ich höchst nötig fühlte, mich aus der wirklichen Welt, die sich selbst offenbar und im stillen bedrohte, in eine ideelle zu flüchten, an welcher vergnüglichen Teil zu nehmen meiner Lust, Fähigkeit und Willen überlassen war.

Nicht ganz fremd mit den Eigentümlichkeiten des Ostens, wandt ich mich zur Sprache, insofern es unerläßlich war, jene Luft zu atmen, sogar zur Schrift mit ihren Eigenheiten und Verzierungen …

Den Beduinenzustand bracht ich mir vor die Einbildungskraft; Mahomets Leben … förderte mich aufs neue … Medschnun und Leila, als Muster einer grenzenlosen Liebe, ward wieder dem Gefühl und der Einbildungskraft zugeeignet, die reine Religion der Parsen aus dem späteren Verfall hervorgehoben und zu ihrer schönen Einfalt zurückgeführt … und so häufte sich der Stoff, bereicherte sich der Gehalt, daß ich nur ohne Bedenken zulangen konnte, um das augenblicklich Bedurfte sogleich zu ergreifen und anzuwenden. [Die mir bekannten Orientalisten waren die Gefälligkeit selbst], meine wunderlichen Fragen zu beantworten; und obgleich diese Männer kaum ahnen, noch weniger begreifen konnten, was ich eigentlich wolle, so trug doch ein jeder dazu bei, mich aufs eiligste in einem Felde aufzuklären, in dem ich mich manchmal geübt, aber niemals ernstlich umgesehen hatte …

Indessen schien der politische Himmel sich nach und nach aufzuklären; der Wunsch in die freie Welt, besonders aber ins freie Geburtsland, zu dem ich wieder Lust und Anteil fassen konnte, drängte mich **zu einer Reise.** Heitere Luft und rasche Bewegung gaben sogleich mehreren Produktionen im neuen östlichen Sinne Raum. Ein heilsamer Badeaufenthalt, ländliche Wohnung in bekannter, von Jugend auf betretener Gegend, Teilnahme geistreicher, liebender Freunde gedieh zur Belebung und Steigerung eines glücklichen Zustandes, der sich einem jeden Reinfühlenden aus dem *Divan* darbieten muß …

[Das orientalische Interesse riß] mein ganzes Vermögen mit sich fort: glücklich genug! denn wäre dieser Trieb aufgehalten, abgelenkt worden, ich hätte den Weg zu diesem Paradiese nie wieder zu finden gewußt.

Hegire

Nord und West und Süd zersplittern,
Throne bersten, Reiche zittern:
Flüchte du, im reinen Osten
Patriarchenluft zu kosten!
Unter Lieben, Trinken, Singen
Soll dich Chisers Quell verjüngen.

Dort im Reinen und im Rechten
Will ich menschlichen Geschlechten
In des Ursprungs Tiefe dringen,
Wo sie noch von Gott empfingen
Himmelslehr' in Erdesprachen
Und sich nicht den Kopf zerbrachen.

Wo sie Väter hochverehrten,
Jeden fremden Dienst verwehrten;
Will mich freun der Jugendschranke:
Glaube weit, eng der Gedanke,
Wie das Wort so wichtig dort war,
Weil es ein gesprochen Wort war.

Will mich unter Hirten mischen,
an Oasen mich erfrischen,
Wenn mit Karawanen wandle,
Schal, Kaffee und Moschus handle;
Jeden Pfad will ich betreten
Von der Wüste zu den Städten.

Bösen Felsweg auf und nieder
Trösten, Hafis, deine Lieder,
Wenn der Führer mit Entzücken
Von des Maultiers hohem Rücken
Singt, die Sterne zu erwecken
Und die Räuber zu erschrecken.

Will in Bädern und in Schenken,
Heil'ger Hafis, dein gedenken;
Wenn den Schleier Liebchen lüftet,
Schüttelnd Ambralocken düftet.
Ja, des Dichters Liebeflüstern
Mache selbst die Huris lüstern.

Wolltet ihr ihm dies beneiden
Oder etwa gar verleiden:
Wisset nur, daß Dichterworte
Um des Paradieses Pforte
Immer leise klopfend schweben,
Sich erbittend ew'ges Leben.

Suleika

Volk und Knecht und Überwinder,
Sie gestehn zu jeder Zeit:
Höchstes Glück der Erdenkinder
Sei nur die Persönlichkeit.

Jedes Leben sei zu führen,
Wenn man sich nicht selbst vermißt;
Alles könne man verlieren,
Wenn man bliebe, was man ist.

JOHANN WOLFGANG GOETHE

Wenn im Unendlichen

Wenn im Unendlichen dasselbe
Sich wiederholend ewig fließt,
Das tausendfältige Gewölbe
Sich kräftig ineinanderschließt,
Strömt Lebenslust aus allen Dingen,
Dem kleinsten wie dem größten Stern,
Und alles Drängen, alles Ringen
Ist ewige Ruh in Gott dem Herrn.

Schwebender Genius über der Erdkugel

Zwischen oben, zwischen unten
Schweb ich hin zu muntrer Schau,
Ich ergetze mich am Bunten,
Ich erquicke mich im Blau.

Und wenn mich am Tag die Ferne
Luftiger Berge sehnlich zieht,
Nachts das Übermaß der Sterne
Prächtig mir zu Häupten glüht —

Alle Tag und alle Nächte
Rühm' ich so des Menschen Los:
Denkt er ewig sich ins Rechte,
Ist er ewig schön und groß.

[10] **Bildung zur Gemeinschaft**

JOHANN WOLFGANG GOETHE · *Wilhelm Meisters Wanderjahre*

Wilhelm Meister hat ein bewegtes und viele Irrwege einschließendes Leben hinter sich, ehe er in der Ausbildung zu einem »dienenden Beruf« (er wird Wundarzt) und inmitten einer Gemeinschaft Gleichgesinnter seine eigentliche Bestimmung findet. Sein Sohn Felix (der Glückliche) wird in die »Pädagogische Provinz« zur Erziehung gegeben, was ihm Irr-, Lehr- und Wanderjahre erspart.

Wilhelm stand am Tor eines mit hohen Mauern umgebenen Talwaldes. Auf ein gegebenes Zeichen eröffnete sich die kleine Pforte, und ein ernster ansehnlicher Mann empfing unsern Freund. Dieser fand sich in einem großen, herrlich grünenden Raum, von Bäumen und Büschen vielerlei Art beschattet, kaum daß er stattliche Mauern und ansehnliche Gebäude durch diese dichte und hohe Naturpflanzung hindurch bemerken konnte; ein freundlicher Empfang von Dreien, die sich nach und nach herbeifanden, löste sich endlich in ein Gespräch auf, wozu jeder das Seinige beitrug, dessen Inhalt wir jedoch in Kürze zusammenfassen.

»Da Ihr uns Euern Sohn vertraut«, sagten sie, »sind wir schuldig, Euch tiefer in unser Verfahren hineinblicken zu lassen. Ihr habt manches äußerlich gesehen, welches nicht sogleich sein Verständnis mit sich führt; was davon wünscht Ihr vor allem aufgeschlossen?«

»Anständige, doch seltsame Gebärden und Grüße habe ich bemerkt, deren Bedeutung ich zu erfahren wünschte; bei Euch bezieht sich gewiß das Äußere auf das Innere, und umgekehrt; laßt mich diesen Bezug erfahren.«

»Wohlgeborene, gesunde Kinder«, versetzten jene, »bringen viel mit; die Natur hat jedem alles gegeben, was er für Zeit und Dauer nötig hätte; dieses zu entwickeln, ist unsere Pflicht; öfters entwickelt sich's besser von selbst. Aber eines bringt niemand mit auf die Welt, und doch ist es das, worauf alles ankommt, damit der Mensch nach allen Seiten zu ein Mensch sei. Könnt Ihr es selbst finden, so sprecht es aus.« Wilhelm bedachte sich eine kurze Zeit und schüttelte sodann den Kopf.

Jene, nach einem anständigen Zaudern, riefen: »Ehrfurcht!« Wilhelm stutzte. »Ehrfurcht!« hieß es wiederholt. »Allen fehlt sie, vielleicht Euch selbst:

Dreierlei Gebärde habt Ihr gesehen, und wir überliefern eine dreifache Ehrfurcht, die, wenn sie zusammenfließt und ein Ganzes bildet, erst ihre höchste Kraft und Wirkung erreicht. Das erste ist: Ehrfurcht vor dem, was über uns ist. Jene Gebärde, die Arme kreuzweis über die Brust, einen freudigen Blick gen Himmel, das ist, was wir unmündigen Kindern auflegen und zugleich das Zeugnis von ihnen verlangen, daß ein Gott da droben sei, der sich in Eltern, Lehrern, Vorgesetzten abbildet und offenbart. Das zweite: Ehrfurcht vor dem, was unter uns ist. Die auf den Rücken gefalteten, gleichsam gebundenen Hände, der gesenkte, lächelnde Blick sagen, daß man die Erde wohl und heiter zu betrachten habe; sie gibt Gelegenheit zur Nahrung; sie gewährt unsägliche Freuden; aber unverhältnismäßige Leiden bringt sie. Wenn einer sich körperlich beschädigte, verschuldend oder unschuldig, wenn ihn andere vorsätzlich oder zufällig verletzten, wenn das irdische Willenlose ihm ein Leid zufügte, das bedenk' er wohl: denn solche Gefahr begleitet ihn sein Leben lang. Aber aus dieser Stellung befreien wir unseren Zögling baldmöglichst, sogleich wenn wir überzeugt sind, daß die Lehre dieses Grads genugsam auf ihn gewirkt habe; dann aber heißen wir ihn sich ermannen, gegen Kameraden gewendet, nach ihnen sich richten. Nun steht er strack und kühn, nicht etwa selbstisch vereinzelt; nur in Verbindung mit seinesgleichen macht er Front gegen die Welt. Weiter wüßten wir nichts hinzuzufügen.«

JOHANN WOLFGANG GOETHE

Gesang der Geister über den Wassern

Des Menschen Seele
Gleicht dem Wasser:
Vom Himmel kommt es,
Zum Himmel steigt es,
Und wieder nieder
Zur Erde muß es,
Ewig wechselnd.

Strömt von der hohen,
Steilen Felswand
Der reine Strahl,
Dann stäubt er lieblich
In Wolkenwellen
Zum glatten Fels,
Und, leicht empfangen,
Wallt er verschleiernd,
Leis rauschend
Zur Tiefe nieder.

Ragen Klippen
Dem Sturz entgegen,
Schäumt er unmutig
Stufenweise
Zum Abgrund.

Im flachen Bette
Schleicht er das Wiesental hin,
Und in dem glatten See
Weiden ihr Antlitz
Alle Gestirne.

Wind ist der Welle
Lieblicher Buhler;
Wind mischt vom Grund aus
Schäumende Wogen.

Seele des Menschen,
Wie gleichst du dem Wasser!
Schicksal des Menschen,
Wie gleichst du dem Wind!

Urworte · Orphisch

ΔΑΙΜΩΝ · Dämon

Wie an dem Tag, der dich der Welt verliehen,
Die Sonne stand zum Gruße der Planeten,
Bist alsobald und fort und fort gediehen
Nach dem Gesetz, wonach du angetreten.
So mußt du sein, dir kannst du nicht entfliehen,
So sagten schon Sibyllen, so Propheten;
Und keine Zeit und keine Macht zerstückelt
Geprägte Form, die lebend sich entwickelt.

TYXH · Das Zufällige

Die strenge Grenze doch umgeht gefällig
Ein Wandelndes, das mit und um uns wandelt;
Nicht einsam bleibst du, bildest dich gesellig,
Und handelst wohl so wie ein andrer handelt:

Im Leben ists bald hin- bald widerfällig,
Es ist ein Tand und wird so durchgetandelt.
Schon hat sich still der Jahre Kreis geründet,
Die Lampe harrt der Flamme, die entzündet.

ΕΡΩΣ · Liebe

Die bleibt nicht aus! — Er stürzt vom Himmel nieder.
Wohin er sich aus alter Öde schwang,
Er schwebt heran auf luftigem Gefieder
Um Stirn und Brust den Frühlingstag entlang,
Scheint jetzt zu fliehn, vom Fliehen kehrt er wieder,
Da wird ein Wohl im Weh, so süß und bang,
Gar manches Herz verschwebt im Allgemeinen,
Doch widmet sich das edelste dem Einen.

ΑΝΑΓΚΗ · Nötigung

Da ist's denn wieder, wie die Sterne wollten:
Bedingung und Gesetz und aller Wille
Ist nur ein Wollen, weil wir eben sollten,
Und vor dem Willen schweigt die Willkür stille;
Das Liebste wird vom Herzen weggescholten,
Dem harten Muß bequemt sich Will' und Grille.
So sind wir scheinfrei denn, nach manchen Jahren
Nur enger dran, als wir am Anfang waren.

ΕΛΠΙΣ · Hoffnung

Doch solcher Grenze, solcher ehrnen Mauer
Höchst widerwärt'ge Pforte wird entriegelt,
Sie stehe nur mit alter Felsendauer!
Ein Wesen regt sich leicht und ungezügelt:
Aus Wolkendecke, Nebel, Regenschauer
Erhebt sie uns, mit ihr, durch sie beflügelt,
Ihr kennt sie wohl, sie schwärmt durch alle Zonen;
Ein Flügelschlag — und hinter uns Äonen!

JOHANN WOLFGANG GOETHE · *Zueignung*

Ihr naht euch wieder, schwankende Gestalten,
Die früh sich einst dem trüben Blick gezeigt.
Versuch ich wohl, euch diesmal festzuhalten?

Fühl ich mein Herz noch jenem Wahn geneigt?
Ihr drängt euch zu! Nun gut, so mögt ihr walten,
Wie ihr aus Dunst und Nebel um mich steigt;
Mein Busen fühlt sich jugendlich erschüttert
Vom Zauberhauch, der euren Zug umwittert.

Ihr bringt mit euch die Bilder froher Tage,
Und manche liebe Schatten steigen auf;
Gleich einer alten, halb verklungnen Sage
Kommt erste Lieb' und Freundschaft mit herauf;
Der Schmerz wird neu, es wiederholt die Klage
Des Lebens labyrinthisch irren Lauf
Und nennt die Guten, die, um schöne Stunden
Vom Glück getäuscht, vor mir hinweggeschwunden.

Sie hören nicht die folgenden Gesänge,
Die Seelen, denen ich die ersten sang;
Zerstoben ist das freundliche Gedränge,
Verklungen, ach! der erste Widerklang.
Mein Leid ertönt der unbekannten Menge,
Ihr Beifall selbst macht meinem Herzen bang,
Und was sich sonst an meinem Lied erfreuet,
Wenn es noch lebt, irrt in der Welt zerstreuet.

Und mich ergreift ein längst entwöhntes Sehnen
Nach jenem stillen, ernsten Geisterreich,
Es schwebet nun in unbestimmten Tönen
Mein lispelnd Lied, der Äolsharfe gleich,
Ein Schauer faßt mich, Träne folgt den Tränen,
Das strenge Herz, es fühlt sich mild und weich;
Was ich besitze, seh ich wie im Weiten,
Und was verschwand, wird mir zu Wirklichkeiten.

JOHANN PETER ECKERMANN · *Gespräche mit Goethe*

Goethe zu Eckermann:

Ohne meine Bemühungen in den Naturwissenschaften hätte ich jedoch
die Menschen nie kennengelernt wie sie sind. In allen andern Dingen kann
man dem reinen Anschauen und Denken, den Irrtümern der Sinne wie des
Verstandes, den Charakterschwächen und -stärken nicht so nachkommen,
es ist alles mehr oder weniger biegsam und schwankend und läßt alles
mehr oder weniger mit sich handeln; aber die Natur versteht gar keinen
Spaß, sie ist immer wahr, immer ernst, immer streng, sie hat immer recht,
und die Fehler und Irrtümer sind immer des Menschen. Den Unzuläng-
lichen verschmäht sie, und nur dem Zulänglichen, Wahren und Reinen
ergibt sie sich und offenbart ihm ihre Geheimnisse. Der Verstand reicht

zu ihr nicht hinauf, der Mensch muß fähig sein, sich zur höchsten Vernunft erheben zu können, um an die Gottheit zu rühren, die sich in Urphänomenen, physischen wie sittlichen, offenbart, hinter denen sie sich hält und die von ihr ausgehen.

JOHANN WOLFGANG GOETHE · *Faust, 2. Teil*

MEPHISTOPHELES: Ungern entdeck ich höheres Geheimnis. —
Göttinnen thronen hehr in Einsamkeit,
Um sie kein Ort, noch weniger eine Zeit;
Von ihnen sprechen ist Verlegenheit.
Die *Mütter* sind es!

FAUST *(aufgeschreckt)*:   Mütter!

MEPHISTOPHELES: Schaudert's dich?

FAUST: Die Mütter! Mütter! — 's klingt so wunderlich!

MEPHISTOPHELES: Das ist es auch. Göttinnen, ungekannt
Euch Sterblichen, von uns nicht gern genannt.
Nach ihrer Wohnung magst ins tiefste schürfen;
Du selbst bist schuld, daß ihrer wir bedürfen.

FAUST: Wohin der Weg?

MEPHISTOPHELES: Kein Weg! Ins Unbetretene,
Nicht zu Betretende; ein Weg ans Unerbetene,
Nicht zu Erbittende. Bist du bereit? —
Nicht Schlösser sind, nicht Riegel wegzuschieben,
Von Einsamkeiten wirst umhergetrieben.
Hast du Begriff von Öd und Einsamkeit? . . .

Und hättest du den Ozean durchschwommen,
Das Grenzenlose dort geschaut,
So sähst du dort doch Well auf Welle kommen,
Selbst wenn es dir vorm Untergange graut.
Du sähst doch etwas. Sähst wohl in der Grüne
Gestillter Meere streichende Delphine;
Sähst Wolken ziehen, Sonne, Mond und Sterne;
Nichts wirst du sehn in ewig leerer Ferne,
Den Schritt nicht hören, den du tust,
Nicht Festes, finden, wo du ruhst. . . .

FAUST: Nur immer zu! Wir wollen es ergründen,
In deinem Nichts hoff ich das All zu finden. . .

MEPHISTOPHELES: Hier diesen Schlüssel nimm.

FAUST: Das kleine Ding!

MEPHISTOPHELES: Erst faß ihn an und schätz ihn nicht gering . . .
Der Schlüssel wird die rechte Stelle wittern,
Folg ihm hinab, er führt dich zu den Müttern.

FAUST
(schauernd) :   Den Müttern! Trifft's mich immer wie ein Schlag!
Was ist das Wort, das ich nicht hören mag? . . .

Doch im Erstarren such ich nicht mein Heil,
Das Schaudern ist der Menschheit bestes Teil;
Wie auch die Welt ihm das Gefühl verteure,
Ergriffen, fühlt er tief das Ungeheure.

JOHANN PETER ECKERMANN · *Gespräche mit Goethe*

Goethe zu Eckermann:

Das Höchste, wozu der Mensch gelangen kann, ist das Erstaunen; und
wenn ihn das Urphänomen in Erstaunen setzt, so sei er zufrieden; ein
Höheres kann es ihm nicht gewähren, und ein Weiteres soll er nicht dahinter
suchen; hier ist die Grenze.

JOHANN WOLFGANG GOETHE · *Schriften zur Naturwissenschaft*

Das Wahre, mit dem Göttlichen identisch, läßt sich niemals von uns
direkt erkennen, wir schauen es nur im Abglanz, im Beispiel, Symbol, in
einzelnen und verwandten Erscheinungen; wir werden es gewahr als un-
begreifliches Leben und können dem Wunsch nicht entsagen, es dennoch
zu begreifen.

JOHANN PETER ECKERMANN · *Gespräche mit Goethe*

Goethe zu Eckermann:

Die Deutschen sind übrigens wunderliche Leute! Sie machen sich durch
ihre tiefen Gedanken und Ideen, die sie überall suchen und überall hinein-
legen, das Leben schwerer als billig. Ei, so habt doch endlich einmal die
Courage, euch den *Eindrücken* hinzugeben, euch ergötzen zu lassen, euch
rühren zu lassen, euch erheben zu lassen, ja euch belehren und zu etwas
Großem entflammen und ermutigen zu lassen; aber denkt nur nicht immer,
es wäre alles eitel, wenn es nicht irgend abstrakter Gedanke und Idee wäre!

Da kommen sie und fragen, welche Idee ich in meinem »Faust« zu
verkörpern gesucht. Als ob ich das selber wüßte und aussprechen könnte!
Vom Himmel durch die Welt zur Hölle, das wäre zur Not etwas; aber
das ist keine Idee, sondern Gang der Handlung. Und ferner, daß der
Teufel die Wette verliert, und daß ein aus schweren Verirrungen immerfort zum Bessern aufstrebender Mensch zu erlösen sei, das ist zwar ein
wirksamer, manches erklärender guter Gedanke, aber es ist keine Idee,
die dem Ganzen und jeder einzelnen Szene im besondern zugrunde liege.

Es hätte auch in der Tat ein schönes Ding werden müssen, wenn ich ein so reiches, buntes und so höchst mannigfaltiges Leben, wie ich es im »Faust« zur Anschauung gebracht, auf die magere Schnur einer einzigen durchgehenden Idee hätte reihen wollen!

Es war im Ganzen nicht meine Art, als Poet nach Verkörperung von etwas Abstraktem zu streben. Ich empfing in meinem Innern Eindrücke, und zwar Eindrücke sinnlicher, lebensvoller, lieblicher, bunter, hundertfältiger Art, wie eine rege Einbildungskraft es mir darbot; und ich hatte als Poet weiter nichts zu tun, als solche Anschauungen und Eindrücke in mir künstlerisch zu runden und auszubilden und durch eine lebendige Darstellung so zum Vorschein zu bringen, daß andere dieselbigen Eindrücke erhielten, wenn sie mein Dargestelltes hörten oder lasen . . .

Je inkommensurabler und für den Verstand unfaßlicher eine poetische Produktion, desto besser.

Johann Wolfgang Goethe · *Brief an Heinrich Meyer (1831)*

Das Ganze liegt vor mir, und ich habe nur noch Kleinigkeiten zu berichtigen; so siegle ich's ein, und dann mag es das spezifische Gewicht meiner folgenden Bände, wie es auch damit werden mag, vermehren. Wenn es noch Probleme genug enthält, indem, der Welt- und Menschengeschichte gleich, das zuletzt aufgelöste Problem immer wieder ein neues, aufzulösendes darbietet, so wird es doch gewiß denjenigen erfreuen, der sich auf Miene, Wink und leise Hindeutung versteht. Er wird sogar mehr finden, als ich geben konnte.

Und so ist nun ein schwerer Stein über den Berggipfel auf die andere Seite hinabgewälzt. Gleich liegen aber wieder andere hinter mir, die auch wieder gefördert sein wollen, damit erfüllt werde, was geschrieben steht: Solche Mühe hat Gott dem Menschen gegeben.

Johann Wolfgang Goethe · *Schriften zur Literatur*

Den Beifall, den der Faust nah und fern gefunden, mag er wohl der seltenen Eigenschaft schuldig sein, daß er für immer die Entwicklungsperiode eines Menschengeistes festhält, der von allem, was die Menschheit peinigt, auch gequält, von allem, was sie beunruhigt, auch ergriffen, in dem, was sie verabscheut, gleichfalls befangen und durch das, was sie wünscht, auch beseligt worden. Sehr entfernt sind solche Zustände gegenwärtig von dem Dichter, auch die Welt hat gewissermaßen ganz andere Kämpfe zu bestehen; indessen bleibt doch meistens der Menschenzustand in Freud und Leid sich gleich, und der Letztgeborne wird immer noch Ursache finden, sich nach demjenigen umzusehen, was von ihm genossen und gelitten worden, um sich einigermaßen in das zu schicken, was auch ihm bereitet wird.

JOHANN WOLFGANG GOETHE · *Faust, 2. Teil*

Alles Vergängliche	Das Unbeschreibliche,
Ist nur ein Gleichnis;	Hier ist's getan;
Das Unzulängliche,	Das Ewig-Weibliche
Hier wird's Ereignis;	Zieht uns hinan.

Friedrich Schiller

[12] **Das Ringen mit dem Schicksal**

FRIEDRICH SCHILLER · *Brief an Jens Baggesen, 1791*

... Von der Wiege meines Geistes an bis jetzt, da ich dieses schreibe, habe ich mit dem Schicksal gekämpft, und seitdem ich die Freiheit des Geistes zu schätzen weiß, war ich dazu verurteilt, sie zu entbehren. Ein rascher Schritt vor 10 Jahren schnitt mir auf immer die Mittel ab, durch etwas anders als schriftstellerische Wirksamkeit zu existieren. Ich hatte mir diesen Beruf gegeben, eh' ich seine Forderungen geprüft, seine Schwierigkeiten übersehen hatte. Die Notwendigkeit, ihn zu treiben, überfiel mich, ehe ich ihm durch Kenntnisse und Reife des Geistes gewachsen war. Daß ich dieses fühlte, daß ich meinem Ideale von schriftstellerischen Pflichten nicht diejenigen engen Grenzen setzte, in welche ich selbst eingeschlossen war, erkenne ich für eine Gunst des Himmels, der mir dadurch die Möglichkeit des höhern Fortschritts offen hält, aber in meinen Umständen vermehrte sie nur mein Unglück. Unreif und tief unter dem Ideale, das in mir lebendig war, sah ich jetzt alles, was ich zur Welt brachte; bei aller geahndeten möglichen Vollkommenheit mußte ich mit der unzeitigen Frucht vor die Augen des Publikums eilen, der Lehre selbst so bedürftig, mich wider meinen Willen zum Lehrer der Menschen aufwerfen. Jedes unter so ungünstigen Umständen nur leidlich gelungene Produkt ließ mich nur desto empfindlicher fühlen, wieviel Keime das Schicksal in mir unterdrückte. Traurig machten mich die Meisterstücke anderer Schriftsteller, weil ich die Hoffnung aufgab, ihrer glücklichen Muße teilhaftig zu werden, an der allein die Werke des Genius reifen. Was hätte ich nicht um zwei oder drei stille Jahre gegeben, die ich frei von schriftstellerischer Arbeit bloß allein dem Studieren, bloß der Ausbildung meiner Begriffe, der Zeitigung meiner Ideale hätte widmen können! Zugleich die strengen Forderungen der Kunst zu befriedigen und seinem schriftstellerischen Fleiß auch nur die notwendige Unterstützung zu verschaffen, ist in unsrer deutschen literarischen Welt, wie ich endlich weiß, unvereinbar. Zehn Jahre habe ich mich angestrengt, beides zu vereinigen, aber es nur einigermaßen möglich zu machen, kostete mir meine Gesundheit. Das Interesse an meiner Wirksamkeit, einige schöne Blüten des Lebens, die das Schicksal mir in den Weg streute, verbargen mir diesen Verlust, bis ich zu Anfang dieses Jahres — Sie wissen wie? — aus meinem Traume geweckt wurde. Zu einer Zeit, wo das Leben anfing, mir seinen ganzen Wert zu zeigen, wo ich nahe dabei war, zwischen Vernunft und Phantasie in mir ein zartes und ewiges Band zu knüpfen, wo ich mich zu einem neuen Unternehmen im Gebiete der Kunst gürtete, nahte sich mir der Tod. Diese Gefahr ging zwar vorüber, aber ich erwachte nur zum neuen Leben, um mit geschwächten Kräften und verminderten Hoffnungen den Kampf mit dem Schicksal zu wiederholen ...

[13] Dualistisches Weltbild

FRIEDRICH SCHILLER · *Über naive und sentimentalische Dichtung*

Wenn man sich der schönen Natur erinnert, welche die alten Griechen umgab, wenn man nachdenkt, wie vertraut dieses Volk unter seinem glücklichen Himmel mit der freien Natur leben konnte, wie sehr viel näher seine Vorstellungsart, seine Empfindungsweise, seine Sitten der einfältigen Natur lagen und welch ein treuer Abdruck derselben seine Dichterwerke sind, so muß die Bemerkung befremden, daß man so wenige Spuren von dem *sentimentalischen* Interesse, mit welchem wir Neuern an Naturszenen und an Naturcharakteren hängen können, bei demselben antrifft. Der Grieche ist zwar im höchsten Grade genau, treu, umständlich in Beschreibung derselben, aber doch gerade nicht mehr und mit keinem vorzüglicheren Herzensanteil, als er es auch in Beschreibung eines Anzuges, eines Schildes, einer Rüstung, eines Hausgerätes oder irgend eines mechanischen Produktes ist. Er scheint in seiner Liebe für das Objekt keinen Unterschied zwischen demjenigen zu machen, was durch sich selbst, und dem, was durch die Kunst und durch den menschlichen Willen ist. Die Natur scheint mehr seinen Verstand und seine Wißbegierde als sein moralisches Gefühl zu interessieren; er hängt nicht mit Innigkeit, mit Empfindsamkeit, mit süßer Wehmut an derselben wie wir Neuern. Ja, indem er sie in ihren einzelnen Erscheinungen personifiziert und vergöttert und ihre Wirkungen als Handlungen freier Wesen darstellt, hebt er die ruhige Notwendigkeit in ihr auf, durch welche sie für uns gerade so anziehend ist. Seine ungeduldige Phantasie führt ihn über sie hinweg zum Drama des menschlichen Lebens. Nur das Lebendige und Freie, nur Charaktere, Handlungen, Schicksale und Sitten befriedigen ihn, und wenn *wir* in gewissen moralischen Stimmungen des Gemüts wünschen können, den Vorzug unserer Willensfreiheit, der uns so vielem Streit mit uns selbst, so vielen Unruhen und Verwirrungen aussetzt, gegen die wahllose, aber ruhige Notwendigkeit des Vernunftlosen hinzugeben, so ist, gerade umgekehrt, die Phantasie des Griechen geschäftig, die menschliche Natur schon in der unbeseelten Welt anzufangen und da, wo eine blinde Notwendigkeit herrscht, dem Willen Einfluß zu geben.

Woher wohl dieser verschiedene Geist? Wie kommt es, daß wir, die in allem, was Natur ist, von den Alten so unendlich weit übertroffen werden, gerade hier der Natur in einem höhern Grade huldigen, mit Innigkeit an ihr hangen und selbst die leblose Welt mit der wärmsten Empfindung umfassen können? *Daher* kommt es, weil die Natur bei uns aus der Menschheit verschwunden ist und wir sie nur außerhalb dieser, in der unbeseelten Welt, in ihrer Wahrheit wieder antreffen. Nicht unsere größere *Naturmäßigkeit*, ganz im Gegenteil: die *Naturwidrigkeit* unserer Verhältnisse, Zustände und Sitten treibt uns an, dem erwachenden Triebe nach Wahrheit und Simplizität, der, wie die moralische Anlage, aus welcher er fließet, unbestechlich und unaustilgbar in allen menschlichen Herzen liegt, in der physischen Welt eine Befriedigung zu verschaffen, die in der moralischen nicht zu hoffen ist. Deswegen ist das Gefühl, womit wir an der Natur hängen, dem Gefühle so nahe verwandt, womit wir das entflohene Alter der Kindheit und der kindischen Unschuld beklagen. Unsere Kindheit ist die einzige unverstümmelte Natur, die wir in der kultivierten Menschheit noch antreffen, daher es kein Wunder ist, wenn uns jede Fußstapfe der Natur außer uns auf unsere Kindheit zurückführt.

Sehr viel anders war es mit den alten Griechen. Bei diesen artete die Kultur nicht so weit aus, daß die Natur darüber verlassen wurde. Der ganze Bau ihres gesellschaftlichen Lebens war auf Empfindungen, nicht auf einem Machwerk der Kunst, errichtet; ihre Götterlehre selbst war die Eingebung eines naiven Gefühls, die Geburt einer fröhlichen Einbildungskraft, nicht der grübelnden Vernunft, wie der Kirchenglaube der neueren Nationen; da also der Grieche die Natur in der Menschheit nicht verloren hatte, so konnte er außerhalb dieser auch nicht von ihr überrascht werden und kein so dringendes Bedürfnis nach Gegenständen haben, in denen er sie wiederfand. Einig mit sich selbst und glücklich im Gefühl seiner Menschheit, mußte er bei dieser als seinem Maximum stillestehen und alles andere derselben zu nähern bemüht sein; wenn *wir*, uneinig mit uns selbst und unglücklich in unseren Erfahrungen von Menschheit, kein dringenderes Interesse haben, als aus derselben herauszufliehen und eine so mißlungene Form aus unseren Augen zu rücken.

Das Gefühl, von dem hier die Rede ist, ist also nicht das, was die Alten hatten; es ist vielmehr einerlei mit demjenigen, welches wir *für die Alten haben. Sie empfanden natürlich; wir empfinden das Natürliche*. Es war ohne Zweifel ein ganz anderes Gefühl, was Homers Seele füllte, als er seinen göttlichen Sauhirt den Ulisses bewirten ließ, als was die Seele des jungen Werthers bewegte, da er nach einer lästigen Gesellschaft diesen Gesang las. Unser Gefühl für Natur gleicht der Empfindung des Kranken für die Gesundheit ...

Friedrich Schiller · *Das Ideal und das Leben*

Ewigklar und spiegelrein und eben
Fließt das zephyrleichte Leben
Im Olymp den Seligen dahin.
Monde wechseln, und Geschlechter fliehen;

Ihrer Götterjugend Rosen blühen
Wandellos im ewigen Ruin.
Zwischen Sinnenglück und Seelenfrieden
Bleibt dem Menschen nur die bange Wahl;
Auf der Stirn des hohen Uraniden
Leuchtet ihr vermählter Strahl.

Wollt ihr schon auf Erden Göttern gleichen,
Frei sein in des Todes Reichen,
Brechet nicht von seines Gartens Frucht!
An dem Scheine mag der Blick sich weiden;
Des Genusses wandelbare Freuden
Rächet schleunig der Begierde Flucht.
Selbst der Styx, der neunfach sie umwindet,
Wehrt die Rückkehr Ceres' Tochter nicht;
Nach dem Apfel greift sie, und es bindet
Ewig sie des Orkus Pflicht.

Nur der Körper eignet jenen Mächten,
Die das dunkle Schicksal flechten;
Aber frei von jeder Zeitgewalt,
Die Gespielin seliger Naturen,
Wandelt oben in des Lichtes Fluren,
Göttlich unter Göttern, die *Gestalt*.
Wollt ihr hoch auf ihren Flügeln schweben,
Werft die Angst des Irdischen von euch,
Fliehet aus dem engen, dumpfen Leben
In des Ideales Reich!

Jugendlich, von allen Erdenmalen
Frei, in der Vollendung Strahlen
Schwebet hier der Menschheit Götterbild,
Wie des Lebens schweigende Phantome
Glänzend wandeln an dem stygschen Strome,
Wie sie stand im himmlischen Gefild,
Ehe noch zum traur'gen Sarkophage
Die Unsterbliche heruntersteig.
Wenn im Leben noch des Kampfes Waage
Schwankt, erscheinet hier der Sieg.

Nicht vom Kampf die Glieder zu entstricken,
Den Erschöpften zu erquicken,
Wehet hier des Sieges duft'ger Kranz.
Mächtig, selbst wenn eure Sehnen ruhten,
Reißt das Leben euch in seine Fluten,
Euch die Zeit in ihren Wirbeltanz.
Aber sinkt des Mutes kühner Flügel

Bei der Schranken peinlichem Gefühl,
Dann erblicket von der Schönheit Hügel
Freudig das erflogne Ziel.

Wenn es gilt, zu herrschen und zu schirmen,
Kämpfer gegen Kämpfer stürmen,
Auf des Glückes, auf des Ruhmes Bahn,
Da mag Kühnheit sich an Kraft zerschlagen,
Und mit krachendem Getös die Wagen
Sich vermengen auf bestäubtem Plan.
Mut allein kann hier den Dank erringen,
Der am Ziel des Hippodromes winkt;
Nur der Starke wird das Schicksal zwingen,
Wenn der Schwächling untersinkt.

Aber der, von Klippen eingeschlossen,
Wild und schäumend sich ergossen,
Sanft und eben rinnt des Lebens Fluß
Durch der Schönheit stille Schattenlande,
Und auf seiner Wellen Silberrande
Malt Aurora sich und Hesperus.
Aufgelöst in zarter Wechselliebe,
In der Anmut freiem Bund vereint
Ruhen hier die ausgesöhnten Triebe,
Und verschwunden ist der Feind.

Wenn, das Tote bildend zu beseelen,
Mit dem Stoff sich zu vermählen,
Tatenvoll der Genius entbrennt,
Da, da spanne sich des Fleißes Nerve,
Und beharrlich ringend unterwerfe
Der Gedanke sich das Element.
Nur dem Ernst, den keine Mühe bleichet,
Rauscht der Wahrheit tief versteckter Born;
Nur des Meißels schweren Schlag erweichet
Sich des Marmors sprödes Korn.

Aber dringt bis in der Schönheit Sphäre,
Und im Staube bleibt die Schwere
Mit dem Stoff, den sie beherrscht, zurück.
Nicht der Masse qualvoll abgerungen,
Schlank und leicht, wie aus dem Nichts gesprungen,
Steht das Bild vor dem entzückten Blick.
Alle Zweifel, alle Kämpfe schweigen
In des Sieges hoher Sicherheit;
Ausgestoßen hat es jeden Zeugen
Menschlicher Bedürftigkeit.

Wenn ihr in der Menschheit traur'ger Blöße
Steht vor des Gesetzes Größe,
Wenn dem Heiligen die Schuld sich naht,
Da erblasse vor der Wahrheit Strahle
Eure Tugend, vor dem Ideale
Fliehe mutlos die beschämte Tat.
Kein Erschaffner hat dies Ziel erflogen;
Über diesen grauenvollen Schlund
Trägt kein Nachen, keiner Brücke Bogen,
Und kein Anker findet Grund.

Aber flüchtet aus der Sinne Schranken
In die Freiheit der Gedanken,
Und die Furchterscheinung ist entflohn,
Und der ew'ge Abgrund wird sich füllen;
Nehmt die Gottheit auf in euern Willen,
Und sie steigt von ihrem Wellenthron.
Des Gesetzes strenge Fessel bindet
Nur den Sklavensinn, der es verschmäht;
Mit des Menschen Widerstand verschwindet
Auch des Gottes Majestät.

Wenn der Menschheit Leiden euch umfangen,
Wenn Laokoon der Schlangen
Sich erwehrt mit namenlosem Schmerz,
Da empöre sich der Mensch! Es schlage
An des Himmels Wölbung seine Klage
Und zerreiße euer fühlend Herz!
Der Natur furchtbare Stimme siege,
Und der Freude Wange werde bleich,
Und der heil'gen Sympathie erliege
Das Unsterbliche in euch!

Aber in den heitern Regionen,
Wo die reinen Formen wohnen,
Rauscht des Jammers trüber Sturm nicht mehr.
Hier darf Schmerz die Seele nicht durchschneiden,
Keine Träne fließt hier mehr dem Leiden,
Nur des Geistes tapfrer Gegenwehr.
Lieblich, wie der Iris Farbenfeuer
Auf der Donnerwolke duft'gem Tau,
Schimmert durch der Wehmut düstern Schleier
Hier der Ruhe heitres Blau.

Tief erniedrigt zu des Feigen Knechte,
Ging in ewigem Gefechte
Einst Alcid des Lebens schwere Bahn,

Rang mit Hydern und umarmt' den Leuen,
Stürzte sich, die Freunde zu befreien,
Lebend in des Totenschiffers Kahn.
Alle Plagen, alle Erdenlasten
Wälzt der unversöhnten Göttin List
Auf die will'gen Schultern des Verhaßten,
Bis sein Lauf geendigt ist —

Bis der Gott, des Irdischen entkleidet,
Flammend sich vom Menschen scheidet
Und des Äthers leichte Lüfte trinkt.
Froh des neuen, ungewohnten Schwebens
Fließt er aufwärts, und des Erdenlebens
Schweres Traumbild sinkt und sinkt und sinkt.
Des Olympus Harmonien empfangen
Den verklärten in Kronions Saal,
Und die Göttin mit den Rosenwangen
Reicht ihm lächelnd den Pokal.

FRIEDRICH SCHILLER · *Die Worte des Glaubens*

Drei Worte nenn' ich euch, inhaltschwer,
Sie gehen von Munde zu Munde,
Doch stammen sie nicht von außen her,
Das Herz nur gibt davon Kunde.
Dem Menschen ist aller Wert geraubt,
Wenn er nicht mehr an die drei Worte glaubt.

Der Mensch ist frei geschaffen, ist frei,
Und würd' er in Ketten geboren.
Laßt euch nicht irren des Pöbels Geschrei,
Nicht den Mißbrauch rasender Toren!
Vor dem Sklaven, wenn er die Kette bricht,
Vor dem freien Menschen erzittert nicht!

Und die Tugend, sie ist kein leerer Schall,
Der Mensch kann sie üben im Leben,
Und sollt' er auch straucheln überall,
Er kann nach der göttlichen streben,
Und was kein Verstand der Verständigen sieht,
Das übet in Einfalt ein kindlich Gemüt.

Und ein Gott ist, ein heiliger Wille lebt,
Wie auch der menschliche wanke;
Hoch über der Zeit und dem Raume webt

Lebendig der höchste Gedanke,
Und ob alles im ewigen Wechsel kreist,
Es beharret im Wechsel ein ruhiger Geist.

Die drei Worte bewahret euch, inhaltschwer!
Sie pflanzet von Munde zu Munde,
Und stammen sie gleich nicht von außen her,
Euer Innres gibt davon Kunde.
Dem Menschen ist nimmer sein Wert geraubt,
Solang er noch an die drei Worte glaubt.

FRIEDRICH SCHILLER · *Die Worte des Wahns*

Drei Worte hört man, bedeutungsschwer,
Im Munde der Guten und Besten.
Sie schallen vergeblich, ihr Klang ist leer,
Sie können nicht helfen und trösten.
Verscherzt ist dem Menschen des Lebens Frucht,
Solang er die Schatten zu haschen sucht.

Solang er glaubt an die goldene Zeit,
Wo das Rechte, das Gute wird siegen —
Das Rechte, das Gute führt ewig Streit,
Nie wird der Feind ihm erliegen,
Und erstickst du ihn nicht in den Lüften frei,
Stets wächst ihm die Kraft auf der Erde neu.

Solang er glaubt, daß das buhlende Glück
Sich dem Edeln vereinigen werde —
Dem Schlechten folgt es mit Liebesblick,
Nicht dem Guten gehöret die Erde.
Er ist ein Fremdling, er wandert aus
Und suchet ein unvergänglich Haus.

Solang er glaubt, daß dem ird'schen Verstand
Die Wahrheit je wird erscheinen —
Ihren Schleier hebt keine sterbliche Hand,
Wir können nur raten und meinen.
Du kerkerst den Geist in ein tönend Wort,
Doch der freie wandelt im Sturme fort.

Drum, edle Seele, entreiß dich dem Wahn,
Und den himmlischen Glauben bewahre!
Was kein Ohr vernahm, was die Augen nicht sahn,
Es ist dennoch das Schöne, das Wahre!
Es ist nicht draußen, da sucht es der Tor,
Was ist in dir, du bringst es ewig hervor.

Friedrich Schiller · *Nänie*

Auch das Schöne muß sterben! Das Menschen und Götter bezwinget,
  Nicht die eherne Brust rührt es des stygischen Zeus.
Einmal nur erweichte die Liebe den Schattenbeherrscher,
  Und an der Schwelle noch, streng, rief er zurück sein Geschenk.
Nicht stillt Aphrodite dem schönen Knaben die Wunde,
  Die in den zierlichen Leib grausam der Eber geritzt.
Nicht errettet den göttlichen Held die unsterbliche Mutter,
  Wann er, am skäischen Tor fallend, sein Schicksal erfüllt.
Aber sie steigt aus dem Meer mit allen Töchtern des Nereus
  Und die Klage hebt an um den verherrlichten Sohn.
Siehe! Da weinen die Götter, es weinen die Göttinnen alle,
  Daß das Schöne vergeht, daß das Vollkommene stirbt.
Auch ein Klaglied zu sein im Mund der Geliebten, ist herrlich,
  Denn das Gemeine geht klanglos zum Orkus hinab.

Friedrich Schiller

Über die ästhetische Erziehung des Menschen in einer Reihe von Briefen

... Es gehört also zu den wichtigsten Aufgaben der Kultur, den Menschen auch schon in seinem bloß physischen Leben der Form zu unterwerfen und ihn, so weit das Reich der Schönheit nur immer reichen kann, ästhetisch zu machen, weil nur aus dem ästhetischen, nicht aber aus dem physischen Zustand der moralische sich entwickeln kann. Soll der Mensch in jedem einzelnen Fall das Vermögen besitzen, sein Urteil und seinen Willen zum Urteil der Gattung zu machen, soll er aus jedem beschränkten Dasein den Durchgang zu einem unendlichen finden, aus jedem abhängigen Zustand zur Selbständigkeit und Freiheit den Aufschwung nehmen können, so muß dafür gesorgt werden, daß er in keinem Momente bloß Individuum sei und bloß dem Naturgesetze diene. Soll er fähig und fertig sein, aus dem engen Kreis der Naturzwecke sich zu Vernunftzwecken zu erheben, so muß er sich schon *innerhalb der erstern* für die letztern geübt und schon seine physische Bestimmung mit einer gewissen Freiheit der Geister, d. i. nach Gesetzen der Schönheit, ausgeführt haben.

Und zwar kann er dieses, ohne dadurch im geringsten seinem physischen Zweck zu widersprechen. Die Anforderungen der Natur an ihn gehen bloß auf das, *was er wirkt, auf den Inhalt* seines Handelns; über die Art, *wie er wirkt, über die Form* desselben, ist durch die Naturzwecke nichts bestimmt. Die Anforderungen der Vernunft hingegen sind streng auf die Form seiner Tätigkeit gerichtet. So notwendig es also für seine moralische Bestimmung ist, daß er rein moralisch sei, daß er eine absolute Selbsttätigkeit beweise, so gleichgiltig ist es für seine physische Bestimmung, ob er rein physisch ist, ob er sich absolut leidend verhält. In Rücksicht auf diese letztere ist es also ganz in seine Willkür gestellt, ob er sie bloß als Sinnenwesen und als Naturkraft (als eine Kraft nämlich, welche nur wirkt, je nachdem sie erleidet), oder ob er sie zugleich als absolute Kraft, als Vernunftwesen ausführen will, und es dürfte wohl keine Frage sein, welches von beiden seiner Würde mehr entspricht. Vielmehr, so sehr es ihn erniedrigt und schändet, dasjenige aus sinnlichem Antriebe zu tun, wozu er sich aus reinen Motiven der Pflicht bestimmen sollte, so sehr ehrt und adelt es ihn, auch da nach Gesetzmäßigkeit, nach Harmonie, nach Unbeschränktheit zu streben, wo der gemeine Mensch nur sein erlaubtes Verlangen stillt. Mit *einem* Wort: im Gebiete der Wahrheit und Moralität darf die Empfindung nichts zu bestimmen haben; aber im Bezirke der Glückseligkeit darf Form sein und darf der Spieltrieb gebieten.

Also hier schon, auf dem gleichgiltigen Felde des physischen Lebens, muß der Mensch sein moralisches anfangen; noch in seinem Leiden muß er seine Selbsttätigkeit, noch innerhalb seiner sinnlichen Schranken seine Vernunftfreiheit beginnen. Schon seinen Neigungen muß er das Gesetz seines Willens auflegen; er muß, wenn Sie mir den Ausdruck verstatten wollen, den Krieg gegen die Materie in ihre eigne Grenze spielen, damit er es überhoben sei, auf dem heiligen Boden der Freiheit gegen diesen furchtbaren Feind zu fechten; er muß lernen *edler* begehren, damit er nicht nötig habe, *erhaben zu wollen.* Dieses wird geleistet durch ästhetische Kultur, welche alles das, worüber weder Naturgesetze die menschliche Willkür binden, noch Vernunftgesetze, Gesetzen der Schönheit unterwirft, und in der Form, die sie dem äußern Leben gibt, schon das innere eröffnet.

. . . Es lassen sich also drei verschiedene Momente oder Stufen der Entwicklung unterscheiden, die sowohl der einzelne Mensch als die ganze Gattung notwendig und in einer bestimmten Ordnung durchlaufen müssen, wenn sie den ganzen Kreis ihrer Bestimmung erfüllen sollen. Durch zufällige Ursachen, die entweder in dem Einfluß der äußern Dinge oder in der freien Willkür des Menschen liegen, können zwar die einzelnen Perioden bald verlängert, bald abgekürzt, aber keine kann ganz übersprungen, und auch die Ordnung, in welcher sie auf einander folgen, kann weder durch die Natur noch durch den Willen umgekehrt werden. Der Mensch in seinem *physischen* Zustande erleidet bloß die Macht der Natur; er entledigt sich dieser Macht in dem *ästhetischen* Zustand, und er beherrscht sie in dem *moralischen* . . .

[14] **Die ästhetische Erziehung des Menschen**

Friedrich Schiller · *Über Anmut und Würde*

Die griechische Fabel legt der Göttin der Schönheit einen Gürtel bei, der die Kraft besitzt, dem, der ihn trägt, *Anmut* zu verleihen und Liebe zu erwerben. Eben diese Gottheit wird von den Huldgöttinnen oder den *Grazien* begleitet . . .

Entkleidet man die Vorstellung der Griechen von ihrer allegorischen Hülle, so scheint sie keinen andern, als folgenden Sinn einzuschließen.

Anmut ist eine *bewegliche* Schönheit; eine Schönheit nämlich, die an ihrem Subjekte zufällig entstehen und ebenso aufhören kann. Dadurch entscheidet sie sich von der *fixen* Schönheit, die mit dem Subjekte selbst notwendig gegeben ist. Ihren Gürtel kann Venus abnehmen und der Juno augenblicklich überlassen; ihre Schönheit würde sie nur mit ihrer Person weggeben können. Ohne ihren Gürtel ist sie nicht mehr die reizende Venus, ohne Schönheit ist sie nicht Venus mehr.

Dieser Gürtel, als das Symbol der beweglichen Schönheit, hat aber das ganz Besondere, daß er der Person, die damit geschmückt wird, die objektive Eigenschaft der Anmut verleiht; und unterscheidet sich dadurch von jedem andern Schmuck, der nicht die Person selbst, sondern bloß den Eindruck derselben, subjektiv, in der Vorstellung eines andern, verändert. Es ist der ausdrückliche Sinn des griechischen Mythus, daß sich die Anmut in eine Eigenschaft der Person verwandle und daß die Trägerin des Gürtels wirklich liebenswürdig *sei*, nicht bloß so *scheine* . . .

Daß der griechische Mythus Anmut und Grazie nur auf die Menschheit einschränkte, wird kaum einer Erinnerung bedürfen; er geht sogar noch weiter und schließt selbst die Schönheit der Gestalt in die Grenzen der Menschengattung ein, unter welcher der Grieche bekanntlich auch seine Götter begreift. Ist aber die Anmut nur ein Vorrecht der Menschenbildung, so kann keine derjenigen Bewegungen darauf Anspruch machen, die der Mensch auch mit dem, was bloß Natur ist, gemein hat. Könnten also die Locken an einem schönen Haupte sich mit Anmut bewegen, so wäre kein Grund mehr vorhanden, warum nicht auch die Äste eines Baumes, die Wellen eines Stroms, die Saaten eines Kornfeldes, die Gliedmaßen der Tiere sich mit Anmut bewegen sollten. Aber die Göttin von Cnidus repräsentiert nur die menschliche Gattung, und da, wo der Mensch weiter nichts als ein Naturding und Sinnenwesen ist, da hört sie auf, für ihn Bedeutung zu haben.

Willkürlichen Bewegungen allein kann also Anmut zukommen, aber auch unter diesen nur denjenigen, die ein Ausdruck *moralischer* Empfindungen sind. Bewegungen, welche keine andere Quelle als die Sinnlichkeit haben, gehören bei aller Willkürlichkeit doch nur der Natur an, die für sich allein sich nie bis zur Anmut erhebt. Könnte sich die Begierde mit Anmut, der Instinkt mit Grazie äußern, so würden Anmut und Grazie nicht mehr fähig und würdig sein, der Menschheit zu einem Ausdruck zu dienen.

Und doch ist es die *Menschheit* allein, in der der Grieche alle Schönheit und Vollkommenheit einschließt. Nie darf sich ihm die Sinnlichkeit ohne Seele zeigen, und seinem *humanen* Gefühl ist es gleich unmöglich, die rohe Tierheit und die Intelligenz zu *vereinzeln*. Wie er jeder Idee sogleich einen Leib anbildet und auch das Geistigste zu verkörpern strebt, so fordert er von jeder Handlung des Instinkts an dem Menschen zugleich einen Ausdruck seiner sittlichen Bestimmung. Dem Griechen ist die Natur nie *bloß*

Natur: darum darf er auch nicht erröten, sie zu ehren; ihm ist die Vernunft niemals *bloß* Vernunft: darum darf er auch nicht zittern, unter ihren Maßstab zu treten. Natur und Sittlichkeit, Materie und Geist, Erde und Himmel fließen wunderbar schön in seinen Dichtungen zusammen. Er führt die Freiheit, die nur im Olympus zu Hause ist, auch in die Geschäfte der Sinnlichkeit ein, und dafür wird man es ihm hingehen lassen, daß er die Sinnlichkeit in den Olympus versetzte.

Dieser zärtliche Sinn der Griechen nun, der das Materielle immer nur unter der Begleitung des Geistigen duldet, weiß von keiner willkürlichen Bewegung am Menschen, die nur der Sinnlichkeit allein angehörte, ohne zugleich ein Ausdruck des moralisch empfindenden Geistes zu sein. Daher ist ihm auch die Anmut nichts anders als ein solcher schöner Ausdruck der Seele in den willkürlichen Bewegungen. Wo also Anmut stattfindet, da ist die Seele das bewegende Prinzip, und in *ihr* ist der Grund von der Schönheit der Bewegung enthalten. Und so löst sich denn jene mystische Vorstellung in folgenden Gedanken auf: Anmut ist eine Schönheit, die nicht von der Natur gegeben, sondern von dem Subjekte selbst hervorgebracht wird.

... Der Mensch nämlich ist nicht dazu bestimmt, einzelne sittliche Handlungen zu verrichten, sondern ein sittliches Wesen zu sein. Nicht *Tugenden*, sondern die *Tugend* ist seine Vorschrift, und Tugend ist nichts anderes »als eine Neigung zu der Pflicht«. Wie sehr also auch Handlungen aus Neigung und Handlungen aus Pflicht in objektivem Sinne einander entgegenstehen, so ist dies doch in subjektivem Sinne nicht also, und der Mensch *darf* nicht nur, sondern *soll* Lust und Pflicht in Verbindung bringen; er soll seiner Vernunft mit Freuden gehorchen. Nicht um sie wie eine Last wegzuwerfen oder wie eine grobe Hülle von sich abzustreifen, nein, um sie aufs innigste mit seinem höhern Selbst zu vereinbaren, ist seiner reinen Geisternatur eine sinnliche beigestellt. Dadurch schon, daß sie ihn zum vernünftig sinnlichen Wesen, d.i. zum Menschen, machte, kündigte ihm die Natur die Verpflichtung an, nicht zu trennen, was sie verbunden hat, auch in den reinsten Äußerungen seines göttlichen Teiles den sinnlichen nicht hinter sich zu lassen und den Triumph des einen nicht auf Unterdrückung des andern zu gründen. Erst alsdann, wenn sie *aus seiner gesamten Menschheit* als die vereinigte Wirkung beider Prinzipien hervorquillt, *wenn sie ihm zur Natur geworden ist*, ist seine sittliche Denkart geborgen; denn solange der sittliche Geist noch *Gewalt* anwendet, so muß der Naturtrieb ihm noch *Macht* entgegenzusetzen haben. Der bloß *niedergeworfene* Feind kann wieder aufstehen, aber der *versöhnte* ist wahrhaft überwunden ...

Es erweckt mir kein gutes Vorurteil für einen Menschen, wenn er der Stimme des Triebes so wenig trauen darf, daß er gezwungen ist, ihn jedesmal erst vor dem Grundsatze der Moral abzuhören; vielmehr achtet man ihn hoch, wenn er sich demselben, ohne Gefahr, durch ihn mißleitet zu werden, mit einer gewissen Sicherheit vertraut. Denn das beweist, daß beide Prinzipien in ihm sich schon in derjenigen Übereinstimmung befinden, welche das Siegel der vollendeten Menschheit und dasjenige ist, was man unter einer *schönen Seele* versteht.

Eine schöne Seele nennt man es, wenn sich das sittliche Gefühl aller Empfindungen des Menschen endlich bis zu dem Grad versichert hat, daß es dem Affekt die Leitung des Willens ohne Scheu überlassen darf und nie Gefahr läuft, mit den Entscheidungen desselben im Widerspruch zu stehen. Daher sind bei einer schönen Seele die einzelnen Handlungen eigentlich nicht sittlich, sondern der ganze Charakter ist es. Man kann ihr auch keine einzige darunter zum Verdienst anrechnen, weil eine Befriedigung des Triebes nie verdienstlich heißen kann. Die schöne Seele hat kein anderes Verdienst, als daß sie ist. Mit einer Leichtigkeit, als wenn bloß der Instinkt aus ihr handelte, übt sie der Menschheit peinlichste Pflichten aus, und das heldenmütigste Opfer, das sie dem Naturtriebe abgewinnt, fällt wie eine freiwillige Wirkung eben dieses Triebes in die Augen. Daher weiß sie selbst auch niemals um die Schönheit ihres Handelns, und es fällt ihr nicht mehr ein, daß man anders handeln und empfinden könnte; dagegen ein schulgerechter Zögling der Sittenregel, so wie das Wort des Meisters ihn fordert, jeden Augenblick bereit sein wird, vom Verhältnis seiner Handlungen zum Gesetz die strengste Rechnung abzulegen. Das Leben des letzteren wird einer Zeichnung gleichen, worin man die Regel durch harte Striche angedeutet sieht, und an der allenfalls ein Lehrling die Prinzipien der Kunst lernen könnte. Aber in einem schönen Leben sind, wie in einem Tizianischen Gemälde, alle jene scheidenden Grenzlinien verschwunden, und doch tritt die ganze Gestalt nur desto wahrer, lebendiger, harmonischer hervor.

In einer schönen Seele ist es also, wo Sinnlichkeit und Vernunft, Pflicht und Neigung harmonieren, und Grazie ist ihr Ausdruck in der Erscheinung. Nur im Dienst einer schönen Seele kann die Natur zugleich Freiheit besitzen und ihre Form bewahren, da sie erstere unter der Herrschaft eines strengen Gemüts, letztere unter der Anarchie der Sinnlichkeit einbüßt. Eine schöne Seele gießt auch über eine Bildung, der es an architektonischer Schönheit mangelt, eine unwiderstehliche Grazie aus, und oft sieht man sie selbst über Gebrechen der Natur triumphieren. Alle Bewegungen, die von ihr ausgehen, werden leicht, sanft und dennoch belebt sein. Heiter und frei wird das Auge strahlen, und Empfindung wird in demselben glänzen. Von der Sanftmut des Herzens wird der Mund eine Grazie erhalten, die keine Verstellung erkünsteln kann. Keine Spannung wird in den Mienen, kein Zwang in den willkürlichen Bewegungen zu bemerken sein, denn die Seele weiß von keinem. Musik wird die Stimme sein und mit dem reinen Strom ihrer Modulationen das Herz bewegen. Die architektonische Schönheit kann Wohlgefallen, kann Bewunderung, kann Erstaunen erregen; aber nur die Anmut wird hinreißen. Die Schönheit hat *Anbeter; Liebhaber* hat nur die Grazie; denn wir huldigen dem Schöpfer und lieben den Menschen. . .

So wie die Anmut der Ausdruck einer schönen Seele ist, so ist Würde der Ausdruck einer erhabenen Gesinnung.

Es ist dem Menschen zwar aufgegeben, eine innige Übereinstimmung zwischen seinen beiden Naturen zu stiften, immer ein harmonierendes Ganze zu sein und mit seiner vollstimmigen, ganzen Menschheit zu handeln. Aber diese Charakterschönheit, die reifste Frucht seiner Humanität, ist bloß eine Idee, welcher gemäß zu werden er mit anhaltender Wachsamkeit streben, aber die er bei aller Anstrengung nie ganz erreichen kann.

Der Grund, warum er es nicht kann, ist die unveränderliche Einrichtung seiner Natur; es sind die psychischen Bedingungen seines Daseins selbst, die ihn daran verhindern . . .

Die Gesetzgebung der Natur durch den Trieb kann mit der Gesetzgebung der Vernunft aus Prinzipien in Streit geraten, wenn der Trieb zu seiner Befriedigung eine Handlung fordert, die dem moralischen Grundsatz zuwiderläuft. In diesem Fall ist es unwandelbare Pflicht für den Willen, die Forderung der Natur dem Ausspruch der Natur nachzusetzen, da Naturgesetze nur bedingungsweise, Vernunftgesetze aber schlechterdings und unbedingt verbinden.

Aber die Natur behauptet mit Nachdruck ihre Rechte, und da sie niemals willkürlich fordert, so nimmt sie, unbefriedigt, auch keine Forderung zurück. Weil von der ersten Ursache an, wodurch sie in Bewegung gebracht wird, bis zu dem Willen, wo ihre Gesetzgebung aufhört, alles in ihr streng notwendig ist, so kann sie *rückwärts* nicht nachgeben, sondern muß *vorwärts* gegen den Willen drängen, bei dem die Befriedigung ihres Bedürfnisses steht. Zuweilen scheint es zwar, als ob sie sich ihren Weg verkürzte, und, ohne zuvor ihr Gesuch vor den Willen zu bringen, unmittelbare Kausalität für die Handlung hätte, durch die ihrem Bedürfnisse abgeholfen wird. In einem solchen Falle, wo der Mensch dem Triebe nicht bloß freien Lauf *ließe*, sondern wo der Trieb diesen Lauf selbst *nähme*, würde der Mensch auch *nur* Tier sein; aber es ist sehr zu zweifeln, ob dieses jemals der Fall sein kann, und wenn er es wirklich wäre, ob diese blinde Macht seines Triebes nicht ein Verbrechen seines Willens ist . . .

In Affekten also, wo die Natur (der Trieb) *zuerst* handelt und den Willen entweder ganz zu *umgehen* oder ihn *gewaltsam* auf ihre Seite zu ziehen strebt, kann sich die Sittlichkeit des Charakters nicht anders als durch *Widerstand* offenbaren, und daß der Trieb die Freiheit des Willens nicht einschränke, nur durch Einschränkung des Triebes verhindern. Übereinstimmung mit dem Vernunftgesetz ist also im Affekte nicht anders möglich als durch einen Widerspruch mit den Forderungen der Natur. Und da die Natur ihre Forderungen aus sittlichen Gründen nie zurücknimmt, folglich auf ihrer Seite alles sich gleich bleibt, wie auch der Wille sich in Ansehung ihrer verhalten mag, so ist hier keine Zusammenstimmung zwischen Neigung und Pflicht, zwischen Vernunft und Sinnlichkeit möglich, so kann der Mensch hier nicht mit seiner ganzen harmonierenden Natur, sondern ausschließungsweise nur mit seiner vernünftigen handeln. Er handelt also in diesen Fällen auch nicht *moralisch* schön, weil an der Schönheit der Handlung auch die Neigung notwendig teilnehmen muß, die hier vielmehr widerstreitet. Er handelt aber *moralisch groß*, weil alles das, und das allein groß ist, was von einer Überlegenheit des höhern Vermögens über das sinnliche Zeugnis gibt.

Die *schöne* Seele muß sich also im Affekt in eine *erhabene* verwandeln, und das ist der untrügliche Probierstein, wodurch man sie von dem *guten Herzen* oder der *Temperamentstugend* unterscheiden kann. Ist bei einem Menschen die Neigung nur darum auf seiten der Gerechtigkeit, weil die Gerechtigkeit sich glücklicherweise auf seiten der Neigung befindet, so wird der Naturtrieb im Affekt eine vollkommene Zwangsgewalt über den Willen ausüben, und wo ein Opfer nötig ist, so wird es die Sittlichkeit und nicht die Sinnlichkeit bringen. War es hingegen die Vernunft selbst, die, wie bei einem schönen Charakter der Fall ist, die Neigungen *in Pflicht* nahm und der Sinnlichkeit das Steuer nur *anvertraute*, so wird sie es in demselben Moment zurücknehmen, als der Trieb seine Vollmacht mißbrauchen will. Die Temperamentstugend sinkt also im Affekt zum bloßen Naturprodukt herab; die schöne Seele geht ins Heroische über und erhebt sich zur reinen Intelligenz.

Beherrschung der Triebe durch die moralische Kraft ist *Geistesfreiheit*, und *Würde* heißt ihr Ausdruck in der Erscheinung ...

[15] **Tragödie als Theodizee**

FRIEDRICH SCHILLER

Die Schaubühne als eine moralische Anstalt betrachtet

... Derjenige, welcher zuerst die Bemerkung machte, daß eines Staats festeste Säule *Religion* sei — daß ohne sie die Gesetze selbst ihre Kraft verlieren, hat vielleicht, ohne es zu wollen oder zu wissen, die Schaubühne von ihrer edelsten Seite verteidigt. Eben diese Unzulänglichkeit, die schwankende Eigenschaft der politischen Gesetze, welche dem Staat die Religion unentbehrlich macht, bestimmt auch den sittlichen Einfluß der Bühne. Gesetze, wollte er sagen, drehen sich nur um verneinende Pflichten — Religion dehnt ihre Forderungen auf wirkliches Handeln aus. Gesetze hemmen nur Wirkungen, die den Zusammenhang der Gesellschaft auflösen — Religion befiehlt solche, die ihn inniger machen. Jene herrschen nur über die offenbaren Äußerungen des Willens, nur Taten sind ihnen untertan — diese setzt ihre Gerichtsbarkeit bis in die verborgensten Winkel des Herzens fort und verfolgt den Gedanken bis an die innerste Quelle. Gesetze sind glatt und geschmeidig, wandelbar wie Laune und Leidenschaft — Religion bindet streng und ewig. Wenn wir nun aber auch voraussetzen wollten, was nimmermehr ist — wenn wir der Religion diese große Gewalt über jedes Menschenherz einräumen, wird sie oder kann sie die ganze Bildung vollenden? — Religion (ich trenne hier ihre politische Seite von ihrer göttlichen), Religion wirkt im ganzen mehr auf den sinnlichen Teil des Volks — sie wirkt vielleicht durch das Sinnliche allein so unfehlbar. Ihre Kraft ist dahin, wenn wir ihr dieses nehmen — und wodurch wirkt die Bühne? Religion ist dem größern Teil der Menschen nichts mehr, wenn wir ihre Bilder, ihre Probleme vertilgen, wenn wir ihre Gemälde von Himmel und Hölle zernichten — und doch sind es nur Gemälde der Phantasie, Rätsel ohne Auflösung, Schreckbilder und Lockungen aus der Ferne. Welche Verstärkung für Religion und Gesetze, wenn sie mit der Schaubühne in Bund treten, wo Anschauung und lebendige Gegenwart ist, wo Laster und Tugend, Glückseligkeit und Elend, Torheit und Weisheit in tausend Gemälden faßlich und wahr an dem Menschen vorübergehen; wo die Vorsehung ihre Rätsel auflöst, ihre Knoten vor seinen Augen entwickelt, wo das menschliche Herz auf den Foltern der Leidenschaft seine leisesten Regungen beichtet, alle Larven fallen, alle Schminke verfliegt und die Wahrheit unbestechlich wie Rhadamanthus Gericht hält.

Die Gerichtsbarkeit der Bühne fängt an, wo das Gebiet der weltlichen Gesetze sich endigt. Wenn die Gerechtigkeit für Gold verblindet und im Solde der Laster schwelgt, wenn die Frevel der Mächtigen ihrer Ohnmacht spotten und Menschenfurcht den Arm der Obrigkeit bindet, übernimmt die Schaubühne Schwert und Waage und reißt die Laster vor einen schrecklichen Richterstuhl. Das ganze Reich der Phantasie und Geschichte, Vergangenheit und Zukunft stehen ihrem Wink zu Gebot. Kühne Verbrecher, die längst schon im Staub vermodern, werden durch den allmächtigen Ruf der Dichtkunst jetzt vorgeladen und wiederholen zum schauervollen Unterricht der Nachwelt ein schändliches Leben. Ohnmächtig, gleich den Schatten in einem Hohlspiegel, wandeln die Schrecken ihres Jahrhunderts vor unsern Augen vorbei, und mit wollüstigem Entsetzen verfluchen wir ihr Gedächtnis. Wenn keine Moral mehr gelehrt wird, keine Religion mehr Glauben findet, wenn kein Gesetz mehr vorhanden ist, wird uns *Medea* noch anschauern, wenn die Treppen des Palastes sie herunter wankt und der Kindermord jetzt geschehen ist. Heilsame Schauer werden die Menschheit ergreifen, und in der Stille wird jeder sein gutes Gewissen preisen, wenn *Lady Macbeth*, eine schreckliche Nachtwandlerin, ihre Hände wäscht und alle Wohlgerüche Arabiens herbeiruft, den häßlichen Mordgeruch zu vertilgen. So gewiß sichtbare Darstellung mächtiger wirkt als toter Buchstabe und kalte Erzählung, so gewiß wirkt die Schaubühne tiefer und dauernder als Moral und Gesetze ...

Aber ihr großer Wirkungskreis ist noch lange nicht geendigt. Die Schaubühne ist mehr, als jede andere öffentliche Anstalt des Staats, eine Schule der praktischen Weisheit, ein Wegweiser durch das bürgerliche Leben, ein unfehlbarer Schlüssel zu den geheimsten Zugängen der menschlichen Seele. Ich gebe zu, daß Eigenliebe und Abhärtung des Gewissens nicht selten ihre beste Wirkung vernichten, daß sich noch tausend Laster mit frecher Stirne vor ihrem Spiegel behaupten, tausend gute Gefühle vom kalten Herzen des Zuschauers fruchtlos zurückfallen — ich selbst bin der Meinung, daß vielleicht Molières Harpagon noch keinen Wucherer besserte, daß der Selbstmörder Beverley noch wenige seiner Brüder von der abscheulichen Spielsucht zurückzog, daß Karl Moors unglückliche Räubergeschichte die Landstraßen nicht viel sicherer machen wird — aber wenn wir auch diese große Wirkung der Schaubühne einschränken, wenn wir so ungerecht sein wollen, sie gar aufzuheben — wie unendlich viel bleibt noch von ihrem Einfluß zurück? wenn sie die Summe der Laster weder tilgt noch vermindert, hat sie uns nicht mit denselben bekannt gemacht? — Mit diesen Lasterhaften, mit diesen Toren müssen wir leben. Wir müssen ihnen ausweichen oder begegnen; wir müssen sie untergraben oder ihnen unterliegen. Jetzt aber überraschen sie uns nicht mehr. Wir sind auf ihre Anschläge vorbereitet. Die Schaubühne hat uns das Geheimnis verraten, sie ausfindig und unschädlich zu machen. Sie zog dem Heuchler die künstliche Maske ab und entdeckte das Netz, womit uns List und Kabale umstrickten. Betrug und Falschheit riß sie aus krummen Labyrinthen hervor und zeigte ihr schreckliches Angesicht dem Tag. Vielleicht, daß die sterbende Sara nicht *einen* Wollüstling schreckt, daß alle Gemälde gestrafter Verführung seine Glut nicht erkälten, und daß selbst die verschlagene Spielerin diese Wirkung ernstlich zu verhüten bedacht ist — glücklich genug, daß die arglose Unschuld jetzt seine Schlingen kennt, daß die Bühne sie lehrte seinen Schwüren mißtrauen und vor seiner Anbetung zittern.

Nicht bloß auf Menschen und Menschencharakter, auch auf Schicksale macht uns die Schaubühne aufmerksam und lehrt uns die große Kunst, sie zu ertragen. Im Gewebe unseres Lebens spielen *Zufall* und *Plan* eine gleich große Rolle; den letzten lenken *wir*, dem erstern müssen wir uns blind unterwerfen. Gewinn genug, wenn unausbleibliche Verhängnisse uns nicht ganz ohne Fassung finden, wenn unser Mut, unsere Klugheit sich einst schon in ähnlichen übten und unser Herz zu dem Schlag sich gehärtet hat. Die Schaubühne führt uns eine mannigfaltige Szene menschlicher Leiden vor. Sie zieht uns künstlich in fremde Bedrängnisse und belohnt uns das augenblickliche Leiden mit wollüstigen Tränen und einem herrlichen Zuwachs an Mut und Erfahrung. Mit ihr folgen wir der verlassenen Ariadne durch das widerhallende Naxos, steigen mit ihr in den Hungerturm Ugolinos hinunter, betreten mit ihr das entsetzliche Blutgerüst und behorchen mit ihr die feierliche Stunde des Todes. Hier hören wir, was unsere Seele in leisen Ahnungen fühlte, die überraschte Natur laut und unwidersprechlich bekräftigen. Im Gewölbe des Towers verläßt den betrogenen Liebling die Gunst seiner Königin. — Jetzt, da er sterben soll, entfliegt dem geängstigten Moor seine treulose, sophistische Weisheit. Die Ewigkeit entläßt einen Toten, Geheimnisse zu offenbaren, die kein Lebendiger wissen kann, und der sichere Bösewicht verliert seinen letzten gräßlichen Hinterhalt, weil auch Gräber noch ausplaudern. . . .

Unmöglich kann ich hier den großen Einfluß übergehen, den eine gute stehende Bühne auf den Geist der Nation haben würde. Nationalgeist eines Volks nenne ich die Ähnlichkeit und Übereinstimmung seiner Meinungen und Neigungen bei Gegenständen, worüber eine andere Nation anders meint und empfindet. Nur der Schaubühne ist es möglich, diese Übereinstimmung in einem hohen Grad zu bewirken, weil sie das ganze Gebiet des menschlichen Wissens durchwandert, alle Situationen des Lebens erschöpft und in alle Winkel des Herzens hinunter leuchtet; weil sie alle Stände und Klassen in sich vereinigt und den gebahntesten Weg zum Verstand und zum Herzen hat. Wenn in allen unsern Stücken *ein* Hauptzug herrschte, wenn unsere Dichter unter sich einig werden und einen festen Bund zu diesem Endzweck errichten wollten — wenn strenge Auswahl ihre Arbeiten leitete, ihr Pinsel nur Volksgegenständen sich weihte — mit *einem* Wort, wenn wir es erlebten, eine Nationalbühne zu haben, so würden wir auch eine Nation. Was kettete Griechenland so fest aneinander? Was zog das Volk so unwiderstehlich nach seiner Bühne? — Nichts anderes als der vaterländische Inhalt der Stücke, der griechische Geist, das große überwältigende Interesse des Staats, der besseren Menschheit, das in denselbigen atmete.

Noch ein Verdienst hat die Bühne — ein Verdienst, das ich jetzt um so lieber in Anschlag bringe, weil ich vermute, daß ihr Rechtshandel mit ihren Verfolgern ohnehin schon gewonnen sein wird. Was bis hierher zu beweisen unternommen worden, daß sie auf Sitten und Aufklärung wesentlich wirke, war zweifelhaft — daß sie unter allen Erfindungen des Luxus und allen Anstalten zur gesellschaftlichen Ergetzlichkeit den Vorzug verdiene, haben selbst ihre Feinde gestanden. Aber was sie hier leistet, ist wichtiger, als man gewohnt ist, zu glauben.

Die menschliche Natur erträgt es nicht, ununterbrochen und ewig auf der Folter der Geschäfte zu liegen, die Reize der Sinne sterben mit ihrer Befriedigung. Der Mensch, überladen von tierischem Genuß, der langen Anstrengung müde, vom ewigen Triebe nach Tätigkeit gequält, dürstet nach bessern, auserlesenen Vergnügungen oder stürzt zügellos in wilde Zerstreuungen, die seinen Hinfall beschleunigen und die Ruhe der Gesellschaft stören. Bacchantische Freuden, verderbliches Spiel, tausend Rasereien, die der Müßiggang ausheckt, sind unvermeidlich, wenn der Gesetzgeber diesen Hang des Volks nicht zu lenken weiß. Der Mann von Geschäften ist in Gefahr, ein Leben, das er dem Staat so großmütig hinopferte, mit dem unseligen Spleen abzubüßen — der Gelehrte zum dumpfen Pedanten herabzusinken — der Pöbel zum Tier. Die Schaubühne ist die Stiftung, wo sich Vergnügen mit Unterricht, Ruhe mit Anstrengung, Kurzweil mit Bildung gattet, wo keine Kraft der Seele zum Nachteil der andern gespannt, kein Vergnügen auf Unkosten des Ganzen genossen wird. Wenn Gram an dem Herzen nagt, wenn trübe Laune unsere einsamen Stunden vergiftet, wenn uns Welt und Geschäfte anekeln, wenn tausend Lasten unsere Seele drücken und unsere Reizbarkeit unter Arbeiten des Berufs zu ersticken droht, so empfängt uns die Bühne — in dieser künstlichen Welt träumen wir die wirkliche hinweg, wir werden uns selbst wieder gegeben, unsere Empfindung erwacht, heilsame Leidenschaften erschüttern unsre schlummernde Natur und treiben das Blut in frischeren Wallungen. Der Unglückliche weint hier mit fremdem Kummer seinen eigenen aus. — Der Glückliche wird nüchtern und der Sichere besorgt. Der empfindsame Weichling härtet sich zum Manne, der rohe Unmensch fängt hier zum ersten Mal zu empfinden an. Und dann endlich — welch ein Triumph für dich, Natur! — so oft zu Boden getretene, so oft wieder auferstehende Natur! — wenn

Menschen aus allen Kreisen und Zonen und Ständen, abgeworfen jede
Fessel der Künstelei und der Mode, herausgerissen aus jedem Drange des
Schicksals, durch *eine* allwebende Sympathie verbrüdert, in *ein* Geschlecht
wieder aufgelöst, ihrer selbst und der Welt vergessen, und ihrem himmlischen Ursprung sich nähern. Jeder Einzelne genießt die Entzückungen
aller, die verstärkt und verschönert aus hundert Augen auf ihn zurückfallen, und seine Brust gibt jetzt nur *einer* Empfindung Raum — es ist
diese: ein *Mensch* zu sein.

[16] Idee und Wirklichkeit

FRIEDRICH SCHILLER · *Don Carlos*

Der Marquis von Posa ist aus den zerstörten Niederlanden heimgekehrt. Er ist mit dem
Infanten Don Carlos befreundet und versucht, diesen für die humanitäre Tat der Befreiung zu gewinnen. Da wird er zum König gerufen.

*(Der König und Marquis von Posa. Dieser geht dem König, sobald er ihn
gewahr wird, entgegen und läßt sich vor ihm auf ein Knie nieder, steht auf
und bleibt ohne Zeichen der Verwirrung vor ihm stehen.)*

KÖNIG *(betrachtet ihn mit einem Blick der Verwunderung)*:
    Mich schon gesprochen also?
MARQUIS: Nein.
KÖNIG: Ihr machtet
    Um meine Krone Euch verdient. Warum
    Entziehet Ihr Euch meinem Dank? In meinem
    Gedächtnis drängen sich der Menschen viel.
    Allwissend ist nur Einer. Euch kam's zu,
    Das Auge Eures Königes zu suchen.
    Weswegen tatet Ihr das nicht?
MARQUIS: Es sind
    Zwei Tage, Sire, daß ich ins Königreich
    Zurückgekommen.
KÖNIG: Ich bin nicht gesonnen,
    In meiner Diener Schuld zu stehn — erbittet
    Euch eine Gnade.
MARQUIS: Ich genieße die Gesetze.
KÖNIG: Dies Recht hat auch der Mörder.
MARQUIS: Wie viel mehr
    Der gute Bürger! — Sire, ich bin zufrieden.
KÖNIG *(für sich)*: Viel Selbstgefühl und kühner Mut, bei Gott!
    Doch das war zu erwarten — Stolz will ich
    Den Spanier. Ich mag es gerne leiden,
    Wenn auch der Becher überschäumt — Ihr tratet
    Aus meinen Diensten, hör' ich?
MARQUIS: Einem Bessern
    Den Platz zu räumen, zog ich mich zurücke.

KÖNIG: Das tut mir leid. Wenn solche Köpfe feiern,
Wie viel Verlust für meinen Staat — Vielleicht
Befürchtet Ihr, die Sphäre zu verfehlen,
Die Eures Geistes würdig ist.

MARQUIS: O nein!
Ich bin gewiß, daß der erfahrne Kenner,
In Menschenseelen, seinem Stoff, geübt,
Beim ersten Blicke wird gelesen haben,
Was ich ihm taugen kann, was nicht. Ich fühle
Mit demutsvoller Dankbarkeit die Gnade,
Die Eure königliche Majestät
Durch diese stolze Meinung auf mich häufen;
Doch *(er hält inne)*

KÖNIG: Ihr bedenket Euch?

MARQUIS: Ich bin — ich muß
Gestehen, Sire — sogleich nicht vorbereitet,
Was ich als Bürger dieser Welt gedacht,
In Worte Ihres Untertans zu kleiden. —
Denn damals, Sire, als ich auf immer mit
Der Krone aufgehoben, glaubt' ich mich
Auch der Notwendigkeit entbunden, ihr
Von diesem Schritte Gründe anzugeben.

KÖNIG: So schwach sind diese Gründe? Fürchtet Ihr
Dabei zu wagen?

MARQUIS: Wenn ich Zeit gewinne,
Sie zu erschöpfen, Sire — mein Leben höchstens.
Die Wahrheit aber setz' ich aus, wenn Sie
Mir diese Gunst verweigern. Zwischen Ihrer
Ungnade und Geringschätzung ist mir
Die Wahl gelassen — muß ich mich entscheiden,
So will ich ein Verbrecher lieber als
Ein Tor von Ihren Augen gehn.

KÖNIG *(mit erwartender Miene)*:   Nun?

MARQUIS: — Ich kann nicht Fürstendiener sein.
(Der König sieht ihn mit Erstaunen an.) Ich will
Den Käufer nicht betrügen, Sire. — Wenn Sie
Mich anzustellen würdigen, so wollen
Sie nur die vorgewogne Tat. Sie wollen
Nur meinen Arm und meinen Mut im Felde,
Nur meinen Kopf im Rat. Nicht meine Taten,
Der Beifall, den sie finden an dem Thron,
Soll meiner Taten Endzweck sein. Mir aber,
Mir hat die Tugend eignen Wert. Das Glück,
Das der Monarch mit meinen Händen pflanzte,
Erschüf' ich selbst, und Freude wäre mir
Und eigne Wahl, was mir nur Pflicht sein sollte.

Und ist das Ihre Meinung? Können Sie
In Ihrer Schöpfung fremde Schöpfer dulden?
Ich aber soll zum Meißel mich erniedern,
Wo ich der Künstler könnte sein? — Ich liebe
Die Menschheit, und in Monarchien darf
Ich niemand lieben als mich selbst.

KÖNIG: Dies Feuer
Ist lobenswert. Ihr möchtet Gutes stiften.
Wie Ihr es stiftet, kann dem Patrioten,
Dem Weisen gleich viel heißen. Suchet Euch
Den Posten aus in meinen Königreichen,
Der Euch berechtigt, diesem edeln Triebe
Genug zu tun.

MARQUIS: Ich finde keinen.

KÖNIG: Wie?

MARQUIS: Was Eure Majestät durch meine Hand
Verbreiten — ist das Menschenglück? — Ist das
Dasselbe Glück, das meine reine Liebe
Den Menschen gönnt? — Vor diesem Glücke würde
Die Majestät erzittern — Nein! Ein neues
Erschuf der Krone Politik — ein Glück,
Das *sie* noch reich genug ist, auszuteilen,
Und in dem Menschenherzen neue Triebe,
Die sich von diesem Glücke stillen lassen.
In ihren Münzen läßt sie Wahrheit schlagen,
Die Wahrheit, die sie dulden kann. Verworfen
Sind alle Stempel, die nicht diesem gleichen.
Doch, was der Krone frommen kann — ist das
Auch mir genug? Darf meine Bruderliebe
Sich zur Verkürzung meines Bruders borgen?
Weiß ich ihn glücklich — eh' er denken darf?
Mich wählen Sie nicht, Sire, Glückseligkeit,
Die *Sie* uns prägen, auszustreun. Ich muß
Mich weigern, diese Stempel auszugeben. —
Ich kann nicht Fürstendiener sein.

KÖNIG *(etwas rasch)*:   Ihr seid
Ein Protestant.

MARQUIS *(nach einigem Bedenken)*:
                Ihr Glaube, Sire, ist auch
Der meinige. *(Nach einer Pause.)*
             Ich werde mißverstanden.
Das war es, was ich fürchtete. Sie sehen
Von den Geheimnissen der Majestät
Durch meine Hand den Schleier weggezogen.
Wer sichert Sie, daß mir noch heilig hieße,
Was mich zu schrecken aufgehört? Ich bin

Gefährlich, weil ich über mich gedacht. —
Ich bin es nicht, mein König. Meine Wünsche
Verwesen hier. *(Die Hand auf die Brust gelegt.)*
    Die lächerliche Wut
Der Neuerung, die nur der Ketten Last,
Die sie nicht ganz zerbrechen kann, vergrößert,
Wird *mein* Blut nie erhitzen. Das Jahrhundert
Ist meinem Ideal nicht reif. Ich lebe,
Ein Bürger derer, welche kommen werden.
Kann ein Gemälde Ihre Ruhe trüben? —
Ihr Atem löscht es aus.

KÖNIG: Bin ich der erste,
Der Euch von dieser Seite kennt?

MARQUIS: Von dieser —
Ja!

KÖNIG *(steht auf, macht einige Schritte und bleibt dem Marquis gegenüber
  stehen. Für sich)*:
   Neu zum wenigsten ist dieser Ton!
Die Schmeichelei erschöpft sich. Nachzuahmen
Erniedrigt einen Mann von Kopf. — Auch einmal
Die Probe von dem Gegenteil. Warum nicht?
Das Überraschende macht Glück. — Wenn Ihr
Es so verstehet, gut, so will ich mich
Auf eine neue Kronbedienung richten —
Den starken Geist —

MARQUIS: Ich höre, Sire, wie klein,
Wie niedrig Sie von Menschenwürde denken,
Selbst in des freien Mannes Sprache nur
Den Kunstgriff eines Schmeichlers sehen, und
Mir deucht, ich weiß, wer Sie dazu berechtigt.
Die Menschen zwangen Sie dazu; *die* haben
Freiwillig ihres Adels sich begeben,
Freiwillig sich auf diese niedre Stufe
Herabgestellt. Erschrocken fliehen sie
Vor dem Gespenste ihrer innern Größe,
Gefallen sich in ihrer Armut, schmücken
Mit feiger Weisheit ihre Ketten aus,
Und Tugend nennt man, sie mit Anstand tragen.
So überkamen Sie die Welt. So ward
Sie Ihrem großen Vater überliefert.
Wie könnten Sie in dieser traurigen
Verstümmlung — Menschen ehren?

KÖNIG: Etwas Wahres
Find' ich in diesen Worten.

MARQUIS: Aber schade!
Da Sie den Menschen aus des Schöpfers Hand

In Ihrer Hände Werk verwandelten,
In dieser neugegoßnen Kreatur
Zum Gott sich gaben — da versahen Sie's
In etwas nur: Sie blieben selbst noch Mensch —
Mensch aus des Schöpfers Hand. *Sie* fuhren fort,
Als Sterblicher zu leiden, zu begehren;
Sie brauchen Mitgefühl — und einem Gott
Kann man nur opfern — zittern — zu ihm beten!
Bereuenswerter Tausch! Unselige
Verdrehung der Natur! — Da Sie den Menschen
Zu Ihrem Saitenspiel herunterstürzten,
Wer teilt mit Ihnen Harmonie?

KÖNIG: (Bei Gott,
Er greift in meine Seele!)

MARQUIS: Aber Ihnen
Bedeutet dieses Opfer nichts. Dafür
Sind Sie auch einzig — Ihre eigne Gattung —
Um diesen Preis sind Sie ein Gott. — Und schrecklich,
Wenn das *nicht* wäre — wenn für diesen Preis,
Für das zertretne Glück von Millionen,
Sie nichts gewonnen hätten! Wenn die Freiheit,
Die Sie vernichteten, das Einz'ge wäre,
Das Ihre Wünsche reifen kann? — Ich bitte,
Mich zu entlassen, Sire. Mein Gegenstand
Reißt mich dahin. Mein Herz ist voll — der Reiz
Zu mächtig, vor dem Einzigen zu stehen,
Dem ich es öffnen möchte.

(Der Graf von Lerma tritt herein und spricht einige Worte leise mit dem König. Dieser gibt ihm einen Wink, sich zu entfernen, und bleibt in seiner vorigen Stellung sitzen.)

KÖNIG *(zum Marquis, nachdem Lerma weggegangen)*:
                            Redet aus!

MARQUIS *(nach einigem Stillschweigen)*:
            Ich fühle, Sire — den ganzen Wert —

KÖNIG: Vollendet!
Ihr hattet mir noch mehr zu sagen.

MARQUIS: Sire!
Jüngst kam ich an von Flandern und Brabant. —
So viele reiche, blühende Provinzen!
Ein kräftiges, ein großes Volk — und auch
Ein gutes Volk — und Vater dieses Volkes,
Das, dachte ich, das muß göttlich sein! — Da stieß
Ich auf verbrannte menschliche Gebeine —

(Hier schweigt er still; seine Augen ruhen auf dem König, der es versucht, diesen Blick zu erwidern, aber betroffen und verwirrt zur Erde sieht.)
Sie haben recht. *Sie* müssen. Daß Sie *können*,

Was Sie zu müssen eingesehn, hat mich
Mit schaudernder Bewunderung durchdrungen.
O schade, daß in seinem Blut gewälzt,
Das Opfer wenig dazu taugt, dem Geist
Des Opferers ein Loblied anzustimmen!
Daß Menschen nur — nicht Wesen höh'rer Art —
Die Weltgeschichte schreiben! — Sanftere
Jahrhunderte verdrängen Philipps Zeiten;
Die bringen mildre Weisheit; Bürgerglück
Wird dann versöhnt mit Fürstengröße wandeln,
Der karge Staat mit seinen Kindern geizen,
Und die Notwendigkeit wird menschlich sein.

KÖNIG: Wann, denkt Ihr, würden diese menschlichen
Jahrhunderte erscheinen, hätt' ich vor
Dem Fluch des jetzigen gezittert? Sehet
In meinem Spanien Euch um. Hier blüht
Des Bürgers Glück in nie bewölktem Frieden;
Und *diese Ruhe* gönn' ich den Flamändern.

MARQUIS *(schnell)*: Die Ruhe eines Kirchhofs! Und Sie hoffen,
Zu endigen, was Sie begannen? Hoffen,
Der Christenheit gezeitigte Verwandlung,
Den allgemeinen Frühling aufzuhalten,
Der die Gestalt der Welt verjüngt? *Sie* wollen
Allein in ganz Europa — sich dem Rade
Des Weltverhängnisses, das unaufhaltsam
In vollem Laufe rollt, entgegenwerfen?
Mit Menschenarm in seine Speichen fallen?
Sie werden nicht! Schon flohen Tausende
Aus Ihren Ländern froh und arm. Der Bürger,
Den Sie verloren für den Glauben, war
Ihr edelster. Mit off'nen Mutterarmen
Empfängt die Fliehenden Elisabeth,
Und furchtbar blüht durch Künste unsres Landes
Britannien. Verlassen von dem Fleiß
Der neuen Christen liegt Grenada öde,
Und jauchzend sieht Europa seinen Feind
An selbstgeschlagnen Wunden sich verbluten.

(Der König ist bewegt; der Marquis bemerkt es und tritt einige Schritte näher.)
Sie wollen pflanzen für die Ewigkeit
Und säen Tod? Ein so erzwungnes Werk
Wird seines Schöpfers Geist nicht überdauern.
Dem Undank haben Sie gebaut — umsonst
Den harten Kampf mit der Natur gerungen,
Umsonst ein großes königliches Leben
Zerstörenden Entwürfen hingeopfert.
Der Mensch ist mehr, als Sie von ihm gehalten.

Des langen Schlummers Bande wird er brechen
Und wiederfordern sein geheiligt Recht.
Zu einem *Nero* und *Busiris* wirft
Er Ihren Namen, und — das schmerzt mich; denn
Sie waren gut.

KÖNIG: Wer hat Euch dessen so
Gewiß gemacht?

MARQUIS *(mit Feuer)*:   Ja, beim Allmächtigen!
Ja — ja — ich wiederhol' es. Geben Sie,
Was Sie uns nahmen, wieder! Lassen Sie,
Großmütig, wie der Starke, Menschenglück
Aus Ihrem Füllhorn strömen — Geister reifen
In Ihrem Weltgebäude! Geben Sie,
Was Sie uns nahmen, wieder. Werden Sie
Von Millionen Königen ein König.

(Er nähert sich ihm kühn und indem er feste und feurige Blicke auf ihn richtet.)

Oh, könnte die Beredsamkeit von allen
Den Tausenden, die dieser großen Stunde
Teilhaftig sind, auf meinen Lippen schweben,
Den Strahl, den ich in diesen Augen merke,
Zur Flamme zu erheben! — Geben Sie
Die unnatürliche Vergöttrung auf,
Die uns vernichtet. Werden Sie uns Muster
Des Ewigen und Wahren. Niemals — niemals
Besaß ein Sterblicher so viel, so göttlich
Es zu gebrauchen. Alle Könige
Europens huldigen dem span'schen Namen.
Gehn Sie Europens Königen voran.
Ein Federzug von dieser Hand, und neu
Erschaffen wird die Erde. Geben Sie
Gedankenfreiheit. — *(Sich ihm zu Füßen werfend.)*

KÖNIG *(überrascht, das Gesicht weggewandt und dann wieder auf den Marquis geheftet)*:   Sonderbarer Schwärmer!
Doch — stehet auf — ich —

MARQUIS: Sehen Sie sich um
In seiner herrlichen Natur! Auf Freiheit
Ist sie gegründet — und wie reich ist sie
Durch Freiheit! — Er, der große Schöpfer, wirft
In einen Tropfen Tau den Wurm und läßt
Noch in den toten Räumen der Verwesung
Die Willkür sich ergötzen — *Ihre* Schöpfung,
Wie eng und arm! Das Rauschen eines Blattes
Erschreckt den Herrn der Christenheit — *Sie* müssen
Vor jeder Tugend zittern. *Er* — der Freiheit
Entzückende Erscheinung nicht zu stören —

Er läßt des Übels grauenvolles Heer
In seinem Weltall lieber toben — ihn,
Den Künstler, wird man nicht gewahr, bescheiden
Verhüllt er sich in ewige Gesetze;
Die sieht der Freigeist, doch nicht *ihn.* Wozu
Ein Gott? sagt er; die Welt ist sich genug.
Und keines Christen Andacht hat ihn mehr
Als dieses Freigeists Lästerung gepriesen.

KÖNIG: Und wollet Ihr es unternehmen, dies
Erhabne Muster in der Sterblichkeit
In meinen Staaten nachzubilden?

MARQUIS: Sie,
Sie können es. Wer anders? Weihen Sie
Dem Glück der Völker die Regentenkraft,
Die — ach so lang — des Thrones Größe nur
Gewuchert hatte — stellen Sie der Menschheit
Verlornen Adel wieder her. Der Bürger
Sei wiederum, was er zuvor gewesen,
Der Krone Zweck — ihn binde keine Pflicht
Als seiner Brüder gleich ehrwürd'ge Rechte.
Wenn nun der Mensch, sich selbst zurückgegeben,
Zu seines Werts Gefühl erwacht — der Freiheit
Erhabne, stolze Tugenden gedeihen —
Dann, Sire, wenn Sie zum glücklichsten der Welt
Ihr eignes Königreich gemacht — dann ist
Es Ihre Pflicht, die Welt zu unterwerfen.

FRIEDRICH SCHILLER · *Wallensteins Tod*

Max Piccolomini, der Sohn des Intriganten und Gegenspielers Octavio, liebt Thekla,
Wallensteins Tochter; er ist dem Feldherrn in tiefer Verehrung zugetan. Da erfährt
er von dessen beabsichtigtem Abfall.

MAX *(nähert sich ihm)*: Mein General —
WALLENSTEIN: Der bin ich nicht mehr,
Wenn du des Kaisers Offizier dich nennst.
MAX: So bleibt's dabei, du willst das Heer verlassen?
WALLENSTEIN: Ich hab' des Kaisers Dienst entsagt.
MAX: Und willst das Heer verlassen?
WALLENSTEIN: Vielmehr hoff' ich,
Mir's enger noch und fester zu verbinden. *(Er setzt sich.)*
Ja, Max. Nicht eher wollt' ich dir's eröffnen,
Als bis des Handelns Stunde würde schlagen.
Der Jugend glückliches Gefühl ergreift
Das Rechte leicht, und eine Freude ist's,

Das eigne Urteil prüfend auszuüben,
Wo das Exempel rein zu lösen ist.
Doch, wo von zwei gewissen Übeln eins
Ergriffen werden muß, wo sich das Herz
Nicht *ganz* zurückbringt aus dem Streit der Pflichten,
Da ist es Wohltat, keine Wahl zu haben,
Und eine Gunst ist die Notwendigkeit.
— Die ist vorhanden. Blicke nicht zurück!
Es kann dir nichts mehr helfen. Blicke vorwärts!
Urteile nicht! Bereite dich, zu handeln!
— Der Hof hat meinen Untergang beschlossen,
Drum bin ich willens, ihm zuvorzukommen.
— Wir werden mit den Schweden uns verbinden.
Sehr wackre Leute sind's und gute Freunde.

(Hält ein, Piccolominis Antwort erwartend.)

      — Ich hab' dich überrascht. Antwort' mir nicht.
Ich will dir Zeit vergönnen, dich zu fassen.

(Er steht auf und geht nach hinten. Max steht lange unbeweglich, in den heftigsten Schmerz versetzt, wie er eine Bewegung macht, kommt Wallenstein zurück und stellt sich vor ihn hin.)

MAX: Mein General! — Du machst mich heute mündig.
Denn bis auf diesen Tag war mir's erspart,
Den Weg mir selbst zu finden und die Richtung.
Dir folgt' ich unbedingt. Auf dich nur braucht' ich
Zu sehn und war des rechten Pfads gewiß.
Zum ersten Male heut verweisest du
Mich an mich selbst und zwingst mich, eine Wahl
Zu treffen zwischen dir und meinem Herzen.

WALLENSTEIN: Sanft wiegte dich bis heute dein Geschick,
Du konntest spielend deine Pflichten üben,
Jedwedem schönen Trieb Genüge tun,
Mit ungeteiltem Herzen immer handeln.
So kann's nicht ferner bleiben. Feindlich scheiden
Die Wege sich. Mit Pflichten streiten Pflichten.
Du mußt Partei ergreifen in dem Krieg,
Der zwischen deinem Freund und deinem Kaiser
Sich jetzt entzündet.

MAX: Krieg! Ist das der Name?
Der Krieg ist schrecklich wie des Himmels Plagen,
Doch ist er gut, ist ein Geschick wie sie.
Ist das ein guter Krieg, den du dem Kaiser
Bereitest mit des Kaisers eignem Heer?
O Gott des Himmels, was ist das für eine
Veränderung! Ziemt solche Sprache mir
Mit dir, der, wie der feste Stern des Pols,

> Mir als die Lebensregel vorgeschienen!
> Oh, welchen Riß erregst du mir im Herzen!
> Der alten Ehrfurcht eingewachsnen Trieb
> Und des Gehorsams heilige Gewohnheit
> Soll ich versagen lernen deinem Namen?
> Nein, wende nicht dein Angesicht zu mir!
> Es war mir immer eines Gottes Antlitz,
> Kann über mich nicht gleich die Macht verlieren;
> Die Sinne sind in deinen Banden noch,
> Hat gleich die Seele blutend sich befreit!

WALLENSTEIN: Max, hör' mich an.

MAX: Oh, tu es nicht! Tu's nicht!
> Sieh, deine reinen, edeln Züge wissen
> Noch nichts von dieser unglücksel'gen Tat.
> Bloß deine Einbildung befleckte sie,
> Die Unschuld will sich nicht vertreiben lassen
> Aus deiner hoheitblickenden Gestalt.
> Wirf ihn heraus, den schwarzen Fleck, den Feind.
> Ein böser Traum bloß ist es dann gewesen,
> Der jede sichre Tugend warnt. Es mag
> Die Menschheit solche Augenblicke haben;
> Doch siegen muß das glückliche Gefühl.
> Nein, du wirst *so* nicht endigen. Das würde
> Verrufen bei den Menschen jede große
> Natur und jedes mächtige Vermögen,
> Recht geben würd' es dem gemeinen Wahn,
> Der nicht an Edles in der Freiheit glaubt
> Und nur der Ohnmacht sich vertrauen mag.

WALLENSTEIN: Streng wird die Welt mich tadeln, ich erwart' es.
> Mir selbst schon sagt' ich, was du sagen kannst.
> Wer miede nicht, wenn er's umgehen kann,
> Das Äußerste! Doch hier ist keine Wahl,
> Ich muß Gewalt ausüben oder leiden —
> So steht der Fall. Nichts andres bleibt mir übrig.

MAX: Sei's denn! Behaupte dich in deinem Posten
> Gewaltsam, widersetze dich dem Kaiser,
> Wenn's sein muß, treib's zur offenen Empörung,
> Nicht loben werd' ich's, doch ich kann's verzeihn,
> Will, was ich nicht gut heiße, mit dir teilen.
> Nur — zum *Verräter* werde nicht! Das Wort
> Ist ausgesprochen. Zum Verräter nicht!
> Das ist kein überschrittnes Maß, kein Fehler,
> Wohin der Mut verirrt in seiner Kraft.
> Oh, das ist ganz was andres — das ist schwarz,
> Schwarz wie die Hölle!

WALLENSTEIN *(mit finsterm Stirnfalten, doch gemäßigt)*:
      Schnell fertig ist die Jugend mit dem Wort,
      Das schwer sich handhabt wie des Messers Schneide
      Aus ihrem heißen Kopfe nimmt sie keck
      Der Dinge Maß, die nur sich selber richten.
      Gleich heißt ihr alles schändlich oder würdig,
      Bös oder gut — und was die Einbildung
      Phantastisch schleppt in diesen dunkeln Namen,
      Das bürdet sie den Sachen auf und Wesen.
      Eng ist die Welt, und das Gehirn ist *weit*.
      Leicht bei einander wohnen die Gedanken,
      Doch hart im Raume stoßen sich die Sachen;
      Wo eines Platz nimmt, muß das andre rücken,
      Wer nicht vertrieben sein will, muß vertreiben;
      Da herrscht der Streit, und nur die Stärke siegt.
      — Ja, wer durchs Leben gehet ohne Wunsch,
      Sich jeden Zweck versagen kann, der wohnt
      Im leichten Feuer mit dem Salamander
      Und hält sich rein im reinen Element.
      Mich schuf aus gröberm Stoffe die Natur,
      Und zu der Erde zieht mich die Begierde.
      Dem bösen Geist gehört die Erde, nicht
      Dem guten. Was die Göttlichen uns senden
      Von oben, sind nur allgemeine Güter;
      Ihr Licht erfreut, doch macht es keinen reich,
      In ihrem Staat erringt sich kein Besitz.
      Den Edelstein, das allgeschätzte Gold
      Muß man den falschen Mächten abgewinnen,
      Die unterm Tage schlimmgeartet hausen.
      Nicht ohne Opfer macht man sie geneigt,
      Und keiner lebet, der aus ihrem Dienst
      Die Seele hätte rein zurückgezogen.

MAX *(mit Bedeutung)*: Oh, fürchte, fürchte diese falschen Mächte
      Sie halten *nicht* Wort! Es sind Lügengeister,
      Die dich berückend in den Abgrund ziehn.
      Trau ihnen nicht! Ich warne dich — Oh, kehre
      Zurück zu deiner Pflicht! Gewiß, du kannst's!
      Schick mich nach Wien. Ja, tue das. Laß mich,
      Mich, deinen Frieden machen mit dem Kaiser.
      Er kennt dich nicht, ich aber kenne dich,
      Er soll dich sehn mit meinem reinen Auge,
      Und sein Vertrauen bring' ich dir zurück.

WALLENSTEIN: Es ist zu spät. Du weißt nicht, was geschehn.

MAX: Und wär's zu spät — und wär' es auch so weit
      Daß ein Verbrechen nur vom Fall dich rettet,
      So falle! falle würdig, wie du standst.

> Verliere das Kommando. Geh vom Schauplatz.
> Du kannst's mit Glanze, tu's mit Unschuld auch.
> — Du hast für andre viel gelebt, leb' endlich
> Einmal dir selber! Ich begleite dich,
> Mein Schicksal trenn' ich nimmer von dem deinen —

WALLENSTEIN: Es ist zu spät. Indem du deine Worte
> Verlierst, ist schon ein Meilenzeiger nach dem andern
> Zurückgelegt von meinen Eilenden,
> Die mein Gebot nach Prag und Eger tragen.
> — Ergib dich drein! Wir handeln, wie wir müssen.
> So laß uns das Notwendige mit Würde,
> Mit festem Schritte tun — Was tu' ich Schlimmres
> Als jener Cäsar tat, des Name noch
> Bis heut' das Höchste in der Welt benennet?
> Er führte wider Rom die Legionen,
> Die Rom ihm zur Beschützung anvertraut.
> Warf er das Schwert von sich, er war verloren,
> Wie ich es wär', wenn ich entwaffnete.
> Ich spüre was in mir von seinem Geist,
> Gib mir sein Glück, das andre will ich tragen.

(Max, der bisher in einem schmerzvollen Kampfe gestanden, geht schnell ab. Wallenstein sieht ihm verwundert und betroffen nach und steht in tiefe Gedanken verloren.)

[17] Überwindung der Schuld

FRIEDRICH SCHILLER · *Über das Erhabene*

»Kein Mensch muß müssen«, sagt der Jude Nathan zum Derwisch, und dieses Wort ist in einem weitern Umfange wahr, als man demselben vielleicht einräumen möchte. Der Wille ist der Geschlechtscharakter des Menschen, und die Vernunft selbst ist nur die ewige Regel desselben. Verhünftig handelt die ganze Natur; sein Prärogativ ist bloß, daß er mit Bewußtsein und Willen vernünftig handelt. Alle anderen Dinge müssen; der Mensch ist das Wesen, welches will.

Ebendeswegen ist des Menschen nichts so unwürdig, als Gewalt zu erleiden, denn Gewalt hebt ihn auf. Wer sie uns antut, macht uns nichts Geringeres als die Menschheit streitig; wer sie feigerweise erleidet, wirft seine Menschheit weg. Aber dieser Anspruch auf absolute Befreiung von allem, was Gewalt ist, scheint ein Wesen vorauszusetzen, welches Macht genug besitzt, jede andere Macht von sich abzutreiben. Findet er sich in einem Wesen, welches im Reich der Kräfte nicht den obersten Rang behauptet, so entsteht daraus ein unglücklicher Widerspruch zwischen dem Trieb und dem Vermögen.

In diesem Falle befindet sich der Mensch. Umgeben von zahllosen Kräften, die alle ihm überlegen sind und den Meister über ihn spielen, macht er durch seine Natur Anspruch, von keiner Gewalt zu erleiden. Durch seinen Verstand zwar steigert er künstlicherweise seine natürlichen Kräfte, und bis auf einen gewissen Punkt gelingt es ihm wirklich, physisch über alles Physische Herr zu werden. Gegen alles, sagt das Sprichwort, gibt es Mittel, nur nicht gegen den Tod. Aber diese einzige Ausnahme, wenn sie das wirklich im strengsten Sinne ist, würde den ganzen Begriff des Menschen aufheben. Nimmermehr kann er das Wesen sein, welches will, wenn es auch nur *einen* Fall gibt, wo er schlechterdings muß, was er nicht will. Dieses einzige Schreckliche, *was er nur muß und nicht will*, wird wie ein Gespenst ihn begleiten und ihn, wie auch wirklich bei den meisten Menschen der Fall ist, den blinden Schrecknissen der Phantasie zur Beute überliefern; seine gerühmte Freiheit ist absolut nichts, wenn er auch nur in einem einzigen Punkte gebunden ist. Die Kultur soll den Menschen in Freiheit setzen und ihm dazu behilflich sein, seinen ganzen Begriff zu erfüllen. Sie soll ihn also fähig machen, seinen Willen zu behaupten, denn der Mensch ist das Wesen, welches will.

Dies ist auf zweierlei Weise möglich. Entweder *realistisch*, wenn der Mensch der Gewalt Gewalt entgegensetzt, wenn er als Natur die Natur beherrschet; oder *idealistisch*, wenn er aus der Natur heraustritt und so, in Rücksicht auf sich, den Begriff der Gewalt vernichtet. Was ihm zu dem ersten verhilft, heißt physische Kultur. Der Mensch bildet seinen Verstand und seine sinnlichen Kräfte aus, um die Naturkräfte nach ihren eigenen Gesetzen entweder zu Werkzeugen seines Willens zu machen oder sich vor ihren Wirkungen, die er nicht lenken kann, in Sicherheit zu setzen. Aber die Kräfte der Natur lassen sich nur bis auf einen gewissen Punkt beherrschen oder abwehren; über diesen Punkt hinaus entziehen sie sich der Macht des Menschen und unterwerfen ihn der ihrigen.

Jetzt also wäre es um seine Freiheit getan, wenn er keiner anderen als physischen Kultur fähig wäre. Er soll aber ohne Ausnahme Mensch sein, also in keinem Falle etwas gegen seinen Willen erleiden. Kann er also den physischen Kräften keine verhältnismäßige physische Kraft mehr entgegensetzen, so bleibt ihm, um keine Gewalt zu erleiden, nichts anderes übrig als *ein Verhältnis*, welches ihm so nachteilig ist, *ganz und gar aufzuheben* und eine Gewalt, die er der Tat nach erleiden muß, *dem Begriff nach zu vernichten*. Eine Gewalt dem Begriffe nach vernichten, heißt aber nichts anders, als sich derselben freiwillig unterwerfen. Die Kultur, die ihn dazu geschickt macht, heißt die moralische.

Der moralisch gebildete Mensch, und nur dieser, ist ganz frei. Entweder ist er der Natur als Macht überlegen, oder er ist einstimmig mit derselben. Nichts, was sie an ihm ausübt, ist Gewalt, denn eh' es bis zu ihm kommt, ist es schon *seine eigene Handlung* geworden, und die dynamische Natur erreicht ihn selbst nie, weil er sich von allem, was sie erreichen kann, freitätig scheidet. Diese Sinnesart aber, welche die Moral unter dem Begriff der Resignation in die Notwendigkeit und die Religion unter dem Begriff der Ergebung in den göttlichen Ratschluß lehrt, erfordert, wenn sie ein Werk der freien Wahl und Überlegung sein soll, schon eine größere Klarheit des Denkens und eine höhere Energie des Willens, als dem Menschen im handelnden Leben eigen zu sein pflegt. Glücklicherweise aber ist nicht bloß in seiner rationalen Natur eine moralische Anlage, welche durch den Verstand entwickelt werden kann, sondern selbst in seiner sinnlich vernünftigen, d.h. menschlichen Natur eine *ästhetische* Tendenz dazu vorhanden, welche durch gewisse sinnliche Gegenstände geweckt und durch Läuterung seiner Gefühle zu diesem idealistischen Schwung des Gemüts kultiviert werden kann . . .

FRIEDRICH SCHILLER · *Maria Stuart*

Die schottische Königin wird von Elisabeth von England unrechtmäßig gefangen gehalten und schließlich zum Tode verurteilt. In ihren letzten Stunden erkennt sie jedoch die darin zum Ausdruck kommende höhere Gerechtigkeit; in dem Gespräch mit ihrem Haushofmeister spricht sie diese Einsicht aus.

MARIA: O, so muß an der Schwelle selbst des Todes
Mir noch ein himmlisch Glück bereitet sein!
Wie ein Unsterblicher auf goldnen Wolken
Herniederfährt, wie den Apostel einst
Der Engel führte aus des Kerkers Banden,
Ihn hält kein Riegel, keines Hüters Schwert,
Er schreitet mächtig durch verschloßne Pforten,
Und im Gefängnis steht er glänzend da,
So überrascht mich hier der Himmelsbote,
Da jeder ird'sche Retter mich getäuscht!
Und Ihr, *mein* Diener einst, seid jetzt der Diener
Des höchsten Gottes und sein heil'ger Mund!
Wie Eure Knie sonst vor *mir* sich beugten,
So lieg' ich jetzt im Staub vor Euch. *(Sie sinkt vor ihm nieder.)*

MELVIL *(indem er das Zeichen des Kreuzes über sie macht):*
                                          Im Namen
Des Vaters und des Sohnes und des Geistes!
Maria, Königin! Hast Du Dein Herz
Erforschet, schwörst du, und gelobest du,
Wahrheit zu beichten vor dem Gott der Wahrheit?

MARIA: Mein Herz liegt offen da vor dir und ihm.

MELVIL: Sprich, welcher Sünde zeiht dich dein Gewissen,
Seitdem du Gott zum letztenmal versöhnt?

MARIA: Von neid'schem Hasse war mein Herz erfüllt,
Und Rachgedanken tobten in dem Busen.
Vergebung hofft' ich Sünderin von Gott,
Und konnte nicht der Gegnerin vergeben.

MELVIL: Bereuest du die Schuld, und ist's dein ernster
Entschluß, versöhnt aus dieser Welt zu scheiden?

MARIA: So wahr ich hoffe, daß mir Gott vergebe.

MELVIL: Welch andre Sünde klagt das Herz dich an?

MARIA: Ach, nicht durch *Haß* allein, durch sünd'ge *Liebe*
Noch mehr hab' ich das höchste Gut beleidigt.
Das eitle Herz ward zu dem Mann gezogen,
Der treulos mich verlassen und betrogen!

MELVIL: Bereuest du die Schuld, und hat dein Herz
Vom eiteln Abgott sich zu Gott gewendet?

MARIA: Es war der schwerste Kampf, den ich bestand,
Zerrissen ist das letzte ird'sche Band.

MELVIL: Welch andre Schuld verklagt dich dein Gewissen?

MARIA: Ach, eine frühe Blutschuld, längst gebeichtet,
Sie kehrt zurück mit neuer Schreckenskraft
Im Augenblick der letzten Rechenschaft
Und wälzt sich schwarz mir vor des Himmels Pforten.
Den König, meinen Gatten ließ ich morden,
Und dem Verführer schenkt' ich Herz und Hand!
Streng büßt' ich's ab mit allen Kirchenstrafen,
Doch in der Seele will der Wurm nicht schlafen.

MELVIL: Verklagt das Herz dich keiner andern Sünde,
Die du noch nicht gebeichtet und gebüßt?

MARIA: Jetzt weißt du alles, was mein Herz belastet.

MELVIL: Denk an die Nähe des Allwissenden!
Der Strafen denke, die die heil'ge Kirche
Der mangelhaften Beichte droht! Das ist
Die Sünde zu dem ew'gen Tod, denn das
Ist wider seinen heil'gen Geist gefrevelt.

MARIA: So schenke mir die ew'ge Gnade Sieg
Im letzten Kampf, als ich dir wissend nichts verschwieg.

MELVIL: Wie? Deinem Gott verhehlst du das Verbrechen,
Um dessentwillen dich die Menschen strafen?
Du sagst mir nichts von deinem blut'gen Anteil
An Babingtons und Parrys Hochverrat?
Den zeitlichen Tod stirbst du für diese Tat,
Willst du auch noch den ew'gen dafür sterben?

MARIA: Ich bin bereit, zur Ewigkeit zu gehn;
Noch eh sich der Minutenzeiger wendet,
Werd' ich vor meines Richters Throne stehn,
Doch wiederhol' ich's: Meine Beichte ist vollendet.

MELVIL: Erwäg es wohl. Das Herz ist ein Betrüger.
Du hast vielleicht mit list'gem Doppelsinn
Das *Wort* vermieden, das dich schuldig macht,
Obgleich der *Wille* das Verbrechen teilte.
Doch wisse, keine Gaukelkunst berückt
Das Flammenauge, das ins Innre blickt!

MARIA: Ich habe alle Fürsten aufgeboten,
   Mich aus unwürd'gen Banden zu befrein,
   Doch nie hab' ich durch Vorsatz oder Tat
   Das Leben meiner Feindin angetastet!

MELVIL: So hätten deine Schreiber falsch gezeugt?

MARIA: Wie ich gesagt, so ist's. Was jene zeugten,
   Das richte Gott!

MELVIL: So steigst du, überzeugt
   Von deiner Unschuld, auf das Blutgerüste?

MARIA: Gott würdigt mich, durch diesen unverdienten Tod
   Die frühe schwere Blutschuld abzubüßen.

MELVIL *(macht den Segen über sie)*:
   So gehe hin und sterbend büße sie!
   Sink, ein ergebnes Opfer, am Altare!
   Blut kann versöhnen, was das Blut verbrach.
   Du fehltest nur aus weiblichem Gebrechen,
   Dem sel'gen Geiste folgen nicht die Schwächen
   Der Sterblichkeit in die Verklärung nach.
   Ich aber künde dir, kraft der Gewalt,
   Die mir verliehen ist, zu lösen und zu binden,
   Erlassung an von allen deinen Sünden!
   Wie du geglaubet, so geschehe dir! *(Er reicht ihr die Hostie.)*
   Nimm hin den Leib, er ist für dich geopfert!

(Er ergreift den Kelch, der auf dem Tische steht, konsekriert ihn mit stillem Gebet, dann reicht er ihr denselben. Sie zögert, ihn anzunehmen und weist ihn mit der Hand zurück.)

   Nimm hin das Blut, es ist für dich vergossen!
   Nimm hin! Der Papst erzeigt dir diese Gunst!
   Im Tode noch sollst du das höchste Recht
   Der Könige, das priesterliche, üben! *(Sie empfängt den Kelch.)*
   Und wie du jetzt dich in dem ird'schen Leib
   Geheimnisvoll mit deinem Gott verbunden,
   So wirst du dort in seinem Freudenreich,
   Wo keine Schuld mehr sein wird und kein Weinen,
   Ein schön verklärter Engel, dich
   Auf ewig mit dem Göttlichen zu vereinen.

(Er setzt den Kelch nieder. Auf ein Geräusch, das gehört wird, bedeckt er sich das Haupt und geht an die Türe; Maria bleibt in stiller Andacht auf den Knien liegen.)

MELVIL *(zurückkommend)*: Dir bleibt ein harter Kampf noch zu bestehn.
   Fühlst du dich stark genug, um jede Regung
   Der Bitterkeit, des Hasses zu besiegen?

MARIA: Ich fürchte keinen Rückfall. Meinen Haß
   Und meine Liebe hab' ich Gott geopfert.

DIE ROMANTIK

Die zur Klassik parallel verlaufende romantische Epoche war in manchen Wesenszügen, vor allem in der Herausformung und Betonung der menschlichen Individualität
sowie der seelischen Kräfte eines unabhängigen und allein aus sich selbst heraus lebenden
und gestaltenden Ich, eine Fortsetzung des Sturm und Drang. Doch wirkte sich diese Ich-
Bestimmtheit nicht so sehr in einer tätigen heroischen Haltung als in einem stärkeren
Nach-innen-Gerichtetsein aus. Aus dieser Introversion ergab sich eine Reflexion über
die eigene menschliche Existenz, über die vor allem von irrationalen, von unbewußten,
geheimnisvollen Kräften und willkürlichen Stimmungen erfüllte Psyche. Der weite Raum
des Gefühls wurde zum Bewußtsein gebracht; aus ihm heraus vollzieht sich das wahre
und echte Erlebnis. Die Schwingungen des Gefühls entstehen aus der Sehnsucht, aus
der Begegnung mit dem Fernen, Unbekannten, mit dem Geheimnis, wenn der Mensch
die vordergründigen Erscheinungen durchbricht und sich seines realen, verständlichen
Daseins entäußert.

Gerade die von Friedrich Schlegel angeführte JENAER ROMANTIK hat sich dem
Rätselhaften des menschlichen Daseins und seiner seelischen Unbewußtheit zugewandt.
Der Mensch, der die wahre Wesenheit seiner selbst und aller Dinge erfahren will, muß
einen Sinn für das Unerklärliche, Ungedankliche oder wie Schlegel sagte: einen *Sinn
für Paradoxie* [1] besitzen; erst dann tritt die Berührung des eigenen geheimnisvollen
Gefühls mit dem geheimnisvollen Bezirk ein, der erforscht und erfahren werden soll.
Das Ziel war die Erkenntnis des Seins insgesamt, der unendlichen Spannweite, die das
Vorder- und Hintergründige und alle Lebenskräfte und Äußerungen des Menschen um-
schließt: die Erfassung der *Universalität* [2]: eine Universalpoesie. In ihr lag die Sehnsucht nach der Anschauung des Wundersamen und Wunderbaren, des Schönen im
Reiche der Phantasie, der *blauen Blume* [3], die bei Novalis — fern entrückt und doch
immer wieder nah — den Menschen in die Höhe des Überweltlichen und Traumhaften
hinaufführt; im Traum erschließt sich das höchste Erlebnis, die Nacht enthüllt die
Geheimnisse der Welt. Das *Mysterium der Nacht* [4] offenbart das wahre und unwandelbare Sein. Um das Ewige und Gültige zu erfahren, erhebt sich der Blick auch über die
Grenzen der Gegenwart und des eigenen Lebensraumes hinaus. Die Unvergänglichkeit
ferner Kulturen, alter Bauwerke und Malerei, *der Zauber der Kunst* [5] löste in allen
Romantikern eine tiefe Begeisterung aus. Gegenüber dieser von Traum, Ahnung und
Phantasie erfüllten Gefühlswelt regte sich aber auch eine rationale, realistische Gegenseite, die sich am krassesten in der Ironie über das eigene Gefühl ausdrückt. Die *romantische Ironie* [6] zerstört die übersteigerte Phantasie und stellt ihr Kühle und Nüchternheit entgegen.

Gerade was diese innere Zwiespältigkeit anbelangt, hat DIE HEIDELBERGER
ROMANTIK einen gemäßigteren Weg gesucht. Ihre Grundlage war *die Liebe zum
Mittelalter* [7], vor allem die Entdeckung alter deutscher Volksliteratur, und — sich
daraus ergebend — die Hinwendung zu *Geschichte, Sage und Märchen* [8]. Es entstand
gleichfalls ein überwirklicher Raum, aber in ihm lag weniger der ichbetonte Drang nach
Erfahrung und Enträtselung eines geheimnisvollen Kosmos als vielmehr eine von der
Schlichtheit und Ehrwürdigkeit vergangener Zeiten erfüllte *Sehnsucht nach dem Einfachen
und Reinen* [9], nach dem kindlichen, bäuerlichen, mit der Heimat verwachsenen und
gläubig religiösen Leben. In der Stille erfährt der Mensch den Zauber der Natur, aus der
Stille erwächst die Sehnsucht nach der Ferne; *Mondscheinnacht und Wanderlust* [10] — in
Eichendorffs Dichtung am schönsten erklingend — gehörten zu den beliebtesten Motiven

romantisch-volkstümlicher Dichtung. Aus dem romantischen Naturerlebnis kam eine innige religiöse Empfindung; darüber hinaus fühlte sich die gesamte Romantik sehr stark an das Christentum, namentlich an den Katholizismus, gebunden. Ihre ausgesprochen *christlich-konservative Haltung* [11] stand jeder aufklärerischen Spekulation ablehnend gegenüber und war von dem Bewußtsein jahrhundertealter Tradition, insbesondere mittelalterlicher und barocker Glaubenskraft, getragen.

Alle diese romantischen Wesenszüge setzte die SPÄTROMANTIK fort, entwickelte sie auch weiter — z. B. auf wissenschaftlichem Gebiet, wo die Entdeckung der altdeutschen Geschichte und Literatur zu einem erstmaligen Aufblühen der *deutschen Altertumsforschung* [12] führte. In der Dichtung wirkte sich eine Abstrahierung und zugleich Symbolisierung des romantischen Gefühls aus, indem man eine überreale Welt der Zauberformeln und Geistererscheinungen, chiffrierter Natur- und Seelenelemente, hinstellte: *die verzauberte Welt* [13]. Ihre Figuren und Erscheinungen sind Beispiel für die Hintergründigkeit, die allen Sein zugrunde liegt. Sie sind demnach — etwa bei E. T. A. Hoffmann — auch Abbilder der unbewußten Kräfte, die in dem Menschen selber liegen, die entscheidend sein Schicksal bestimmen, ihn belasten, verstricken, zerstören oder erlösen. So trägt der Mensch selber eine *dämonisierte Welt* [14], eine Vielheit von Gnomen, Fratzen, guten und bösen Tieren, in sich. Hier öffnete sich der Blick in die Abgründigkeit des Menschen. Im Bewußtsein, dem Zwange chaotischer Regungen und Triebe ausgeliefert zu sein, drängten sich Entsetzen und Furcht vor sich selbst und dem Schicksal auf: *Fatalismus und Weltangst* [15]. Und wenn die religiöse Bindung verlorenging, stand hinter der Gespensterwelt das Eingeständnis des Nichts.

Die andere Richtung der Spätromantik, vor allem bei den schwäbischen Dichtern verbreitet, war eine Nachfolge historischer und ländlicher Romantik. Sie hat sich fast ausschließlich der volkstümlichen Dichtung gewidmet sowie die *Poesie der Historie* [16] gepflegt; sie gelangt damit in eine landschaftlich gemäße *Schwäbische Bürgeridylle* [17] hinein, die schon unter dem Zeichen der Biedermeier-Kultur stand. War einerseits der romantische Geist bis an den Rand des Nihilismus, der Selbstzerstörung, vorangetrieben worden, so setzte hier eine auf Nachahmung des Einfachsten beschränkte Dichtung ebenfalls neuen Impulsen ein Ende.

Die Jenaer Romantik

[1] Sinn für Paradoxie

FRIEDRICH SCHLEGEL · *Lucinde*

Wunderliche Welten erschienen und schwanden mir im ängstlichen Traum. Ich war krank und litt viel, aber ich liebte meine Krankheit und hieß selbst den Schmerz willkommen. Ich haßte alles Irdische und freute mich, daß es bestraft und zerrüttet würde; ich fühlte mich so allein und so sonderbar, und wie ein zarter Geist oft mitten im Schoß des Glücks über seine eigne Freude wehmütig wird und uns gerade auf dem Gipfel des Daseins das Gefühl seiner Nichtigkeit überfällt, so schaute ich mit geheimer Lust auf meinen Schmerz. Er ward mir zum Sinnbilde des allgemeinen Lebens, ich glaubte die ewige Zwietracht zu fühlen und zu sehen, durch die alles wird und existiert, und die schönen Gestalten der ruhigen

Bildung schienen mir tot und klein gegen diese ungeheure Welt von unendlicher Kraft und von unendlichem Kampf und Krieg bis in die verborgensten Tiefen des Daseins.

Durch dieses sonderbare Gefühl ward die Krankheit zu einer eignen Welt in sich vollendet und gebildet. Ich fühlte, ihr geheimnisreiches Leben sei voller und tiefer als die gemeine Gesundheit der eigentlich träumenden Nachtwandler um mich her. Und mit der Kränklichkeit, die mir gar nicht unangenehm war, blieb mir auch dieses Gefühl und sonderte mich völlig ab von den Menschen, wie mich von der Erde der Gedanke trennte, dein Wesen und meine Liebe sei zu heilig gewesen, um nicht ihr und ihren groben Banden flüchtig zu enteilen. Es sei alles gut so und Dein notwendiger Tod nichts als ein sanftes Erwachen nach leisem Schlummer.

Das Denken hat die Eigenheit, daß es nächst sich selbst am liebsten über das denkt, worüber es ohne Ende denken kann. Darum ist das Leben des gebildeten und sinnigen Menschen ein stetes Bilden und Sinnen über das schöne Rätsel seiner Bestimmung. Er bestimmt sie immer neu, denn eben das ist seine ganze Bestimmung, bestimmt zu werden und zu bestimmen. Nur in seinem Suchen selbst findet der Geist des Menschen das Geheimnis, welches er sucht.

Das Bestimmte und das Unbestimmte und die ganze Fülle ihrer bestimmten und unbestimmten Beziehungen; das ist das Eine und Ganze, das ist das Wunderlichste und doch das Einfachste, das Einfachste und doch das Höchste. Das Universum selbst ist nur ein Spielwerk des Bestimmten und des Unbestimmten, und das wirkliche Bestimmen des Bestimmbaren ist eine allegorische Miniatur auf das Leben und Weben der ewig strömenden Schöpfung.

Mit ewig unwandelbarer Symmetrie streben beide, auf entgegengesetzten Wegen sich dem Unendlichen zu nähern und ihm zu entfliehen. Mit leisen aber sichern Fortschritten erweitert das Unbestimmte seinen angebornen Wunsch aus der schönen Mitte der Endlichkeit ins Grenzenlose.

Nun ist alles klar! Daher die Allgegenwart der namenlosen unbekannten Gottheit. Die Natur selbst will den ewigen Kreislauf immer neuer Versuche; und sie will auch, daß jeder einzelne in sich vollendet einzig und neu sei, ein treues Abbild der höchsten unteilbaren Individualität.

Sich vertiefend in diese Individualität nahm die Reflexion eine so individuelle Richtung, daß sie bald anfing, aufzuhören und sich selbst zu vergessen.

»Was sollen mir diese Anspielungen, die mit unverständlichem Verstand nicht an der Grenze, sondern bis in die Mitte der Sinnlichkeit nicht spielen, sondern widersinnig streiten?«

So wirst Du und würde Juliane zwar nicht sagen, aber doch gewiß fragen.

Liebe Geliebte! darf der volle Blumenstrauß nur sittsame Rosen, stille Vergißmeinnicht und bescheidne Veilchen zeigen, und was sonst mädchenhaft und kindlich blüht, oder auch alles andere, was in bunter Glorie sonderbar strahlt?

[2] Universalität

FRIEDRICH SCHLEGEL · *Fragment aus dem Athenäum*

Die romantische Poesie ist eine progressive Universalpoesie. Ihre Bestimmung ist nicht bloß, alle getrennten Gattungen der Poesie wieder zu vereinigen und die Poesie mit der Philosophie und Rhetorik in Berührung zu setzen. Sie will und soll auch Poesie und Prosa, Genialität und Kritik, Kunstpoesie und Naturpoesie bald mischen, bald verschmelzen, die Poesie lebendig und gesellig und das Leben und die Gesellschaft poetisch machen, den Witz poetisieren und die Formen der Kunst mit gediegnem Bildungsstoff jeder Art anfüllen und sättigen und durch die Schwingungen des Humors beseelen. Sie umfaßt alles, was nur poetisch ist, vom größten wieder mehrere Systeme in sich enthaltenden Systeme der Kunst, bis zu dem Seufzer, dem Kuß, den das dichtende Kind aushaucht in kunstlosem Gesang. Sie kann sich so in das Dargestellte verlieren, daß man glauben möchte, poetische Individuen jeder Art zu charakterisieren, sei ihr eins und alles; und doch gibt es noch keine Form, die so dazu gemacht wäre, den Geist des Autors vollständig auszudrücken: so daß manche Künstler, die nur auch einen Roman schreiben wollten, von ungefähr sich selbst dargestellt haben. Nur sie kann gleich dem Epos ein Spiegel der ganzen umgebenden Welt, ein Bild des Zeitalters werden. Und doch kann auch sie am meisten zwischen dem Dargestellten und dem Darstellenden, frei von allem realen und idealen Interesse auf den Flügeln der poetischen Reflexion in der Mitte schweben, diese Reflexion immer wieder potenzieren und wie in einer endlosen Reihe von Spiegeln vervielfachen. Sie ist der höchsten und der allseitigsten Bildung fähig; nicht bloß von innen heraus, sondern auch von außen hinein; indem sie jedem, was ein Ganzes in ihren Produkten sein soll, alle Teile ähnlich organisiert, wodurch ihr die Aussicht auf eine grenzenlos wachsende Klassizität eröffnet wird. Die romantische Poesie ist unter den Künsten, was der Witz der Philosophie, und die Gesellschaft, Umgang, Freundschaft und Liebe im Leben ist. Andre Dichtarten sind fertig und können nun vollständig zergliedert werden. Die romantische Dichtart ist noch im Werden; ja, das ist ihr eigentliches Wesen, daß sie ewig nur werden, nie vollendet sein kann. Sie kann durch keine Theorie erschöpft werden, und nur eine divinatorische Kritik dürfte es wagen, ihr Ideal charakterisieren zu wollen. Sie allein ist unendlich, wie sie allein frei ist und das als ihr erstes Gesetz anerkennt, daß die Willkür des Dichters kein Gesetz über sich leide. Die romantische Dichtart ist die einzige, die mehr als Art und gleichsam die Dichtkunst selbst ist: denn in einem gewissen Sinn ist oder soll alle Poesie romantisch sein.

NOVALIS · *Heinrich von Ofterdingen*

Dem jungen Heinrich von Ofterdingen begegnete einst im Traum eine blaue Blume, der
Inbegriff poetischer Verklärung.

Die Eltern lagen schon und schliefen, die Wanduhr schlug ihren ein-
förmigen Takt, vor den klappernden Fenstern sauste der Wind; abwechselnd wurde die Stube hell von dem Schimmer des Mondes. Der
Jüngling lag unruhig auf seinem Lager und gedachte des Fremden und
seiner Erzählungen. Nicht die Schätze sind es, die ein so unaussprechliches
Verlangen in mir geweckt haben, sagte er zu sich selbst; fernab liegt mir
alle Habsucht: aber die blaue Blume sehn ich mich zu erblicken. Sie liegt
mir unaufhörlich im Sinn, und ich kann nichts anders dichten und denken.
So ist mir noch nie zumute gewesen: es ist, als hätt' ich vorhin geträumt,
oder ich wäre in eine andere Welt hinübergeschlummert; denn in der Welt,
in der ich sonst lebte, wer hätte da sich um Blumen bekümmert, und gar
von einer so seltsamen Leidenschaft für eine Blume hab ich damals nie
gehört. Wo eigentlich nur der Fremde herkam? Keiner von uns hat je
einen ähnlichen Menschen gesehn; doch weiß ich nicht, warum nur ich von
seinen Reden so ergriffen worden bin; die anderen haben ja das nämliche
gehört, und keinem ist so etwas begegnet. Daß ich auch nicht einmal von
meinem wunderlichen Zustande reden kann! Es ist mir oft so entzückend
wohl, und nur dann, wenn ich die Blume nicht recht gegenwärtig habe,
befällt mich so ein tiefes, inniges Treiben: das kann und wird keiner verstehn. Ich glaubte, ich wäre wahnsinnig, wenn ich nicht so klar und hell
sähe und dächte; mir ist seitdem alles viel bekannter. Ich hörte einst von
alten Zeiten reden; wie da die Tiere und Bäume und Felsen mit den
Menschen gesprochen hätten. Mir ist gerade so, als wollten sie allaugen-
blicklich anfangen und als könnte ich es ihnen ansehen, was sie mir sagen
wollten. Es muß noch viel Worte geben, die ich nicht weiß: wüßte ich
mehr, so könnte ich viel besser alles begreifen. Sonst tanzte ich gern;
jetzt denke ich lieber nach der Musik. Der Jüngling verlor sich allmählich
in süßen Phantasien und entschlummerte.

Da träumte ihm erst von unabsehlichen Fernen und wilden, unbekannten Gegenden. Er wanderte über Meere mit unbegreiflicher Leichtigkeit;
wunderliche Tiere sah er; er lebte mit mannigfaltigen Menschen, bald im
Kriege, in wildem Getümmel, in stillen Hütten. Er geriet in Gefangenschaft und die schmählichste Not. Alle Empfindungen stiegen bis zu einer
nie gekannten Höhe in ihm. Er durchlebte ein unendlich buntes Leben;
starb und kam wieder, liebte bis zur höchsten Leidenschaft und war dann
wieder auf ewig von seiner Geliebten getrennt. Endlich gegen Morgen,
wie draußen die Dämmerung anbrach, wurde es stiller in seiner Seele,
klarer und bleibender wurden die Bilder. Es kam ihm vor, als ginge er in
einem dunklen Walde allein. Nur selten schimmerte der Tag durch das
grüne Netz. Bald kam er vor eine Felsenschlucht, die bergan stieg. Er

mußte über bemooste Steine klettern, die ein ehemaliger Strom herunter-
gerissen hatte. Je höher er kam, desto lichter wurde der Wald. Endlich
gelangte er zu einer kleinen Wiese, die am Hange des Berges lag. Hinter
der Wiese erhob sich eine hohe Klippe, an deren Fuß er eine Öffnung
erblickte, die der Anfang eines in den Felsen gehauenen Ganges zu sein
schien. Der Gang führte ihn gemächlich eine Zeitlang eben fort bis zu einer
großen Weitung, aus der ihm schon von fern ein helles Licht entgegen-
glänzte. Wie er hintrat, ward er einen mächtigen Strahl gewahr, der wie
aus einem Springquell bis an die Decke des Gewölbes stieg und oben in
unzählige Funken zerstäubte, die sich unten in einem großen Becken
sammelten; der Strahl glänzte wie entzündetes Gold; nicht das mindeste
Geräusch war zu hören, eine heilige Stille umgab das herrliche Schauspiel.
Er näherte sich dem Becken, das mit unendlichen Farben wogte und
zitterte. Die Wände der Höhle waren mit dieser Flüssigkeit überzogen,
die nicht heiß, sondern kühl war und an den Wänden nur ein mattes,
bläuliches Licht von sich warf. Er tauchte seine Hand in das Becken und
benetzte seine Lippen. Es war, als durchdränge ihn ein geistiger Hauch,
und er fühlte sich innigst gestärkt und erfrischt. Ein unwiderstehliches
Verlangen ergriff ihn, sich zu baden, er entkleidete sich und stieg in das
Becken. Es dünkte ihn, als umflösse ihn eine Wolke des Abendrots; eine
himmlische Empfindung überströmte sein Inneres; mit inniger Wollust
strebten unzählbare Gedanken in ihm, sich zu vermischen; neue, nie-
gesehene Bilder entstanden, die auch ineinanderflossen und zu sichtbaren
Wesen um ihn wurden, und jede Welle des lieblichen Elements schmiegte
sich wie ein zarter Busen an ihn. Die Flut schien eine Auflösung reizender
Mädchen, die an dem Jünglinge sich augenblicklich verkörperten.

Berauscht von Entzücken und doch jedes Eindrucks bewußt, schwamm
er gemach dem leuchtenden Strome nach, der aus dem Becken in den
Felsen hineinfloß. Eine Art von süßem Schlummer befiel ihn, in welchem
er unbeschreibliche Begebenheiten träumte, und woraus ihn eine andere
Erleuchtung weckte. Er fand sich auf einem weichen Rasen am Rande
einer Quelle, die in die Luft hinausquoll und sich darin zu verzehren
schien. Dunkelblaue Felsen mit bunten Adern erhoben sich in einiger Entfernung; das Tageslicht, das ihn umgab, war heller und milder als das
gewöhnliche, der Himmel war schwarzblau und völlig rein. Was ihn aber
mit voller Macht anzog, war eine hohe lichtblaue Blume, die zunächst an
der Quelle stand und ihn mit ihren breiten, glänzenden Blättern berührte.
Rund um sie her standen unzählige Blumen von allen Farben, und der
köstliche Geruch erfüllte die Luft. Er sah nichts als die blaue Blume und
betrachtete sie lange mit unnennbarer Zärtlichkeit. Endlich wollte er sich
ihr nähern, als sie auf einmal sich zu bewegen und zu verändern anfing;
die Blätter wurden glänzender und schmiegten sich an den wachsenden
Stengel, die Blume neigte sich nach ihm zu, und die Blütenblätter zeigten
einen blauen, ausgebreiteten Kragen, in welchem ein zartes Gesicht
schwebte. Sein süßes Staunen wuchs mit der sonderbaren Verwandlung,
als ihn plötzlich die Stimme seiner Mutter weckte und er sich in der

elterlichen Stube fand, die schon die Morgensonne vergoldete. Er war zu entzückt, um unwillig über diese Störung zu sein; vielmehr bot er seiner Mutter freundlich guten Morgen und erwiderte ihre herzliche Umarmung.

[4] **Mysterium der Nacht**

NOVALIS · *Hymnen an die Nacht*

Was quillt auf einmal so ahndungsvoll unterm Herzen, und verschluckt der Wehmut weiche Luft? Hast auch du ein Gefallen an uns, dunkle Nacht? Was hältst du unter deinem Mantel, das mir unsichtbar kräftig an die Seele geht? Köstlicher Balsam träuft aus deiner Hand, aus dem Bündel Mohn. Die schweren Flügel des Gemüts hebst du empor. Dunkel und unaussprechlich fühlen wir uns bewegt — ein ernstes Antlitz seh ich froh erschrocken, das sanft und andachtsvoll sich zu mir neigt, und unter unendlich verschlungenen Locken der Mutter liebe Jugend zeigt. Wie arm und kindisch dünkt mir das Licht nun — wie erfreulich und gesegnet des Tages Abschied. — Also nur darum, weil die Nacht dir abwendig macht die Dienenden, sätest du in des Raumes Weiten die leuchtenden Kugeln, zu verkünden deine Allmacht — deine Wiederkehr — in den Zeiten deiner Entfernung. Himmlischer, als jene blitzenden Sterne, dünken uns die unendlichen Augen, die die Nacht in uns geöffnet. Weiter sehn sie, als die blässesten jener zahllosen Heere — unbedürftig des Lichts durchschaun sie die Tiefen eines liebenden Gemüts, was einen höhern Raum mit unsäglicher Wollust füllt. Preis der Weltkönigin, der hohen Verkündigerin heiliger Welten, der Pflegerin seliger Liebe — sie sendet mir dich — zarte Geliebte — liebliche Sonne der Nacht, — nun wach ich — denn ich bin Dein und Mein — du hast die Nacht mir zum Leben verkündet — mich zum Menschen gemacht — zehre mit Geisterglut meinen Leib, daß ich luftig mit dir inniger mich mische und dann ewig die Brautnacht währt . . .

Einst da ich bittre Tränen vergoß, da in Schmerz aufgelöst meine Hoffnung zerrann, und ich einsam stand am dürren Hügel, der in engen, dunklen Raum die Gestalt meines Lebens barg — einsam, wie noch kein Einsamer war, von unsäglicher Angst getrieben — kraftlos, nur ein Gedanke des Elends noch. — Wie ich da nach Hilfe umherschaute, vorwärts nicht konnte und rückwärts nicht, und am fliehenden, verlöschten Leben mit unendlicher Sehnsucht hing: — da kam aus blauen Fernen — von den Höhen meiner alten Seligkeit ein Dämmerungsschauer — und mit einem Male riß das Band der Geburt — des Lichtes Fessel. Hin floh die irdische Herrlichkeit und meine Trauer mit ihr — zusammen floß die Wehmut in eine neue, unergründliche Welt — du Nachtbegeisterung, Schlummer des Himmels kamst über mich — die Gegend hob sich sacht empor; über der Gegend schwebte mein entbundner, neugeborner Geist. Zur Staubwolke wurde der Hügel — durch die Wolke sah ich die verklärten Züge der Geliebten. In ihren Augen ruhte die Ewigkeit — ich faßte ihre Hände, und die Tränen wurden ein funkelndes, unzerreißliches Band. Jahrtausende zogen abwärts in die Ferne, wie Ungewitter. An ihrem Halse weint ich dem neuen Leben entzückende Tränen. — Es war der erste, einzige Traum — und erst seitdem fühl ich ewigen, unwandelbaren Glauben an den Himmel der Nacht und sein Licht, die Geliebte.

[5] **Der Zauber der Kunst**

Wilhelm Heinrich Wackenroder

Herzensergießungen eines kunstliebenden Klosterbruders

Nürnberg! Du vormals weltberühmte Stadt! Wie gerne durchwanderte ich deine krummen Gassen; mit welcher kindlichen Liebe betrachtete ich deine altväterischen Häuser und Kirchen, denen die feste Spur von unsrer alten vaterländischen Kunst eingedrückt ist! Wie innig lieb' ich die Bildungen jener Zeit, die eine so derbe, kräftige und wahre Sprache führen! Wie ziehen sie mich zurück in jenes graue Jahrhundert, da du, Nürnberg, die lebendig-wimmelnde Schule der vaterländischen Kunst warst und ein recht fruchtbarer, überfließender Kunstgeist in deinen Mauern lebte und webte: — da Meister Hans Sachs und Adam Kraft, der Bildhauer, und vor allem Albrecht Dürer mit seinem Freunde Wilibaldus Pirkheimer und so viel andre hochgelobte Ehrenmänner noch lebten! Wie oft hab' ich mich in jene Zeit zurückgewünscht! Wie oft ist sie in meinen Gedanken wieder von neuem vor mir hervorgegangen, wenn ich in deinen ehrwürdigen Büchersälen, Nürnberg, in einem engen Winkel, beim Dämmerlicht der kleinen rundscheibigen Fenster saß und über den Folianten des wackern Hans Sachs oder über anderem alten, gelben, wurmgefressenen Papier brütete; — oder wenn ich unter den kühnen Gewölben deiner düstern Kirchen wandelte, wo der Tag durch buntbemalte Fenster all das Bildwerk und die Malereien der alten Zeit wunderbar beleuchtet! — —

Aber jetzt wandelt mein trauernder Geist auf der geweihten Stätte vor deinen Mauern, Nürnberg; auf dem Gottesacker, wo die Gebeine Albrecht Dürers ruhen, der einst die Zierde von Deutschland, ja von Europa war. Sie ruhen, von wenigen besucht, unter zahllosen Grabsteinen, deren jeder mit einem ehernen Bildwerk, als dem Gepräge der alten Kunst, bezeichnet ist und zwischen denen sich hohe Sonnenblumen in Menge erheben, welche den Gottesacker zu einem lieblichen Garten machen. So ruhen die vergessenen Gebeine unsers alten Albrecht Dürers, um dessentwillen es mir lieb ist, daß ich ein Deutscher bin.

Wenigen muß es gegeben sein, die Seele in deinen Bildern so zu verstehen und das Eigne und Besondere darin mit solcher Innigkeit zu genießen, als der Himmel es mir vor vielen andern vergönnt zu haben scheint; denn ich sehe mich um und finde wenige, die mit so herzlicher Liebe, mit solcher Verehrung vor dir verweilten als ich.

Ist es nicht, als wenn die Figuren in diesen deinen Bildern wirkliche Menschen wären, welche zusammen redeten? Ein jeglicher ist so eigentümlich gestempelt, daß man ihn aus einem großen Haufen herauskennen würde; ein jeglicher so aus der Mitte der Natur genommen, daß er ganz und gar seinen Zweck erfüllt. Keiner ist mit halber Seele da, wie man es öfters bei sehr zierlichen Bildern neuerer Meister sagen möchte; jeder ist im vollen Leben ergriffen und so auf die Tafel hingestellt. Wer klagen soll, klagt; wer zürnen soll, zürnt; und wer beten soll, betet. Alle Figuren reden, und reden laut und vernehmlich. Kein Arm bewegt sich unnütz oder bloß zum Augenspiel oder zur Füllung des Raumes; alle Glieder, alles spricht uns gleichsam mit Macht an, daß wir den Sinn und die Seele des Ganzen recht fest im Gemüte fassen. Wir glauben alles, was der kunstreiche Mann uns darstellt; und es verwischt sich nie aus unserm Gedächtnis.

Als Albrecht Dürer den Pinsel führte, da war der Deutsche auf dem Völkerschauplatz unsers Weltteils noch ein eigentümlicher und ausgezeichneter Charakter von festem Bestand; und *seinen* Bildern ist nicht nur in Gesichtsbildung und im ganzen Äußeren, sondern auch im innern Geiste dieses ernsthafte, grade und kräftige Wesen des deutchen Charakters treu und deutlich eingeprägt. In unsern Zeiten ist dieser festbestimmte deutsche Charakter und ebenso die deutsche Kunst verloren gegangen.

[6] **Romantische Ironie**

Ludwig Tieck · *Der gestiefelte Kater*

Die *Zuschauer* auf der äußeren Bühne glossieren das Stück auf der inneren Bühne.

(*Kleine Bauernstube.* Lorenz — Barthel — Gottlieb. *Der Kater* Hinze *liegt auf einem Schemel am Ofen.*)

Lorenz: Ich glaube, daß nach dem Ableben unsers Vaters unser kleines Vermögen sich bald wird einteilen lassen. Ihr wißt, daß der selige Mann nur drei Stücke von Belang zurückgelassen hat, ein Pferd, einen Ochsen und jenen Kater dort. Ich, als der Älteste, nehme das Pferd, Barthel, der nächste nach mir, bekömmt den Ochsen, und so bleibt denn natürlicherweise für unsern jüngsten Bruder der Kater übrig.

Leutner (*im Paterre*): Um Gotteswillen! Hat man schon eine solche Exposition gesehn! Man sehe doch, wie tief die dramatische Kunst gesunken ist!

Müller: Aber ich habe doch alles recht gut verstanden.

Leutner: Das ist ja eben der Fehler, man muß es dem Zuschauer so verstohlenerweise unter den Fuß geben, aber nicht so gradezu in den Bart werfen.

Müller: Aber man weiß doch nun, woran man ist.

Leutner: Das muß man ja aber nicht so geschwinde wissen; daß man so nach und nach hineinkömmt, ist ja eben der beste Spaß.

Barthel: Ich glaube, Bruder Gottlieb, du wirst auch mit der Einteilung zufrieden sein, du bist leider der Jüngste, und da mußt du uns einige Vorrechte lassen.

Gottlieb: Freilich wohl.

Schlosser: Aber warum mischt sich denn das Pupillenkollegium nicht in die Erbschaft? Welche Unwahrscheinlichkeiten!

Lorenz: So wollen wir denn nun gehn, lieber Gottlieb, lebe wohl, laß dir die Zeit nicht lang werden.

Gottlieb: Adieu. (*Die Brüder gehn ab. Gottlieb allein. Monolog.*) Sie gehn fort — und ich bin allein. — Wir haben alle drei unsre Wohnungen. Lorenz kann mit seinem Pferde doch den Acker bebauen, Barthel kann seinen Ochsen schlachten und einsalzen und eine Zeitlang davon leben — aber was soll ich armer Unglückseliger mit einem Kater anfangen? — Höchstens kann ich mir aus seinem Felle für den Winter einen Muff machen lassen, aber ich glaube, er ist jetzt noch dazu in der Rauhe. — Da liegt er und schläft ganz geruhig, — armer Hinze! Wir werden uns bald trennen müssen. Es tut mir leid, ich habe ihn auferzogen, ich kenne ihn wie mich selber, — aber er wird dran glauben müssen, ich kann mir nicht helfen, ich muß ihn wahrhaftig verkaufen. — Er sieht mich an, als wenn er mich verstände, es fehlt wenig, so fang' ich an zu weinen. (*Er geht in Gedanken auf und ab.*)

Müller: Nun, seht ihr wohl, daß es ein rührendes Familiengemälde wird? Der Bauer ist arm und ohne Geld, er wird nun in der äußersten Not sein treues Haustier verkaufen, an irgendein empfindsames Fräulein, und dadurch wird am Ende sein Glück gegründet werden. — Es ist vielleicht eine Nachahmung vom »Papagei« von Kotzebue, aus dem Vogel ist hier eine Katze gemacht, und das Stück findet sich von selbst.

Fischer: Nun es so kömmt, bin ich auch zufrieden.

Hinze (*der Kater, richtet sich auf, dehnt sich, macht einen hohen Buckel, gähnt und spricht dann*): Mein lieber Gottlieb — ich habe ein ordentliches Mitleid mit Euch.

Gottlieb *(erstaunt)*: Wie, Kater, du sprichst?

Der Kunstrichter (im Parterre): Der Kater spricht? — Was ist denn das?

Fischer: Unmöglich kann ich da in eine vernünftige Illusion hinein kommen.

Müller: Eh ich mich so täuschen lasse, will ich lieber zeitlebens kein Stück wieder sehn.

Hinze: Warum soll ich nicht sprechen können, Gottlieb?

Gottlieb: Ich hätt' es nicht vermutet, ich habe zeitlebens noch keine Katze sprechen hören.

Hinze: Ihr meint, weil wir nicht immer in alles mitreden, wären wir gar Hunde.

Gottlieb: Ich denke, ihr seid bloß dazu da, Mäuse zu fangen.

Hinze: Wenn wir nicht im Umgang mit den Menschen eine gewisse Verachtung gegen die Sprache bekämen, so könnten wir alle sprechen.

Gottlieb: Nun, das gesteh' ich! — Aber warum laßt ihr euch denn so gar nichts merken?

Hinze: Um uns keine Verantwortung zuzuziehn, denn wenn uns sogenannten Tieren noch erst die Sprache angeprügelt würde, so wäre gar keine Freude mehr auf der Welt. Was muß der Hund nicht alles tun und lernen! Das Pferd! Es sind dumme Tiere, daß sie sich ihren Verstand merken lassen, sie müssen ihrer Eitelkeit durchaus nachgeben, wir Katzen sind noch immer das freieste Geschlecht, weil wir uns bei aller unsrer Geschicklichkeit so ungeschickt anzustellen wissen, daß es der Mensch ganz aufgibt, uns zu erziehn.

GOTTLIEB: Aber warum entdeckst du mir das alles?

HINZE: Weil Ihr ein guter, ein edler Mann seid, einer von den wenigen, die keinen Gefallen an der Dienstbarkeit und Sklaverei finden, seht, darum entdecke ich mich Euch ganz und gar.

GOTTLIEB *(reicht ihm die Hand)*: Braver Freund!

HINZE: Die Menschen stehn in dem Irrtume, daß an uns jenes instinktmäßige Murren, das aus einem gewissen Wohlbehagen entsteht, das einzige Merkwürdige sei, sie streicheln uns daher oft auf eine ungeschickte Weise, und wir spinnen dann gewöhnlich nur, um uns vor Schlägen zu sichern. Wüßten sie aber mit uns auf die wahre Art umzugehn, glaube mir, sie würden unsre gute Natur zu allem gewöhnen, und Michel, der Kater bei Eurem Nachbar, läßt es sich zuweilen gefallen, für den König durch ein Tonnenband zu springen.

GOTTLIEB: Du hast recht.

HINZE: Ich liebe Euch, Gottlieb, ganz vorzüglich, Ihr habt mich nie gegen den Strich gestreichelt, Ihr habt mich schlafen lassen, wenn es mir recht war, Ihr habt Euch widersetzt, wenn Eure Brüder mich manchmal aufnehmen wollten, um mit mir ins Dunkle zu gehn und die sogenannten elektrischen Funken zu beobachten, — für alles dieses will ich nun dankbar sein.

GOTTLIEB: Edelmütiger Hinze! Ha, mit welchem Unrechte wird von euch schlecht und verächtlich gesprochen, eure Treue und Anhänglichkeit bezweifelt! Die Augen gehn mir auf, — welchen Zuwachs von Menschenkenntnis bekomme ich so unerwartet!

Fischer: Freunde, wo ist unsre Hoffnung zu einem Familiengemälde geblieben?

Leutner: Es ist doch fast zu toll.

HEINRICH HEINE · *Seegespenst*

Bei einer Bootsfahrt sieht der Dichter am Meeresgrunde die versunkene Stadt und am Fenster eines Hauses die Geliebte stehen.

> ... Derweilen ich, die Seele voll Gram,
> Auf der ganzen Erde dich suchte,
> Und immer dich suchte,
> Du Immergeliebte,
> Du Längstverlorene,
> Du Endlichgefundene —
> Ich hab dich gefunden und schaue wieder
> Dein süßes Gesicht,
> Die klugen, treuen Augen,

Das liebe Lächeln —
Und nimmer will ich dich wieder verlassen,
Und ich komme hinab zu dir.
Und mit ausgebreiteten Armen
Stürz ich hinab an dein Herz —

Aber zur rechten Zeit noch
Ergriff mich beim Fuß der Kapitän,
Und zog mich vom Schiffsrand,
Und rief, ärgerlich lachend:
»Doktor, sind Sie des Teufels?«

Die Heidelberger Romantik

[7] Die Liebe zum Mittelalter

JOSEPH GÖRRES · *Nachwort zu den Volksbüchern*

Plötzlich fuhren alle, wie von einem Strahl getroffen auf, es galt das
Höchste, was den Menschen in enthusiastische Bewegung setzen mag, und
was irgend nur der Begeisterung fähig war, nahm teil an dem großen Zuge
um den Glauben und um Rache an seinen Verfolgern; und es wälzten sich
Heere zahllos und mutig, alle Lanzen im elektrischen Lichte des Enthusiasmus flammend, nach dem heiligen Lande hin. Und es begann der unge-
heuere Kampf des eisernen nordischen Rittertums mit den Löwenscharen,
die Asien und Afrika ihm entgegen gesendet hatte: es faßten sich die
Kämpfenden mit Kraft, es galt, ob Erzes Macht, ob Feuers Gewalt das
Stärkere sei; die ganze alte Welt war des Kampfes Zeuge, und viele aufeinanderfolgende Generationen sahen sein Ende nicht. So kehrten die
alten mythischen Götterkriege unter den Menschen um die Götter zurück;
so war die Geschichte zu einem großen religiösen Epos geworden, zu dem
jede Nation ihren Gesang geliefert; der ganze Westen aber hatte zu einem
großen Dome sich gewölbt, und nach Osten hin am Hochaltare da brannte
umgeben von ernster Stille und verschwiegener Dunkelheit in mystisch
wunderbarem Lichte das heilige Grab, und geöffnet war über der wunder-
vollen Stätte die hohe Kuppel, und ein Strahl der göttlichen Glorie fiel
auf den geweihten Stein herab, und aus ihm hervor quoll dann der Segen
der Gnade über die frommen Pilger nieder, die um das Heiligtum sich
drängten, und wer den heiligen Gral erblickt, der veraltete nimmermehr,
und kein Bedürfnis mocht' ihn drängen, und des Todes Stachel stumpfte
ab an ihm: im Chore aber erhob sich der Vatikan, und da saß auf hohem
Sitz der Oberpriester und lenkte den Dienst und herrschte über die Andacht der Gemeinde; und die Ritter kamen und legten ihre Trophäen zu
den Füßen des Altars nieder. So war's ein Jauchzen und ein Jubel und
ein freudig Singen diese Zeit; die Pilger zogen in allen Ländern um und

sangen in Chören von den Taten der Kreuzfahrer und von der Wildheit
der Ungläubigen und von den Wundern des Landes, und alles horchte den
Gesängen und den begeisterten Reden der Prediger und fühlte sich auch
erhoben und wollte auch schauen das Wunderland und die gebenedeite
Erde: das andere Geschlecht aber, was nicht mitwallen konnte auf die
weite Fahrt, faßte die Reden und die Lieder um so tiefer im verschloßnen
Busen auf, und sie wurden der innerste schlagende Punkt des Lebens und
erblühten in dem warmen Reviere schöner noch wie jene Doppelblumen,
die aus Blumenkelchen in die Höhe steigen, denn es war die Liebe, die sie
trieb und pflegte. So trieben und drängten sich alle Kräfte zur Entwicklung vor, an der Liebe hatte die Andacht sich gezündet, an dieser loderte
jene wieder höher auf; rückwärts wie eine Vergangenheit stand den Kämpfenden die Liebe im fernen Vaterlande, und ein inbrünstig Sehnen rief sie
dahin zurück, vorwärts aber schwebte mit Zukunft und Ewigkeit die
Religion, und die Palme winkte und die Myrte, und die Liebe winkte der
Palme zu, und es riß fort mit Zaubers Gewalt. Und die Quellen der Poesie,
die im Orient sprangen, und jene die im Occident und im Norden entquollen waren, hatten sich gemischt, und der Orientalismus war tief eingedrungen in die nordische Kultur; der Blütenstab der südlichen Poesie
ward hinüber geweht in die westliche Welt, und sprangen seltsame Misch-
linge hervor, und es wanderten die Blumen von Süden hinauf, wie früher
die Völker von Norden hinuntergewandert waren. Ein üppig Quellen und
ein rasches Streben riß daher alles in dem frohen Rausche hin, das ganze
Gemüt war aufgeregt und glühte und schimmerte, und die Kunst war ins
Herz des Lebens aufgenommen; und wenn die Sänger von Liebe und von
Taten sangen, und wenn die Ritter von innerer Herzensunruh und Tatendrang getrieben auf Abenteuer zogen, und wenn die Prachtdramen, die
Turniere, sie zum gemeinsamen Wetteifer versammelten, überall war's
die innere Begeisterung, die übertrat, und die Lebensglut, die aus allen
Pulsen sich ergoß.

[8] **Geschichte, Sage und Märchen**

Achim von Arnim · *Die Kronenwächter*

Berthold, ein später Nachfahr der Staufer, besucht den Palast des Barbarossa.

Endlich kam der junge Berthold, aber nicht von der Seite des Rathauses,
sondern von der Seite der wüsten Brandstätte. Erst erkannte ich dich nicht,
rief ihm Martin entgegen, ist mir doch jetzt beständig wie damals bei der
Sonnenfinsternis, die Sonne hat einen Flecken und alles umher hat auch
Flecken, nachdem ich hinein gesehen, wie kannst du mich so lange warten
lassen, ich bin so neugierig, wie sich der Streit wegen des alten Fundaments
geendet hat, worauf der Nachbar übergebauet hatte. — Aber der junge
Berthold hörte nicht auf ihn, sondern umarmte ihn voller Seligkeit und
rief wiederholend: Das Haus des Barbarossa! — Was weißt denn Du von

dem? fragte Martin. — Hab' ich nicht täglich davon an der Papierwand von Vater Bertholds Schlafkammer gelesen, habe ich nicht lesen gelernt an der Stelle, wo der Palast in der Chronik steht, und habe immer heimlich daran gedacht, daß ich ihn finden müßte, und heute habe ich ihn gefunden, als mir die alte lahme Elster beim Heimgehen entlief. O, sie weiß um alles, was ich denke, und so zeigte sie mir den Weg und ließ mich nahe kommen und hüpfte weiter, wenn ich ihr den Finger hin hielt, daß sie darauf springen sollte, und so kletterte ich ihr ärgerlich über drei Mauern nach — ohne mich umzusehen — da erst sah ich mich um, denn sie rief weit von mir: Berthold, Berthold! — und mit freudigem Erschrecken sahe ich mich von den mächtigen Überbleibseln eines wunderbaren Gebäudes umgeben, eine Reihe ritterlicher Steinbilder steht noch fest und würdig zwischen ausgebrannten Fenstern am Hauptgebäude; ich sah auch das Seitengebäude, ich sah — auch im Hintergrunde einen seltsamen, dicht verwachsenen Garten und allerlei künstliche Malerei an der Mauer, die ihn umgibt — das ist Barbarossas Palast. — So seltsam rufen sie die Ihren, sagte Martin in sich, so viel Tausende haben als Kinder unter diesen Mauern gespielt, und keinem fiel dies Gebäude auf, keiner dachte des Barbarossa. — Es ist mein, rief der Knabe, ich will es ausbauen und will den Garten reinigen, ich weiß schon, wo die Mutter wohnen soll. Komm mit, Vater, sieh es an! Du wirst sie alle wieder kennen in den Steinbildern, unsre alten Herzoge und Kaiser, von denen du mir so viel erzählt hast.

Bei diesen Worten zog er den alten Martin über die Trümmer der wüsten Stadtseite fort, und Martin folgte ihm willig, aber mit Mühe, denn in dem einsamen Wächtergange des Turms hatte er seine Sehnen zum Klettern allzusehr erhärtet.

Da stand er endlich atemlos in der grünen Wildnis vor den Steinbildern und rief: Wie sie mit Efeu bewachsen sind, und ich erkenne sie doch, sieh, das ist Barbarossa, es ist mir doch nie so wohl geworden wie an diesem Flecke, fänden wir nur die Kapelle der heiligen drei Könige! — Ich war schon drin, sagte der Knabe, aber ich kann die Türe nicht wiederfinden, auch der Alte ist fort, der mich hinführte, und je mehr ich sein gedenke, desto sonderbarer fällt es mir auf, daß er dem Steinbilde des Barbarossa ähnlich war. Seht, hier saß ich und staunte alles an, da klopfte er mir auf die Schulter, der Alte in dem seltsam prächtigen Mantel, vorn mit einem roten Steine zugeheftelt, und fragte mich, ob es mir wohlgefalle, dieses Haus in den Trümmern, er habe ein steinern Bild, wie es gewesen, im kleinen ausgeführt, das wolle er mir zeigen, so solle ich es aufbauen, und ich werde viel Glück in dem Hause erleben und wenig werde mir von meinen Wünschen unerfüllt bleiben. — Und du hast es gesehn? fragte Martin, indem er den Knaben auf andre Art als je ansah. — Freilich, antwortete der junge Berthold; und nimmer werde ich das kleine Steinbild vergessen, ich könnte es Euch hier auf dem Boden herzeichnen. Könnte ich nur die Türe wiederfinden, wo er mich einführte, es ist, als ob der Alte sie mit Schutt bedeckt hat. Hier war es, meine ich, da führte er mich in einen gewölbten Gang, an dessen Ende er eine metallene Tür öffnete. Wie erschrak ich, als wir da eintraten. Das ganze hochgewölbte Zimmer, von zwei hängenden Lampen erleuchtet, schien mit Gold und Edelsteinen, wie andere Häuser mit Kalk überzogen, in der Mitte stand ein Sarg und darin lagen drei hochehrwürdige Männer mit Kronen, und als ich den Sarg näher betrachtete, war es dies Haus, schön neu und vollendet, und schien mir gewaltig groß, ob ich gleich darüber weg und hineinsehen konnte; und als ich die alten Männer näher betrachtete, so sah ich, daß der mittlere dem Alten glich, der mich hineinführte. Ich sah mich um nach dem Alten, es war mir, als wäre er es selbst, der da lag mit Königen; aber er war fort, eine Angst füllte mein Herz, ich weiß nicht warum, ich floh aus der Kapelle, aus dem Garten über die Mauer, und so fand ich Euch, Vater Martin. — Warum flohst du dein bestes Glück, unglücklicher Knabe? rief Martin. Aber so ist's mit dem Menschen, der bildet sich viel auf seine Natur ein und meint, seine Liebe und sein Haß, seine Furcht und Hoffnung müssen einen wahren Grund und Boden in der Welt haben. — Der Knabe sah den Alten an und verstand ihn nicht, sondern fuhr in seiner Rede fort: Mir ist noch immer so bange, ich fürchte, der Alte ist ein Geist gewesen. — Martin fuhr ebenso in seinen Gedanken fort: Wir schaudern vor den Geistern und gehen doch lange schon als abgeschiedene Geister umher, wenn uns die Lebenden noch für mitlebend halten. Höre nicht auf mich, mein Sohn, ich bin hier so vergnügt, wie ich lange nicht gewesen, und da schwatze ich mit mir selbst. Wie die Linden schön herduften, die den Garten schließen, mir ist nie so wohlgemut gewesen. Gott führt auf immer neuen Wegen zum Heil, unser Leben ist wie ein Märchen, das eine liebe Mutter ihrem unruhigen Kinde erfindet. — Aber wird nicht Mutter Hildegart mit dem Essen auf uns warten? unterbrach ihn der Knabe. — Sie wird noch öfter auf mich warten, antwortete der Alte, und ich werde nicht kommen, die Treppen des Turms steige ich nicht mehr hinauf und lasse das Seil nicht mehr zur Erde laufen nach täglicher Notdurft, sehe mir auch nicht mehr die Augen aus, ob irgend ein Strauchdieb unsern Fuhrleuten auflauert, das ist nun alles aus, und ich bin hier eingesetzt, dich, Berthold, den Abkömmling der Hohenstaufen, zu erziehen, dir den Gebrauch ritterlicher Waffen zu zeigen und dein Schwert zu wetzen, daß es schneidet, wenn du es brauchen sollst. — Der Knabe wußte ihm nicht mehr zu antworten, sondern schmiegte sich an ihn, als er ihn aber über sich singen hörte, da erschrak er, denn solange er um ihn gewesen, hatte Martin nie gesungen.

[9] **Sehnsucht nach dem Einfachen und Reinen**

CLEMENS BRENTANO · *Heimatgefühl*

Wie klinget die Welle!	Du himmlische Bläue!
Wie wehet im Wind!	Du irdisches Grün!
O selige Schwelle,	Voll Lieb und voll Treue,
Wo wir geboren sind!	Wie wird mein Herz so kühn!

Wie Reben sich ranken
Mit innigem Trieb,
So, meine Gedanken,
Habt hier alles lieb!

Da hebt sich kein Wehen,
Da regt sich kein Blatt,
Ich kann draus verstehen,
Wie lieb man mich hat.

Ihr himmlischen Fernen,
Wie seid ihr mir nah!
Ich griff nach den Sternen
Hier aus der Wiege ja.

Treib nieder und nieder,
Du herrlicher Rhein!
Du kommst mir ja wieder,
Läßt nie mich allein.

O Vater, wie bange
War mir es nach dir;
Horch meinem Gesange,
Dein Sohn ist wieder hier!

Du spiegelst und gleitest
Im mondlichen Glanz,
Die Arme du breitest:
Empfange meinen Kranz!

CLEMENS BRENTANO · *Eingang*

Was reif in diesen Zeilen steht,
Was lächelnd winkt und sinnend fleht,
Das soll kein Kind betrüben;
Die Einfalt hat es ausgesät,
Die Schwermut hat hindurchgeweht,
Die Sehnsucht hat's getrieben.
Und ist das Feld einst abgemäht,
Die Armut durch die Stoppeln geht,
Sucht Ähren, die geblieben;
Sucht Lieb, die für sie untergeht,
Sucht Lieb, die mit ihr aufersteht,
Sucht Lieb, die sie kann lieben.
Und hat sie einsam und verschmäht
Die Nacht durch, dankend im Gebet,
Die Körner ausgetrieben,
Liest sie, als früh der Hahn gekräht,
Was Lieb erhielt, was Leid verweht,
Ans Feldkreuz angeschrieben:
O Stern und Blume, Geist und Kleid,
Lieb, Leid und Zeit und Ewigkeit.

Wiegenlied

Singet leise, leise, leise,
Singt ein flüsternd Wiegenlied,
Von dem Monde lernt die Weise,
Der so still am Himmel zieht!

Singt ein Lied so süß gelinde,
Wie die Quellen auf den Kieseln,
Wie die Bienen um die Linde
Summen, murmeln, flüstern, rieseln!

[10] **Mondscheinnacht und Wanderlust**

Joseph von Eichendorff · *Aus dem Leben eines Taugenichts*

Unterwegs erfuhr ich, daß ich nur noch ein paar Meilen von Rom wäre. Da erschrak ich ordentlich vor Freude. Denn von dem prächtigen Rom hatte ich schon zu Hause als Kind viele wunderbare Geschichten gehört, und wenn ich dann an Sonntags-Nachmittagen vor der Mühle im Grase lag und alles ringsum so stille war, da dachte ich mir Rom wie die ziehenden Wolken über mir, mit wundersamen Bergen und Abgründen am blauen Meer, und goldenen Toren und hohen glänzenden Türmen, von denen Engel in goldenen Gewändern sangen. — Die Nacht war schon wieder lange hereingebrochen, und der Mond schien prächtig, als ich endlich auf einem Hügel aus dem Walde heraustrat und auf einmal die Stadt in der Ferne vor mir sah. — Das Meer leuchtete von weitem, der Himmel blitzte und funkelte unübersehbar mit unzähligen Sternen, darunter lag die heilige Stadt, von der man nur einen langen Nebelstreif erkennen konnte, wie ein eingeschlafener Löwe auf der stillen Erde, und Berge standen daneben, wie dunkle Riesen, die ihn bewachten.

Ich kam nun zuerst auf eine große einsame Heide, auf der es so grau und still war wie im Grabe. Nur hin und her stand ein altes verfallenes Gemäuer oder ein trockener wunderbar gewundener Strauch; manchmal schwirrten Nachtvögel durch die Luft, und mein eigener Schatten strich immerfort lang und dunkel in der Einsamkeit neben mir her. Sie sagen, daß hier eine uralte Stadt und die Frau Venus begraben liegt und die alten Heiden zuweilen noch aus ihren Gräbern heraufsteigen und bei stiller Nacht über die Heide gehen und die Wanderer verwirren. Aber ich ging immer gerade fort und ließ mich nichts anfechten. Denn die Stadt stieg immer deutlicher und prächtiger vor mir herauf, und die hohen Burgen und Tore und goldenen Kuppeln glänzten so herrlich im hellen Mondschein, als ständen wirklich die Engel in goldenen Gewändern auf den Zinnen und sängen durch die stille Nacht herüber.

So zog ich denn endlich erst an kleinen Häusern vorbei, dann durch ein prächtiges Tor in die berühmte Stadt Rom hinein. Der Mond schien zwischen den Palästen, als wäre es heller Tag, aber die Straßen waren schon alle leer, nur hin und wieder lag ein lumpiger Kerl, wie ein Toter, in der lauen Nacht auf den Marmorschwellen und schlief. Dabei rauschten die Brunnen auf den stillen Plätzen, und die Gärten an der Straße säuselten dazwischen und erfüllten die Luft mit erquickenden Düften.

Wie ich nun ebenso weiter fortschlendere und vor Vergnügen, Mondschein und Wohlgeruch gar nicht weiß, wohin ich mich wenden soll, läßt sich tief aus dem einen Garten eine Gitarre hören. Mein Gott, denk' ich, da ist mir wohl der tolle Student mit dem langen Überrock heimlich nachgesprungen! Darüber fing eine Dame in dem Garten an, überaus lieblich zu singen. Ich stand ganz wie bezaubert, denn es war die Stimme der schönen gnädigen Frau und dasselbe welsche Liedchen, das sie gar oft zu Hause am offenen Fenster gesungen hatte.

Da fiel mir auf einmal die schöne alte Zeit mit solcher Gewalt aufs Herz, daß ich bitterlich hätte weinen mögen, der stille Garten vor dem Schloß in früher Morgenstunde, und wie ich da hinter dem Strauch so glückselig war, ehe mir die dumme Fliege in die Nase flog. Ich konnte mich nicht länger halten. Ich kletterte auf den vergoldeten Zieraten über das Gittertor und schwang mich in den Garten hinunter, woher der Gesang kam. Da bemerkte ich, daß eine schlanke, weiße Gestalt von fern hinter einer Pappel stand und mir erst verwundert zusah, als ich über das Gitterwerk kletterte, dann aber auf einmal so schnell durch den dunklen Garten nach dem Hause zuflog, daß man sie im Mondschein kaum füßeln sehen konnte. Das war sie selbst! rief ich aus, und das Herz schlug mir vor Freude, denn ich erkannte sie gleich an den kleinen, geschwinden Füßchen wieder. Es war nur schlimm, daß ich mir beim Herunterspringen vom Gartentore den rechten Fuß etwas vertreten hatte, ich mußte daher erst ein paarmal mit dem Beine schlenkern, eh ich zu dem Hause nachspringen konnte. Aber da hatten sie unterdes Tür und Fenster fest verschlossen. Ich klopfte ganz bescheiden an, horchte und klopfte wieder. Da war es nicht anders, als wenn es drinnen leise flüsterte und kicherte, ja einmal kam es mir vor, als wenn zwei helle Augen zwischen den Jalousien im Mondschein hervorfunkelten. Dann war auf einmal wieder alles still.

Sie weiß nur nicht, daß ich es bin, dachte ich, zog die Geige, die ich allzeit bei mir trage, hervor, spazierte damit auf dem Gange vor dem Hause auf und nieder und spielte und sang das Lied von der schönen Frau, und spielte voll Vergnügen alle meine Lieder durch, die ich damals in den schönen Sommernächten im Schloßgarten oder auf der Bank vor dem Zollhause gespielt hatte, daß es weit bis in die Fenster des Schlosses hinüber klang. — Aber es half alles nicht, es rührte und regte sich niemand im ganzen Hause. Da steckte ich endlich meine Geige traurig ein und legte mich auf die Schwelle vor der Haustür hin, denn ich war sehr müde von dem langen Marsch. Die Nacht war warm, die Blumenbeete vor dem Hause dufteten lieblich, eine Wasserkunst weiter unten im Garten plätscherte immerfort dazwischen. Mir träumte von himmelblauen Blumen, von schönen, dunkelgrünen, einsamen Gründen, wo Quellen rauschten und Bächlein gingen und bunte Vögel wunderbar sangen, bis ich endlich fest einschlief.

JOSEPH VON EICHENDORFF · *Sehnsucht*

Es schienen so golden die Sterne,
Am Fenster ich einsam stand
Und hörte aus weiter Ferne
Ein Posthorn im stillen Land.
Das Herz mir im Leib entbrennte,
Da hab' ich mir heimlich gedacht:
Ach, wer da mitreisen könnte
In der prächtigen Sommernacht!

Zwei junge Gesellen gingen
Vorüber am Bergeshang,
Ich hörte im Wandern sie singen
Die stille Gegend entlang:
Von schwindelnden Felsenschlüften,
Wo die Wälder rauschen so sacht,
Von Quellen, die von den Klüften
Sich stürzen in Waldesnacht.

Sie sangen von Marmorbildern,
Von Gärten, die überm Gestein
In dämmernden Lauben verwildern,
Palästen im Mondenschein,
Wo die Mädchen am Fenster lauschen,
Wann der Lauten Klang erwacht
Und die Brunnen verschlafen rauschen
In der prächtigen Sommernacht.

JOSEPH VON EICHENDORFF · *Der alte Garten*

Kaiserkron' und Päonien rot,
Die müssen verzaubert sein,
Denn Vater und Mutter sind lange tot,
Was blühn sie hier so allein?

Der Springbrunn plaudert noch immerfort
Von der alten, schönen Zeit,
Eine Frau sitzt eingeschlafen dort,
Ihre Locken bedecken ihr Kleid.

Sie hat eine Laute in der Hand,
Als ob sie im Schlafe spricht,
Mir ist, als hätt' ich sie sonst gekannt —
Still', geh' vorbei und weck' sie nicht!

Und wenn es dunkelt das Tal entlang,
Streift sie die Saiten sacht,
Da gibt's einen wunderbaren Klang
Durch den Garten die ganze Nacht.

Nachts

Ich stehe in Waldesschatten
Wie an des Lebens Rand,
Die Länder wie dämmernde Matten,
Der Strom wie ein silbern Band.

Von fern nur schlagen die Glocken
Über die Wälder herein,
Ein Reh hebt den Kopf erschrocken
Und schlummert gleich wieder ein.

Der Wald aber rühret die Wipfel
Im Traum von der Felsenwand.
Denn der Herr geht über die Gipfel
Und segnet das stille Land.

[11] Christlich-konservative Haltung

JOSEPH VON EICHENDORFF · *Zur Geschichte des Dramas*

Am entschiedensten aber müssen wir endlich das überblümte und ge-schminkte Christentum der Amaranten und Sieglinden abweisen, das sich von dem ganz undramatischen Pietismus nur durch einen neuen Zucker-überguß unterscheidet, und wo uns, wie ehemals in den Fouquéschen Schauspielen, die prätentiöse Weinerlichkeit der Gläubigen beständig mo-ralisch zwingt, für die größere Kraft und Verständigkeit ihrer bei weitem in-teressantern Widersacher unwillkürlich Partei zu nehmen. Das ist wiederum nur eine andere Art von Nippes für die Boudoirs ästhetischer Damen. Es kommt überhaupt hier gar nicht auf christliche Stoffe an, sondern auf die religiöse Auffassung und Durchdringung des Lebens, die sich gerade an dem sprödesten Material der Wirklichkeit am wunderbarsten bewähren kann. Wir wollen auf der Bühne kein Dogma, keine Moraltheologie, nicht einmal in allegorischer Verhüllung, wenn die Allegorie nicht etwa, wie bei Calderon, durch die Zauberei der Poesie wirklich lebendig und individuell wird. Wir hätten sonst eben wieder nur Tendenzstücke; und die greifbare Tendenz, wie wir schon einmal gesagt, verstimmt und verfehlt daher ihren Zweck, sie mag auf das Verkehrte oder auf das Göttliche gehen. Wir ver-langen nichts als eine christliche Atmosphäre, die wir unbewußt atmen und die in ihrer Reinheit die verborgene höhere Bedeutsam-keit der irdischen Dinge von selbst hindurchscheinen läßt, gleich-wie ja dieselbe Gegend nicht dieselbe ist in dickem Schmutzwetter oder bei scharfer Abendbeleuchtung. Wer fragt im Frühling, was der Frühling sei? Wir sehen die Luft nicht, die uns erfrischt, und sehen das Licht nicht, das doch ringsum Laub und Blumen färbt. — Man macht der katholischen Kirche so häufig den Vorwurf, daß sie mit der Macht aller Künste auf die Sinne wirke, und bedenkt dabei nicht, daß hier alle Kunst nur das Symbol höherer Geheimnisse ist. Man sollte, anstatt unverständig zu schmähen, viel lieber von der Kirche lernen. Denn was gibt der alten Kirchenmusik diese erschütternde Gewalt? Warum haben die alten Heiligenbilder alle die modern antikisierenden Kunststücke überlebt? Weil diese Gestalten, wie jene Klänge, noch immer von dem unverwüstlichen traditionellen religiösen Gefühle getragen werden und dennoch, oder vielmehr eben deshalb, da sie in ihrem tiefern Mittelpunkt von den wechselnden Launen und Koketterien der Zeit unberührt bleiben, selbständige Kunstwerke sind. Es ist eine sehr gebräuchliche, aber ganz vergebliche Selbsttäuschung des Hochmuts, in der Kunst überhaupt und also auch im Schauspiele jene ewige Grundlage entbehren und durch bloße Moral oder Intelligenz ersetzen zu können. Denn jenseits des von seiner eigentlichen Heimat: dem Geheimnis Gottes und der Religion, abgewendeten Glaubens liegt hier, wie überall, unvermeidlich der Aberglaube. Die nie völlig zu vertilgende Gewalt des Wunderbaren im Menschen, einmal ihres inneren Lichtes beraubt, schwärmt in der Finsternis und wird, anstatt der Gottesfurcht, von jener wahnwitzigen grauenhaften Furcht vor den unheimlichen Kräften der Natur befallen, welche, namentlich auf der Bühne, die Phantasterei, den gespensterhaften Schicksalspuk und den Blutdurst erzeugt hat.

JOSEPH VON EICHENDORFF · *Der Dichter*

Ihm ist's verliehn, aus den verworrnen Tagen,
Die um die andern sich wie Kerker dichten,
Zum blauen Himmel sich empor zu richten,
In Freudigkeit: Hie bin ich, Herr! zu sagen.

Das Leben hat zum Ritter ihn geschlagen,
Er soll der Schönheit neid'sche Kerker lichten;
Daß nicht sich alle götterlos vernichten,
Soll er die Götter zu beschwören wagen.

Tritt erst die Liebe auf seine blühnden Hügel,
Fühlt er die reichen Kränze in den Haaren,
Mit Morgenrot muß sich die Erde schmücken;

Süßschauernd dehnt der Geist die großen Flügel,
Es glänzt das Meer — die mut'gen Schiffe fahren,
Da ist nichts mehr, was ihm nicht sollte glücken!

Die Spätromantik

[12] **Deutsche Altertumsforschung**

WILHELM GRIMM · *Brief an Savigny*

Wir sind jetzt an einer großen Arbeit. Damit nämlich sind wir beide einverstanden, daß eine Geschichte der Poesie nicht anders möglich ist, als bis man die Sagen, aus welchen sie (notwendig) sich erzeugt, aus ihren unendlichen Verzweigungen zurückgeleitet zu ihrer Wurzel, bis vor Augen liegt, wie eine Quelle aus unzähligen Armen durch die geströmt und sich ausgebreitet habe. Daß man die Poesie demnach behandeln müsse, wie es jetzt (wie Creuzer) mit der Mythologie tut, einem jeden Land sein Eigentum zurückgeben und dann die Modifikationen bestimmen, die er bei jedem

Volk erlitten: die Farbe und Gestalt, die von dem Himmel, unter dem es geblüht, angenommen wurde. Es ist unglaublich, wenn es nicht Beispiele dartäten, welch ein fast ewiges Leben viele Sagen haben, die in urältester Zeit schon existierten und nun, in ewigem Wechsel der Gestalt und Form, doch in sich fest und unverwüstlich, durch alle Zeiten fortgeschritten sind. Eine Geschichte der Poesie hat nur diese beständige Wiedergeburt im Geist zu entwickeln. Ich habe in einem Aufsatz in den »Studien« gezeigt, welche Absicht man von der Entstehung der deutschen Poesie nach dieser Idee hegen müsse. Daher ist weiter nichts als diese Idee und auch nur ganz kurz darin ausgeführt, alles übrige kaum angedeutet, ich wollte es nur einmal sagen, um hernach in Zukunft darauf bauen zu können. Der Jacob tadelt mich, daß ich ihn schon jetzt habe drucken lassen, man kommt durch weiteres Studieren immer noch auf mehr, das ist wahr, und ich denke, wenn ich es in einem großen Werk, wie ich wünsche, ausführen kann, was ich im Sinne habe, so soll es auch was viel Bedeutenderes und Besseres sein, allein es ist doch immer eine gewisse Berührung der Wissenschaft mit dem Leben, und wenn man es nicht mißdeuten will, mit der Zeit nötig, sonst wird man notwendig auf die Meinung derer kommen, die erst nach ihrem Tode etwas drucken lassen. Für ihren Zweck scheint mir daher meine Arbeit recht und gut. Wenn sie Ihnen zu Gesichte kommen sollte, seien Sie so gütig, mir Ihr Urteil zu sagen, auch über die Recension von Hagens Nibelungen in den Heidelberger Jahrbüchern.

Ich habe ganz vergessen, den Nachsatz zu schreiben, worin die große Arbeit besteht: wir müssen nun, den Gang der Sagen kennenzulernen, alle Denkmäler der Nationalpoesie jeder Zeit mit dieser Rücksicht durchlesen und exzerpieren. Also die Bibel, Homer, Hesiod, Tausend und eine Nacht, alle nordische Dichtungen, aufs neue die sämtlichen altdeutschen.

Manches muß sich auch daraus ergeben, über die Wege, auf welchen sich die Kultur verbreitet und aus anderen Ländern herausgedrungen. Es fehlt nicht an ganz überraschenden Entdeckungen. Was sagen Sie zu der Verwandtschaft des deutschen Eulenspiegels (eine fingierte Person) mit den Fabeln des indischen Pilpai, vielleicht auch mit den Listen des Odysseus? Schade, daß noch vieles nicht zugänglich, wie der persische Ferdusi, überhaupt das Orientalische, das auf viele altdeutsche Gedichte großen Einfluß gehabt.

[13] **Die verzauberte Welt**

FRIEDRICH DE LA MOTTE FOUQUÉ · *Undine*

Das Mädchen Undine, ihrer Natur nach eine Wassernixe, erzählt dem geliebten Ritter Huldbrand vom Reich der Wassergeister.

Jenseits ließ er sie in das weiche Gras nieder und wollte sich schmeichelnd neben seine schöne Bürd setzen; sie aber sagte: Nein, dorthin, mir gegenüber. Ich will in deinen Augen lesen, noch ehe deine Lippen sprechen. Höre nun recht achtsam zu, was ich dir erzählen will. Und sie begann.

Du sollst wissen, mein süßer Liebling, daß es in den Elementen Wesen gibt, die fast aussehen wie ihr und sich doch nur selten vor euch blicken lassen. In den Flammen glitzern und spielen die wunderlichen Salamander, in der Erden tief hausen die dürren, tückischen Gnomen, durch die Wälder streifen die Waldleute, die der Luft abgehören, und in den Seen und Strömen und Bächen lebt der Wassergeister ausgebreitetes Geschlecht. In klingenden Kristallgewölben, durch die der Himmel mit Sonn' und Sternen hereinsieht, wohnt sich's schön; hohe Korallenbäume mit blau und roten Früchten leuchten in den Gärten; über reinlichen Meeressand wandelt man und über schöne bunte Muscheln, und was die alte Welt des also Schönen besaß, daß die heutige nicht mehr sich dran zu freuen würdig ist, das überzogen die Fluten mit ihren heimlichen Silberschleiern, und unten prangen nun die edlen Denkmale, hoch und ernst und anmutig betaut vom liebenden Gewässer, das aus ihnen schöne Moosblumen und kränzende Schilfbüschel hervorlockt. Die aber dorten wohnen, sind gar hold und lieblich anzuschauen, meist schöner als die Menschen sind. Manch einem Fischer ward es schon so gut, ein zartes Wasserweib zu belauschen, wie es über die Fluten hervorstieg und sang. Der erzählte dann von ihrer Schöne weiter, und solche wundersame Frauen werden von den Menschen Undinen genannt. Du aber siehst jetzt wirklich eine Undine, lieber Freund.

Der Ritter wollte sich einreden, seiner schönen Frau sei irgendeine ihrer seltsamen Launen wach geworden und sie finde ihre Lust daran, ihn mit bunt erdachten Geschichten zu necken. Aber so sehr er sich dies auch vorsagte, konnte er doch keinen Augenblick daran glauben; ein seltsamer Schauer zog durch sein Inneres; unfähig ein Wort hervorzubringen, starrte er unverwandten Auges die holde Erzählerin an. Diese schüttelte betrübt den Kopf, seufzte aus vollem Herzen und fuhr alsdann folgendermaßen fort.

Wir wären weit besser daran als ihr andern Menschen; — denn Menschen nennen wir uns auch, wie wir es denn der Bildung und dem Leibe nach sind; aber es ist ein gar Übles dabei. Wir sind unsersgleichen in den andern Elementen, wir verstieben und vergehn mit Geist und Leib, daß keine Spur von uns zurückbleibt, und wenn ihr andern dermaleinst zu einem reinern Leben erwacht, sind wir geblieben, wo Sand und Funk' und Wind und Welle blieb. Darum haben wir auch keine Seelen; das Element bewegt uns, gehorcht uns oft, solange wir leben — zerstaubt uns immer, sobald wir sterben, und wir sind lustig, ohne uns irgend zu grämen, wie es die Nachtigallen und Goldfischlein und andre hübsche Kinder der Natur ja gleichfalls sind. Aber alles will höher, als es steht. So wollte mein Vater, der ein mächtiger Wasserfürst im Mittelländischen Meere ist, seine einzige Tochter solle einer Seele teilhaftig werden, und müsse sie darüber auch viele Leiden der beseelten Leute bestehen. Eine Seele aber kann unsersgleichen nur durch den innigsten Verein der Liebe mit einem eures Geschlechtes gewinnen. Nun bin ich beseelt, dir dank' ich die Seele, o du unaussprechlich Geliebter, und dir werd' ich es danken, wenn du mich nicht mein ganzes Leben hindurch elend machst. Denn was soll aus mir werden, wenn du mich scheuest und mich verstößest ? Durch Trug aber mocht' ich dich nicht behalten. Und willst du mich verstoßen, so tu es nun, so geh allein ans Ufer zurück. Ich tauche mich in diesen Bach, der mein Oheim ist und hier im Walde sein wunderliches Einsiedlerleben, von den übrigen Freunden entfernet, führt. Er ist aber mächtig und vielen großen Strömen wert und teuer; und wie er mich herführte zu den Fischern, mich leichtes und lachendes Kind, wird er mich auch wieder heimführen zu den Eltern, mich beseelte, liebende, leidende Frau.

Sie wollte noch mehr sagen, aber Huldbrand umfaßte sie voll der innigsten Rührung und Liebe und trug sie wieder ans Ufer zurück. Hier erst schwur er unter Tränen und Küssen, sein holdes Weib niemals zu verlassen und pries sich glücklicher als den griechischen Bildner Pygmalion, welchem Frau Venus seinen schönen Stein zur Geliebten belebt habe. Im süßen Vertrauen wandelte Undine an seinem Arme nach der Hütte zurück und empfand nun erst von ganzem Herzen, wie wenig sie die verlassene Kristallpaläste ihres wundersamen Vaters bedauern dürfe.

[14] Dämonisierte Welt

E. T. A. HOFFMANN · *Die Elixiere des Teufels*

Der Kapuziner Medardus, der sich in die Welt, in Sünde und Laster, gestürzt und in das vornehme Haus der Aurelie Zugang gefunden hat, begegnet dem Gespenst seines Doppelgängers.

Festlich geschmückt warteten wir beide auf das Fürstenpaar, das uns abholen wollte. Da hörten wir plötzlich einen entsetzlichen Lärm auf der Straße. Wir schauten aus dem Fenster und sahen den Mönch Cyrillus. Auch er erkannte uns. Man führte ihn in Ketten zum Richtplatz — laut schrie er zu mir hinauf. Ich erschrak vor den entsetzlich funkelnden Augen meines Doppelgängers und fühlte mich von Aurelie zurückgerissen. »Was ist dir, Leonard ? Hör doch, sie führen Medardus, den Mörder meines Bruders, zum Tode !« schrie sie. Da wurden alle bösen Geister der Hölle in mir wach. Ich riß das Mordmesser heraus und stieß nach Aurelie. Ein Blutstrom quoll über meine Hand. Ich rannte wie besessen auf die Straße, durch das Volk zum Wagen und riß den Mönch herab. Ich fühlte mich gepackt und verwundet, schlug um mich wie ein rasendes Tier und arbeitete mich durch bis an die nahe Mauer des Parkes, die ich mit einem fürchterlichen Satz übersprang. »Mord . . . Mord . . . Haltet . . . haltet den Mörder !« riefen Stimmen hinter mir her. Ich hörte es rasseln — man wollte das verschlossene Tor des Parks sprengen; unaufhaltsam rannte ich fort. Ich kam an den breiten Graben, der den Park von dem dicht dabei gelegenen Walde trennte, ein mächtiger Sprung — ich war hinüber, und immerfort rannte ich durch den Wald, bis ich erschöpft unter einem Baume niedersank. Es war schon finstere Nacht geworden, als ich wie aus tiefer Betäubung erwachte. Nur der Gedanke, zu fliehen wie ein gehetztes Tier, stand fest in meiner Seele. Ich stand auf, aber kaum war ich einige Schritte fort, als aus dem Gebüsch hervorrauschend, ein Mensch auf meinen Rücken sprang und mich mit den Armen umhalste. Vergebens versuchte ich ihn abzuschütteln — ich warf mich nieder, ich drückte mich hinterrücks an die Bäume, alles umsonst. Der Mensch kicherte und lachte höhnisch; da brach der Mond hellleuchtend durch die schwarzen Tannen, und das totenbleiche, gräßliche Gesicht des Mönchs — des vermeintlichen Medardus, des Doppelgängers, starrte mich an mit dem gräßlichen Blick, wie von dem Wagen herauf. — »Hi... hi... hi... Brüderlein... Brüderlein, immer, immer bin ich bei dir... lasse dich nicht... lasse... dich nicht... Kann nicht lau... laufen... wie du... mußt mich tra... tragen... Komme vom Ga... Galgen... haben mich rä... rädern wollen... hi hi...« So lachte und heulte das grause Gespenst, indem ich, von wildem Entsetzen gekräftigt, hoch emporsprang, wie ein von der Riesenschlange eingeschnürter Tiger! — Ich raste gegen Büsche und Felsstücke, um ihn, wo nicht zu töten, doch wenigstens hart zu verwunden, daß er mich zu lassen genötigt sein sollte. Dann lachte er stärker, und mich nur traf jäher der Schmerz; ich versuchte, seine unter meinem Kinn festgeknoteten Hände loszuwinden, aber die Gurgel einzudrücken drohte mir des Ungetüms Gewalt. Endlich, nach tollem Rasen, fiel er plötzlich herab. Aber kaum war ich einige Schritte fortgerannt, als er von neuem auf meinem Rücken saß, kichernd und lachend und jene entsetzlichen Worte stammelnd! — Aufs neue jene Anstrengungen wilder Wut — aufs neue befreit! — aufs neue umhalst von dem fürchterlichen Gespenst. — Es ist mir nicht möglich, deutlich anzugeben, wie lange ich, von dem Doppelgänger verfolgt, durch finstre Wälder floh, es ist mir so, als müsse das Monate hindurch, ohne daß ich Speise und Trank genoß, gedauert haben. Nur eines lichten Augenblicks erinnere ich mich lebhaft, nach welchem ich in gänzlich bewußtlosen Zustand verfiel. Eben war es mir geglückt, meinen Doppelgänger abzuwerfen, als ein heller Sonnenstrahl und mit ihm ein holdes, anmutiges Tönen den Wald durchdrang. Ich unterschied eine Klosterglocke, die zur Frühmette läutete.

E. T. A. HOFFMANN · *Meister Floh*

Meister Floh, König der Zirkusflöhe, berichtet seinem Freunde Peregrinus Tyß, einem in Frankfurt am Main lebenden wohlhabenden Sonderling, zu dem er flüchtete, von seinem Leben.

Seht, mein Volk ist Euch Menschen in manchen Dingen weit überlegen, z. B. was Durchschauen der Geheimnisse der Natur, Stärke, Gewandtheit, geistige und körperliche Gewandtheit betrifft. Doch auch wir haben Leidenschaften, und diese sind, so wie bei Euch, gar oft die Quelle vieles Ungemachs, ja gänzlichen Verderbens. So war auch ich von meinem Volk geliebt, ja angebetet, mein Meistertum hätte mich auf die höchste Stufe des Glücks bringen können, verblendete mich nicht eine unglückliche Leidenschaft zu einer Person, die mich ganz und gar beherrschte, ohne jemals meine Gattin werden zu können. Man wirft überhaupt unserm

Geschlecht eine ganz besondere, die Schranken des Anstandes überschreitende Vorliebe für das schöne Geschlecht vor. Mag dieser Vorwurf auch gegründet sein, so weiß auf der andern Seite jeder — Doch! — ohne weitere Umschweife! — Ich sah des Königs Sekakis Tochter, die schöne Gamaheh, und wurde augenblicklich so entsetzlich verliebt in sie, daß ich mein Volk, mich selbst vergaß und nur in der Wonne lebte, auf dem schönsten Halse, auf dem schönsten Busen umherzuhüpfen und die Holde mit süßen Küssen zu kitzeln. Oft haschte sie mit den Rosenfingern nach mir, ohne mich jemals fangen zu können. Dies dünkte mir anmutiges Kosen, liebliche Tändelei beglückter Liebe! — Wie töricht ist der Sinn eines Verliebten, ist dieser auch selbst der Meister Floh. —

Es genügt zu sagen, daß die arme Gamaheh von dem häßlichen Egelprinzen überfallen wurde, der sie zu Tode küßte; mir wär' es aber gelungen, die Geliebte zu retten, hätte sich nicht ein einfältiger Prahlhans und ein ungeschickter Tölpel ohne Beruf in die Sache gemischt und alles verdorben. Der Prahlhans war aber die Distel Zeherit und der Tölpel der Genius Thetel. — Als sich der Genius Thetel mit der entschlummerten Prinzessin in die Lüfte erhob, klammerte ich mich fest an die Brüssler Kanten, die sie gerade um den Hals trug, und war so Gamahehs treuer Reisegefährte, ohne von dem Genius bemerkt zu werden. Es geschah, daß wir über zwei Magier wegflogen, die auf einem hohen Turm gerade den Lauf der Gestirne beobachteten. Da richtete der eine dieser Magier sein Glas so scharf auf mich, daß ich schier von dem Schein des magischen Instruments geblendet wurde. Mich überfiel ein starker Schwindel, vergebens suchte ich mich festzuhalten, ich stürzte rettungslos hinab aus der entsetzlichen Höhe, fiel dem beobachtenden Magier gerade auf die Nase, nur meine Leichtigkeit, meine außerordentliche Gewandtheit erhielt mich am Leben.

Noch war ich zu betäubt, um von des Magiers Nase herabzuhüpfen und mich ganz in Sicherheit zu setzen, als der Unhold, der verräterische Leuwenhoek (der war der Magier) mich geschickt mit den Fingern erhaschte und sogleich in ein Rußwurmsches Universal-Mikroskop setzte. Unerachtet es Nacht war und er daher die Lampe anzünden mußte, war er doch ein viel zu geübter Beobachter und viel zu tief eingedrungen in die Wissenschaft, um nicht sogleich mich als den Meister Floh zu erkennen. Hoch erfreut, daß ein glücklicher Zufall ihm diesen vornehmen Gefangenen in die Hände gespielt, entschlossen, allen Vorteil daraus zu ziehen, der nur möglich, schlug er mich Ärmsten in Ketten, und so begann eine qualvolle Gefangenschaft, aus der ich durch Euch, Herr Peregrinus Tyß, erst gestern Vormittags befreit wurde.

Mein Besitz gab dem fatalen Leuwenhoek volle Macht über meine Vasallen, die er bald scharenweise um sich her versammelte und mit barbarischer Härte eine sogenannte Kultur einführte, die uns bald um alle Freiheit, um allen Genuß des Lebens brachte. Was die Schulstudien und überhaupt die Wissenschaften und Künste betrifft, so fand Leuwenhoek gar bald zu seinem Erstaunen und Ärger, daß wir beinahe gelehrter waren als er selbst; die höhere Kultur, die er uns aufzwang, bestand aber vorzüglich darin, daß wir durchaus was werden, wenigstens was vorstellen mußten. Eben dieses Was-Werden, dieses Was-Vorstellen, führte eine Menge Bedürfnisse herbei, die wir sonst gar nicht gekannt hätten und die wir nun im Schweiß unseres Angesichts erringen mußten. Zu Staatsmännern, Kriegsleuten, Professoren, und was weiß ich alles, schuf uns der grausame Leuwenhoek um. Diese mußten einhertreten in der Tracht des verschiedenen Standes, mußten Waffen tragen usw. So entstanden aber unter uns Schneider, Schuster, Friseurs, Sticker, Knopfmacher, Waffenschmiede, Gürtler, Schwertfeger, Stellmacher und eine Menge anderer Professionisten, die nur arbeiteten, um einen unnötigen, verderblichen Luxus zu befördern. Am allerschlimmsten war es, daß Leuwenhoek nichts im Auge hatte als seinen eignen Vorteil, daß er uns kultivierte Leute den Menschen zeigte und sich Geld dafür bezahlen ließ. Überdies aber kam unsere Kultur ganz auf seine Rechnung, und er erhielt die Lobsprüche, die uns allein gebührten. Recht gut wußte Leuwenhoek, daß mit meinem Verlust auch seine Herrschaft über mein Volk ein Ende hatte; um so fester verschlang er daher den Zauber, der mich an ihn bannte, und um so quälender war meine unglückliche Gefangenschaft. — Mit heißer Sehnsucht dachte ich an die holde Gamaheh und sann auf Mittel, Nachricht von ihrem Schicksal zu erhalten. —

Was aber der schärfste Verstand nicht zu ersinnen vermochte, das führte die Gunst des Zufalls von selbst herbei. — Meines Magiers Freund und Bundesgenosse, der alte Swammerdamm, hatte die Prinzessin Gamaheh in dem Blumenstaube einer Tulpe entdeckt und diese Entdeckung dem Freunde mitgeteilt. Durch Mittel, die ich Euch, guter Herr Peregrinus Tyß, weiter zu entwickeln unterlasse, da Ihr nicht sonderlich viel davon verstehen würdet, gelang es dem Herrn, der Prinzessin natürliche Gestalt wieder herzustellen und sie ins Leben zurückzurufen. Am Ende waren aber doch beide hochweise Herren ebenso ungeschickte Tölpel als der Genius Thetel und die Distel Zeherit. Sie hatten nämlich im Eifer die Hauptsache vergessen, und so kam es, daß die Prinzessin in demselben Augenblick, als sie zum Leben erwacht, wiederum tot niedersinken wollte. Ich allein wußte, woran es lag; die Liebe zur schönen Gamaheh, die in meiner Brust emporgelodert stärker als jemals, gab mir Riesenkraft; ich zerriß meine Ketten, ich sprang mit einem mächtigen Satz der Holden auf die Schulter — nur ein einziger kleiner Stich genügte, das stockende Blut in Wallung zu setzen. Sie lebte! —

[15] **Fatalismus und Weltangst**

Friedrich Gottlieb Wetzel · *Die Nachtwachen des Bonaventura*

Der Nachtwächter besucht auf seinem Rundgang einen Friedhof.

Wenn ich in der Laune bin, Könige und Bettler in eine recht lustige brüderliche Gesellschaft zusammenzustellen, so wandle ich auf dem Kirchhofe über ihre Gräber hin und denke sie mir, wie sie da unten im Boden friedlich nebeneinander liegen, im Stande der größten Freiheit und Gleichheit, und nur in ihrem Schlafe satirische Träume haben und hämisch aus den Augenhöhlen grinsen. Unten sind sie Brüder, nur oben aus dem Rasen ragt höchstens noch ein moosigter Stein herauf, woran die alten zerschlagenen Wappen des Großen hängen, indes auf dem Grabe des Bettlers nur eine wilde Blume sproßt oder eine Nessel.

Ich besuchte auch in dieser Nacht meinen Lieblingsort, dieses Vorstadttheater, wo der Tod dirigiert und tolle poetische Possen als Nachspiele hinter den prosaischen Dramen aufführt, die auf dem Hof- und Welttheater dargestellt werden. Es war eine schwüle, drückende Luft, und der Mond schaute nur heimlich zu den Gräbern herab, und blaue Blitze flogen dann und wann an ihm vorüber. Ein Poet meinte, die zweite Welt lausche in die untenliegende hinunter — ich hielt es nur für äffenden Widerhall und matten täuschenden Lichtschein, der noch eine Weile dem versunkenen Leben nachgaukelt; wie der abgestorbne faulende Baum noch eine Zeitlang des Nachts zu glänzen scheint, bis er ganz in Staub zerfällt. —

Ich war unwillkürlich an dem Denkmale eines Alchimisten stehengeblieben; ein alter, kräftiger Kopf starrte aus dem Steine hervor, und unverständliche Zeichen aus der Kabbala waren die Inschrift.

Der Poet trieb sich eine Zeitlang unter den Gräbern herum und besprach sich abwechselnd mit auf dem Boden liegenden Schädeln, um sich in Feuer zu setzen, wie er sagte; mir wurde es langweilig und ich schlief darüber am Denkmale ein.

Da hörte ich im Schlafe das Gewitter aufsteigen, und der Poet wollte den Donner in Musik setzen und Worte dazu dichten, aber die Töne ordneten sich nicht, und die Worte schienen zu zersprengen und in einzelnen unverständlichen Silben durcheinanderzufliehen. Dem Poeten stand der Schweiß auf der Stirne, weil er keinen Verstand in sein Naturgedicht bringen konnte — der Narr hatte das Dichten bisher nur auf dem Papiere versucht.

Der Traum verwickelte sich immer tiefer. Der Poet hatte sein Blatt von neuem ergriffen und versuchte zu schreiben; zur Unterlage diente ihm ein Schädel — er begann wirklich, und ich sah den Titel vollendet:

Gedicht über die Unsterblichkeit.

Der Schädel grinsete tückisch unter dem Blatte, der Poet hatte kein Arg daraus und schrieb den Eingang zum Gedichte, worin er die Phantasie anrief, ihm zu diktieren. Darauf hob er mit einem grausenden Gemälde des Todes an, um zuletzt die Unsterblichkeit desto glänzender hervorführen zu können wie den hellen strahlenden Sonnenaufgang nach der tiefsten, dunkelsten Nacht. Er war ganz in seine Phantasien vertieft und bemerkte es nicht, daß sich um ihn her die Gräber geöffnet hatten und die Schläfer unten boshaft lächelten, doch ohne sich zu bewegen. Jetzt stand er am Übergange und fing an, die Posaunen zu blasen und viele Zurüstungen zum Jüngsten Tage zu machen. Eben war er im Begriffe, alle Toten zu erwecken, da schien es, als ob etwas Unsichtbares seine Hand hielte, und er blickte verwundert auf — und unten in den Schlafkammern lagen sie noch alle still und lächelten, und niemand wollte erwachen. Schnell ergriff er die Feder von neuem und rief heftiger und setzte eine starke Begleitung von Donner und Posaunenschall zu seiner Stimme — umsonst, sie schüttelten nur alle unmutig unten und wandten sich auf die andere Seite von ihm weg, um ruhiger zu schlafen und ihm die nackten Hinterköpfe zu zeigen. — »Wie, ist denn kein Gott!« rief er wild aus, und das Echo gab ihm das Wort »Gott« laut und vernehmlich zurück. Jetzt stand er ganz einfältig da und kaute an der Feder. »Der Teufel hat das Echo erschaffen!« sagte er zuletzt. — »Weiß man doch nicht zu unterscheiden, ob es bloß äfft oder ob wirklich geredet wird!« —

Er setzte noch einmal rasch an, doch die Schriftzüge kamen nicht zum Vorschein; da steckte er abgespannt und fast gleichmütig die Feder hinter das Ohr und sagte monoton: »Die Unsterblichkeit ist widerspenstig, die Verleger zahlen bogenweise, und die Honorare sind heuer sehr schmal; da wirft dergleichen Schreiberei nichts ab, und ich will mich wieder in die Dramen werfen!« —

[16] **Poesie der Historie**

LUDWIG UHLAND · *Die versunkene Krone*

Da droben auf dem Hügel,	Da drunten in dem Grunde,
Da steht ein kleines Haus;	Da dämmert längst der Teich.
Man sieht von seiner Schwelle	Es liegt in ihm versunken
Ins schöne Land hinaus.	Eine Krone, stolz und reich;
Dort sitzt ein freier Bauer	Sie läßt zu Nacht wohl spielen
Am Abend auf der Bank,	Karfunkel und Saphir;
Er dengelt seine Sense	Sie liegt seit grauen Jahren,
Und singt dem Himmel Dank.	Und niemand sucht nach ihr.

WILHELM HAUFF · *Lichtenstein*

So geht Geschlecht um Geschlecht über die Erde hin; das Neue verdrängt das Alte, und nach dem kurzen Zeitraum von fünfzig oder hundert Jahren sind biedere Männer, treue Herzen vergessen; ihr Gedächtnis übertönt der rauschende Strom der Zeiten und nur wenige glänzende Namen tauchen auf aus den Fluten des Lethe und spielen in ihrem ungewissen Schimmer auf den Wellen. Doch wohl dem, dessen Taten jene stille Größe in sich tragen, die den Lohn in sich selbst findet und ohne Dank bei der Mitwelt, ohne Ansprüche auf die Nachwelt entsteht, ins Leben tritt — verschwindet. So ist auch der Name des Spielmanns von Hardt verklungen, und nur leise Nachklänge von seinem Wirken wehen uns an, wenn die Hirten der Gegend die Ulerichshöhle zeigen und von dem Manne sprechen, der seinen unglücklichen Herzog hier verbarg; so sind selbst jene romantischen Züge aus Ulerichs Leben zur Fabel geworden; der Geschichtschreiber verschmäht sie als unwesentliche Außendinge, und sie erscheinen

uns nur, wenn man auf den Höhen von Lichtenstein von dem Herzog
erzählt, der allnächtlich vor das Schloß kam, und wenn man uns auf der
Brücke von Köngen die Stelle zeigt, wo jener Unerschrockene den
Sprung auf Leben und Tod in die Tiefe wagte.

Und sie erscheinen uns da, diese Sagen, wie ungewisse Schatten, die
eine große Gestalt vom Berge in die Nebel des Tales wirft, und der kältere
Beobachter lächelt, wenn man ihnen wirkliches Leben und jene Farben
verleihen will, die ihr unsicheres Grau zu einem Bild des Lebens umwandeln.
Auch Lichtensteins alte Feste ist längst zerfallen, und auf den Grund-
mauern der Burg erhebt sich ein freundliches Jägerhaus, fast so luftig und
leicht wie jene spanischen Schlösser, die man in unsern Tagen auf die
Grundpfeiler des Altertums erbaut. Noch immer breiten sich Württem-
bergs Gefilde so reich und blühend wie damals vor dem entzückten Auge
aus, als Marie an des Geliebten Seite hinabsah und der unglücklichste
seiner Herzoge den letzten Scheideblick von Lichtensteins Fenstern auf
sein Land warf. Noch prangen jene unterirdischen Gemächer, die den
Geächteten aufnahmen, in ihrer alten Pracht und Herrlichkeit, und die
murmelnden Wasser, die sich in eine geheimnisvolle Tiefe stürzen, scheinen
längst verklungene Sagen noch einmal wiedererzählen zu wollen.

Wenn wir im Abendscheine, auf den Felsen gelagert, die Landschaft
überschauten, wenn wir von den alten guten Zeiten und ihren Sagen
sprachen, wenn sich die Sonne allmählich senkte und nur das Schlößchen
noch selig und freundlich in seiner Einsamkeit, von den letzten Strahlen
mit einem rötlichen Schein umgossen, auf seinem Felsen ruhte — da
glaubten wir im Wehen der Nachtluft, im Rauschen der Bäume, im
Säuseln der Blätter bekannte Stimmen zu vernehmen, es war uns, als
flüsterten sie uns ihre Grüße zu, als erzählten sie uns alte Sagen von ihrem
Leben und Treiben. Manches haben wir an solchen Abenden erfahren,
manches Bild stieg in uns auf und schien sich vor unseren Blicken zu verwirklichen, und die es uns woben und malten, die uns ihre romantischen
Sagen zuflüsterten, wir glauben es waren — die Geister von Lichtenstein.

[17] Schwäbische Bürgeridylle

JOHANN PETER HEBEL · *Brief an David Friedrich Gräter*

Ein Bändchen solcher Gedichte von mancherlei Metrum, Inhalt und Ton
gedenke ich bald, vielleicht unter dem Titel eines Alemannischen Musen-
almanachs, herauszugeben. Ich habe in denselben mit den Schwierigkeiten
gekämpft, in dieser rohen und scheinbar regellosen Mundart, wenn die
Ausdrücke erlaubt sind, rein und klassisch und doch nicht gemein zu sein,
genau im Charakter und Gesichtskreis des Völkleins zu bleiben, aber eine
edle Dichtung, soweit sie sonst in meiner Gewalt ist, in denselben hinüber-
zuziehen und mit ihm zu befreunden. Meine erste Absicht ist die, auf
meine Landsleute zu wirken, ihre moralischen Gefühle anzuregen und
ihren Sinn für die schöne Natur um sie her teils zu nähren und zu ver-
edeln, teils auch zu wecken.

Justinus Kerner · *Brief an Friederike Ehmann*

Ich gehe diesen Abend nicht aus, ich würde dich doch nicht sehen, und an einen Ort, wo ich weiß, daß ich dich nicht finde, gehe ich in Zukunft nimmer. Habe ich an dich genug geschrieben, so spiele ich auf meiner Gitarre, oder ich denke an dich und träume Liebe. Ja, laß mich träumen, lasse mich auf die schwarzen Wolken der Zukunft ein lichtes Gemälde malen.

Blick aus deinem Fensterlein dort über die Berge an den Himmel, dahin will ich es dir malen.

Siehst du die schöne Gegend voll Berge und Wälder und dunkler Täler? Es ist eine Gegend des Schwarzwaldes. Hie und da sind unter Bäumen voll Blüten, die süße Düfte durch die Täler wehen, niedere Hütten mit langen, langen Dächern zerstreut. Das Horn des Hirten und das Läuten der Herden tönt von den Bergen ins Tal, wo der Wanderer auf den Stab gelehnt stehen bleibt und mit vollen Zügen den Frühling einatmet.

Aber siehst du dieses kleine Haus dort an einen Felsen gelehnt? Wer bewohnt dieses stille Haus? — Ich bewohne dieses stille Haus, denn schon lange lebe ich als Arzt unter diesen Menschen, und rings aus allen Tälern kommen sie, um Rat und Hilfe bei mir zu suchen. Daß sie mit größerem Zutrauen und Liebe diesem Herzen nahen, trage ich diesen schwarzen Zwilchrock und diesen großen runden Hut und bin so gekleidet, wie sie gekleidet sind.

Justinus Kerner · *Der Einsame*

Wohl gehest du an Liebeshand,
Ein übersel'ger Mann;
Ich geh' allein, doch mit mir geht,
Was mich beglücken kann.

Es ist des Himmels heilig Blau,
Der Auen Blumenpracht,
Einsamer Nachtigallen Schlag
In alter Wälder Nacht.

Es ist der Wolke stiller Lauf,
Lebend'ger Wasser Zug,
Der grünen Saaten wogend Meer
Und leichter Vögel Flug.

Du ruhst im zarten Frauenarm
Am Rosenmund voll Duft;
Einsam geh' ich, im Mantel spielt
Die kühle Abendluft.

Es kommt kein Wandrer mehr des Wegs,
Der Vogel ruht im Baum;
Ich schreite durch die düstre Nacht,
In mir den hellsten Traum.

IM UMKREIS VON KLASSIK UND ROMANTIK

Die hier zusammengefaßten dichterischen Werke stehen nicht in dem Maße unter einem einheitlichen Akzent, wie es bei anderen Epochen zu finden ist. Zwar zeigen sich in ihnen als Gemeinsamkeit Merkmale der Klassik und Romantik, aber die Auswirkung dieser Merkmale ist doch sehr verschiedenartig, zumal beide Strömungen entweder als Gegensatz oder als Synthese auftreten und noch die Beeinflussung durch neue dichterische Strömungen und auch durch zeitpolitische Fragestellungen vorliegt. So ergibt sich hier nicht das Bild einer in sich geschlossenen Epoche als vielmehr eines losen Nebeneinander von Strukturen, die nur deshalb einen inneren Zusammenhang aufweisen, weil sie sich mit Wesenszügen des klassischen und romantischen Menschenbildes auseinandersetzten. Es ging diesen Dichtern überhaupt mehr um eine existentielle Sicht als um künstlerische Formeln klassischer oder romantischer Prägung. Wichtig erschien die Gestaltung der Lebensform, des Lebensgefühls, das in klassisches und romantisches Menschentum auseinanderklaffte.

Diesen Zwiespalt auszugleichen, haben sich vor allem diejenigen Dichter bemüht, die zeitlich noch ZWISCHEN KLASSIK UND ROMANTIK standen. Zwischen romantischer, von Willkür sowie dem Bewußtsein der individuellen Unbeschränktheit bestimmter Ichhaltung und dem klassischen Normativ der Einbezogenheit in Ordnung und Gemeinschaft, zwischen *Ich und Gesetz* [1], schwankt bei Kleist der Mensch hin und her und muß sich schließlich doch den allgemeingültigen Prinzipien unterordnen. Seine Auflehnung gegen die Ordnung ist ebenso vergeblich wie seine Auflehnung gegen das Schicksal. Da sein Sträuben gegen die Schicksalhaftigkeit sinnlos wirkt, erscheint in bestimmten Situationen das *Verhängnis als Komik* [2], als Beweis für das völlige Unvermögen des Menschen, sich aus seinem beschränkten Dasein hinauszuretten. Immer scheitert der romantische Mensch, der sich über sich selbst und die anderen erheben will; er durchstößt die festgefügte Weltordnung und wird schuldig; der Zwiespalt zwischen *Leidenschaft und Recht* [3] läßt sich nur durch Verzicht, Demut und Anerkennung der sittlichen Maßstäbe aufheben. Mit dieser Entfernung vom romantischen Menschen kam die Entfernung von der Romantik insgesamt zum Ausdruck, was sich vor allem in der Sprach- und Stilform auswirkte. Die ganz aus dem Ich und dem Reichtum des Gefühls heraus gestaltete Sprache wurde durch einen sowohl vom Geschehnis als vom Dichter selbst her bestimmten *distanzierten Stil* [4] ersetzt, wodurch eine Klärung der dichterischen Aussage erfolgte. Doch wurde auch eine echte Synthese zwischen klassischer und romantischer Dichtung erreicht, indem das Urbild des klassischen Menschen, der Grieche, von ausgesprochen romantischen Stimmungen umgeformt und in einer idealisierenden Hymnik zum harmonischen Menschen erhoben wurde. *Der romantische Grieche* [5] war die von »stiller Einfalt und edler Größe« und von enthusiastischem Gefühl getragene Idealgestalt, die vor allem Hölderlin anstrebte. Blieb diese Hoffnung unerfüllt, so öffnete sich gerade diesem schönheitstrunkenen Dichter ein unheilvoller Abgrund: das Gefühl der Auswegslosigkeit, *der Sturz ins Ungewisse* [6] stellte sich ein. Die Tragik des Zerspaltenseins war weitgehend dort vermieden, wo es weniger um metaphysische Grundlage als um psychologische Gestaltung ging, wo der Charakter, seine Eigenarten und Äußerungen, vor allem der Gefühlsbereich in vielfältiger Brechung in den Vordergrund gestellt wurde. Hier war es zumindest möglich, die tieferliegende Tragik des Menschen mit Ironie zu überdecken und das verwirrende Mosaik des Menschen nur als ein *Spiel der Stimmungen* [7] erscheinen zu lassen. Diese Absicht, über die Abgründe hinwegzusehen, die Jean Paul kennzeichnet, ist auch noch für die Lebensform des Biedermeier gültig.

Andererseits aber war das Biedermeier — wie es die späteren Dichter NACH KLASSIK UND ROMANTIK zeigen — vom Gefühl des Ungenügens, von Resignation und Weltschmerz überschattet. Gerade weil den bürgerlichen Normen gegenüber *das Ich unterliegt* [8], weil Freiheit und Glanz der Individualität zurückstehen müssen und verkümmern, entstand Unzufriedenheit: Zweifel an der eigenen Person und dem Anspruch der Umwelt. Der rettende Ausblick war die Erkenntnis, daß es letztlich um das größere Ziel der Erhaltung und des Wohlstands der Gemeinschaft, um ein allgemein ethisches, um *das humanitäre Prinzip* [9], gehe, von dem sich das Ich nicht lösen dürfe. Bei Grillparzer wird — vergleichbar mit der Klassik — die Humanität als Leitbild aufgestellt. *Menschlichkeit und geschichtlicher Auftrag* [10] fallen zusammen und lassen die gesellschaftliche Ordnung entstehen. Darin ist auch der einzelne eingebettet mit seinem — von Gewissensnöten freien — »Ruhezustand«, mit seiner Ausgeglichenheit: *Des Innern stiller Friede* [11] setzt voraus, daß der Mensch den Träumen nach Willkür und schrankenloser Freiheit entsagt. Es bleibt ein besinnliches Dahinträumen, ein Spiel der Gedanken, in die bürgerliche Welt hineinverlegt und von ihr beschränkt. So stellt sich die *Zauberbühne* [12] im Traumspiel dar, wo Feen und Geister den Menschen behüten, leiten und zum Guten bekehren. Wird das Gewand des Traums abgestreift, so zeigt sich im Biedermeierdrama eine zwar gemüt- und humorvolle, aber auch sehr nüchterne Bürgerwelt, deren realistische Lebensart von der *Realitätenposse* [13] nicht nur verspottet, sondern auch anerkannt wird. Nicht zuletzt aus der Antithese von romantischem Erfülltsein und den wirklichen Erfordernissen des Lebens, aus dem Scheitern in der realen Welt, charakterisiert die spätromantischen Dichter *Resignation und Weltschmerz* [14]. Die müde Schwermut, die auf allen Dingen lastet und es selbst dem Menschen beim Anblick der Schönheit, der Erfüllung der *ästhetischen Sehnsucht* [15], verwehrt, Kraft zu schöpfen, ist ein Anzeichen der Spätzeit dieser Epoche. Noch versuchten einzelne Dichterkreise in ihrer Poesie *innig, sinnig, minnig* [16] der alten Heidelberger Romantik nachzufolgen und damit eine volkstümlich gemütvolle Dichtung weiterzutragen, aber die Traditionen unterlagen doch einer stärkeren Wandlung. Zumal gegen das Biedermeier richteten sich weitreichende liberale Strömungen. Die romantische Sehnsucht nach Verwirklichung des Ich, nach Freiheit und Emanzipation, mochte mitwirken, wenn die Dichtung sich gegen die sittlichen Maßstäbe des Bürgertums, *gegen die Zollstöcke der Moral* [17], wandte und einem unabhängigen, unkonventionellen Menschenbild den Vorrang gab.

Darüber hinaus wurde von der revolutionären Dichtergruppe DAS JUNGE DEUTSCHLAND der gesamte Bestand traditioneller Werte erschüttert. Hier vollzog sich, wie Heinrich Heine sagte, *der große Weltriß* [18], der Einschnitt zwischen Vergangenheit und Neuem, der radikale Bruch mit der moralischen, religiösen und politischen Überlieferung. Neben der Revolutionsstimmung stand jedoch immer noch das Eingeständnis, mit der Vergangenheit, namentlich mit der romantischen Dichtkunst, verbunden zu sein. Romantik und Revolution, *Illusion und Desillusion* [19], liegen dicht nebeneinander. Der Zukunft jedoch gehörte die revolutionäre Forderung; der *jungdeutsche Sturm und Drang* [20] wies den Weg auf die Barrikaden, zum Kampf für eine neue Gesellschafts- und Weltordnung.

Zwischen Klassik und Romantik

[1] Ich und Gesetz

H E I N R I C H   V O N   K L E I S T · *Prinz Friedrich von Homburg*

Homburg hat in der Schlacht bei Fehrbellin nach eigenem Gutdünken angegriffen, zwar das schwedische, von General Wrangel geführte Heer geschlagen, aber infolge seiner Eigenmächtigkeit gegen das Kriegsgesetz verstoßen. Gegen das Todesurteil des Kurfürsten wendet sich eine Abordnung von Offizieren unter Führung des Obristen Kottwitz, der dem Kurfürsten eine Bittschrift vorlegt.

KURFÜRST: Gebt mir auf einen Augenblick Geduld.
(Er tritt an den Tisch und durchsieht die Schrift. — Lange Pause.)
Hm! Sonderbar! — Du nimmst, du alter Krieger,
Des Prinzen Tat in Schutz? rechtfertigst ihn,
Daß er auf Wrangel stürzte, unbeordert?

KOTTWITZ: Ja, mein erlauchter Herr, das tut der Kottwitz.

KURFÜRST: Der Meinung auf dem Schlachtfeld warst du nicht.

KOTTWITZ: Das hatt' ich schlecht erwogen, mein Gebieter!
Dem Prinzen, der den Krieg gar wohl versteht,
Hätt' ich mich ruhig unterwerfen sollen.
Die Schweden wankten auf dem linken Flügel,
Und auf dem rechten wirkten sie Succurs.
Hätt' ich auf deine Ordre warten wollen,
Sie faßten Posten wieder in den Schluchten,
Und nimmermehr hätt'st du den Sieg erkämpft.

KURFÜRST: So! — Das beliebt dir so vorauszusetzen!
Den Obristen Hennings hatt' ich abgeschickt,
Wie dir bekannt, den schwed'schen Brückenkopf,
Der Wrangels Rücken deckt, hinwegzunehmen.
Wenn ihr die Ordre nicht gebrochen hättet,
Dem Hennings wäre dieser Schlag geglückt;
Die Brücken hätt' er in zwei Stunden Frist
In Brand gesteckt, am Rhyn sich aufgepflanzt,
Und Wrangel wäre ganz mit Stumpf und Stiel
In Gräben und Morast vernichtet worden.

KOTTWITZ: Es ist der Stümper Sache, nicht die deine,
Des Schicksals höchsten Kranz erringen wollen;
Du nahmst bis heute noch stets, was es dir bot.
Der Drache ward, der dir die Marken trotzig
Verwüstete, mit blut'gem Hirn verjagt:
Was konnte mehr an einem Tag geschehn?
Was liegt dir dran, ob er zwei Wochen noch
Erschöpft im Sand liegt und die Wunde heilt?
Die Kunst jetzt lernten wir, ihn zu besiegen,
Und sind voll Lust, sie fürder noch zu üben:
Laß uns den Wrangel rüstig, Brust an Brust,
Noch einmal treffen, so vollendet sich's,
Und in die Ostsee ganz fliegt er hinab!
Rom ward an einem Tage nicht erbaut.

KURFÜRST: Mit welchem Recht, du Tor, erhoffst du das,
Wenn auf dem Schlachtenwagen eigenmächtig
Mir in die Zügel jeder greifen darf?
Meinst du, das Glück werd' immerdar, wie jüngst,

Mit einem Kranz den Ungehorsam lohnen?
Den Sieg nicht mag ich, der, ein Kind des Zufalls,
Mir von der Bank fällt; das Gesetz will ich,
Die Mutter meiner Krone, aufrecht halten,
Die ein Geschlecht von Siegen mir erzeugt.

KOTTWITZ: Herr, das Gesetz, das höchste, oberste,
Das wirken soll in deiner Feldherrn Brust,
Das ist der Buchstab deines Willens nicht;
Das ist das Vaterland, das ist die Krone,
Das bist du selber, dessen Haupt sie trägt.
Was kümmert dich, ich bitte dich, die Regel,
Nach der der Feind sich schlägt: wenn er nur nieder
Vor dir mit allen seinen Fahnen sinkt?
Die Regel, die ihn schlägt, das ist die höchste!
Willst du das Heer, das glühend an dir hängt,
Zu einem Werkzeug machen gleich dem Schwerte,
Das tot in deinem goldnen Gürtel ruht?
Der ärmste Geist, der, in den Sternen fremd,
Zuerst solch eine Lehre gab! die schlechte
Kurzsicht'ge Staatskunst, die um eines Falles,
Wo die Empfindung sich verderblich zeigt,
Zehn andere vergißt, im Lauf der Dinge,
Da die Empfindung einzig retten kann!
Schütt' ich mein Blut dir an dem Tag der Schlacht
Für Sold, sei's Geld, sei's Ehre, in den Staub?
Behüte Gott! dazu ist es zu gut!
Was! Meine Lust hab', meine Freude ich,
Frei und für mich im stillen, unabhängig,
An deiner Trefflichkeit und Herrlichkeit,
An Ruhm und Wachstum deines großen Namens!
Das ist der Lohn, dem sich mein Herz verkauft!
Gesetzt, um dieses unberufnen Sieges,
Brächst du dem Prinzen jetzt den Stab, und ich,
Ich träfe morgen, gleichfalls unberufen,
Den Sieg wo irgend zwischen Wald und Felsen
Mit den Schwadronen, wie ein Schäfer, an:
Bei Gott, ein Schelm müßt' ich doch sein, wenn ich
Des Prinzen Tat nicht munter wiederholte.
Und sprächst du, das Gesetzbuch in der Hand:
Kottwitz, du hast den Kopf verwirkt! so sagt' ich:
Das wußt' ich, Herr; da nimm ihn hin, hier ist er;
Als mich ein Eid an deine Krone band
Mit Haut und Haar, nahm ich den Kopf nicht aus,
Und nichts dir gäb' ich, was nicht dein gehörte!

KURFÜRST: Mit dir, du alter, wunderlicher Herr,
Werd' ich nicht fertig! es besticht dein Wort

Mich, mit arglist'ger Rednerkunst gesetzt,
Mich, den, du weißt, dir zugetan, und einen
Sachwalter ruf' ich mir, den Streit zu enden,
Der meine Sache führt!
(Er klingelt, ein Bedienter tritt auf.)
                     Der Prinz von Homburg —
Man führ' aus dem Gefängnis ihn hierher!
(Der Bediente ab.)
Der wird dich lehren, das versichr' ich dich,
Was Kriegszucht und Gehorsam sei! Ein Schreiben
Schickt' er mir mindstens zu, das anders lautet
Als der spitzfind'ge Lehrbegriff der Freiheit,
Den du hier wie ein Knabe mir entfaltet.
*(Er stellt sich wieder an den Tisch und liest ... Der Prinz von
Homburg tritt auf. Ein Offizier mit Wache. — Die Vorigen.)*

KURFÜRST: Mein junger Prinz, Euch ruf' ich mir zu Hilfe!
Der Obrist Kottwitz bringt zu Gunsten Eurer
Mir dieses Blatt hier, schaut, in langer Reihe
Von hundert Edelleuten unterzeichnet;
Das Heer begehre, heißt es, Eure Freiheit
Und billige den Spruch des Kriegsrechts nicht. —
Lest, bitt' ich, selbst, und unterrichtet Euch!
(Er gibt ihm das Blatt.)

PRINZ VON HOMBURG *(nachdem er einen Blick hineingetan, wendet er sich
und sieht sich im Kreise der Offiziere um)*:
Kottwitz, gib deine Hand mir, alter Freund!
Du tust mir mehr, als ich am Tag der Schlacht
Um dich verdient! Doch jetzt geschwind geh' hin
Nach Arnstein wiederum, von wo du kamst,
Und rühr' dich nicht; ich hab's mir überlegt,
Ich will den Tod, der mir erkannt, erdulden.
(Er übergibt ihm die Schrift.)

KOTTWITZ *(betroffen)*: Nein, nimmermehr, mein Prinz! Was sprichst du da?

HOHENZOLLERN: Er will den Tod —?

GRAF TRUCHSS: Er soll und darf nicht sterben!

MEHRERE OFFIZIERE *(vordringend)*:
Mein Herr und Kurfürst! mein Gebieter hör' uns!

PRINZ VON HOMBURG: Ruhig! Es ist mein unbeugsamer Wille!
Ich will das heilige Gesetz des Kriegs,
Das ich verletzt' im Angesicht des Heers,
Durch einen freien Tod verherrlichen!
Was kann der Sieg euch, meine Brüder, gelten,
Der eine, dürftige, den ich vielleicht
Dem Wrangel noch entreiße, dem Triumph
Verglichen, über den verderblichsten
Der Feind' in uns, den Trotz, den Übermut ..

Heinrich von Kleist · *Penthesilea*

Die Amazonenkönigin Penthesilea wünscht aus Haßliebe den Tod des Achill, der sie gedemütigt hat; sie schwankt zwischen maßlosem Gefühl und Besinnung.

(Penthesilea, geführt von Prothoe und Meroe, Gefolge treten auf.)

PENTHESILEA (*mit schwacher Stimme*): Hetzt alle Hund' auf
      ihn! Mit Feuerbränden
      Die Elefanten peitschet auf ihn los!
      Mit Sichelwagen schmettert auf ihn ein
      Und mähet seine üpp'gen Glieder nieder!
PROTHOE: Geliebte! Wir beschwören dich —
MEROE: Hör' uns!
PROTHOE: Er folgt dir auf dem Fuße, der Pelide;
      Wenn dir dein Leben irgend lieb, so flieh!
PENTHESILEA: Mir diesen Busen zu zerschmettern, Prothoe!
      — Ist's nicht, als ob ich eine Leier zürnend
      Zertreten wollte, weil sie still für sich
      Im Zug des Nachtwinds meinen Namen flüstert?
      Dem Bären kauert' ich zu Füßen mich
      Und streichelte das Panthertier, das mir
      In solcher Regung nahte, wie ich ihm.
MEROE: So willst du nicht entweichen?
PROTHOE: Willst nicht fliehen?
MEROE: Willst dich nicht retten!
PROTHOE: Was kein Name nennt,
      Auf diesem Platz hier soll es sich vollbringen!
PENTHESILEA: Ist's meine Schuld, daß ich im Feld der Schlacht
      Um sein Gefühl mich kämpfend muß bewerben?
      Was will ich denn, wenn ich das Schwert ihm zücke?
      Will ich ihn denn zum Orkus niederschleudern?
      Ich will ihn ja, ihr ew'gen Götter! Nur
      An diese Brust will ich ihn niederziehn!
PROTHOE: Sie rast —
DIE OBERPRIESTERIN: Unglückliche!
PROTHOE: Sie ist von Sinnen!
DIE OBERPRIESTERIN: Sie denkt nichts als den Einen nur.
PROTHOE: Der Sturz hat völlig ums Bewußtsein sie gebracht.
PENTHESILEA (*mit erzwungener Fassung*): Gut. — Wie ihr wollt. — — —
      Sei's drum. Ich will mich fassen.
      Dies Herz, weil es sein muß, bezwingen will ich's
      Und tun mit Grazie, was die Not erheischt.
      Recht habt ihr auch. Warum auch wie ein Kind gleich,
      Weil sich ein flücht'ger Wunsch mir nicht gewährt,
      Mit meinen Göttern brechen? Kommt hinweg.
      Das Glück, gesteh' ich, wär' mir lieb gewesen;
      Doch fällt es mir aus Wolken nicht herab,

Den Himmel drum erstürmen will ich nicht.
Helft mir nur fort von hier, schafft mir ein Pferd,
So will ich euch zurück zur Heimat führen.

PROTHOE: Gesegnet sei, o Herrscherin, dreimal
Ein Wort, so würdig königlich als dies.
Kommt, alles steht zur Flucht bereit —

PENTHESILEA (*da sie die Rosenkränze in der Kinder Händen erblickt, mit
plötzlich aufflammendem Gesicht*): Ha, sieh!
Wer gab Befehl, die Rosen einzupflücken?

DAS ERSTE MÄDCHEN: Das fragst du noch, Vergessene? Wer sonst
Als nur —

PENTHESILEA: Als wer?

DIE OBERPRIESTERIN: — Das Siegesfest sollte sich,
Das heißersehnte, deiner Jungfrau'n feiern!
War's nicht dein eigner Mund, der's so befahl?

PENTHESILEA: Verflucht mir diese schnöde Ungeduld!
Verflucht, im blutumschäumten Mordgetümmel,
Mir der Gedanke an die Orgien!
Verflucht, im Busen keuscher Arestöchter,
Begierden, die wie losgelaßne Hunde
Mir der Drommete erzne Lunge bellend
Und aller Feldherrn Rufen überschrein! —
Der Sieg, ist er erkämpft mir schon, daß mit
Der Hölle Hohn schon der Triumph mir naht?
— Mir aus den Augen!
(*Sie zerhaut die Rosenkränze.*)

DAS ERSTE MÄDCHEN: Herrscherin! Was tust du?

DAS ZWEITE MÄDCHEN (*die Rosen wieder aufsuchend*):
Der Frühling bringt dir rings, auf Meilenferne,
Nichts für das Fest mehr —

PENTHESILEA: Daß der ganze Frühling
Verdorrte! Daß der Stern, auf dem wir atmen,
Geknickt, gleich dieser Rosen einer, läge!
Daß ich den ganzen Kranz der Welten so
Wie dies Geflecht der Blumen lösen könnte!
— O Aphrodite!

[2] Verhängnis als Komik

HEINRICH VON KLEIST · *Amphitryon*

Jupiter ist in der Gestalt Amphitryons bei dessen Gemahlin Alkmene erschienen. Der
wahre Amphitryon, von Alkmene verkannt, ruft seine Feldherrn als Zeugen für seine
Echtheit an.

VOLK:	Ihr ew'gen Götter! Was erblicken wir!
JUPITER:	Die ganze Welt, Geliebte, muß erfahren,
	Daß niemand deiner Seele nahte
	Als nur dein Gatte, als Amphitryon.
AMPHITRYON:	Herr meines Lebens! Die Unglückliche!
ALKMENE:	Niemand! Kannst ein gefallnes Los du ändern?
DIE OBERSTEN:	All' ihr Olympischen! Amphitryon dort!
JUPITER:	Du bist dir's, Teuerste, du bist mir's schuldig,
	Du mußt, du wirst, mein Leben, dich bezwingen;
	Komm, sammle dich, dein wartet ein Triumph!
AMPHITRYON:	Blitz, Höll' und Teufel! Solch ein Auftritt mir?
JUPITER:	Seid mir willkommen, Bürger dieser Stadt!
AMPHITRYON:	Mordhund! Sie kamen, dir den Tod zu geben.
	Auf jetzt! *(Er zieht.)*
ZWEITER FELDHERR	*(tritt ihm in den Weg)*: Halt dort!
AMPHITRYON:	Auf, ruf' ich, ihr Thebaner!
ERSTER FELDHERR	*(auf Amphitryon deutend)*: Thebaner,
	Greift ihn, ruf' ich, den Verräter!
AMPHITRYON:	Argatiphontidas!
ERSTER OBERSTER:	Bin ich behext?
VOLK:	Kann sich ein menschlich Auge hier entscheiden?
AMPHITRYON:	Tod! Teufel! Wut und keine Rache!
	Vernichtung! *(Er fällt dem Sosias in die Arme.)*
JUPITER:	Tor, der du bist, laß dir zwei Worte sagen.
SOSIAS:	Mein Seel'! Er wird schlecht hören. Er ist tot.
ERSTER OBERSTER:	Was hilft der eingeknickte Federbusch?
	Reißt eure Augen auf wie Maulwürfe!
	Der ist's, den seine eigne Frau erkennt.
ERSTER FELDHERR:	Hier steht, ihr Obersten, Amphitryon.
AMPHITRYON *(erwachend)*:	Wen kennt die eigne Frau hier?
ERSTER OBERSTER:	Ihn erkennt sie,
	Ihn an, mit dem sie aus dem Hause trat.
	Um welchen, wie das Weinlaub, würd' sie ranken,
	Wenn es ihr Stamm nicht ist, Amphitryon?
AMPHITRYON:	Daß mir so viele Kraft noch wär', die Zung'
	In Staub zu treten, die das sagt!
	Sie anerkennt ihn nicht! *(Er erhebt sich wieder.)*
ERSTER FELDHERR:	Das lügst du dort!
	Meinst du des Volkes Urteil zu verwirren,
	Wo es mit eignen Augen sieht!
AMPHITRYON:	Sie anerkennt ihn nicht, ich wiederhol's!
	Wenn sie als Gatten ihn erkennen kann,
	So frag' ich nichts danach mehr, wer ich bin:
	So will ich ihn Amphitryon begrüßen.
ERSTER FELDHERR:	Es gilt. Sprecht jetzt!
ZWEITER FELDHERR:	Erklärt Euch jetzo, Fürstin.

AMPHITRYON:	Alkmene! Meine Braut! Erkläre dich:
	Schenk mir noch einmal deiner Augen Licht!
	Sag, daß du jenen anerkennst als Gatten,
	Und so urschnell, als der Gedanke zuckt,
	Befreit dies Schwert von meinem Anblick dich.
ERSTER FELDHERR:	Wohlan! Das Urteil wird sogleich gefällt sein.
ZWEITER FELDHERR:	Kennt Ihr ihn dort?
ERSTER FELDHERR:	Kennt Ihr den Fremdling dort?
AMPHITRYON:	Dir wäre dieser Busen unbekannt,
	Von dem so oft dein Ohr dir lauschend sagte,
	Wie viele Schläge liebend er dir klopft?
	Du solltest diese Töne nicht erkennen,
	Die du so oft, noch eh' sie laut geworden,
	Mit Blicken schon mir von der Lippe stahlst?
ALKMENE:	Daß ich zu ew'ger Nacht versinken könnte!
AMPHITRYON:	Ich wußt' es wohl. Ihr seht's ihr Bürger Thebens,
	Eh' wird der rasche Peneus rückwärts fließen,
	Eh' sich der Bosporus auf Ida betten,
	Eh' wird das Dromedar den Ozean durchwandeln,
	Als sie dort jenen Fremdling anerkennen.
VOLK:	Wär's möglich? Er Amphitryon? Sie zaudert.
ERSTER FELDHERR:	Sprecht!
ZWEITER FELDHERR:	Redet!
DRITTER FELDHERR:	Sagt uns! —
ZWEITER FELDHERR:	Fürstin, sprecht ein Wort! —
ERSTER FELDHERR:	Wir sind verloren, wenn sie länger schweigt.
JUPITER:	Gib, gib der Wahrheit deine Stimme, Kind!
ALKMENE:	Hier dieser ist Amphitryon, ihr Freunde!
AMPHITRYON:	Er dort Amphitryon! Allmächt'ge Götter!
ERSTER FELDHERR:	Wohlan. Es fiel dein Los. Entferne dich.

[3] Leidenschaft und Recht

HEINRICH VON KLEIST · *Michael Kohlhaas*

Kohlhaas hat gegen einen Junker, der zwei seiner Pferde zurückbehielt, vor Gericht Klage erhoben. Da er keine Genugtuung erhielt, verwüstete er zusammen mit seinen Knechten das Land; er geht nun zu Luther, um sich zu rechtfertigen.

Er kehrte unter einem fremden Namen in ein Wirtshaus ein, wo er, sobald die Nacht angebrochen war, in seinem Mantel und mit einem Paar Pistolen versehen, die er in der Tronkenburg erbeutet hatte, zu Luthern ins Zimmer trat. Luther, der unter Schriften und Büchern an seinem Pulte saß und den fremden, besonderen Mann die Tür öffnen und hinter sich verriegeln sah, fragte ihn, wer er sei? und was er wolle? und der Mann, der seinen Hut ehrerbietig in der Hand hielt, hatte nicht sobald mit dem

schüchternen Vorgefühl des Schreckens, den er verursachen würde, er-
widert, daß er Michael Kohlhaas, der Roßhändler, sei, als Luther schon:
»Weiche fern hinweg!« ausrief und, indem er, vom Pult erstehend, nach
einer Klingel eilte, hinzusetzte: »Dein Odem ist Pest und deine Nähe Verderben!« Kohlhaas, indem er, ohne sich vom Platz zu regen, sein Pistol zog,
sagte: »Hochwürdiger Herr, dies Pistol, wenn Ihr die Klingel rührt, streckt
mich leblos zu Euren Füßen nieder! Setzt Euch und hört mich an; unter
den Engeln, deren Psalmen Ihr aufschreibt, seid Ihr nicht sicherer als bei
mir.« Luther, indem er sich niedersetzte, fragte: »Was willst du?« — Kohlhaas erwiderte: »Eure Meinung von mir, daß ich ein ungerechter Mann sei,
widerlegen! Ihr habt mir in Eurem Plakat gesagt, daß meine Obrigkeit von
meiner Sache nichts weiß: wohlan, verschafft mir freies Geleit, so gehe ich
nach Dresden und lege sie ihr vor.« — »Heilloser und entsetzlicher Mann!«
rief Luther, durch diese Worte verwirrt zugleich und beruhigt, »wer gab dir
das Recht, den Junker von Tronka in Verfolg eigenmächtiger Rechts-
schlüsse zu überfallen und, da du ihn auf seiner Burg nicht fandest, mit
Feuer und Schwert die ganze Gemeinschaft heimzusuchen, die ihn beschirmt?« Kohlhaas erwiderte: »Hochwürdiger Herr, niemand fortan!
Eine Nachricht, die ich aus Dresden erhielt, hat mich getäuscht, mich
verführt! Der Krieg, den ich mit der Gemeinheit der Menschen führe, ist
eine Missetat, sobald ich aus ihr nicht, wie Ihr mir die Versicherung gegeben habt, verstoßen war!« — »Verstoßen!« rief Luther, indem er ihn
ansah. »Welch eine Raserei der Gedanken ergriff dich? Wer hätte dich aus
der Gemeinschaft des Staats, in welchem du lebtest, verstoßen? Ja, wo ist,
solange Staaten bestehen, ein Fall, daß jemand, wer es auch sei, daraus
verstoßen worden wäre?« — »Verstoßen«, antwortete Kohlhaas, indem er
die Hand zusammendrückte, »nenne ich den, dem der Schutz der Gesetze
versagt ist! Denn dieses Schutzes zum Gedeihen meines friedlichen Ge-
werbes bedarf ich; ja, er ist es, dessenhalb ich mich mit dem Kreis dessen,
was ich erworben, in diese Gemeinschaft flüchte; und wer mir ihn versagt,
der stößt mich zu den Wilden der Einöde hinaus; er gibt mir, wie wollt Ihr
das leugnen, die Keule, die mich selbst schützt, in die Hand.«

»Wer hat dir den Schutz der Gesetze versagt?« rief Luther. »Schrieb ich
dir nicht, daß die Klage, die du eingereicht, dem Landesherrn, dem du sie
eingereicht, fremd ist? Wenn Staatsdiener hinter seinem Rücken Prozesse
unterschlagen oder sonst seines geheiligten Namens in seiner Unwissenheit
spotten, wer anders als Gott darf ihn wegen der Wahl solcher Diener zur
Rechenschaft ziehen, und bist du, gottverdammter und entsetzlicher
Mensch, befugt, ihn deshalb zu richten?« — »Wohlan«, versetzte Kohlhaas,
»wenn mich der Landesherr nicht verstößt, so kehre ich auch wieder in die
Gemeinschaft, die er beschirmt, zurück. Verschafft mir, ich wiederhol' es,
freies Geleit nach Dresden: so lasse ich den Haufen, den ich im Schloß zu
Lützen versammelt, auseinandergehen und bringe die Klage, mit der ich
abgewiesen worden bin, noch einmal bei dem Tribunal des Landes vor.« —
Luther, mit einem verdrießlichen Gesicht, warf die Papiere, die auf seinem
Tisch lagen, übereinander und schwieg. Die trotzige Stellung, die dieser

seltsame Mensch im Staat einnahm, verdroß ihn; und den Rechtsschluß, den er von Kohlhaasenbrück aus an den Junker erlassen, erwägend, fragte er, was er denn von dem Tribunal zu Dresden verlange? Kohlhaas antwortete: »Bestrafung des Junkers den Gesetzen gemäß, Wiederherstellung der Pferde in den vorigen Stand und Ersatz des Schadens, den ich sowohl als mein bei Mühlberg gefallener Knecht Herse durch die Gewalttat, die man auf uns verübte, erlitten.« — Luther rief: »Ersatz des Schadens! Summen zu Tausenden, bei Juden und Christen auf Wechseln und Pfändern, hast du zur Bestreitung deiner wilden Selbstrache aufgenommen. Wirst du den Wert auf der Rechnung, wenn es zur Nachfrage kommt, ansetzen?« — »Gott behüte!« erwiderte Kohlhaas. »Haus und Hof und den Wohlstand, den ich besessen, fordere ich nicht zurück, so wenig als die Kosten des Begräbnisses meiner Frau! Hersens alte Mutter wird eine Berechnung der Heilkosten und eine Spezifikation dessen, was ihr Sohn in der Tronkenburg eingebüßt, beibringen, und den Schaden, den ich wegen Nichtverkaufs der Rappen erlitten, mag die Regierung durch einen Sachverständigen abschätzen lassen.« — Luther sagte: »Rasender, unbegreiflicher und entsetzlicher Mensch!« und sah ihn an. »Nachdem dein Schwert sich an dem Junker Rache, die grimmigste, genommen, die sich erdenken läßt: was treibt dich, auf ein Erkenntnis gegen ihn zu bestehen, dessen Schärfe, wenn es zuletzt fällt, ihn mit einem Gewicht von so geringer Erheblichkeit nur trifft?« — Kohlhaas erwiderte, indem ihm eine Träne über die Wangen rollte: »Hochwürdiger Herr! Es hat mich meine Frau gekostet; Kohlhaas will der Welt zeigen, daß sie in keinem ungerechten Handel umgekommen ist. Fügt Euch in diesen Stücken meinem Willen und laßt den Gerichtshof sprechen; in allem anderen, was sonst noch streitig sein mag, füge ich mich Euch.« — Luther sagte: »Schau her, was du forderst, wenn anders die Umstände so sind, wie die öffentliche Stimme hören läßt, ist gerecht; und hättest du den Streit, bevor du eigenmächtig zur Selbstrache geschritten, zu des Landesherrn Entscheidung zu bringen gewußt, so wäre dir deine Forderung, zweifle ich nicht, Punkt vor Punkt bewilligt worden. Doch hättest du nicht, alles wohl erwogen, besser getan, du hättest um deines Erlösers willen dem Junker vergeben, die Rappen, dürre und abgehärmt, wie sie waren, bei der Hand genommen, dich aufgesetzt und zur Dickfütterung in deinen Stall nach Kohlhaasenbrück heimgeritten?« — Kohlhaas antwortete: »Kann sein«, indem er ans Fenster trat, »kann sein, auch nicht! Hätte ich gewußt, daß ich sie mit Blut aus dem Herzen meiner lieben Frau würde auf die Beine bringen müssen: kann sein, ich hätte getan, wie Ihr gesagt, hochwürdiger Herr, und einen Scheffel Hafer nicht gescheut! Doch, weil sie mir einemal so teuer zu stehen gekommen sind, so habe es denn, meine ich, seinen Lauf: laßt das Erkenntnis, wie es mir zukommt, sprechen und den Junker mir die Rappen auffüttern.« — Luther sagte, indem er unter mancherlei Gedanken wieder zu seinen Papieren griff: er wolle mit dem Kurfürsten seinethalben in Unterhandlung treten. Inzwischen möchte er sich auf dem Schlosse zu Lützen still halten; wenn der Herr ihm freies Geleit bewillige, so werde

man es ihm auf dem Wege öffentlicher Anplackung bekannt machen. —
»Zwar«, fuhr er fort, da Kohlhaas sich herabbog, um seine Hand zu küssen,
»ob der Kurfürst Gnade für Recht ergehen lassen wird, weiß ich nicht;
denn einen Heerhaufen, vernehm' ich, zog er zusammen und steht im
Begriff, dich im Schlosse zu Lützen aufzuheben: inzwischen, wie ich dir
schon gesagt habe, an meinem Bemühen soll es nicht liegen.« Und damit
stand er auf und machte Anstalt, ihn zu entlassen.

[4] **Der distanzierte Stil**

HEINRICH VON KLEIST · *Anekdote aus dem letzten preußischen Kriege*

In einem bei Jena liegenden Dorfe erzählte mir, auf einer Reise nach
Frankfurt, der Gastwirt, daß sich mehrere Stunden nach der Schlacht,
um die Zeit, da das Dorf schon ganz von der Armee des Prinzen von
Hohenlohe verlassen und von Franzosen, die es für besetzt gehalten, umringt gewesen wäre, ein einzelner preußischer Reiter darin gezeigt hätte;
und versicherte mir, daß, wenn alle Soldaten, die an diesem Tage mit-
gefochten, so tapfer gewesen wären wie dieser, die Franzosen hätten geschlagen werden müssen, wären sie auch noch dreimal stärker gewesen, als
sie in der Tat waren. Dieser Kerl, sprach der Wirt, sprengte, ganz von
Staub bedeckt, vor meinen Gasthof und rief: »Herr Wirt!« und da ich frage:
was gibts? »Ein Glas Branntwein!« antwortete er, indem er sein Schwert
in die Scheide wirft, »mich dürstet.« Gott im Himmel, sag ich, will Er
machen, Freund, daß Er wegkommt! Die Franzosen sind ja dicht vor dem
Dorf! »Ei was!« spricht er, indem er dem Pferde den Zügel über den Hals
legt: »Ich habe den ganzen Tag nichts genossen!« Nun, Er ist, glaub ich
vom Satan besessen —! He! Liese! rief ich, und schaff ihm eine Flasche
Danziger herbei und sage: da! und will ihm die ganze Flasche in die Hand
drücken, damit er nur reite. »Ach was!« spricht er, indem er die Flasche
wegstößt und sich den Hut abnimmt: »wo soll ich mit dem Quark hin?«
Und »Schenk Er ein!« spricht er, indem er sich den Schweiß von der Stirn
abtrocknet, »denn ich habe keine Zeit!« Nun, Er ist ein Kind des Todes, sag
ich. Da! sag ich, und schenk ihm ein: da, trink Er und reit Er! Wohl mags
ihm bekommen! »Noch eins!« spricht der Kerl; während die Schüsse schon
von allen Seiten ins Dorf prasseln. Ich sage: noch eins? Plagt ihn —!
»Noch eins!« spricht er, und streckt mir das Glas hin — »Und gut gemessen«, spricht er, indem er sich den Bart wischt und sich vom Pferde
herab schneuzt: »denn es wird bar bezahlt!« Ei, mein Seel, so wollt ich doch,
daß ihn —! Da! sag ich, und schenk ihm noch, wie er verlangt, ein zweites,
und schenk ihm, da er getrunken, noch ein drittes ein, und frage: ist Er nun
zufrieden? »Ach!« — schüttelt sich der Kerl, »der Schnaps ist gut! — Na!«
spricht er, und setzt sich den Hut auf, »was bin ich schuldig?« Nichts,
nichts, versetz ich. Pack Er sich ins Teufelsnamen; die Franzosen ziehen
augenblicklich ins Dorf! »Na!« sagt er, indem er in seinen Stiefel greift: »so

solls Ihm Gott lohnen.« Und holt aus dem Stiefel einen Pfeifenstummel
hervor, und spricht, nachdem er den Kopf ausgeblasen: »Schaff er mir
Feuer!« Feuer? sag ich: plagt ihn —? »Feuer ja!« spricht er, »denn ich will
mir eine Pfeife Tabak anmachen.« Ei, den Kerl reiten Legionen —! He,
Liese! ruf ich das Mädchen, und während der Kerl sich die Pfeife stöpft,
schafft das Mensch ihm Feuer. »Na!« sagt der Kerl, die Pfeife, die er sich
angeschmaucht im Maul: »nun sollen doch die Franzosen die Schwerenot
kriegen.« Und damit, indem er sich den Hut in die Augen drückt und zum
Zügel greift, wendet er das Pferd und zieht vom Leder. Ein Mordkerl!
sag ich; ein verfluchter, verwetterter Galgenstrick! Will Er sich ins
Henkers Namen scheren, wo Er hingehört? Drei Chasseurs — sieht er
nicht? halten ja schon vor dem Tore. »Ei was«, spricht er, indem er aus-
spuckt; und faßt die drei Kerls blitzend ins Auge. »Wenn ihrer zehen wären,
ich fürcht mich nicht!« Und in dem Augenblick reiten auch die drei Franzosen schon ins Dorf. »Bassa Manelka!« ruft der Kerl und gibt seinem
Pferde die Sporen und sprengt auf sie ein; sprengt, so wahr Gott lebt, auf
sie ein und greift sie, als ob er das ganze Hohenlohische Korps hinter sich
hätte, an; dergestalt, daß, da die Chasseurs, ungewiß, ob nicht noch mehr
Deutsche im Dorf sein mögen, einen Augenblick wider ihre Gewohnheit,
stutzen, er, mein Seel, ehe man noch eine Hand umkehrt, alle drei vom
Sattel haut, die Pferde, die auf dem Platz herumlaufen, aufgreift, damit
bei mir vorbeisprengt, und »Bassa Teremtetem« ruft, und »Sieht Er wohl,
Herr Wirt?« und »Adies« und »auf Wiedersehn!« und »hoho! hoho! hoho!«—
So einen Kerl, sprach der Wirt, habe ich Zeit meines Lebens nicht gesehen.

[5] **Der romantische Grieche**

FRIEDRICH HÖLDERLIN · *Diotima*

Lange tot und tiefverschlossen,
Grüßt mein Herz die schöne Welt,
Seine Zweige blühn und sprossen,
Neu von Lebenskraft geschwellt;
O, ich kehre noch ins Leben,
Wie heraus in Luft und Licht
Meiner Blumen selig Streben
Aus der dürren Hülse bricht.

Wie so anders ists geworden!
Alles, was ich haßt' und mied,
Stimmt in freundlichen Akkorden
Nun in meines Lebens Lied,
Und mit jedem Stundenschlage
Werd' ich wunderbar gemahnt
An der Kindheit goldne Tage,
Seit ich dieses Eine fand.

Diotima! selig Wesen!
Herrliche, durch die mein Geist,
Von des Lebens Angst genesen,
Götterjugend sich verheißt!
Unser Himmel wird bestehen,
Unergründlich sich verwandt,
Hat sich, eh wir uns gesehen,
Unser Innerstes gekannt.

Da ich noch in Kinderträumen,
Friedlich wie der blaue Tag,
Unter meines Gartens Bäumen
Auf der warmen Erde lag,
Und in leiser Lust und Schöne
Meines Herzens Mai begann,
Säuselte, wie Zephirstöne,
Diotimas Geist mich an

Ach! und da, wie eine Sage,
Mir des Lebens Schöne schwand,
Da ich vor des Himmels Tage
Darbend, wie ein Blinder, stand,
Da die Last der Zeit mich beugte,
Und mein Leben, kalt und bleich,
Sehnend schon hinab sich neigte
In der Schatten stummes Reich;

Da, da kam vom Ideale,
Wie vom Himmel, Mut und Macht,
Du erschienst mit deinem Strahle,
Götterbild! in meiner Nacht;
Dich zu finden, warf ich wieder,
Warf ich den entschlafnen Kahn
Von dem stummen Porte nieder
In den blauen Ozean. —

Nun! ich habe dich gefunden,
Schöner, als ich ahnend sah
In der Liebe Feierstunden,
Hohe! Gute! bist du da;
O der armen Phantasien!
Dieses Eine bildest nur
Du, in ewgen Harmonieen,
Froh vollendete Natur!

Wie die Seligen dort oben,
Wo hinauf die Freude flieht,
Wo, des Daseins überhoben,
Wandellose Schöne blüht,
Wie melodisch bei des alten
Chaos Zwist Urania,
Steht sie, göttlichrein erhalten,
Im Ruin der Zeiten da.

Unter tausend Huldigungen
Hat mein Geist, beschämt, besiegt,
Sie zu fassen schon gerungen,
Die sein Kühnstes überfliegt.
Sonnenglut und Frühlingsmilde,
Streit und Frieden wechselt hier
Vor dem schönen Engelsbilde
In des Busens Tiefe mir.

Viel der heil'gen Herzenstränen
Hab ich schon vor ihr geweint,
Hab in allen Lebenstönen
Mit der Holden mich vereint,
Hab, ins tiefste Herz getroffen,
Oft um Schonung sie gefleht,
Wenn so klar und heilig offen
Mir ihr eigner Himmel steht;

Habe, wenn in reicher Stille,
Wenn in einem Blick und Laut
Seine Ruhe, seine Fülle
Mir ihr Genius vertraut,
Wenn der Gott, der mich begeistert,
Mir an ihrer Stirne tagt,
Von Bewundrung übermeistert,
Zürnend ihr mein Nichts geklagt;

Dann umfängt ihr himmlisch Wesen
Süß im Kinderspiele mich,
Und in ihrem Zauber lösen
Freudig meine Bande sich;
Hin ist dann mein dürftig Streben,
Hin des Kampfes letzte Spur,
Und ins volle Götterleben
Tritt die sterbliche Natur.

Da, wo keine Macht auf Erden,
Keines Gottes Wink uns trennt,
Wo wir Eins und Alles werden,
Das ist nun mein Element;
Wo wir Not und Zeit vergessen
Und den kärglichen Gewinn
Nimmer mit der Spanne messen,
Da, da weiß ich, daß ich bin.

Wie der Stern der Tyndariden,
Der in lichter Majestät
Seine Bahn, wie wir, zufrieden
Dort in dunkler Höhe geht,
Wie er in die Meereswogen,
Wo die schöne Ruhe winkt,
Von des Himmels steilem Bogen
Klar und groß hinuntersinkt:

O Begeisterung, so finden
Wir in dir ein selig Grab,
Tief in deine Wogen schwinden,
Still frohlockend, wir hinab,
Bis der Hore Ruf wir hören
Und, mit neuem Stolz erwacht,
Wie die Sterne wiederkehren
In des Lebens kurze Nacht.

FRIEDRICH HÖLDERLIN · *Hyperion*

Der junge Grieche Hyperion, Mitkämpfer für die Freiheit Griechenlands gegen die
Türken, schreibt in einem Briefroman an seinen deutschen Freund Bellarmin.

Mir ist lange nicht gewesen wie jetzt.

Wie Jupiters Adler dem Gesange der Musen, lausch' ich dem wunderbaren unendlichen Wohllaut in mir. Unangefochten an Sinn' und Seele,
stark und fröhlich, mit lächelndem Ernste, spiel' ich im Geiste mit dem
Schicksal und den drei Schwestern, den heiligen Parzen. Voll göttlicher
Jugend frohlockt mein ganzes Wesen über sich selbst, über alles. Wie der
Sternenhimmel, bin ich still und bewegt. Ich habe lange gewartet auf
solche Festzeit, um dir einmal wieder zu schreiben. Nun bin ich stark
genug; nun laß mich dir erzählen.

Mitten in meinen finstern Tagen lud ein Bekannter von Kalaurea herüber mich ein. Ich sollt' in seine Gebirge kommen, schrieb er mir; man
lebe hier freier als sonstwo, und auch da blüheten, mitten unter den Fich-
tenwäldern und reißenden Wassern, Limonienhaine und Palmen und liebliche Kräuter und Myrten und die heilige Rebe. Einen Garten hab' er doch
am Gebirge gebaut und ein Haus; dem beschatteten dichte Bäume den
Rücken, und kühlende Lüfte umspielten es leise in den brennenden Sommertagen; wie ein Vogel vom Gipfel der Zeder, blickte man in die Tiefen
hinab, zu den Dörfern und grünen Hügeln und zufriedenen Herden der
Insel, die alle, wie Kinder, umherlägen um den herrlichen Berg und sich
nährten von seinen schäumenden Bächen.

Das weckte mich denn doch ein wenig. Es war ein heiterer blauer April-
tag, an dem ich hinüberschiffte. Das Meer war ungewöhnlich schön und
rein, und leicht die Luft, wie in höheren Regionen. Man ließ im schweben-
den Schiffe die Erde hinter sich liegen, wie eine köstliche Speise, wenn der
heilige Wein gereicht wird.

Dem Einflusse des Meers und der Luft widerstrebt der finstere Sinn
umsonst. Ich gab mich hin, fragte nichts nach mir und andern, suchte
nichts, sann auf nichts, ließ vom Boote mich halb in Schlummer wiegen,
und bildete mir ein, ich liege in Charons Nachen. O es ist süß, so aus der
Schale der Vergessenheit zu trinken.

Mein fröhlicher Schiffer hätte gerne mit mir gesprochen, aber ich war
sehr einsilbig.

Er deutete mit dem Finger und wies mir rechts und links das blaue Eiland, aber ich sah nicht lange hin, und war im nächsten Augenblicke wieder in meinen eignen lieben Träumen.

Endlich, da er mir die stillen Gipfel in der Ferne wies und sagte, daß wir bald in Kalaurea wären, merkt' ich mehr auf, und mein ganzes Wesen öffnete sich der wunderbaren Gewalt, die auf einmal süß und still und unerklärlich mit mir spielte. Mit großem Auge, staunend und freudig sah' ich hinaus in die Geheimnisse der Ferne, leicht zitterte mein Herz, und die Hand entwischte mir und faßte freundlich hastig meinen Schiffer an — »So?« rief ich, »das ist Kalaurea?« Und wie er mich drum ansah, wußt' ich selbst nicht, was ich aus mir machen sollte.

Ich grüßte meinen Freund mit wunderbarer Zärtlichkeit. Voll süßer Unruhe war all mein Wesen.

Den Nachmittag wollt' ich gleich einen Teil der Insel durchstreifen. Die Wälder und geheimen Tale reizten mich unbeschreiblich, und der freundliche Tag lockte alles hinaus.

Es war so sichtbar, wie alles Lebendige, mehr denn tägliche Speise, begehrt, wie auch der Vogel sein Fest hat und das Tier.

Es war entzückend anzusehn! Wie, wenn die Mutter schmeichelnd fragt, wo um sie her ihr Liebstes sei, und alle Kinder in den Schoß ihr stürzen, und das Kleinste noch die Arme aus der Wiege streckt, so flog und sprang und strebte jedes Leben in die göttliche Luft hinaus, und Käfer und Schwalben und Tauben und Störche tummelten sich in frohlockender Verwirrung untereinander in den Tiefen und Höhn, und was die Erde festhielt, dem ward zum Fluge der Schritt, über die Gräben brauste das Roß und über die Zäune das Reh, und aus dem Meergrund kamen die Fische herauf und hüpften über die Fläche. Allen drang die mütterliche Luft ans Herz und hob sie und zog sie zu sich.

Und die Menschen gingen aus ihren Türen heraus, und fühlten wunderbar das geistige Wehen, wie es leise die zarten Haare über der Stirne bewegte, wie es den Lichtstrahl kühlte, und lösten freundlich ihre Gewänder, um es aufzunehmen an ihre Brust, atmeten süßer, berührten zärtlicher das leichte klare schmeichelnde Meer, in dem sie lebten und webten.

O Schwester des Geistes, der feurigmächtig in uns waltet und lebt, heilige Luft! wie schön ist's, daß du, wohin ich wandre, mich geleitest, Allgegenwärtige, Unsterbliche!

Mit den Kindern spielte das hohe Element am schönsten.

Das summte friedlich vor sich hin, dem schlüpft' ein taktlos Liedchen aus den Lippen, dem ein Frohlocken aus offner Kehle; das streckte sich, das sprang in die Höhe; ein andres schlenderte vertieft umher.

Und all dies war die Sprache eines Wohlseins, alles eine Antwort auf die Liebkosungen der entzückenden Lüfte.

Ich war voll unbeschreiblichen Sehnens und Friedens. Eine fremde Macht beherrschte mich. Freundlicher Geist, sagt' ich bei mir selber, wohin rufest du mich? nach Elysium oder wohin?

Ich ging in einem Walde, am rieselnden Wasser hinauf, wo es über Felsen heruntertröpfelte, wo es harmlos über die Kieseln glitt, und mählich verengte sich und ward zum Bogengange das Tal, und einsam spielte das Mittagslicht im schweigenden Dunkel. —

Hier — ich möchte sprechen können, mein Bellarmin! möchte gerne mit Ruhe dir schreiben!

Sprechen? o ich bin ein Laie in der Freude, ich will sprechen!

Wohnt doch die Stille im Lande der Seligen, und über den Sternen vergißt das Herz seine Not und seine Sprache.

Ich hab' es heilig bewahrt! wie ein Palladium hab' ich es in mir getragen, das Göttliche, das mir erschien! und wenn hinfort mich das Schicksal ergreift und von einem Abgrund in den andern mich wirft, und alle Kräfte ertränkt in mir und alle Gedanken, so soll dies Einzige doch mich selber überleben in mir und leuchten in mir und herrschen, in ewiger, unzerstörbarer Klarheit! —

So lagst du hingegossen, süßes Leben, so blicktest du auf, erhubst dich, standst nun da, in schlanker Fülle, göttlich ruhig, und das himmlische Gesicht noch voll des heitern Entzückens, worin ich dich störte!

O wer in die Stille dieses Auges gesehn, wem diese süßen Lippen sich aufgeschlossen, wovon mag der noch sprechen?

Friede der Schönheit! göttlicher Friede! wer einmal an dir das tobende Leben und den zweifelnden Geist besänftigt, wie kann dem anderes helfen?

Ich kann nicht sprechen von ihr, aber es gibt ja Stunden, wo das Beste und Schönste, wie in Wolken, erscheint, und der Himmel der Vollendung vor der ahnenden Liebe sich öffnet, da, Bellarmin! da denke ihres Wesens, da beuge die Knie mit mir, und denke meiner Seligkeit! aber vergiß nicht, daß ich hatte, was du ahnest, daß ich mit diesen Augen sah, was nur, wie in Wolken, dir erscheint. Daß die Menschen manchmal sagen möchten: sie freueten sich! O glaubt, ihr habt von Freude noch nichts geahnet! Euch ist der Schatten ihres Schattens noch nicht erschienen! O geht, und sprecht vom blauen Äther nicht, ihr Blinden!

Daß man werden kann wie die Kinder, daß noch die goldne Zeit der Unschuld wiederkehrt, die Zeit des Friedens und der Freiheit, daß doch eine Freude ist, eine Ruhestätte auf Erden!

Ist der Mensch nicht veraltert, verwelkt, ist er nicht wie ein abgefallen Blatt, das seinen Stamm nicht wiederfindet und nun umhergescheucht wird von den Winden, bis es der Sand begräbt?

Und dennoch kehrt sein Frühling wieder!

Weint nicht, wenn das Trefflichste verblüht! bald wird es sich verjüngen! Trauert nicht, wenn eures Herzens Melodie verstummt! bald findet eine Hand sich wieder, es zu stimmen!

Wie war denn ich? war ich nicht wie ein zerrissen Saitenspiel? Ein wenig tönt' ich noch, aber es waren Todestöne. Ich hatte mir ein düster Schwanenlied gesungen! Einen Sterbekranz hätt' ich gern mir gewunden, aber ich hatte nur Winterblumen.

en und er begehrte immer Schrauben zum Blutstillen, und wollte sein
pt in den Turmkopf verstecken. Nichts tut weher, als einen mäßigen
ünftigen Menschen, der's sogar in Leidenschaften blieb, im poetischen
inn des Fiebers toben zu sehen. Und doch, wenn nur die kühle Ver-
ng das heiße Gehirn besänftigt und wenn, während der Qualm und
aden eines aufbrausenden Nervengeistes und während die zischenden
serhosen der Adern die erstickte Seele umfassen und verfinstern, wenn
höherer Finger in den Nebel dringt und den armen betäubten Geist
zlich aus dem Brodem auf eine Sonne hebt: wollen wir denn lieber
en als bedenken, daß das Schicksal dem Augen-Wundarzte gleicht,
gerade in der Minute, eh' er dem einen blinden Auge die Lichtwelt
chließet, auch das andere sehende zubindet und verdunkelt?
ber der Schmerz tut mir zu wehe, den ich von Thiennettens blassen
en lese, wiewohl nicht höre. Es ist nicht das Verziehen eines Marter-
mpfes, noch das Entzünden eines versiegten Auges, noch das laute
mern oder das heftige Bewegen eines geängstigten Körpers, was ich an
ehe: sondern das, was ich an ihr sehen muß und was das mitleidende
z zu heftig zerreißet, das ist ein bleiches, stilles, unbewegliches, nicht
ognes Angesicht, ein blasses, blutloses Haupt, das der Schmerz nach
 Schlage gleichsam wie das Haupt einer Geköpften leichenweiß in die
t hinhält . . .
 bin aus Hukelum und mein Gevatter aus dem Bette, und einer is
esund wie der andere. Die Kur war so närrisch wie die Krankheit
ch fiel zuerst darauf, ob nicht, wie Boerhave Konvulsionen durch Kon
ionen heilte, bei ihm Einbildung durch Einbildung zu kurieren wäre
ch die nämlich, er sei noch kein Zweiunddreißiger, sondern etwan ei
hser, ein Neuner. Phantasieen sind Träume, die kein Schlaf umgibt
 alle Träume tragen uns in die Jugend zurück: warum nicht auc
antasieen? — Ich befahl also allen die Entfernung vom Patienten; blo
Mutter sollte, während die feurigsten Meteoren vor seiner fieberhafte
le flögen und zischten, allein bei ihm sitzen und ihn anreden, als wen
in Kind von acht Jahren wäre. Auch sollte sie den Bettspiegel ve
gen. Sie tat's — machte ihm weiß, er habe das Ausbruchfieber de
ttern — und als er sagte, der Tod steht mit zweiunddreißig spitzige
nen vor mir und will damit mein Herz zerkäuen: so sagte sie: »Kleine
gebe Dir Deinen Fallhut und Dein Schreibbuch und Dein Besteck un
nen Husarenpelz wieder und noch mehr, wenn Du fromm bist.« Etw
nünftiges hätt' er weniger aufgefasset und begriffen als dieses Närrisch
ndlich sagte sie — denn im größten Schmerze werden einer Frau Rolle
Verstellung leicht —, »ich wills nur noch einmal probieren und Dir Dei
elwaren geben; aber komme mir wieder Schelm und wirf Dich so i
te herum mit Deinen Blattern!« — Und nun schüttete sie aus der g
ten Schürze alle Spiel- und Kleidungswaren, die ich in dem Schränkle
ertrunkenen Bruders gefunden, in das Bette hinein. Zu allererst se
reibbuch, worauf er selber damals seinen achtjährigen Namen g
rieben, den er für seine Hand rekognoszieren mußte — dann d

Und wo war sie denn nun, die Totenstille, die Nacht und Öde meines Lebens? die ganze dürftige Sterblichkeit?

Freilich ist das Leben arm und einsam. Wir wohnen hier unten, wie der Diamant im Schacht. Wir fragen umsonst, wie wir herabgekommen, um wieder den Weg hinauf zu finden.

Wir sind wie Feuer, das im dürren Aste oder im Kiesel schläft; und ringen und suchen in jedem Moment das Ende der engen Gefangenschaft. Aber sie kommen, sie wägen Äonen des Kampfes auf, die Augenblicke der Befreiung, wo das Göttliche den Kerker sprengt, wo die Flamme vom Holze sich löst und siegend emporwallt über der Asche, ha! wo uns ist, als kehrte der entfesselte Geist, vergessen der Leiden, der Knechtsgestalt, im Triumphe zurück in die Hallen der Sonne.

[6] **Sturz ins Ungewisse**

FRIEDRICH HÖLDERLIN · *Der Abschied (3. Fassung)*

Trennen wollten wir uns? wähnten es gut und klug?
  Da wirs taten, warum schreckte, wie Mord, die Tat?
    Ach! wir kennen uns wenig,
      Denn es waltet ein Gott in uns.

Den verraten? ach ihn, welcher uns alles erst
  Sinn und Leben erschuf, ihn, den beseelenden
    Schutzgott unserer Liebe,
      Dies, dies Eine vermag ich nicht.

Aber anderen Fehl denket der Weltsinn sich,
  Andern ehernen Dienst übt er und anders Recht,
    Und es listet die Seele
      Tag für Tag der Gebrauch uns ab.

Wohl! ich wußt' es zuvor. Seit die gewurzelte
  Ungestalte die Furcht Götter und Menschen trennt,
    Muß mit Blut sie zu sühnen,
      Muß der Liebenden Herz vergehn.

Laß mich schweigen! o laß nimmer von nun an mich
  Dieses Tödliche sehn, daß ich im Frieden doch
    Hin ins Einsame ziehe,
      Und noch unser der Abschied sei!

Reich die Schale mir selbst, daß ich des rettenden
  Heilgen Giftes genug, daß ich des Lethetranks
    Mit dir trinke, daß alles,
      Haß und Liebe, vergessen sei!

Hingehn will ich. Vielleicht seh' ich in langer Zeit,
　Diotima! dich einst. Aber verblutet ist
　　Dann das Wünschen und friedlich
　　　Gleich den Seligen, fremde gehn

Wir umher, ein Gespräch führet uns ab und auf,
　Sinnend, zögernd, doch itzt mahnt die Vergessenen
　　Hier die Stelle des Abschieds,
　　　Es erwarmet ein Herz in uns,

Staunend seh' ich dich an, Stimmen und süßen Sang,
　Wie aus voriger Zeit, hör' ich und Saitenspiel,
　　Und die Lilie duftet
　　　Golden über dem Bach uns auf.

FRIEDRICH HÖLDERLIN · *Hyperions Schicksalslied*

Ihr wandelt droben im Licht
　Auf weichem Boden, selige Genien!
　　Glänzende Götterlüfte
　　Rühren euch leicht,
　　　Wie die Finger der Künstlerin
　　　Heilige Saiten.

Schicksallos, wie der schlafende
　Säugling, atmen die Himmlischen;
　　Keusch bewahrt
　　In bescheidener Knospe,
　　　Blühet ewig
　　　Ihnen der Geist,
　　　　Und die seligen Augen
　　　　Blicken in stiller
　　　　Ewiger Klarheit.

Doch uns ist gegeben,
　Auf keiner Stätte zu ruhn,
　　Es schwinden, es fallen
　　Die leidenden Menschen
　　　Blindlings von einer
　　　Stunde zur andern,
　　　　Wie Wasser von Klippe
　　　　Zu Klippe geworfen,
　　　　　Jahrlang ins Ungewisse hinab.

---

[7] **Das Spiel der**

JEAN PAUL · *Hesperus oder 45 Hundsposttage*

Er hatte noch eine gefährlichere Entschuldigung: Der Mens
sollte alles sein, alles lernen, alles versuchen — er sollte an der
der beiden Kirchen in seiner Seele arbeiten — er sollte, wenn
paar Monate, ein Stadtmusikus, Totengräber, Galgenpater, ei
Tragödiensteller, Oberhofmarschall, ein Reichsvikarius, Vize
ein Rezensent, eine Frau, kurz, alles sollte der Mensch auf
gewesen sein, damit aus dem Farbenprisma zuletzt die weiße w
Farbe zusammenflösse. —

Die Grundsätze werden desto gefährlicher bei einem wie er,
hochgespannten Saiten der unähnlichsten Kräfte bezogen, leic
eines jeden angab, nicht aus Verstellung, sondern weil sich sein
Dichtkraft tief in die Seele des andern versetzen konnte — dah
ertrug und kopierte er die unähnlichsten Menschen, ungeachtet
richtigkeit. Ich bedaure ihn aber, daß er überall so viel zu ve
hatte, sein Erraten des Fürsten, sein Herz gegen Klothilde,
söhnintrigen gegen Agnola, seine Wissenschaft von Flamins Ve
usw. Ach, Verschweigen und Verstellen fließen leicht zusam
müssen nicht Tropfen in den festesten Charakter, sobald er in
der Traufe steht, endlich Narben graben?

JEAN PAUL · *Leben des Quintus Fixlein*

Fixlein, Pfarrer in Hukelum, glaubt, daß er — wie schon seine Vorfahren — ir
jahre sterben werde, er verfällt einem Fieber, von seiner Mutter und seiner
nette umsorgt.

Das Fieber setzte am Morgen ab; aber der Glaube ans Sterbe
im ganzen Geäder des Armen. Er ließ sich sein schönes Ki
Krankenbette reichen und drückte es schweigend, ob es gleich z
anfing, zu hart an seine väterlich beklommene Brust. Dann geg
wurde seine Seele ganz kühl, und das schwüle Gewölk zog in ihr
Und hier erzählt' er uns eben die bisherigen (gleichsam arseni
Phantasieen seines sonst beruhigten Kopfes. Aber eben di
Nerven, die sich nicht so wie die eines Dichters unter den G
Rissen einer poetischen, den Schmerz abspielenden Hand gezog
springen und reißen unter der gewaltsamen Faust des Schicksal
die den Mißton heftig in die angespannten Saiten greift. Aber geg
rannten seine Ideen wieder in einem Fackeltanz wie Feuersäuler
Seele; jede Ader wurde eine Zündrute, und das Herz trieb t
Naphthaquellen in das Gehirn. Jetzt wurde alles in seiner See
das Blut seines ertrunkenen Bruders floß mit dem Blute, das a
nettens Aderlaßwunde längst gedrungen war, in einen Blut
sammen — ihm kam immer vor, er sei in der Verlobungsnach

schwarzsamtnen Fallhut — dann die rotweißen Laufbänder — sein Kinder-
messer-Besteck mit einem Heft von Zinnblättchen — seinen grünen
Husarenpelz, dessen Aufschläge sich härten — und einen ganzen orbis
pictus oder fictus der Nürnberger figurierten Marionetten-Welt . . .

Der Kranke erkannte den Augenblick diese vorragenden Spitzen einer
im Strome der Zeit untergegangenen Frühlingswelt, diesen Halbschatten,
diese Dämmerung versunkener Tage — diese Brand- und Schädelstätte
einer himmlischen Zeit, die wir nie vergessen, die wir ewig lieben und nach
der wir noch auf dem Grabe zurücksehen . . . Und als er das sah, drehete
er langsam den Kopf umher, wie wenn ein langer trüber Traum aufgehöret
hätte, und sein ganzes Herz floß in warmen Tränenregen herab, und er
sagte, indem sich seine vollen Augen an die Augen der Mutter anschlossen:
»Lebet denn aber mein Vater und mein Bruder noch?« — »Sie sind nicht
längst gestorben«, sagte die wunde Mutter; aber ihr Herz war überwältigt
und sie kehrte das Auge weg, und bittere Tränen fielen aus dem nieder-
gebückten Haupte ungesehen. Und hier übergoß auf einmal jener Abend,
wo er durch den Tod seines Vaters bettlägerig und durch seine Spielwaren
genesen war, seine Seele mit Glanz und Lichtern und Vergangenheit.

Nun färbte sich der Wahnsinn Rosenflügel in der Aurora unsers Lebens
und fächelte die schwüle Seele — er schüttelte Schmetterlings-Goldstaub
von seinem Gefieder auf den Steig, auf das Blumenwerk des Leidenden —
in der Ferne gingen schöne Töne, in der Ferne flogen schöne Wolken —
o das Herz wollte sich zerlegen, aber bloß in flatternde Staubfäden, in
weiche fassende Nerven; das Auge wollte zerfließen, aber bloß in Tau-
tropfen für die Kelche der Freudenblumen, in Bluttropfen für fremde
Herzen; die Seele wallete, zuckte, stöhnte, sog und schwamm im heißen,
lösenden Rosenduft des schönsten Wahns . . .

Die Wonne zügelte sein fieberhaftes Herz und seine tobenden Pulse
stillten sich. Am Morgen darauf wollte die Mutter, als sie sah, es gelinge
alles, gar zur Kirche läuten lassen.

Nach Klassik und Romantik

[8] **Das Ich unterliegt**

Franz Grillparzer · Medea

Jason, ein Fürst der Griechen, der Argonauten, kehrt vom Feldzug, auf dem er das
Goldene Vlies eroberte und die Tochter des Kolcherfürsten, Medea, gewann, nach
Griechenland zurück und vertraut sich der Tochter des Korintherkönigs, Kreusa, an.

JASON: Es ist des Unglücks eigentlichstes Unglück,
             Daß selten drin der Mensch sich rein bewahrt.
             Hier gilt's zu lenken, dort zu biegen, beugen,
             Hier rückt das Recht ein Haar und dort ein Gran,
             Und an dem Ziel der Bahn steht man ein andrer,
             Als der man war, da man den Lauf begann;

Und dem Verlust der Achtung dieser Welt
Fehlt noch der einzge Trost, die eigne Achtung.
Ich habe nichts getan, was schlimm an sich,
Doch viel gewollt, gemöcht, gewünscht, getrachtet;
Still zugesehen, wenn es andre taten;
Hier Übles nicht gewollt, doch zugegriffen
Und nicht bedacht, daß Übel sich erzeuge;
Und jetzt steh' ich vom Unheilsmeer umbrandet,
Und kann nicht sagen: Ich hab's nicht getan!
O Jugend, warum währst du ewig nicht?
Beglückend Wähnen, seliges Vergessen,
Der Augenblick des Strebens Wieg' und Grab!
Wie plätschert' ich im Strom der Abenteuer,
Die Wogen teilend mit der starken Brust:
Doch kommt das Mannesalter ernst geschritten,
Da flieht der Schein; die nackte Wirklichkeit
Schleicht still heran und brütet über Sorgen.
Die Gegenwart ist dann kein Fruchtbaum mehr,
In dessen Schatten man genießend ruht,
Sie ist ein unangreifbar Samenkorn,
Das man vergräbt, daß eine Zukunft sprosse.
Was wirst du tun? Wo wirst du sein und wohnen?
Was wird aus dir? Und was aus Weib und Kind?
Das fällt uns an, und quält uns ab und ab.
    (Er setzt sich)

KREUSA: Was sorgst du denn? Es ist für dich gesorgt.
JASON: Gesorgt? O ja, wie man dem Bettler wohl
Den Napf mit Abhub an die Schwelle reicht.
Bin ich der Jason und brauch' andrer Sorge?
Muß unter fremden Tisch die Füße setzen,
Mit meinen Kindern betteln gehn zu fremdem Mitleid?
Mein Vater war ein Fürst, ich bin es auch,
Und wer ist, der dem Jason sich vergleicht?
Und doch —
    (Er ist aufgestanden)
Ich kam den lauten Markt entlang
Und durch die weiten Gassen eurer Stadt —
Weißt du noch, wie durch sie ich prangend schritt,
Als ich vor jenem Argonautenzug
Hierher kam, von euch Abschied noch zu nehmen?
Da wallten sie in dichtgedrängten Wogen
Von Menschen, Wagen, Pferden, bunt gemengt;
Die Dächer trugen Schauende, die Türme,
Und wie um Schätze stritt man um den Raum.
Die Luft ertönte von der Zimbel Lärm
Und von dem Lärm der Heil zuschreinden Menge;

Dicht drängt' sie sich rings um die edle Schar,
Die, reich geschmückt, in Panzers hellem Leuchten,
Der Mindeste ein König und ein Held,
Den edlen Führer ehrfurchtsvoll umgaben;
Und ich war's, der sie führte, ich ihr Hort,
Ich, den das Volk in lautem Jubel grüßte. —
Jetzt, als ich durch dieselben Straßen ging,
Traf mich kein Aug', kein Gruß, kein Wort!
Nur als ich stand, und rings her um mich sah,
Meint' einer, es sei schlechte Sitte, so
In Weges Mitte stehn und andre stören.

KREUSA: Du wirst dich wieder heben, wenn du willst.
JASON: Mit mir ist's aus. Ich hebe mich nicht mehr.

[9] **Das humanitäre Prinzip**

FRANZ GRILLPARZER · *Die Jüdin von Toledo*

Alfons von Kastilien hat sich in Rahel, eine junge Jüdin, leidenschaftlich verliebt und damit seine Gemahlin und seine Würde als König verraten. Nach der Ermordung Rahels begegnet er wieder seiner Frau.

KÖNIG: Lenore, diese Hand ist nicht verpestet.
Zieh' ich in Krieg, wie ich denn soll und muß,
So wird sie Feindesblut vollauf bedecken,
Doch klares Wasser tilgt den Makel aus,
Und rein werd' ich sie bringen zum Willkomm.
Das Wasser nun der körperlichen Dinge
Hat für die Seelen geistigen Ersatz.
Du bist als Christin glaubensstark genug,
Der Reue zuzutrauen solche Macht.
Wir andern, die auf Tätigkeit gestellt,
Sind so bescheidnem Mittel nicht geneigt,
Da es die Schuld nur wegnimmt, nicht den Schaden,
Ja, halb nur Furcht ist eines neuen Fehls.
Wenn aber Beßres wollen, freudiger Entschluß
Für Gegenwart und für die Zukunft bürgt,
So nimms, wie ich es gebe, wahr und ganz.
KÖNIGIN *(beide Hände hinhaltend)*: O Gott, wie gern!
KÖNIG: Nicht beide Hände!
Die Rechte nur, obgleich dem Herzen ferner,
Gibt man zum Pfand von Bündnis und Vertrag,
Vielleicht um anzudeuten: nicht nur das Gefühl,
Das seinen Sitz im Herzen aufgeschlagen,
Auch der Verstand, des Menschen ganzes Wollen
Muß Dauer geben dem, was man versprach;

Denn wechselnd wie die Zeit ist das Gefühl,
Was man erwogen, bleibt in seiner Kraft.

KÖNIGIN *(die Rechte bietend)*: Auch das! Mein ganzes Selbst.

KÖNIG: Die Hand, sie zittert. *(Sie loslassend.)*
Ich will dich nicht mißhandeln, gutes Weib.
Und glaube nicht, weil minder weich ich spreche,
Ich minder darum weiß, wie groß mein Fehl,
Und minder ich verehre deine Güte.

KÖNIGIN: Verzeihn ist leicht, begreifen ist viel schwerer.
Wie es nur möglich war! Ich fass' es nicht.

KÖNIG: Wir haben bis vor kurz gelebt als Kinder.
Als solche hat man einstens uns vermählt,
Und wir, wir lebten fort als fromme Kinder;
Doch Kinder wachsen, nehmen zu an Jahren,
Und jedes Stufenalter der Entwicklung,
Es kündet an sich durch ein Unbehagen,
Wohl öfters eine Krankheit, die uns mahnt,
Wir sei'n dieselben und zugleich auch andre,
Und andres zieme sich im Nämlichen.
So ist's mit unserm Innern auch bestellt,
Es dehnt sich aus, und einen weitern Umkreis
Beschreibt es um den alten Mittelpunkt.
Solch eine Krankheit haben wir bestanden;
Und sag' ich: wir, so mein' ich, daß du selbst
Nicht unzugänglich seist dem innern Wachstum.
Laß uns die Mahnung stumpf nicht überhören!
Wir wollen künftighin als Könige leben,
Denn, Weib, wir sind's. Uns nicht der Welt verschließen,
Noch allem, was da groß in ihr und gut;
Und wie die Bienen, die mit ihrer Ladung
Des Abends heim in ihre Zellen kehren,
Bereichert durch des Tages Vollgewinn,
Und finden in dem Kreis der Häuslichkeit,
Nun doppelt süß durch zeitliches Entbehren.

KÖNIGIN: Wenn du's begehrst, ich selbst vermiss' es nicht.

KÖNIG: Du wirst's vermissen dann in der Erinnerung,
Wenn du erst hast, woran man Werte mißt.
Nun aber laß Vergangnes uns vergessen!
Ich liebe nicht, daß man auf neuer Bahn
Den Weg versperre sich durch dies und das,
Durch das Gerümpel eines frühern Zustands.
Ich spreche mich von meinen Sünden los,
Du selbst bedarfst es nicht in deiner Reinheit.

KÖNIGIN: Nicht so! Nicht so! O wüßtest du, mein Gatte,
Was für Gedanken, schwarz und unheilvoll,
Den Weg gefunden in mein banges Herz.

KÖNIG: Wohl etwa Rachsucht gar? Nun, um so besser,
Du fühlst dann, daß Verzeihen Menschenpflicht
Und niemand sicher ist, auch nicht der Beste.
Wir wollen uns nicht rächen und nicht strafen;
Denn jene andre, glaub, ist ohne Schuld,
Wie's die Gemeinheit ist, die eitle Schwäche,
Die nur nicht widersteht und sich ergibt.
Ich selber trage, ich, die ganze Schuld.

KÖNIGIN: O laß mich glauben, was mich hält und tröstet.
Der Mauren Volk und all, was ihnen ähnlich,
Geheime Künste üben sie, verruchte,
Mit Bildern, Zeichen, Sprüchen, bösen Tränken,
Die in der Brust des Menschen Herz verkehren
Und seinen Willen machen untertan.

KÖNIG: Umgeben sind wir rings von Zaubereien,
Allein wir selber sind die Zauberer.
Was weit entfernt, bringt ein Gedanke nah,
Was wir verschmäht, scheint andrer Zeit uns hold,
Und in der Welt voll offenbarer Wunder
Sind wir das größte aller Wunder selbst.

[10] **Menschlichkeit und geschichtlicher Auftrag**

FRANZ GRILLPARZER · *Libussa*

Monolog der Libussa, der sagenhaften Gründerin der Stadt Prag.

Der Mensch ist gut, er hat nur viel zu schaffen,
Und wie er einzeln dies und das besorgt,
Entgeht ihm der Zusammenhang des Ganzen.
Des Herzens Stimme schweigt, in dem Getöse
Des lauten Tags unhörbar übertäubt;
Und was er als den Leitstern sich des Lebens,
Nach oben klügelnd, schafft, ist nur Verzerrung,
Schon als verstärkt, damit es nur vernehmlich.
So wird er schaffen, wirken fort und fort.
Doch an die Grenzen seiner Macht gelangt,
Von allem Meister, was dem Dasein not,
Dann, wie ein reicher Mann, der ohne Erben
Und sich im weiten Hause fühlt allein,
Wird er die Leere fühlen seines Innern.
Beschwichtigt das Getöse lauter Arbeit,
Vernimmt er neu die Stimmen seiner Brust:
Die Liebe, die nicht das Bedürfnis liebt,
Die selbst Bedürfnis ist, holdselge Liebe;
Im Drang der Kraft Bewußtsein eigner Ohnmacht;

Begeisterung, schon durch sich selbst verbürgt,
Die wahr ist, weil es wahr ist, daß ich fühle.
Dann kommt die Zeit, die jetzt vorübergeht,
Die Zeit der Seher wieder und Begabten.
Das Wissen und der Nutzen scheiden sich,
Und nehmen das Gefühl zu sich als drittes;
Und haben sich die Himmel dann verschlossen,
Die Erde steigt empor an ihren Platz,
Die Götter wohnen wieder in der Brust,
Und Demut heißt ihr Oberer und Einer.
Bis dahin möcht' ich leben, gute Schwestern.

Franz Grillparzer · *Ein Bruderzwist im Hause Habsburg*

Kaiser Rudolf II. spricht zu seinem Vertrauten Julius.

Rudolf: Den Krieg, ich hass' ihn, als der Menschheit Brandmal,
Und einen Tropfen meines Blutes gäb' ich
Für jene Träne, die sein Schwert erpreßt;
Allein der Krieg in Ungarn, der ist gut.
Er hält zurück die streitenden Parteien,
Die sich zerfleischen in der Meinung schon.
Die Türkenfurcht bezähmt den Lutheraner,
Der Aufruhr sinnt in Taten wie im Wort,
Sie schreckt den Eifrer meines eignen Glaubens,
Der seinen Haß andichtet seinem Gott.
Fluch jedem Krieg! Doch besser mit den Türken,
Als Bürgerkrieg, als Glaubens-, Meinungsschlachten,
Hat erst der Eifer sich im Stehn gekühlt,
Die Meinung sich gelöst ins eigne Nichts,
Dann ist es Zeit zum Frieden, dann, mein Freund,
Soll grünen er auf unsern lichten Gräbern.
Julius: Allein der Friede ward geschlossen.
Rudolf: Ward,
Ich weiß, doch nicht bestätiget von mir,
Und also ist es Krieg, bis Gott ihn schlichtet.
Doch daß ich nicht auf Zwist und Streit gestellt —
Siehst du? ich schmelze Gold in jenem Tiegel.
Weißt du, wozu? — Es hört uns niemand, mein' ich —
Ich hab' erdacht im Sinn mir einen Orden,
Den nicht Geburt und nicht das Schwert verleiht,
Und Friedensritter soll die Schar mir heißen.
Die wähl' ich aus den Besten aller Länder,
Aus Männern, die nicht dienstbar ihrem Selbst,
Nein, ihrer Brüder Not und bitterm Leiden;
Auf daß sie, weithin durch die Welt zerstreut.

Entgegentreten fernher jedem Zwist,
Den Ländergier, und was sie nennen: Ehre
Durch alle Staaten sät der Christenheit,
Ein heimliches Gericht des offnen Rechts.
Dann mag der Türke dräun, wir drohn ihm wieder.
Nicht außen auf der Brust trägt man den Orden,
Nein, innen, wo der Herzschlag ihn erwärmt,
Er sich belebt am Puls des tiefsten Lebens. —
Mach' auf dein Kleid! — Wir sind noch unbemerkt. —
(Er hat aus der Schublade des Tisches eine Kette mit dran-
hängender Schaumünze hervorgezogen.)
Der Wahlspruch heißt: Nicht ich, nur Gott — Sprich's nach!

JULIUS *(der sein Kleid geöffnet und sich auf ein Knie niedergelassen hat)*:
Nun denn: Nicht ich, nur Gott — und Ihr!

RUDOLF: Nein, wörtlich.

JULIUS: Nicht ich, nur Gott.

RUDOLF *(nachdem er ihm die Kette umgehangen)*:
Es ist besondres Gold,
Gewonnen auf geheimnisvollen Wegen;
Nun aber schließ das Kleid, und doppelt, dreifach,
Daß niemand es erblickt. Du bist ein Ketzer,
Allein ein Ehrenmann. So sei geehrt.

JULIUS *(der aufgestanden ist)*:
O Herr, wenn Ihr dem Andersmeinenden,
Ihr mir die Huld verleiht, die mich beglückt,
Warum versöhnt Ihr nicht den Streit der Meinung,
Und gebt dem Glauben seinen Wert: die Freiheit,
Euch selbst befreiend so zu voller Macht?

RUDOLF: Zu voller Macht? Die Macht ist's, was sie wollen.
Mag sein, daß diese Spaltung im Beginn
Nur mißverstandne Satzungen des Glaubens,
Jetzt hat sie gierig in sich eingesogen,
Was Unerlaubtes sonst die Welt bewegt.
Der Reichsfürst will sich lösen von dem Reich,
Dann kommt der Adel und bekämpft die Fürsten;
Den gibt die Not, die Tochter der Verschwendung,
Drauf in des Bürgers Hand, des Krämers, Mäklers,
Der allen Wert abwägt nach Goldgewicht.
Der dehnt sich breit und hört mit Spottes Lächeln
Von Toren reden, die man Helden nennt,
Von Weisen, die nicht klug für eignen Säckel,
Von allem, was nicht nützt und Zinsen trägt.
Bis endlich aus der untersten der Tiefen
Ein Scheusal aufsteigt, gräßlich anzusehn,
Mit breiten Schultern, weitgespaltnem Mund,
Nach allem lüstern und durch nichts zu füllen.

Das ist die Hefe, die den Tag gewinnt,
Nur um den Tag am Abend zu verlieren,
Angrenzend an das Geist- und Willenlose.
Der ruft: auch mir mein Teil, vielmehr das Ganze!
Sind wir die Mehrzahl doch, die Stärkern doch,
Sind Menschen so wie ihr, uns unser Recht.
Des Menschen Recht heißt *hungern*, Freund, und leiden,
Eh noch ein Acker war, der frommer Pflege
Die Frucht vereint, den Vorrat für das Jahr;
Als noch das wilde Tier, ein Brudermörder,
Den Menschen schlachtete, der waffenlos,
Als noch der Winter und des Hungers Zahn
Alljährlich Ernte hielt von Menschenleben.
Begehrst ein Recht du als ursprünglich erstes,
So kehr' zum Zustand wieder, der der erste.
Gott aber hat die Ordnung eingesetzt,
Von da an ward es licht, das Tier ward Mensch.

[11] Des Innern stiller Friede

FRANZ GRILLPARZER · *Der Traum ein Leben*

Rustan wollte, von seinem Diener Zanga verführt, Massud und die ihn liebende Mirza
verlassen. In der Nacht hat er die von ihm erhoffte Zukunft geträumt. Ruhm, Glanz,
aber auch Schrecken zogen an ihm vorüber.

(MASSUD *und* MIRZA *kommen. Letztere trägt eine hellbrennende Leuchte
in der Hand,* RUSTAN *erwacht*)

RUSTAN: Ha, der König und Gülnare?
Nicht der König! — Wär' es möglich?
Du scheinst Massud. — Mirza, Mirza!
Seid ihr tot, und bin ich's auch?
Wie kam ich in eure Mitte?
Sehe wieder diese Hütte?
O verschwende nicht dein Anschaun,
Diese liebevollen Blicke
An den Dunkeln, den Gefallnen!
Denn was mir die Liebe gibt,
Zahl' ich rück mit blutgem Hasse. —
Und doch nein, dich hass' ich nicht!
Nein, ich fühl's, dich nicht. — Und dich nicht. —
Haß? O mit welch warmem Regen
Kommt mein Innres mir entgegen?
Hasse euch nicht! Hasse niemand!
Möchte aller Welt vergeben,
Und mit Tränen, so wie ehmals,

	In der Unschuld frommen Tagen,
	Fühl' ich neu mein Aug' sich tragen.
MIRZA:	Rustan!
RUSTAN:	Nein, bleib fern von mir!
	Wüßtest all du, was geschehn,
	Seit wir uns zuletzt gesehn.
MIRZA:	Uns gesehn?
RUSTAN:	Den Tagen, Wochen —
MIRZA:	Wochen? Tagen?
RUSTAN:	Weiß ich's? Weiß ich's?
	Furchtbar ist der Zeiten Macht.
MIRZA:	War's denn mehr als Eine Nacht?

ZANGA *(in der Tür erscheinend)*:
    Herr, befiehlst du nun die Pferde?
MIRZA: Ach, erinnre dich doch nur!
    Gestern abends — sag ihm's, Vater,
    Mir wird gar zu schwer dabei.
MASSUD: Gestern abends, weißt du nicht?
    Wolltest du von uns dich trennen,
    Du befahlst für heut die Pferde.
RUSTAN: Gestern abend —?
MASSUD: Wann nur sonst?
RUSTAN: Gestern abends? — Und das alles,
    Was gesehen ich, erlebt,
    All die Größe, all die Greuel,
    Blut und Tod und Sieg und Schlacht —?
MASSUD: War vielleicht die dunkle Warnung
    Einer unbekannten Macht,
    Der die Stunden sind wie Jahre
    Und das Jahr wie eine Nacht,
    Wollend, daß sich offenbare,
    Drohend sei, was du gedacht,
    Und die nun, enthüllt das Wahre,
    Nimmt die Drohung samt der Nacht.
    Brauch' den Rat, den Götter geben;
    Zweimal hilfreich sind sie kaum.
RUSTAN: Eine Nacht! und war ein Leben.
MASSUD: Eine Nacht. Es war ein Traum.
    Schau, die Sonne, sie dieselbe,
    Älter nur um einen Tag,
    Die beim Scheiden deinem Trotze,
    Deiner Härte Zeugnis gab,
    Schau, in ihren ewgen Gleisen
    Steigt sie dort den Berg hinan,
    Scheint erstaunt auf dich zu weisen,
    Der so träg in neuer Bahn;

Und mein Sohn, auch, willst du reisen,
Es ist Zeit, schick nur dich an!

(Die durch das Fenster sichtbare Gegend, die schon früher alle Stufen des kommenden Tages gezeigt hat, strahlt jetzt in vollem Glanze des Sonnenaufganges.)

RUSTAN *(auf die Knie stürzend)*:

Sei gegrüßt, du heilge Frühe,
Ewge Sonne, selges Heut!
Wie dein Strahl das nächtge Dunkel
Und der Nebel Schar zerstreut,
Dringt er auch in diesen Busen,
Siegend ob der Dunkelheit.
Was verworren war, wird helle,
Was geheim, ist's fürder nicht;
Die Erleuchtung wird zur Wärme,
Und die Wärme, sie ist Licht.

Dank dir, Dank! daß jene Schrecken,
Die die Hand mit Blut besäumt,
Daß sie Warnung nur, nicht Wahrheit,
Nicht geschehen, nur geträumt.
Daß dein Strahl in seiner Klarheit,
Du Erleuchterin der Welt,
Nicht auf mich, den blutgen Frevler,
Nein, auf mich, den Reinen, fällt.

Breit' es aus mit deinen Strahlen,
Senk' es tief in jede Brust:
Eines nur ist Glück hienieden,
Eins: des Innern stiller Frieden
Und die schuldbefreite Brust!
Und die Größe ist gefährlich,
Und der Ruhm ein leeres Spiel;
Was er gibt, sind nichtge Schatten,
Was er nimmt, es ist so viel!

Zauberbühne [12]

FERDINAND RAIMUND · *Alpenkönig und Menschenfeind*

Rappelkopf, der Menschenfeind, ist in die Einsamkeit geflohen und wird von Astragalus, dem Alpenkönig, gestellt.

RAPPELKOPF: Hier ist mein Territorium, und da leid' ich weder etwas Vierfüßiges noch etwas Zweifüßiges. . . .

ASTRAGALUS: Du irrst, wenn du wähnst, daß du auf eigenem Boden herrschest. Mein ist das Tal, in dem die Alpe wurzelt. Drum frag' ich dich, wie du es wagst, schamlose Flüche hier auszustoßen, daß sie wie gift'ger

Reif an diesen Blättern hangen, und eine Welt zu schmähn, in der du Wurm, aus Schlamm gezeugt, in eines Waldes dunklen Busen dich verbirgst, weil du den Strahl des heitren Lebens fürchtest?

RAPPELKOPF: Was kümmert's dich? *(Beiseite.)* Der Kerl sieht aus, als wenn er von Gußeisen wär'; den lass' ich stehn, dem geb' ich gar keine Antwort. *(Will in die Hütte.)*

ASTRAGALUS *(zielt auf ihn)*: Halt an! Gib Leben oder Worte!

RAPPELKOPF: Was ist das für eine Art, auf einen Menschen zu schießen?

ASTRAGALUS: Du bist kein Mensch!

RAPPELKOPF: Nun, das ist das Neueste, was ich höre.

ASTRAGALUS: Du hast dich ausgeschlossen aus der Menschen Kreis. — (Gib Losung, ob du es noch bist.) Bist zu gesellig, wie der Mensch? Du bist es nicht! Hast du Gefühl? Du fühlst nur Haß!

RAPPELKOPF: Impertinent!

ASTRAGALUS: Drum sprich, zu welcher Gattung ich dich zählen soll, der du des Tieres unbarmherzige Roheit mit dem milden Ansehn und der Sprache eines Menschen paarst.

RAPPELKOPF: Ah, das ist eine gute Geschichte, der führt einen logischen Beweis, daß ich ein Tier bin (und noch dazu eins von der neuesten Gattung).

ASTRAGALUS: Was hast du zu erwidern?

RAPPELKOPF *(beiseite)*: Ich wollt' ihm schon etwas erwidern, wenn er nur keine Flinten hätte.

ASTRAGALUS: Antwort gib, ob du in mein Jagdrevier gehörst und meiner Kugel bist verfallen? *(Er legt an.)*

RAPPELKOPF *(für sich)*: Jetzt muß ich vor dem (eine) Rechenschaft abgeben, und ich möchte ihn lieber massakrieren. *(Laut.)* Die Flinte weg! Ich bin ein Mensch und (das ein besserer, als ich hätte sein sollen).

ASTRAGALUS: Und warum hassest du die Welt?

RAPPELKOPF: Weil ich habe blinde Kuh mit ihr gespielt, die Treue hab' erhaschen wollen und den Betrug erreicht, der mir die Binde von den Augen nahm.

ASTRAGALUS: Dann mußt du auch dem Wald entfliehn, weil er mißgestalte Bäume hegt, die Erden meiden, weil sie gift'ge Kräuter zeugt, des Himmels Blau beweifeln, weil es Wolken oft verhüllen: wenn du den Teil willst für das Ganze nehmen.

RAPPELKOPF: Was nützt das Ganze mich, wenn mich ein jeder Teil (sekiert). Ich war in meinem eignen Hause des Lebens nicht mehr sicher.

ASTRAGALUS: Mach's mit deinem Mißtrauen aus, das dich belogen hat.

RAPPELKOPF: Mich haßt mein Weib, mich flieht mein Kind (mich richten mein' Dienstleut' aus) —

ASTRAGALUS: Weil dein Betragen jeden tief erbittert, weil du den Haß verdienst, den man dir zollt.

RAPPELKOPF: Das ist nicht wahr, ich bin ein Mensch, so süß (wie Zuckerkandel ist), nur mir wird jede Lust verbittert, und ich trage keine Schuld.

ASTRAGALUS: Die größte, denn du kennst dich selber nicht.

RAPPELKOPF: Das ist nicht wahr, ich bin der Herr von Rappelkopf.

ASTRAGALUS: Das ist auch alles, was du von dir weißt; doch daß du störrisch, wild, mißtrauisch (bis zum Ekel) bist, vom Starrsinn hingetrieben wirst bis an der niedern Bosheit Grenze — kurz, all die üblen Eigenschaften, die du für Vorzug deines Herzens hältst —, sie sind dir unbekannt. Nicht wahr?

RAPPELKOPF: Mir ist nur eins bekannt, daß du ein Lügner bist, der eine Menge Fehler mir andichtet, die ich gar nicht hab'.

ASTRAGALUS: (so geh die Wette ein, daß du weit mehr noch hast.) Ich führe den Beweis, wenn du dich meiner Macht vertraust und mir gelobst, daß du dich ändern willst.

RAPPELKOPF: Das hätt' ich lang' getan, wenn ich das gefunden hätt'! Ich vertrau' mich keinem Menschen an, Betrug ist das Panier der Welt.

ASTRAGALUS: Glaubst du, die Welt sei darum nur erschaffen, damit du deinen Geifer auf ihr Wappen sudeln kannst? Die Menschheit hinge nur von deinen Launen ab? Dir dürften andre nur, du andern nicht genügen! Bist du denn wahnsinnig, du übermütger Wurm?

RAPPELKOPF: Sapperment! Nicht lang per Wurm, das Ding fängt mich zum wurmen an. — Ich gib nicht nach, du bankrottierter Philosoph! *(Der Mond ist nach und nach aufgegangen.)* Ich bin zu gut und du zu schlecht, als daß ich länger mit dir red'. Drum fort mit dir, der Mond geht auf, und du gehst ab. Künftighin werd' ich in meiner Hütten mich verschanzen und herunterkanonieren, wenn (sich eins sehen läßt).

ASTRAGALUS: So willst du nicht die Hand zur Bessrung bieten?

RAPPELKOPF: Ich biete nichts, und wenn mir das Wasser bis an den Hals auch geht.

ASTRAGALUS: Wohlan, so laß uns den Versuch beginnen;
Weil nicht Vernunft kann dein Gemüt gewinnen,
Soll Geistermacht zu deinem Glück dich zwingen,
Und mit dem Alpenkönig wirst du ringen.

[13] Die Realitätenposse

JOHANN NESTROY · *Zu ebener Erde und im ersten Stock*

Auf einer zweifachen Bühne zeigt sich der Gegensatz zwischen der armen Tandlerfamilie im Parterre und der im ersten Stock wohnenden Familie des Spekulanten und Millionärs Goldfuchs, bei der Johann Bediensteter ist.

JOHANN *(tritt nach einem Ritornell zur Seite links ein, in eleganter Livree, und hat eine Malagabouteille samt Glas in der Hand)*:
Lied *(sehr lebhafte Musik)*

Gibt mein Herr a Tafel, so trinkt er ein' Wein,
Und das zwar ein' guten, doch der beste g'hört mein.
Für all's, was ich kauf', rechn' ich's Vierfache an,
Mein Herr, der bezahlt's, 's ist ein seel'nguter Mann;
Und gibt'r auch die Tafel beim hellichten Tag,

Ich komm' mit ein' Konto für d' Wachskerzen nach;
Und wenn er was merkt, da wird's pfiffig gemacht,
Da bring ich geschwind meine Kamrad'n in Verdacht.

Drum sag' ich: Esprit hab'n, dann is's a Vergnüg'n,
D' Herrschaft kann man dann alle Tag b'stehl'n und betrüg'n.
Jetzt will ich d' Livree a drei Jahrl noch trag'n,
Dann halt ich mir selb'r ein Roß und ein'n Wag'n,
Ich halt mir a Köchin, ein' Kutscher, ein' Knecht,
Nur ja kein' Bedienten, und da hab' ich recht,
Denn Halunken gibt's unter d' Bedienten, 's is g'wiß,
Das kann der nur beurteil'n, der selb'r einer is.

(Nimmt sich einen Stuhl, setzt sich im Vordergrunde links nieder und trinkt gemächlich.)

DAMIAN *(nach Johannes Gesang)*: Mit alte Kleider handeln is eine wahre Lumperei, es schaut nix heraus dabei als höchstens der Ellbogen, wenn man's anzieht. Ich war einmal mein eig'ner Herr, bin viermal z'grundgangen in ein' Jahr, jetzt bin ich Sklav' bei mein' Schwagern; um nur was z' essen zu haben, bleib' ich in einem Dienst, wo ich Hunger leiden muß. Das muß anders werden. Mir bleibt nur ein Ausweg mehr; ich geb' auf Pränumeration ein Werk heraus: »Systematische Anleitung zur Lumpen- und Fetzenkunde« — entweder das bringt mir was ein oder ich bring' mich um.

(Geht zurück zu einem Stuhl, öffnet den Bündel und nimmt daraus einen braunen, gut konservierten Männerrock und hängt ihn über die Stuhllehne.)

JOHANN: Was haben diese Leut', die Alchimisten, alles über Goldmacherkunst studiert! Ich weiß ein prächtiges Rezept. Man nehme Keckheit, Devotion, Impertinenz, Pfiffigkeit, Egoismus, fünf lange Finger, zwei große Säck' und ein kleines Gewissen, wickle das alles in eine Livree, so gibt das in zehn Jahren einen ganzen Haufen Dukaten. Probatum est! *(Es wird in der Türe rechts geläutet.)* Mein gnädiger Herr läut't. Soll ich aufs erstemal Läuten hineingehen ? — Meintwegen, weil ich heut' gerade bei Laune bin. *(Rechts ab.)*

DAMIAN: Da hab' ich ein' Rock z' kaufen kriegt, da kann mein Schwager wieder a paar Gulden profitieern dran. Was is aber das gegen den Profit, den andere haben. Seit der Existenz des Geldes gibt es in jedem Stand Reiche und Ärmere. Es ist ein Unterschied zwischen Bäck und Bäck, es ist eine Differenz zwischen Fleischhacker und Fleischhacker, aber der Abstand, der zwischen Tandler und Tandler is, der geht schon ins Unberechenbare hinein. Es gibt Tandler, die schauen ein' Großhändler über die Achsel an und wieder solche, gegen die jeder Lichtblattlmann ein Kommerzienrat ist. Mich hat das Schicksal bestimmt, das verworfenste Individuum der untersten Gattung zu sein. Dazu noch eine ungesättigte Leidenschaft im Herzen; das hat schon frische, feste Leut' zusamm' g'rissen, was hab ich erst zu erwarten, der ich schon so viele Jahre auf'n

Tandelmarkt bin. *(Man hört sprechen von außen.)* Was ist das? Das ist
der Salerl ihre Stimm' und eine Mannsbilderstimm' —! Mordelement —!
(Verbirgt sich schnell hinter einem Wandschrank.)

(VORIGER; SALERL *und Monsieur* BONBON *kommen aus links.)*

SALERL *(läuft ängstlich herein; sie trägt eine Haubenschachtel in der Hand)*:
Aber ich bitt', ich weiß gar nicht —

BONBON *(sie verfolgend)*: Liebes Kind — schönes Kind — herziges Kind,
ich bin hier bekannt im Hause — man darf mich nicht sehen —.

SALERL: Ja, so gehn Euer Gnaden!

BONBON: Ich speise heute zu Mittag hier im ersten Stock.

SALERL: Ich wünsch guten Appetit.

BONBON *(sehr eilig)*: Du mußt mir schreiben, Goldschätzchen, wenn ich
dich sprechen kann, du Herzchen! Ich lasse vor Tisch eine Schnur vom
Fenster herab, du bindest ein zärtliches Briefchen daran, ich ziehe es
hinauf — verstehst du? Adieu, lieber Schatz, adieu! *(Ab.)*

(VORIGE *ohne* BONBON.)

SALERL *(ihm erstaunt nachsehend)*: Ah, da muß ich bitten! Der glaubt,
man darf nur Haferl sagen.

DAMIAN *(aus seinem Versteck hervortretend)*: Meineidige! Was hab' ich
g'sehn?!

SALERL: Einen alten Stutzer, sonst nix.

DAMIAN: Wie kommt er in deine Nähe?

SALERL: Auf seine zwei Spazierhölzer. Er is mir nachg'rennt wie ein Wahnsinniger, hat mir eine Menge Schönheiten g'sagt und hat mich gar nicht
zu Wort' kommen lassen, so oft ich'n hab' fortschaffen wollen.

DAMIAN: Ich sag' dir's, reiz' mich nicht. Ich bin ein guter Kerl, aber in der
Eifersucht kann ich dem Othello ein Double vorgeb'n.

SALERL: Hör auf, ich glaub', ich geb' dir nit viel Anlaß.

DAMIAN: Wenn ich nicht so hungrig wär', den hätt' ich g'haut —! So aber
fühl' ich mich zu kraftlos; allein es handelt sich nur um drei Bandel Leber-
würst', und ich bin wieder Mann und zerreiße öng in Lüften alle zwei!

SALERL: Du bist ein Narr! Jetzt sei wieder gut, denn ich mag nur die guten
Narr'n.

DAMIAN: Dem Krippenreiter kann ich's nit schenken, ich hab' so einen
Rachedurst in mir!

SALERL: Geh, geh, das wird wohl ein andere Durst sein.

DAMIAN: Is möglich, aber Wasser löscht ihn auf kein' Fall; ich glaub'
immer, es wird's nur Rache tun.

SALERL: Probier's halt derweil mit a paar Seitel Heurigen.

DAMIAN: Foppst mich? Meine Kassa verträgt solche Depensen nicht. Da
oben *(gegen den ersten Stock zeigend)*, ja, da könnten s' ei'm was zukommen
lassen. Der reiche Herr ober uns gibt große Tafel. Sein wir nit eing'laden?

SALERL: Du Dalk! Da speisen lauter reiche Leut'!

DAMIAN: Das is eben das Dumme und höchst Ungerechte. Wenn die
reichen Leut' nit wieder reiche einladeten, sondern arme Leut, dann
hätten alle genug zu essen.

NIKOLAUS LENAU · *Frage*

Bist du noch nie beim Morgenschein erwacht
Mit schwerem Herzen, traurig und beklommen,
Und wußtest nicht, wie du auch nachgedacht,
Woher ins Herz der Gram dir war gedrungen?

Du fühltest nur: ein Traum wars in der Nacht;
Des Traumes Bilder waren dir verschwommen,
Doch hat nachwirkend ihre dunkle Macht
Dich, daß du weinen mußtest, übernommen.

Hast du dich einst der Erdennacht entschwungen
Und werden, wie du meinst, am hellen Tage
Verloren sein des Traums Erinnerungen:

Wer weiß, ob nicht so deine Schuld hienieden
Nachwirken wird als eine dunkle Klage
Und dort der Seele stören ihren Frieden?

Himmelstrauer

Am Himmelsantlitz wandelt ein Gedanke,
Die düstre Wolke dort, so bang, so schwer;
Wie auf dem Lager sich der Seelenkranke,
Wirft sich der Strauch im Winde hin und her.

Vom Himmel tönt ein schwermutmattes Grollen,
Die dunkle Wimper blinzelt manches Mal,
So blinzen Augen, wenn sie weinen wollen,
Und aus der Wimper zuckt ein schwacher Strahl.

Nun schleichen aus dem Moore kühle Schauer
Und leise Nebel übers Heideland;
Der Himmel ließ, nachsinnend seiner Trauer,
Die Sonne lässig fallen aus der Hand.

AUGUST GRAF VON PLATEN · *Tristan*

Wer die Schönheit angeschaut mit Augen,
Ist dem Tode schon anheimgegeben,
Wird für keinen Dienst auf Erden taugen,
Und doch wird er vor dem Tode beben,
Wer die Schönheit angeschaut mit Augen!

Ewig währt für ihn der Schmerz der Liebe,
Denn ein Thor nur kann auf Erden hoffen
Zu genügen einem solchen Triebe:
Wen der Pfeil des Schönen je getroffen,
Ewig währt für ihn der Schmerz der Liebe!

Ach, er möchte wie ein Quell versiechen,
Jedem Hauch der Luft ein Gift entsaugen
Und den Tod aus jeder Blume riechen:
Wer die Schönheit angeschaut mit Augen,
Ach, er möchte wie ein Quell versiechen!

AUGUST GRAF VON PLATEN · *Venedig*

Der Canalazzo trägt auf breitem Rücken
Die lange Gondel mit dem fremden Gaste,
Den vor Grimani's, Pesaro's Pallaste
Die Kraft, das Ebenmaß, der Prunk entzücken.

Doch mehr noch muß er sich den Meisterstücken
Der frühern Kunst, die nie ein Spott betaste,
Euch muß er sich und euerm alten Glaste,
Pisani, Vendramin, Ca Doro bücken.

Die got'schen Bogen, die sich reich verweben,
Sind von Rosetten überblüht, gehalten
Durch Marmorschäfte, vom Balkon umgeben:

Welch eine reine Fülle von Gestalten,
Wo, triefend von des Augenblickes Leben,
Tiefsinn und Schönheit im Vereine walten.

[16] **Innig, sinnig, minnig**

EMANUEL GEIBEL · *Herbstlich sonnige Tage*

Herbstlich sonnige Tage,
Mir beschieden zur Lust,
Euch mit leiserem Schlage
Grüßt die atmende Brust.

O wie waltet die Stunde
Nun in seliger Ruh!
Jede schmerzende Wunde
Schließet leise sich zu.

Nur zu rasten, zu lieben,
Still an sich selber zu baun,
Fühlt sich die Seele getrieben,
Und mit Liebe zu schaun.

Und so schreit ich im Tale,
In den Bergen, am Bach,
Jedem segnenden Strahle,
Jedem verzehrenden nach.

Jedem leisen Verfärben
Lausch ich mit stillem Bemühn,
Jedem Wachsen und Sterben,
Jedem Welken und Blühn.

Selig lern ich es spüren,
Wie die Schöpfung entlang
Geist und Welt sich berühren
Zu harmonischem Klang.

Was da webet im Ringe,	Jede sprossende Pflanze,
Was da blüht auf der Flur,	Die mit Düften sich füllt,
Sinnbild ewiger Dinge	Trägt im Kelche das ganze
Ists dem Schauenden nur.	Weltgeheimnis verhüllt.

Schweigend blickts aus der Klippe,
Spricht im Wellengebraus,
Doch mit heiliger Lippe,
Deutet die Mus' es aus.

Joseph Victor von Scheffel · *Säckinger Episteln*

Wie gesagt, ich liebe die Fuhrleute! Und wie germanisch die drei ihren Abendimbiß verzehrten! Den Ellenbogen auf den Tisch gestützt, vor ihnen eine Schüssel, riesenhaft mit Koteletts gefüllt, da stach jeder mit der Gabel hinein und sich ein ganzes Rippenstück heraus, und zum Mund geführt, die Gabel weg und am Knochen das Stück gehalten und abgenagt — was ist alle Kultur und Form gegen diese primitive Fuhrmanns-Ursprünglichkeit?

Am andern Tisch saßen die ledigen Bursche mit den Maidlin, und da wurde gesungen, daß es eine Freude war, und aus viel modernem Geleier schaute da und dort noch eine rechte Metallstufe von Volkslied heraus, und mein polizeiliches Gemüt ward nicht bös, als einer sang:

Hab all mein Tag kein gut getan,
Hab's auch noch nicht im Sinn;
Die ganze Freundschaft weiß es ja,
Daß ich ein Unkraut bin. —

Und die andern dachten dran, daß nächstens die Ziehung zu Militär sei, und daß sie vielleicht im nächsten Jahr in Prenzlau oder Neu-Ruppin sitzen müssen, wo es kein Fridolinifest und kein Brennetwirtshaus, keinen Grenzacher Weißen und keine kurzaufgeschürzten Wäldermaideli gibt, und ein anderer sang:

Und mein Vater hat's g'sagt,
Und mein Mutter hat's denkt,
Und Soldat muß i werden
Beim ersten Regiment —
Und zwei Kreuzer den Tag!
Daß ein Kreuzdonnerwetter
Vom Himmel drein schlag! —

Daß es bei Fuhrleuten und ledigen Burschen mit Sang und Trunk hoch herging und mancher sich ein gedoppeltes Selbstbewußtsein antrank, war erklärlich, trotz des Fridolinitages. Aber wer saß am dritten Tisch? Wer brummte auch ganz vergnüglich zu all den Schelmenliedlein drein und blies ein Schöpplein Grenzacher nach dem andern trotz des Fridolinitages? Wehe! wehe! es war unser würdiger Freund, der Herr Pfarrer von Öflingen; und auch er hatte dem heiligen Fridolin zu Ehren des Guten zu viel getan! Der See und der Fridolinitag muß seine Opfer haben! Und er wollte uns noch eine Sage vom Harpolinger Schloßfräulein erzählen — aber er brachte sie nimmer zusammen, die Schloßmauern schwankten, die Berge bewegten sich —, es blieb beim schwachen Versuch. —

Was Wunder, daß am End' auch das Bezirksamt Säckingen etwas angeheitert nach Hause ging, und wenn durch die mondhelle Nacht noch manch helles Juchzen heimkehrender Pilger vom Eggberg herab und weit hinten vom Wald her schallte, so hielten der Aktuar und ich es für unsere Schuldigkeit, den Gruß mit gleichem Juhuuu —!! zu erwidern; was wir vielleicht an einem andern als am Fridolinitag nicht ebenso energisch getan hätten.

Also verklang mit hellem Juuhuuu! der 10. Märzen 1850, der Tag des heiligen Fridolinus.

[17] **Gegen die Zollstöcke der Moral**

PAUL HEYSE · *Die Märtyrerin der Phantasie*

Eine exzentrische Dame begegnet auf einer Rheinreise dem Dichter und berichtet ihm aus ihrem Leben.

Sie warf die Zigarette weg und stand auf. »Sie haben den gesehen, mit dem ich nun für's Leben verbunden bin. Wie Sie mich jetzt kennen, werden Sie mir nicht zutrauen, daß er mir dazu verholfen, mein Herz zu entdecken. Ich lernte ihn in Scheveningen kennen, wohin ich jene alte Dame, eine recht unliebenswürdige verwitwete Generalin, begleitet hatte. Sie hatte nur die eine sehr vortreffliche Eigenschaft, daß sie nach meiner Vergangenheit durchaus nicht neugierig war. Sagen Sie mir nichts davon, liebes Kind, unterbrach sie mich, als ich ihr in einer Anwandlung von Aufrichtigkeit meinen Roman, so wie Ihnen, erzählen wollte. Sie werden allerlei erlebt haben, das ist sehr natürlich, geht mich aber nichts an. Nur ganz unbedeutende Menschen gehen als unbeschriebene Blätter durchs Leben, da niemand es der Mühe wert findet, seinen Namenszug darauf zurückzulassen. Ich honoriere Sie für Ihre Dienste, nicht für Ihre Konfessionen. So machte es auch keinen Eindruck auf sie, als sich in dem Weltbade, wo ich einigen Herren aus dem Bekanntenkreise des Grafen begegnete, meine Geschichte in allerlei abenteuerliche Verunstaltungen herumsprach. Auch im übrigen blieb das für mich ohne unangenehme Folgen. Ich wurde ein wenig mehr angegafft und hörte hinter meinem

Rücken zischeln, und daß ein paar Tugenddrachen ihren Stuhl fort-
rückten, wenn ich mich am Strande in ihrer Nähe niederließ, machte mir
wahrlich keinen Kummer.

Nur eine einzige alte Dame, eine Holländerin, die mit uns in demselben
Hotel wohnte, trug ihren Widerwillen gegen mich, so oft sie mir auf der
Treppe oder im Konversationssaal begegnete, so beleidigend zur Schau,
daß ich im Innersten darüber aufgebracht wurde. Sie war zur Begleitung
ihres Sohnes nach Scheveningen gekommen, der gegen seine Vollblütigkeit
das Seebad gebrauchen sollte. Der junge Herr war von einer sehr trägen
Komplexion, hatte, da sein großer Reichtum ihn jeder Lebensmühe über-
hob, so gut wie nichts gelernt und frönte in den Stunden, die er seine
Arbeitsstunden nannte, einzig und allein seiner Leidenschaft für das
Photographieren, wozu ihm ein Bedienter in Livree den nötigen Apparat
überall hin nachschleppen mußte. Obwohl er dadurch eine ziemlich lächerliche Figur machte, wurde er doch von allen Müttern heiratsfähiger Töchter für einen interessanten jungen Mann und vollkommenen Gentleman
erklärt und hatte keine geringe Vorstellung von seinem eigenen Wert.
Übrigens gängelte ihn die Mama wie einen Knaben, so daß er auch mir
gegenüber dieselbe unhöfliche Haltung annehmen mußte, die sie gegen
mich behauptete. Beide waren sehr fromm und versäumten keinen Gottesdienst.

Zu Anfang lachte ich über das prüde, abgeschmackte Paar. Als sie es
aber einmal gar zu toll getrieben hatten, so daß ich vor Erregung zitternd
die halbe Nacht schlaflos lag, fuhr mir der Gedanke durch den Kopf:
Wie, wenn du deine ganze Willenskraft aufbötest, dieses große Baby zu
erobern ? Es wäre ein Triumph, der dir alle bisherigen Beschämungen
vergütete !

Und sogleich war meine Phantasie geschäftig, mir das Leben an der
Seite dieses reichen Muttersöhnchens auszumalen — ungefähr so, wie es
dann wirklich gekommen ist.

Es wird Sie sehr wenig interessieren, zu erfahren, mit was für kleinen
Künsten und Kriegslisten ich meine Eroberung zustande brachte. Genug,
daß ich nicht eine volle Woche brauchte, bis das große Kind, dessen lau-
warmes Blut bisher nie eine zärtliche Temperatur erfahren hatte, für mich
glühte, soweit ein Häring, nach jenem Heineschen Liede, für eine Auster
schwärmen kann, und daß er nach vierzehn Tagen, während deren er zwar
nicht Appetit und Schlaf, aber seine Passion für die Photographie verloren
hatte, der Frau Mama erklärte, er werde mich auf jeden Fall heiraten,
sie möge dagegen sagen, was sie wolle.

Und er hat es durchgesetzt, obwohl er mit seiner Mutter darüber unver-
söhnlich zerfallen ist. Seit sechs Wochen ist er mein ›glücklicher‹ Gatte,
wie ich der Wahrheit gemäß behaupten darf, denn zu allem übrigen Komfort seines vielverwöhnten Lebens hat er nun auch noch eine Frau, die ihn
in keiner Weise hindert, die vierundzwanzig Mußestunden seines jungen
Lebens mit Essen, Gähnen, Schlafen und Aufnahme malerischer Gegenden hinzubringen.«

Das junge Deutschland

[18] **Der große Weltriß**

HEINRICH HEINE · *Nachtgedanken*

Denk' ich an Deutschland in der Nacht,
Dann bin ich um den Schlaf gebracht,
Ich kann nicht mehr die Augen schließen,
Und meine heißen Tränen fließen.

Die Jahre kommen und vergehn!
Seit ich die Mutter nicht gesehn,
Zwölf Jahre sind schon hingegangen;
Es wächst mein Sehnen und Verlangen.

Mein Sehnen und Verlangen wächst.
Die alte Frau hat mich behext.
Ich denke immer an die alte,
Die alte Frau, die Gott erhalte!

Die alte Frau hat mich so lieb,
Und in den Briefen, die sie schrieb,
Seh' ich, wie ihre Hand gezittert,
Wie tief das Mutterherz erschüttert.

Die Mutter liegt mir stets im Sinn,
Zwölf lange Jahre flossen hin,
Zwölf lange Jahre sind verflossen,
Seit ich sie nicht ans Herz geschlossen.

Deutschland hat ewigen Bestand,
Es ist ein kerngesundes Land!
Mit seinen Eichen, seinen Linden
Werd' ich es immer wieder finden.

Nach Deutschland lechzt' ich nicht so sehr,
Wenn nicht die Mutter dorten wär';
Das Vaterland wird nie verderben,
Jedoch die alte Frau kann sterben.

Seit ich das Land verlassen hab',
So viele sanken dort ins Grab,
Die ich geliebt — wenn ich sie zähle,
So will verbluten meine Seele.

Und zählen muß ich — mit der Zahl
Schwillt immer höher meine Qual;
Mir ist, als wälzten sich die Leichen
Auf meine Brust — Gottlob! sie weichen!

Gottlob! durch meine Fenster bricht
Französisch heitres Tageslicht;
Es kommt mein Weib, schön wie der Morgen,
Und lächelt fort die deutschen Sorgen.

HEINRICH HEINE · *Einleitung zu »Kahldorf über den Adel, in Briefen an den Grafen M. von Moltke«*

Der gallische Hahn hat jetzt zum zweitenmale gekräht, und auch in Deutschland wird es Tag. In entlegene Klöster, Schlösser, Hansestädte und dergleichen letzte Schlupfwinkel des Mittelalters flüchten sich die unheimlichen Schatten und Gespenster, die Sonnenstrahlen blitzen, wir reiben uns die Augen, das holde Licht dringt uns ins Herz, das wache Leben umrauscht uns, wir sind erstaunt, wir befragen einander: — Was taten wir in der vergangenen Nacht?

Nun ja, wir träumten in unserer deutschen Weise, d.h. wir philosophierten. Zwar nicht über die Dinge, die uns zunächst betrafen oder zunächst passierten, sondern wir philosophierten über die Realität der Dinge an und für sich, über die letzten Gründe der Dinge und ähnliche metaphysische und transzendentale Träume, wobei uns der Mordspektakel der westlichen Nachbarschaft zuweilen recht störsam wurde, ja sogar recht verdrießlich, da nicht selten die französischen Flintenkugeln in unsere philosophischen Systeme hineinpfiffen und ganze Fetzen davon fortfegten.

Seltsam ist es, daß das praktische Treiben unserer Nachbarn jenseits des Rheins dennoch eine eigene Wahlverwandtschaft hatte mit unserem philosophischen Träumen im geruhsamen Deutschland. Man vergleiche nur die Geschichte der französischen Revolution mit der Geschichte der deutschen Philosophie, und man sollte glauben: die Franzosen, denen so viel' wirkliche Geschäfte oblagen, wobei sie durchaus wach bleiben mußten, hätten uns Deutsche ersucht, unterdessen für sie zu schlafen und zu träumen, und unsere deutsche Philosophie sei nichts anders, als der Traum der französischen Revolution. So hatten wir den Bruch mit dem Bestehenden und der Überlieferung im Reiche des Gedankens, ebenso wie die Franzosen im Gebiete der Gesellschaft, um die Kritik der reinen Vernunft sammelten sich unsere philosophischen Jakobiner, die nichts gelten ließen, als was jener Kritik Stand hielt, Kant war unser Robespierre. — Nachher kam Fichte mit seinem Ich, der Napoleon der Philosophie, die höchste Liebe und der höchste Egoismus, die Alleinherrschaft des Gedankens, der souveräne Wille, der ein schnelles Universalreich improvisierte, das ebenso schnell wieder verschwand, der despotische, schauerlich einsame Idealismus. — Unter seinem konsequenten Tritte erseufzten die geheimen Blumen, die von der Kantischen Guillotine noch verschont geblieben oder seitdem unbemerkt hervorgeblüht waren, die unterdrückten Erdgeister regten sich, der Boden zitterte, die Kontrerevolution brach aus, und unter Schelling erhielt die Vergangenheit mit ihren traditionellen Interessen wieder Anerkenntnis, sogar Entschädigung, und in der neuen Restauration, in der Naturphilosophie, wirtschafteten wieder die grauen Emigranten, die gegen die Herrschaft der Vernunft und der Idee beständig intrigiert, der Mystizismus, der Pietismus, der Jesuitismus, die Legitimität, die Romantik, die Deutschtümelei, die Gemütlichkeit — bis Hegel, der Orleans der Philosophie, ein neues Regiment begründete oder vielmehr ordnete, ein eklektisches Regiment, worin er selber freilich wenig bedeutet, dem er aber an die Spitze gestellt ist, und worin er den alten Kantischen Jakobinern, den Fichte'schen Bonapartisten, den Schellingschen Pairs und seinen eigenen Kreaturen eine feste, verfassungsmäßige Stellung anweist.

In der Philosophie hätten wir also den großen Kreislauf glücklich beschlossen, und es ist natürlich, daß wir jetzt zur Politik übergehen.

HEINRICH HEINE · *Sie erlischt*

Der Vorhang fällt, das Stück ist aus,
Und Herrn und Damen gehn nach Haus.
Ob ihnen auch das Stück gefallen?
Ich glaub, ich hörte Beifall schallen
Ein hochverehrtes Publikum
Beklatschte dankbar seinen Dichter.
Jetzt aber ist das Haus so stumm,
Und sind verschwunden Lust und Lichter.

Doch horch! ein schollernd schnöder Klang
Ertönt unfern der öden Bühne —
Vielleicht daß eine Saite sprang
An einer alten Violine.
Verdrießlich rascheln im Parterr'
Etwelche Ratten hin und her,
Und alles riecht nach ranz'gem Öle.
Die letzte Lampe ächzt und zischt
Verzweiflungsvoll und sie erlischt.
Das arme Licht war meine Seele.

[19] Illusion und Desillusion

HEINRICH HEINE · *Ideen. Das Buch Le Grand.*

Madame! das alte Stück ist eine Tragödie, obschon der Held darin weder ermordet wird, noch sich selbst ermordet. Die Augen der Heldin sind schön, sehr schön — Madame, riechen Sie nicht Veilchenduft? sehr schön und doch so scharf geschliffen, daß sie mir wie gläserne Dolche durch das

Herz drangen, und gewiß aus meinem Rücken wieder herausguckten — aber ich starb doch nicht an diesen meuchelmörderischen Augen. Die Stimme der Heldin ist auch schön — Madame, hörten Sie nicht eine Nachtigall schlagen ? — eine schöne, seidne Stimme, ein süßes Gespinnst der sonnigsten Töne, und meine Seele ward darin verstrickt und würgte sich und quälte sich. Ich selbst — es ist der Graf vom Ganges, der jetzt spricht, und die Geschichte spielt in Venedig — ich selbst hatte mal dergleichen Quälereien satt, und ich dachte schon im ersten Akte dem Spiel ein Ende zu machen, und die Schellenkappe mitsamt dem Kopfe herunter zu schießen, und ich ging nach einem Galanterieladen auf der Via Burstah, wo ich ein Paar schöne Pistolen in einem Kasten ausgestellt fand — ich erinnere mich dessen noch sehr gut, es standen daneben viel freudige Spielsachen von Perlmutter und Gold, eiserne Herzen an güldenen Kettlein, Porzellantassen mit zärtlichen Devisen, Schnupftabaksdosen mit hübschen Bildern, z. B. die göttliche Geschichte von der Susanne, der Schwanengesang der Leda, der Raub der Sabinerinnen, die Lukretia, das dicke Tugendmensch, mit dem entblößten Busen, in den sie sich den Dolch nachträglich hineinstößt, der selige Betmann, la belle ferronière, lauter lockende Gesichter — aber ich kaufte doch die Pistolen, ohne viel zu dingen, und dann kauft' ich Kugeln, dann Pulver, und dann ging ich in den Keller des Signor Unbescheiden, und ließ mir Austern und ein Glas Rheinwein vorstellen. —

Essen konnt' ich nicht und trinken noch viel weniger. Die heißen Tropfen fielen ins Glas, und im Glas sah ich die liebe Heimat, den blauen, heiligen Ganges, den ewig strahlenden Himalaya, die riesigen Bananenwälder, in deren weiten Laubgängen die klugen Elefanten und die weißen Pilger ruhig wandelten, seltsam träumerische Blumen sahen mich an, heimlich mahnend, goldne Wundervögel jubelten wild, flimmernde Sonnenstrahlen und süßnärrische Laute von lachenden Affen neckten mich lieblich, aus fernen Pagoden ertönten die frommen Priestergebete, und dazwischen klang die schmelzend klagende Stimme der Sultanin von Delhi — in ihrem Teppichgemache rannte sie stürmisch auf und nieder, sie zerriß ihren silbernen Schleier, sie stieß zu Boden die schwarze Sklavin mit dem Pfauenwedel, sie weinte, sie tobte, sie schrie — ich konnte sie aber nicht verstehen, der Keller des Signor Unbescheiden ist 3000 Meilen entfernt vom Harem zu Delhi, und dazu war die schöne Sultanin schon tot seit 3000 Jahren — und ich trank hastig den Wein, den hellen freudigen Wein, und doch wurde es in meiner Seele immer dunkler und trauriger — Ich war zum Tode verurteilt — — — — — — — — — — — — — — — — —
— —

Als ich die Kellertreppe wieder hinaufstieg, hörte ich das Armesünderglöckchen läuten, die Menschenmenge wogte vorüber, ich aber stellte mich an die Ecke der Strada San Giovanni und hielt folgenden Monolog:

> In alten Märchen gibt es goldne Schlösser,
> Wo Harfen klingen, schöne Jungfraun tanzen,

Und schmucke Diener blitzen, und Jasmin
Und Myrt' und Rosen ihren Duft verbreiten —
Und doch ein einziges Entzaubrungswort
Macht all' die Herrlichkeit im Nu zerstieben,
Und übrig bleibt nur alter Trümmerschutt
Und krächzend Nachtgevögel und Morast.
So hab' auch ich mit einem einzigen Worte
Die ganze blühende Natur entzaubert.
Da liegt sie nun, leblos und kalt und fahl,
Wie eine aufgeputzte Königsleiche,
Der man die Backenknochen rot gefärbt
Und in die Hand ein Zepter hat gelegt.
Die Lippen aber schauen gelb und welk,
Weil man vergaß, sie gleichfalls rot zu schminken,
Und Mäuse springen um die Königsnase,
Und spotten frech des großen, goldnen Zepters —

Es ist allgemein recipiert, Madame, daß man einen Monolog hält, ehe
man sich totschießt. Die meisten Menschen benutzen bei solcher Gelegenheit das Hamletsche »Sein oder Nichtsein«. Es ist eine gute Stelle, und ich
hätte sie hier auch gern zitiert — aber jeder ist sich selbst der Nächste,
und hat man, wie ich, ebenfalls Tragödien geschrieben, worin solche
Lebensabiturienten-Reden enthalten sind, z.B. den unsterblichen
»Almansor«, so ist es sehr natürlich, daß man seinen eignen Worten sogar
vor den Shakespearschen den Vorzug gibt. Auf jeden Fall sind solche
Reden ein sehr nützlicher Brauch; man gewinnt dadurch wenigstens
Zeit. — Und so geschah es, daß ich an der Ecke der Strada San Giovanni
etwas lange stehen blieb — und als ich da stand, ein Verurteilter, der dem
Tode geweiht war, da erblickte ich plötzlich Sie!

Sie trug ihr blauseidnes Kleid und den rosaroten Hut, und ihr Auge sah
mich an so mild, so todbesiegend, so lebenschenkend —Madame, Sie wissen
wohl aus der römischen Geschichte, daß, wenn die Vestalinnen im alten
Rom auf ihrem Wege einem Verbrecher begegneten, der zur Hinrichtung
geführt wurde, so hatten sie das Recht, ihn zu begnadigen, und der arme
Schelm blieb am Leben. — Mit einem einzigen Blick hat sie mich vom Tode
gerettet, und ich stand vor ihr wie neu belebt, wie geblendet vom Sonnen-
glanze ihrer Schönheit, und sie ging weiter — und ließ mich am Leben.

HEINRICH HEINE · *Leise zieht durch mein Gemüt*

Leise zieht durch mein Gemüt
Liebliches Geläute.
Klinge, kleines Frühlingslied,
Kling hinaus ins Weite.

Kling hinaus, bis an das Haus,
Wo die Blumen sprießen.
Wenn du eine Rose schaust,
Sag, ich laß' sie grüßen.

HEINRICH HEINE · *Das Fräulein stand am Meere*

Das Fräulein stand am Meere
Und seufzte lang und bang,
Es rührte sie so sehre
Der Sonnenuntergang.

Mein Fräulein, sein Sie munter,
Das ist ein altes Stück;
Hier vorne geht sie unter
Und kehrt von hinten zurück.

[20] **Jungdeutscher Sturm und Drang**

HEINRICH LAUBE · *Das junge Europa*

Der junge Dichter Konstantin, der an der Pariser Juli-Revolution teilnimmt, schreibt
an seinen Freund Valerius.

O lieber Valer, tu mir die Freundschaft und tritt recht derb in den Dreck
der Dir verhaßten Welt — ja so, Dir ist sie ja nicht verhaßt — wenn Du
dann die Füße nicht mehr regen kannst, so bildest Du Dir ein, festzustehen.
Brust heraus, Kopf in die Höhe! Und nun laß sausen und brausen —
Mut, klare Augen! Indem ich dies schreibe, tun mir meine Augen sehr weh ...
Noch immer wate ich getrost in der trostlosen Pfütze unsrer Jurisprudenz; warum ich das tu', ist leicht begreiflich: hungern ist immer
besser als verhungern. Wenn ich mehr Mut hätte, tät ich's vielleicht nicht.
Mut, Mut! der fehlt uns und ganz Europa, sonst läg' es nicht so im argen.
Nicht der Mut, Gendarmen zum Einhauen zu kommandieren, wohl aber
der, Lächerlichkeiten ruhig anzusehen oder Ernstes genau und unbefangen
zu prüfen. Die Welt will jetzt nicht nach Gesetzen leben, die da sind,
weil sie da sind, sondern nach Gesetzen, die aus der Zeit und dem Bedürfnisse hervorgehen, von denen sie weiß, warum sie da sind. Gebt gut-
willig, was man Euch später nimmt, und Ihr könnt für willenlose Puppen
Menschen einhandeln, meines Erachtens ein schöner Tausch. Ich bin kein
Narr, der den Staat für ein Rechenexempel ansieht, das in einer Stunde
zustande gebracht ist, aber ich bin auch kein Esel, der sich beruhigt,
wenn er Disteln hat. O, ich sage mit Kaiser Max: »Wenn sich Gott nicht
der Sache erbarmt, ich armer Kaiser und der versoffne Julius werden's
nicht besser machen.«

Steht auf aus euren Gräbern, die ihr sie zugeschnitten habt jene rote Mütze, welche jetzt am Horne des Mondes hängt, vor allen du, Rousseau! Wirf noch einmal dein heiß- und vollblütiges Herz über den Erdkreis, daß ihnen der Blutregen die Augen füllt statt der vergossenen Tränen. Wenn ich oft knirschend am Boden meines Zimmers liege, da richtet mich der Gedanke an jene metallenen, mit Blut bespritzten Helden der Franzosenjugend auf, der Gedanke an den brüllenden Danton mit der Athletenfigur, dem von Pocken zerrissenen Gesichte, wie er einen Vulkan des zertretenen Menschenrechts nach dem andern aus der wogenden Brust herausschleudert; an den blitzenden Desmoulins mit dem garstigen schwarzen Antlitz, der schönen Frau im Arm und die tödliche Gerechtigkeit auf der sprudelnden Lippe; an den rigoristischen, frommen, heuchlerischen Narren Robespierre und die Helden des Ultraismus Sankt Justs, welche die neue schöne Lehre von der Freiheit mit dem stockigen Gifte enthaltsamer Tugend versetzten — wahrhaftig, du hattest recht, als du mir sagtest, alles andere Studium sei heut' toter Kram, die französische Revolutionsgeschichte enthalte alle Fußstapfen unserer kommenden Jahre, man solle sie studieren und den Deutschen endlich eine schreiben, denn sie haben noch keine und nur die Henkerlisten davon, und dann sollten sie die Schulbuben auswendig lernen. Valer, das war Dein größter Gedanke — o rote Freiheitsmütze, wann sieht dich Europas bleiche Sonne wieder! Mein krankes Auge dürstet nach deinem Anblick. —

Es ist gut, wenn man an jemand hängt, es ist eine Art Stütze. Wenn man auch im Wasser ist und sieht nur von fern Land, so hofft man auch wieder. — Warum bist Du nicht bei mir; wie ein verliebtes, schwindsüchtiges Mädchen schmacht' ich nach Dir — selbst Hippolyt wäre jetzt nicht für mich, in einiger Zeit ja, denn ich weiß es, in einiger Zeit werd' ich sehr munter leben, wenn ich wissen werde, wo ich die Million stehle, die ich in die Lüfte und Spelunken streuen will. Kronen und Millionen stiehlt man ungestraft, nur die kleinen Diebe hängt man, nur die kleinen Sünder beichten und büßen. Alles kommt auf die Quantität, die Masse an — mit Millionen von Goldstücken, oder von Liebe, oder von Ehre, oder Lust ist jedermann zu bestechen. Ich schwör' es, jedermann. O, will mich niemand bestechen!?

Um mich verrückt zu machen, fehlt weiter nichts als die Liebe — wenn ich nicht so sehr liebte, wär' ich längst verrückt. Es gibt keinen liebevolleren Menschen als mich. Die winselnden Lyrika scheinen uns verlassen zu haben, und das ist gut, ich halte sie nur für eine Übergangstufe. Der Dichter soll und muß über der Empfindung stehen.

Ach, und doch wären mir einige lyrische Gedichte notwendig und erleichternd, wie Tränen. Ich habe beides nicht. Frag nicht nach dem Mädchen, denn ich hasse es. Deine nächsten Briefe schicke frankiert. — Ade!

DER REALISMUS

Realismus bedeutet bewußte Abkehr vom Idealismus der Klassik und Romantik und der Philosophie jenes Zeitraumes sowie betonte Hinwendung zur Wirklichkeit, und zwar in stofflicher wie in formaler Hinsicht. Die Mächte der aufstrebenden Technik und Industrie, des Geldes und der Wirtschaft führten zu neuen Konzeptionen der sozialen und staatlichen Ordnung, waren aber auch begleitet von Umbrüchen im wissenschaftlichen und religiösen Denken der Zeit. Die Einschätzung des Irdischen als alleiniger Realität bewirkte eine Entgötterung der Welt, deren Extreme im Materialismus und Pessimismus lagen. Dem Dichter freilich ging es auch um das Aufspüren einer Ordnung, die in den Dingen der Natur, im All, gesucht und gefunden wurde und in die der Mensch mit einbezogen war. So traten neben Resignation und Entsagung eine neue Weltgläubigkeit, Besinnung auf die Kräfte der Erde und des Volkstums, ein humorvolles Über-der-Zeit-Stehen und eine neue, häufig auf christliche Tugenden sich stützende Humanitas. Man ist letztlich auf die Erkenntnis des ganzen Menschen, dessen innere Schönheit selbst eine äußere Häßlichkeit durchstrahlt, und einer sinnvollen Welt, in die der Tod mit einbegriffen bleibt, bedacht.

Den FRÜHEN REALISMUS prägte das Bewußtsein vom epigonalen Charakter des eigenen Zeitalters. Man trug die *Last des Erbes* [1] von Klassik und Romantik und stand, unter dem Eindruck ihrer geschlossenen Weltbilder, hilflos der Auflösung und Skepsis, der Illusionslosigkeit und Nüchternheit gegenüber. So blieb nur die *Wendung zur Wirklichkeit* [2], das Genügen an ihr unter Verzicht auf christliche oder idealistische Transzendenz. Aber zwischen Tradition und neuer Wirklichkeit fehlte noch der sichere Halt; die Welt läuft nach Grabbes Meinung im Kreise, ihre Ordnung sei ein Karussell mit steter Wiederkehr und monotonem Gleichlauf: *'s ist ja alles Komödie* [3]. Von hier aus war ein Schritt zum *Lebensekel* [4], der Büchners Danton bestimmt. Unberührt von allem menschlichen Glück und Leid blieb das All ein *rätselhaftes Weltwesen* [5]; den Dichter erbarmt der *Schmerz der Kreatur* [6]. Aus dem Erlebnis der Kluft zwischen All und Mensch wuchsen dem frühen Realismus jedoch auch Kräfte zu, die den Zwiespalt zu überbrücken suchten, ohne daß sich der Mensch dem Abgründigen verschloß. In diesem Sinne muß etwa das *Ringen um Gott* [7] der Droste verstanden werden. In aller *Offenheit der Sinne* [8] wird daneben bei ihr die ganze Weltfülle eingefangen und mit dem Innerweltlichen, der Seele, in Beziehung gesetzt. Mörikes Gedichten gelingt schon eine *Weltfrömmigkeit* [9], die vom Idyll über die »Schwärmerei der Seele« bis zur Mythisierung der Natur reicht und die dämonische Tiefe menschlichen Strebens einschließt. Das Bedrohliche behielt Mörike in der Gewalt; beide Seiten des Lebens treffen sich in der Einmaligkeit des Augenblicks, der das Kunstwerk gebiert. Hier befindet sich *die Welt im Gleichgewicht* [10].

Auf der HÖHE DES REALISMUS wurde die Kluft zwischen dem Göttlichen und Menschlichen überwunden durch einen neuen Glauben an die Wirklichkeit als Wert und Teil der göttlichen Ordnung. Die Realität wurde nicht nur in ihrem Dasein hingenommen, sondern bejaht; Mensch und Natur bilden eine Einheit, die abweisende Strenge des Aorgischen (der für menschliches Geschehen gefühllosen Natur) ist ersetzt durch eine neue Weltgläubigkeit. Die Dichter bejahten das Diesseitige und setzten dem Zeitgeist mit seiner zunehmenden Verstädterung und dem Verfall von Sitte und Glauben ein in der Heimat verwurzeltes Leben gegenüber. Gotthelf predigte die *Ehrbarkeit des Bäuerlichen* [11] und gelangte in seinen Dichtungen zu einem *Ethischen Realismus* [12], in dem Gut und Böse inmitten einer urtümlich erfaßten Natur stehen. Vor der Größe der erhabenen Natur war der Mensch zwar immer noch unbedeutend klein, aber er fühlte sich in ihr auf-gehoben im doppelten Sinn des Wortes, d. h. auch geborgen. Auf solchem Wissen um das *Verloren- und Geborgensein* [13] des Menschen gründet Stifters Weltsicht, die selbst im Unscheinbarsten der Natur Gottes Allmacht und Größe, das *sanfte Gesetz* [14] entdeckte und dem Wilden und Häßlichen gegenüber *um echte Schönheit* [15] bemüht blieb. Sein Menschenbild gipfelt in einer *christlichen Humanitas* [16], die zu Winckelmanns edler Einfalt und stiller Größe noch die Güte im Sinne der Agape zufügte und z. B. Witiko als den »Mann des Rechts« zeigte; Recht aber war für Stifter »der irdisch analoge Ausdruck der himmlischen Souveränität Gottes«. — Hebbel hingegen, Stifters Antipode, überwand die dämonische Weltsicht des frühen Realismus durch *immanente Transzendenz* [17]: Das Göttliche leuchtete ihm in der All-Einheit des steigenden, sich neigenden Lebens auf. Dieser Weitung ins Kosmische entsprach das tragische Weltbild seiner Dramen. *Schuldigwerden des einzelnen, Fortgang des Weltganzen* [18] vollziehe sich nicht innerhalb einer axiomatischen ethischen Ordnung, sondern das Individuum werde gleichsam soziologisch (nicht moralisch) schuldig in seiner Vereinzelung und ermögliche durch sein Aufbegehren gegen das Herkommen und sein Opfer den Fortgang des Weltganzen. Auch die *tragische bürgerliche Welt* [19] seiner »Maria Magdalene« mit der Schilderung der muffigen kleinbürgerlichen Vorurteile und Pseudoehrbegriffe wurde für Hebbel zum Ausdruck des Ringens um eine neue Sittlichkeit, die dem drohenden Untergang der bürgerlichen Welt begegnen könnte. Blieb Hebbel somit in seiner Ideen-Dialektik wenigstens noch in gewisser Beziehung Metaphysiker, so wurde für den jungen Keller der *Materialismus* [20] seines Lehrers Feuerbach zum entscheidenden Bildungserlebnis. Sein Werk freilich hielt sich vom oberflächlichen Fortschrittsoptimismus ebenso fern wie von einem Rückfall in romantischen Stimmungszauber. Ein Vergleich der beiden Fassungen seines Romans »Der grüne Heinrich« zeigt ihn auf der Suche nach einem *Weg zum tätigen Leben* [21], das auf Solidität bedacht ist und in seine Ganzheit Liebe und Haß und auch den Tod mit hineinnimmt. Gerade weil er um die Begrenztheit des Gut-Bürgerlichen wußte, sparte er nicht mit Kritik und Skepsis, und das Ringen *ums rechte Maß* [22] war ihm ein ernstes Anliegen (etwa in der liebenswürdig verschwebenden Form seiner Legenden). — Bei C. F. Meyer erfolgte die Auseinandersetzung mit den Lebensmächten in stark distanzierender dichterischer Form; es war eine *Flucht in die Geschichte* [23], die mit ihren Stoffen und Gestalten dem gesundheitlich gefährdeten Dichter näher stand als die Gegenwart. Aber bei aller Stilisierung und marmornen Schönheit seiner Dichtungen teilte er die Einsamkeit seiner tragischen Gestalten und ihre Einsicht in die *Widersprüchlichkeit des Lebens* [24]. In seinen Gedichten unterwarf er sich einer betonten *Zucht der Form* [25], die dem Bildhaft-Tektonischen den Vorzug gab vor dem Gesanglich-Musikalischen. Sein strenger Stilwille nahm damit schon Bestrebungen der Moderne vorweg. — In der zunehmenden Entseelung der Welt kündeten die Geschichten und Aphorismen der Ebner-Eschenbach von einer fraulichen *Menschenfreundlichkeit* [26], die humane Gesinnung mit künstlerischem Gestaltungsvermögen verschmelzen ließ.

Der AUSKLANG DES REALISMUS war gekennzeichnet durch den Verlust der verbliebenen »immanenten Transzendenz«. Storm flüchtete in ein genügsam-*friedliches Abseits* [27] mit dem Stimmungszauber aus Erinnerung und Entsagung. Raabe lehrte ein geduldsames, entsagungsvolles Sich-Bescheiden, über dem das Motto stand: *Sieh nach den Sternen — gib acht auf die Gassen!* [28]. Hans Unwirrsch besteht seinen Weg vom armen Schustersohn zum Hungerpastor im steten »Hunger nach dem Maß der Dinge«, nach dem »inneren Licht« der Gelassenheit, was von einer skurril gesehenen kleinstädtischen Umwelt als Versagen gedeutet wird, in Wirklichkeit aber inneres Glück bedeutet: ein Glück der Entsagung mit einem *Lächeln unter Tränen* [29]. Immer wieder wurden *Humor und Karikatur als Waffe* [30] dazu benutzt, die von allen Seiten andrängenden

Dämonen abzuwehren. Fontane empfahl ein tapferes Aushalten und Haltung-Bewahren, auch wenn keine Hoffnung bliebe. *Skepsis und Sitte* [31] bestimmten seine Weltschau, in der kein Platz für Transzendenz, Pathos, metaphysische Spekulation oder auch nur Erziehen-Wollen mehr war. »Die Sitte gilt und muß gelten. Und weil es so ist, wie es ist, ist es am besten, man bleibt davon und rührt nicht daran.« Wer wie Effi Briest daran rührt, muß untergehen. Voll herber Wahrhaftigkeit und lauterer Illusionslosigkeit stellt sich uns so das Werk Fontanes dar; der Naturalismus konnte daran anschließen.

Der frühe Realismus

[1] **Last des Erbes**

Karl Leberecht Immermann · *Die Epigonen*

Wir können nicht leugnen, daß über unsre Häupter eine gefährliche Weltepoche hereingebrochen ist. Unglücks haben die Menschen zu allen Zeiten genug gehabt; der Fluch des gegenwärtigen Geschlechts ist aber, sich auch ohne alles besondre Leid unselig zu fühlen. Ein ödes Wanken und Schwanken, ein lächerliches Sichernststellen und Zerstreutsein, ein Haschen, man weiß nicht, wonach, eine Furcht vor Schrecknissen, die um so unheimlicher sind, als sie keine Gestalt haben! Es ist, als ob die Menschheit, in ihrem Schifflein auf einem übergewaltigen Meere umhergeworfen, an einer moralischen Seekrankheit leide, deren Ende kaum abzusehn ist.

Man muß noch zum Teil einer andern Periode angehört haben, um den Gegensatz der beiden Zeiten, deren jüngste die Revolution in ihrem Anfangspunkte bezeichnet, ganz empfinden zu können. Unsre Tagesschwätzer sehen mit großer Verachtung auf jenen Zustand Deutschlands, wie er gegen das letzte Viertel des vorigen Jahrhunderts sich ausgebildet hatte und noch eine Reihe von Jahren nachwirkte, herab. Er kommt ihnen schal und dürftig vor; aber sie irren sich. Freilich wußten und trieben die Menschen damals nicht so vielerlei als jetzt; die Kreise, in denen sie sich bewegten, waren kleiner, aber man war mehr in seinem Kreise zu Hause; man trieb die Sache um der Sache willen, und, daß ich bei der Schutzrede für die Beschränkung mit einem recht beschränkten Sprüchlein argumentiere: der Schuster blieb bei seinem Leisten. Jetzt ist jedem Schuster der Leisten zu gering, woher es auch rührt, daß kein Schuh mehr uns bequem sitzen will.

Wir sind, um in einem Worte das ganze Elend auszusprechen, Epigonen und tragen an der Last, die jeder Erb- und Nachgeborenschaft anzukleben pflegt. Die große Bewegung im Reiche des Geistes, welche unsre Väter von ihren Hütten und Hüttchen aus unternahmen, hat uns eine Menge von Schätzen zugeführt, welche nun auf allen Markttischen ausliegen. Ohne sonderliche Anstrengung vermag auch die geringe Fähigkeit wenigstens die Scheidemünze jeder Kunst und Wissenschaft zu erwerben. Aber es geht mit geborgten Ideen wie mit geborgtem Gelde: wer mit fremdem

Gute leichtfertig wirtschaftet, wird immer ärmer. Aus dieser Bereitwilligkeit der himmlischen Göttin gegen jeden Dummkopf ist eine ganz eigentümliche Verderbnis des Worts entstanden. Man hat dieses Palladium der Menschheit, dieses Taufzeugnis unsres göttlichen Ursprungs, zur Lüge gemacht, man hat seine Jungfräulichkeit entehrt. Für den windigsten Schein, für die hohlsten Meinungen, für das leerste Herz findet man überall mit leichter Mühe die geistreichsten, gehaltvollsten, kräftigsten Redensarten. Das alte schlichte »Überzeugung« ist deshalb auch aus der Mode gekommen, und man beliebt, von Ansichten zu reden. Aber auch damit sagt man noch meistensteils eine Unwahrheit; denn in der Regel hat man nicht einmal die Dinge angesehn, von denen man redet und womit beschäftigt zu sein man vorgibt.

[2] **Wendung zur Wirklichkeit**

KARL LEBERECHT IMMERMANN

Chiliastische Sonette

Wie Wahnwitz müssen klingen euch die Worte,
Denn nimmer ist der Ding' urmächt'ges Prangen
In euern ganz verarmten Sinn gegangen,
Ihr rauft von grünen Wiesen das Verdorrte.

Ihr sitzt beständig in des Hauses Pforte
Und fühlt ein schmerzliches, ein sehnend Bangen,
Ins Inn're der Gemächer zu gelangen,
Wollt aber euch nicht rühren von dem Orte.

Ihr seid so ferne jeglichem Genusse,
Daß mir die Zähre kommt, euch zu beweinen,
Wiewohl ihr mich verlacht, wenn ich euch frage:

Ob ihr den Gott genoßt im Brot am Tage?
Ob Engel mochten eurer Nacht erscheinen?
Ob Andacht euch durchschauert hat im Kusse?

[3] **'s ist ja alles Komödie**

CHRISTIAN DIETRICH GRABBE · *Napoleon oder die hundert Tage*

EINE DAME: Wie schrecklich donnern die Kanonen — von allen Seiten, den ganzen Morgen schon.
JOUVE: Es sind die bestellten Salven vom Invalidenhause, von Montmartre und Vincennes.

DIE DAME: Heute ist doch ein großer Tag.

JOUVE: Wenigstens knallt er sehr. — Mademoiselle, oder, wie ich glauben muß, Madame, weil Ihre Schönheit schon irgend Jemand zur Heirat bezaubert haben wird —

DIE DAME (*für sich*): Wie galant der Herr ist!

JOUVE: — lassen Sie uns weiter links gehen — von hier aus erblicken wir nichts. (*Für sich*): Auch eine vor Eitelkeit lächelnde Bestie — vielleicht gut genug zur Zerstreuung.

DIE DAME: Mein Herr, wie dringen wir so weit durch? Es ist überall Volk.

JOUVE: Volk! Weiter nichts? Auseinander der Dreck — (*Er ruft*): Ein Adler! ein Adler! Da fliegt er — von der Militärschule herüber — Welches günstige Zeichen!

VOLK (*durcheinander*): Ein Adler! Ein Adler! Siehst Du ihn? — Nein — Da ist er! — Das ist ja eine Wolke — Wolke? Ein Haufen Adler, wollt Ihr sagen!

JOUVE: Nun, meine Dame, lassen Sie die Herren den Himmel betrachten — wir kommen auf der Erde desto weiter.

DIE DAME: Sie sind ein Genie, mein Herr, und Ihre Hände sind sehr kräftig.

JOUVE: Es geht mir wie einigen Monarchen: zum Amusement schmiede ich bisweilen.

DIE DAME: Mein Wagen hält nicht weit von uns. — Fahren Sie mit mir nach Haus zum Souper?

JOUVE: Ohne andere Begleitung?

DIE DAME: Nun Ihre Ehre soll mich führen.

JOUVE (*für sich*): Wer weiß, wohin wir dann geraten. (*Laut*): Ich nehme die Einladung an, und Sie sollen meine Ehre Ihrer Erwartung gemäß finden. — Oh — da stehen schon die allerliebsten Weihnachtspuppen, die Nationalgarden — dort sprengen Mamelucken oder gut verkleidete Franzosen heran — da brüstet sich die alte, da die neue Garde zu Pferd und zu Fuß mit dem schnöden Trabantenstolze —

DIE DAME: Wie Sie alles scharf und richtig bezeichnen!

JOUVE: Der Erzbischof von Paris mit seinen Pfaffen fängt an die Ceremonie einzuräuchern — Wenn die Religion von dem vielen Dampf, den sie machen muß, nur nicht bald selbst verdampft! —

DIE DAME: Sehen, sehen Sie! Pairs, Deputierte, Senatoren setzen sich auf ihre Plätze! — Welche prächtige Mäntel sie tragen!

JOUVE: Und da steigt Bonaparte auf das Gerüst mit seinen gleichfalls aufgeputzten Ministern.

Donnerndes Geschrei der Truppen und des Volkes: Hoch lebe der Kaiser!

DIE DAME: Er ist wahrlich ein großer Mann.

JOUVE: Er verstand, auf unsren Nacken sich zu erheben.

DIE DAME: Wie Sie sagen? — — Wie ernst-majestätisch er blickt.

JOUVE: Solange er weiß, daß ihn die Menge anblickt. Zu Hause ist er nach den Umständen mürrisch, lustig, schwatzhaft, wie jeder andere. Geht er aus, so überlegt er, wenn er im Zweifel ist, erst mit dem Komödianten Talma Mienenspiel und Faltenwurf. (*Für sich*): 's ist ja alles Komödie. — Es wird nächstens schwer halten, Theaterprinzessinnen von echten zu unterscheiden.

DIE DAME: Da tritt ein Herr vor, die additionelle Zusatznote zu lesen.

JOUVE: Ja, er spuckt schon aus.

DIE DAME: Diese Note wird die Revolution beendigen.

JOUVE: Auf das Ende, Madame, folgt stets wieder ein Anfang.

[4] Lebensekel

GEORG BÜCHNER · *Dantons Tod*

Danton, zum Tode verurteilt, unterhält sich kurz vor der Hinrichtung mit seinen Leidensgefährten in der Conciergerie.

DANTON: Wenn einmal die Geschichte ihre Grüfte öffnet, kann der Despotismus noch immer an dem Duft unsrer Leichen ersticken.

HÉRAULT: Wir stanken bei Lebzeiten schon hinlänglich. — Das sind Phrasen für die Nachwelt, nicht wahr, Danton; uns gehn sie eigentlich nichts an.

CAMILLE: Er zieht ein Gesicht, als solle es versteinern und von der Nachwelt als Antike ausgegraben werden.

Das verlohnt sich auch der Mühe, Mäulchen zu machen und Rot aufzulegen und mit einem guten Akzent zu sprechen; wir sollten einmal die Masken abnehmen, wir sähen dann, wie in einem Zimmer mit Spiegeln, überall nur den einen uralten, zahnlosen, unverwüstlichen Schafskopf, nichts mehr, nichts weniger. Die Unterschiede sind so groß nicht, wir alle sind Schurken und Engel, Dummköpfe und Genies, und zwar das alles in einem: die vier Dinge finden Platz genug in dem nämlichen Körper, sie sind nicht so breit, als man sich einbildet. Schlafen, Verdauen, Kinder machen — das treiben alle; die übrigen Dinge sind nur Variationen aus verschiedenen Tonarten über das nämliche Thema. Da braucht man sich auf die Zehen zu stellen und Gesichter zu schneiden, da braucht man sich voreinander zu genieren! Wir haben uns alle am nämlichen Tische krank gegessen und haben Leibgrimmen; was haltet ihr euch die Servietten vor das Gesicht? Schreit nur und greint, wie es euch ankommt! Schneidet nur keine so tugendhafte und so witzige und so heroische und so geniale Grimassen, wir kennen uns ja einander, spart euch die Mühe!

HÉRAULT: Ja, Camille, wir wollen uns beieinandersetzen und schreien; nichts dümmer, als die Lippen zusammenzupressen, wenn einem was weh tut. — Griechen und Götter schrien, Römer und Stoiker machten die heroische Fratze.

DANTON: Die einen waren so gut Epikureer wie die andern. Sie machten sich ein ganz behagliches Selbstgefühl zurecht. Es ist nicht so übel, seine Toga zu drapieren und sich umzusehen, ob man einen langen Schatten

wirft. Was sollen wir uns zerren? Ob wir uns nun Lorbeerblätter, Rosenkränze oder Weinlaub vor die Scham binden oder das häßliche Ding offen
tragen und es uns von den Hunden lecken lassen?

PHILIPPEAU: Meine Freunde, man braucht gerade nicht hoch über der
Erde zu stehen, um von all dem wirren Schwanken und Flimmern nichts
mehr zu sehen und die Augen von einigen großen, göttlichen Linien erfüllt
zu haben. Es gibt ein Ohr, für welches das Ineinanderschreien und der
Zeter, die uns betäuben, ein Strom von Harmonien sind.

DANTON: Aber wir sind die armen Musikanten und unsere Körper die
Instrumente. Sind die häßlichen Töne, welche auf ihnen herausgepfuscht
werden, nur da, um höher und höher dringend und endlich leise verhallend
wie ein wollüstiger Hauch in himmlischen Ohren zu sterben?

HÉRAULT: Sind wir wie Ferkel, die man für fürstliche Tafeln mit Ruten
totpeitscht, damit ihr Fleisch schmackhafter werde?

DANTON: Sind wir Kinder, die in den glühenden Molochsarmen dieser
Welt gebraten und mit Lichtstrahlen gekitzelt werden, damit die Götter
sich über ihr Lachen freuen?

CAMILLE: Ist denn der Äther mit seinen Goldaugen eine Schüssel mit
Goldkarpfen, die am Tisch der seligen Götter steht, und die seligen Götter
lachen ewig, und die Fische sterben ewig, und die Götter erfreuen sich
ewig am Farbenspiel des Todeskampfes?

DANTON: Die Welt ist das Chaos. Das Nichts ist der zu gebärende Welt-
gott.

(*Der Schließer tritt ein.*)

SCHLIESSER: Meine Herren, Sie können abfahren, die Wagen halten vor
der Tür.

PHILIPPEAU: Gute Nacht, meine Freunde! Legen wir ruhig die große
Decke über uns, worunter alle Herzen ausschlagen und alle Augen zu-
fallen.

(*Sie umarmen einander.*)

[5] **Rätselhaftes Weltwesen**

GEORG BÜCHNER · *Lenz*

Oberlin war im Zimmer; Lenz kam heiter auf ihn zu und sagte ihm, er
möge wohl einmal predigen. »Sind Sie Theologe?« — »Ja!« — »Gut, nächsten Sonntag.«

Lenz ging vergnügt auf sein Zimmer. Er dachte auf einen Text zum
Predigen und verfiel in Sinnen, und seine Nächte wurden ruhig. Der
Sonntagmorgen kam, es war Tauwetter eingefallen. Vorüberstreifende
Wolken, Blau dazwischen. Die Kirche lag neben am Berg hinauf, auf
einem Vorsprung; der Kirchhof drumherum. Lenz stand oben, wie die
Glocke läutete und die Kirchengänger, die Weiber und Mädchen in ihrer
ernsten schwarzen Tracht, das weiße, gefaltete Schnupftuch auf dem

Gesangbuch und den Rosmarinzweig, von den verschiedenen Seiten die schmalen Pfade zwischen den Felsen herauf- und herabkamen. Ein Sonnenblick lag manchmal über dem Tal, die laue Luft regte sich langsam, die Landschaft schwamm im Duft, fernes Geläute — es war, als löste sich alles in eine harmonische Welle auf.

Auf dem kleinen Kirchhof war der Schnee weg, dunkles Moos unter den schwarzen Kreuzen; ein verspäteter Rosenstrauch lehnte an der Kirchhofmauer, verspätete Blumen dazu unter dem Moos hervor; manchmal Sonne, dann wieder dunkel. Die Kirche fing an, die Menschenstimmen begegneten sich im reinen hellen Klang; ein Eindruck, als schaue man in reines, durchsichtiges Bergwasser. Der Gesang verhallte — Lenz sprach. Er war schüchtern; unter den Tönen hatte sein Starrkrampf sich ganz gelegt, sein ganzer Schmerz wachte jetzt auf und legte sich in sein Herz. Ein süßes Gefühl unendlichen Wohls beschlich ihn. Er sprach einfach mit den Leuten; sie litten alle mit ihm, und es war ihm ein Trost, wenn er über einige müdgeweinte Augen Schlaf und gequälten Herzen Ruhe bringen, wenn er über dieses von materiellen Bedürfnissen gequälte Sein, diese dumpfen Leiden gen Himmel leiten konnte. Er war fester geworden, wie er schloß — da fingen die Stimmen wieder an:

> Laß in mir die heilgen Schmerzen,
> Tiefe Bronnen ganz aufbrechen;
> Leiden sei all mein Gewinst,
> Leiden sei mein Gottesdienst.

Das Drängen in ihm, die Musik, der Schmerz, erschütterte ihn. Das All war für ihn in Wunden; er fühlte tiefen, unnennbaren Schmerz davon. Jetzt ein anderes Sein: göttliche, zuckende Lippen bückten sich über ihn nieder und sogen sich an seine Lippen; er ging auf sein einsames Zimmer. Er war allein, allein! Da rauschte die Quelle, Ströme brachen aus seinen Augen, er krümmte sich in sich, es zuckten seine Glieder, es war ihm, als müsse er sich auflösen, er konnte kein Ende finden der Wollust. Endlich dämmerte es in ihm: er empfand ein leises tiefes Mitleid mit sich selbst, er weinte über sich; sein Haupt sank auf die Brust, er schlief ein. Der Vollmond stand am Himmel; die Locken fielen ihm über die Schläfe und das Gesicht, die Tränen hingen ihm an den Wimpern und trockneten auf den Wangen — so lag er nun da allein, und alles war ruhig und still und kalt, und der Mond schien die ganze Nacht und stand über den Bergen . . .

Am 3. Hornung hörte er, ein Kind in Fouday sei gestorben, das Friederike hieß; er faßte es auf wie eine fixe Idee. Er zog sich in sein Zimmer zurück und fastete einen Tag. Am 4. trat er plötzlich ins Zimmer zu Madame Oberlin; er hatte sich das Gesicht mit Asche beschmiert und forderte einen alten Sack. Sie erschrak, man gab ihm, was er verlangte. Er wickelte den Sack um sich wie ein Büßender und schlug den Weg nach Fouday ein. Die Leute im Tale waren ihn schon gewohnt; man erzählte sich allerlei Seltsames von ihm. Er kam ins Haus, wo das Kind lag. Die

Leute gingen gleichgültig ihrem Geschäfte nach; man wies ihm eine Kammer: das Kind lag im Hemde auf Stroh, auf einem Holztisch.

Lenz schauderte, wie er die kalten Glieder berührte und die halbgeöffneten gläsernen Augen sah. Das Kind kam ihm so verlassen vor, und er sich so allein und einsam. Er warf sich über die Leiche nieder. Der Tod erschreckte ihn, ein heftiger Schmerz faßte ihn an: diese Züge, dieses stille Gesicht sollte verwesen — er warf sich nieder; er betete mit allem Jammer der Verzweiflung, daß Gott ein Zeichen an ihm tue und das Kind beleben möge, wie er schwach und unglücklich sei; dann sank er ganz in sich und wühlte all seinen Willen auf einen Punkt. So saß er lange starr. Dann erhob er sich und faßte die Hände des Kindes und sprach laut und fest: Stehe auf und wandle! Aber die Wände hallten ihm nüchtern den Ton nach, daß es zu spotten schien, und die Leiche blieb kalt. Da stürzte er halb wahnsinnig nieder; dann jagte es ihn auf, hinaus ins Gebirg.

Wolken zogen rasch über den Mond; bald alles im Finstern, bald zeigten sie die nebelhaft verschwindende Landschaft im Mondschein. Er rannte auf und ab. In seiner Brust war ein Triumphgesang der Hölle. Der Wind klang wie ein Titanenlied. Es war ihm als könne er eine ungeheure Faust hinauf in den Himmel ballen und Gott herbeireißen und zwischen seinen Wolken schleifen; als könnte er die Welt mit den Zähnen zermalmen und sie dem Schöpfer ins Gesicht speien; er schwur, er lästerte. So kam er auf die Höhe des Gebirges, und das ungewisse Licht dehnte sich hinunter, wo die weißen Steinmassen lagen, und der Himmel war ein dummes blaues Aug, und der Mond stand ganz lächerlich drin, einfältig. Lenz mußte laut lachen, und mit dem Lachen griff der Atheismus ihn an und faßte ihn ganz sicher und ruhig und fest. Er wußte nicht mehr, was ihn vorhin so bewegt hatte, es fror ihn; er dachte, er wollte jetzt zu Bette gehn, und er ging kalt und unerschütterlich durch das unheimliche Dunkel — es war ihm alles leer und hohl, er mußte laufen und ging zu Bette.

[6] **Schmerz der Kreatur**

GEORG BÜCHNER · *Woyzeck*

GROSSMUTTER: Kommt ihr kleinen Krabben! — Es war einmal ein arm Kind und hatt kein Vater und keine Mutter, war alles tot und war niemand mehr auf der Welt. Alles tot, und es is hingangen und hat gesucht Tag und Nacht. Und weil auf der Erde niemand mehr war, wollt's in Himmel gehn, und der Mond guckt es so freundlich an; und wie es endlich zum Mond kam, war's ein Stück faul Holz. Und da is es zur Sonn gangen, und wie es zur Sonn kam, war's ein verwelkt Sonneblum. Und wie's zu den Sternen kam, waren's kleine goldne Mücken, die waren angesteckt, wie der Neuntöter sie auf die Schlehen steckt. Und wie's wieder auf die Erde wollt, war die Erde ein umgestürzter Hafen. Und es war ganz allein. Und da hat sich's hingesetzt und geweint, und da sitzt es noch und is ganz allein.

Georg Büchner · *Woyzeck*

(Zimmer. Hauptmann auf einem Stuhl; Woyzeck rasiert ihn.)

HAUPTMANN: Langsam, Woyzeck, langsam; eins nach dem anderen! Er macht mir ganz schwindlig. Was soll ich dann mit den zehn Minuten anfangen, die Er heut zu früh fertig wird? Woyzeck, bedenk Er, Er hat noch seine schöne dreißig Jahr zu leben, dreißig Jahr! Macht dreihundertsechzig Monate, und Tage, Stunden, Minuten! Was will Er denn mit der ungeheuren Zeit all anfangen? Teil Er sich ein, Woyzeck!

WOYZECK: Jawohl, Herr Hauptmann!

HAUPTMANN: Es wird mir ganz angst um die Welt, wenn ich an die Ewigkeit denke. Beschäftigung, Woyzeck, Beschäftigung! Ewig, das ist ewig, das ist ewig — das siehst du ein; nun ist es aber wieder nicht ewig, und das ist ein Augenblick, ja, ein Augenblick — Woyzeck, es schaudert mich, wenn ich denke, daß sich die Welt in einem Tag herumdreht! Was 'n Zeitverschwendung! Wo soll das hinaus? Woyzeck, ich kann kein Mühlrad mehr sehn, oder ich werd melancholisch.

WOYZECK: Jawohl, Herr Hauptmann.

HAUPTMANN: Woyzeck, Er sieht immer so verhetzt aus! Ein guter Mensch tut das nicht, ein guter Mensch, der sein gutes Gewissen hat. — Red Er doch was, Woyzeck! Was ist heut für Wetter?

WOYZECK: Schlimm, Herr Hauptmann, schlimm; Wind!

HAUPTMANN: Ich spür's schon, 's ist so was Geschwindes draußen; so ein Wind macht mir den Effekt wie eine Maus. *(Pfiffig.)* Ich glaub, wir haben so was aus Süd-Nord?

WOYZECK: Jawohl, Herr Hauptmann.

HAUPTMANN: Ha, ha, ha! Süd-Nord! Ha, ha, ha! Oh, Er ist dumm, ganz abscheulich dumm! *(Gerührt.)* Woyzeck, Er ist ein guter Mensch — aber *(mit Würde)* Woyzeck, Er hat keine Moral! Moral, das ist, wenn man moralisch ist, versteht Er. Es ist ein gutes Wort. Er hat ein Kind, ohne den Segen der Kirche, wie unser hochehrwürdiger Herr Garnisonsprediger sagt, ohne den Segen der Kirche, es ist nicht von mir.

WOYZECK: Herr Hauptmann, der liebe Gott wird den armen Wurm nicht drum ansehen, ob das Amen drüber gesagt ist, eh er gemacht wurde. Der Herr sprach: Lasset die Kleinen zu mir kommen!

HAUPTMANN: Was sagt Er da? Was ist das für eine kuriose Antwort? Er macht mich ganz konfus mit seiner Antwort. Wenn ich sag: Er, so mein ich Ihn, Ihn —

WOYZECK: Wir arme Leut — Sehn Sie, Herr Hauptmann; Geld, Geld! Wer kein Geld hat — Da setz einmal eines seinesgleichen auf die Moral in die Welt. Man hat auch sein Fleisch und Blut. Unsereins ist doch einmal unselig in der und der andern Welt. Ich glaub, wenn wir in Himmel kämen, so müßten wir donnern helfen.

HAUPTMANN: Woyzeck, Er hat keine Tugend, Er ist kein tugendhafter Mensch. Fleisch und Blut? Wenn ich am Fenster lieg, wenn's geregnet hat, und den weißen Strümpfen so nachseh, wie sie über die Gassen

springen — verdammt, Woyzeck, da kommt mir die Liebe. Ich hab auch
Fleisch und Blut. Aber, Woyzeck, die Tugend, die Tugend! Wie sollte ich
dann die Zeit herumbringen? Ich sag mir immer: du bist ein tugendhafter
Mensch, *(gerührt)* ein guter Mensch, ein guter Mensch.

WOYZECK: Ja, Herr Hauptmann, die Tugend, ich hab's noch nit so aus.
Sehn Sie, wir gemeine Leut, das hat keine Tugend, es kommt einem nur
so die Natur; aber wenn ich ein Herr wär und hätt ein' Hut und eine Uhr
und eine Anglaise und könnt vornehm reden, ich wollt schon tugendhaft
sein. Es muß was Schönes sein um die Tugend, Herr Hauptmann. Aber,
ich bin ein armer Kerl!

HAUPTMANN: Gut, Woyzeck. Du bist ein guter Mensch, ein guter Mensch.
Aber du denkst zu viel, das zehrt; du siehst immer so verhetzt aus. — Der
Diskurs hat mich ganz angegriffen. Geh jetzt und renn nicht so; langsam,
hübsch langsam die Straße hinunter!

[7] **Ringen um Gott**

ANNETTE VON DROSTE-HÜLSHOFF

Am letzten Tage des Jahres (Silvester)

Das Jahr geht um,
Der Faden rollt sich sausend ab.
Ein Stündchen noch, das letzte heut,
Und stäubend rieselt in sein Grab,
Was einstens war lebendge Zeit.
Ich harre stumm.

's ist tiefe Nacht!
Ob wohl ein Auge offen noch?
In diesen Mauern rüttelt dein
Verrinnen, Zeit! Mir schaudert, doch
Es will die letzte Stunde sein
Einsam durchwacht,

Gesehen all,
Was ich begangen und gedacht.
Was mir aus Haupt und Herzen stieg,
Das steht nun eine ernste Wacht
Am Himmelstor. O halber Sieg!
O schwerer Fall!

Wie reißt der Wind
Am Fensterkreuze! Ja, es will
Auf Sturmesfittichen das Jahr
Zerstäuben, nicht ein Schatten still
Verhauchen unterm Sternenklar.
Du Sündenkind,

War nicht ein hohl
Und heimlich Sausen jeder Tag
In deiner wüsten Brust Verlies,
Wo langsam Stein an Stein zerbrach,
Wenn es den kalten Odem stieß
Vom starren Pol?

Mein Lämpchen will
Verlöschen, und begierig saugt
Der Docht den letzten Tropfen Öl.
Ist so mein Leben auch verraucht?
Eröffnet sich des Grabes Höhl
Mir schwarz und still?

Wohl in dem Kreis,
Den dieses Jahres Lauf umzieht,
Mein Leben bricht, ich wußt es lang!
Und dennoch hat dies Herz geglüht
In eitler Leidenschaften Drang!
Mir brüht der Schweiß

Der tiefsten Angst
Auf Stirn und Hand. — Wie? dämmert feucht
Ein Stern dort durch die Wolken nicht?
Wär es der Liebe Stern vielleicht,
Dir zürnend mit dem trüben Licht,
Daß du so bangst?

Horch, welch Gesumm?
Und wieder? Sterbemelodie!
Die Glocke regt den ehrnen Mund.
O Herr, ich falle auf das Knie:
Sei gnädig meiner letzten Stund!
Das Jahr ist um!

ANNETTE VON DROSTE-HÜLSHOFF

Die ächzende Kreatur (August 1846)

An einem Tag, wo feucht der Wind,
Wo grau verhängt der Sonnenstrahl,
Saß Gottes hartgeprüftes Kind
Betrübt am kleinen Gartensaal.
Ihr war die Brust so matt und enge,
Ihr war das Haupt so dumpf und schwer,
Selbst um den Geist zog das Gedränge
Des Blutes Nebelflore her.

Gefährte Wind und Vogel nur
In selbstgewählter Einsamkeit,
Ein großer Seufzer die Natur,
Und schier zerflossen Raum und Zeit.
Ihr war, als fühle sie die Flut
Der Ewigkeit vorüberrauschen
Und müsse jeden Tropfen Blut
Und jeden Herzschlag doch belauschen.

Sie sann und saß und saß und sann,
Im Gras die heisre Grille sang,
Vom fernen Felde scholl heran
Ein schwach vernommner Sensenklang.
Die scheue Mauerwespe flog
Ihr ängstlich ums Gesicht, bis fest
Zur Seite das Gewand sie zog,
Und frei nun ward des Tierleins Nest.

Und am Gestein ein Käfer lief,
Angstvoll und rasch wie auf der Flucht,
Barg bald im Moos sein Häuptlein tief,
Bald wieder in der Ritze Bucht.
Ein Hänfling flatterte vorbei,
Nach Futter spähend, das Insekt
Hat zuckend bei des Vogels Schrei
In ihren Ärmel sich versteckt.

Da ward ihr klar, wie nicht allein
Der Gottesfluch im Menschenbild,
Wie er in schwerer, dumpfer Pein
Im bangen Wurm, im scheuen Wild,
Im durst'gen Halme auf der Flur,
Der mit vergilbten Blättern lechzt,
In aller, aller Kreatur
Gen Himmel üm Erlösung ächzt.

Wie mit dem Fluche, den erwarb
Der Erde Fürst im Paradies,
Er sein gesegnet Reich verdarb
Und seine Diener büßen ließ;
Wie durch die reinen Adern trieb
Er Tod und Moder, Pein und Zorn,
Und wie die Schuld allein ihm blieb
Und des Gewissens scharfer Dorn.

Der schläft mit ihm und der erwacht
Mit ihm an jedem jungen Tag,
Ritzt seine Träume in der Nacht

Und blutet über Tage nach.
O schwere Pein, nie unterjocht
Von tollster Lust, von keckstem Stolze,
Wenn leise, leis es nagt und pocht
Und bohrt in ihm wie Mad' im Holze.

Wer ist so rein, daß nicht bewußt
Ein Bild ihm in der Seele Grund,
Drob er muß schlagen an die Brust
Und fühlen sich verzagt und wund?
So frevelnd wer, daß ihm nicht bleibt
Ein Wort, das er nicht kann vernehmen,
Das ihm das Blut zur Stirne treibt
Im heißen, bangen, tiefen Schämen?

Und dennoch gibt es eine Last,
Die keiner fühlt und jeder trägt,
So dunkel wie die Sünde fast
Und auch im gleichen Schoß gehegt;
Er trägt sie wie den Druck der Luft,
Vom kranken Leibe nur empfunden,
Bewußtlos, wie den Fels die Kluft,
Wie schwarze Lad' den Todeswunden.

Das ist die Schuld des Mordes an
Der Erde Lieblichkeit und Huld,
An des Getieres dumpfem Bann
Ist es die tiefe, schwere Schuld,
Und an dem Grimm, der es beseelt,
Und an der List, die es befleckt,
Und an dem Schmerze, der es quält,
Und an dem Moder, der es deckt.

[8] **Offenheit der Sinne**

ANNETTE VON DROSTE-HÜLSHOFF · *Im Grase*

Süße Ruh, süßer Taumel im Gras,
Von des Krautes Arome umhaucht,
Tiefe Flut, tief tief trunkne Flut,
Wenn die Wolk am Azure verraucht,
Wenn aufs müde, schwimmende Haupt
Süßes Lachen gaukelt herab,
Liebe Stimme säuselt und träuft
Wie die Lindenblüt auf ein Grab.

Wenn im Busen die Toten dann,
Jede Leiche sich streckt und regt,
Leise, leise den Odem zieht,
Die geschloßne Wimper bewegt,
Tote Lieb, tote Lust, tote Zeit,
All die Schätze, im Schutt verwühlt,
Sich berühren mit schüchternem Klang
Gleich den Glöckchen, vom Winde umspielt.

Stunden, flüchtger ihr als der Kuß
Eines Strahls auf den trauernden See,
Als des ziehenden Vogels Lied,
Das mir nieder perlt aus der Höh,
Als des schillernden Käfers Blitz,
Wenn den Sonnenpfad er durcheilt,
Als der heiße Druck einer Hand,
Die zum letzten Male verweilt.

Dennoch, Himmel, immer mir nur
Dieses eine mir: für das Lied
Jedes freien Vogels im Blau
Eine Seele, die mit ihm zieht,
Nur für jeden kärglichen Strahl
Meinen farbig schillernden Saum,
Jeder warmen Hand meinen Druck,
Und für jedes Glück meinen Traum.

ANNETTE VON DROSTE-HÜLSHOFF · *Am Turme*

Ich steh auf hohem Balkone am Turm,
Umstrichen vom schreienden Stare,
Und laß gleich einer Mänade den Sturm
Mir wühlen im flatternden Haare;
O wilder Geselle, o toller Fant,
Ich möchte dich kräftig umschlingen,
Und, Sehne an Sehne, zwei Schritte vom Rand
Auf Tod und Leben dann ringen!

Und drunten seh ich am Strand, so frisch
Wie spielende Doggen die Wellen
Sich tummeln rings mit Geklaff und Gezisch
Und glänzende Flocken schnellen.
O, springen möcht ich hinein alsbald,
Recht in die tobende Meute,
Und jagen durch den korallenen Wald
Das Walroß, die lustige Beute!

Und drüben seh ich ein Wimpel wehn
So keck wie eine Standarte,
Seh auf und nieder den Kiel sich drehn
Von meiner luftigen Warte;
O, sitzen möcht ich im kämpfenden Schiff,
Das Steuerruder ergreifen
Und zischend über das brandende Riff
Wie eine Seemöwe streifen.

Wär ich ein Jäger auf freier Flur,
Ein Stück nur von einem Soldaten,
Wär ich ein Mann doch mindestens nur,
So würde der Himmel mir raten;
Nun muß ich sitzen so fein und klar,
Gleich einem artigen Kinde,
Und darf nur heimlich lösen mein Haar
Und lassen es flattern im Winde!

[9] **Weltfrömmigkeit**

EDUARD MÖRIKE · *Gesang zu zweien in der Nacht*

SIE: Wie süß der Nachtwind nun die Wiese streift
Und klingend jetzt den jungen Hain durchläuft!
Da noch der freche Tag verstummt,
Hört man der Erdenkräfte flüsterndes Gedränge,
Das aufwärts in die zärtlichsten Gesänge
Der reingestimmten Lüfte summt.

ER: Vernehm ich doch die wunderbarsten Stimmen,
Vom lauen Wind wollüstig hingeschleift,
Indes, mit ungewissem Licht gestreift,
Der Himmel selber scheinet hinzuschwimmen.

SIE: Wie ein Gewebe zuckt die Luft manchmal,
Durchsichtiger und heller aufzuwehen;
Dazwischen hört man weiche Töne gehen
Von sel'gen Feen, die im blauen Saal
Zum Sphärenklang,
Und fleißig mit Gesang,
Silberne Spindeln hin und wieder drehen.

ER: O holde Nacht, du gehst mit leisem Tritt
Auf schwarzem Samt, der nur am Tage grünet,
Und luftig schwirrender Musik bedienet
Sich nun dein Fuß zum leichten Schritt,
Womit du Stund um Stunde missest,
Dich lieblich in dir selbst vergissest —
Du schwärmst, es schwärmt der Schöpfung Seele mit!

EDUARD MÖRIKE · *Um Mitternacht*

Gelassen stieg die Nacht ans Land,
Lehnt träumend an der Berge Wand,
Ihr Auge sieht die goldne Waage nun
Der Zeit in gleichen Schalen stille ruhn;
    Und kecker rauschen die Quellen hervor,
    Sie singen der Mutter, der Nacht, ins Ohr
    Vom Tage,
    Vom heute gewesenen Tage.

Das uralt alte Schlummerlied,
Sie achtets nicht, sie ist es müd;
Ihr klingt des Himmels Bläue süßer noch,
Der flüchtgen Stunden gleichgeschwungnes Joch.
    Doch immer behalten die Quellen das Wort,
    Es singen die Wasser im Schlafe noch fort
    Vom Tage,
    Vom heute gewesenen Tage.

Er ist's

Frühling läßt sein blaues Band
Wieder flattern durch die Lüfte;
Süße wohlbekannte Düfte
Streifen ahnungsvoll das Land.
Veilchen träumen schon,
Wollen balde kommen.
Horch, von fern ein leiser Harfenton!
Frühling, ja du bist's!
Dich hab ich vernommen!

[10] Die Welt im Gleichgewicht

EDUARD MÖRIKE · *Mozart auf der Reise nach Prag*

Mozart, der mit seiner Frau zur Erstaufführung seines »Don Juan« nach Prag fährt,
gerät in einer Reisepause auf das Schloß eines kunstbegeisterten Grafen, wo er voll Verehrung bewirtet wird und in Stunden froher Gastlichkeit von seinem Schaffen erzählt
und Proben seines herrlichen Spiels gibt.

Als Mozart mit dem überschwenglich schönen Sextett geschlossen hatte
und nach und nach ein Gespräch aufkam, schien er vornehmlich einzelne
Bemerkungen des Barons mit Interesse und Wohlgefallen aufzunehmen.
Es wurde vom Schlusse der Oper die Rede sowie von der vorläufig auf den
Anfang Novembers anberaumten Aufführung, und da jemand meinte,
gewisse Teile des Finale möchten noch eine Riesenaufgabe sein, so lächelte

der Meister mit einiger Zurückhaltung; Konstanze aber sagte zu der Gräfin hin, daß er es hören mußte: »Er hat noch was in petto, womit er geheim tut, auch vor mir.«

»Du fällst«, versetzte er, »aus deiner Rolle, Schatz, daß du das jetzt zur Sprache bringst; wenn ich nun Lust bekäme, von neuem anzufangen? und in der Tat, es juckt mich schon.«

»Leporello!« rief der Graf, lustig aufspringend, und winkte einem Diener: »Wein! Sillery, drei Flaschen!«

»Nicht doch! damit ist es vorbei — mein Junker hat sein Letztes im Glase.«

»Wohl bekomms ihm — und jedem das Seine!«

»Mein Gott, was hab ich da gemacht!« lamentierte Konstanze, mit einem Blick auf die Uhr, »gleich ist es elfe, und morgen früh solls fort — wie wird das gehen?«

»Es geht halt gar nicht, Beste! nur schlechterdings gar nicht.«

»Manchmal«, fing Mozart an, »kann sich doch ein Ding sonderbar fügen. Was wird denn meine Stanzl sagen, wenn sie erfährt, daß eben das Stück Arbeit, was sie nun hören soll, um eben diese Stunde in der Nacht, und zwar gleichfalls vor einer angesetzten Reise zur Welt geboren ist?«

»Wärs möglich? Wann? Gewiß vor drei Wochen, wie du nach Eisenstadt wolltest?«

»Getroffen! Und das begab sich so. Ich kam nach zehne, du schliefst schon fest, von Richters Essen heim und wollte versprochenermaßen auch bälder zu Bett, um morgens beizeiten heraus und in den Wagen zu steigen. Inzwischen hatte Veit, wie gewöhnlich, die Lichter auf dem Schreibtisch angezündet, ich zog mechanisch den Schlafrock an, und fiel mir ein, geschwind mein letztes Pensum noch einmal anzusehen. Allein, o Mißgeschick! verwünschte, ganz unzeitige Geschäftigkeit der Weiber! du hattest aufgeräumt, die Noten eingepackt — die mußten nämlich mit: der Fürst verlangte eine Probe von dem Opus; — ich suchte, brummte, schalt, umsonst! Darüber fällt mein Blick auf ein versiegeltes Kuvert: vom Abbate, den greulichen Hacken nach auf der Adresse — ja wahrlich! und schickt mir den umgearbeiteten Rest seines Textes, den ich vor Monatsfrist noch nicht zu sehen hoffte. Sogleich sitz ich begierig hin und lese und bin entzückt, wie gut der Kauz verstand, was ich wollte. Es war alles weit simpler, gedrängter und reicher zugleich. Sowohl die Kirchhofsszene wie das Finale, bis zum Untergang des Helden, hat in jedem Betracht sehr gewonnen. (Du sollst mir aber auch, dacht ich, vortrefflicher Poet, Himmel und Hölle nicht unbedankt zum zweiten Mal beschworen haben!) Nun ist es sonst meine Gewohnheit nicht, in der Komposition etwas vorauszunehmen, und wenn es noch so lockend wäre; das bleibt eine Unart, die sich sehr übel bestrafen kann. Doch gibt es Ausnahmen, und kurz, der Auftritt bei der Reiterstatue des Gouverneurs, die Drohung, die vom Grabe des Erschlagenen her urplötzlich das Gelächter des Nachtschwärmers haarsträubend unterbricht, war mir bereits in die Krone gefahren. Ich griff einen Akkord und fühlte, ich hatte an der rechten Pforte angeklopft, dahinter schon die ganze Legion von Schrecken beieinander liege, die im Finale loszulassen sind. So kam fürs erste ein Adagio heraus: d-moll, vier Takte nur, darauf ein zweiter Satz mit fünfen — es wird, bild ich mir ein, auf dem Theater etwas Ungewöhnliches geben, wo die stärksten Blasinstrumente die Stimme begleiten. Einstweilen hören Sie's, so gut es sich hier machen läßt.«

Er löschte ohne weiteres die Kerzen der beiden neben ihm stehenden Armleuchter aus, und jener furchtbare Choral »Dein Lachen endet vor der Morgenröte!« erklang durch die Totenstille des Zimmers. Wie von entlegenen Sternenkreisen fallen die Töne aus silbernen Posaunen, eiskalt, Mark und Seele durchschneidend, herunter durch die blaue Nacht.

»Wer ist hier? Antwort!« hört man Don Juan fragen. Da hebt es wieder an, eintönig wie zuvor, und gebietet dem ruchlosen Jüngling, die Toten in Ruhe zu lassen.

Nachdem diese dröhnenden Klänge bis auf die letzte Schwingung in der Luft verhallt waren, fuhr Mozart fort: »Jetzt gab es für mich begreiflicherweise kein Aufhören mehr. Wenn erst das Eis einmal an einer Uferstelle bricht, gleich kracht der ganze See und klingt bis an den entferntesten Winkel hinunter. Ich ergriff unwillkürlich denselben Faden weiter unten bei Don Juans Nachtmahl wieder, wo Donna Elvira sich eben entfernt hat und das Gespenst, der Einladung gemäß, erscheint. — Hören Sie an.«

Es folgte nun der ganze lange, entsetzenvolle Dialog, durch welchen auch der Nüchternste bis an die Grenze menschlichen Vorstellens, ja über sie hinaus, gerissen wird, wo wir das Übersinnliche schauen und hören und innerhalb der eigenen Brust von einem Äußersten zum andern willenlos uns hin und her geschleudert fühlen. Menschlichen Sprachen schon entfremdet, bequemt sich das unsterbliche Organ des Abgeschiedenen, noch einmal zu reden. Bald nach der ersten fürchterlichen Begrüßung, als der Halbverklärte die ihm gebotene irdische Nahrung verschmäht, wie seltsam schauerlich wandelt seine Stimme auf den Sprossen einer luftgewebten Leiter unregelmäßig auf und nieder! Er fordert schleunigen Entschluß zur Buße: kurz ist dem Geist die Zeit gemessen; weit, weit, weit ist der Weg! Und wenn nun Don Juan, im ungeheuren Eigenwillen den ewigen Ordnungen trotzend, unter dem wachsenden Andrang der höllischen Mächte ratlos ringt, sich sträubt und windet und endlich untergeht, noch mit dem vollen Ausdruck der Erhabenheit in jeder Gebärde — wem zitterten nicht Herz und Nieren vor Lust und Angst zugleich? Es ist ein Gefühl, ähnlich dem, womit man das prächtige Schauspiel einer unbändigen Naturkraft, den Brand eines herrlichen Schiffes anstaunt. Wir nehmen wider Willen gleichsam Partei für diese blinde Größe und teilen knirschend ihren Schmerz im reißenden Verlauf ihrer Selbstvernichtung.

Der Komponist war am Ziele. Eine Zeitlang wagte niemand, das allgemeine Schweigen zuerst zu brechen.

»Geben Sie uns«, fing endlich, mit noch beklemmtem Atem, die Gräfin an, »geben Sie uns, ich bitte Sie, einen Begriff, wie Ihnen war, da Sie in jener Nacht die Feder weglegten!«

Er blickte, wie aus einer stillen Träumerei ermuntert, helle zu ihr auf, besann sich schnell und sagte, halb zu der Dame, halb zu seiner Frau: »Nun ja, mir schwankte wohl zuletzt der Kopf. Ich hatte dies verzweifelte Dibattimento bis zu dem Chor der Geister, in *einer* Hitze fort, beim offenen Fenster, zu Ende geschrieben und stand nach einer kurzen Rast vom Stuhl auf, im Begriff, nach deinem Kabinett zu gehen, damit wir noch ein bißchen plaudern und sich mein Blut ausgleiche.« (Hier sah er zwei Sekunden lang zu Boden, und sein Ton verriet beim Folgenden eine kaum merkbare Bewegung.) »Ich sagte zu mir selbst: wenn du noch diese Nacht wegstürbest und müßtest deine Partitur an diesem Punkt verlassen: ob dirs auch Ruh im Grabe ließ? — Mein Auge hing am Docht des Lichts in meiner Hand und auf den Bergen von abgetropftem Wachs. Ein Schmerz bei dieser Vorstellung durchzückte mich einen Moment; dann dacht ich weiter: wenn denn hernach über kurz oder lang ein anderer, vielleicht gar so ein Welscher, die Oper zu vollenden bekäme und fände von der Introduktion bis Numero siebzehn, mit Ausnahme *einer* Piece, alles sauber beisammen, lauter gesunde, reife Früchte ins hohe Gras geschüttelt, daß er sie nur aufzulesen dürfte; ihm graute aber doch ein wenig hier vor der Mitte des Finale, und er fände alsdann unverhofft den tüchtigen Felsbrocken da insoweit schon beiseite gebracht: er möchte drum nicht übel in das Fäustchen lachen! Vielleicht wäre er versucht, mich um die Ehre zu betrügen. Er sollte aber wohl die Finger dran verbrennen; da wär noch immerhin ein Häuflein guter Freunde, die meinen Stempel kennen und mir, was mein ist, redlich sichern würden. — Nun ging ich, dankte Gott mit einem vollen Blick hinauf und dankte, liebes Weibchen, deinem Genius, der dir so lange seine beiden Hände sanft über die Stirne gehalten, daß du fortschliefst wie eine Ratze und mich kein einzig Mal anrufen konntest. Wie ich dann aber endlich kam und du mich um die Uhr befrugst, log ich dich frischweg ein paar Stunden jünger, als du warst, denn es ging stark auf viere. Und nun wirst du begreifen, warum du mich um sechse nicht aus den Federn brachtest, der Kutscher wieder heimgeschickt und auf den andern Tag bestellt werden mußte.«

Höhe des Realismus

[11] Ehrbarkeit des Bäuerlichen

J E R E M I A S   G O T T H E L F · *Elsi, die seltsame Magd*

Elsi, Tochter eines ehemals reichen, aber langsam verkommenen Müllers, hatte sich als einfache Magd in Heimiswyl verdungen, wo sie bald „der rechte Arm der Meistersfrau" geworden war, ohne das Geheimnis ihrer Herkunft zu lüften. Denselben Abstand hielt sie auch gegenüber allen jungen Leuten.

Unter denen, welche gern eine schöne und gute Frau gehabt hätten, war ein Bauer, nicht mehr ganz jung. Aber noch nie war ihm eine schön und gut genug gewesen, und wenn er auch eine gefunden zu haben glaubte, so brauchte die nur mit einem andern Burschen ein freundliches Wort zu wechseln, so war er fertig mit ihr und sah sie nie mehr an. Christen hieß der Bursche, der von seiner Mutter her einen schönen Hof besaß, während sein Vater mit einer zweiten Frau und vielen Kindern einen andern Hof bewirtschaftete. Christen war hübsch und stolz, keinen schöneren Kanonier sah man an den Musterungen, keinen tüchtigeren Bauer in der Arbeit und keinen kuraschierteren Menschen im Streit. Aber allgemach hatte er sich aus den Welthändeln zurückgezogen. Die Mädchen, welche am Weltstreit vordem die Hauptursache waren — jetzt ist es das Geld —, waren ihm verleidet, er hielt keines für treu, und um ihn konnte der Streit toben, konnten Gläser splittern und Stuhlbeine brechen, er bewegte sich nicht von seinem Schoppen . . .

Mit Mägden hatte er sich, wie es jungen Bauern ziemt, natürlich nie abgegeben, aber Elsi hatte so etwas Apartes in ihrem Wesen, daß man sie nicht zu den Mägden zählte, und daß alle darüber einig waren, von der Gasse sei sie nicht. Um so begieriger forschte man, woher denn eigentlich, aber man erforschte es nicht. Dies war zum Teil Zufall, zum Teil war der Verkehr damals noch gar sparsam, und was zehn Stunden auseinander lag, das war sich fremder, als was jetzt fünfmal weiter auseinander ist.

Wie allenthalben, wo ein Geheimnis ist, Dichtungen entstehen, und wie, wo Weiber sind, Gerüchte umgehen, so ward gar mancherlei erzählt von Elsis Herkommen und Schicksalen. Die einen machten eine entronnene Verbrecherin aus ihr, andere eine entlaufene Ehefrau, andere eine Bauerntochter, welche einer widerwärtigen Heirat entflohen, noch andere eine uneheliche Schwester der Bäuerin oder eine uneheliche Tochter des Bauern, welche auf diese Weise ins Haus geschmuggelt worden.

Aber weil Elsi unwandelbar ihren stillen Weg ging, fast wie ein Sternlein am Himmel, so verloren all' diese Gerüchte ihre Kraft, und eben das Geheimnisvolle in ihrer Erscheinung zog die junge Mannschaft und besonders Christen mehr und mehr an. Sein Hof war nicht entfernt von Elsis Dienstort, das Land stieß fast aneinander, und wenn Christen ins Tal hinunter wollte, so mußte er an ihrem Hause vorbei.

Anfangs tat er sehr kaltblütig. Wenn er Elsi zufällig antraf, so sprach er mit ihr, stellte sich auch wohl zu ihr, wenn sie am Brunnen unterm breiten Dach Erdäpfel wusch oder was anderes. Elsi gab ihm freundlichen Bescheid, und ein Wort zog das andere nach sich, daß sie oft nicht fertig werden konnten mit Reden, was andern Leuten aber eher auffiel als ihnen selbst.

Auch Christen wollte Elsi zum Weine führen, wenn er sie in Burgdorf traf oder mit ihr heimging am Heimiswyler Wirtshaus vorbei. Aber ihm so wenig als andern wollte Elsi folgen und ein Glas Wein ihm abtrinken.

Das machte Christen erst bitter und bös, er war der Meinung, daß, wenn ein junger Bauer eine Halbe zahlen wolle, so sei das eine Ehre für sie und übel anstünde es ihr, diese auszuschlagen. Da er aber sah, daß sie es allen so machte, und hörte, daß sie nie noch ein Wirtshaus betreten, seit sie hier sei, so gefiel ihm das, und zwar immer mehr. Das wäre eine Treue, dachte er, die nicht mit jedem liebäugelte und nicht um einen halben Birnstiel mit jedem hingehe, wo er hin wollte; wer so eine hätte, könnte sie zur Kirche und auf den Markt schicken oder allein daheimlassen, ohne zu fürchten, daß jemand anders ihm ins Gehege käme. Und doch konnte er die Versuche nicht lassen, so oft er Elsi auf einem Wege traf, sie zum Weine zu laden oder ihr zu sagen, am nächsten Sonntag gehe er dorthin, sie solle auch kommen, und allemal ward er böse, daß er einen Abschlag erhielt...

Elsi war überzeugt, daß Christen, sobald er wußte, wer sie war, sie sitzen ließe, und das wollte sie nicht ertragen. Sie wußte zu gut, wie übel berüchtigt ihr Vater war landauf, landab, und daß man in diesem Tale hundertmal lieber ein armes Taglöhnermädchen wollte, als eines von übelberüchtigter Familie her. Wie manches arme Kind sich eines reichen Mannes freut seiner Eltern wegen, weil es hofft, Sonnenschein bringen zu können in ihre trüben alten Tage, so kann ein Kind schlechter Eltern sich nicht freuen. Es bringt nichts als Schande in die neue Familie, den schlechten Eltern kann es nicht helfen, nicht helfen von ihrer Schande, nicht helfen von ihren Lastern. So wußte auch Elsi, daß ihrem Vater zu helfen war, auf keine Weise. Geld war nur Öl ins Feuer, und ihn bei sich ertragen, das hätte sie nicht vermocht und hätte es viel weniger einem Manne zugemutet, was die leibliche Tochter nicht ertrug. Das ist eben der Fluch, der auf schlechten Eltern liegt, daß sie das Gift werden in ihrer Kinder Leben, ihr schlechter Name ist das Gespenst, das umgeht, wenn sie selbst schon längst in ihren Gräbern modern, das sich an die Fersen der Kinder hängt und unheilbringend ihnen erscheint, wenn Glück sich ihnen nahen, bessere Tage ihnen aufgehen wollen.

Es kämpfte hart in dem armen Mädchen, aber sein Geheimnis konnte es nicht offenbaren. Wenn Christen je gesehen hätte, wie der Kampf Elsi Tränen auspreßte, wie sie seufzte und betete, er wäre nicht so böse geworden, er hätte in verdoppelter Liebe das Geheimnis entdeckt, aber was da innen in uns sich reget, das hat Gott nicht umsonst dem Auge anderer verborgen.

Es kam Elsi oft an, wegzuziehen, in dunkler Nacht wieder zu verschwinden, wie sie in ihrer Heimat verschwunden war, und doch vermochte sie es nicht. Sie redete sich ein, die Leute würden ihr Böses nachsagen, sie sei mit den Schelmen davongegangen oder noch Schlimmeres; aber es war etwas anderes, welches sie hielt, was sie sich aber selbst nicht gestand.

So litt das arme Mädchen sehr, das höchste Glück ihm so nahe, und doch ein Gespenst zwischen ihm und seinem Glücke, das es ewig von selbigem schied. Und dieses Gespenst sahen andere Augen nicht, sie durfte nicht schreien, sie mußte die bittersten Vorwürfe ertragen, als ob sie schnöde und übermütig das Glück von sich stieße.

Diese Vorwürfe machte ihr nicht nur Christen, sondern auch die Bäuerin, welche Christens Liebe sah und ihrer Magd, welche ihr lieb wie eine Schwester war, dieses Glück wohl gönnte, was nicht alle Meisterfrauen getan hätten. Bei diesen Anlässen konnte sie recht bitter werden in den Klagen über Mangel an Zutrauen, ja manchmal sich des Deutens nicht enthalten, daß Elsi wohl etwas Böses zu bewahren habe, weil sie dasselbe nicht einmal ihr, welche es doch so gut meine, anvertrauen wolle.

Das fühlte Elsi mit Bitterkeit, sie sah recht elend aus, und doch konnte sie nicht fort, konnte noch viel weniger das Gespenst bannen, das zwischen ihr und ihrem Glücke stand.

Da geschah es am alten Neujahr, das heißt an dem Tage, auf welchen nach dem alten, jetzt russischen Kalender das Neujahr gefallen wäre und welches so wie die alte Weihnacht ehedem noch allgemein gefeiert wurde auf dem Lande, jetzt nur noch in einigen Berggegenden, daß Elsi mit der Bäuerin nach Burgdorf mußte. Der Tag war auf einen Markttag gefallen, es war viel Volk da und lustig ging es her unterm jungen Volke, während unter den Alten viel verkehrt wurde von den Feinden, von welchen die Rede war, wie sie Lust hätten an das Land hin, wie man sie aber bürsten wollte, bis sie gnug hätten. Nur vorsichtig ließen hier und da einige verblümte Worte fallen von Freiheit und Gleichheit und den gestrengen Herren zu Bern, und sie taten wohl mit der Vorsicht.

Als die Bäurin ihre Geschäfte verrichtet hatte, steuerte sie dem Wirtshause zu, denn leer ging sie von Burgdorf nicht heim und namentlich am alten Neujahr nicht. Sie wollte Elsi mitnehmen, welche aber nicht wollte, sondern sich entschuldigte, sie habe nichts nötig, und wenn sie beide hineingingen, so müßten sie sich eilen, weil niemand daheim die Sache mache; gehe sie aber voran, so könne die Bäurin bleiben, solange es ihr anständig sei, bis sie Kameradschaft finde für heim oder gar eine Gelegenheit zum Fahren.

Wie sie da so schwatzen miteinander, kam Christen dazu, stand auf die Seite der Meisterfrau und sagte zu Elsi, jetzt müsse sie hinein; das wäre ihm doch seltsam, wenn ein Mädchen in kein Wirtshaus wollte. Elsi blieb fest und lehnte manierlich ab; sie möge den Wein nicht erleiden, sagte sie, und daheim mache niemand die Haushaltung. Sie müsse kommen, sagte Christen, trinken könne sie so wenig, sie wolle, und gehen, wann sie wolle, aber einmal wolle er wissen, ob sie sich seiner schäme oder nicht.

Das sei einfältig von ihm, sagte Elsi, er solle doch denken, wie eine arme Magd sich eines Bauern schämen sollte, und zürnen solle er nicht, aber es sei ihr Lebtag ihr Brauch gewesen, sich nicht eigelich zu machen, sondern erst zu sinnen, dann zu reden, dann bei dem zu bleiben, was geredet worden.

Die gute Bäurin, welche wenig von andern Gründen wußte als von Mögen und Nichtmögen, half drängen und sagte, das sei doch wunderlich getan, und wenn zu ihrer Zeit sie ein ehrlicher, braver Bursche zum Wein habe führen wollen, so hätte sie sich geschämt, es ihm abzusagen und ihm diese Schande anzutun.

Es ist nun nichts, welches den Zorn des Menschen eher entzündet und sein Begehren stählt, als ein solcher Beistand, darum ward Christen immer ungestümer und wollte mit Gewalt Elsi zwingen. Aber Elsi widerstand. Da sagte Christen im Zorn: He nun, du wirst am besten wissen, warum du in kein Wirtshaus darfst, aber wenn du nicht willst, so gibt es andere.

Somit ließ er Elsi fahren und griff nach einem Heimiswyler Mädchen, welches eben vorüberging und willig ihm folgte.

Die Bäurin warf Elsi einen bösen Blick zu und sagte: »Gell, jetzt hast's!« und ging nach.

Da stand nun Elsi; und das Herz wollte ihr zerreißen, und der Zorn über Christens verdächtige Worte und die Eifersucht gegen das willige Mädchen hätten fast vollbracht, was die Liebe nicht vermochte, und sie Christen nachgetrieben. Indessen hielt sie sich, denn vor den Wirtshäusern, in welchen ihre Familienehre, ihr Familienglück zugrunde gegangen, hatte sie einen Abscheu, und zugleich, weil sie in denselben am meisten Gefahr lief, erkannt zu werden oder etwas von ihrem Vater vernehmen zu müssen. In den Wirtshäusern ist's, wo die Menschen zusammenströmen und sich Zeit nehmen zu betrachten und heimzuweisen, was beim flüchtigen Begegnen auf der Straße unbeachtet vorübergeht.

Elsi ging heim, aber so finster war es in ihrem Herzen nie gewesen seit den Tagen, an welchen das Unglück über sie eingebrochen war. Anfangs konnte sie sich des Weinens fast nicht enthalten, aber sie unterdrückte dasselbe mit aller Gewalt, der Leute wegen.

Da nahm ein bitterer, finsterer Groll immer mehr Platz in ihr. So ging es ihr also; sie sollte nicht nur niemals glücklich sein, sondern noch eigens geplagt und verdächtigt werden, und sie mußte sich das gefallen lassen und konnte sich nicht rechtfertigen.

Wie ehedem in gewaltigen Revolutionen die Berge aus der Erde gewachsen sein sollen, so wuchs aus den Wehen ihres Herzens der Entschluß empor, von allen Menschen mehr und mehr sich abzuschließen, mit niemandem etwas mehr zu haben, nicht mehr zu reden, als sie mußte, und so bald möglich da wegzugehen, wo man so gegen sie sein könne.

Als die Meisterfrau heimkam, stärkte sie diesen Entschluß; sie beabsichtigte freilich das Gegenteil, aber es ist nicht allen Menschen gegeben, richtig zu rechnen, nicht einmal in Beziehung auf die Zahlen, geschweige denn in bezug auf die Worte. Sie erzählte, wie Christen sich lustig gemacht in Burgdorf, und sicher gehe er mit dem Mädchen heim, und was es dann gebe, könne niemand wissen, das Mädchen sei hübsch und reich und pfiffig genug, den Vogel zu fangen. Das würde Elsi recht geschehen, und sie möchte es ihr gönnen, denn das sei keine Manier für eine Magd, mit einem Bauern so umzugehen. Aber sie fange auch an zu glauben, da müsse was dahinter sein, das nicht gut sei, anders könne sie ihr Betragen nicht erklären, oder sei es anders, so solle sie es sagen.

Diesem setzte Elsi nichts als trotziges Schweigen entgegen. In trotzigem Schweigen ging sie zu Bette und wachte mit ihm auf, als es an ihr Fenster klopfte und Christens Stimme laut ward vor demselben. Dieser hatte es doch nicht übers Herz bringen können, einen neuen Tag aufgehen zu lassen über seinem Zwist mit Elsi. Er trank, wie man sagt, guten Wein, und je mehr er trank, desto besser ward er. Je mehr der Wein auf dem Heimweg über ihn kam, desto mehr zog es ihn zu Elsi, mit ihr Frieden zu machen. Im Wirtshaus zu Heimiswyl kehrte er mit seinem Mädchen ein, aber nur um desselben loszuwerden mit Manier, ließ eine Halbe bringen, bestellte Essen, ging unter einem Vorwand hinaus, bezahlte und erschien nicht wieder. Das Mädchen war, wie gesagt, nicht von den dummen eins, es merkte bald, woran es war, jammerte und schimpfte nicht, hielt nun mit dem, was Christen bezahlt hatte, einen andern zu Gast, und so fehlte es ihm nicht an einem Begleiter nach Hause. Dem armen Christen ging es nicht so gut. Elsi, durch die Bäurin neu aufgeregt, hielt ihren Entschluß fest und antwortete nicht, wie Christen auch bat; sie mußte den Kopf ins Kissen bergen, damit er ihr Weinen nicht höre, aber sie blieb fest und antwortete auch nicht einen Laut. Christen tat endlich wild, aber Elsi bewegte sich nicht; zuletzt entfernte sich derselbe halb zornig, halb im Glauben, Elsi habe zu hart geschlafen und ihn nicht gehört.

Aber er ward bald inne, wie Elsi es meine. Die frühere Freundlichkeit war dahin. Elsi tat durchaus fremd gegen ihn, antwortete ihm nur das Notwendigste, dankte, wenn er ihr die Zeit wünschte, in allem übrigen war sie unbeweglich.

Christen war fuchswild darob und konnte Elsi doch nicht lassen. Hundertmal nahm er sich vor, nicht mehr an sie zu denken, sich ganz von ihr loszumachen, und doch stand sie beständig vor seinen Augen; ihre weißen Hemdeärmel am Brunnen sah er durch sieben Zäune schimmern, und an allen Haaren zog es ihn, bis er unter ihrem Fenster stand. Hundertmal nahm er sich vor, rasch eine andere zu freien und so dem Dinge ein Ende zu machen, aber er konnte mit keinem Mädchen freundlich sein, und wenn eines gegen ihn freundlich war, so ward er böse, es war ihm, als trügen alle andern Mädchen die Schuld, daß Elsi sich so gegen ihn verhärte.

Während Christens Weh im Herzen wuchs als wie ein bös Gewächs, wuchs auch der Lärm mit den Feinden von Tag zu Tag. Schon lange waren Soldaten auf den Beinen, viele Bataillone standen gesammelt den Feinden bereits gegenüber, welche an den Grenzen lagen und im Waadtlande. Immer mehr bildete sich beim Volke der Glaube aus, der Feind fürchte sich, dürfe nicht angreifen, und unterdessen schlichen viele herum, die das Gerücht zu verbreiten suchten, die Herren wollten das Volk verraten; es wäre dieses nicht, der Feind wäre längst abgezogen, aber er passe auf die Gelegenheit und bis er mit den Herren einig sei.

Das echte Landvolk haßte den Feind wie den Antichrist, ärger als einen menschenfressenden Kannibalen, daher ärgerte es sich schwer an dem Zögern der Herren auf dem Rathause; das Schwanken dort war eben nicht geeignet, jene Verleumdungen Lügen zu strafen. Eine schauerliche Nachricht jagte die andere.

Da kam plötzlich die Botschaft, losgebrochen sei der Krieg, und die Postboten flogen durch die Täler, alle eingeteilte Mannschaft auf die Sammelplätze zu entbieten. Es war den ersten März spät abends, als auch Christen den Befehl erhielt. Allsobald rüstete er sich und bestellte sein Haus, und Nachbar um Nachbar kam, bot seine Dienste an und keiner vergaß der Mahnung: »Schont sie nicht, die Feinde, laßt keinen entrinnen, schießt ihnen Köpfe und Beine ab! Sie wissen es dann in Zukunft, daß sie uns ruhig lassen sollen, die Mordioteufel!«

Christen mochte nicht warten, bis der letzte fort war, aber ohne Abschied von Elsi wollte er auch nicht fort. Als er an ihr Fenster kam, ging es ihm wie früher. Er erhielt auf Reden und Klopfen keine Antwort. Da sprach er: »Hör', Elsi, ich bin da eben in der Montur und auf dem Weg in den Krieg, und wer weiß, ob du mich lebendig wiedersiehst, einmal wenn du so tust, gewiß nicht. Komm hervor, sonst könnte es dich gereuen, solange du lebst.« —

Die Worte drangen Elsi ins Herz, sie mußte aufstehen und ans Fenster gehen.

Da sagte Christen: »So kommst du doch noch; aber jetzt gib mir die Hand und sag mir, du zürnest mir nicht mehr, und wenn mich Gott gesund erhält, so wollest du mein Weib werden, versprich mir's.« —

Elsi gab ihre Hand, aber schwieg. —

»Versprichst mir's?« fragte Christen.

Es wollte Elsi das Herz abdrücken und lange fand sie keinen Laut, und erst als Christen noch einmal sagte: »So red' doch, sag' mir, du wolltest mich, daß ich auch weiß, woran ich bin«, antwortete sie: »Ich kann nicht.«—

»Aber Elsi, besinn' dich«, sagte Christen, »denke, du könntest reuig werden, sage ja!«

»Ich kann nicht«, wiederholte Elsi.

»Elsi, besinn' dich!« bat Christen dringend — »sag' mir das nicht zum drittenmal; wer weiß, ob du mir dein Lebtag noch etwas sagen kannst; sag' ja, um Gotteswillen, bitt' ich dich!« —

Ein Krampf faßte Elsis Brust, endlich hauchte sie: »Ich kann nicht.« —

»So sieh, was du gemacht hast!« antwortete Christen, »und verantworte es dann vor Gott!« — Mit diesen Worten stürzte er fort. Elsi sank bewußtlos zusammen . . .

[12] **Ethischer Realismus**

JEREMIAS GOTTHELF · *Die schwarze Spinne*

In der mythischen Gestalt der riesigen Spinne überfällt der Böse ein Dorf, das ihm für seine im Teufelspakt beschworenen Dienste den Lohn — eine Menschenseele — vorenthält; jeder, der vom Tier gebissen wird, stirbt.

Das fromme Weibchen war genesen, und es zagte nicht für sich, aber fast sehr um sein treues Bübchen und dessen Schwesterchen und wachte über sie Tag und Nacht, und die treue Großmutter teilte seine Sorgen und Wachen. Und gemeinsam beteten sie zu Gott, daß er ihnen ihre Augen offen halten möchte zur Wache, daß er sie erleuchten und stärken möchte zur Rettung der unschuldigen Kindlein.

Oft war es ihnen, wenn sie so wachten lange Nächte durch, als sähen sie die Spinne glimmen und glitzern in dunkelm Winkel, als glotze sie zum Fenster herein; dann ward ihre Angst groß, denn sie wußten keinen

Rat, wie vor der Spinne die Kindlein schützen, und um so brünstiger baten sie Gott um seinen Rat und Beistand. Sie hatten allerlei Waffen zur Hand gelegt, aber wie sie hörten, daß der Stein seine Schwere, das Beil seine Schärfe verliere, sie wieder beiseitegelegt. Da kam es der Mutter immer deutlicher vor, immer lebendiger in den Sinn: wenn jemand es wagen würde, die Spinne mit der Hand zu fassen, so vermöchte man sie zu überwältigen. Sie hörte auch von Leuten, die, als der Stein nichts half, mit der Hand sie zu erdrücken versuchten, allein vergeblich. Ein gräßlicher Glutstrom, der durch Hand und Arm zuckte, tilgte jede Kraft und brachte den Tod ins Herz. Es kam ihr auch vor, zu erdrücken vermöchte sie die Spinne nicht, aber sie erfassen dürfte sie wohl, und soviel Kraft würde ihr Gott verleihen, dieselbe irgendwohin zu tun, sie unschädlich zu machen. Sie hatte schon oft gehört, wie kundige Männer Geister eingesperrt hätten in ein Loch in Felsen oder Holz, welches sie mit einem Nagel zugeschlagen, und solange den Nagel niemand auszieht, müsse der Geist gebannt im Loche sein.

Gleiches zu versuchen drängte der Geist sie immer mehr. Sie bohrte ein Loch in das Bystal, das ihr am nächsten lag zur rechten Hand, wenn sie bei der Wiege saß, rüstete einen Zapfen, der scharf ins Loch paßte, weihte ihn mit geheiligtem Wasser, legte einen Hammer zurecht und betete nun Tag und Nacht zu Gott um Kraft zur Tat. Aber manchmal war das Fleisch stärker als der Geist, und schwerer Schlaf drückte ihr die Augen zu, dann sah sie im Traum die Spinne, glotzend auf ihres Bübchens goldenen Locken, dann fuhr sie aus dem Traume, fuhr nach des Bübchens Locken. Dort aber war keine Spinne, ein Lächeln saß auf seinem Gesichtchen, wie Kindlein lächeln, wenn sie ihren Engel im Traume sehen; der Mutter aber glitzerten in allen Ecken der Spinne giftige Augen, und auf lange wich der Schlaf von ihr.

So hatte sie auch einmal nach strengem Wachen der Schlaf überwältigt, und dicht umnachtete er sie. Da war es ihr, als stürze der fromme Priester, der in der Rettung ihres Kindleins gestorben, herbei aus weiten Räumen und rufe aus der Ferne her: »Weib, wache auf, der Feind ist da!« Dreimal rief er so, und erst beim drittenmal rang sie sich los aus des Schlafes engen Banden; aber wie sie die schweren Augenlider mühsam hob, sah sie langsam, giftgeschwollen die Spinne schreiten übers Bettlein hinauf, dem Gesichte ihres Bübchens zu. Da dachte sie an Gott und griff mit rascher Hand die Spinne. Da fuhren Feuerströme von derselben aus, der treuen Mutter durch Hand und Arm bis ins Herz hinein, aber Muttertreue und Mutterliebe drückten die Hand ihr zu, und zum Aushalten gab Gott die Kraft. Unter tausendfachen Todesschmerzen drückte sie mit der einen Hand die Spinne ins bereitete Loch, mit der anderen den Zapfen davor und schlug mit dem Hammer ihn fest.

Drinnen sauste und brauste es, wie wenn mit dem Meere die Wirbelwinde streiten, das Haus wankte in seinen Grundfesten, aber fest saß der Zapfen, gefangen blieb die Spinne. Die treue Mutter aber freute sich noch, daß sie ihre Kindlein gerettet, dankte Gott für seine Gnade, dann starb sie auch den gleichen Tod wie alle, aber ihre Muttertreue löschte die Schmerzen aus, und die Engel geleiteten ihre Seele zu Gottes Thron, wo alle Helden sind, die ihr Leben eingesetzt für andere, die für Gott und die Ihren alles gewagt.

Nun war der schwarze Tod zu Ende. Ruhe und Leben kehrte ins Tal zurück. Die schwarze Spinne ward nicht mehr gesehen zur selben Zeit, denn sie saß in jenem Loche gefangen, wo sie jetzt noch sitzt ...

[13] Verloren- und Geborgensein

ADALBERT STIFTER · *An seinen Verleger Gustav Heckenast*

Linz, 12. Juni 1856

Wie es sein wird, wenn wir die Grenze dieses Lebens betreten haben, wenn sein letzter Atemzug vorbei ist — wer kann es sagen? Daß alles, was göttlich ist, nicht untergehen kann, ist gewiß: geht doch nicht einmal ein Sandkorn verloren, nicht einmal ein Wassertropfen; wir wissen es und wir sehen es, daß beides nicht Nichts werden könne, sondern daß es nur die Gestalt wechselt, was wir ja auch tun, nur langsamer und nicht so sichtlich, wie es bei einem Wassertropfen der Fall ist, der als Dunst in die flüssige Luft geht. Das Sterben ist wie das Geborenwerden für uns die erste auffällige Veränderung. Bei der Geburt sehen wir plötzlich den neuen Menschen, wir glauben ihn in dem Augenblick entstanden, weil er für unser Auge da ist; aber der Beginn seiner Entstehung liegt anderswo und ist so unscheinbar und klein, daß ihn kein menschliches Werkzeug der Wissenschaft entdecken kann. Könnte es mit dem Sterben nicht auch so sein? Nur ein Augenblick des Sterbens ist für uns sichtbar, das Aufhören des Atmens. Stirbt der Mensch nicht unausgesetzt jahrelang vor seinem Tode, ja seit seiner Geburt — und lebt er nicht noch nach dem Aufhören des Atmens wer weiß wie lange? Dies gilt sogar vor dem allmählichen Übergange des göttlichen Stoffes. Was in uns denkt, fühlt, liebt, haßt, Gott anbetet, ins Jenseits übergreift, ist sogar ein ganz und gar Unwandelbares, und kann nur mehr nur minder von Einflüssen gehemmt oder gefährdet werden. Es ist, wir können sein Nichtsein nicht denken und heißen es in höchster Fülle Gott. Wie dasselbe ohne menschlichen Körper ist, können wir nicht fassen, weil wir nur durch den Körper fassen, wie der, welcher von der Seite eines Berges sieht, nie, solange er sich dort befindet, sehen kann, was hinter dem Rücken des Berges ist; aber was auch sein möge hinter jener Grenze, die unsere Augen schließt: es ist das Beste, Herrlichste und Weiseste, dessen dürfen wir gewiß sein, das lehrt das Stück Leben, welches wir Diesseits nennen, hinreichend; unsere Vernunft kann es nicht anders vorstellen, und Gott wäre nicht Gott, wenn es anders wäre. Diesen Gedanken habe ich, seit ich männlicher geworden bin, diesen Gedanken habe ich sogar nicht bloß für das Jenseits, sondern für alle Vorkommnisse dieser Welt und er ist der Inhalt meines Gebetes: Herr, was von dir kömmt, ist gut, ich bete es an, wenn es mich auch schmerzt.

Adalbert Stifter · *Vorrede zu den »Bunten Steinen«*

Hebbel hatte Stifter einen Dichter der Käfer und Butterblumen genannt, dem nur das
Kleine gelingt, weil ihm die Natur »das Große entrückt«. Darauf entgegnet Stifter:

Weil wir aber schon einmal von dem Großen und Kleinen reden, so
will ich meine Ansichten darlegen, die wahrscheinlich von denen vieler
anderer Menschen abweichen. Das Wehen der Luft, das Rieseln des
Wassers, das Wachsen der Getreide, das Wogen des Meeres, das Grünen
der Erde, das Glänzen des Himmels, das Schimmern der Gestirne halte
ich für groß: das prächtig einherziehende Gewitter, den Blitz, welcher
Häuser spaltet, den Sturm, der die Brandung treibt, den feuerspeienden
Berg, das Erdbeben, welches Länder verschüttet, halte ich nicht für größer
als obige Erscheinungen, ja ich halte sie für kleiner, weil sie nur Wirkungen
viel höherer Gesetze sind. Sie kommen auf einzelnen Stellen vor und sind
die Ergebnisse einseitiger Ursachen. Die Kraft, welche die Milch im
Töpfchen der armen Frau emporschwellen und übergehen macht, ist es
auch, die die Lava in dem feuerspeienden Berge emportreibt und auf den
Flächen der Berge hinabgleiten läßt. Nur augenfälliger sind diese Erscheinungen und reißen den Blick des Unkundigen und Unaufmerksamen
mehr an sich, während der Geisteszug des Forschers vorzüglich auf das
Ganze und Allgemeine geht und nur in ihm allein Großartigkeit zu erkennen vermag, weil es allein das Welterhaltende ist. Die Einzelheiten
gehen vorüber, und ihre Wirkungen sind nach kurzem kaum noch erkennbar. Wir wollen das Gesagte durch ein Beispiel erläutern. Wenn ein
Mann durch Jahre hindurch die Magnetnadel, deren eine Spitze immer
nach Norden weist, tagtäglich zu festgesetzten Stunden beobachtete und
sich die Veränderungen, wie die Nadel bald mehr bald weniger klar nach
Norden zeigt, in einem Buche aufschriebe, so würde gewiß ein Unkundiger
dieses Beginnen für ein kleines und für Spielerei ansehen: aber wie ehr-
furchterregend wird dieses Kleine und wie begeisterungerweckend diese
Spielerei, wenn wir nun erfahren, daß diese Beobachtungen wirklich auf
dem ganzen Erdboden angestellt werden, und daß aus den daraus zu-
sammengestellten Tafeln ersichtlich wird, daß manche kleine Veränderungen an der Magnetnadel oft auf allen Punkten der Erde gleichzeitig
und in gleichem Maße vor sich gehen, daß also ein magnetisches Gewitter
über die ganze Erde geht, daß die ganze Erdoberfläche gleichzeitig gleichsam ein magnetisches Schauern empfindet. Wenn wir, so wie wir für das
Licht die Augen haben, auch für die Elektrizität und den aus ihr kommenden Magnetismus ein Sinneswerkzeug hätten, welche große Welt,
welche Fülle von unermeßlichen Erscheinungen würde uns da aufgetan
sein. Wenn wir aber auch dieses leibliche Auge nicht haben, so haben wir
dafür das geistige der Wissenschaft, und diese lehrt uns, daß die elektrische und magnetische Kraft auf einem ungeheuren Schauplatze wirkte,
daß sie auf der ganzen Erde und durch den ganzen Himmel verbreitet sei,

daß sie alles umfließe und sanft und unablässig verändernd, bildend und lebenerzeugend sich darstelle. Der Blitz ist nur ein ganz kleines Merkmal dieser Kraft, sie selber aber ist ein Großes in der Natur. Weil aber die Wissenschaft nur Körnchen nach Körnchen erringt, nur Beobachtung nach Beobachtung macht, nur aus Einzelnem das Allgemeine zusammenträgt, und weil endlich die Menge der Erscheinungen und das Feld des Gegebenen unendlich groß ist, Gott also die Freude und die Glückseligkeit des Forschers unversieglich gemacht hat, wir auch in unseren Werkstätten immer nur das Einzelne darstellen können, nie das Allgemeine, denn dies wäre die Schöpfung: so ist auch die Geschichte des in der Natur Großen in einer immerwährenden Umwandlung der Ansichten über dieses Große bestanden. Da die Menschen in der Kindheit waren, ihr geistiges Auge von der Wissenschaft noch nicht berührt war, wurden sie von dem Nahestehenden und Auffälligen ergriffen und zu Furcht und Bewunderung hingerissen: aber als ihr Sinn geöffnet wurde, da der Blick sich auf den Zusammenhang zu richten begann, so sanken die einzelnen Erscheinungen immer tiefer, und es erhob sich das Gesetz immer höher, die Wunderbarkeiten hörten auf, das Wunder nahm zu.

So wie es in der äußeren Natur ist, so ist es auch in der inneren, in der des menschlichen Geschlechtes. Ein ganzes Leben voll Gerechtigkeit, Einfachheit, Bezwingung seiner selbst, Verstandesgemäßigkeit, Wirksamkeit in seinem Kreise, Bewunderung des Schönen, verbunden mit einem heiteren gelassenen Sterben, halte ich für groß: mächtige Bewegungen des Gemütes, fruchtbar einherrollenden Zorn, die Begier nach Rache, den entzündeten Geist, der nach Tätigkeit strebt, umreißt, ändert, zerstört und in der Erregung oft das eigene Leben hinwirft, halte ich nicht für größer, sondern für kleiner, da diese Dinge so gut nur Hervorbringungen einzelner und einseitiger Kräfte sind, wie Stürme, feuerspeiende Berge, Erdbeben. Wir wollen das sanfte Gesetz zu erblicken suchen, wodurch das menschliche Geschlecht geleitet wird. Es gibt Kräfte, die nach dem Bestehen des Einzelnen zielen. Sie nehmen alles und verwenden es, was zum Bestehen und zum Entwickeln desselben notwendig ist. Sie sichern den Bestand des Einen und dadurch den aller. Wenn aber jemand jedes Ding unbedingt an sich reißt, was sein Wesen braucht, wenn er die Bedingungen des Daseins eines anderen zerstört, so ergrimmt etwas Höheres in uns, wir helfen dem Schwachen und Unterdrückten, wir stellen den Stand wieder her, daß er ein Mensch neben dem andern bestehe und seine menschliche Bahn gehen könne, und wenn wir das getan haben, so fühlen wir uns befriedigt, wir fühlen uns noch viel höher und inniger, als wir uns als Einzelne fühlen, wir fühlen uns als ganze Menschheit. Es gibt daher Kräfte, die nach dem Bestehen der gesamten Menschheit hinwirken, die durch die Einzelkräfte nicht beschränkt werden dürfen, ja im Gegenteile beschränkend auf sie selber einwirken. Es ist das Gesetz dieser Kräfte, das Gesetz der Gerechtigkeit, das Gesetz der Sitte, das Gesetz, das will, daß jeder geachtet, geehrt, ungefährdet neben dem anderen bestehe, daß er seine höhere menschliche Laufbahn gehen könne, sich Liebe und Bewunderung seiner Mitmenschen erwerbe, daß er als Kleinod gehütet werde, wie jeder Mensch ein Kleinod für alle andern Menschen ist. Dieses Gesetz liegt überall, wo Menschen neben Menschen wohnen, und es zeigt sich, wenn Menschen gegen Menschen wirken. Es liegt in der Liebe der Ehegatten zu einander, in der Liebe der Eltern zu den Kindern, der Kinder zu den Eltern, in der Liebe der Geschwister, der Freunde zu einander, in der süßen Neigung beider Geschlechter, in der Arbeitsamkeit, wodurch wir erhalten werden, in der Tätigkeit, wodurch man für seinen Kreis, für die Ferne, für die Menschheit wirkt, und endlich in der Ordnung und Gestalt, womit ganze Gesellschaften und Staaten ihr Dasein umgeben und zum Abschlusse bringen . . .

[15] **Um echte Schönheit**

ADALBERT STIFTER · *Brigitta*

Es liegt im menschlichen Geschlechte das wundervolle Ding der Schönheit. Wir alle sind gezogen von der Süßigkeit der Erscheinung und können nicht immer sagen, wo das Holde liegt. Es ist im Weltall, es ist in einem Auge, dann ist es wieder nicht in Zügen, die nach jeder Regel der Verständigen gebildet sind. Oft wird die Schönheit nicht gesehen, weil sie in der Wüste ist oder weil das rechte Auge nicht gekommen ist — oft wird sie angebetet und vergöttert und ist nicht da; aber fehlen darf sie nirgends, wo ein Herz in Inbrunst und Entzückung schlägt oder wo zwei Seelen aneinander glühen; denn sonst steht das Herz stille, und die Liebe der Seele ist tot. Aus welchem Boden aber diese Blume bricht, ist in tausend Fällen tausendmal anders; wenn sie aber da ist, darf man ihr jede Stelle des Keimens nehmen, und sie bricht doch an einer andern hervor, wo man es gar nicht geahnet hatte. Es ist nur dem Menschen eigen und adelt nur den Menschen, daß er vor ihr kniet — und alles, was sich in dem Leben lohnt und preiset, gießt sie allein in das zitternde, beseligte Herz. Es ist traurig für einen, der sie nicht hat oder nicht kennt, oder an dem sie kein fremdes Auge finden kann. Selbst das Herz der Mutter wendet sich von dem Kinde ab, wenn sie nicht mehr, ob auch nur einen einzigen Schimmer dieses Strahles an ihm zu entdecken vermag.

[16] **Christliche Humanitas**

ADALBERT STIFTER · *Witiko*

Der junge Witiko, von Passau aus in die böhmischen Wälder gekommen, hatte im Kampf um die Thronfolge seinem Herzog Sobeslaw beigestanden und rückte in seinem alleinigen Bestreben, dem Recht zum Siege zu verhelfen, zum Führer der Ordnungspartei auf, die für Wladislaw stritt.

Witiko sendete Boten aus, und ließ alle Richter aller Orte seiner Besitzung auf den Tag nach Plan entbieten.

Als der Tag gekommen war, wurde ein Tisch vor die Kirche von Plan gestellt. Und als Wentislaw und Witiko und die Richter und viele Menschen dem Gottesdienste beigewohnt hatten, traten Wentislaw und Witiko vor den Tisch. Der Pfarrer stellte ein Kreuz des Heilandes auf den Tisch, und ging dann an die Seite Witikos. Die Richter standen in einer Entfernung von dem Tische mit den Angesichtern gegen Wentislaw und Witiko. Weiter zurück und herum standen die andern Menschen. Wentislaw las nun den Befehl des hocherlauchten Herzoges Wladislaw, daß Witiko von Přic mit Gebieten des Waldes und allen Gebühren begabt worden sei. Er las aus dem Pergamente die Orte und das Gebiet und die Grenzen, und forderte die Richter zum Gelöbnisse der Untertänigkeit unter Witiko auf das Kreuz des Heilandes auf.

Die Richter gelobten die Untertänigkeit unter Witiko auf das Kreuz des Heilandes.

Dann rief der Schmied von Plan mit lauter Stimme: »Heil dem guten Witiko, den wir zu unserem Herrn erkoren haben.«

»Heil Witiko«, riefen die Menschen rings herum.

Und wieder riefen sie Heil, und wiederholten es mehrere Male.

»Witiko, der Obmann im Kriege, und der Obmann zu Hause«, rief David, der Zimmerer.

»Der Obmann im Kriege und der Obmann zu Hause«, riefen die Menschen.

»Wir haben es auf jenem Berge so gesagt, daß er uns führen müsse, ehe noch die Schlacht gewesen ist«, rief Zacharias, der Schenke, »und er hat es gut gemacht, und er ist wie wir, und wir sind wie er. Und es ist alles gut.«

»Und er hat die ganzen Waldleute, die auch nicht zu uns gehörten, geführt, als der grüne Feldherr erschlagen war«, rief Paul Joachim, der Mauer, »und es ist gut gewesen, wir haben ihn verstanden, und alles ist gut gewesen, und ist jetzt gut.«

»Die zu Hause wissen nicht, wie es im Kriege ist«, rief Stephan, der Wagenbauer, »aber wir, wir können es sagen, daß es nun gut ist.«

Tom Johannes, der Fiedler, sprang hervor, daß er zwischen den Leuten und den Herren stand, er streckte seine verstümmelte Hand empor und die andere auch, und machte mit den Mienen und den Händen Zeichen, daß er reden wolle. Als alle stille waren, rief er: »Ja, wir wissen es, die wir in dem Kriege gewesen sind, wir wissen es, wir wissen alles; aber alle wissen nicht, wie es sich gebührt, und wie es in der hohen Sitte bei dem Herzoge ist und bei den großen Lechen und bei den Herren und bei denen, die es verstehen, und wer es versteht, dem müssen sie folgen, und ich sage euch, da redet ihr alle, bevor der Herr geredet hat, als ob ihr vornehmer wäret, erst redet der Herr und dann der Untertan.«

»Du redest auch vor dem Herrn, und mehr als wir alle«, rief Zacharias, der Schenke.

Die Menschen lachten; aber sie schwiegen.

Da sprach Witiko: »Redet, es rede, wer da wolle.«

Sie redeten aber jetzt nichts mehr.

Da erhob Witiko seine Stimme, und rief: »Richter der Häuser und Orte meines Gebietes, ihr habt mir das Gelöbnis der Untertänigkeit für alle Menschen des Gebietes auf das Kreuz des Heilandes geleistet, ich nehme das Gelöbnis an und leiste auf das Kreuz des Heilandes euch und allen Menschen des Gebietes das Gelöbnis der Treue eines Herren gegen seine Untertanen und der Erfüllung der Pflichten der Herrschaft entgegen. Ich beginne an dem heutigen Tage die Herrschaft und sage: den zehnten Teil dessen, was ihr dem hocherlauchten Herzoge Wladislaw als Gebieter des Waldlandes gegeben habt, erlasse ich euch auf die Zeit meines Lebens. Das andere werdet ihr mir entrichten. Die Dienste für mich allein zu meinem Bedarfe und zu meinem Vergnügen werde ich nicht von euch erzwingen, meine Bauwerke, meine Wege, meine Stege und Brücken, meine Reisen, meine Jagden und meine Bewachung schöpfe ich aus meinem Eigentume. In den Diensten für das Gebiet und für den hocherlauchten Herzog werde ich euch nicht bedrücken und werde euch, wenn die Notwendigkeit dazu kömmt, die Notwendigkeit darlegen. Den Guten werde ich gut sein, wie ein Genosse des Waldes dem Mitgenossen des Waldes ist. Die da fehlen, werde ich zu bessern suchen, und wenn Strafe sein muß, werde ich nach dem Erweise der Schuld milde aber sicher strafen. Wer Hilfe braucht, der komme zu mir, und ich werde nach meinen Kräften helfen. Die Tore meiner Wohnung werden offen stehen, daß keiner meiner Untertanen ausgeschlossen ist. Ich danke euch, daß ihr gekommen seid, gehet zu den Eurigen und verkündet, was ich gesagt habe.«

Als er diese Worte mit lauter Stimme gerufen hatte, entstand ein Schreien in dem Volke, daß kein einziger Ruf zu verstehen war; aber es war ein Schreien der Zustimmung und ein Schreien der Freude. Sie drängten sich herzu, daß kein Raum mehr zwischen ihnen und Witiko war, und es stieß einer den andern. Und in dem Schreien des Volkes hörte man das Aufweinen von Kindern und das Kreischen von Weibern, die gedrückt wurden. Die Richter aber streckten ihre Hände gegen Witiko, und er reichte jedem die seinige. Und als das Schreien sich gemildert, und als man einzelne Rufe vernommen hatte: »Heil Witiko«, »Segen Witiko«, »Das ist recht«, »Das ist gut«, und als nur mehr die Stimmen durcheinander redeten, nannte Witiko jeden Richter mit seinem Namen, und sagte ihm, daß er seine Insassen und seine Angehörigen grüßen möge.

Dann wurde das Kreuz des Heilandes in die Kirche getragen, Witiko und Wentislaw und der Pfarrer und der Richter von Plan bahnten sich einen Weg durch die Menschen und gingen gegen das steinerne Häuschen Witikos. Alle Menschen, die vor der Kirche gewesen waren, gingen mit ihnen, und die zu Hause hatten bleiben müssen, standen jetzt auf der Gasse und sahen dem Zuge nach, und immer dauerte das Rufen der Freude und das Jubeln. Witiko und seine Gefährten traten in das Häuschen und verzehrten dort ein Mahl. Als das Mahl geendigt war, kamen junge Männer und Mädchen in ihrem Festtagsputze auf die Gasse vor dem Häuschen, und sangen Lieder. Witiko und seine Gäste gingen zu ihnen hinaus und hörten zu. Als die Lieder zu Ende waren, dankte Witiko den Sängern und Sängerinnen herzlich, und es dankten die Gäste. Dann dankte Witiko auch den Menschen, die noch immer auf der Gasse versammelt waren, und sie zerstreuten sich nach und nach.

Am nächsten Tage ritt Wentislaw mit seinem Geleite wieder gegen Daudleb zurück.

Als die Morgenstunden dieses Tages vergangen waren, kamen der Pfarrer und der Richter von Plan mit mehreren Männern zu Witiko, und brachten ihm die Huldigung von Plan dar. Er reichte ihnen Brot und Salz und dankte. Dann sprachen sie von verschiedenen Dingen. Witiko sagte, er werde von Männern wie Lubomir und Bolemil lernen, was in dem Walde zu tun sei, es liege ein Schatz in dem Walde, der gehoben werden könne. Wenn er die Mittel wisse, werde er jedem, der es wünscht, in seinem Gebahren behilflich sein. Die Männer dankten, und sagten, sie würden sich folgsam erweisen. Witiko lud sie ein, an den Abenden, so lange er da sei, zu ihm zu kommen. Die Männer versprachen es.

Und am Abende des Tages saß er mit vielen Männern vor dem Häuschen, und sie sprachen, bis die Zeit zum Nachhausegehen gekommen war.

[17] Immanente Transzendenz

FRIEDRICH HEBBEL · *Nachtlied*

Quellende, schwellende Nacht,
Voll von Lichtern und Sternen:
In den ewigen Fernen,
Sage, was ist da erwacht!

Herz in der Brust wird beengt,
Steigendes, neigendes Leben,
Riesenhaft fühle ich's weben,
Welches das meine verbrennt.

Schlaf, da nahst du dich leis,
Wie dem Kinde die Amme,
Und um die dürftige Flamme
Ziehst du den schützenden Kreis.

Sommerbild

Ich sah des Sommers letzte Rose stehn,
Sie war, als ob sie bluten könne, rot;
Da sprach ich schaudernd im Vorübergehn:
So weit im Leben, ist zu nah am Tod!

Es regte sich kein Hauch am heißen Tag,
Nur leise strich ein weißer Schmetterling;
Doch, ob auch kaum die Luft sein Flügelschlag
Bewegte, sie empfand es und verging.

FRIEDRICH HEBBEL · *Herbstbild*

Dies ist ein Herbsttag, wie ich keinen sah!
Die Luft ist still, als atmete man kaum,
Und dennoch fallen raschelnd, fern und nah,
Die schönsten Früchte ab von jedem Baum.

O stört sie nicht, die Feier der Natur!
Dies ist die Lese, die sie selber hält,
Denn heute löst sich von den Zweigen nur,
Was vor dem milden Strahl der Sonne fällt.

[18] Schuldigwerden des einzelnen, Fortgang des Weltganzen

FRIEDRICH HEBBEL · *Gyges und sein Ring*

Gyges, Gastfreund des Lyderkönigs Kandaules, hat sich auf dessen Wunsch durch einen
Ring unsichtbar gemacht und von der Schönheit der Königin Rhodope, die unter
Schleierzwang steht, überzeugt. Als er dabei entdeckt wurde, wollte die Königin ihn
zwingen, Kandaules zu töten.

KANDAULES: Sie will sich töten, wenn du mich nicht tötest?
GYGES: Sie will es! Ständ' ich sonst wohl so vor dir?
KANDAULES: Kein andres Opfer kann ihr mehr genügen?
GYGES: Ich bot das höchste, doch es war umsonst.
KANDAULES: Da wird sie mir den Abschied auch versagen!
GYGES: Ich fürchte, sie entflieht vor dir ins Grab!
KANDAULES: Da nimm mein Leben hin! — Du fährst zurück?
GYGES: So willig gibst du's her?
KANDAULES: Wer frevelte,
Muß Buße tun, und wer nicht lächelnd opfert,
Der opfert nicht! — Kennst du mich denn so schlecht
Und hältst mich so gering, daß du darob
Erstaunen, ja erschrecken kannst? Ich werde
Doch sie nicht zwingen, mit den Rosenfingern
Die noch zu zart fürs Blumenpflücken sind,
Nach einem Dolch zu greifen und zu prüfen,
Ob sie das Herz zu finden weiß?
GYGES: Du schlägst
Sogar das schirmende Gewand zurück
Und beutst mir selbst die Brust?
KANDAULES: Ich zeige dir
Den nächsten Weg zum Ziel und ebne ihn,
Damit du, wenn du wieder vor sie trittst,
Doch irgend etwas an mir loben kannst.
Hier rauscht der Quell des Lebens, den du suchst:
Den Schlüssel hast du selbst. So sperre auf!

GYGES: Nicht um die Welt!

KANDAULES: Um sie, mein Freund, um sie!

GYGES (*macht eine abwehrende Bewegung*).

KANDAULES: Doch, ich besinne mich, du wolltest heut
Mit eigner Hand dein junges Blut vergießen!
Den Mut erschwing' ich auch wohl noch, drum geh
Und bringe ihr mein letztes Lebewohl,
Es ist so gut, als läge ich schon da.

GYGES: Nein! Nein! Ich kam, zu kämpfen!

KANDAULES: Ei, wie stolz!
Du kannst im Kampf mit mir nicht unterliegen,
Nicht wahr?

GYGES: Du kennst mich besser!

KANDAULES: Nun, auch das!
Selbst, wenn ich siegen sollte, bleibt mir noch
Das andre übrig! — Ist das nicht der Duft
Der Aloe? Jawohl, schon führt der Wind
Ihn uns vom Garten zu. Die öffenet sich,
Nur wenn die Nacht sich naht. Da wird es Zeit.

GYGES: O, dieser Ring!

KANDAULES: Du meinst, er wäre besser
In seiner Gruft geblieben! Das ist wahr!
Rhodopens Ahnung hat sie nicht betrogen,
Und dich dein Schauder nicht umsonst gewarnt.
Denn nicht zum Spiel und nicht zu eitlen Possen
Ist er geschmiedet worden, und es hängt
Vielleicht an ihm das ganze Weltgeschick.
Mir ist, als dürft' ich in die tiefste Ferne
Der Zeit hinunterschaun, ich seh' den Kampf
Der jungen Götter mit den greisen alten:
Zeus, oft zurückgeworfen, klimmt empor
Zum goldnen Stuhl des Vaters, in der Hand
Die grause Sichel, und von hinten schleicht
Sich ein Titan heran mit schweren Ketten.
Warum erblickt ihn Kronos nicht? Er wird
Gefesselt, wird verstümmelt, wird gestürzt.
Trägt er den Ring? — Gyges, er trug den Ring,
Und Gäa selbst hat ihm den Ring gereicht!

GYGES: So sei der Mensch verflucht, der dir ihn brachte.

KANDAULES: Warum? Du tatest recht, und wäre ich
Dir gleich, so hätte er mich nicht verlockt,
Ich hätt' ihn still der Nacht zurückgegeben,
Und alles würde stehen wie zuvor.
Drum dinge mir des Werkzeugs wegen nichts
Vom Frevel ab, die ganze Schuld ist mein!

GYGES: Doch, welche Schuld!

KANDAULES: Das Wägen ist an ihr! —
Auch fühl' ich's wohl, ich habe schwer gefehlt,
Und was mich trifft, das trifft mich nur mit Recht.
Das schlichte Wort des alt-ehrwürd'gen Dieners
Hat mich belehrt. Man soll nicht immer fragen:
Was ist ein Ding? Zuweilen auch: Was gilt's?
Ich weiß gewiß, die Zeit wird einmal kommen,
Wo alles denkt wie ich; was steckt denn auch
In Schleiern, Kronen oder rost'gen Schwertern,
Das ewig wäre? Doch die müde Welt
Ist über diesen Dingen eingeschlafen,
Die sie in ihrem letzten Kampf errang,
Und hält sie fest. Wer sie ihr nehmen will,
Der weckt sie auf. Drum prüf' er sich vorher,
Ob er auch stark genug ist, sie zu binden,
Wenn sie, halb wachgerüttelt, um sich schlägt,
Und reich genug, ihr Höheres zu bieten,
Wenn sie den Tand unwillig fahren läßt.
Herakles war der Mann, ich bin es nicht;
Zu stolz, um ihn in Demut zu beerben,
Und viel zu schwach, um ihm es gleich zu tun,
Hab' ich den Grund gelockert, der mich trug,
Und dieser knirscht nun rächend mich hinab.
GYGES: Nein! Nein!
KANDAULES: So ist's. Auch darf's nicht anders sein!
Die Welt braucht ihren Schlaf, wie du und ich
Den unsrigen, sie wächst, wie wir, und stärkt sich,
Wenn sie dem Tod verfallen scheint und Toren
Zum Spotte reizt. Ei, wenn der Mensch daliegt,
Die sonst so fleiß'gen Arme schlaff und blaß,
Das Auge fest versiegelt und den Mund
Verschlossen, mit den zugekrampften Lippen
Vielleicht ein welkes Rosenblatt noch haltend,
Als wär's der größte Schatz: das ist wohl auch
Ein wunderliches Bild für den, der wacht
Und zusieht. Doch, wenn er nun kommen wollte,
Weil er, auf einem fremden Stern geboren,
Nichts von dem menschlichen Bedürfnis wüßte,
Und riefe: hier sind Früchte, hier ist Wein,
Steh auf und iß und trink! Was tätst du wohl?
Nicht wahr, wenn du nicht unbewußt ihn würgtest,
Weil du ihn packtest und zusammendrücktest,
So sprächst du: dies ist mehr als Speis' und Trank!
Und schliefest ruhig fort bis an den Morgen,
Der nicht den einen oder auch den andern,
Nein, der sie alle neu ins Dasein ruft!

Solch ein vorwitz'ger Störer war ich selbst,
Nun bin ich denn in des Briareus Händen,
Und er zerreibt das stechende Insekt.
Drum, Gyges, wie dich auch die Lebenswoge
Noch heben mag, sie tut es ganz gewiß
Und höher, als du denkst: vertraue ihr
Und schaudre selbst vor Kronen nicht zurück,
Nur rühre nimmer an den Schlaf der Welt!

[19] **Tragische bürgerliche Welt**

FRIEDRICH HEBBEL · *Maria Magdalene*

Die Tischlermeisterstochter Klara hatte sich, als sie von ihrem Jugendgeliebten nichts mehr hörte, dem Schreiber Leonhard hingegeben. Dieser verläßt sie trotz aufkeimender Mutterschaft, als ihr Bruder des Diebstahls angeklagt wird. Da kehrt der Jugendgeliebte (als Sekretär) zurück, ersticht Leonhard im Duell, kann sich aber doch nicht für Klara entscheiden, die ein Kind des anderen erwartet.

SEKRETÄR *(tritt bleich und wankend herein, er drückt ein Tuch gegen die Brust)*: Wo ist Klara? *(Er fällt auf einen Stuhl zurück.)* Jesus! Guten Abend! Gott sei Dank, daß ich noch herkam! Wo ist sie?

KARL: Sie ging zum — Wo bleibt sie? Ihre Reden — mir wird angst! *(Ab.)*

SEKRETÄR: Sie ist gerächt — der Bube liegt — Aber auch ich bin — Warum das, Gott? — Nun kann ich sie ja nicht —

MEISTER ANTON: Was hat er? Was ist mit ihm?

SEKRETÄR: Es ist gleich aus! Geb Er mir die Hand darauf, daß Er seine Tochter nicht verstoßen will — Hört Er, nicht verstoßen, wenn sie —

MEISTER ANTON: Das ist eine wunderliche Rede. Warum sollt' ich sie denn — Ha, mir gehen die Augen auf! Hätt' ich ihr nicht unrecht getan?

SEKRETÄR: Geb Er mir die Hand!

MEISTER ANTON: Nein! *(Steckt beide Hände in die Tasche.)* Aber ich werde ihr Platz machen, und sie weiß das, ich hab's ihr gesagt!

SEKRETÄR *(entsetzt)*: Er hat ihr — Unglückliche, jetzt erst versteh' ich dich ganz!

KARL *(stürzt hastig herein)*: Vater, Vater, es liegt jemand im Brunnen! Wenn's nur nicht —

MEISTER ANTON: Die große Leiter her! Haken! Stricke! Was säumst du? Schnell! Und ob's der Gerichtsdiener wäre!

KARL: Alles ist schon da. Die Nachbarn kamen vor mir. Wenn's nur nicht Klara ist!

MEISTER ANTON: Klara? *(Er hält sich an einem Tisch.)*

KARL: Sie ging, um Wasser zu schöpfen, und man fand ihr Tuch.

SEKRETÄR: Bube, nun weiß ich, warum deine Kugel traf. Sie ist's.

MEISTER ANTON: Sieh doch zu! *(Setzt sich nieder.)* Ich kann nicht! *(Karl ab.)* Und doch! *(Steht wieder auf.)* Wenn ich Ihn *(zum Sekretär)* recht verstanden habe, so ist alles gut.

KARL *(kommt zurück)*: Klara! Tot! Der Kopf gräßlich am Brunnenrand zerschmettert, als sie — Vater, sie ist nicht hineingestürzt, sie ist hineingesprungen, eine Magd hat's gesehen!

MEISTER ANTON: Die soll sich's überlegen, eh' sie spricht! Es ist nicht hell genug, daß sie das mit Bestimmtheit hat unterscheiden können!

SEKRETÄR: Zweifelt Er? Er möchte wohl, aber Er kann nicht! Denk Er nur an das, was Er ihr gesagt hat! Er hat sie auf den Weg des Todes hinausgewiesen, ich, ich bin schuld, daß sie nicht wieder umgekehrt ist. Er dachte, als er ihren Jammer ahnte, an die Zungen, die hinter ihm herzischeln würden, aber nicht an die Nichtswürdigkeit der Schlangen, denen sie angehören, da sprach er ein Wort aus, das sie zur Verzweiflung trieb; ich, statt sie, als ihr Herz in namenloser Angst vor mir aufsprang, in meine Arme zu schließen, dachte an den Buben, der dazu ein Gesicht ziehen könnte, und — nun, ich bezahl's mit dem Leben, daß ich mich von einem, der schlechter war als ich, so abhängig machte, und auch Er, so eisern Er dasteht, auch Er wird noch einmal sprechen: Tochter, ich wollte doch, du hättest mir das Kopfschütteln und Achselzucken der Pharisäer um mich her nicht erspart, es beugt mich doch tiefer, daß du nicht an meinem Sterbebett sitzen und mir den Angstschweiß abtrocknen kannst!

MEISTER ANTON: Sie hat mir nichts erspart — man hat's gesehen!

SEKRETÄR: Sie hat getan, was sie konnte — Er war's nicht wert, daß ihre Tat gelang!

MEISTER ANTON: Oder sie nicht! *(Tumult draußen.)*

KARL: Sie kommen mit ihr — *(Will ab.)*

MEISTER ANTON *(fest, wie bis zu Ende, ruft ihm nach)*: In die Hinterstube, wo die Mutter stand!

SEKRETÄR: Ihr entgegen! *(Will aufstehen, fällt aber zurück.)* O, Karl!

KARL *(hilft ihm auf und führt ihn ab.)*

MEISTER ANTON: Ich verstehe die Welt nicht mehr! *(Er bleibt sinnend stehen.)*

[20] **Materialismus**

GOTTFRIED KELLER · *Brief an Wilhelm Baumgartner*

Heidelberg, 28. Januar 1849

Das Merkwürdigste, was mir hier passiert ist, besteht darin, daß ich nun mit Feuerbach, über welchen ich grober Weise vor nicht langer Zeit auch mit dir Händel anfing, fast alle Abende zusammen bin, Bier trinke und auf seine Worte lausche. Er ist von hiesigen Studenten und Demokraten angegangen worden, diesen Winter hier zu lesen; er kam und hat etwa hundert eingeschriebene Zuhörer. Obgleich er eigentlich nicht zum Dozenten geschaffen ist und einen mühseligen schlechten Vortrag hat, so ist es doch höchst interessant, diese gegenwärtig weitaus wichtigste historische Person in der Philosophie selbst seine Religionsphilosophie vortragen zu hören ... So viel steht fest: ich werde tabula rasa machen (oder es ist vielmehr schon geschehen) mit allen meinen bisherigen religiösen Vorstellungen, bis ich auf dem Feuerbachischen Niveau bin. Die Welt ist eine Republik, sagt er, und erträgt weder einen absoluten noch einen konstitutionellen Gott (Rationalisten). Ich kann einstweilen diesem Aufruf nicht widerstehen. Mein Gott war längst nur eine Art von Präsident oder erstem Konsul, welcher nicht viel Ansehen genoß, ich mußte ihn absetzen. Allein ich kann nicht schwören, daß meine Welt sich nicht wieder an einem schönen Morgen ein Reichsoberhaupt wähle. Die Unsterblichkeit geht in den Kauf. So schön und empfindungsreich der Gedanke ist — kehre die Hand auf die rechte Weise um, und das Gegenteil ist ebenso ergreifend und tief. Wenigstens für mich waren es sehr feierliche und nachdenkliche Stunden, als ich anfing, mich an den Gedanken des wahrhaften Todes zu gewöhnen. Ich kann Dich versichern, daß man sich zusammennimmt und nicht eben ein schlechterer Mensch wird.

Dies alles, lieber Baumgartner, hat sich in der Wirklichkeit nicht so leicht gemacht, als es hier aussieht. Ich ließ mir Schritt für Schritt das Terrain abgewinnen. Ich übte im Anfange sogar eine Kritik aus über Feuerbachs Vorlesungen, obgleich ich den Scharfsinn seiner Gedanken zugab, führte ich doch stets eine Parallelreihe eigener Gedanken mit, ich glaubte im Anfange nur kleine Stifte und Federn anders drucken zu können, um seine ganze Maschine für mich selber zu gebrauchen. Das hörte aber mit der fünften oder sechsten Stunde allmählich auf, und endlich fing ich an, selbst für ihn zu arbeiten. Einwürfe, die ich hegte, wurden richtig von ihm selbst aufs Tapet gebracht und oft auf eine Weise beseitigt, wie ich es vorausahnend schon selbst halb und halb getan hatte. Ich habe aber auch noch keinen Menschen gesehen, der so frei von allem Schulstaub, von allem Schriftdünkel wäre wie dieser Feuerbach. Er hat nichts als die Natur und wieder die Natur, er ergreift sie mit allen seinen Fibern in ihrer ganzen Tiefe und läßt sich weder von Gott noch Teufel aus ihr herausreißen.

Für mich ist die Hauptfrage die: Wird die Welt, wird das Leben prosaischer und gemeiner nach Feuerbach? Bis jetzt muß ich des bestimmtesten antworten: Nein! Im Gegenteil, es wird alles klarer, strenger, aber auch glühender und sinnlicher. — Das weitere muß ich der Zukunft überlassen, denn ich werde nie ein Fanatiker sein und die geheimnisvolle schöne Welt zu allem Möglichen fähig halten, wenn es mir irgend plausibel wird . . .

[21] **Weg zum tätigen Leben**

GOTTFRIED KELLER · *Brief an den Verleger Eduard Vieweg*

Die Moral meines Buches [des »Grünen Heinrich«] ist: daß derjenige, dem es nicht gelingt, die Verhältnisse seiner Person und seiner Familie im Gleichgewicht zu erhalten, auch unbefähigt sei, im staatlichen Leben eine wirksame und ehrenvolle Stellung einzunehmen. Die Schuld kann in vielen

Fällen an der Gesellschaft liegen, und alsdann wäre freilich der Stoff derjenige eines sozialistischen Tendenzbuches. Im gegebenen Falle aber liegt sie größtenteils im Charakter und dem besonderen Geschicke des Helden und bedingt hierdurch eine mehr ethische Bedeutung des Romans. Unternehmung und Ausführung desselben sind nun nicht etwa das Resultat eines bloß theoretischen tendenziösen Vorsatzes, sondern die Frucht eigener Anschauung und Erfahrung. Ich habe noch nie etwas produziert, was nicht den Anstoß dazu aus meinem innern oder äußern Leben empfangen hat, und werde es auch ferner so halten; daher kommt es, daß ich nur wenig schreibe, und weiß wirklich gegenwärtig nicht zu sagen, ob ich je wieder einen Roman schreiben werde oder nicht. Einige Novellen ausgenommen habe ich für die Zukunft nur dramatische Arbeiten im Auge.

Mein Held ist ein talent- und lebensvoller junger Mensch, welcher, für alles Gute und Schöne schwärmend, in die Welt hinauszieht, um sich sein künftiges Lebensglück zu begründen. Er sieht alles mit offenen klaren Augen an und gerät als ein liebenswürdiger lebensfroher Geselle unter allerlei Leute, schließt Freundschaften, welche seinem Charakterbilde zur Ergänzung dienen, und berechtigt zu großen Hoffnungen. Als aber die Zeit naht, wo er sich in ein festes, geregeltes Handeln, in praktische Tätigkeit und Selbstbeherrschung finden soll, da fehlt ihm dieses alles. Es bleibt bei den schönen Worten, einem abenteuerlichen Vegetieren, bei einem passiven ungeschickten Umhertreiben. Er bringt dadurch sich und seine Angehörigen in äußerstes Elend, während minder begabte, aber aufmerksame Naturen aus seiner Umgebung, welche unter ihm standen, reüssieren und ihm über den Kopf wachsen. Er gerät in die abenteuerlichste, traurigste Lage, abgeschnitten von aller Welt. Da wendet sich das Geschick plötzlich günstiger; er tritt in einen Kreis edler Menschen, erholt sich, erwirbt sich, gewarnt und gewitzigt, eine feste Haltung und betritt eine neue Lebensbahn, auf welcher ihm ein schönes Ziel winkt. So rafft er sich zusammen, eilt mit goldenen Hoffnungen in seine Heimat, um seine Mutter aufzusuchen, von welcher er seit geraumer Zeit nichts mehr gehört hat, so wenig als sie von ihm. Er stößt vor den Toren der Vaterstadt auf ihr Leichenbegräbnis, mischt sich unter die Begleiter auf dem Kirchhof und hört mit an, wie der Pfarrer in seiner Leichenrede den Tod der verarmten und verlassenen Frau dem ungeratenen in der Ferne weilenden Sohne beimißt. — Da er im Grunde ein ehrenhafter und nobler Charakter ist, so wird es ihm nun unmöglich, auf den Trümmern des von ihm zerstörten Familienlebens eine glückliche, einflußreiche Stellung im öffentlichen gesellschaftlichen Leben einzunehmen. Das Band, welches ihn nach rückwärts an die Menschheit knüpft, scheint ihn blutig und gewaltsam abgeschnitten, und er kann deswegen auch das lose halbe Ende desselben, das nach vorwärts führt, nicht in die Hände fassen, und dies führt auch seinen Tod herbei. Dieser wird noch tragischer dadurch, daß ein gesundes schönes Liebesverhältnis, welches ihm nach früheren krankhaften Liebesgeschichten aufgegangen war, gebrochen und zerstört wird. — Ein Nebenzug in seinem Charakter ist eine gewisse aufgeklärte, rationelle Religiosität, eine nebulose Schwärmerei, welche darauf hinausläuft, daß in einem unberechtigten Vertrauen auf einen Gott, an den man nur halb glaubt, von demselben genialer Weise die Lösung aller Wirren und ein vom Himmel fallendes Glück erwartet wird. Nach dieser Seite hin ist die Moral des Buches das Sprichwort: Hilf dir selbst, so hilft dir Gott! und daß es gesunder sei, nichts zu hoffen und das Mögliche zu schaffen als zu schwärmen und nichts zu tun.

Die zweite Figur, oder vielmehr an Bedeutung auf der gleichen Linie stehend mit dem Helden, wenigstens in meiner Intention, ist die Mutter desselben. Eine einfache bürgerliche Frau von wenig Mitteln, hält sie es doch für ihren einzigen Beruf, die Hoffnungen ihres längst verstorbenen Gatten hinsichtlich dieses einzigen Kindes erfüllen zu helfen. Sie kann es aber nur dadurch, daß sie alles und sich selbst aufopfert, und tut dies im ungebrochenen Glauben an Vater und Sohn, ohne übrigens eine Einsicht in das Streben des letzteren zu haben. Diese unbeschränkte Hingabe tritt um so stärker hervor, als sie sonst äußerst sparsam, ängstlich und fast beschränkt ist. In dieser Partie ist der Mutterliebe einer lebenden Frau ein Denkmal gesetzt, und sie wird die sentimentale Seite des Buches bilden.

Da, wie gesagt, der Roman ein Produkt der Erfahrung ist, ausgenommen die unglückliche Katastrophe am Schlusse, so glaube ich mir schmeicheln zu können, daß er kein fades Tendenzbuch sein wird. Es ist wohl keine Seite darin, welche nicht gelebt und empfunden worden ist.

[22] **Ums rechte Maß**

GOTTFRIED KELLER · *Das Tanzlegendchen*

> Du Jungfrau Israel, du sollst noch fröhlich pauken
> und herausgehen an den Tanz. —
> Alsdann werden die Jungfrauen fröhlich
> am Reigen sein, dazu die junge Mannschaft,
> und die Alten miteinander.
> Jeremia 31 4. 13

Nach der Aufzeichnung des heiligen Gregorius war Musa die Tänzerin unter den Heiligen. Guter Leute Kind, war sie ein anmutvolles Jungfräulein, welches der Mutter Gottes fleißig diente, nur von einer Leidenschaft bewegt, nämlich von einer unbezwinglichen Tanzlust, dermaßen daß, wenn das Kind nicht betete, es unfehlbar tanzte. Und zwar auf jegliche Weise. Musa tanzte mit ihren Gespielinnen, mit Kindern, mit den Jünglingen und auch allein; sie tanzte in ihrem Kämmerchen, im Saale, in den Gärten und auf den Wiesen, und selbst wenn sie zum Altare ging, so war es mehr ein liebliches Tanzen als ein Gehen, und auf den glatten Marmorplatten vor der Kirchentüre versäumte sie nie, schnell ein Tänzchen zu probieren.

Ja, eines Tages, als sie sich allein in der Kirche befand, konnte sie sich nicht enthalten, vor dem Altar einige Figuren auszuführen und gewissermaßen der Jungfrau Maria ein niedliches Gebet vorzutanzen. Sie vergaß sich dabei so sehr, daß sie bloß zu träumen wähnte, als sie sah, wie ein ältlicher, aber schöner Herr ihr entgegentanzte und ihre Figuren so gewandt ergänzte, daß beide zusammen den kunstgerechtesten Tanz begingen. Der Herr trug ein purpurnes Königskleid, eine goldene Krone auf dem Kopf und einen glänzend schwarzen gelockten Bart, welcher vom Silberreif der Jahre wie von einem fernen Sternenschein überhaucht war. Dazuertönte eine Musik vom Chore her, weil ein halbes Dutzend kleiner Engel auf der Brüstung desselben stand oder saß, die dicken runden Beinchen darüber hinunterhängen ließ und die verschiedenen Instrumente handhabte oder blies. Dabei waren die Knirpse ganz gemütlich und praktisch und ließen sich die Notenhefte von ebensoviel steinernen Engelsbildern halten, welche sich als Zierat auf dem Chorgeländer fanden; nur der Kleinste, ein pausbäckiger Pfeifenbläser, machte eine Ausnahme, indem er die Beine übereinanderschlug und das Notenblatt mit den rosigen Zehen zu halten wußte. Auch war der am eifrigsten: die übrigen bammelten mit den Füßen, dehnten, bald dieser, bald jener, knisternd die Schwungfedern aus, daß die Farben derselben schimmerten wie Traubenhälse, und neckten einander während des Spieles.

Über alles dies sich zu wundern, fand Musa nicht Zeit, bis der Tanz beendigt war, der ziemlich lang dauerte, denn der lustige Herr schien sich dabei so wohl zu gefallen, als die Jungfrau, welche im Himmel herumzuspringen meinte. Allein als die Musik aufhörte und Musa hochaufatmend dastand, fing sie erst an, sich ordentlich zu fürchten und sah erstaunt auf den Alten, der weder keuchte noch warm hatte und nun zu reden begann. Er gab sich als David, den königlichen Ahnherrn der Jungfrau Maria, zu erkennen und als deren Abgesandten. Und er fragte sie, ob sie wohl Lust hätte, die ewige Seligkeit in einem unaufhörlichen Freudentanze zu verbringen, einem Tanze, gegen welchen der soeben beendete ein trübseliges Schleichen zu nennen sei. Worauf sie sogleich erwiderte, sie wüßte sich nichts Besseres zu wünschen! Worauf der selige König David wiederum sagte: So habe sie nichts anderes zu tun, als während ihrer irdischen Lebenstage aller Lust und allem Tanze zu entsagen und sich lediglich der Buße und den geistlichen Übungen zu weihen, und zwar ohne Wanken und ohne allen Rückfall.

Diese Bedingung machte das Jungfräulein stutzig, und sie sagte: also gänzlich müßte sie auf das Tanzen verzichten? Und sie zweifelte, ob denn im Himmel wirklich getanzt würde? Denn alles habe seine Zeit; dieser Erdboden schiene ihr gut und zweckdienlich, um darauf zu tanzen, folglich würde der Himmel wohl andere Eigenschaften haben, ansonst ja der Tod ein überflüssiges Ding wäre.

Allein David setzte ihr auseinander, wie sehr sie in dieser Beziehung im Irrtum sei, und bewies ihr durch viele Bibelstellen sowie durch sein eigenes Beispiel, daß das Tanzen allerdings eine geheiligte Beschäftigung für

Selige sei. Jetzo aber erfordere es einen raschen Entschluß, ja oder nein, ob sie durch zeitliche Entsagung zur ewigen Freude eingehen wolle oder nicht; wollte sie nicht, so gehe er weiter, denn man habe im Himmel noch einige Tänzerinnen vonnöten.

Musa stand noch immer zweifelhaft und unschlüssig und spielte ängstlich mit den Fingerspitzen am Munde; es schien ihr zu hart, von Stund' an nicht mehr zu tanzen um eines unbekannten Lohnes willen.

Da winkte David, und plötzlich spielte die Musik einige Takte einer so unerhört glückseligen, überirdischen Tanzweise, daß dem Mädchen die Seele im Leibe hüpfte und alle Glieder zuckten; aber sie vermochte nicht eines zum Tanze zu regen, und sie merkte, daß ihr Leib viel zu schwer und starr sei für diese Weise. Voll Sehnsucht schlug sie ihre Hand in diejenige des Königs und gelobte das, was er begehrte.

Auf einmal war er nicht mehr zu sehen, und die musizierenden Engel rauschten, flatterten und drängten sich durch ein offenes Kirchenfenster davon, nachdem sie in mutwilliger Kinderweise ihre zusammengerollten Notenblätter den geduldigen Steinengeln um die Backen geschlagen hatten, daß es klatschte.

Aber Musa ging andächtigen Schrittes nach Hause, jene himmlische Melodie im Ohr tragend, und ließ sich ein grobes Gewand anfertigen, legte alle Zierkleidung ab und zog jenes an. Zugleich baute sie sich im Hintergrunde des Gartens ihrer Eltern, wo ein dichter Schatten von Bäumen lagerte, eine Zelle, machte ein Bettchen von Moos darin und lebte dort von nun an abgeschieden von ihren Hausgenossen als eine Büßerin und Heilige. Alle Zeit brachte sie im Gebete zu, und öfter schlug sie sich mit einer Geißel; aber ihre härteste Bußübung bestand darin, die Glieder still zu halten; sobald nur ein Ton erklang, das Zwitschern eines Vogels oder das Rauschen der Blätter in der Luft, so zuckten ihre Füße und meinten, sie müßten tanzen.

Als dies unwillkürliche Zucken sich nicht verlieren wollte, welches sie zuweilen, ehe sie sich dessen versah, zu einem kleinen Sprung verleitete, ließ sie sich die feinen Füßchen mit einer leichten Kette zusammenschmieden. Ihre Verwandten und Freunde wunderten sich über die Umwandlung Tag und Nacht, freuten sich über den Besitz einer solchen Heiligen und hüteten die Einsiedelei unter den Bäumen wie einen Augapfel. Viele kamen, Rat und Fürbitte zu holen. Vorzüglich brachte man junge Mädchen zu ihr, welche etwas unbeholfen auf den Füßen waren, da man bemerkt hatte, daß alle, welche sie berührt, alsbald leichten und anmutvollen Ganges wurden. So brachte sie drei Jahre in ihrer Klause zu; aber gegen das Ende des dritten Jahres war Musa fast so dünn und durchsichtig wie ein Sommerwölklein geworden. Sie lag beständig auf ihrem Bettchen von Moos und schaute voll Sehnsucht in den Himmel, und sie glaubte schon die goldenen Sohlen der Seligen durch das Blau hindurch tanzen und schleifen zu sehen.

An einem rauhen Herbsttage endlich hieß es, die Heilige liege im Sterben. Sie hatte sich das dunkle Bußkleid ausziehen und mit blendend weißen

Hochzeitsgewändern bekleiden lassen. So lag sie mit gefalteten Händen und erwartete lächelnd die Todesstunde. Der ganze Garten war mit andächtigen Menschen angefüllt, die Lüfte rauschten, und die Blätter der Bäume sanken von allen Seiten hernieder. Aber unversehens wandelte sich das Wehen des Windes in Musik, in allen Baumkronen schien dieselbe zu spielen, und als die Leute emporsahen, siehe, da waren alle Zweige mit jungem Grün bekleidet, die Myrten und Granaten blühten und dufteten, der Boden bedeckte sich mit Blumen, und ein rosenfarbiger Schein lagerte sich auf die weiße zarte Gestalt der Sterbenden.

In diesem Augenblicke gab sie ihren Geist auf, die Kette an ihren Füßen sprang mit einem hellen Klange entzwei, der Himmel tat sich auf weit in der Runde, voll unendlichen Glanzes, und jedermann konnte hineinsehen. Da sah man viel tausend schöne Jungfern und junge Herren im höchsten Schein, tanzend im unabsehbaren Reigen. Ein herrlicher König fuhr auf einer Wolke, auf deren Rand eine kleine Extramusik von sechs Engelchen stand, ein wenig gegen die Erde und empfing die Gestalt der seligen Musa vor den Augen aller Anwesenden, die den Garten füllten. Man sah noch, wie sie in den offenen Himmel sprang und augenblicklich tanzend sich in den tönenden und leuchtenden Reihen verlor.

Im Himmel war eben hoher Festtag; an Festtagen aber war es, was zwar vom heiligen Gregor von Hyssa bestritten, von demjenigen von Nazianz aber aufrechtgehalten wird, Sitte, die neun Musen, die sonst in der Hölle saßen, einzuladen und in den Himmel zu lassen, daß sie da Aushilfe leisteten. Sie bekamen gute Zehrung, mußten aber nach verrichteter Sache wieder an den anderen Ort gehen.

Als nun die Tänze und Gesänge und alle Zeremonien zu Ende und die himmlischen Heerscharen sich zu Tische setzten, da wurde Musa an den Tisch gebracht, an welchem die neun Musen bedient wurden. Sie saßen fast verschüchtert zusammengedrängt und blickten mit den feurigen schwarzen oder tiefblauen Augen um sich. Die emsige Martha aus dem Evangelium sorgte in eigener Person für sie, hatte ihre schönste Küchenschürze umgebunden und einen zierlichen kleinen Rußfleck an dem weißen Kinn und nötigte den Musen alles Gute freundlich auf. Aber erst, als Musa und auch die Heilige Cäcilia und noch andere kunsterfahrene Frauen herbeikamen und die scheuen Pierinnen heiter begrüßten und sich zu ihnen gesellten, da tauten sie auf, wurden zutraulich, und es entfaltete sich ein anmutig fröhliches Dasein in dem Frauenkreise. Musa saß neben Terpsichore und Cäcilia zwischen Polyhymnien und Euterpen, und alle hielten sich bei den Händen. Nun kamen auch die kleinen Musikbübchen und schmeichelten den schönen Frauen, um von den glänzenden Früchten zu bekommen, die auf dem ambrosischen Tische strahlten. König David selbst kam und brachte einen goldenen Becher, aus dem alle tranken, daß holde Freude sie erwärmte; er ging wohlgefällig um den Tisch herum, nicht ohne der lieblichen Erato einen Augenblick das Kinn zu streicheln im Vorbeigehen. Als es dergestalt hoch herging an dem Musentisch, erschien sogar Unsere Liebe Frau in all' ihrer Schönheit und Güte, setzte sich auf ein Stündchen zu den Musen und küßte die hehre Urania unter ihrem Sternenkranze zärtlich auf den Mund, als sie ihr beim Abschiede zuflüsterte, sie werde nicht ruhen, bis die Musen für immer im Paradiese bleiben könnten.

Es ist freilich nicht so gekommen. Um sich für die erwiesene Güte und Freundlichkeit dankbar zu erweisen und ihren guten Willen zu zeigen, ratschlagten die Musen untereinander und übten in einem abgelegenen Winkel der Unterwelt einen Lobgesang ein, dem sie die Form der im Himmel üblichen feierlichen Choräle zu geben suchten. Sie teilten sich in zwei Hälften von je vier Stimmen, über welche Urania eine Art Oberstimme führte, und brachten so eine merkwürdige Vokalmusik zuwege.

Als nun der nächste Festtag im Himmel gefeiert wurde und die Musen wieder ihren Dienst taten, nahmen sie einen für ihr Vorhaben günstig scheinenden Augenblick wahr, stellten sich zusammen auf und begannen sänftlich ihren Gesang, der bald gar mächtig anschwellte. Aber in diesen Räumen klang er so düster, ja fast trotzig und rauh, und dabei so sehnsuchtsschwer und klagend, daß erst eine erschrockene Stille waltete, dann aber alles Volk von Erdenleid und Heimweh ergriffen wurde und in allgemeines Weinen ausbrach.

Ein unendliches Seufzen rauschte durch die Himmel; bestürzt eilten alle Ältesten und Propheten herbei, indessen die Musen in ihrer guten Meinung immer lauter und melancholischer sangen und das ganze Paradies mit allen Erzvätern, Ältesten und Propheten, alles, was je auf grüner Wiese gegangen oder gelegen, außer Fassung geriet. Endlich aber kam die allerhöchste Trinität selber heran, um zum Rechten zu sehen und die eifrigen Musen mit einem lang hinrollenden Donnerschlag zum Schweigen zu bringen.

Da kehrte Ruhe und Gleichmut in den Himmel zurück; aber die armen neun Schwestern mußten ihn verlassen und durften ihn seither nicht wieder betreten.

[23] **Flucht in die Geschichte**

CONRAD FERDINAND MEYER

Huttens letzte Tage (Erasmus)

Frau Schwermut setzt sich heute neben mich
Und raunt mir zu: »Die Menschen lassen dich.

Du bist ein halbzertrümmert Kriegsgerät,
An dem man achtungslos vorübergeht.

Die Freunde wenden sich von dir mit Scheu,
Nur deine Feinde bleiben dir getreu.

Du warst zu kühn und, streckst du dich erbleicht,
So wird es dir und wird den andern leicht« . . .

Der Schiffer kommt. Freund! Was ist dein Gesuch?
»Hier, Ritter, bring' ich etwas wie ein Buch.«

Versiegelt ist's. Von wem? Ich weiß es nicht.
Die Rechte zaudert, die das Siegel bricht.

Schickt, Büchlein, dich ein Freund, mich zu erfreun?
Ein Feind, mir alte Wunden zu erneun?

Ich, sonst so kampfgewöhnt und wetterhart,
Auf dieser stillen Insel werd' ich zart,

Und dessen Hand so rasch zum Schwerte fuhr,
Friedselig wird er hier wie die Natur.

Wie? Hutten zagt? Enthieltst du Gottes Spruch
Und Urteil selbst, ans Licht, verhülltes Buch!

»Erasmus gegen Hutten. Offner Brief.«
Recht! Hutten und Erasmus wäre schief.

Latein ist gut! Latein verdient ein Lob!
Glatt, elegant . . . Potz Blitz, da wird es grob.

»Zerlumpter Ritter!« redest du mich an,
Betitelst mich »verkommener Kumpan!«

»Zerlumpter Ritter!« Ein erbaulich Bild!
Mißgönnt der Bankert mir das Wappenschild?

Ich Hutten weiß, wieviel die Tinte tut,
Doch mehr vermag ein dreister Reutersmut!

Der Römling, der in unsern Landen haust,
Erbleicht vor der geschienten Edelfaust!

»Potator, aleator« . . . Geht's auf mich?
Du munkelst, deutelst, heuchelst — schäme dich!

Und hier . . . und hier — nicht möglich! Büchlein, schweig!
Ein Musenliebling! Und so schlecht und feig!

Erasmus rät den Zürchern — niedrig Tun —
Mir zu verbieten, hier mich auszuruhn.

Mich aufzunehmen ist des Gastes Recht,
Gefährlich sei's! Du kennst die Zürcher schlecht!

Das alles, weil ich, der du brav mir schienst,
Dich werben wollte für der Freiheit Dienst.

Mann, wären nicht gezählt die Tage mir,
Zu Basel auf die Bude stieg' ich dir!

Ich zöge dich mit diesen Armen, glaub'
Es mir, hervor aus deinem Bücherstaub.

Doch zittre nicht! dir sollte nichts geschehn,
Ich würd nur dir Aug' in Auge sehn.

Dein edles Wissen, spräch' ich, liegt dir tot,
Du bietest Gold und wir bedürfen Brot!

Die Menge hungert, ahntest du es nie?
Hervor mit deinen Horten! Speise sie!

Dein Denken, spräch' ich, ist ein eitler Traum,
Wächst drangvoll nicht daraus ein Lebensbaum ...

Was willst du? Weihrauch? Ehrerbietung? Gern.
Du bist ein schimmernd Licht, ein heller Stern!

Vor deinem Ruhme beugt der Hutten sich —
Nun aber, als ein Mann, ermanne dich!

Die Satyrmaske lege sie beiseit —
Ein offnes Antlitz will die große Zeit.

Freund — alles ist vergeben, rede frei!
Ich schütze dich vor Papst und Klerisei!

Du kennst die Wahrheit, übe nicht Verrat,
Gib Zeugnis! Wage eine Mannestat!

Bekenn', Erasme, ob du ein Papist,
Ein Römer, oder evangelisch bist!

Kein Drittes! Gib in klarem Stile dich!
Du kneiffst die Lippen — bist du unser? Sprich! ...

Dein schlaues Auge blickt mich spöttisch an? ...
Vale, Erasme! Tot und abgetan!

[24] Widersprüchlichkeit des Lebens

CONRAD FERDINAND MEYER · *Der Heilige*

König Heinrich hatte die Tochter seines Freundes und Kanzlers Thomas Becket ver-
führt, die daraufhin der Eifersucht der Königin zum Opfer fiel. Thomas bleibt seinem
Herrn scheinbar treu und sinnt erst als Primas auf Rache. Als der König in ihm (dem
Heiligen) den Gegner erkennt, läßt er ihn am Altar ermorden.

So ganz neben das Ziel traf übrigens mein Herr und König in der Laune
seiner Trunkenheit nicht, wenn er meinte, der Kanzler ergebe sich zeit-
weilig tiefsinnigen und wunderbaren Betrachtungen. Ich selber weiß davon
zu erzählen. In der Vorhalle, wo ich oft meines Herrn gewärtig mich
stundenlang aufhielt und auch der Kanzler zuweilen, ohne meiner zu
achten, in tiefem Sinnen auf- und niederschritt, hing in einer düsteren

Ecke ein großer hölzerner Crucifixus, ein grobes, mageres Werk, aber ein Haupt mit rührenden Zügen. Der König hielt ihn hoch in Ehren, weil sein Vorfahr, Wilhelm der Eroberer, ihn vor der Schlacht bei Hastings inbrünstig angebetet und durch seine Macht dann auch den Sieg erlangt hatte. Auf dieses Bildwerk hatte der Kanzler sich sonst wohl gehütet seine verwöhnten Augen zu heften; denn er verabscheute das rieselnde Blut und das Häßliche. Aber in jener Zeit hörte ich zuweilen mit Verwundern, wie er mit dem gebräunten Crucifixus Zwiesprache hielt. In arabischer Zunge, ich vernahm es deutlich, flüsterte er mit ihm. — Ich freute mich, daß er sich an den guten Tröster wandte, obschon mir dabei fast unheimlich zumute war; denn, Herr, ich hörte davon zu wenig und zu viel und Dinge, die ich nicht gern wiederholen mag, weil sie, wenn nicht Eure Seele gefährden, doch Eurer Frömmigkeit zum Ärgernis sein könnten. Wußt ich doch nicht, inwieweit Herr Thomas das maurische Wesen von sich getan und ob er, wie wir, den Hochgelobten, der am Kreuze hängt, als den heiligen Gott selber anrufe. Einzelne Stoßseufzer, unzusammenhängende Worte nur vernahm ich in der allmählich aus meinem Gedächtnisse entschwindenden Sprache, die mich erbauten oder auch erschreckten. Innig und schmerzvoll sprach er zu dem stillen Gekreuzigten, aber lästerlich und wie zu seinesgleichen, so schien mir.

Also geschah es eines Tages, daß der Kanzler wiederum vor dem Bildnisse stand, ohne mich gewahr zu werden, der, in einer Ecke des weiten Gemaches auf einem Schemel sitzend, sich stille hielt und gering machte.

»Auch du hast gelitten«, so hauchte er, »und wohl so grausig, als du hier in der Marter schwebst!... Warum? Warum?... Der Welt Sünde zu tragen, steht geschrieben ... Was hast du gesühnt, du himmlisches Gemüt? ... Friede sollst du bringen und den Menschen ein Wohlgefallen ... aber, siehe, diese Erde dampft und stinkt noch von Blut und Greuel ... und Schuld und Unschuld wird gemordet wie *vor* deiner Zeit!...

Sie haben dich geschlagen, angespien, gemartert ... du aber beharrtest in der Tapferkeit der Liebe und batest am Kreuze für deine Mörder ... Verscheuche den Geier des unversöhnlichen Grams, der mein Herz verzehrt!... Damit ich in deine Stapfen trete ... Ich bin der Ärmste und Elendeste der Sterblichen ... Siehe, ich gehöre dir zu und kann nicht von dir lassen, du geduldiger König der verhöhnten und gekreuzigten Menschheit!...«

Nachdem der Kanzler noch eine Weile mit dem Bilde geflüstert, wendete er sich langsam und entdeckte mich auf meinem Schemel. Ich hielt mich unverwundert und beschloß tapfer zu lügen, wenn er mich früge, ob ich ihn belauscht hätte.

Er aber näherte sich mit ruhigen Schritten, unmerklich lächelnd. — »Sohn Japhets«, sprach er mich an, »du hast unter den Kindern Sems gelebt und weißt, daß sie es nicht glauben, der Ewige habe seinen einzigen Sohn ans Kreuz schlagen lassen — wie belehrst du sie eines Besseren?«

Ich erhob meine Augen fest auf den Kanzler und antwortete unverzagt: «Mein Salvator hat den Verräter Judas geküßt und seinen Peinigern vergeben; solches aber vermag ein bloßer Mensch nicht, denn es geht gegen Natur und Geblüt.«

Herr Thomas wiegte leise das Haupt. Das hast du recht gesagt, meinte er, »es ist schwer und unmöglich«. —

[25] **Zucht der Form**

CONRAD FERDINAND MEYER · *Der römische Brunnen*

(Frühe Fassung)

In einem römischen Garten
Verborgen ist ein Bronne,
Behütet von dem harten
Geleucht der Mittagssonne,
Er steigt in schlankem Strahle
In dunkle Laubesnacht
Und sinkt in eine Schale
Und übergießt sie sacht.

Die Wasser steigen nieder
In zweiter Schale Mitte,
Und voll ist diese wieder,
Sie flutet in die dritte:
Ein Nehmen und ein Geben,
Und alle bleiben reich,
Und alle Fluten leben
Und ruhen doch zugleich.

(Spätere Fassung)

Der Springquell plätschert und ergießt
Sich in der Marmorschale Grund,
Die, sich verschleiernd, überfließt
In einer zweiten Schale Rund;
Und diese gibt, sie wird zu reich,
Der dritten wallend ihre Flut,
Und jede nimmt und gibt zugleich
Und alles strömt und alles ruht.

(Letzte Fassung)

Aufsteigt der Strahl und fallend gießt
Er voll der Marmorschale Rund,
Die, sich verschleiernd, überfließt
In einer zweiten Schale Grund;
Die zweite gibt, sie wird zu reich,
Der dritten wallend ihre Flut,
Und jede nimmt und gibt zugleich
Und strömt und ruht.

MARIE VON EBNER-ESCHENBACH

Tadel und Lob

Magst den Tadel noch so fein,
Noch so zart bereiten,
Weckt er Widerstreiten.

Lob darf ganz geschmacklos sein,
Hocherfreut und munter
Schlucken sie's hinunter.

Das Schiff

Das eilende Schiff, es kommt durch die Wogen
Wie Sturmwind geflogen;
Voll Jubel ertönts vom Mast und vom Kiele:
Wir nahen dem Ziele!
Der Fährmann am Steuer spricht traurig und leise:
Wir segeln im Kreise.

MARIE VON EBNER-ESCHENBACH · *Aphorismen*

Die meisten Menschen brauchen mehr Liebe, als sie verdienen.

Natur ist Wahrheit; Kunst ist die höchste Wahrheit.

Es würde viel weniger Böses auf Erden getan, wenn das Böse niemals im
Namen des Guten getan werden könnte.

Wer Geduld sagt, sagt Mut, Ausdauer, Kraft.

Arme Leute schenken gern.

Kein Mensch steht so hoch, daß er anderen gegenüber nur gerecht sein
dürfte.

Je weiter unsere Erkenntnis Gottes dringt, desto weiter weicht Gott vor
uns zurück.

Sobald eine Mode allgemein geworden ist, hat sie sich überlebt.

Wir sind für nichts so dankbar wie für Dankbarkeit.

Um ein öffentliches Amt glänzend zu verwalten, braucht man eine gewisse
Anzahl guter und — schlechter Eigenschaften.

Man muß schon etwas wissen, um verbergen zu können, daß man nichts weiß.

Man darf anders denken als seine Zeit, aber man darf sich nicht anders kleiden.

Wisset, die euch Haß predigen, erlösen euch nicht.

Die Erfolge des Tages gehören der verwegenen Mittelmäßigkeit.

Das Leben erzieht die großen Menschen und läßt die kleinen laufen.

Der Zufall ist die in Schleier gehüllte Notwendigkeit.

Es gibt eine schöne Form der Verstellung: die Selbstüberwindung — und eine schöne Form des Egoismus: die Liebe.

Der Hochmut ist ein plebejisches Laster.

Was ist Reue? Eine große Trauer darüber, daß wir sind, wie wir sind.

Viele Leute glauben, wenn sie einen Fehler eingestanden haben, brauchen sie ihn nicht mehr abzulegen.

Treue üben ist Tugend, Treue erfahren ist Glück.

Daß so viel Ungezogenheit gut durch die Welt kommt, daran ist die Wohlerzogenheit schuld.

Der Ruhm der kleinen Leute heißt Erfolg.

Die Wahrheit hat Kinder, die sie nach einiger Zeit verleugnet; sie heißen Wahrheiten.

Ausklang des Realismus

[27] **Friedliches Abseits**

THEODOR STORM · *Abseits*

Es ist so still; die Heide liegt
Im warmen Mittagssonnenstrahle,
Ein rosenroter Schimmer fliegt
Um ihre alten Gräbermale;
Die Kräuter blühn; der Heideduft
Steigt in die blaue Sommerluft.

Laufkäfer hasten durchs Gesträuch
In ihren goldnen Panzerröckchen,
Die Bienen hängen Zweig um Zweig
Sich an der Edelheide Glöckchen,
Die Vögel schwirren aus dem Kraut —
Die Luft ist voller Lerchenlaut.

Ein halbverfallen niedrig Haus
Steht einsam hier und sonnbeschienen;
Der Kätner lehnt zur Tür hinaus,
Behaglich blinzelnd nach den Bienen;
Sein Junge auf dem Stein davor
Schnitzt Pfeifen sich aus Kälberrohr.

Kaum zittert durch die Mittagsruh
Ein Schlag der Dorfuhr, der entfernten;
Dem Alten fällt die Wimper zu,
Er träumt von seinen Honigernten.
— Kein Klang der aufgeregten Zeit
Drang noch in diese Einsamkeit.

THEODOR STORM · *Die Stadt*

Am grauen Strand, am grauen Meer
Und seitab liegt die Stadt;
Der Nebel drückt die Dächer schwer,
Und durch die Stille braust das Meer
Eintönig um die Stadt.

Es rauscht kein Wald, es schlägt im Mai
Kein Vogel ohn' Unterlaß;
Die Wandergans mit hartem Schrei
Nur fliegt in Herbstesnacht vorbei,
Am Strande weht das Gras.

Doch hängt mein ganzes Herz an dir,
Du graue Stadt am Meer;
Der Jugend Zauber für und für
Ruht lächelnd doch auf dir, auf dir,
Du graue Stadt am Meer.

Meeresstrand

Ans Haff nun fliegt die Möwe,
Und Dämmrung bricht herein;
Über die feuchten Watten
Spiegelt der Abendschein.

Graues Geflügel huschet
Neben dem Wasser her;
Wie Träume liegen die Inseln
Im Nebel auf dem Meer.

Ich höre des gärenden Schlammes
Geheimnisvollen Ton,
Einsames Vogelrufen —
So war es immer schon.

Noch einmal schauert leise
Und schweiget dann der Wind;
Vernehmlich werden die Stimmen,
Die über der Tiefe sind.

[28] **Sieh nach den Sternen — gib acht auf die Gassen**

Wilhelm Raabe · *Der Hungerpastor*

Der Meister Unwirrsch lag die ganze Nacht, ohne ein Auge zuzutun; der Neugeborne schrie mächtig, und es war kein Wunder, daß diese ungewohnten Töne den Vater wach erhielten und ein wirbelndes Heer von hoffenden und sorgenden Gedanken aufstörten und in wilder Jagd durch Herz und Hirn trieben. — Es ist nicht leicht, eine gute Predigt zu machen; aber leicht ist es auch nicht, einen guten Stiefel anzufertigen. Zu beiden gehört Geschick, viel Geschick; und Pfuscher und Stümper sollten zum Besten ihrer Mitmenschen lieber ganz davonbleiben. Ich für mein Teil habe eine ungemeine Vorliebe für die Schuster, sowohl in der Gesamtheit bei ihren feierlichen Aufzügen wie auch in ihrer Eigenschaft als Individuen. Es ist, wie das Volk sagt, eine »spintisierende Nation«, und kein anderes Handwerk bringt so treffliche und kuriose Eigentümlichkeiten bei seinen Gildegliedern hervor. Der niedrige Arbeitstisch, der niedrige Schemel, die wassergefüllte Glaskugel, welche das Licht der kleinen Öllampe auffängt und glänzender wieder zurückwirft, der scharfe Duft des Leders und des Pechs müssen notwendigerweise eine nachhaltige Wirkung auf die menschliche Natur ausüben, und sie tun es auch mächtig. Was für originelle Käuze hat dieses vortreffliche Handwerk hervorgebracht — eine ganze Bibliothek könnte man über »merkwürdige Schuster« zusammenschreiben, ohne den Stoff im mindesten zu erschöpfen! Das Licht, das durch die schwebende Glaskugel auf den Arbeitstisch fällt, ist das Reich phantastischer Geister; es füllt die Einbildungskraft während der nachdenklichen Arbeit mit wunderlichen Gestalten und Bildern und gibt den Gedanken eine Färbung, wie sie ihnen keine andere Lampe, patentiert oder nicht patentiert, verleihen kann. Auf allerlei Reime, seltsame Märlein, Wundergeschichten und lustige und traurige Weltbegebenheiten verfällt man dabei, worüber dann die Nachbarn sich verwundern, wenn man sie mit schwerfälliger Hand zu Papier gebracht hat, und wobei die Frau lacht oder sich fürchtet, wenn man sie in der Dämmerung mit halblauter Stimme summt. Oder aber man fängt an, noch tiefer zu grübeln, und »Not« wird uns, »zu entsinnen des Lebens Anfang«. Immer tiefer sehen wir in die leuchtende Kugel, und in dem Glase sehen wir das Universum in all seinen Gestalten und Naturen: durch die Pforten aller Himmel treten wir frei und erkennen sie mit all ihren Sternen und Elementen; höchste Ahnungen gehen uns auf und niederschreiben wir, während der Pastor Primarius Richter von der Kanzel den Pöbel gegen uns aufhetzt und der Büttel von Görlitz, der uns ins Gefängnis bringen soll, vor der Tür steht:

»Denn das ist der Ewigkeit Recht und ewig Bestehen, daß sie nur Einen Willen hat. Wenn sie deren zweene hätte, so zerbräche einer den andern und wäre Streit. Sie stehet wohl in viel Kraft und Wundern; aber ihr Leben ist nur bloß allein die Liebe, aus welcher Licht und Majestät ausgehet. Alle Kreaturen im Himmel haben Einen Willen, und der ist ins Herze Gottes gerichtet und gehet in Gottes Geist, wohl im Centro der Vielheit, im Wachsen und Blühen; aber Gottes Geist ist das Leben in allen Dingen, Centrum Naturae gibt Wesen, Majestät und Kraft, und der Heilige Geist ist Führer.«

Viel sehen wir in der glänzenden Kugel, durch welche die schlechte Lampe so armes Licht wirft, daß wir dabei kaum zu Papier bringen können, was wir sahen; aber nichtsdestoweniger können wir unter das vollendete Manuskriptum schreiben: »Geschrieben nach göttlicher Erleuchtung durch Jakob Böhm, sonsten auch Teutonicus genannt.«

Wer gegen die Schuster was hat und ihre Trefflichkeit im einzelnen wie im allgemeinen nicht nach Gebühr zu schätzen weiß, der bleibe mir vom Leibe. Wer sie gar ihres oft wunderbaren Äußern wegen, ihrer krummen Beine, ihrer harten, schwarzen Pfoten, ihrer närrischen Nasen, ihrer ungepflegten Haarwülste halben naserümpfend verachtet, den möge man mir stehlen; ich werde keine Belohnung um seine Wiedererlangung aussetzen. Ich schätze und liebe die Schuster, und vor allen halte ich hoch den wackern Meister Anton Unwirrsch, den Vater von Hans Jakob Nikolaus Unwirrsch. Obgleich er leider recht bald nach jenem Feierabend, an welchem ihm der längst erwünschte Sohn geboren wurde, selbst für immer Feierabend machte, so hängen doch aus seinem Leben zu viele Fäden in das des Sohnes hinein, als daß wir die Schilderung seines Seins und Wesens umgehen könnten. Der Mann stand, wie wir bereits wissen, körperlich auf nicht sehr festen Füßen; aber geistig stand er fest genug und nahm es mit manchem, der sich hoch über ihn erhaben dünkte, auf. Aus allen Reliquien seines verborgenen Daseins geht hervor, daß er die Mängel einer vernachlässigten Ausbildung nach besten Kräften nachzuholen suchte; es geht daraus hervor, daß er Wissensdrang, viel Wissensdrang hatte. Und wenngleich er niemals vollständig orthographisch schreiben lernte, so war er doch ein dichterisches Gemüt, wie sein berühmter Handwerksgenosse aus der »Mausfalle« zu Nürnberg, und las, soviel er nur irgend konnte. Was er las, verstand er meistens auch; und wenn er aus manchem den Sinn nicht herausfand, welchen der Autor hineingelegt hatte, so fand er einen anderen Sinn heraus oder legte ihn hinein, der ihm ganz allein gehörte und mit welchem der Autor sehr oft höchst zufrieden sein konnte. Obgleich er sein Handwerk liebte und es in keiner Weise versäumte, so hatte es doch keinen goldenen Boden für ihn, und er blieb ein armer Mann. Goldene Träume aber hatte seine Beschäftigung für ihn, und alle Beschäftigungen, die dergleichen geben können, sind gut und machen glücklich. Anton Unwirrsch sah die Welt von seinem Schusterstuhl fast gradeso, wie sie einst Hans Sachs gesehen hatte, doch wurde er nicht so berühmt. Er hinterließ ein eng und fein geschriebenes Büchlein, welches zuerst seine Witwe in der Tiefe ihrer Lade neben ihrem Gesangbuch, Brautkranz und einem schwarzen Kästchen, von welchem später noch die Rede sein wird, aufbewahrte gleich einem Heiligtume. Gleich einem Heiligtume überlieferte die Mutter es dem Sohne, und dieser hat ihm den Ehrenplatz in seiner Bibliothek zwischen der Bibel und dem Shakespeare gegeben, obgleich es nach Gehalt und Poesie ein wenig unter diesen beiden Schriftwerken steht.

Die Base Schlotterbeck und der Schwager Grünebaum hatten eine dumpfe Ahnung von dem Vorhandensein dieses Manuskripts, aber wirklich Bescheid darum wußte nur die Frau des Poeten. Für sie war es das Wunderbarste, was man sich vorstellen konnte; es reimte sich ja »Wie's Gesangbuch«, und ihr Mann hatte es gemacht; das ging über alles, was die Nachbarschaft zutage fördern konnte.

Für den Sohn waren diese zusammengehefteten Blätter später ein teures Vermächtnis und ein rührendes Zeichen des ewig aus der Tiefe und Dunkelheit zur Höhe, zum Licht, zur Schönheit emporstrebenden Volksgeistes.

Die harmlosen, formlosen Seelenergüsse des Schusters Unwirrsch feierten naturgemäß die Natur in ihren Erscheinungen, das Haus, das Handwerk und einzelne große Fakta der Weltgeschichte, vorzüglich Taten und Helden des eben vorübergedonnerten Befreiungskrieges. Sie zeugten von einem bald gemütlichen, bald gehobenen Denken nach allen diesen Seiten hin. Ein wenig Humor mischte sich auch darein, doch trat das Pathetische am meisten hervor und mußte auch meistens das bekannte Lächeln erregen. Der wackere Meister Anton hatte so viel Donner und Blitz, Hagelschlag, Feuersbrünste und Wassersnot erlebt, hatte so viele Franzosen, Rheinbündler, Preußen, Österreicher und Russen vor seinem Hause vorüberziehen sehen, daß es kein Wunder war, wenn er dann und wann auch ein wenig versuchte zu donnern, zu blitzen und totzuschlagen. Mit den Nachbarn geriet er deshalb nicht in Feindschaft; denn er blieb, was er war, ein »guter Kerl«, und als er starb, trauerte nicht allein die Frau, der Schwager Grünebaum und die Base Schlotterbeck; nein, die ganze Kröppelstraße wußte und sagte, daß ein guter Mann fortgegangen und daß es schade um ihn sei.

Auf die Geburt eines Sohnes hatte er lange und sehnsüchtig gewartet. Oft malte er sich aus, was er daraus machen könnte und wollte. Sein ganzes, eifriges Streben nach Erkenntnis trug er auf ihn über; der Sohn sollte und mußte erreichen, was der Vater nicht erreichen konnte. Die tausend unübersteiglichen Hindernisse, die das Leben dem Meister Anton in den Weg geworfen hatte, sollten den Lauf des Unwirrsches der Zukunft nicht aufhalten. Frei sollte er die Bahn finden, und keine Pforte der Weisheit, keine der Bildung sollte ihm der Mangel, die Not des Lebens verschließen.

So träumte Anton, und ein Jahr der Ehe ging nach dem andern hin. Es wurde eine Tochter geboren, aber sie starb bald nach der Geburt; dann kam wieder eine lange Zeit nichts, und dann — dann kam endlich Johannes Jakob Nikolaus Unwirrsch, dessen Eintritt in die Welt uns bereits den Stoff zu mehreren der vorhergehenden Seiten gab und dessen spätere Leiden, Freuden, Abenteuer und Fahrten, kurz, dessen Schicksale den größten Teil dieses Buches ausmachen werden.

Wir sahen den Schwager und Oheim Grünebaum seinen Pantoffel verlieren, wir sahen und hörten den Tumult der Weiber, lernten die Frau

Tiebus und die Base Schlotterbeck kennen — wir sahen endlich die beiden
Schwäger Unwirrsch und Grünebaum in der Rumpelkammer sitzen und
sahen die Dämmerung in den ereignisvollen Sonnenuntergang herein-
schleichen; noch ein Jahr lebte der Meister Anton nach der Geburt seines
Sohnes, dann starb er an einer Lungenentzündung. Das Schicksal machte
es mit ihm nicht anders als mit so manchem andern; es gab ihm sein Teil
Freude in der Hoffnung und versagte ihm die Erfüllung, welche von der
Hoffnung doch stets allzu weit überflogen wird. Johannes schrie tüchtig
in der Todesstunde seines Vaters, doch nicht um den Vater. Die Frau
Christine aber schrie sehr um den Gatten und wollte sich lange Zeit weder
durch die tröstenden Worte der Base Schlotterbeck noch durch die philosophischen Zusprüche des weisen Meisters Nikolaus Grünebaum beruhigen
lassen. Dem Sterbenden versprach der Schwager, sein Bestes zu tun für
die Hinterlassenen und ihnen in allen Nöten nach besten Kräften bei-
zustehen. Noch einmal rang Anton Unwirrsch nach Luft; aber die Luft
war für ihn zu sehr mit Feuerflammen gefüllt; er seufzte und starb. Der
Doktor schrieb ihm den Totenschein; es kam die Frau Kiebike, die Toten-
frau, und wusch ihn, sein Sarg war zur rechten Zeit fertig, ein gutes
Gefolge von Nachbarn und Freunden gab ihm das Geleit zum Kirchhof,
und im Winkel neben dem Ofen saß die Frau Christine, hielt ihr Kind auf
dem Schoß und sah mit starren, verweinten Augen auf den niedern,
schwarzen Arbeitsschemel und den niedern, schwarzen Arbeitstisch und
wollte es noch immer nicht glauben, daß ihr Anton niemals mehr drauf
und dran sitzen sollte. Die Base Schlotterbeck räumte die leeren Kuchen-
teller, die Flaschen und Gläser fort, welche voll den Leidtragenden, den
Leichenträgern und den kondolierenden Nachbarinnen zur Stärkung im
Jammer vorgesetzt worden waren. Hans Jakob Nikolaus Unwirrsch
kreischte in kindlicher Lust und streckte verlangend die kleinen Hände
nach der blitzenden Glaskugel aus, welche über des Vaters Tische hing,
auf welche jetzt die Sonne schien und welche einen so merkwürdigen
Schein über die Gedankenwelt des Anton Unwirrschs gegossen hatte. Der
Einfluß dieser Kugel sollte noch lange fortdauern. Die Mutter hatte sich
an das Licht derselben so gewöhnt, daß sie es auch nach ihres Mannes Tode
nicht entbehren konnte; es leuchtete weit in das Jünglingsalter des Sohnes
hinein, manche Erzählung von des Vaters Wert und Würdigkeit vernahm
Johannes dabei, und unlöslich verknüpfte sich allmählich in des Sohnes
Geist das Bild des Vaters mit dem Schein dieser Kugel . . .

[29] **Lächeln unter Tränen**

WILHELM RAABE · *Abu Telfan oder Die Heimkehr vom Mondgebirge*

Der aus Afrika Heimkehrende findet sich in der Enge der Kleinstadt nicht mehr zurecht.

Am Marktplatz der Stadt Nippenburg liegt ein stattliches Haus mit
glänzenden Spiegelscheiben und graugrünen Fensterläden, einem weiten

Torweg und einem kurzstämmigen, haarigen Hausknecht: der Goldene Pfau, der erste Gasthof der Stadt. Seit undenklichen Zeiten steht sein Ruf fest, nicht nur in Nippenburg, sondern weit in die Lande. Generationen von Honoratioren haben ihre Bälle in seinen Räumen gehalten, Generationen von fetten Amtmännern und fetten und hagern Pastoren sind vor seiner gastlichen Pforte abgestiegen, hundert Generationen von Handlungsreisenden haben seinen Preis gesungen weithinaus einst über die Grenzen des Hansabundes und jetzt über die des Zollvereins, und der Goldene Pfau verdient das alles; er ist auch heute noch ein Ort, an welchem man es sich wohlsein lassen kann und wo man unter allen Umständen seine Rechnung findet.

Im Goldenen Pfau befand sich natürlich auch der »Herrenklub« von Nippenburg, und der Steuerinspektor Hagebucher war ebenso natürlich ein ausgezeichnetes, wohlangesehenes Mitglied dieser trefflichen Gesellschaft. Seine Pfeife mit einer Fliege auf dem Kopfe wurde vom Kellner mit kaum geringerem Respekt in Verwahrung gehalten als die des Kreisgerichtsdirektors und des Generalsuperintendenten; er — der Herr Steuerinspektor — war sehr eigen in betreff seiner Pfeife. Sein Platz wurde selten von einem frechen oder unwissenden Usurpator eingenommen. Er — der Inspektor — machte keinen Anspruch darauf, die Zeitungen zuerst zu bekommen, aber er bekam sie zu seiner Zeit und erinnerte sich nicht, daß ein anderer als ein hospitierender Vorgesetzter oder sonst im höheren Rang stehender Mann die althergebrachte Reihenfolge in frevelhaft politischer Neugier gestört habe.

Viele, viele Jahre hindurch hatte sich der Steuerinspektor Hagebucher ungemein behaglich in diesem Kreise der Aristoi, der Besten in Nippenburg, gefühlt; und sowohl vor als nach seiner Pensionierung war der Tag in seinem Kalender schwarz unterstrichen, an welchem ihn irgendein Umstand zwang, seine Pfeife, seinen Stuhl und die Zeitung daselbst einmal aufzugeben. Es entstand dann eine Lücke in seinem Dasein, für welche seine Hausgenossen jedesmal ziemlich schwer zu büßen und mit ihrer Behaglichkeit einzutreten hatten.

Was ist aber der Mensch und das Vergnügen des Menschen? Es hat beides seine Zeit und leider eine gar kurze. Wir mögen noch so sicher, sei's hinter dem Ofen oder am Fenster, je nach unserm Geschmack Posto fassen: über ein kurzes, und die Nesseln drängen sich durch den weichsten Teppich, das schönste Parkett, wuchern um unsere Füße, wachsen und schlagen über unserm Kopfe zusammen. Es ist an und für sich ein nobles Gefühl, Stammgast zu sein, Stammgast sowohl auf der grünen Erde wie im Goldenen Pfau; aber dauerhaft ist der Genuß keineswegs, und der Steuerinspektor Hagebucher fühlte sich seit einiger Zeit längst nicht mehr so wohlig im Goldenen Pfau wie früher. Niemand aber trug die Schuld daran als der Afrikaner, der aus dem Tumurkielande so unvermutet heimgekehrte Sohn.

Seltsam! Solange unser wackerer Freund Leonhard in der geheimnisvollen Ferne undeutlich und schattenhaft vor den Augen von Nippenburg umhertanzte, ja sogar als ein Verlorener erachtet werden mußte, zog sein Papa im Pfau einen gewissen wehmütig-würdigen Genuß aus ihm. Man wußte ja von seiner Tätigkeit auf der Landenge von Suez und seiner Fahrt nilaufwärts; der junge Mann war gewissermaßen ein Stolz für die Stadt, und wenn er wirklich zugrunde gegangen war ,so hatte Nippenburg das unbestreitbare Recht, sich seiner als eines »Märtyrers für die Wissenschaft« zu erfreuen und ihn mit Stolz unter all den andern heroischen Entdeckern als den »Seinigen« zu nennen. Es war sogar bereits die Rede davon gewesen, ob man dem heldenmütigen Jüngling nicht eine Marmortafel an irgendeinem in die Augen fallenden Ort oder seinem Geburtshause schuldig sei, und der Papa Hagebucher hatte bei einer jeden derartigen Verhandlung das Lokal stumm, gerührt, aber doch gehoben verlassen und das achtungsvolle Gemurmel hinter sich bis tief ins Innerste verspürt.

Nun hatte sich alles dieses auf einmal geändert und war sogar ins Gegenteil umgeschlagen. Der tief bedauerte Afrikareisende war heimgekehrt, aber nicht als glorreicher Entdecker; und wer sich allmählich sehr getäuscht und gekränkt fühlte, das war die gute Stadt Nippenburg. Schon im fünften Kapitel ist davon die Rede gewesen, wie sie im allgemeinen ihn aus ihrem goldenen Buche strich; wie aber der Goldene Pfau im besondern sich zu und gegen ihn und seinen Erzeuger verhielt, das muß noch gesagt werden.

Der Goldene Pfau fing ganz süß, sanft, sacht an, seinen Stimmungen Ausdruck zu geben; aber man weiß, über welche Stimmittel dieses Gevögel zu gebieten hat, sobald es ihm Ernst wird, seine Meinung zu äußern. Der Schritt vom Erhabenen zum Lächerlichen ist sicher nicht kürzer als der vom Bedauern zum Hohn, und der Papa Hagebucher durfte sehr bald als Autorität für diesen Erfahrungssatz vortreten, ohne jedoch im geringsten hieraus einen Genuß zu ziehen. Man zog ihn bald ganz erschrecklich auf mit dem »berühmten« Sohn, und nachdem dieser sogar frech genug gewesen war, die ihm angetragene Stelle auszuschlagen, nahm keiner der Herren im Klub mehr ein Blatt vor den Mund, sondern man erklärte den Mann aus dem Tumurkielande kurzweg für einen Lumpen.

Der Steuerinspektor schluckte nun im Goldenen Pfau Galle und Gift löffelweise, pillen- und pulverweise, und das schlimmste war, daß er ganz und gar auf der Seite der Achselzucker, Seufzerfabrikanten und Spötter stand und alles, was man ihm in betreff des Sohnes zusammenkochte und -braute, selber im eigenen Busen wütend durcheinanderquirlte. An jedem Abend kehrte er verbissener und grimmiger aus dem Pfau heim, denn die Gesellschaft hielt mit Energie an diesem ausgiebigen Unterhaltungsstoff fest, was ihr eigentlich auch nicht zu verdenken war, da er gleich einem guten Wein mit den Tagen an Gehalt zunahm. Es ist traurig, aber wahr; je tiefer unser Freund Leonhard in der Achtung des Goldenen Pfaus sank, desto lieber wurde er ihm. Der Steuerinspektor gewann ihn freilich nicht lieber: eine Krise mußte kommen, und sie kam; denn auch der Geduldigste will sein Behagen in seiner Kneipe haben, und daß der Vater Hagebucher nicht zu den Allergeduldigsten gehörte, wissen wir bereits.

An diesem Abend, an welchem so viele gute Geister dem freier atmenden Leonhard auf seinem Wege nach Bumsdorf folgten, an diesem Abend, an welchem die Greisin in der Katzenmühle mit milder, aber tapferer Hand alle bösen und hämischen Kobolde von seinem Pfade zurückhalten wollte, an diesem Abend war die Gesellschaft im Pfau anzüglicher denn je. Die hohe und niedere Geistlichkeit überbot die hohe und niedere Jurisprudenz, das Steuerfach überbot das Forstfach und der Kaufmannsstand die gelehrten wie die ungelehrten Schulen der Stadt an treffenden, aber unangenehmen Bemerkungen; und wenn der Papa Hagebucher sonst einen keineswegs von ihm gewürdigten Trost und Schirm an dem Vetter Wassertreter besaß, so fehlte ihm heute der Gute auch, und die andern hatten den alten Herrn für sich allein.

Der Goldene Pfau benutzte die Abwesenheit des Vetters Wassertreter auf das heilloseste. Mit der unverhohlenen Absicht zu ärgern, zweifelte man an allem, was noch den armen Leonhard in der Meinung der Welt heben konnte; man stand nicht an, den Kanal von Suez für einen Humbug zu erklären, man glaubte durchaus nicht mehr an das Tumurkieland und die Gefangenschaft zu Abu Telfan; ja es fehlte wenig, so würde man sogar an der Existenz dieses Erdteils, genannt Afrika, gezweifelt haben, und alles nur in der löblichen, unschuldigen Absicht, sich einen vergnügten und dem Vater des Afrikaners wie gewöhnlich einen sehr unvergnügten Abend zu bereiten.

So brieten sie den Alten bis zehn Uhr, als der Onkel Schnödler die Pfanne umstürzte. Der Steuerinspektor verachtete den Onkel Schnödler im Grunde seines Herzens nicht wenig, sowohl als Staatsbürger wie als Privatmann und Gemahl der Tante Schnödler. Und nun fing dieses wesenlose, vom Pantoffel zerquetschte Ding auch noch an, seine — o großer Gott, seine! — Ansichten über den verlorenen Sohn und den Vater desselben herauszupiepsen!

Den Gerichtsdirektor, den Superintendenten, den Forstrat, den Amtsrichter, den Konrektor und den Vetter Sackermann ließ sich der Alte gefallen und hatte ihren Insinuationen kaum etwas anderes als ein geheimes Grunzen und Stöhnen entgegenzusetzen. Aber der Onkel Schnödler! — Himmel und Hölle — bei dem Fazit sämtlicher Hauptbücher des Universums, Fleisch und Blut ertrugen es nicht, es war zu niederträchtig, zu kränkend, zu entwürdigend!

Der an die Versammlung im allgemeinen gerichteten Erklärung, er — der Steuerinspektor Hagebucher — werde nie wieder einen Fuß in den Goldenen Pfau setzen, fügte der Alte, speziell gegen den schreckensbleichen und mit aufgerissenem Mund und Augen dreinstarrenden Onkel Schnödler gewendet, hinzu, er — der Onkel Schnödler — sei ein allzu eselhafter Tropf und allzu jämmerlicher Waschlappen, als daß irgendein Nutzen, Genuß oder eine Genugtuung zu erhoffen sei, wenn man die wohlverdiente Ohrfeige auch noch so nachdrücklich verabreiche.

Verachtungsvoll drehte der Vater des afrikanischen Abenteurers dem Gatten der Tante Schnödler den Rücken zu, überlieferte diesmal nicht mehr die Pfeife dem zitternd harrenden Louis, sondern verließ mit ihr, nachdem er grimmig Hut und Stock verlangt hatte, tief gekränkt, aber doch als ein sehr würdiger Mann den Goldenen Pfau. Der Herrenklub bedauerte sehr, den Spaß ein wenig zu weit getrieben zu haben, freute sich jedoch, alle Schuld an der unerwarteten Katastrophe auf die sehr geduckten Schultern des elenden Onkel Schnödler abladen zu können. Unter dem Eindruck des unerhörten Ereignisses trennte sich die Gesellschaft früher als gewöhnlich — fiel ihr nicht ein, im Gegenteil, sie saß viel länger als sonst zusammen, um die Sache reiflich durchzusprechen; und nur der Onkel Schnödler durfte, mit der Mißachtung aller bedeckt, abziehen und seine Zerknirschung zu der am häuslichen Herd in mürrischer Unnahbarkeit thronenden Gattin tragen, welches letztere gleichfalls seine Folgen für die Heiterkeit und Harmlosigkeit der sozialen Verhältnisse Nippenburgs hatte.

Wenden wir uns nun wieder zu dem im entsetzlichsten Groll in die Nacht hinausschreitenden Steuerinspektor. Zum erstenmal in seinem Leben hatte er den Goldenen Pfau verlassen, ohne seine Rechnung bezahlt zu haben; auch dieses mußte ihm unter dem Stadttor noch einfallen und stellte in einem Charakter wie dem seinigen das philosophische Seelengewicht sicherlich nicht wieder her. Er sprach den ganzen Weg über mit sich selber, und die Pappeln zu beiden Seiten der Bumsdorfer Chaussee schienen flüsternd ein und dieselbe Bemerkung über ihn weiterzugeben. Von Nippenburg bis Bumsdorf schüttelten sie sich leicht schaudernd, und es ging ein leises Raunen und Rauschen des Vetter Wassertreters Landstraße entlang:

»Wehe dem Haus Hagebucher, da kommt der Alte, und in welcher Gemütsverfassung! Wehe der Matrone, der Tochter und vor allem dem Sohne! Seit der Vater der Götter und der Menschen unsern hochfliegenden Bruder Phaethon mit dem tödlichen Strahle traf, ihn in den Eridanus stürzend, sahen wir nicht einen gleichen Zorn. Wehe dir, armer Leonhard; wie sind auch mit dir deine jugendlichen Wünsche durchgegangen! Sehet, ihr Schwestern, den hohen Greis! Schon erhebt er den strafenden Stab; noch eine gräßliche Pause wie vor dem Schlage, der unsern Bruder traf, und auch er schlägt zu, und billigend nickt Zeus aus den olympischen Höhen.«

Also flüsterten die Heliaden an der Bumsdorfer Chaussee, und der Steuerinspektor Hagebucher, mit immer wachsendem Grimme an der erkalteten Klubpfeife saugend, schritt vorüber, seinen verdüsterten Laren und Penaten zu.

»Es ist aus und vorbei, es wird ein Ende gemacht — heute noch — in dieser Stunde! Hehehe, wenn mir das einer vor fünf Monaten prophezeit hätte! Ob wohl jemals ein Vater in solcher Art gestraft wurde? Hahaha; aber es wird in dieser Stunde noch ein Ende gemacht!«

So ist das Schicksal. Zwei Gegner, welche die beste Absicht haben, sich zu versöhnen, können lange auf eine passende und bequeme Gelegenheit dazu warten; sobald aber jemand recht inniglich sich darauf freut, einem andern Jemand bei der ersten Begegnung, wenn Zeit und Umstände günstig sind, in die Haare zu fallen, so wird diese Begegnung sicherlich an der nächsten Straßenecke stattfinden, und Zeit und Umstände werden nicht das mindeste zu wünschen übriglassen. In dem Augenblick, in welchem Hagebucher senior vom Westen her seine Pforte erreichte, langte Hagebucher junior beschleunigten Schrittes von Osten her vor derselben an, und die Auseinandersetzung konnte auf der Stelle vor sich gehen.

»Guten Abend, lieber Vater«, sagte Leonhard sanft und herzlich. »Das war ein schöner Tag, und dies ist ein glückliches Zusammentreffen.«

Der Alte, leise keuchend mit zitterndem Hausschlüssel das Schlüsselloch suchend, antwortete nicht.

»Welch eine Ernte!« suchte Leonhard für seinen Teil die Unterhaltung weiterzuführen. »Welche Kornfelder! Welcher Weizen! Das wäre etwas für meine Freunde in der afrikanischen Wüste, im Tumurkielande —«

Der Alte hatte jetzt das Schlüsselloch gefunden, die Haustüre jähzornig aufgerissen und stand nun auf der Schwelle, den Eingang in das Haus mit seinem Körper deckend.

»Ich will nichts mehr von der afrikanischen Wüste, ich will nichts mehr von dem Tumurkielande, ich pfeife auf beides!« schrie er. »Ich habe übergenug davon gehabt, und jetzt soll ein Ende gemacht werden! Aus dem Pfau bin ich herausgelästert, und zehn Pferde sollen mich nicht wieder hineinbringen; aber in meinem Hause will ich Ruhe haben. Mein ganzes Leben bin ich ein solider und achtbarer Mann gewesen, und so hat man mich ästimiert; aber jetzt bin ich wie ein Kamel mit einem afrikanischen Affen drauf und kann mich nicht sehen lassen, ohne das ganze Pack mit Geschrei und Fingerdeuten und Gepfeife in den Gassen hinter mir zu haben. Und wer ist schuld daran? Wer hat den ehrlichen Namen Hagebucher so in den Verruf und in die Mäuler des Janhagels gebracht? Kein andrer als der Herr aus dem inwendigsten Afrika, der Phantast, der Landläufer —«

»Vater! Vater!« rief Leonhard; doch im höheren Tone schrie der Alte: »Was Vater, Vater? Seit der Heimkehr des saubern Herrn zweifle ich an meiner eigenen Existenz; die ganze Welt hat die Drehkrankheit gekriegt, und — und ich will es nicht mehr haben! Aus dem Goldenen Pfau konnten sie den pensionierten Steuerinspektor Hagebucher hinauswerfen; aber innerhalb meiner vier Pfähle bleibe ich noch Herr, der ganzen Welt zum Trotz, und lasse mir meine Rechnung nicht so leicht verwirren.«

Es wäre vielleicht besser gewesen, wenn die Mutter und die Schwester Leonhards sowie die Magd des Hauses sich in diesem Moment nicht ins Mittel gelegt hätten. Aber von dem Lärm vor der Haustüre aufgeschreckt, kamen sie bleich und zitternd und warfen sich, als sie erkannten, wer da in der nächtlichen Dunkelheit im Streit liege, mit hellem Angst- und Wehruf zwischen die Parteien. Das goß nicht Öl, sondern Erdöl in die Flammen, und zu dem Feuer kam die erschrecklichste Explosion.

»Ich lasse mir meine Rechnungen nicht verwirren«, schrie der Alte, »und einen Rechnungsfehler verachte ich, dulde ihn nicht und werfe ihn hinaus!«

Damit schob er die entsetzten Frauenzimmer in das Haus zurück, folgte ihnen, schlug dem Sohne die Tür vor der Nase zu und schob, um alle fernern Verhandlungen für heute unmöglich zu machen, den Riegel vor. Mitternacht schlug's auf dem Bumsdorfer Kirchturm, und Leonhard Hagebucher stand und hatte augenblicklich weiter nichts zu sagen. Eine halbe Stunde später jedoch konnten die Töchter des Helios und der Nymphe Merope an der Bumsdorfer Straße auch über ihn ihre Bemerkungen machen. Unsichern Schrittes wanderte er nach Nippenburg, und um ein Uhr morgens vernahm der Vetter Wassertreter seinen leisen Ruf unter dem Fenster, kam in schlurfenden Filzpantoffeln die Treppe herab, öffnete ihm die Tür und sprach, nachdem er das Geschehene erfahren hatte:

»Auch wenn ich nicht längst auf dieses gewartet hätte, würde ich mich nicht darüber wundern.«

[30] **Humor und Karikatur als Waffe**

WILHELM BUSCH · *Gründer*

Geschäftig sind die Menschenkinder,
Die große Zunft von kleinen Meistern,
Als Mitbegründer, Miterfinder
Sich diese Welt zurechtzukleistern.

Nur leider kann man sich nicht einen,
Wie man das Dinge am besten mache.
Das Bauen mit belebten Steinen
Ist eine höchst verzwickte Sache.

Welch ein Gedrängel und Getriebe
Von Lieb und Haß bei Nacht und Tage,
Und unaufhörlich setzt es Hiebe,
Und unaufhörlich tönt die Klage.

Gottlob, es gibt auch stille Leute,
Die meiden dies Gewühl und hassen's
Und bauen auf der andern Seite
Sich eine Welt des Unterlassens.

Nicht artig

Man ist ja von Natur kein Engel,
Vielmehr ein Welt- und Menschenkind,
Und rings umher ist ein Gedrängel
Von solchen, die dasselbe sind,

In diesem Reich geborner Flegel,
Wer könnte sich des Lebens freun,
Würd es versäumt, schon früh die Regel
Der Rücksicht kräftig einzubläun.

Es saust der Stock, es schwirrt die Rute.
Du darfst nicht zeigen, was du bist.
Wie schad, o Mensch, daß dir das Gute
Im Grunde so zuwider ist!

WILHELM BUSCH · *Schein und Sein*

Mein Kind, es sind allhier die Dinge,
Gleichviel, ob große, ob geringe,
Im wesentlichen so verpackt,
Daß man sie nicht wie Nüsse knackt.

Wie wolltest du dich überwinden,
Kurzweg die Menschen zu ergründen.
Du kennst sie nur von außenwärts.
Du siehst die Weste, nicht das Herz.

Es sitzt ein Vogel

Es sitzt ein Vogel auf dem Leim,
Er flattert sehr und kann nicht heim.
Ein schwarzer Kater schleicht herzu,
Die Krallen scharf, die Augen gluh.
Am Baum hinauf und immer höher
Kommt er dem armen Vogel näher.

Der Vogel denkt: Weil das so ist
Und weil mich doch der Kater frißt,
So will ich keine Zeit verlieren,
Will noch ein wenig quinquillieren
Und lustig pfeifen wie zuvor.
Der Vogel, scheint mir, hat Humor.

[31] **Skepsis und Sitte**

THEODOR FONTANE · *Effi Briest*

Eine um Jahre zurückliegende kurze leidenschaftliche Zuneigung zu einem Offizier
brachte Effi Briest, die mit dem korrekten Instetten verheiratet war, die Scheidung.
Das eigene Kind ist der Mutter entfremdet.

Am zweitfolgenden Tage trafen, wie versprochen, einige Zeilen ein und
Effi las: »Es freut mich, liebe gnädige Frau, Ihnen gute Nachricht geben
zu können. Alles ging nach Wunsch; Ihr Herr Gemahl ist zu sehr Mann
von Welt, um einer Dame eine von ihr vorgetragene Bitte abschlagen zu
können; zugleich aber — auch das darf ich Ihnen nicht verschweigen —,

ich sah deutlich, daß sein Ja nicht dem entsprach, was er für klug und recht hält. Aber kritteln wir nicht, wo wir uns freuen sollen. Ihre Annie, so haben wir es verabredet, wird über Mittag kommen, und ein guter Stern stehe über Ihrem Wiedersehen.«

Es war mit der zweiten Post, daß Effi diese Zeilen empfing, und bis zu Annies Erscheinen waren mutmaßlich keine zwei Stunden mehr. Eine kurze Zeit, aber immer noch zu lang, und Effi schritt in Unruhe durch beide Zimmer und dann wieder in die Küche, wo sie mit Roswitha von allem möglichen sprach: von dem Efeu drüben an der Christuskirche, nächstes Jahr würden die Fenster wohl ganz zugewachsen sein, von dem Portier, der den Gashahn wieder so schlecht zugeschraubt habe (sie würden doch noch nächstens in die Luft fliegen), und daß sie das Petroleum doch lieber wieder aus der großen Lampenhandlung Unter den Linden als aus der Anhaltstraße holen solle — von allem möglichen sprach sie, nur von Annie nicht, weil sie die Furcht nicht aufkommen lassen wollte, die trotz der Zeilen der Ministerin, oder vielleicht auch um dieser Zeilen willen, in ihr lebte.

Nun war Mittag. Endlich wurde geklingelt, schüchtern, und Roswitha ging, um durch das Guckloch zu sehen. Richtig, es war Annie. Roswitha gab dem Kinde einen Kuß, sprach aber sonst kein Wort, und ganz leise, wie wenn ein Kranker im Hause wäre, führte sie das Kind vom Korridor her erst in die Hinterstube und dann bis an die nach vorn führende Tür.

»Da geh hinein, Annie.« Und unter diesen Worten, sie wollte nicht stören, ließ sie das Kind allein und ging wieder auf die Küche zu.

Effi stand am andern Ende des Zimmers, den Rücken gegen den Spiegelpfeiler, als das Kind eintrat. »Annie!« Aber Annie blieb an der nur angelehnten Tür stehen, halb verlegen, aber halb auch mit Vorbedacht, und so eilte denn Effi auf das Kind zu, hob es in die Höhe und küßte es.

»Annie, mein süßes Kind, wie freue ich mich. Komm, erzähle mir«, und dabei nahm sie Annie bei der Hand und ging auf das Sofa zu, um sich da zu setzen. Annie stand aufrecht und griff, während sie die Mutter immer noch scheu ansah, mit der Linken nach dem Zipfel der herabhängenden Tischdecke. »Weißt du wohl, Annie, daß ich dich einmal gesehen habe?«

»Ja, mir war es auch so.«

»Und nun erzähle mir recht viel. Wie groß du geworden bist! Und das ist die Narbe da; Roswitha hat mir davon erzählt. Du warst immer so wild und ausgelassen beim Spielen. Das hast du von deiner Mama, die war auch so. Und in der Schule! ich denke mir, du bist immer die Erste, du siehst mir so aus, als müßtest du eine Musterschülerin sein und immer die besten Zensuren nach Hause bringen. Ich habe auch gehört, daß dich das Fräulein von Wedelstädt so gelobt haben soll. Das ist recht; ich war auch so ehrgeizig, aber ich hatte nicht solche gute Schule. Mythologie war immer mein Bestes. Worin bist du denn am besten?«

»Ich weiß es nicht.«

»O, du wirst es schon wissen. Das weiß man. Worin hast du denn die beste Zensur?«

»In der Religion.«

»Nun, siehst du, da weiß ich es doch. Ja, das ist sehr schön; ich war nicht so gut darin, aber es wird wohl auch an dem Unterricht gelegen haben. Wir hatten bloß einen Kandidaten.«

»Wir hatten auch einen Kandidaten.«

»Und der ist fort?«

Annie nickte.

»Warum ist er fort?«

»Ich weiß es nicht. Wir haben nun wieder den Prediger.«

»Den ihr alle sehr liebt.«

»Ja; zwei aus der ersten Klasse wollen auch übertreten.«

»Ah, ich verstehe; das ist schön. Und was macht Johanna?«

»Johanna hat mich bis vor das Haus begleitet ...«

»Und warum hast du sie nicht mit heraufgebracht?«

»Sie sagte, sie wolle lieber unten bleiben und an der Kirche drüben warten.«

»Und da sollst du sie wohl abholen?«

»Ja.«

»Nun, sie wird da hoffentlich nicht ungeduldig werden. Es ist ein kleiner Vorgarten da, und die Fenster sind schon halb von Efeu überwachsen, als ob es eine alte Kirche wäre.«

»Ich möchte sie aber doch nicht gerne warten lassen.«

»Ach, ich sehe, du bist sehr rücksichtsvoll, und darüber werde ich mich wohl freuen müssen. Man muß es nur richtig einteilen ... Und nun sage mir noch, was macht Rollo?«

»Rollo ist sehr gut. Aber Papa sagt, er würde so faul; er liegt immer in der Sonne.«

»Das glaub ich. So war er schon, als du noch ganz klein warst ... Und nun sage mir, Annie — denn heute haben wir uns ja bloß so mal wiedergesehen —, wirst du mich öfter besuchen?«

»O gewiß, wenn ich darf.«

»Wir können dann in dem Prinz Albrechtschen Garten spazierengehen.«

»O gewiß, wenn ich darf.«

»Oder wir gehen zu Schilling und essen Eis, Ananas oder Vanilleneis, das aß ich immer am liebsten.«

»O gewiß, wenn ich darf.«

Und bei diesem dritten »wenn ich darf« war das Maß voll; Effi sprang auf, und ein Blick, in dem es wie Empörung aufflammte, traf das Kind. »Ich glaube, es ist die höchste Zeit, Annie; Johanna wird sonst ungeduldig.« Und sie zog die Klingel. Roswitha, die schon im Nebenzimmer war, trat gleich ein. »Roswitha, gib Annie das Geleit bis drüben zur Kirche. Johanna wartet da. Hoffentlich hat sie sich nicht erkältet. Es sollte mir leid tun. Grüße Johanna.«

Und nun gingen beide.

Kaum aber, daß Roswitha draußen die Tür ins Schloß gezogen hatte, so riß Effi, weil sie zu ersticken drohte, ihr Kleid auf und verfiel in ein krampfhaftes Lachen. So also sieht ein Wiedersehen aus, und dabei stürzte sie nach vorn, öffnete die Fensterflügel und suchte nach etwas, das ihr beistehe. Und sie fand auch was in der Not ihres Herzens. Da neben dem Fenster war ein Bücherbrett, ein paar Bände von Schiller und Körner darauf, und auf den Gedichtbüchern, die alle gleiche Höhe hatten, lag eine Bibel und ein Gesangbuch. Sie griff danach, weil sie was haben mußte, vor dem sie knien und beten konnte, und legte Bibel und Gesangbuch auf den Tischrand, gerade da, wo Annie gestanden hatte, und mit einem heftigen Ruck warf sie sich davor nieder und sprach halblaut vor sich hin: »O, du Gott im Himmel, vergib mir, was ich getan; ich war ein Kind ... Aber nein, nein, ich war kein Kind, ich war alt genug, um zu wissen, was ich tat. Ich hab es auch gewußt, und ich will meine Schuld nicht kleiner machen ... aber das ist zu viel. Denn das hier, mit dem Kind, das bist nicht du, Gott, der mich bestrafen will, das ist er, bloß er! Ich habe geglaubt, daß er ein edles Herz habe und habe mich immer klein neben ihm gefühlt; aber jetzt weiß ich, daß er es ist, er ist klein. Und weil er klein ist, ist er grausam. Alles, was klein ist, ist grausam. Das hat er dem Kinde beigebracht, ein Schulmeister war er immer, Crampas hat ihn so genannt, spöttisch damals, aber er hat recht gehabt. O gewiß, wenn ich darf. Du brauchst nicht zu dürfen; ich will euch nicht mehr, ich hass' euch, auch mein eigen Kind. Was zu viel ist, ist zu viel. Ein Streber war er, weiter nichts. — Ehre, Ehre, Ehre ... und dann hat er den armen Kerl totgeschossen, den ich nicht einmal liebte und den ich vergessen hatte, weil ich ihn nicht liebte. Dummheit war alles, und nun Blut und Mord. Und ich schuld. Und nun schickt er mir das Kind, weil er einer Ministerin nichts abschlagen kann, und ehe er das Kind schickt, richtet er's ab wie einen Papagei und bringt ihm die Phrase bei, ›wenn ich darf.‹ Mich ekelt, was ich getan; aber was mich noch mehr ekelt, das ist eure Tugend. Weg mit euch. Ich muß leben, aber ewig wird es ja wohl nicht dauern.«

Als Roswitha wiederkam, lag Effi am Boden, das Gesicht abgewandt, wie leblos ...

DIE MODERNE

Das ausgehende 19. und das 20. Jahrhundert, im wesentlichen der Zeitraum für die unter dem Begriff der Moderne hier zusammengefaßten Dichter, bieten ein Bild von Umwälzungen größten Ausmaßes auf fast allen Gebieten. Die Veränderungen innerhalb des politischen, wirtschaftlichen, wissenschaftlichen, allgemein kulturellen Lebens haben auch für das künstlerische Schaffen eine neue Epoche (mit einer Reihe häufig neben- oder gar gegeneinander laufender Strömungen) eingeleitet.

Der NATURALISMUS vollzog im Sinne seiner materialistischen Weltdeutung und Milieu-Auffassung *die Gesamtabrechnung* [1] mit einer als verbürgerlicht und idealistisch verschrienen Welt. Die »großen Gehalte« wurden durch ein stilistisch-technisches Raffinement ersetzt, das sich mit dem Abbild des Seienden, *dem Eindringen in den Augenblick* [2] oder aber im *Spiel mit dem Effekt* [3] begnügte. Hauptmann jedoch vertiefte diese Tendenzen, indem er bei aller Verhaftung an die typische naturalistische Milieuschilderung das *Ringen um Existenz* [4], d.h. nicht nur um gesellschaftliche und soziale, sondern allgemeinmenschliche Existenz, wieder in den Mittelpunkt rückte. Als Antwort auf die Fragen der Zeit fand er zum religiösen Erlebnis, zum Glauben an die *Erlösung durch Christus* [5] zurück; damit aber war bereits die Überwindung des Naturalismus erfolgt. Sie zeigte sich gleichermaßen in der Lyrik dieser Zeit, die einerseits als *Pleinair-Dichtung* [6], andererseits in Nietzsches durch das *Wagnis der Sprache* [7] geprägten Wortkunst sowie in ihrem Einbezug fremdländischer Elemente, vor allem des *exotischen Zaubers* [8], aus dem engen naturalistischen Kreis hinausschritt.

Der Leitgedanke von TRADITION UND KONSERVATIVER ERNEUERUNG bestimmte eine andere Gruppe von Dichtern und Denkern. Thomas Mann etwa kam von Fontane her; er pries in seinem Werk immer wieder die *bürgerliche Tugend* [9], die er in einem großbürgerlichen und weltbürgerlichen Sinne verstand. Zum anderen trug er die Skepsis und ironische, sich distanzierende Haltung des aufgeklärten Bürgertums in sich. Die Grundfrage seines Schaffens, die Frage nach dem Verhältnis von *Bürger und Künstler* [10] in einer verwandelten und sich wandelnden Welt, wird elegisch (Entwurzelung des Künstlers, Ende des bürgerlichen Zeitalters) und satirisch (»Entnervung« des Künstlers, Entartung des Bürgers) abgehandelt. — Der Technisierung, Mechanisierung und Vermassung wurden bei George und in seinem Kreis das konservativ-aristokratische Bemühen *für einen neuen Adel* [11] und bei Ernst Jünger die Haltung des *Einzelgängers* [12] entgegengestellt. Hofmannsthal wiederum steht stellvertretend für all jene, die um eine *Erhaltung des Erbes* [13] christlich-europäisch-abendländischer Art sich mühen. Die Ehrfurcht vor der Sprache wird gefordert und in formvollendeten Gedichten erwiesen — ästhetischer Widerstand gegen eine pragmatische, versachlichte Welt, die vom Zerfall der Worte und Sprache bedroht ist. Eine die Weisheit des Orients mit hereinnehmende Erneuerung unserer Kultur strebt Hesse durch die luzide Klarheit, harmonische Ausgeglichenheit und besinnliche Tiefe des *Glasperlenspiels* [14] an. *Milde Religiosität* [15], die Betonung des *Mütterlichen* [16], ein aus dem Erlebnis von *Anfechtung und Glaube* [17] erwachsendes existentielles Christentum sowie das Wissen von der Geborgenheit in der Natur (*Atem der Erde* [18]) runden das Bild dieser Strömung ab.

Der EXPRESSIONISMUS wandte sich sowohl gegen die materialistische Weltsicht des Naturalismus und seine die Außenwirklichkeit (das Milieu) betonende Kunstauffassung wie auch gegen den Ästhetizismus der »Traditionalisten«. Der Expressionismus wurde bestimmt durch die *schwarze Vision* [19], die Ahnung bevorstehender furchtbarer

Zerstörung und maßlosen Leids. Bei Trakl heißt es in diesem Sinne: *Alle Straßen münden in schwarze Verwesung* [20]. Die durch den ersten Weltkrieg im Innersten aufgewühlte Dichtergeneration fand sich in der bedeutsamen Anthologie »Menschheitsdämmerung« zusammen, deren Titel beides: das Leid (*Sturz und Schrei* [21], *Einsam und verloren* [22]) und die von humanitärem Elan getragene Überzeugung vom Aufstieg des *neuen Menschen* [23] in sich schloß. Der neue Mensch sei *ramponiert, aber zurechtgebogen* [24]: d.h. er lebe weder im romantisch-esoterischen Wolkenkuckucksheim noch im intellektuellen Elfenbeinturm; er lebe inmitten einer, bei allem sozialen und pazifistischen *Weltfreund*-Idealismus [25] durchaus real empfundenen und gestalteten technischen, großstädtischen Umwelt.

Der expressionistische Menschheitsglaube fühlte sich jedoch gehemmt und beeinträchtigt durch die bürgerliche, spießbürgerliche Obstruktion, durch das Ewig-Gestrige und Reaktionäre. Selbst die Sprachkritik verschaffte in diesem Sinne einen Einblick in das *bürgerliche Heldenleben* [26]. Man analysierte den *Sturz in die Leere* [27], trat zu *satirischen Waffengängen* [28] an und betrieb *soziale Pädagogik* [29] — bei Brecht freilich im allgemein menschlichen Sinne großer Dichtung. *Die Zeitbühne* [30] steht im Dienste solch satirisch-ironischer »Kulturtherapie«. *Die verlorene Generation* [31] des zweiten Weltkriegs, in vielem den Expressionisten verwandt, war angesichts des totalen Chaos und der Trümmerwelt von 1945 durch einen verstärkten Pessimismus bestimmt; der Fortschritts- und Menschheitsglaube schrumpfte zusammen. Nach dem rapiden Aufstieg werden die Stilmittel der Ironie und Satire nun vor allem gegen die *Kinder des Wirtschaftswunders* [32], d.h. gegen die neubürgerliche Saturiertheit und moralische Gleichgültigkeit eingesetzt.

Unter dem Begriff des SURREALISMUS soll eine größere Gruppe von Dichtern erfaßt werden, die bei allem Unterschied ihrer Inhalte und Stileigenarten doch im Gehalt zusammengehören durch eine stark metaphysische oder besser: »hintergründige« Ausrichtung ihres Schaffens. — Die Frage nach dem Transzendenten wird aus einem überwältigenden Gefühl der *Ungeborgenheit* [33], der unheimlichen und stets gegenwärtigen Bedrohung durch den Tod (*Schatten des Todes* [34]) heraus gestellt. Rilke suchte Lösung und Erlösung durch die »immanente Mystik« eines Hereinnehmens des Todes und damit seiner Bewältigung durch seelisch-geistige »Vorwegnahme«, eines geheimnisvollen Erlebens des Ineinander und Verfließens von dieser und jener Welt, von Wirklichem und Überwirklichem im Sinne der Metapher vom *Weltinnenraum* [35]. Benns im »lyrischen Telegrammstil« den Realitätszerfall widerspiegelnde Gedichte haben (bewirkt von den »formfordernden Kräften des Nichts«) Gedichte zum Pendant, die aus einem Bekenntnis zur »Kunstfertigkeit«, zur Artistik erwachsen (*Realitätszerfall und Artistik* [36]). Im Kunstwerk (im Gedicht) könne der Mensch allein mit der Chaotik und der metaphysischen Destruktion fertig werden; das Gedicht erscheint als Bleibendes, Geformtes inmitten einer Welt des Vergehens und der Amorphie (»Nichts, aber darüber Glasur«). — *Im Tunnel des Lebens* [37] — so kennzeichnete Kafka die Situation des modernen Menschen: Er sei orientierungslos, zwischen die zwei Möglichkeiten des Seins und Nichtseins gestellt, im Dunkeln, aber mit der Möglichkeit der Erleuchtung. Seine Parabeln und Gleichnisse von eigenartiger Struktur sowie die surreale Welt seiner Romane fangen die Paradoxie und Absurdität des Seienden wie des Seins ein. »Kafkaesk« in diesem Sinne sind auch weitgehend die neuen Gattungen der Kurzgeschichte und des Hörspiels. Die Aussparungstechnik — eine »Graphik der Prosa« — läßt überall das Reale durchlässig werden für Hintergründiges; das Wirkliche wird als »bodenlos«, das Überwirkliche als unfaßbar und undeutbar beschworen. Das Leben aber wird zum Schattenspiel unsichtbarer Kräfte, die *hinter dem Paravent* [38] bleiben.

Der Naturalismus

HERMANN CONRADI · *Brutalitäten*

Es tickt mich, zu den vorliegenden Skizzen ein paar einleitende Bemerkungen zu machen.

Nicht etwa, daß ich damit vorbeugen möchte, falsch verstanden zu werden; daß ich meine grellen, »gewagten« Motive, meine offene Sprache gleichsam widerrufen, bemänteln, entschuldigen möchte. Das fällt mir nicht im Traume ein. Ich bin zu sehr von der Berechtigung meiner ästhetischen, allerdings sehr radikalen Ansichten überzeugt, als daß mich das Totgeschwiegenwerden resp. Totgeschlagenwerden von seiten verschiedener kritischer Dunkelmänner irritieren; daß mir das abfällige Urteil »ehrenwerter« Leute, die mit bekannter Geläufigkeit an meiner »Anständigkeit« stark zweifeln werden, besonders nahegehen könnte ... Ich fühle mich zu sehr eins mit dem starken, rücksichtslosen Zuge, der eben die moderne Zeit kennzeichnet, mit deren besten und tatgewaltigsten Vertretern: Zola, Swinburne, Ibsen, Björnson, Brandes, Kjelland, Schandorph, Carducci, Stechetti, Dostojewski, Conrad, Bleibtreu usw., als daß mir die vorsintflutlich sich ausspielende Kritik von einigen Dutzend befangener Skribenten ernsthaft an die Nieren gehen sollte ... Wenn ich etwas zu entschuldigen habe, so ist das wahrhaftig nicht die Wahl meiner Motive, noch die Methode, mit der ich sie behandelt. Es ist vielmehr ein gewisser fragmentarischer, aphoristischer Zug, der durch das Ganze geht... Diese ersten Skizzen sind eben Versuche, Präludien zu Studien und Werken, in denen ein realistisches Kunstkönnen — ich wähle absichtlich diesen Ausdruck — sich mit Fragen und Symptomen des modernen Lebens befassen wird. Unser zeitgenössisches Leben bedeutet allerdings ein so buntes, sinnverwirrendes Durcheinander, daß sich einheitliche Kolossalgemälde nicht schaffen lassen. Da heißt es denn, die Hauptströmungen gruppenweise zu konzentrieren und drum und dran Typen und Charaktere, charakteristische Szenen und Zeitgebilde zu schildern. Und das alles mit dem Mute und der Kraft der Wahrheit. Und nun nehme man unsere Zeit! Und nun stelle sich ein künstlerisch veranlagter Mensch in die Wirbel und Strudel der modernen Zeit, die offenkundigen Indizien nach eine Zeit der Zersetzung, der Vorbereitung, des Übergangs ist. Das den Markt allenthalben beherrschende soziale Moment wird sofort mit seinen Problemen und Konflikten an ihn herantreten. Nun heißt es, dasselbe mit allen Schikanen zu studieren! Und dann nach künstlerischen Gesetzen, ohne Voreingenommenheit, ohne Willkür, mit künstlerischer Einheitlichkeit, zum Ausdruck zu bringen! Diese Einheit, Einheitlichkeit ist das wichtigste künstlerische Gesetz. Sie ist so stark zu betonen, weil sie natürlich, naturgemäß, naturbedingt ist. Alles Natürliche hat aber die relativ größte Lebensfähigkeit, besitzt immanente Dauerkräfte. Diese Einheitlichkeit wird aber zumeist durch eine vergeistigte Kombination aller das betreffende Motiv charakterisierenden Wesenselemente gewonnen. Zu letzterem wird in sehr vielen Fällen auch das sexuelle Moment gehören. Dasselbe aus Prüderie, aus sanktionierter »Anständigkeit« nicht zu berücksichtigen, bedeutet also einfach ein Vergehen an natürlichen Kunstgesetzen.

Wo nun der vielgepriesene und arg verrufene »Idealismus« eigentlich steckt? Ja nun — Ideale sind Abstraktionen, die, ebenso wie das Leben gelebt und der Tod gestorben sein will, abstrahiert sein wollen. Unsere Zeit hat im ganzen zu diesem Aktus recht wenig Zeit. Darum ist sie auch so eminent »materialistisch«. — Eine jüngere Poeten- und Schriftsteller-generation ringt sich jetzt gemach in die Höhe, die bemüht ist, ideale Tendenzen durch Analyse, durch künstlerische Prägung zeitlich gegebener Realien zu dokumentieren -- insofern nämlich, als jedes Ideal sich erst dann zu greifbarer Plastik verdichtet, wenn es ein durch das natürliche Wesen und die natürliche Entwicklung der Dinge bedingtes Zukunfts-moment antizipiert. Das ist aber nur bei energischer Berücksichtigung eines durch und durch realen Untergrundes möglich.

[2] Das Eindringen in den Augenblick

ARNO HOLZ · *Der erste Schultag*

Die Sonne, die bis jetzt nur über die Wand und die vielen kleinen, grünen Mützen dran gestrichen war, hatte sich endlich auch an das Katheder herangewagt und fing nun an, dem Herrn Rektor Borchert die Fäden an seinem schwarzen Rockärmel nachzuzählen.

Seine Notenfeder hatte er wieder weggelegt. Er puhlte sich jetzt mit seinem Federmesserchen die Nägel aus.

Vor ihm stand ein großes, viereckiges Ding, in dem lauter rote, kupferne Drähte aufgespannt waren, auf die man wieder sehr, sehr viele bunte Kugeln gespickt hatte. Das war die Rechenmaschine. Wenn der Herr Rektor Borchert wollte, konnte er sie stellen, wie er Lust hatte. Aber er hatte heute keine. Er puhlte sich nur die Nägel aus . . .

Plötzlich sah der Herr Rektor Borchert auf! Neben der Tür hatte eben eine Bank geknarrt. Die »Knubbels« hatten sich alle unwillkürlich tiefer geduckt. Seine kleinen, zugekniffenen Ferkeläugelchen sahen jetzt grün aus. Der kleine Jonathan, der ihn die ganze Zeit über angeschult hatte, steckte seine großen, blauen Jungensaugen wieder schnell in sein Tintfaß...

Ja! Es war alles wieder ganz still. Nur die Fliege, die wieder summte und das dunkle, dumpfe Gebrande, das unten vom Markt her an die hohen, festen Doppelfenster schlug. Ab und zu eine Knubbelnase, die schnurchelte.

Der kleine Jonathan saß da wie tot.

Seit heute Morgen hatte er vor dem Herrn Rektor Borchert einen furcht-baren Respekt bekommen... Schon sein Gesicht war so gräßlich! Er sah es überall! Draußen auf dem großen, runden Kastanienbaum, mit der seinen Blüten gradezu wie ein Weihnachtsbaum aussah, mußte es jetzt grade oben auf der Spitze rumtanzen.

Wipp-wapp-wipp-wapp-wipp-wapp — immerzu, immerzu!

Auch jetzt, aus dem häßlichen, schwarzen Tintfaß schwamm es in die Höhe! Der kleine Jonathan sah es ganz genau.

Es war weiß und dick, wie aus Mehlkleister gemacht und hatte als Augen zwei kleine, funkelnde Rosinen drin. Dabei hatten sich seine Haare wie solche Schweinsborsten in die Höhe gesträubt und waren knallrot. Außerdem hatten ihm auch die Sommersprossen die ganze, dicke Nase noch mit gelben Pickeln betupft. Sicher, er sah noch scheußlicher aus, als der Schornsteinfeger Killkant! Der kleine Jonathan war trostlos.

Nein! Lieber machte er seine Augen schon fest zu. —

Oh! Heute Morgen!

Er hatte sich so gefreut! So zum ersten Male in die Schule gehn zu dürfen und dort so klug zu werden, daß man zuletzt ein Geographiebuch hatte und Afrika draus lernte, gewiß, das war zu schön! Zu schön!

Seine neue, rotlinierte Schiefertafel war so hübsch rein abgewischt gewesen, seine Fibel in solch einen dicken, blauen Umschlag gehängt und sein Federkasten, der ganz mit Abziehbildern beklebt war, voll lauter Steingriffel.

Kaffee hatte er schon gar nicht mehr getrunken. Er hatte nur immer am Fenster gestanden und an dem schönen, bunten Blumenstrauß gerochen, den er dem Herrn Rektor auf das große Klassenbuch legen sollte.

Gewiß! Er wollte nur noch immer in die Schule gehn! Nur noch immer in die Schule und dort so klug wie Papa werden!

Ach! Daß das so schwer war, hatte er nie gedacht!

So drei ganze, ausgeschlagene Stunden auf ein und derselben dummen Bank sitzen und dabei immer in ein und dasselbe dumme Tintfaß sehen müssen, war keine Kleinigkeit. Ja! Es war sogar eine Gemeinheit! Eine richtige Gemeinheit! Man durfte nicht einmal husten!

Und dann — der schöne, schöne bunte Strauß! Das alte Pferd hatte ihn genommen und zum Fenster rausgeworfen!

Dummheit! hatte es gesagt. Dummheit! Blumen stinken!

Pfui!

Und dabei hatte doch Mama sie gepflückt, und das blaue Band drum hatte Mama auch gebunden, und Mama hatte sich so gefreut, und Mama war so gut, und . . . Nein! Es war zu gemein! Zu gemein!

Der kleine Jonathan war in Tränen ausgebrochen. —

Der kleine Bäckermeister Trimpeter, der dicht neben ihm saß und gerne mal rausgegangen wäre, nahm die Gelegenheit wahr und weinte gleich mit.

Hinter ihm saß der kleine Lewin.

Ihm war eben eine Fliege ins Genick gekrochen und dann so lange auf ihm rumgetappelt, bis sie ihm jetzt richtig mitten vorn auf dem Bauch saß.

Er hätte es natürlich am liebsten ebenso gemacht wie der dicke Apothekerjunge. Aber der schauderhaft dicke Fuchsschwanz, den der Herr Rektor Borchert vorn unter seinen Rock geknöpft trug, hatte ihm einen zu gewaltigen Respekt eingejagt. Er begnügte sich damit, die grauenhaftesten Gesichter zu schneiden.

Der kleine Konditor Knorr, der kleine Steuereinnehmer Zippe und der kleine Schiffszimmermeister Bohl waren nicht halb so standhaft. Es war, als ob sie alle nur gewartet hätten, daß einer damit anfing. Sie weinten jetzt, daß ihnen die Tränen nur so von den Backen runtertropften.

[3] **Spiel mit dem Effekt**

HERMANN SUDERMANN · *Die Ehre*

Der Sohn des Kommerzienrats Mühlingk hat die Tochter Alma des Invaliden Heinecke vergewaltigt. Um die Sache aus der Welt zu schaffen, sucht Mühlingk die Familie Heinecke auf.

MICHALSKI: Verrückt?

FRAU HEINECKE: Seine paar Möbel, die einem das Heim so freundlich gemacht haben, muß man elendig im Stiche lassen.

AUGUSTE *(sentimental)*: Und mir Ärmste laßt ihr nu ooch im Stiche! Werdet ihr sie verkaufen?

FRAU HEINECKE: Die Möbel? *(Auguste nickt.)* Wir müssen!

AUGUSTE: Auch die Spiegel und die Fauteuils? *(Frau Heinecke bejaht. — In Rührung.)* Ich an eure Stelle, anstatt sie für ein Butterbrot zu verschleudern, würde sie eurer einsam zurückbleibenden Tochter zum Andenken jeben. Da wäret ihr doch sicher, daß man sie in Ehren hielte.

FRAU HEINECKE *(mißt sie mit mißtrauischem Blicke, dann heimlich zum Alten)*: Vater, se will schon die Fotölchs.

AUGUSTE *(einlenkend)*: Oder, wenn ihr sie doch verkaufen wollt, so sind wir immer diejenigen, die euch die höchsten Preise zahlen. Damit's in de Familie bleibt.

HEINECKE: Aber noch sind wir nicht weg!

MICHALSKI: Ich an eurer Stelle —

FRAU HEINECKE: Wat sollen wir tun? Wir sind nu janz von ihm abhängig. Wenn er befiehlt, müssen wir folgen, oder sollen wir euch zur Last liegen?

AUGUSTE: Wir haben alleine nich das Sattessen. *(Es klopft.)*

(Die Vorigen. Der Kommerzienrat. Alle fahren erschrocken durcheinander.)

MÜHLINGK: Guten Tag, lieben Leute. Ist Ihr Sohn zugegen?

HEINECKE *(devot)*: Jawoll!

FRAU HEINECKE *(öffnet die Tür)*: Robert! *(zärtlich)* Liebes Jotteken, er ist auf'n Stuhle eingeschlafen ... hat nämlich kein Auge geschlossen diese Nacht ... Robertchen, der Herr Kommerzienrat! ... Schläft janz fest.

MÜHLINGK *(freundlich)*: So? ... Um so besser! — Wecken Sie ihn nicht!

HEINECKE: Mach die Düre zu!

FRAU HEINECKE *(leise)*: Aber hat er nicht gesagt — — —

HEINECKE: Wenn der junge Herr Mühlingk kommt, hat er gesagt — *(schließt leise die Tür)*

AUGUSTE *(zu Michalski, mit der Gebärde des Geldzählens)*: Paß mal uf!

MÜHLINGK *(der sich in der Stube umgeschaut hat)*: Das sieht ja recht wohlhabend hier aus, lieben Leute!

HEINECKE *(mit Würde)*: Belieben der Herr Kommerzienrat Platz zu nehmen auf diesen Fotölch?

MÜHLINGK: Ei, ei, lauter Seide?

FRAU HEINECKE: Ja, es is lauter Seide.

MÜHLINGK: Wohl ein liebes Geschenk?

FRAU HEINECKE *(zögernd)*: So zu sagen!

MÜHLINGK *(harmlos)*: Von meinem Sohne?

HEINECKE: Jawohl!

FRAU HEINECKE: Pst!

MÜHLINGK *(beiseite)*: Schlingel! *(Laut)* Beiläufig: Ihr lieber Sohn hat sich nicht gerade gebührlich gegen den meinen benommen. Offen gesagt: Ich hatte andern Dank erwartet! Sie können ihm mitteilen, daß er entlassen ist und daß ich bis vier Uhr nachmittags seine Abrechnung erwarte.

FRAU HEINECKE: Das wird ihm aber leid tun!

HEINECKE: Er hat den Herrn Kommerzienrat geliebt wie seinen eignen Vater.

MÜHLINGK: So? Das freut mich. — Doch deshalb kam ich nicht, lieben Leute. Sie haben eine Tochter.

AUGUSTE *(sich vordrängend)*: Ufzuwarten!

MÜHLINGK: Womit kann ich dienen?

AUGUSTE *(devot)*: Ick bin die Dochter!

MÜHLINGK: So? — Sehr brav — sehr brav! Aber Sie mein' ich nicht. Das Fräulein heißt Alma!

FRAU HEINECKE: Janz richtig. Und ohne zu lügen, sie ist ein hübsches Mädchen!

HEINECKE: Und talentvoll! W lassen sie für den Gesang ausbilden!

MÜHLINGK: Ah! Es ist immer erhebend zu sehn, wenn Kinder ihren Eltern Freude machen. Nur eins will mir nicht gefallen: Ihre liebe Tochter hat den Aufenthalt, den ich Ihnen seit siebzehn Jahren in meinem Hause gewähre, dazu benutzt, um mit meinem Sohne zarte Beziehungen anzuknüpfen. Offen gesagt: Ich hatte andern Dank erwartet.

FRAU HEINECKE: Aber Herr Kommerzienrat!

MÜHLINGK: Um jedes Verhältnis zwischen Ihrem Hause und dem meinen aus der Welt zu schaffen, biete ich Ihnen ein Abstandsgeld, das Sie, mein wackrer Herr Heinecke, mit Ihrer Tochter Alma zu teilen haben würden, dergestalt, daß die eine Hälfte ihr als Heiratsgut zufällt, sobald sich jemand findet, der — *(lächelt diskret)*. Nun, Sie verstehn mich wohl. Bis dahin würde die Nutznießung des Ganzen Ihnen verbleiben. Sind Sie einverstanden?

AUGUSTE *(leise hinter ihm)*: Sag ja — ja.

HEINECKE: Ich — ich —

MÜHLINGK: Ich habe die Summe ungewöhnlich hoch bemessen, um ein unbedachtes Versprechen einzulösen, das Ihr lieber Sohn gestern dem meinigen abzunötigen wußte — — — Sie beläuft sich auf *(zögert und schluckt)* fünfzigtausend Mark.

HEINECKE *(mit einem Aufschrei)*: Jesus, Herr Kommerzienrat, ist das Ihr Ernst?

FRAU HEINECKE: Mir wird schwach! *(Sinkt in einen Stuhl, von Auguste unterstützt.)*

MÜHLINGK *(beiseite)*: Ich habe zu hoch taxiert! *(Laut)* Ich frage Sie noch einmal, sind Sie mit vierzigtausend Mark zufrieden?

MICHALSKI: Ich denke, es waren —

AUGUSTE *(ihn stoßend, leise)*: Sag ja — rasch — sonst zieht er noch mehr ab!

HEINECKE: Ich kann's nicht glauben, Herr Kommerzienrat. Auch diese vierzig! So ville Jeld jibt's nicht . . . Das ist Unsinn. Zeigen Sie mir das Jeld.

MÜHLINGK: Es liegt an der Kasse für Sie angewiesen.

HEINECKE: Und der Herr Kassierer wird nicht sagen: Setzt den alten Kerl vor die Türe — er ist übergeschnappt? — O er kann recht eklig sind gegen uns arme Leute, der Herr Kassierer.

MÜHLINGK *(hat ein Scheckbuch hervorgezogen, schreibt eine Ziffer und reißt das oberste Blatt ab, das er Heinecke überreicht. Alle studieren eifrig den Schein.)*

HEINECKE: Vierzigdausend! Immer noch furchtbar nobel . . . Herr Kommerzienrat! Geben Sie mir Ihre Hand.

MÜHLINGK *(steckt die Hand in die Tasche)*: Noch eins: Morgen abend wird ein Möbelwagen vor Ihrer Türe halten, und zwei Stunden später werden Sie freundlichst meinen Grund und Boden verlassen haben. Hernach hör' ich wohl nichts mehr von Ihnen. —

HEINECKE: Sagen Sie das nicht, Herr Kommerzienrat! Wenn Ihnen der Besuch eines alten, braven Mannes nicht lästig fällt, so mach' ich mir manchmal das Vergnügen. Ja ein alter, braver Mann, das bin ich!

MÜHLINGK: Natürlich! Adieu, liebe Leute. *(Beiseite)* Pfui! *(Ab.)*

[4] **Ringen um Existenz**

GERHART HAUPTMANN · *Vor Sonnenaufgang*

In einer moralisch völlig zerrütteten Bauernfamilie kämpft die Tochter Helene verzweifelt um ihre innere Reinheit. Ihrem Geliebten Loth gibt sie nur andeutungsweise Einblick in die Abgründigkeit ihrer Situation.

HELENE *(summt ganz leise)*: Du, du liegst mir im Her-zen . . .

LOTH: Jetzt sollst du auch beichten.

HELENE: Alles, was du willst.

LOTH: Beichte, bin ich der erste?

HELENE: Nein.

LOTH: Wer?

HELENE *(übermütig herauslachend)*: Koahl-Willem!

LOTH *(lachend)*: Wer noch?

HELENE: Ach nein! Weiter ist es wirklich keiner. Du mußt mir glauben...
Wirklich nicht. Warum sollte ich denn lügen...?

LOTH: Also doch noch jemand?

HELENE *(heftig)*: Bitte, bitte, bitte, bitte, frag mich jetzt nicht darum.
(Versteckt das Gesicht in den Händen, weint scheinbar ganz unvermittelt.)

LOTH: Aber... aber Lenchen! Ich dringe ja durchaus nicht in dich.

HELENE: Später! Alles, alles später.

LOTH: Wie gesagt, Liebste...

HELENE: 's war jemand — mußt du wissen — den ich... weil... weil er
unter Schlechten mir weniger schlecht vorkam. Jetzt ist das ganz anders.
(Weinend an Loths Halse, stürmisch): Ach, wenn ich doch gar nicht mehr
von dir fort müßte! Am liebsten ginge ich gleich auf der Stelle mit dir.

LOTH: Du hast es wohl sehr schlimm hier im Hause?

HELENE: Ach, du! — Es ist ganz entsetzlich, wie es hier zugeht; ein Leben
wie — das... wie das liebe Vieh — ich wäre darin umgekommen ohne
dich — mich schaudert's!

LOTH: Ich glaube, es würde dich beruhigen, wenn du mir alles offen
sagtest, Liebste.

HELENE: Ja, freilich! Aber — ich bring's nicht über mich. Jetzt nicht...
jetzt noch nicht! — Ich fürcht' mich förmlich.

LOTH: Du warst in der Pension.

HELENE: Die Mutter hat es bestimmt — auf dem Sterbebett noch.

LOTH: Auch deine Schwester war...?

HELENE: Nein! — Die war immer zu Hause... Und als ich dann nun vor
vier Jahren wiederkam, da fand ich — einen Vater — der... eine Stiefmutter — die... eine Schwester... rat mal, was ich meine!

LOTH: Deine Stiefmutter ist zänkisch. — Nicht? — Vielleicht eifersüchtig,
lieblos?

HELENE: Der Vater...?

LOTH: Nun! — Der wird aller Wahrscheinlichkeit nach in ihr Horn
blasen. — Tyrannisiert sie ihn vielleicht?

HELENE: Wenn's weiter nichts wär... Nein!... es ist zu entsetzlich! —
Du kannst nicht darauf kommen — daß... daß der — mein Vater... daß
es mein Vater war — den — du...

LOTH: Weine nur nicht, Lenchen!... Siehst du — nun möcht ich beinah
ernstlich darauf dringen, daß du mir...

HELENE: Nein! Es geht nicht! Ich habe noch nicht die Kraft — es — dir...

LOTH: Du reibst dich auf, so.

HELENE: Ich schäme mich zu bodenlos! — Du... du wirst mich fortstoßen, fortjagen...! Es ist über alle Begriffe... Ekelhaft ist es!

LOTH: Lenchen, du kennst mich nicht — sonst würd'st du mir so etwas
nicht zutrauen. — Fortstoßen! Fortjagen! Komme ich dir denn wirklich
so brutal vor?

HELENE: Schwager Hoffmann sagte: du würdest — kaltblütig... Ach
nein, nein, nein! Das tust du doch nicht, gelt? — Du schreitest nicht über

mich weg? Tu es nicht!! — Ich weiß nicht — was — dann noch aus — mir werden sollte.

LOTH: Ja, aber das ist ja Unsinn! Ich hätte ja gar keinen Grund dazu.

HELENE: Also du hältst es doch für möglich?!

LOTH: Nein! — Eben nicht.

HELENE: Aber wenn du dir einen Grund ausdenken kannst.

LOTH: Es gäbe allerdings Gründe, aber — die stehen nicht in Frage.

HELENE: Und solche Gründe?

LOTH: Nur wer mich zum Verräter meiner selbst machen wollte, über den müßte ich hinweggehen.

HELENE: Das will ich gewiß nicht — aber ich werde halt das Gefühl nicht los.

LOTH: Was für ein Gefühl, Liebste?

HELENE: Es kommt vielleicht daher: Ich bin so dumm! — Ich hab' gar nichts in mir. Ich weiß nicht mal, was das ist, Grundsätze. — Gelt? Das ist doch schrecklich. Ich lieb' dich nur so einfach! — Aber du bist so gut, so groß — und hast so viel in dir. Ich habe solche Angst, du könntest doch noch mal merken — wenn ich was Dummes sage — oder mache — daß es doch nicht geht ... daß ich doch viel zu einfältig für dich bin ... Ich bin wirklich schlecht und dumm wie Bohnenstroh.

LOTH: Was soll ich dazu sagen?! Du bist mir alles in allem! Alles in allem bist du mir! Mehr weiß ich nicht.

HELENE: Und gesund bin ich ja auch ...

LOTH: Sag mal! Sind deine Eltern gesund?

HELENE: Ja, das wohl! Das heißt: die Mutter ist am Kindbettfieber gestorben. Vater ist noch gesund; er muß sogar eine sehr starke Natur haben. Aber ...

LOTH: Na! — Siehst du, also ...

HELENE: Und wenn die Eltern nun nicht gesund wären —?

LOTH *(küßt Helene)*: Sie sind's ja doch, Lenchen.

HELENE: Aber wenn sie es nicht wären —?

GERHART HAUPTMANN · *Die Weber*

Die von dem Leinwandfabrikanten Dreißiger schlecht entlohnten und der Verelendung preisgegebenen Weber schreiten zur Rebellion, versammeln sich vor Dreißigers Haus und fordern zunächst die Auslieferung des verhaßten Kontoristen Pfeifer.

PFEIFER *(stürzt herein)*: Herr Dreißicher, am Hintertor stehn o schonn Leute. De Haustier hält keene drei Minuten mehr. D'r Wittigschmied haut mit an Ferdeeimer drauf nei wie a Unsinniger. *(Von unten Gebrüll lauter und deutlicher: Expedient Feifer soll rauskommen! — Expedient Feifer soll rauskommen!)*

FRAU DREISSIGER *(rennt davon, wie gejagt; ihr nach Frau Kittelhaus. Beide ab.)*

PFEIFER *(horcht auf, wechselt die Farbe, versteht den Ruf und ist im nächsten*

Moment von wahnsinniger Angst erfaßt. Das Folgende weint, wimmert, bettelt, winselt er in rasender Schnelligkeit durcheinander. Dabei überhäuft er Dreißiger mit kindischen Liebkosungen, streichelt ihm Wangen und Arme, küßt seine Hände und umklammert ihn schließlich wie ein Ertrinkender, ihn dadurch hemmend und fesselnd und nicht von ihm loslassend): Ach liebster, scheenster, allergnädigster Herr Dreißicher, lassen Se mich nich zuricke, ich hab Ihn' immer treu gedient; ich hab ooch de Leute immer gutt behandelt. Mehr Lohn, wie festgesetzt war, konnt ich'n doch nicht geben. Verlassen Se mich nich, se machen mich kalt. Wenn se mich finden, schlagen se mich tot. Ach, Gott im Himmel, ach Gott im Himmel! Meine Frau, meine Kinder . . .

DREISSIGER *(indem er abgeht, vergeblich bemüht, sich von Pfeifer loszumachen):* Lassen Sie mich doch wenigstens los, Mensch! Das wird sich ja finden; das wird sich ja alles finden. *(Ab mit Pfeifer.)*

(Einige Sekunden bleibt der Raum leer. Im Salon zerklirren Fenster. Ein starker Krach durchschallt das Haus, hierauf brausendes Hurra, danach Stille. Einige Sekunden vergehen, dann hört man leises und vorsichtiges Trappen die Stufen zum ersten Stock empor, dazu nüchterne und schüchterne Ausrufe:)

links! — oben nuf! — pscht! — langsam! langsam! schipp ock nich! — hilf schirjen! — praatz, hab ich a Ding! — macht fort, ihr Wirgebänder! — mir gehn zur Hochzeit! — geh du nei! — o geh du!

(Es erscheinen nun junge Weber und Webermädchen in der Flurtür, die nicht wagen, einzutreten und eines das andere hineinzustoßen suchen. Nach einigen Sekunden ist die Schüchternheit überwunden, und die ärmlichen, magern, teils kränklichen, zerlumpten oder geflickten Gestalten verteilen sich in Dreißigers Zimmer und im Salon, alles zunächst neugierig und scheu betrachtend, dann betastend. Mädchen versuchen die Sofas, es bilden sich Gruppen, die ihr Bild im Spiegel bewundern. Es steigen einzelne auf Stühle, um die Bilder zu betrachten und herabzunehmen, und inzwischen strömen immer neue Jammergestalten vom Flur herein.)

ERSTER ALTER WEBER *(kommt):* Nee, nee, da laßt mich aber doch zufriede! Unten da fangen se gar schonn an und richten an Sache zugrunde. Nu die Tollheet! Da is doch kee Sinn und kee Verstand o nich drinne. Ums Ende wird das noch gar sehr a beese Ding. Wer hie an hellen Kopp behält, der macht ni mit. Ich wer mich in Obacht nehmen und wer mich an solchen Untaten beteiligen!

(Jäger, Bäcker, Wittig mit einem hölzernen Eimer, Baumert und eine Anzahl junger und alter Weber kommen wie auf der Jagd nach etwas hereingestürmt, mit heiseren Stimmen durcheinanderrufend.)

JÄGER: Wo is a hin?

BÄCKER: Wo is der Menschenschinder?

BAUMERT: Kenn mir Gras fressen, friß du Sägespäne.

WITTIG: Wenn m'r 'n kriegen, knippen mer'n uf.

ERSTER ALTER WEBER: Mir nehmen'n bei a Been'n und schmeißen'n zum Fenster naus, uf de Steene, daß a bald fer immer liegenbleibt.

ZWEITER JUNGER WEBER *(kommt)*: A is fort ieber alle Berge.

ALLE: Wer denn?

ZWEITER JUNGER WEBER: Dreißicher.

BÄCKER: Feifer o?

STIMMEN: Sucht Feifern! Sucht Feifern!

BAUMERT: Such, such, Feiferla, 's is a Weberschmann auszuhungern. *(Gelächter.)*

JÄGER: Wenn mer'sch o ni kriegen, das Dreißicherviehch ... arm soll a wer'n.

BAUMERT: Arm soll a wer'n wie 'ne Kirchenmaus. Arm soll a wern. *(Alle stürmen in der Absicht zu demolieren auf die Salontür zu.)*

BÄCKER *(der voraneilt, macht eine Wendung und hält die andern auf)*: Halt, heert uf mich! Sei mer hier fertig, da fang m'r erscht recht an. Von hier aus geh mer nach Bielau nieber, zu Dittrichen, der de die mechan'schen Webstihle hat. Das ganze Elend kommt von a Fabriken.

DER ALTE ANSORGE *(kommt vom Flur herein. Nachdem er einige Schritte gemacht, bleibt er stehen, sieht sich ungläubig um, schüttelt den Kopf, schlägt sich vor die Stirn und sagt)*: Wer bin ich? D'r Weber Anton Ansorge. Is a verruckt gewor'n, Ansorge? 's is wahr, mit mir dreht sich's ums Kreisel 'rum wie 'ne Bremse. Was macht a hier? Was a lustig is, wird a woll machen. Wo is a hier, Ansorge? *(Er schlägt sich wiederholt vor den Kopf.)* Ich bin ni gescheut! Ich steh fer nischt. Ich bin ni recht richtig. Geht weg, geht weg! Geht weg, ihr Rebeller! Kopp weg, Beene weg, Hände weg! Nimmst du m'r mei Häusl, nehm ich d'r dei Häusl. Immer druf! *(Mit Geheul ab in den Salon. Die Anwesenden folgen ihm mit Gejohl und Gelächter.)*

[5] **Erlösung durch Christus**

GERHART HAUPTMANN · *Hanneles Himmelfahrt*

Das Stück gibt den Fiebertraum eines kleinen, von seinem Vater mißhandelten Mädchens wieder, das Selbstmord begehen wollte und nun todkrank auf einer Pritsche im Armenhaus liegt.

HANNELE: Kommst du vom Herr Jesus?

SCHWESTER MARTHA: Was sagtest du?

HANNELE: Ob du vom Herr Jesus kommst?

SCHWESTER MARTHA: Kennst du mich denn nicht mehr, Hannele? Ich bin doch die Schwester Martha, nicht wahr? Du warst doch bei uns, weißt du nicht mehr? Wir haben miteinander gebetet und schöne Lieder gesungen. Nicht wahr?

HANNELE *(nickt freudig)*: Ach, schöne Lieder!

SCHWESTER MARTHA: Nun will ich dich pflegen in Gottes Namen, bis du wieder gesund wirst.

HANNELE: Ich mag nicht gesund werden.

SCHWESTER MARTHA *(mit einem Milchtöpfchen bei ihr)*: Der Doktor sagt, du sollst etwas Milch nehmen, damit du wieder zu Kräften kommst.

HANNELE *(weigert sich)*: Ich mag nicht gesund werden.

SCHWESTER MARTHA: Du magst nicht gesund werden? Nun überleg dir's nur erst ein Weilchen. Komm, komm, ich will dir die Haare aufbinden. *(Sie tut es.)*

HANNELE *(weint leise)*: Ich will nicht gesund werden.

SCHWESTER MARTHA: Warum denn nur nicht?

HANNELE: Ich möchte so gern ... ich möchte so gern — in den Himmel kommen.

SCHWESTER MARTHA: Das steht nicht in unsrer Macht, gutes Kind. Da müssen wir warten, bis Gott uns abruft. Aber wenn du deine Sünden bereust ...

HANNELE *(eifrig)*: Ach, Schwester! Ich bereue so sehr.

SCHWESTER MARTHA: Und an den Herrn Jesus Christus glaubst ...

HANNELE: Ich glaube an meinen Heiland so fest.

SCHWESTER MARTHA: Dann kannst du getrost und ruhig zuwarten. — Ich rück dir jetzt deine Kissen zurecht, und du schläfst ein.

HANNELE: Ich kann nicht schlafen.

SCHWESTER MARTHA: Versuch es nur.

HANNELE: Schwester Martha!

SCHWESTER MARTHA: Nun?

HANNELE: Schwester Martha! Gibt es Sünden ... gibt es Sünden, die nicht vergeben werden?

SCHWESTER MARTHA: Jetzt schlafe nur, Hannele! Reg dich nicht auf.

HANNELE: Ach, sagen Sie mir's, bitte, bitte, recht schön.

SCHWESTER MARTHA: Es gibt solche Sünden. Allerdings. Die Sünden wider den Heiligen Geist.

HANNELE: Wenn ich nun eine begangen habe ...

SCHWESTER MARTHA: Ach wo! Das sind nur ganz schlimme Menschen. Wie Judas, der den Herrn Jesus verriet.

HANNELE: Es kann doch aber ... es kann doch sein.

SCHWESTER MARTHA: Du mußt jetzt schlafen.

HANNELE: Ich ängst mich so.

SCHWESTER MARTHA: Das brauchst du durchaus nicht.

HANNELE: Wenn ich so eine Sünde begangen habe.

SCHWESTER MARTHA: Du hast keine solche Sünde begangen.

HANNELE *(klammert sich an die Schwester und starrt ins Dunkle)*: Ach Schwester, Schwester!

SCHWESTER MARTHA: Sei du ganz ruhig.

HANNELE: Schwester!

SCHWESTER MARTHA: Was denn?

HANNELE: Er wird gleich reinkommen. Hörst du nicht?

SCHWESTER MARTHA: Ich höre gar nichts.

HANNELE: Es ist seine Stimme. Draußen. Horch!

SCHWESTER MARTHA: Wen meinst du denn nur?

HANNELE: Der Vater, der Vater — dort steht er.

SCHWESTER MARTHA: Wo denn?

HANNELE: Sieh doch.

SCHWESTER MARTHA: Wo?

HANNELE: Unten am Bett.

SCHWESTER MARTHA: Hier hängt ein Mantel und hier ein Hut. Wir wollen das garstige Zeug mal wegnehmen — und rüber zum Vater Pleschke tragen. Ich bringe mir gleich etwas Wasser mit und mache dir einen kalten Umschlag. Willst du ein Augenblickchen allein bleiben? Aber ganz, ganz ruhig und stille liegen!

HANNELE: Ach, bin ich dumm. Es war bloß ein Mantel, gelt? und ein Hut?...

HANNELE *(mit tiefem Seufzer von innen betend)*: Ach, lieber Herr Jesus! Ach lieber Herr Jesus! Ach, schönstes, bestes Herr Jesulein: so nimm mich doch zu dir, so nimm mich doch zu dir! *(Verändert.)*

> Ach, wenn er doch käm,
> Ach, daß er mich nähm
> Und daß ich den Leuten
> Aus den Augen käm.

Ich weiß es ganz gewiß, Schwester...

SCHWESTER MARTHA: Was weißt du denn?

HANNELE: Er hat mir's versprochen. Ich komm in den Himmel, er hat mir's versprochen.

SCHWESTER MARTHA: Hm.

HANNELE: Weißt du, wer?

SCHWESTER MARTHA: Nun?

HANNELE *(geheimnisvoll ins Ohr der Schwester)*: Der liebe Herr — Gottwald.

SCHWESTER MARTHA: Jetzt schlaf aber, Hannele: weißt du was?

HANNELE: Schwester, gelt? Der Herr Lehrer Gottwald ist ein schöner Mann. Heinrich heißt er. Gelt? Heinrich ist ein schöner Name, gelt? *(Innig)* Du lieber süßer Heinrich! Schwester! Weißt du was? Wir machen zusammen Hochzeit. Ja, ja, wir beide: der Herr Lehrer Gottwald und ich.

> Und als sie nun verlobet warn,
> Da gingen sie zusammen
> In ein schneeweißes Federbett
> In einer dunklen Kammer. —

Er hat einen schönen Backenbart. — *(Verzückt)* Auf seinem Kopfe wächst blühender Klee! — Horch! — Er ruft mich. Hörst du nicht?

SCHWESTER MARTHA: Schlaf, Hannele, schlaf, es ruft niemand.

HANNELE: Das war der Herr — Jesus. — Horch, horch! Jetzt ruft er mich wieder: Hannele! — ganz laut: Hannele! ganz, ganz deutlich. Komm geh mit mir.

SCHWESTER MARTHA: Wenn Gott mich abruft, werd ich bereit sein.

HANNELE *(nun wieder vom Mond beschienen, reckt den Kopf, wie wenn sie süße Gerüche einsöge)*: Spürst du nichts, Schwester?

SCHWESTER MARTHA: Hannele, nein.

HANNELE: Den Fliederduft? *(In immer gesteigerter, seliger Ekstase)*: So hör doch! So hör doch! Was das bloß ist? *(Es wird wie aus weiter Ferne eine süße Stimme hörbar.)* Sind das die Engel? Hörst du denn nicht?

SCHWESTER MARTHA: Gewiß, ich hör's, aber weißt du was, du mußt dich nun still auf die Seite legen und ruhig schlafen bis morgen früh.

HANNELE: Kannst du das auch singen?

SCHWESTER MARTHA: Was denn, Kindchen?

HANNELE: Schlaf, Kindchen, schlaf!

SCHWESTER MARTHA: Willst du es gern hören?

HANNELE *(legt sich zurück und streichelt die Hand der Schwester)*: Mutterchen, sing mir's! Mutterchen, sing mir's.

SCHWESTER MARTHA *(löscht das Licht aus, beugt sich über das Bett und spricht mit leichter Andeutung der Melodie, während die ferne Musik forttönt)*:

> Schlaf, Kindchen, schlaf!
> Im Garten geht ein Schaf,

(Nun singt sie, und es wird ganz dunkel)

> Im Garten geht ein Lämmelein
> Auf dem grünen Dämmelein
> Schlaf, Kindchen schlaf!

GERHART HAUPTMANN · *Der Narr in Christo Emanuel Quint*

Der »Narr« ist der Tischlergeselle Quint, Schwärmer und Gottsucher, der den Menschen von der Liebe und dem Reich Christi predigt.

»Was seid ihr? Meinet ihr etwa Christen? Dann war Pilatus, dann war Judas, war der Hohepriester, der ihn verdammte, waren die Kriegsknechte, die ihn verspotteten, war ein jeder von ihnen ein Christ! Dann war es christlich, ihn geißeln, christlich, ihn mit der Faust ins Gesicht schlagen, christlich, ihm mit einem Tuche die Augen verbinden, ihm eine Narrenpritsche in die Hand geben, ihm eine Narrenkrone aus Dornen auf das Haupt drücken und rufen: rate, Christe, wer dich schlug.«

»Es ist ein Skandal«, sagte Herr von Kellwinkel.

»Oder herrscht unter euch ein anderes Gesetz als Auge um Auge, Zahn um Zahn?« fuhr Emanuel fort. »Habt ihr nicht die Völker bewaffnet, die Welt mit Myriaden von furchtbaren Mordinstrumenten bedeckt? Schwimmen nicht eure ungeheuren eisernen Mordmaschinen auf allen Meeren, und meint ihr, daß der Heiland eure Kanonen, eure Gewehre und eure scheußlichen Metzelfeste segnen wird? — Es ging ein Sämann aus zu säen! Meint ihr, daß dies die Saat des Heilandes, des Gottesreiches auf Erden ist? Ich aber sage euch, die ihr zuhört: liebet eure Feinde! tut denen wohl, die euch hassen! segnet die, die euch verfluchen! bittet für die, die euch beleidigen! und wer euch schlägt auf eine Backe, dem bietet die andere auch dar.«

Der Narr fuhr fort: »Meinet ihr, daß ihr zugleich Gott dienen könnt und dem Mammon? Wahrlich, ich sage euch: ihr werdet Gott dienen oder dem Mammon! Meinet ihr, ihr werdet euren Feinden Übles tun, denen fluchen, die euch fluchen, eure Beleidiger verfolgen, schlagen, die euch schlagen, und doch Kinder Gottes heißen? Ich sage euch: wer den Mantel von den Schultern reißt, den rufet zurück. Sagt ihm, du hast den Rock vergessen. Gebt ihm auch den Rock! Wer dich aber bittet, dem gib ein zehnfaches Maß dessen, worum er dich bittet. Wenn aber ein Dieb kommt und bricht in deine Vorratskammern, du Reicher, so gehe nicht hin und hetze die Schergen hinter ihm drein, sondern laß ihm, was er genommen hat und fordere es nicht wieder! Brechen sie aber in eure Gewölbe, darin ihr eure Juwelen, den Schmuck eurer Weiber und euer gemünztes Gold verborgen habt, so lasset sie getrost davonschleichen mit ihrem Raub! Denn ich sage euch: ihr sollt nicht Schätze sammeln, die Motten und Rost fressen! Und was hülfe es euch, wenn ihr die ganze Welt gewönnet und nähmet doch Schaden an eurer Seele?«

»Noch besser!« sagte Herr von Kellwinkel, und auch bei den übrigen Zuhörern lösten diese seltsamen Grundsätze Äußerungen der Belustigung, der Erbitterung und des Hohnes aus.

Quint konnte bemerken, wie die Gesichter jener frommen Schäflein länger und länger wurden, die gekommen waren, um Zeugen von etwas Wunderbarem zu sein. Ebensowenig entging es ihm, wie sich auf den gleichsam erleuchteten Mienen der irgendeiner himmlischen Manifestation, eines Auferstehungswunders gewärtigen Talbrüder, die, wie ein Stab, ihm am nächsten standen, wie sich in ihren Mienen hier Enttäuschung, dort Bestürzung auszuprägen begann.

Waren sie denn nicht ehrliche Leute? Und wenn sie es waren, und waren ihm außerdem gläubig nachgefolgt, was sollte denn dieser Hagel von Scheltworten? Sind wir denn Räuber? Diebe? Verräter? Mörder? Ehebrecher? dachten sie. Und sie gaben sich Antwort: wir sind es nicht: Wir sind auch nicht Knechte des Antichrist! Außer daß jener, der uns so nennt und der vor uns steht, der Antichrist wäre. Und was gehen ihn denn, da er es mit redlichen Menschen zu tun hat, die Diebe an? Sind wir denn Diebsgenossen und Diebsgelichter? Wann hätten wir ihn bestohlen, geköpft, geschunden, an den Galgen gehängt, geheim oder öffentlich? Anton Scharf wurde dunkelrot vor Scham und Wut! Was? Ich und mein Bruder, wir wären nicht Christen? Wir wären Judas, wären Pilatus, wären den Kriegsknechten, die ihn marterten, gleich? Wann hätten wir ihm die Faust ins Gesicht geschlagen? Und was sagt er: wir sollen den Dieben und Räubern Vorschub tun?

»Sehet euren himmlischen Vater an«, fuhr der Tor indessen mit stärker erhobener Stimme fort, »ist er nicht gütig über den Undankbaren? Freundlich über den Gottlosen und Boshaften? Läßt er nicht seine Sonne täglich aufgehen über euch, die ihr doch Böse und wenige Redliche unter Dieben, Betrügern, Verrätern, Mördern und Gottlosen seid?«

»Halt deine Schnauze«, schrie ein betrunkener Pferdeknecht, »sonst

kriegst du den nächsten Stein an den Schädel!« Ein Trupp junger Leute
aber zog mit dem Wechselgesang von »O du lieber Augustin« und »Lott
ist tot, Lott ist tot, Jule liegt im Sterben« augenscheinlich gelangweilt in
den nächsten Dorfkretscham ab.

[6] Pleinair-Dichtung

DETLEV VON LILIENCRON · *Viererzug*

Vorne vier nickende Pferdeköpfe,
Neben mir zwei blonde Mädchenzöpfe,
Hinten der Groom mit wichtigen Mienen,
An den Rädern Gebell.

In den Dörfern windstillen Lebens Genüge,
Auf den Feldern fleißige Spaten und Pflüge,
Alles das von der Sonne beschienen
So hell, so hell.

Die Musik kommt

Klingling, bumbum und tschingdada,
Zieht im Triumph der Perserschah?
Und um die Ecke brausend brichts
Wie Tubaton des Weltgerichts,
    Voran der Schellenträger.

Brumbrum, das große Bombardon,
Der Beckenschlag, das Helikon,
Die Piccolo, der Zinkenist,
Die Türkentrommel, der Flötist,
    Und dann der Herre Hauptmann.

Der Hauptmann naht mit stolzem Sinn,
Die Schuppenketten unterm Kinn;
Die Schärpe schnürt den schlanken Leib,
Beim Zeus! das ist kein Zeitvertreib!
    Und dann die Herren Leutnants.

Zwei Leutnants, rosenrot und braun,
Die Fahne schützen sie als Zaun;
Die Fahne kommt, den Hut nimm ab,
Der bleiben treu wir bis ans Grab!
    Und dann die Grenadiere.

Der Grenadier im strammen Tritt,
In Schritt und Tritt und Tritt und Schritt,
Das stampft und dröhnt und klappt und flirrt,
Laternenglas und Fenster klirrt.
     Und dann die kleinen Mädchen.

Die Mädchen alle, Kopf an Kopf,
Das Auge blau und blond der Zopf;
Aus Tür und Tor und Hof und Haus
Schaut Mine, Trine, Stine aus.
     Vorbei ist die Musike.

Klingling, tschingtsching und Paukenkrach,
Noch aus der Ferne tönt es schwach,
Ganz leise bumbumbumbum tsching;
Zog da ein bunter Schmetterling,
     Tschingtsching, bum, um die Ecke?

DETLEV VON LILIENCRON · *Tod in Ähren*

Im Weizenfeld, in Korn und Mohn,
Liegt ein Soldat unaufgefunden,
Zwei Tage schon, zwei Nächte schon,
Mit schweren Wunden, unverbunden.

Durstüberquält und fieberwild,
Im Todeskampf den Kopf erhoben.
Ein letzter Traum, ein letztes Bild;
Sein brechend Auge schlägt nach oben.

Die Sense sirrt im Ährenfeld,
Er sieht sein Dorf im Arbeitsfrieden.
Ade, ade, du Heimatwelt —
Und beugt das Haupt und ist verschieden.

[7] **Wagnis der Sprache**

FRIEDRICH NIETZSCHE · *Dionysos-Dithyramben*

Die Sonne sinkt

I

Nicht lange durstest du noch,
     verbranntes Herz!
Verheißung ist in der Luft,
aus unbekannten Mündern bläst mich's an,
     — die große Kühle kommt.

Meine Sonne stand heiß über mir im Mittage:
seid mir gegrüßt, daß ihr kommt,
 ihr plötzlichen Winde,
ihr kühlen Geister des Nachmittags!

Die Luft geht fremd und rein.
Schielt nicht mit schiefem
 Verführerblick
die Nacht mich an? . . .
Bleib stark, mein tapferes Herz!
Frag nicht: warum? —

2

Tag meines Lebens!
Die Sonne sinkt.
Schon steht die glatte
 Flut vergüldet.
Warm atmet der Fels:
 schlief wohl zu Mittag
das Glück auf ihm seinen Mittagsschlaf? —
 Im grünen Lichtern
spielt Glück noch der braune Abgrund herauf.

Tag meines Lebens!
gen Abend gehts!
Schon glüht dein Auge
 halbgebrochen,
schon quillt deines Taus
 Tränengeträufel,
schon läuft still über weiße Meere
deiner Liebe Purpur,
deine letzte zögernde Seligkeit.

3

Heiterkeit, güldene, komm!
 du des Todes
heimlichster, süßester Vorgenuß!
Lief ich zu rasch meines Wegs?
jetzt erst, wo der Fuß müde ward,
 holt dein Blick mich noch ein,
 holt dein Glück mich noch ein.

Rings nur Welle und Spiel.
 Was je schwer war,
sank in blaue Vergessenheit,
müßig steht nun mein Kahn.

Sturm und Fahrt — wie verlernt' er das!
   Wunsch und Hoffen ertrank,
   glatt liegt Seele und Meer.

Siebente Einsamkeit!
   Nie empfand ich
näher mir süße Sicherheit,
wärmer der Sonne Blick.
— Glüht nicht das Eis meiner Gipfel noch?
   Silbern, leicht, ein Fisch
   schwimmt nun mein Nachen hinaus

FRIEDRICH NIETZSCHE · *Das trunkne Lied*

(Aus »Also sprach Zarathustra«)

O Mensch! Gibt acht!
Was spricht die tiefe Mitternacht?
Ich schlief, ich schlief —
Aus tiefem Traum bin ich erwacht: —
Die Welt ist tief,
Und tiefer als der Tag gedacht.
Tief ist ihr Weh —
Lust — tiefer noch als Herzeleid:
Weh spricht: Vergeh!
Doch alle Lust will Ewigkeit —
Will tiefe, tiefe Ewigkeit!

Venedig

An der Brücke stand
Jüngst ich in brauner Nacht.
Fernher kam Gesang:
Goldener Tropfen quolls
Über die zitternde Fläche weg.
Gondeln, Lichter, Musik —
Trunken schwamms in die Dämmrung hinaus ...

Meine Seele, ein Saitenspiel,
Sang sich, unsichtbar berührt,
Heimlich ein Gondellied dazu,
Zitternd vor bunter Seligkeit.
— Hörte jemand ihr zu? ...

MAX DAUTHENDEY · *In der Frühe*

(Auf Java, 9. September 1916)
Große weiße Malvenblüten, frischbetaute,
Sah ich in der Frühe, da das Taglicht graute,
In dem Garten, und es schliefen noch die Laute.

Jede runde Blüte leuchtete und brachte
Hellen Schmelz dem Himmel, der erwachte,
Als das Gartendunkel noch der Nacht gedachte.

In der Ferne stand ein blauer Berg gehoben,
Lange Wolken sich am freien Gipfel schoben,
Und vom Licht lag dort die neue Spur gewoben.

Und ich dachte: Blüten, Berg und Licht, sie wissen,
Daß sie heut am hellen Tage nichts vermissen,
Und nur ich, nur ich bin heimatlos, zerrissen.

Die Amseln haben Sonne getrunken

Die Amseln haben Sonne getrunken,
Aus allen Gärten strahlen die Lieder,
In allen Herzen nisten die Amseln,
Und alle Herzen werden zu Gärten
Und blühen wieder.

Nun wachsen der Erde die großen Flügel
Und allen Träumen neues Gefieder,
Alle Menschen werden wie Vögel
Und bauen Nester im Blauen.

Nun sprechen die Bäume in grünem Gedränge
Und rauschen Gesänge zur hohen Sonne,
In allen Seelen badet die Sonne,
Alle Wasser stehen in Flammen,
Frühling bringt Wasser und Feuer
Liebend zusammen.

Tradition und konservative Erneuerung

THOMAS MANN · *Versuch über Schiller*

Aus [Goethes] etzten Lebensjahren stammt die Antwort, die er der Schwiegertochter Ottilie erteilte auf ihre Aussage, Schiller langweile sie oft. Da wandte er sein Gesicht hinweg und erwiderte: »Ihr seid alle viel zu armselig und irdisch für ihn.«

Wir sollten uns alle fürchten vor dieser Gebärde, diesem strafenden Wort des alten Goethe und zusehen, daß wir uns nicht als allzu irdisch-armselig erweisen vor ihm, nach dessen Dasein an seiner Seite sich jener bis an sein Grab zurücksehnte. Denn daß sein Andenken erlöschen dürfe, daß er unzeitgemäß geworden sei, uns nichts mehr zu sagen habe, ist Vorurteil und Wahn. Es ist eine Meinung von gestern, sie ist veraltet. Wie stark, bei neu durcharbeitender Beschäftigung mit seinem Werk, habe ich das empfunden — und daß er, der Herr seiner Krankheit, unserer kranken Zeit zum Seelenarzt werden könnte, wenn sie sich recht auf ihn besänne!

Wie wohl ein Organismus kränkeln, ja siechen mag, weil es seiner Chemie an einem bestimmten Element, einem Lebensstoff, einem Vitamin mangelt, so ist es vielleicht genau dies unentbehrliche Etwas, das Element »Schiller«, an dem es unserer Lebensökonomie, dem Organismus unserer Gesellschaft kümmerlich gebricht. So wollte es mir scheinen, als ich seine »Öffentliche Ankündigung der Horen« wieder las, dieses herrliche Stück Prosa, worin er das auch seiner Zeit schon ungemäß Dünkende zum Dringlichst-Zeitgemäßen erhebt, es zum Labsal macht jedem Leidenden. Er spricht da von einer Zeit, wo »das nahe Geräusch des Kriegs das Vaterland ängstigt, der Kampf politischer Meinungen und Interessen diesen Krieg beinahe in jedem Zirkel erneuert und weder in den Gesprächen noch in den Schriften des Tages vor diesem allverfolgenden Dämon der Staatskritik Rettung ist«. Je mehr, sagt er, das beschränkte Interesse der Gegenwart die Gemüter in Spannung setze, einenge und unterjoche, desto dringender werde das Bedürfnis, durch ein allgemeines und höheres Interesse an dem, was rein menschlich und über allen Einfluß der Zeiten erhaben ist, sie wieder in Freiheit zu setzen und die politisch geteilte Welt unter der Fahne der Wahrheit und Schönheit wieder zu vereinigen. Sache seiner Zeitschrift, erklärt er, sollte es sein, dem Geist und Herzen des Lesers, den der Anblick der Zeitbegebenheiten bald entrüste bald niederschlage, mitten im politischen Tumult, auf spielende sowohl wie ernsthafte Weise, Trost und Befreiung zu bringen. Verbannt aus ihr solle alles von einem unreinen Parteigeist Gestempelte sein. Aber während sie sich alle Beziehungen auf den jetzigen Weltlauf und die nächsten Erwartungen der Menschheit verbiete, wolle sie über die vergangene Welt die Geschichte und über die kommende die Philosophie befragen, zu dem durch die Vernunft aufgegebenen, in der Erfahrung aber so leicht aus den Augen gerückten Ideal veredelter Menschheit einzelne Züge sammeln und arbeiten an dem stillen Bau besserer Begriffe, reinerer Grundsätze und edlerer Sitten, von dem zuletzt alle Verbesserung des gesellschaftlichen Zustandes abhänge. »Wohlanständigkeit und Ordnung, Gerechtigkeit und Friede werden also der Geist und die Regel dieser Zeitschrift sein.«

Hüten wir uns nur, solche Vorsätze schwächlich-ästhetizistisch zu nennen, zu meinen, sie hätten irgend etwas zu tun mit dem, was heute escapism heißt. Arbeit am Geist der Nation, ihrer Moral und Bildung, ihrer seelischen Freiheit, ihrem intellektuellen Niveau, das sie in den Stand setze, zu gewahren, daß andere, unter verschiedenen historischen Voraussetzungen, einem verschiedenen Ideensystem, einer anderen sozialen Gerechtsame Lebende, auch Menschen sind; Arbeit an der Menschheit, welcher man Anstand und Ordnung, Gerechtigkeit und Friede wünscht statt gegenseitiger Anschwärzung, verwilderter Lüge und speiendem Haß — das ist nicht Flucht aus der Wirklichkeit ins Müßig-Schöne, es ist bewahrender Dienst am Leben, der Wille, es zu heilen von Angst und Haß durch seelische Befreiung. Was dieser Mensch anstrebte mit dem Schwung des Redners, der Begeisterung des Dichters: das Universelle, Umfassende, rein Menschliche, ist ganzen Generationen als verblaßtes Ideal, als überholt, abgeschmackt, veraltet erschienen, und so mußte ihnen denn auch sein Werk erscheinen. Was als neu, notwendig, wahr und lebensvoll hervortrat und den Zeitgeist beherrschte, war das Besondere, Spezifische, Positive und Nationelle. Schon Carlyle in seiner sonst liebevollen Schiller-Biographie übte in diesem Punkt Kritik an seinem Helden, dessen Herz, gleich dem des Marquis Posa, »der ganzen Menschheit schlug, der Welt und allen kommenden Geschlechtern«. Schiller hatte von »uns Neueren« gesprochen, im Gegensatz zu Griechen und Römern, als er »das vaterländische Interesse« für unreif und nur der Jugend der Welt geziemend erklärte. »Es ist«, las man bei ihm, »ein armseliges kleinliches Ideal, für eine Nation zu schreiben; einem philosophischen Geist ist diese Grenze durchaus unerträglich. Dieser kann bei einer so wandelbaren, zufälligen und willkürlichen Form der Menschheit, bei einem Fragmente (und was ist die wichtigste Nation anders?) nicht still stehen; er kann sich nicht weiter dafür erwärmen, als soweit ihm diese Nation oder National-Begebenheit als Bedingung für den Fortschritt der Gattung wichtig ist.« Gegen dies »Neuere« setzt Carlyle das Neueste. »Wir fordern«, sagt er, »einen einzelnen Gegenstand für unsere Zuneigung. Das Gefühl, welches sich auf die ganze Menschheit erstreckt, wird eben durch die große Ausdehnung so sehr geschwächt, daß es für den Einzelnen nicht wirksam ist ... Allgemeine Menschenliebe gibt nur eine willkürliche und sehr schwache Verhaltungsregel, und es wird sich ausweisen, daß der ›Fortschritt der Gattung‹ ebenso wenig geeignet ist, die Einbildungskraft mächtig aufzuregen ... Der erhabene, erleuchtete Enthusiasmus, der das Werk (Schillers Geschichtswerk) durchdringt, würde unser Herz mehr angesprochen haben, wäre derselbe auf einen engern Raum beschränkt.«

Das ist führende Sprache, die Sprache eines Führenden, dem eine ganze Epoche Gefolgschaft leisten sollte, die Epoche des Nationalismus. Es ist —

die Sprache von gestern. Denn die Wellen der Geistesgeschichte kommen und gehen, und wir erleben es heute, wie das Schicksal das Neue veralten läßt und das vermeintlich Abgelebte wieder zum Gedanken der Zeit beruft, es zu brennendster, vitalster Zeitgemäßheit erneuert, ihm eine Notwendigkeit auf Leben und Tod verleiht, wie es sie nie zuvor besaß. Wie steht es heute? Tief sinkt die nationale Idee, die Idee des »engern Raumes« ins Gestrige ab. Von ihr aus, jeder fühlt es, ist kein Problem, kein politisches, ökonomisches, geistiges mehr zu lösen. Der universelle Aspekt ist die Forderung der Lebensstunde und unseres geängstigten Herzens, und längst hat der Gedanke an die Ehre der Menschheit, das Wort Humanität, die weiteste Teilnehmung aufgehört, eine »schwache Verhaltungsregel« zu sein, bei der »unsere Empfindungen verdunsten und hinwegschwinden«. Gerade dies umfassende Gefühl ist es, was not-, nur allzu nottut, und ohne daß die Menschheit als Ganzes sich auf sich selbst, auf ihre Ehre, das Geheimnis ihrer Würde besinnt, ist sie nicht moralisch nur, nein, physisch verloren.

Das letzte Halbjahrhundert sah eine Regression des Menschlichen, einen Kulturschwund der unheimlichsten Art, einen Verlust an Bildung, Anstand, Rechtsgefühl, Treu und Glauben, jeder einfachsten Zuverlässigkeit, der beängstigt. Zwei Weltkriege haben, Roheit und Raffgier züchtend, das intellektuelle und moralische Niveau (die beiden gehören zusammen) tief gesenkt und eine Zerrüttung gefördert, die schlechte Gewähr bietet gegen den Sturz in einen dritten, der alles beenden würde. Wut und Angst, abergläubischer Haß, panischer Schrecken und wilde Verfolgungssucht beherrschen eine Menschheit, welcher der kosmische Raum gerade recht ist, strategische Basen darin anzulegen, und die Sonnenkraft äfft, um Vernichtungswaffen frevlerisch daraus herzustellen.

> Find' ich so den Menschen wieder,
> Dem wir unser Bild geliehn,
> Dessen schöngestalte Glieder
> Droben im Olympus blühn?
> Gaben wir ihm zum Besitze
> Nicht der Erde Götterschoß,
> Und auf seinem Königssitze
> Schweift er elend, heimatlos?

Das ist die Klage der Ceres im »Eleusischen Fest«; es ist Schillers Stimme. Ohne Gehör für seinen Aufruf zum stillen Bau besserer Begriffe, reinerer Grundsätze, edlerer Sitten, »von dem zuletzt alle Verbesserung des gesellschaftlichen Zustandes abhängt«, taumelt eine von Verdummung trunkene, verwahrloste Menschheit unterm Ausschreien technischer und sportlicher Sensationsrekorde ihrem schon gar nicht mehr ungewollten Untergange entgegen.

Als man, November 1859, seinen hundertsten Geburtstag beging, hob ein Sturm der Begeisterung einigend Deutschland auf.

Damals bot sich, so heißt es, der Welt ein Schauspiel, das die Geschichte noch nicht kannte: das immer zerrissene deutsche Volk in geschlossener Einheit durch ihn, seinen Dichter. Es war ein nationales Fest, und das sei das unsrige auch. Entgegen politischer Unnatur fühle das zweigeteilte Deutschland sich eins in seinem Namen. Aber ein anderes, größeres Vorzeichen noch muß die Zeit unserer Gedenkfeier verleihen: sie stehe im Zeichen universeller Teilnehmung nach dem Vorbild seiner hochherzigen Größe, die nach einem ewigen Bunde rief des Menschen mit der Erde, seinem mütterlichen Grund. Von seinem sanft-gewaltigen Willen gehe durch das Fest seiner Grablegung und Auferstehung etwas in uns ein: von seinem Willen zum Schönen, Wahren und Guten, zur Gesittung, zur inneren Freiheit, zur Kunst, zur Liebe, zum Frieden, zu rettender Ehrfurcht des Menschen vor sich selbst.

[10] Bürger und Künstler

THOMAS MANN · *Tristan*

Frau Klöterjahn, Tochter eines Mannes, der mehr Künstler als Kaufmann war, muß ein Lungensanatorium aufsuchen. Ihre »todbestimmte Schönheit«, ihr künstlerischer Sinn (vollendet ihr Klavierspiel!) stehen in krassem Widerspruch zum erdnahen Wesen ihres Gemahls, der Verkörperung des »triumphierenden Lebens«.

Der Kutscher, welcher die Herrschaften von der Station zum Sanatorium gefahren hatte, ein roher, unbewußter Mann ohne Feingefühl, hatte geradezu die Zunge zwischen die Zähne genommen vor ohnmächtiger Behutsamkeit, während der Großkaufmann seiner Gattin beim Aussteigen behilflich war; ja, es hatte ausgesehen, als ob die beiden Braunen, in der stillen Frostluft qualmend, mit rückwärts gerollten Augen angestrengt diesen ängstlichen Vorgang verfolgten, voll Besorgnis für so viel schwache Grazie und zarten Liebreiz.

Die junge Frau litt an der Luftröhre, wie ausdrücklich in dem anmeldenden Schreiben zu lesen stand, das Herr Klöterjahn vom Strande der Ostsee aus an den dirigierenden Arzt von »Einfried« gerichtet hatte, und Gott sei Dank, daß es nicht die Lunge war! Wenn es aber dennoch die Lunge gewesen wäre — diese neue Patientin hätte keinen holderen und veredelteren, keinen entrückteren und unstofflicheren Anblick gewähren können, als jetzt, da sie an der Seite ihres stämmigen Gatten, weich und ermüdet in den weiß lackierten, gradlinigen Armsessel zurückgelehnt, dem Gespräche folgte.

Ihre schönen, blassen Hände, ohne Schmuck bis auf den schlichten Ehering, ruhten in den Schoßfalten eines schweren und dunklen Tuchrockes, und sie trug eine silbergraue, anschließende Taille mit festem Stehkragen, die mit hochaufliegenden Sammetarabesken über und über besetzt war. Aber diese gewichtigen und warmen Stoffe ließen die unsägliche Zartheit, Süßigkeit und Mattigkeit des Köpfchens nur noch rührender, unirdischer und lieblicher erscheinen. Ihr lichtbraunes Haar, tief im Nacken zu einem Knoten zusammengefaßt, war glatt zurückgestrichen, und nur in der Nähe der rechten Schläfe fiel eine krause, lose Locke in die Stirn, unfern der Stelle, wo über der markant gezeichneten Braue ein kleines, seltsames Äderchen sich blaßblau und kränklich in der Klarheit und Makellosigkeit dieser wie durchsichtigen Stirn verzweigte. Dies blaue Äderchen über dem Auge beherrschte auf eine beunruhigende Art das ganze feine Oval des Gesichtes. Es trat sichtbarer hervor, sobald die Frau zu sprechen begann, ja, sobald sie auch nur lächelte, und es gab alsdann dem Gesichtsausdruck etwas Angestrengtes, ja selbst Bedrängtes, was unbestimmte Befürchtungen erweckte. Dennoch sprach sie und lächelte.

Sie sprach freimütig und freundlich mit ihrer leicht verschleierten Stimme, und sie lächelte mit ihren Augen, die ein wenig mühsam blickten, ja hier und da eine kleine Neigung zum Verschließen zeigten, und deren Winkel, zu beiden Seiten der schmalen Nasenwurzel, in tiefem Schatten lagen, sowie mit ihrem schönen breiten Munde, der blaß war und dennoch zu leuchten schien, vielleicht, weil seine Lippen so überaus scharf und deutlich umrissen waren. Manchmal hüstelte sie. Hierbei führte sie ihr Taschentuch zum Munde und betrachtete es alsdann.

»Hüstle nicht, Gabriele«, sagte Herr Klöterjahn. »Du weißt, daß Doktor Hinzpeter zu Hause es dir extra verboten hat, darling, und es ist bloß, daß man sich zusammennimmt, mein Engel. Es ist, wie gesagt, die Luftröhre«, wiederholte er. »Ich glaubte wahrhaftig, es wäre die Lunge, als es losging, und kriegte, weiß Gott, einen Schreck. Aber es ist nicht die Lunge, nee, Deubel noch mal, auf so was lassen wir uns nicht ein, was, Gabriele? hö, hö!«

»Zweifelsohne«, sagte Doktor Leander und funkelte sie mit seinen Brillengläsern an.

Hierauf verlangte Herr Klöterjahn Kaffee — Kaffee und Buttersemmeln, und er hatte eine anschauliche Art, den K-Laut ganz hinten im Schlunde zu bilden und »Bottersemmeln« zu sagen, daß jedermann Appetit bekommen mußte.

Er bekam, was er wünschte, bekam auch Zimmer für sich und seine Gattin, und man richtete sich ein.

Übrigens übernahm Doktor Leander selbst die Behandlung, ohne Doktor Müller für den Fall in Anspruch zu nehmen.

Die Persönlichkeit der neuen Patientin erregte ungewöhnliches Aufsehen in »Einfried«, und Herr Klöterjahn, gewöhnt an solche Erfolge, nahm jede Huldigung, die man ihr darbrachte, mit Genugtuung entgegen. Der diabetische General hörte einen Augenblick zu murren auf, als er ihrer zum ersten Male ansichtig wurde, die Herren mit den entfleischten Gesichtern lächelten und versuchten angestrengt, ihre Beine zu beherrschen, wenn sie in ihre Nähe kamen, und die Magistratsrätin Spatz schloß sich ihr sofort als ältere Freundin an. Ja, sie machte Eindruck, die Frau, die Herrn Klöterjahns Namen trug! Ein Schriftsteller, der seit ein paar

Wochen in »Einfried« seine Zeit verbrachte, ein befremdender Kauz, dessen Name wie der eines Edelsteines lautete, verfärbte sich geradezu, als sie auf dem Korridor an ihm vorüberging, blieb stehen und stand noch immer wie angewurzelt, als sie schon längst entschwunden war.

Zwei Tage waren noch nicht vergangen, als die ganze Kurgesellschaft mit ihrer Geschichte vertraut war. Sie war aus Bremen gebürtig, was übrigens, wenn sie sprach, an gewissen liebenswürdigen Lautverzerrungen zu erkennen war, und hatte dortselbst vor zwiefacher Jahresfrist dem Großhändler Klöterjahn ihr Jawort fürs Leben erteilt. Sie war ihm in seine Vaterstadt, dort oben am Ostseestrande, gefolgt und hatte ihm vor nun etwa zehn Monaten unter ganz außergewöhnlich schweren und gefährlichen Umständen ein Kind, einen bewundernswert lebhaften und wohlgeratenen Sohn und Erben beschert. Seit diesen furchtbaren Tagen aber war sie nicht wieder zu Kräften gekommen, gesetzt, daß sie jemals bei Kräften gewesen war. Sie war kaum vom Wochenbett erstanden, äußerst erschöpft, äußerst verarmt an Lebenskräften, als sie beim Husten ein wenig Blut aufgebracht hatte – oh, nicht viel, ein unbedeutendes bißchen Blut; aber es wäre doch besser überhaupt nicht zum Vorschein gekommen, und das Bedenkliche war, daß derselbe kleine unheimliche Vorfall sich nach kurzer Zeit wiederholte. Nun, es gab Mittel hiergegen, und Doktor Hinzpeter, der Hausarzt, bediente sich ihrer. Vollständige Ruhe wurde geboten, Eisstückchen wurden geschluckt, Morphium ward gegen den Hustenreiz verabfolgt, und das Herz nach Möglichkeit beruhigt. Die Genesung aber wollte sich nicht einstellen, und während das Kind, Anton Klöterjahn der Jüngere, ein Prachtstück von einem Baby, mit ungeheurer Energie und Rücksichtslosigkeit seinen Platz im Leben eroberte und behauptete, schien die junge Mutter in einer sanften und stillen Glut dahinzuschwinden ... Es war, wie gesagt, die Luftröhre, ein Wort, das in Doktor Hinzpeters Munde eine überraschend tröstliche, beruhigende, fast erheiternde Wirkung auf alle Gemüter ausübte. Aber obgleich es nicht die Lunge war, hatte der Doktor schließlich den Einfluß eines milderen Klimas und des Aufenthaltes in einer Kuranstalt zur Beschleunigung der Heilung als dringend wünschenswert erachtet, und der Ruf des Sanatoriums »Einfried« und seines Leiters hatte das übrige getan.

So verhielt es sich; und Herr Klöterjahn selbst erzählte es jedem, der Interesse dafür an den Tag legte. Er redete laut, salopp und gutgelaunt, wie ein Mann, dessen Verdauung sich in so guter Ordnung befindet wie seine Börse, mit weit ausladenden Lippenbewegungen, in der breiten und dennoch rapiden Art der Küstenbewohner vom Norden. Manche Worte schleuderte er hervor, daß jeder Laut einer kleinen Entladung glich, und lachte darüber wie über einen gelungenen Spaß.

Er war mittelgroß, breit, stark und kurzbeinig und besaß ein volles, rotes Gesicht mit wasserblauen Augen, die von ganz hellblonden Wimpern beschattet waren, geräumigen Nüstern und feuchten Lippen. Er trug einen englischen Backenbart, war ganz englisch gekleidet und zeigte sich entzückt, eine englische Familie, Vater, Mutter und drei hübsche Kinder mit ihrer nurse, in »Einfried« anzutreffen, die sich hier aufhielt, einzig und allein, weil sie nicht wußte, wo sie sich sonst aufhalten sollte, und mit der er morgens englisch frühstückte. Überhaupt liebte er es, viel und gut zu speisen und zu trinken, zeigte sich als ein wirklicher Kenner von Küche und Keller und unterhielt die Kurgesellschaft aufs anregendste von den Diners, die daheim in seinem Bekanntenkreise gegeben wurden, sowie mit der Schilderung gewisser auserlesener, ihr unbekannter Platten. Hierbei zogen seine Augen sich mit freundlichem Ausdruck zusammen, und seine Sprache erhielt etwas Gaumiges und Nasales, indes leicht schmatzende Geräusche im Schlunde sie begleiteten. Daß er auch anderen irdischen Freuden nicht grundsätzlich abhold war, bewies er an jenem Abend, als ein Kurgast von »Einfried«, ein Schriftsteller von Beruf, ihn auf dem Korridor in ziemlich unerlaubter Weise mit einem Stubenmädchen scherzen sah — ein kleiner humoristischer Vorgang, zu dem der betreffende Schriftsteller eine lächerlich angeekelte Miene machte.

Was Herrn Klöterjahns Gattin anging, so war klar und deutlich zu beobachten, daß sie ihm von Herzen zugetan war. Sie folgte lächelnd seinen Worten und Bewegungen; nicht mit der überheblichen Nachsicht, die manche Leidenden den Gesunden entgegenbringen, sondern mit der liebenswürdigen Freude und Teilnahme gutgearteter Kranker an den zuversichtlichen Lebensäußerungen von Leuten, die in ihrer Haut sich wohlfühlen.

Herr Klöterjahn verweilte nicht lange in »Einfried«. Er hatte seine Gattin hierher geleitet; nach Verlauf einer Woche aber, als er sie wohl aufgehoben und in guten Händen wußte, war seines Bleibens nicht länger. Pflichten von gleicher Wichtigkeit, sein blühendes Kind, sein ebenfalls blühendes Geschäft, riefen ihn in die Heimat zurück; sie zwangen ihn, abzureisen und seine Frau im Genusse der besten Pflege zurückzulassen.

Thomas Mann · *Tonio Kröger*

Tonio Kröger saß im Norden und schrieb an Lisaweta Iwanowna, seine Freundin, wie er es ihr versprochen hatte.

Liebe Lisaweta dort unten in Arkadien, wohin ich bald zurückkehren werde, schrieb er. Hier ist nun also so etwas wie ein Brief, aber er wird Sie wohl enttäuschen, denn ich denke, ihn ein wenig allgemein zu halten. Nicht, daß ich so gar nichts zu erzählen, auf meine Weise nicht dies und das erlebt hätte. Zu Hause, in meiner Vaterstadt, wollte man mich sogar verhaften . . . aber davon sollen Sie mündlich hören. Ich habe jetzt manchmal Tage, an denen ich es vorziehe, auf gute Art etwas allgemeines zu sagen, anstatt Geschichten zu erzählen.

Wissen Sie wohl noch, Lisaweta, daß Sie mich einmal einen Bürger, einen verirrten Bürger nannten? Sie nannten mich so in einer Stunde, da ich Ihnen, verführt durch andere Geständnisse, die ich mir vorher hatte entschlüpfen lassen, meine Liebe zu dem gestand, was ich das Leben nenne; und ich fragte mich, ob Sie wohl wußten, wie sehr Sie damit die

Wahrheit trafen, wie sehr mein Bürgertum und meine Liebe zum »Leben« eins und dasselbe sind. Diese Reise hat mir Veranlassung gegeben, darüber nachzudenken . . .

Mein Vater, wissen Sie, war ein nordisches Temperament: betrachtsam, gründlich, korrekt aus Puritanismus und zur Wehmut geneigt; meine Mutter von unbestimmt exotischem Blut, schön, sinnlich, naiv, zugleich fahrlässig und leidenschaftlich und von einer impulsiven Liederlichkeit. Ganz ohne Zweifel war dies eine Mischung, die außerordentliche Möglichkeiten — und außerordentliche Gefahren in sich schloß. Was herauskam, war dies: ein Bürger, der sich in die Kunst verirrte, ein Bohemien mit Heimweh nach der guten Kinderstube, ein Künstler mit schlechtem Gewissen. Denn mein bürgerliches Gewissen ist es ja, was mich in allem Künstlertum, aller Außerordentlichkeit und allem Genie etwas tief Zweideutiges, tief Anrüchiges, tief Zweifelhaftes erblicken läßt, was mich mit dieser verliebten Schwäche für das Simple, Treuherzige und Angenehm-Normale, das Ungeniale und Anständige erfüllt.

Ich stehe zwischen zwei Welten, bin in keiner daheim und habe es infolgedessen ein wenig schwer. Ihr Künstler nennt mich einen Bürger, und die Bürger sind versucht, mich zu verhaften . . . ich weiß nicht, was von beiden mich bitterer kränkt. Die Bürger sind dumm: Ihr Anbeter der Schönheit aber, die ihr mich phlegmatisch und ohne Sehnsucht heißt, solltet bedenken, daß es ein Künstlertum gibt, so tief, so von Anbeginn und Schicksals wegen, daß keine Sehnsucht ihm süßer und empfindenswerter erscheint als die nach den Wonnen der Gewöhnlichkeit.

Ich bewundere die Stolzen und Kalten, die auf den Pfaden der großen, der dämonischen Schönheit abenteuern und den »Menschen« verachten — aber ich beneide sie nicht. Denn wenn irgend etwas imstande ist, aus einem Literaten einen Dichter zu machen, so ist es diese meine Bürgerliebe zum Menschlichen, Lebendigen und Gewöhnlichen. Alle Wärme, alle Güte, aller Humor kommt aus ihr, und fast will mir scheinen, als sei sie jene Liebe selbst, von der geschrieben steht, daß einer mit Menschen- und Engelszungen reden könnte und ohne sie doch nur ein tönendes Erz und eine klingende Schelle sei.

Was ich getan habe, ist nichts, nicht viel, so gut wie nichts. Ich werde Besseres machen, Lisaweta — dies ist ein Versprechen. Während ich schreibe, rauscht das Meer zu mir herauf, und ich schließe die Augen. Ich schaue in eine ungeborene und schemenhafte Welt hinein, die geordnet und gebildet sein will, ich sehe in ein Gewimmel von Schatten menschlicher Gestalten, die mir winken, daß ich sie banne und erlöse: tragische und lächerliche und solche, die beides zugleich sind — und diesen bin ich sehr zugetan. Aber meine tiefste und verstohlenste Liebe gehört den Blonden und Blauäugigen, den hellen Lebendigen, den Glücklichen, den Liebenswürdigen und Gewöhnlichen.

Schelten Sie diese Liebe nicht, Lisaweta; sie ist gut und fruchtbar. Sehnsucht ist darin und schwermütiger Neid und ein klein wenig Verachtung und eine ganze keusche Seligkeit.

Stefan George · *Das junge geschlecht*

Dass ein strahl von Hellas auf uns fiel: dass unsre jugend das leben nicht mehr niedrig sondern glühend anzusehen beginnt: dass sie im leiblichen und geistigen nach schönen maassen sucht: dass sie von der schwärmerei für seichte allgemeine bildung und beglückung sich ebenso gelöst hat als von verjährter barbarei: dass sie die tiefe gradheit sowie das geduckte lasten tragende der umlebenden als hässlich vermeidet und freien hauptes schön durch das leben schreiten will: dass sie schliesslich auch ihr volkstum gross und nicht im beschränkten sinne eines stammes auffasst: darin finde man den umschwung des deutschen wesens bei der jahrhundertwende.

Stefan George

EINEM JUNGEN FÜHRER IM ERSTEN WELTKRIEG

Wenn in die heimat du kamst aus dem zerstampften gefild
Heil aus dem prasselnden guss höhlen von berstendem schutt
Keusch fast die rede dir floss wie von notwendigem dienst
Von dem verwegensten ritt von den gespanntesten mühn..
Freier die schulter sich hob drauf man als bürde schon lud
Hunderter schicksal:

Lag noch im ruck deines arms zugriff und schneller befehl
In dem sanft-sinnenden aug obacht der steten gefahr
Drang eine kraft von dir her sichrer gelassenheit
Dass der weit ältere geheim seine erschüttrung bekämpft
Als sich die knabengestalt hochaufragend und leicht
Schwang aus dem sattel.

Anders als ihr euch geträumt fielen die würfel des streits..
Da das zerrüttete heer sich seiner waffen begab
Standest du traurig vor mir wie wenn nach prunkendem fest
Nüchterne woche beginnt schmückender ehren beraubt..
Tränen brachen dir aus um den vergeudeten schatz
Wichtigster jahre.

Du aber tu es nicht gleich unbedachtsamem schwarm
Der was er gestern bejauchzt heute zum kehricht bestimmt
Der einen markstein zerhaut dran er strauchelnd sich stiess..
Jähe erhebung und zug bis an die pforte des siegs
Sturz unter drückendes joch bergen in sich einen sinn
Sinn in dir selber.

Alles wozu du gediehst rühmliches ringen hindurch
Bleibt dir untilgbar bewahrt stärkt dich für künftig getös..
Sieh · als aufschauend um rat langsam du neben mir schrittst

Wurde vom abend der sank   um dein aufflatterndes haar
Um deinen scheitel der schein   erst von strahlen ein ring
Dann eine krone.

*

Alles habend alles wissend seufzen sie:
»Karges leben! drang und hunger überall!
Fülle fehlt!«
Speicher weiss ich über jedem haus
Voll von korn das fliegt und neu sich häuft —
Keiner nimmt . .
Keller unter jedem hof wo siegt
und im sand verströmt der edelwein —
Keiner trinkt . .
Tonnen puren golds verstreut im staub:
Volk in lumpen streift es mit dem saum —
Keiner sieht.

*

Dies ist reich des Geistes: abglanz
Meines reiches · hof und hain.
Neugestaltet umgeboren
Wird hier jeder: ort der wiege
Heimat bleibt ein märchenklang.
Durch die sendung durch den segen
Tauscht ihr sippe stand und namen
Väter mütter sind nicht mehr . .
Aus der sohnschaft · der erlosten ·
Kür ich meine herrn der welt.

*

Neuen adel den ihr suchet
Führt nicht her von schild und krone!
Aller stufen halter tragen
Gleich den feilen blick der sinne
Gleich den rohen blick der spähe . .
Stammlos wachsen im gewühle
Seltne sprossen eignen ranges
Und ihr kennt die mitgeburten
An der augen wahrer glut.

ERNST JÜNGER · *Das abenteuerliche Herz*

Gestern, bei einem nächtlichen Spaziergang durch entlegene Straßen des östlichen Viertels, in dem ich wohne, sah ich ein einsames und finsteres Bild. Ein vergittertes Kellerfenster öffnete dem Blick einen Maschinenraum, in dem ohne jede menschliche Wartung ein ungeheures Schwungrad um die Achse pfiff. Während ein warmer, öliger Dunst von innen heraus durch das Fenster trieb, wurde das Ohr durch den prachtvollen Gang einer sicheren, gesteuerten Energie fasziniert, der sich ganz leise wie auf den Sohlen des Panthers des Sinnes bemächtigte, begleitet von einem feinen Knistern, wie es aus dem schwarzen Fell der Katzen springt, und vom pfeifenden Summen des Stahles in der Luft — dies alles ein wenig einschläfernd und sehr aufreizend zugleich. Und hier empfand ich wieder, was man hinter dem Triebwerk des Flugzeuges empfindet, wenn die Faust den Gashebel nach vorne stößt und das schreckliche Gebrüll der Kraft, die der Erde entfliehen will, sich erhebt; oder wenn man nächtlich sich durch zyklopische Landschaften stürzt, während die glühenden Flammenhauben der Hochöfen das Dunkel zerreißen und inmitten der rasenden Bewegung dem Gemüte kein Atom mehr möglich scheint, das nicht in Arbeit ist. Hoch über den Wolken und tief im Innern der funkelnden Schiffe, wenn die Kraft die silbernen Flügel und die eisernen Rippen durchströmt, ergreift uns ein stolzes und schmerzliches Gefühl — das Gefühl, im Ernstfall zu stehen, gleichviel, ob wir in der Luxuskabine wie in einer Perlmutterschale dahintreiben oder ob unser Auge den Gegner im Fadenkreuz des Visiers erblickt.

Das Bild dieses Ernstfalles ist schwer zu erfassen, weil die Einsamkeit zu seinen Bedingungen gehört, und stärker noch wird es verschleiert durch den kollektiven Charakter unserer Zeit. Und doch besetzt ein jeder heute seinen Posten sans phrase und allein, gleichviel, ob er hinter den Feuern einer Kesselanlage steht oder in die verantwortliche Zone des Denkens einschneidet. Der große Prozeß wird dadurch erhalten, daß der Mensch ihm nicht auszuweichen gedenkt, und daß seine Zeit ihn bereit findet. Was ihm jedoch begegnet, indem er sich stellt, ist schwer zu beschreiben; vielleicht ist es auch wie in den Mysterien nur ein allgemeines Gefühl, etwa daß die Luft allmählich glühender wird. Wenn Nietzsche sich wundert, daß der Arbeiter nicht auswandert, so irrt er insofern, als er die schwächere Lösung für die stärkere hält. Es gehört eben zu den Kennzeichen des Ernstfalles, daß es ein Ausweichen in ihm nicht gibt; der Wille führt vielleicht auf ihn zu, dann aber vollziehen sich die Dinge, wie bei der Geburt oder beim Sterben, unter pressendem Zwang. Daher ist unsere Wirklichkeit denn auch jener Sprache entzogen, mit welcher der miles gloriosus sie zu meistern sucht. In einem Vorgange wie dem der Sommeschlacht war der Angriff doch eine Erholung, ein geselliger Akt.

Die stählerne Schlange der Erkenntnis hat Ringe um Ringe und Schuppen um Schuppen angesetzt, und unter den Händen des Menschen hat seine Arbeit sich übermächtig belebt. Nun dehnt sie als blitzender Lindwurm sich über Länder und Meere aus, den hier fast ein Kind zu zügeln vermag, während dort sein glühender Atem volkreiche Städte zu Asche verbrennt. Und doch gibt es Augenblicke, in denen das Lied der Maschinen, das feine Summen der elektrischen Ströme, das Beben der Turbinen, die in den Katarakten stehen, und die rhythmische Explosion der Motore uns mit einem geheimeren Stolze als mit dem des Sieges ergreift.

[13] **Erhaltung des Erbes**

HUGO VON HOFMANNSTHAL · *Manche freilich*

Manche freilich müssen drunten sterben,
Wo die schweren Ruder der Schiffe streifen,
Andre wohnen bei dem Steuer droben,
Kennen Vogelflug und die Länder der Sterne.

Manche liegen immer mit schweren Gliedern
Bei den Wurzeln des verworrenen Lebens,
Andern sind die Stühle gerichtet
Bei den Sybillen, den Königinnen,
Und da sitzen sie wie zu Hause,
Leichten Hauptes und leichter Hände.

Doch ein Schatten fällt von jenen Leben
In die anderen Leben hinüber,
Und die leichten sind an die schweren
Wie an Luft und Erde gebunden:

Ganz vergessener Völker Müdigkeiten
Kann ich nicht abtun von meinen Lidern,
Noch weghalten von der erschrockenen Seele
Stummes Niederfallen ferner Sterne.

Viele Geschicke weben neben dem Meinen,
Durcheinander spielt sie alle das Dasein,
Und mein Teil ist mehr als dieses Lebens
Schlanke Flamme oder schmale Leier.

Ballade des äußeren Lebens

Und Kinder wachsen auf mit tiefen Augen,
Die von nichts wissen, wachsen auf und sterben
Und alle Menschen gehen ihre Wege.

Und süße Früchte werden aus den herben
Und fallen nachts wie tote Vögel nieder
Und liegen wenig Tage und verderben.

Und immer weht der Wind, und immer wieder
Vernehmen wir und reden viele Worte
Und spüren Lust und Müdigkeit der Glieder.

Und Straßen laufen durch das Gras, und Orte
Sind da und dort, voll Fackeln, Bäumen, Teichen,
Und drohende, und totenhaft verdorrte . . .

Wozu sind diese aufgebaut? und gleichen
Einander nie? und sind unzählig viele?
Was wechselt Lachen, Weinen und Erbleichen?

Was frommt das alles uns und diese Spiele,
Die wir doch groß und ewig einsam sind
Und wandernd nimmer suchen irgend Ziele?

Was frommt's, dergleichen viel gesehen haben?
Und dennoch sagt der viel, der »Abend« sagt,
Ein Wort, daraus Tiefsinn und Trauer rinnt

Wie schwerer Honig aus den hohlen Waben.

HUGO VON HOFMANNSTHAL · *Erlebnis*

Mit silbergrauem Dufte war das Tal
Der Dämmerung erfüllt, wie wenn der Mond
Durch Wolken sickert. Doch es war nicht Nacht.
Mit silbergrauem Duft des dunklen Tales
Verschwammen meine dämmernden Gedanken,
Und still versank ich in dem webenden,
Durchsichtgen Meere und verließ das Leben.
Wie wunderbare Blumen waren da
Mit Kelchen dunkelglühend! Pflanzendickicht,
Durch das ein gelbrot Licht wie von Topasen
In warmen Strömen drang und glomm. Das Ganze
War angefüllt mit einem tiefen Schwellen
Schwermütiger Musik. Und dieses wußt ich,
Obgleich ich's nicht begreife, doch ich wußt es:
Das ist der Tod. Der ist Musik geworden,
Gewaltig sehnend, süß und dunkelglühend,
Verwandt der tiefsten Schwermut.
                                    Aber seltsam!
Ein namenloses Heimweh weinte lautlos
In meiner Seele nach dem Leben, weinte,
Wie einer weint, wenn er auf großem Seeschiff
Mit gelben Riesensegeln gegen Abend
Auf dunkelblauem Wasser an der Stadt,

Der Vaterstadt, vorüberfährt. Da sieht er
Die Gassen, hört die Brunnen rauschen, riecht
Den Duft der Fliederbüsche, sieht sich selber,
Ein Kind, am Ufer stehn, mit Kindesaugen,
Die ängstlich sind und weinen wollen, sieht,
Durchs offene Fenster Licht in seinem Zimmer —
Das große Seeschiff aber trägt ihn weiter
Auf dunkelblauem Wasser lautlos gleitend
Mit gelben fremdgeformten Riesensegeln.

HUGO VON HOFMANNSTHAL · *Ein Brief*

Der Dichter kleidet seine Bemerkungen zur geistigen Situation der Zeit in die Form eines Briefes, »den Philipp Lord Chandos, jüngerer Sohn des Earl of Bath, an Francis Bacon« geschrieben habe, »um sich bei diesem Freunde wegen des gänzlichen Verzichtes auf literarische Betätigung zu entschuldigen«.

Um mich kurz zu fassen: Mir erschien damals in einer Art von andauernder Trunkenheit das ganze Dasein als eine große Einheit: geistige und körperliche Welt schien mir keinen Gegensatz zu bilden, ebenso wenig höfisches und tierisches Wesen, Kunst und Unkunst, Einsamkeit und Gesellschaft; in allem fühlte ich Natur, in den Verirrungen des Wahnsinns ebensowohl wie in den äußersten Verfeinerungen eines spanischen Zeremoniells; in den Tölpelhaftigkeiten junger Bauern nicht minder als in den süßesten Allegorien; und in aller Natur fühlte ich mich selber; wenn ich auf meiner Jagdhütte die schäumende laue Milch in mich hineintrank, die ein struppiges Mensch einer schönen, sanftäugigen Kuh aus dem Euter in einen Holzeimer niedermolk, so war mir das nichts anderes, als wenn ich, in der dem Fenster eingebauten Bank meines studio sitzend, aus einem Folianten süße und schäumende Nahrung des Geistes in mich sog. Das eine war wie das andere; keines gab dem andern weder an traumhafter überirdischer Natur, noch an leiblicher Gewalt nach, und so ging's fort durch die ganze Breite des Lebens, rechter und linker Hand; überall war ich mitten drinnen, wurde nie ein Scheinhaftes gewahr: oder es ahnte mir, alles wäre Gleichnis und jede Kreatur ein Schlüssel der andern, und ich fühlte mich wohl den, der imstande wäre, eine nach der andern bei der Krone zu packen und mit ihr so viele der andern aufzusperren, als sie aufsperren könnte. Soweit erklärt sich der Titel, den ich jenem enzyklopädischen Buche zu geben gedachte.

Es möchte dem, der solchen Gesinnungen zugänglich ist, als der wohlangelegte Plan einer göttlichen Vorsehung erscheinen, daß mein Geist aus einer so aufgeschwollenen Anmaßung in dieses Äußerste von Kleinmut und Kraftlosigkeit zusammensinken mußte, welches nun die bleibende Verfassung meines Innern ist. Aber dergleichen religiöse Auffassungen haben keine Kraft über mich; sie gehören zu den Spinnennetzen, durch welche meine Gedanken hindurchschießen, hinaus ins Leere, während so viele ihrer Gefährten dort hangen bleiben und zu einer Ruhe kommen. Mir haben sich die Geheimnisse des Glaubens zu einer erhabenen Allegorie verdichtet, die über den Feldern meines Lebens steht wie ein leuchtender Regenbogen, in einer stetigen Ferne, immer bereit, zurückzuweichen, wenn ich mir einfallen ließe, hinzueilen und mich in den Saum seines Mantels hüllen zu wollen.

Aber, mein verehrter Freund, auch die irdischen Begriffe entziehen sich mir in der gleichen Weise. Wie soll ich es versuchen, Ihnen diese seltsamen geistigen Qualen zu schildern, dies Emporschnellen der Fruchtzweige über meinen ausgereckten Händen, dies Zurückweichen des murmelnden Wassers vor meinen dürstenden Lippen?

Mein Fall ist, in Kürze, dieser: Es ist mir völlig die Fähigkeit abhanden gekommen, über irgend etwas zusammenhängend zu denken oder zu sprechen.

Zuerst wurde es mir allmählich unmöglich, ein höheres oder allgemeineres Thema zu besprechen und dabei jene Worte in den Mund zu nehmen, deren sich doch alle Menschen ohne Bedenken geläufig zu bedienen pflegen. Ich empfand ein unerklärliches Unbehagen, die Worte »Geist«, »Seele« oder »Körper« nur auszusprechen. Ich fand es innerlich unmöglich, über die Angelegenheiten des Hofes, die Vorkommnisse im Parlament oder was Sie sonst wollen ein Urteil herauszubringen. Und dies nicht etwa aus Rücksichten irgendwelcher Art, denn Sie kennen meinen bis zur Leichtfertigkeit gehenden Freimut: sondern die abstrakten Worte, deren sich doch die Zunge naturgemäß bedienen muß, um irgend welches Urteil an den Tag zu legen, zerfielen mir im Munde wie modrige Pilze. Es begegnete mir, daß ich meiner vierjährigen Tochter Katharina Pompilia eine kindische Lüge, deren sie sich schuld g gemacht hatte, verweisen und sie auf die Notwendigkeit, immer wahr zu sein, hinführen wollte, und dabei die mir im Munde zuströmenden Begriffe plötzlich eine solche schillernde Färbung annahmen und so ineinander überflossen, daß ich den Satz, so gut es ging, zu Ende haspelnd, so wie wenn mir unwohl geworden wäre und auch tatsächlich bleich im Gesicht und mit einem heftigen Druck auf der Stirn, das Kind allein ließ, die Tür hinter mir zuschlug und mich erst zu Pferde, auf der einsamen Hutweide einen guten Galopp nehmend, wieder einigermaßen herstellte.

Allmählich aber breitete sich diese Anfechtung aus wie ein um sich fressender Rost. Es wurden mir auch in familiären und hausbackenen Gesprächen alle die Urteile, die leichthin und mit schlafwandelnder Sicherheit abgegeben zu werden pflegen, so bedenklich, daß ich aufhören mußte, an solchen Gesprächen irgend teilzunehmen. Mit einem unerklärlichen Zorn, den ich nur mit Mühe notdürftig verbarg, erfüllt es mich, dergleichen zu hören, wie: diese Sache ist für den oder jenen gut oder schlecht ausgegangen; Sheriff N. ist ein böser, Prediger T. ein guter Mensch; Pächter M. ist zu bedauern, seine Söhne sind Verschwender; ein anderer ist zu beneiden, weil seine Töchter haushälterisch sind; eine Familie kommt in die Höhe, eine andere ist im Hinabsinken. Dies alles erschien mir so unbeweisbar, so lügenhaft, so löcherig wie nur möglich. Mein Geist zwang mich, alle Dinge, die in einem solchen Gespräch vorkamen, in einer unheimlichen Nähe zu sehen: so wie ich einmal in einem Vergrößerungsglas ein Stück von der Haut meines kleinen Fingers gesehen hatte, das einem Blachfeld mit Furchen und Höhen glich, so ging es mir nun mit den Menschen und ihren Handlungen. Es gelang mir nicht mehr, sie mit dem vereinfachenden Blick der Gewohnheit zu erfassen. Es zerfiel mir alles in Teile, die Teile wieder in Teile, und nichts mehr ließ sich mit einem Begriff umspannen. Die einzelnen Worte schwammen um mich; sie gerannen zu Augen, die mich anstarrten und in die ich wieder hineinstarren muß: Wirbel sind sie, in die hinabzusehen mich schwindelt, die sich unaufhaltsam drehen und durch die hindurch man ins Leere kommt.

Hugo von Hofmannsthal · *Wert und Ehre deutscher Sprache*

Die poetische Sprache der Deutschen vermag in eine sehr erhabene Region aufzusteigen. Dort wo sie zuhöchst schwebt, in Goethes vorzüglichsten lyrischen Stücken, in Hölderlins letzten Elegien und Hymnen, dort wird sie kaum von einer der neueren Nationen erreicht — vielleicht, daß selbst Miltons Flügelschlag dahinter zurückbleibt. Hier wird jenes »Griechische« der deutschen Sprache wirksam, jenes Äußerste an freier Schönheit. Die »glatte« und die »rauhe« Fügung vermögen in dieser Region kaum mehr unterschieden zu werden, alles was dem Bereich der poetischen Rhetorik angehört, bleibt weit zurück; das Gehauchte, dem Volkslied Verwandte verbindet sich mit der höchsten Kühnheit, Erhabenheit und Wucht des Ausdrucks, die Spannung zwischen dem Sprachlaut, in dem »die Unmittelbarkeit des Kreatürlichen sich enthüllt«, und dem von höchster Besonnenheit gesetzten Sprachbild ist aufgehoben; wer in diese Region verstehend aufzusteigen vermag, weiß, wie die deutsche Sprache ihre Schwingen führt — auch in Prosa kann ein solches Höchstes zuweilen erreicht werden, es ist gleichfalls den Meistern vorbehalten: das Ende der »Wanderjahre« ist in einer solchen Prosa verfaßt, bei Novalis hie und da für Augenblicke erscheint diese letzte Meisterschaft, in Hölderlins Briefen der spätesten Zeit: da ist wirklich das Zauberische erreicht, die Gewalt der Worte und Wortverbindungen übersteigt alles, was ohne solche Beispiele geahnt werden könnte; die Sprache wirkt hier völlig als geisterhaftes Wunder wie bei Rembrandt manchmal die Farbe, in Beethovens späten Werken der Ton.

Weit darunter ist die Region, in der wir leben. Unsere höchsten Dichter allein, möchte man sagen, gebrauchen unsere Sprache sprachgemäß — ob auch die Schriftsteller, bleibt schon fraglich. Die Zeitung, die öffentliche Rede, die Fassung der Gesetze und Anordnungen, all das ist in seiner Sprache schon verwahrlost; die wahre, zur zweiten Natur gewordene Aufmerksamkeit fehlt, es fehlt das Gefühl für das Richtige und Mögliche, es ist ein ewiges »das Kind mit dem Bad ausgießen«. Die Rückwirkung dessen auf die Nation ist gefährlich, ja verderblich; aber es spricht ja daraus auch schon der Zustand der Nation selber, jenes fieberhaft Unruhige und zugleich Gefesselte, Dumpf-Ängstliche.

Es ist eine sehr harte, finstere und gefährliche Zeit über uns gekommen. Sie ist wohl über ganz Europa gekommen, aber keines der anderen Völker hat so viele Fugen in seiner Rüstung, durch die das Gefährliche eindringt und sich bis ans Herz heranbohren kann. Wo das wahre Leben der Nationen immer wieder im Zueinanderstreben aller ihrer Glieder liegt, haben wir, schon entzwei-geteilt durch die Religion, zuerst noch, zu Ende des 18. Jahrhunderts, alles Überkommene, sittlich-geistig Gebundene jäh auseinandertreten sehen mit dem Neuen, Individual-Geistigen, Verantwortungslosen; auseinandertreten dann allmählich die Geisteswissenschaften mit den Naturwissenschaften, auseinandertreten die Sprache, die alles vereinigen müßte, und jenes mathematisch übersprachliche Streben, von dem die Wissenschaften schicksalhaft ergriffen wurden, und dem nur Einzelne zu folgen vermögen; nun reißen neue Glaubensbegriffe, mit religiösem Eifer in die Massen geworfen, die Klassen der Gesellschaft auseinander — aber wie in einem Wirbelsturm überschäumende Querwellen die Wellen noch durchkreuzen, so jagt jetzt quer durch alles Denken hin, zerstäubend was sich ihm entgegenstellt, ein neuer Begriff von der alleinigen Gültigkeit der Gegenwart. Es ist der Zustand furchtbarer sinnlicher Gebundenheit, in welchen das 19. Jahrhundert uns hineingeführt hat, woraus nun dieses Götzenbild »Gegenwart« hervorsteigt. Nur den ans Sinnliche völlig Hingegebenen, der sich aller Machtmittel des Geistes entäußert hat, bannt das Scheinbild des Augenblicks, der keine Vergangenheit und keine Zukunft hat. Allem höheren Denken immer lag das Wunder in der Gemeinschaft des Gegenwärtigen mit dem Vergangenen, im Fortleben der Toten in uns, dem einzig wir danken, daß die wechselnden Zeiten wahrhaft inhaltvoll sind und nicht »als ewiger Gleichklang sinnlos wiederholter Takte erscheinen«. Dem Denkenden ist, nach Kierkegaards Wort, das Gegenwärtige das Ewige — oder besser: Das Ewige ist das Gegenwärtige und dieses ist das Inhaltvolle. »Der Augenblick bezeichnet das Gegenwärtige als ein solches, das keine Vergangenheit hat und keine Zukunft. Darin liegt ja eben die Unvollkommenheit des sinnlichen Lebens. Das Ewige bezeichnet auch das Gegenwärtige, das kein Vergangenes und kein Zukünftiges hat, und dies ist des Ewigen Vollkommenheit.« Nur mit dieser wahren Gegenwart hat die Sprache zu tun. Der Augenblick ist ihr nichts. Aber das Dahingegangene zu vergegenwärtigen, das ist ihre wahre Aufgabe. Das was nicht mehr ist, das was noch nicht ist, das was sein könnte; aber vor allem das was niemals war, das schlechthin Unmögliche und darum über alles Wirkliche, dies auszusprechen ist ihre Sache. Sie ist das uns gegebene Werkzeug, aus dem Schein zu der Wirklichkeit zu gelangen, und indem er spricht, bekennt der Mensch sich als das Wesen, das nicht zu vergessen vermag. Die Sprache ist ein großes Totenreich, unauslotbar tief; darum empfangen wir aus ihr das höchste Leben. Es ist unser zeitloses Schicksal in ihr, und die Übergewalt der Volksgemeinschaft über alles Einzelne.

[14] **Glasperlenspiel**

HERMANN HESSE · *Das Glasperlenspiel*

Das Werk gibt sich als eine etwa um 2200 n. Chr. geschriebene Biographie des Magister Ludi Josef Knecht, eines führenden Glasperlenspielmeisters. Der »Versuch einer allgemeinverständlichen Einführung« in die Geschichte des Spiels leitet die Lebensbeschreibung ein.

Die Unsicherheit und Unechtheit des geistigen Lebens jener Zeit, welche doch sonst in mancher Hinsicht Tatkraft und Größe zeigte, erklären wir Heutigen uns als ein Symptom des Entsetzens, das den Geist befiel, als er sich am Ende einer Epoche scheinbaren Siegens und Gedeihens plötzlich dem Nichts gegenüber fand: einer großen materiellen Not, einer Periode politischer und kriegerischer Gewitter und einem über Nacht emporgeschossenen Mißtrauen gegen sich selbst, gegen seine eigene Kraft und Würde, ja gegen seine eigene Existenz. Dabei fielen in jene Periode der Untergangsstimmung noch manche sehr hohe geistige Leistungen, unter anderm die Anfänge unsrer Musikwissenschaft, deren dankbare Erben wir sind. Aber so leicht es ist, beliebige Abschnitte der Vergangenheit in die Weltgeschichte schön und sinnvoll einzuordnen, so unfähig ist jede Gegenwart zu ihrer Selbsteinordnung, und so griff damals, bei raschem Sinken der geistigen Ansprüche und Leistungen bis zu einem sehr bescheidenen Niveau, gerade unter den Geistigen eine furchtbare Unsicherheit und Verzweiflung um sich. Soeben nämlich hatte man entdeckt (eine seit Nietzsche schon da und dort geahnte Entdeckung), daß es mit der Jugend und der schöpferischen Periode unserer Kultur vorüber, daß das Alter und die Abenddämmerung angebrochen sei, und aus dieser plötzlich von allen gefühlten und von vielen schroff formulierten Einsicht erklärte man sich so viele beängstigende Zeichen der Zeit: die öde Mechanisierung des Lebens, das tiefe Sinken der Moral, die Glaubenslosigkeit der Völker, die Unechtheit der Kunst. Es war, wie in jenem wunderbaren chinesischen Märchen, die »Musik des Untergangs« erklungen, wie ein langdröhnender Orgelbaß schwang sie jahrzehntelang aus, rann als Korruption in die Schulen, die Zeitschriften, die Akademien, rann als Schwermut und Geisteskrankheit in die meisten der noch ernst zu nehmenden Künstler und Zeitkritiker, tobte sich als wilde und dilettantische Überproduktion in allen Künsten aus. Es gab verschiedene Haltungen diesem eingedrungenen und nicht mehr hinwegzuzaubernden Feinde gegenüber. Man konnte die bittere Wahrheit schweigend erkennen und sie stoisch ertragen, das taten manche der Besten. Man konnte sie wegzulügen versuchen, und dazu boten die literarischen Verkünder der Lehre vom Untergang der Kultur manchen bequemen Angriffspunkt; außerdem hatte, wer den Kampf gegen jene drohenden Propheten aufnahm, beim Bürger Gehör und Einfluß, denn daß die Kultur, die man noch gestern zu besitzen gemeint hatte und auf die man so stolz gewesen war, gar nicht mehr am Leben sein, daß die vom Bürger geliebte Bildung, die von ihm geliebte Kunst keine echte Bildung und keine echte Kunst mehr sein solle, das schien ihm nicht weniger frech und unerträglich als die plötzlichen Geldinflationen und als die Bedrohung seiner Kapitalien durch Revolutionen. Außerdem gab es gegen die große Untergangsstimmung noch die zynische Haltung, man ging tanzen und erklärte jede Sorge um die Zukunft für altväterische Torheit, man sang stimmungsvolle Feuilletons über das nahe Ende der Kunst, der Wissenschaft, der Sprache, man stellte mit einer gewissen Selbstmörder-Wollust in der Feuilleton-Welt, die man selber aus Papier gebaut hatte, eine vollständige Demoralisierung des Geistes, eine Inflation der Begriffe fest und tat, als sähe man mit zynischer Gelassenheit oder bacchantischer Hingerissenheit zu, wie nicht bloß Kunst, Geist, Sitte, Redlichkeit, sondern sogar Europa und »die Welt« unterging. Es herrschte bei den Guten ein still-düsterer, bei den Schlechten ein hämischer Pessimismus, und es mußte erst ein Abbau des Überlebten und eine gewisse Umordnung der Welt und der Moral durch Politik und Krieg vorangehen, ehe auch die Kultur einer wirklichen Selbstbetrachtung und neuen Einordnung fähig wurde.

Indessen hatte diese Kultur während der Jahrzehnte des Überganges nicht im Schlaf gelegen, sondern gerade während ihres Verfalls und ihrer scheinbaren Selbstaufgabe durch die Künstler, Professoren und Feuilletonisten gelangte sie im Gewissen einzelner zu schärfster Wachheit und Selbstprüfung. Schon mitten in der Blütezeit des Feuilletons gab es überall einzelne und kleine Gruppen, welche entschlossen waren, dem Geist treu zu bleiben und mit allen Kräften einen Kern von guter Tradition, von Zucht, Methode und intellektuellem Gewissen über diese Zeit hinwegzuretten. Soweit diese Vorgänge uns heute erkennbar sind, scheint der Prozeß der Selbstprüfung, der Besinnung und des bewußten Widerstandes gegen den Verfall sich hauptsächlich in zwei Gruppen vollzogen zu haben. Das Kulturgewissen der Gelehrten flüchtete sich in die Forschungen und Lehrmethoden der Musikgeschichte, denn diese Wissenschaft kam eben damals in die Höhe, und mitten in der Feuilletonwelt züchteten zwei berühmt gewordene Seminare eine vorbildlich saubere und gewissenhafte Arbeitsmethode hoch. Und als wolle das Schicksal diesen Bemühungen einer winzig kleinen tapferen Kohorte tröstlich zunicken, geschah mitten in der trübsten Zeit jenes holde Wunder, an sich ein Zufall, aber wirkend wie eine göttliche Bestätigung: die Wiederauffindung der elf Manuskripte von Johann Sebastian Bach aus dem einstigen Besitz seines Sohnes Friedemann! Ein zweiter Punkt des Widerstandes gegen die Entartung war der Bund der Morgenlandfahrer, dessen Brüder weniger eine intellektuelle als eine seelische Zucht, eine Pflege der Frömmigkeit und Ehrfurcht betrieben — von dieser Seite her gewann unsre heutige Form der Geistespflege und des Glasperlenspiels wichtige Antriebe, namentlich nach der kontemplativen Seite hin. Auch an den neuen Einsichten in das Wesen unsrer Kultur und in die Möglichkeiten ihres Fortbestehens hatten die Morgenlandfahrer Anteil, nicht so sehr durch wissenschaftlich-analytische Leistungen als durch ihre auf alten Geheimübungen beruhende

Fähigkeit des magischen Eintretens in entlegene Zeiten und Kultur-
zustände . . .

. . . Wir haben uns damit den Quellen genähert, aus welchen unser
heutiger Kulturbegriff entstanden ist. Eine der wichtigsten war die jüngste
der Wissenschaften, die Musikgeschichte und musikalische Ästhetik, sodann ein bald darauf erfolgter Aufschwung der Mathematik, hinzu kam
ein Tropfen Öl aus der Weisheit der Morgenlandfahrer und, in engstem
Zusammenhang mit der neuen Auffassung und Sinndeutung der Musik,
jene ebenso heitere wie resignierte, tapfere Stellungnahme zum Problem
der Kulturlebensalter. Es wäre unnütz, hier viel davon zu reden, diese
Dinge sind jedem bekannt. Das wichtigste Ergebnis dieser neuen Ein-
stellung, vielmehr dieser neuen Einordnung in den Kulturprozeß war ein
sehr weitgehender Verzicht auf das Hervorbringen von Kunstwerken, die
allmähliche Loslösung der Geistigen aus dem Weltbetrieb und — nicht
minder wichtig und die Blüte des Ganzen: das Glasperlenspiel . . .

Die Regeln, die Zeichensprache und Grammatik des Spieles, stellen
eine Art von hochentwickelter Geheimsprache dar, an welcher mehrere
Wissenschaften und Künste, namentlich aber die Mathematik und die
Musik (beziehungsweise Musikwissenschaft) teilhaben und welche die
Inhalte und Ergebnisse nahezu aller Wissenschaften auszudrücken und
zueinander in Beziehung zu setzen imstande ist. Das Glasperlenspiel ist
also ein Spiel mit sämtlichen Inhalten und Werten unsrer Kultur, es spielt
mit ihnen, wie etwa in den Blütezeiten der Künste ein Maler mit den
Farben seiner Palette gespielt haben mag. Was die Menschheit an Er-
kenntnissen, hohen Gedanken und Kunstwerken in ihren schöpferischen
Zeitaltern hervorgebracht, was die nachfolgenden Perioden gelehrter Betrachtung auf Begriffe gebracht und zum intellektuellen Besitz gemacht
haben, dieses ganze ungeheure Material von geistigen Werten wird vom
Glasperlenspieler so gespielt wie eine Orgel vom Organisten, und diese
Orgel ist von einer kaum auszudenkenden Vollkommenheit, ihre Manuale
und Pedale tasten den ganzen geistigen Kosmos ab, ihre Register sind
beinahe unzählig, theoretisch ließe mit diesem Instrument der ganze
geistige Weltinhalt sich im Spiele reproduzieren. Diese Manuale, Pedale
und Register nun stehen fest, an ihrer Zahl und ihrer Ordnung sind
Änderungen und Versuche zur Vervollkommnung eigentlich nur noch in
der Theorie möglich: die Bereicherung der Spielsprache durch Einbeziehung
neuer Inhalte unterliegt der denkbar strengsten Kontrolle durch die
oberste Spielleitung. Dagegen ist innerhalb dieses feststehenden Gefüges
oder, um in unserem Bilde zu bleiben, innerhalb der komplizierten Me-
chanik dieser Riesenorgel dem einzelnen Spieler eine ganze Welt von
Möglichkeiten und Kombinationen gegeben, und daß unter tausend streng
durchgeführten Spielen auch nur zwei einander mehr als an der Oberfläche ähnlich seien, liegt beinahe außerhalb des Möglichen. Selbst wenn
es geschähe, daß einmal zwei Spieler durch Zufall genau dieselbe kleine

Auswahl von Themen zum Inhalt ihres Spieles machen sollten, könnten diese beiden Spiele je nach Denkart, Charakter, Stimmung und Virtuosität der Spieler vollkommen verschieden aussehen und verlaufen . . .

War nun das Glasperlenspiel seit seinen Anfängen an Technik und an Umfang der Stoffe ins Unendliche gewachsen und, was die geistigen Ansprüche an die Spieler betrifft, zu einer hohen Kunst und Wissenschaft geworden, so fehlte ihm in den Zeiten des Baslers doch noch etwas Wesentliches. Bis dahin nämlich war jedes Spiel ein Aneinanderreihen, Ordnen, Gruppieren und Gegeneinanderstellen von konzentrierten Vorstellungen aus vielen Gebieten des Denkens und des Schönen gewesen, ein rasches Sicherinnern an überzeitliche Werte und Formen, ein virtuoser kurzer Flug durch die Reiche des Geistes. Erst wesentlich später kam allmählich aus dem geistigen Inventar des Erziehungswesens, und namentlich aus den Gewohnheiten und Bräuchen der Morgenlandfahrer, auch der Begriff der Kontemplation in das Spiel. Es hatte sich der Übelstand bemerkbar gemacht, daß Gedächtniskünstler ohne andre Tugenden virtuose und blendende Spiele spielen und die Teilnehmer durch das rasche Nacheinander zahlloser Vorstellungen verblüffen und verwirren konnten. Nun fiel allmählich dieses Virtuosentum mehr und mehr unter strenges Verbot, und die Kontemplation wurde zu einem sehr wichtigen Bestandteil des Spieles, ja sie wurde für die Zuschauer und Zuhörer jedes Spieles zur Hauptsache. Es war dies die Wendung gegen das Religiöse. Es kam nicht mehr allein darauf an, den Ideenfolgen und dem ganzen geistigen Mosaik eines Spieles mit rascher Aufmerksamkeit und geübtem Gedächtnis intellektuell zu folgen, sondern es entstand die Forderung nach einer tiefern und seelischeren Hingabe. Nach jedem Zeichen nämlich, das der jeweilige Spielleiter beschworen hatte, wurde nun über dies Zeichen, über seinen Gehalt, seine Herkunft, seinen Sinn eine stille strenge Betrachtung abgehalten, welche jeden Mitspieler zwang, sich die Inhalte des Zeichens intensiv und organisch gegenwärtig zu machen. Die Technik und Übung der Kontemplation brachten alle Mitglieder des Ordens und der Spielbünde aus den Eliteschulen mit, wo der Kunst des Kontemplierens und Meditierens die größte Sorgfalt gewidmet wurde. Dadurch wurden die Hieroglyphen des Spiels davor bewahrt, zu bloßen Buchstaben zu entarten.

[15] **Milde Religiosität**

RUDOLF ALEXANDER SCHRÖDER · *Ode*

Sind die Tage verrauscht, deren uns keiner sonst
Abschied ohne Geschenk? Welkte der Lenz, da wir
Jedem Hauche des Lebens
Tausendfältig erwiderten?

Aus des fernen Gewölks dämmerndem Untergang
Grüßtest, Spenderin du, Goldne, zum letzten Mal?
Ließest, Sonnengefährtin,
Uns hier Töne beraubt und Trosts?

Träumt, einsamer denn je, selbst des erheiternden
Lieds gesselligen Traum nimmer dies Herz? — Im Tor
Hangt der Kranz, und es zaudert
Das geschichtete Holz im Herd?

Wohl, mit Jahren und Tag häuft die befremdliche
Schutt und Schotter aufs Haupt allen, die Schuld. — Und doch,
Da du lächeltest, vormals,
Wich die dumpfe Verzauberung.

Komm! Schon hebt sich der Tag über den Wald. — O komm!
Schon vom grünen Gewölb flüchtet die Mittnacht. — Laß
Nicht der Kunde verwaist, mich
Gottlos unter dem Pöbel stehn!

RUDOLF ALEXANDER SCHRÖDER · *Letzte Stunde*

Ah stumpfes Herz und Sinne die nicht taugen!
Erst da mein Tag sich wendet, nehm ich wahr
Der unverschmerzbar überseligen Kunde:

Die ganze Welt ein Blau aus deinen Augen,
Die ganze Welt ein Gold aus deinem Haar;
Die ganze Welt: ein Rot von deinem Munde.

Noch nachtet's nicht; die Luft steht still und klar.
Ich hab es längst gewußt, daß Abend war:
Der bleiche Stern in leer gewordner Runde

Blickt fragend auf, ward hell, macht offenbar,
Was ich verschwieg. — Dies ist die letzte Stunde.

HANS CAROSSA · *Stern über der Lichtung*

Die Knechte fällen Baum um Baum im Wald.
Wie Vogelnest, vom Herbste preisgegeben,
So sichtbar ist nun unser Aufenthalt,
Und alle schaun in unser Werktagsleben.

Das leise, schaurige Gebraus ist stumm,
Das unsre Mühen trug auf heiliger Schwinge —
Wir müssen feiern. Unsre Zeit ist um.
Wir gehn hinaus und zählen Jahresringe,

Halb trunken von des Harzes herbem Hauch.
Doch während wir die Silberzweige brechen
Vom Fichtenwipfel zwischen Stein und Strauch,
Scheint uns der Himmel heimlich zuzusprechen.

Aus tiefem Abend glänzt ein heller Stern,
Den wir vor lauter Wald sonst nie gesehen.
Er mahnt zur Heimkehr, und wir folgen gern.
Wir müssen vor dem klaren Licht bestehen.

HANS CAROSSA · *Unzugänglich schien der Gipfel*

Unzugänglich schien der Gipfel;
Nun begehn wir ihn so leicht.
Fern verdämmern erste Wege,
Neue Himmel sind erreicht.

Urgebirg und offne Länder
Schweben weit, in Eins verspielt.
Städte, die wir nachts durchzogen,
Sind ein einfach-lichtes Bild.

Helle Wolke streift herüber;
Uns umweht ihr Schattenlauf.
Große blaue Falter schlagen
Sich wie Bücher vor uns auf.

[16] **Das Mütterliche**

INA SEIDEL · *Das Wunschkind*

Cornelie von Tracht hat ihren Mann im Krieg gegen die französischen Revolutionsheere (der Roman spielt 1792—1813!) verloren; ihr Sohn Christoph nimmt an den Befreiungskämpfen gegen Napoleon teil.

Am Abend des 5. Mai saß Cornelie mit Corinna auf der Bank im Teehäuschen, von der aus die Straße bis zum Walde zu übersehen war. Seit drei Tagen war sie allabendlich um diese Stunde hierhergegangen, nachdem sie die Zeit von Sonnenaufgang an in rastloser Tätigkeit zugebracht hatte. Mit Hilfe der Mägde war sie dabei, mehrere Zimmer des Hauses für die aus Potsdam erwarteten Knaben einzurichten, darunter auch die Stube, die Delphine bewohnt hatte und die seit ihrer Abreise verschlossen und unbenutzt stand. Handwerker aus dem benachbarten Städtchen waren schon an der Arbeit, dem ganzen ersten Stockwerk ein verändertes Aussehen zu geben. »Vielleicht bleibt es nicht bei dreien«, hatte Cornelie der Freundin auf deren schüchtern geäußertes Erstaunen über den Umfang der Veränderungen geantwortet, »es wird viele Waisen geben nach diesem Krieg...«

Corinna hatte nicht geantwortet; mit keinem Wort versuchte sie das fieberhafte Tun einzudämmen. Aber wenn Cornelie ruhte, war sie in ihrer Nähe, und auf diesen Abendgängen blieb sie an ihrer Seite, ungeachtet der dunklen Schweigsamkeit, die Cornelie umgab wie eine Schicht fremder Luft; sie nur allein konnte darin atmen, und von ihr eingehüllt schritt sie dahin gleich einer bereits Entrückten, die nur noch ein Gast in ihrem Eigentum ist.

Als die Frauen an jenem Abend des 5. Mai auf dem Hügel saßen und stumm nach dem Walde hinüberblickten, der wie eine schwarze Mauer vor dem kühlen grünlichen Himmel stand, löste sich eine Gestalt aus der Dunkelheit dieses Hintergrundes, und allmählich war die Erscheinung eines Reiters erkennbar, der sich auf müdem Pferd langsam dem Dorf näherte. Es war ein kleines Pferd, und der Mann darauf schien des Reitens ungewohnt; er saß vornübergebeugt, sein langer weiter Mantel hing über den Sattel herab, und sein breiter Hut gab ihm das Aussehen eines Pilgers, dem es nicht eilt, an sein Ziel zu kommen.

Dennoch war er ein Pfeil, und das Ziel war ein Herz. —

Ohne ein Wort zu wechseln, hatten beide Frauen erkannt, daß es Vesper war, der da kam. Corinna rührte sich nicht. Erst als Cornelie sich erhob — der Reiter hatte die Koppel erreicht — stand sie auf, aber sie wagte es nicht, in das Gesicht der anderen zu sehen. Sie folgte Cornelie, die in einer Art den Hügel hinabschritt, als würde sie fortgetragen und wüßte nichts von dem Boden unter ihren Sohlen. Dort, wo der Weg sich teilte, blieb sie stehen und fand ihre Stimme, wie ein Instrument, dessen sie sich ehemals zur Verständigung bedient hatte, das ihr noch gehorchte und das sie — vielleicht — noch eine Weile nötig haben würde wie diesen Körper, der ja noch um sie war.

»Gehen Sie ihm entgegen, Corinna«, sagte sie. »Bringen Sie ihn zu mir. Ich warte im Wohnzimmer.«

Hierauf ging sie allein über die Terrasse ins Haus. Doch war jemand neben ihr, dessen Nähe sie seit drei Tagen immer gespürt hatte, und er stützte sie jetzt: ganz deutlich fühlte sie seinen Arm. »Fürchte dich nicht, liebe Mutter«, sagte er. »Du weißt doch; ich kann gar nicht sterben...«

Indem sie den Saal betrat, sagte sie laut vor sich hin: »Ja, Christoph, ja! Nur — solange ich noch hören — schmecken — fühlen muß — so lange ist es doch — schwer. Laß vergehen das Gesicht...«

Das Wohnzimmer war jetzt dort, wo Dubslaw Tracht in seinen letzten Lebensjahren gehaust hatte. Sie ließ sich in dem Lehnstuhl am Fenster nieder. Hier, so erinnerte sie sich plötzlich, hatte sie in jener angstvollen Heimkehrstunde gestanden und auf den Vater gewartet. Sie starrte auf die Terrasse hinaus. Damals war doch die Taube wiedergekommen — die Taube, die dann geblieben war...

Die Taube war doch der Heilige Geist...

Sie sagte stumm: »Ich glaube an den Heiligen Geist — eine heilige allgemeine christliche Kirche...«

Die Haustür erklang — Schritte kamen den Flur herauf.

»Wenn ich zu Ende komme, ehe er das Zimmer betritt, bringt er Gutes«, dachte es verzweifelt in ihr.

»...die Gemeinschaft der Heiligen — Vergebung der Sünden — Auferstehung des Fleisches...«

Die Schritte hatten vor der Tür haltgemacht, lautlos wurde geöffnet; ein hoher Schatten, trat die Gestalt Vespers über die Schwelle.

»Und ein ewiges Leben — ein ewiges Leben...«, flüsterte Cornelie.

»Setzen Sie sich zu mir, Vesper«, hörte sie sich dann ganz sanft sagen, »und erzählen Sie mir, wie mein Junge gestorben ist.«

Es verging eine Weile in Schweigen, da Vesper zu stark weinte, um sprechen zu können. Cornelie saß still und blickte in den dämmerigen Garten. Zuweilen trocknete sie sich die Wangen; ihre Tränen flossen ohne Schluchzen, wie Blut aus einer Wunde.

Endlich begann Vesper mit Stocken.

Am 2. Mai, sagte er, sei es in Sachsen, nicht weit von Lützen, zu einer großen Schlacht gekommen. Es sei um mehrere Dörfer gegangen und Blücher hätte das Dorf Großgörschen den Franzosen gleich beim ersten Ansturm entrissen, es aber nicht behaupten können. Beim zweiten Angriff seien dann die Rhinowschen Jäger ins Treffen gekommen, und dabei...

»Ich war im Lager bei den Ambulanzen, wo es genug zu tun gab«, erzählte Vesper. »In dem ungeheuren Tumult, der herrschte, bei der fürchterlichen Kanonade, die die Erde erbeben ließ, hatten wir alle nur noch Augen für einzelne Gliedmaßen und ihre Wunden, kaum noch für die Menschen selber. Dennoch erkenne ich plötzlich Fritz Dinnies und Achatz Rohr, die wieder ins Feuer zurückeilen. Achatz stürzt sich auf mich. ›Wir haben‹, schreit er mir ins Ohr, ›Christoph gebracht. Er ist verwundet. Sehen Sie nach ihm!‹ Ich suchte — mein Gott, ich fand ihn bald. Sie hatten ihn auf einen Rasenabhang neben andere gebettet; der Chirurgus war eben mit ihm beschäftigt gewesen, und ich sah ihn seinen Gehilfen anweisen, Christoph eine Decke zu geben. Seinem Gesicht sah ich an... Später hat er mir gesagt, die Kugel hätte im linken Lungenflügel gesteckt, und es wäre nichts zu machen gewesen; wahrscheinlich hätte eine langsame innere Verblutung stattgefunden. Christoph sah mich ganz freundlich an, als ich zu ihm trat; er schien kaum Schmerzen zu haben. Viel sprechen konnten wir nicht, obgleich er es wohl gewollt hätte. Aber er konnte nur flüstern, und es war ja so laut. Ich brachte ihm Wasser und ging immer wieder zu ihm; zuweilen schien er zu schlafen — dann lächelte er mich wieder ganz klar an. Einmal verstand ich, daß er sagte: ›Die Uniform ist kaputt — schade! Tut aber nicht mehr weh...‹ Ich machte ihm verständlich, daß er nun bald nach Hause kommen würde, worauf er hauchte: ›Schön!‹ Dann verlangte ein Kapitän, der sie neben ihn gelegt hatten und der schrecklich litt, es sollte ihm das Abendmahl reichen, und als ich es tat, bot ich es auch den anderen an, die dort lagen. Zuletzt kniete ich neben Christoph, und seine Augen baten mich, ihn nicht auszuschließen. Ich habe es ihm dann gereicht, auch den Kelch — und dann ist er bald ganz eingeschlafen — mit Lächeln...«

Das Zimmer war nun völlig dunkel, und es blieb sehr lange still, als Vesper geendet hatte. Endlich fragte Cornelie mühsam:

»Wann war das? Um welche Zeit?«

»Es war zwischen fünf und sechs Uhr abends.«

»Zwischen fünf und sechs«, sagte Cornelie, als bestätigte sie sich selbst etwas.

»Die Schlacht ging bis tief in die Nacht«, sagte Vesper. »Wir konnten erst gegen Morgen daran denken, die Toten zur Ruhe zu bringen. Ach, längst nicht alle! Ja, viele Frauen weinen in diesen Tagen gleich Ihnen, gnädige Frau! Aber es waren« — ein bitterer Ton war in seiner Stimme — »doch einige auch davongekommen. Solger — Fritz Dinnies — sie fanden sich ein, um mir zu helfen. Nur Freunde haben Christoph berührt. Wir gruben ihm das Grab dort, wo er gestorben war. Es stehen ein paar Birken da — er liegt gut...«

»Er liegt gut...« wiederholte Cornelie für sich.

Vespers Stimme klang sehr hilflos, als er wieder begann: »Ich darf es nicht versuchen, Ihnen Trost anzubieten, Frau von Echter. Aber dies müssen Sie doch wissen: Christoph ist der glücklichste Mensch gewesen, den ich gekannt habe. Nicht im banalen Sinn, sondern — ich kann es nicht anders ausdrücken — weil er Gnade bei Gott und den Menschen hatte.«

»Das ist wahr. Ich habe ihn mir ja auch vom Himmel herabgezogen!« sagte Cornelie irr in die Nacht hinaus.

Vesper wartete demütig, ob sie etwas hinzufügen würde. Dann sprach er leise: »Und Gott zog ihn wieder zu sich, ehe die Qual der Welt ihm etwas anhaben konnte...«

Cornelie fragte flehend: »Er hat es nicht mehr erfahren, Vesper? Sie wissen es, was ich meine!«

»Ich habe es jetzt auf der Durchreise in Berlin gehört«, antwortete Vesper gepreßt. »Nein, gnädigste Frau — er ahnte es nicht. Noch am Abend vor der Schlacht sprach er von einem Wiedersehen in Leipzig. Er war so still, so froh an jenem Abend. Und als er starb, wußte er nicht, daß das der Tod war, und er glaubte, daß die Unseren den Sieg hätten.«

»Es war kein Sieg?« fragte Cornelie.

Vesper zögerte. »Kein voller Sieg«, sagte er. »Die Waage schwankte. Wir kämpfen weiter.« Lange Zeit blieb es wieder still.

Endlich sagte Cornelie: »Ihr kämpft weiter, und wir... leiden weiter...«

Vesper antwortete leise und ehrerbietig:

»Aber der Tag wird kommen — und er *muß* kommen — da die Tränen der Frauen stark genug sein werden, um gleich einer Flut das Feuer des Kriegs für ewig zu löschen. Der Tag, da der Geist — die Taube — unter dem heiligen Regenbogen über der wiedergeborenen Erde schwebt — und dann...«

Ein altes Wort von Valdemaire ging Cornelie im Herzen auf, und sie sagte es mit gebrochener Stimme:

»Dann setzt der Sohn der Mutter die Krone aufs Haupt.«

REINHOLD SCHNEIDER · *Verhüllter Tag*

Ich fühle alles dunkler und schwerer werden. In einem gewissen Sinne ist der zu beneiden, der auf einen Verbandsplatz gerufen ist: er hat nur zu helfen. Dem glich vielleicht mein Dasein während des Krieges und der drei folgenden Jahre. Dann mußte ich wieder erstreben, was ich von Anfang an sollte: den Ausdruck des Irdisch-Unlösbaren, über dem die Ahnung letzter Lösungen liegt. Das ist das Zerbrechen der Macht und die Notwendigkeit der Macht, diese furchtbare Gleichzeitigkeit. Es ist die christliche Paradoxie. Alle innerchristlichen Widersprüche gehen vielleicht darauf zurück, daß der Herr die Annahme der Botschaft erwarten mußte und daß sie doch gar nicht angenommen werden konnte; daß Fall und Erlösung von Anfang erschaut waren; daß für uns Zeit ist, aber nicht für Gott: daß Der *ist*, der vor Abraham war. »Der zwar vor Begründung der Welt ausersehen war, aber in den letzten Zeiten geoffenbart worden ist« (1 Petr. 1, 20). So ist auch Maria von Anfang erschaut — mit der Katastrophe der Welt das Heil; so kniet sie auf Grünewalds Tafel zwischen dem mystischen Heiligtum und den Symbolen der Menschwerdung. Das bedeutet das innergeschichtliche Mysterium der Freiheit. Wir sind ganz frei in den Fesseln der Sünde. Die Kirche ist der Ort der Freiheit, aber gebunden an die Spottsäule der Macht. Sie sucht den Triumph des Auferstandenen zu verkörpern. Aber wahrer Triumph ist die Verspottung.

So ist das Christentum das zugleich Notwendige und Unmögliche, der lebendige Widerspruch zwischen Freiheit und Gehorsam. Denn beide sind gefordert, gestiftet, vorgelebt. Kein Wort ist beunruhigender als das: »Wenn ihr nicht werdet wie die Kinder.« Ich kann es nicht vollziehen. Alle Abgründe sind aufgerissen: die des Kosmos, die des Menschen. Wenn doch noch eine Hoffnung bliebe, so kann sie nur sein in dem Sterben Christi an unserem Leibe. Die Hoffnung ist das Leiden. Denn, wie Kierkegaard sagt, die Wahrheit siegt nur durch Leiden. Der Kreuzweg ist *der* Weg.

Am nächsten ist mir das Gottesbild des Nikolaus von Cues. »Hieraus macht sich mir geltend, wie ich notwendig in die Finsternis eintreten ... und dort die Notwendigkeit suchen muß, wo mir die Unmöglichkeit vor Augen tritt ... Und je mehr diese finsterdichte Unmöglichkeit als dunkel und unmöglich erkannt wird, desto wahrer ist der Widerschein der Notwendigkeit, desto weniger verhüllt und desto angenäherter ist sie zugegen ... Wie man Dich nirgends sonst erschauen kann als dort, wo einem die Unmöglichkeit in den Weg tritt und sich entgegenstellt. Und Du, Herr, Speise der Starken, hast mir den Mut gegeben, daß ich mir selbst Gewalt antue. Fällt doch die Unmöglichkeit mit der Notwendigkeit zusammen! Ich habe den Ort entdeckt, in dem man Dich unverhüllt findet.« — Gott ist nicht eigentlich im Zusammenfall der Widersprüche. Aber der Zusammenfall ist der Ort, wo er sichtbar, erahnbar wird.

Vom Gottesbilde werden das Weltbild, das Menschenbild, die Forderung an das Leben bestimmt (nicht umgekehrt). Das Gottesbild ist die erste geschichtliche Entscheidung. Ich kann Geschichte nur noch begreifen in Komplexen von Gegensätzen, in dramatischen Konzeptionen. Im Drama hat ein jeder Spieler ein unvergleichliches Recht der Existenz, steht jede Gestalt in ihrem eigenen Koordinatensystem. Das Verkörperte hat recht — und doch hat niemand recht im letzten Sinne; kein Spieler ist Herr der Bühne; die Verkörperung kann nur geschehen in einer von Anfang verfallenen Welt. Ihre Aufhebung ist vom ersten Augenblick gewiß. Am Ende ist sie symbolhaft offenbar. Die Idee ist faßbar-unfaßbar, so wie, nach der modernen Theorie, die letzten Bausteine körperhaft und körperlos sind und Energie und Masse ineinanderfallen. Im Drama — aber nicht in der tatsächlichen Geschichte — ist Geschichte Gericht. Es geht nicht um Ideen, sondern um den furchtbaren »Zusammenfall«, über dem Gott geahnt, verehrt werden kann: der unbegreifliche, nicht aussagbare Gott. Das ist die latente Wahrheit der Geschichte, die Gleichzeitigkeit einander widersprechender, vernichtender und doch aufeinander angewiesener, verketteter Notwendigkeiten. In dem Verhältnis zwischen Griechen und Persern, den Verfassungskämpfen Roms, seinen Kriegen mit Etruskern, Galliern, Samniten, den Schlachten der Triumvirn ist das epigrammatisch ausgesprochen. Es ist ja kaum erlaubt, den Reflex späterer Leistung auf diese Kämpfe zu werfen. Sie mußten alle sein, die sich bedrängen, besiegen, vernichten wollten. Aber der Zusammenstoß der Notwendigkeiten, das ist das von Anfang gegenwärtige Kreuz, das »Wasserzeichen der Schöpfung« nach einem Worte Urs von Balthasars. Jahrhundertelang wurden die Menschen gekreuzigt; Jugurtha kreuzigte seinen Bruder, den Königssohn, der König von Persien Mani, Cäsar die Seeräuber, die Römer Tausende von aufrührerischen Sklaven an der Appischen Straße. An uns ist es, das Kreuz als Zeichen des Königs zu verehren, die Himmelfahrt des Geschändeten statt der Himmelfahrt des Augustus zu glauben, den Sieg, der Geheimnis blieb für die Welt.

Aber — das ist die härteste Anfechtung — wenn wir das Zeichen Christi erkennen in der Geschichte, wie sollen wir es erkennen im All? Der Gang der Wissenschaft in den letzten fünfzig, hundert Jahren ist viel erregender als das Entsetzliche, das sich auf der Erde begab. Wir blicken in Tiefen und Fernen, denen wir nicht standhalten. Und auch sie sind ja nur Bilder des nicht Erschauten. Das Bewußtsein nicht denkbarer kosmischer Möglichkeiten verläßt mich niemals. Und ich sehe Christus vor ihnen, den tausend Millionen Milchstraßen und hundert Trillionen Sonnen und Milliarden Lichtjahren, und muß mir sagen, daß der Schaffende immer schafft, daß es so war und sein wird in irgendeiner Gestalt. Da er nur Freie schaffen kann, wird immer die Möglichkeit der Empörung sein und immer, in Gott, die von Christus gelebte Antwort. Wie, wenn durch die Schöpfungen alle das Geheimnis eines ewigen Dramas kreiste? Wenn das Leiden herniederstiege und aufstiege und ewig wäre? Aber das kann ich nur sagen, wenn ich *glaube*. Und immer ist die Gefahr, daß das Licht vom Lichte in der unmeßbaren Finsternis ertrinkt. Ich höre keine furchtbarere Rede als das »Schweigen der unendlichen Räume« (Pascal).

Daß der Mensch sich aufmacht, in sie aufzusteigen, bedeutet vor dieser endlichen Unendlichkeit nichts; er wird kaum die Rinde durchbrechen; denn er müßte Lichtjahre durchmessen, nicht Erdentage leben. Aber das Verhältnis zum Raum verwandelt sich; und es entzieht sich jeder Vorstellung, wie diese Verwandlung sich in der Geschichte auswirken wird.

Und wieder: Christus, eingesetzt zum »Erben des Weltalls« (Hebr. 1) vor *diesem* Raum: Christus, durch den *diese* Welt geschaffen ist, und ihr Haupt, ihr Schlußstein? Reißt sie uns nicht das Wort des Apostels vom Munde? Haben wir noch die Kraft, es nachzusprechen? Werden wir sie morgen noch haben?

Und doch ist der Bau eines aus Millionen von Atomen gefügten Gens ebenso bestürzend wie der des Alls. Tatsache ist der Geist. Tatsache ist der Glaube, wenn des Glaubens Kraft in uns ist. Aber sie war nie in diesem Maße bedroht. Und es ist ein unerhörter Mut, diesen Kosmos zum Zeugen Jesu Christi aufzurufen. Verfügen wir wirklich über die legitimierende Kosmogonie? Kann sich die Theologie wirklich auf die Wissenschaft berufen? (Sie sollte es lieber nicht.) Wenn Zeit und Raum gekrümmt sind und der von hier ausgegangene Strahl nach Milliarden Lichtjahren hierher zurückkehrt — so vielleicht auch die Stunde. Und die Antwort der Abgründe auf unsere letzte Frage ist die Frage selbst. Die Brücke, die eine und einzige, die über diese Tiefen sich spannt, kann in einem jeden Augenblick überspült, weggerissen werden. Wir bezeugen sie nur, indem wir sie beschreiten. Die Wahrheit ist in eine Wirklichkeit gerissen worden, die alle zur Zeit ihrer Parusie mächtig gewesenen Vorstellungen aufhebt: diesem Widerspruch müssen wir uns Stunde um Stunde stellen. Und nur völlig übermächtigt, ertrunken in Nacht, werden wir uns vielleicht behaupten.

[18] **Atem der Erde**

OSKAR LOERKE · *Die ehrwürdigen Bäume*

Riesige Wesen, seherisch blind,
Behütet ohne Hürden.
Ihnen beugt sich der streichende Wind:
Ehrwürden! Ehrwürden!

Manchmal auch greift er wie an die Kandare
Bäumender Rosse in grünen Geschirren.
Wer sind sie wirklich? Sie bleiben das Klare,
Dem keine Fieber die Zeit verwirren.

Sie wälzen hundert und hundert Jahr
In ihren Türmen, den stolzen,
Was aus Erfahrung und Gefahr
Zum Gruß »ich lebe« zusammengeschmolzen.

Darunter verklingt ein Ruf: ich scheide!
Den einst ein menschlicher Hornstoß stieß;
Darunter wieder liegt grasige Heide
Manchmal und manchmal erdiger Grieß.

Als mir die Einsamkeit das Brausen,
Das Brausen die Einsamkeit wiedergebar,
Gebar sie auch Geister, die hier hausen.
Ich wurde weiser Männer gewahr.

Sie schienen den Stämmen zu gehören,
Die dunklen Brunnen brauten ihr Alter.
Und nach den durchbrochenen Blätterflören
Trugen manche gezeichnete Flügel wie Falter.

Gingen sie traumhaft, wie sie kamen,
So war es, sie würden wiederkehren;
Verwandelt in meine Formen und Namen,
Wollten sie mich mein Gastrecht lehren.

Einen sprach ich an: »Ihr seid das Reine,
Unsre Menschheit ist voll Flecken.
Die Zukunft brennt im Wetterscheine,
Kannst du das Schicksal nicht entdecken?

Gib einen Siechentrost dem Siechen.«
— Er schließt die Hand, er darf sie nicht bieten,
Und öffnet sie stumm: die Fläche bekriechen
Ameisen, Ameisen und Termiten.

Und als ich bangte, ob ich ihn verstände,
Meldete sich ein Wipfel brausend.
Dann schluckten ihn die Blätterwände,
Dann nahm ihn zu sich das Jahrtausend ...

OSKAR LOERKE · *Weichbild*

Niemand ging verloren.
Das Korn selbst schläft gezählt in den Ähren,
Doch bangt sich ein Wehruf unstillbar.

Niemand ward erschlagen.
Doch bücken im Zwielicht sich Hände
Und waschen Blut von der Erde.

Alles hat seinen Ort: hier bin ich!
Im Garten blühn Pantoffelblumen.
Ach! Und die Sterne steigen
In die verlassenen Wassertröge.

WILHELM LEHMANN · *Die Signatur*

Damastner Glanz des Schnees,
Darauf liest sich die Spur
Des Hasen, Finken, Rehs,
Der Wesen Signatur.

In ihre Art geschickt,
Lebt alle Kreatur.
Bin ich nur ihr entrückt
Und ohne Signatur?

Es huscht und fließt und girrt —
Taut Papagenos Spiel
Den starren Januar?
Durchs Haupt der Esche schwirrt,
Der Esche Yggdrasil,
Die Hänflings-, Zeisigschar.

Die goldnen Bälle blitzen,
Vom Mittagslicht gebannt,
Bis sie in Reihen sitzen,
Der Sonne zugewandt,
Wie Geister von Verklärten,
Die noch die Götter ehrten.

Die leisen Stimmen wehn
Aus den verzückten Höhn
Ein Cembalogetön.
Die Vogelkreatur,
Kann ich sie hören, sehn,
Brauch ich nicht mehr zu flehn
Um meine Signatur.

Klage ohne Trauer

Die Spinne wirft ihr Silberseil.
Der Wind schläft ein. So bleibt es heil.

Wie schnell flog meine Zeit vorbei,
Aus jeder Hecke Vogelschrei.

Die Erde spricht, Heuschreck ihr Mund,
Blaugrüne Diemen, wigwamrund.

Die Pappel samt. Die Wolle schneit,
Als Polster meinem Kopf bereit.

Ein Seufzer seufzt: »Vergeh, vergeh«;
Die Pappel rauscht: »Es tut nicht weh.«

WILHELM LEHMANN · *Abgeblühter Löwenzahn*

Verwandle dich und werde leicht,
Zerfasere zu Samenhaar!
Gemindert schwebt, ein dünnes Korn,
Was gestern Strahlenball noch war.

Verwandlungsträchtig, warst du kaum,
Und saugst dich frisch im Leben fest,
Das dich und mich, treuloser Staub,
An keiner Stelle weilen läßt.

Begleite Vers die Flüchtigkeit.
Gebiete er, gebiete zart,
Sei, wie von meinem Finger du,
Das Schwindende von ihm bewahrt.

Ein zweites Dasein überwächst
Das erste, das geopfert liegt.
Verweh es denn wie Löwenzahn,
Damit es traumgekräftigt fliegt.

Abschied

Weiß geäderte Stachelbeere,
Im grünen Garten Sommerballon.
Die wilde Flucht der Mauersegler
Gellt schon: »Davon! Davon!«

Der Kürbis schwillt mit reicher Gewalt,
Er schwillt geruhig aus.
Zittert nicht doch wie Schattengegitter
Das schöne Erdenhaus?

Spanische Kresse schlängelt die Glieder,
Als wartete Sommerbeginn;
Blätterteller schützen den Samen,
Beherbergt bleibt der Sinn.

Weiß geädert, Stachelbeere,
Zeile im großen Gesang.
Wir reichen einander Geisterhände
Und vollenden den Gang.

Der Expressionismus

GEORG HEYM · *Umbra vitae*

Die Menschen stehen vorwärts in den Straßen
Und sehen auf die großen Himmelszeichen,
Wo die Kometen mit den Feuernasen
Um die gezackten Türme drohend schleichen.

Und alle Dächer sind voll Sternedeuter,
Die in den Himmel stecken große Röhren,
Und Zauberer, wachsend aus den Bodenlöchern,
Im Dunkel schräg, die ein Gestirn beschwören.

Selbstmörder gehen nachts in großen Horden,
Die suchen vor sich ihr verlornes Wesen,
Gebückt in Süd und West und Ost und Norden,
Den Staub zerfegend mit den Armen-Besen.

Sie sind wie Staub, der hält noch eine Weile,
Die Haare fallen schon auf ihren Wegen.
Sie springen, daß sie sterben, und in Eile,
Und sind mit totem Haupt im Feld gelegen,

Noch manchmal zappelnd. Und der Felder Tiere
Stehn um sie blind und stoßen mit dem Horne
In ihren Bauch. Sie strecken alle Viere,
Begraben unter Salbei und dem Dorne.

Die Meere aber stocken. In den Wogen
Die Schiffe hängend modernd und verdrossen,
Zerstreut, und keine Strömung wird gezogen,
Und aller Himmel Höfe sind verschlossen.

Die Bäume wechseln nicht die Zeiten
Und bleiben ewig tot in ihrem Ende,
Und über die verfallnen Wege spreiten
Sie hölzern ihre langen Finger-Hände.

Wer stirbt, der setzt sich auf, sich zu erheben,
Und eben hat er noch ein Wort gesprochen,
Auf einmal ist er fort. Wo ist sein Leben?
Und seine Augen sind wie Glas zerbrochen.

Schatten sind viele. Trübe und verborgen.
Und Träume, die an stummen Türen schleifen,
Und der erwacht, bedrückt vom Licht der Morgen,
Muß schweren Schlaf von grauen Lidern streifen.

GEORG HEYM · *Der Gott der Stadt*

Auf einem Häuserblocke sitzt er breit.
Die Winde lagern schwarz um seine Stirn.
Er schaut voll Wut, wo fern in Einsamkeit
Die letzten Häuser in das Land verirrn.

Vom Abend glänzt der rote Bauch dem Baal,
Die großen Städte knien um ihn her.
Der Kirchenglocken ungeheure Zahl
Wogt auf zu ihm aus schwarzer Türme Meer.

Wie Korybanten-Tanz dröhnt die Musik
Der Millionen durch die Straßen laut.
Der Schlote Rauch, die Wolken der Fabrik
Ziehn auf zu ihm, wie Duft von Weihrauch blaut.

Das Wetter schwält in seinen Augenbrauen.
Der dunkle Abend wird in Nacht betäubt.
Die Stürme flattern, die wie Geier schauen
Von seinem Haupthaar, das im Zorne sträubt.

Er streckt ins Dunkel seine Fleischerfaust.
Er schüttelt sie. Ein Meer von Feuer jagt
Durch eine Straße. Und der Glutqualm braust
Und frißt sie auf, bis spät der Morgen tagt.

Ophelia

I

Im Haar ein Nest von jungen Wasserratten,
Und die beringten Hände auf der Flut
Wie Flossen, also treibt sie durch den Schatten
Des großen Urwalds, der im Wasser ruht.

Die letzte Sonne, die im Dunkel irrt,
Versenkt sich tief in ihres Hirnes Schrein.
Warum sie starb? Warum sie so allein
Im Wasser treibt, das Farn und Kraut verwirrt?

Im dichten Röhricht steht der Wind. Er scheucht
Wie eine Hand die Fledermäuse auf.
Mit dunklem Fittich, von dem Wasser feucht
Stehn sie wie Rauch im dunklen Wasserlauf,

Wie Nachtgewölk. Ein langer, weißer Aal
Schlüpft über ihre Brust. Ein Glühwurm scheint
Auf ihrer Stirn. Und eine Weide weint
Das Laub auf sie und ihre stumme Qual.

II

Korn. Saaten. Und des Mittags roter Schweiß.
Der Felder gelbe Winde schlafen still.
Sie kommt, ein Vogel, der entschlafen will.
Der Schwäne Fittich überdacht sie weiß.

Die blauen Lider schatten sanft herab.
Und bei der Sensen blanken Melodien
Träumt sie von eines Kusses Karmoisin
Den ewigen Traum in ihrem ewigen Grab.

Vorbei, vorbei. Wo an das Ufer dröhnt
Der Schall der Städte. Wo durch Dämme zwingt
Der weiße Strom. Der Widerhall erklingt
Mit weitem Echo. Wo herunter tönt

Hall voller Straßen. Glocken und Geläut.
Maschinenkreischen. Kampf. Wo westlich droht
In blinde Scheiben dumpfes Abendrot,
In dem ein Kran mit Riesenarmen dräut,

Mit schwarzer Stirn, ein mächtiger Tyrann,
Ein Moloch, drum die schwarzen Knechte knien.
Last schwerer Brücken, die darüber ziehn
Wie Ketten auf dem Strom, und harter Bann.

Unsichtbar schwimmt sie in der Flut Geleit,
Doch wo sie treibt, jagt weit den Menschenschwarm
Mit großem Fittich auf ein dunkler Harm,
Der schattet über beide Ufer breit.

Vorbei, vorbei. Da sich dem Dunkel weiht
Der westlich hohe Tag des Sommers spät.
Wo in dem Dunkelgrün der Wiesen steht
Der fernen Abends zarte Müdigkeit.

Der Strom trägt weit sie fort, die untertaucht,
Durch manchen Winters trauervollen Port.
Die Zeit hinab. Durch Ewigkeiten fort,
Davon der Horizont wie Feuer raucht.

[20] **Alle Straßen münden in schwarze Verwesung**

GEORG TRAKL · *De profundis*

Es ist ein Stoppelfeld, in das ein schwarzer Regen fällt.
Es ist ein brauner Baum, der einsam dasteht.
Es ist ein Zischelwind, der leere Hütten umkreist —
Wie traurig dieser Abend.

Am Weiler vorbei
Sammelt die sanfte Waise noch spärliche Ähren ein.
Ihre Augen weiden rund und goldig in der Dämmerung
Und ihr Schoß harrt des himmlischen Bräutigams.

Bei der Heimkehr
Fanden die Hirten den süßen Leib
Verwest im Dornenbusch.

Ein Schatten bin ich ferne finsteren Dörfern.
Gottes Schweigen
Trank ich aus dem Brunnen des Hains.

Auf meine Stirne tritt kaltes Metall.
Spinnen suchen mein Herz.
Es ist ein Licht, das in meinem Mund erlöscht.

Nachts fand ich mich auf einer Heide,
Starrend von Unrat und Staub der Sterne.
Im Haselgebüsch
Klangen wieder kristallne Engel.

Der Herbst des Einsamen

Der dunkle Herbst kehrt ein voll Frucht und Fülle,
Vergilbter Glanz von schönen Sommertagen.
Ein reines Blau tritt aus verfallener Hülle;
Der Flug der Vögel tönt von alten Sagen.
Gekeltert ist der Wein, die milde Stille
Erfüllt von leiser Antwort dunkler Fragen.

Und hier und dort ein Kreuz auf ödem Hügel;
Im roten Wald verliert sich eine Herde.
Die Wolke wandert übern Weiherspiegel;
Es ruht des Landmanns ruhige Gebärde.
Sehr leise rührt des Abends blauer Flügel
Ein Dach von dürrem Stroh, die schwarze Erde.

Bald nisten Sterne in des Müden Brauen;
In kühle Stuben kehrt ein still Bescheiden
Und Engel treten leise aus den blauen
Augen der Liebenden, die sanfter leiden.
Es rauscht das Rohr; anfällt ein knöchern Grauen,
Wenn schwarz der Tau tropft von den kahlen Weiden.

GEORG TRAKL · *In den Nachmittag geflüstert*

Sonne, herbstlich dünn und zag,
Und das Obst fällt von den Bäumen.
Stille wohnt in blauen Räumen
Einen langen Nachmittag.

Sterbeklänge von Metall;
Und ein weißes Tier bricht nieder.
Brauner Mädchen rauhe Lieder
Sind verweht im Blätterfall.

Stirne Gottes Farben träumt,
Spürt des Wahnsinns sanfte Flügel.
Schatten drehen sich am Hügel,
Von Verwesung schwarz umsäumt.

Dämmerung voll Ruh und Wein;
Traurige Gitarren rinnen.
Und zur milden Lampe drinnen
Kehrst du wie im Traume ein.

Grodek

Am Abend tönen die herbstlichen Wälder
Von tödlichen Waffen, die goldnen Ebenen
Und blauen Seen, darüber die Sonne
Düstrer hinrollt; umfängt die Nacht
Sterbende Krieger, die wilde Klage
Ihrer zerbrochenen Münder.
Doch stille sammelt im Weidengrund
Rotes Gewölk, darin ein zürnender Gott wohnt,
Das vergoßne Blut sich, mondne Kühle;
Alle Straßen münden in schwarze Verwesung.
Unter goldnem Gezweig der Nacht und Sternen
Es schwankt der Schwester Schatten durch den schweigenden Hain,
Zu grüßen die Geister der Helden, die blutenden Häupter;
Und leise tönen im Rohr die dunklen Flöten des Herbstes.
O stolzere Trauer! ihr ehernen Altäre,
Die heiße Flamme des Geistes nährt heute ein gewaltiger Schmerz,
Die ungebornen Enkel.

452

[21] **Sturz und Schrei**

Kurt Pinthus · *Menschheitsdämmerung (Vorwort)*

Der Herausgeber dieses Buches ist ein Gegner von Anthologien; — deshalb gibt er diese Sammlung heraus.

Nicht werden hier — nach bisherigem Brauch der Anthologien — viele Dichter, die zufällig zur selben Zeit leben, in alphabetischer Folge mit je ein paar Gedichten aneinandergereiht. Auch nicht sollen Gedichte zusammengestellt werden, die alle ein gemeinschaftliches Thema bindet (etwa Liebesgedichte oder Revolutions-Lyrik). Dies Buch hat nicht den pädagogischen Ehrgeiz, Musterbeispiele guter Poesie zu bieten; es flicht nicht nach der Mode biederer Großväterzeit Blüten der Lyrik, noch Perlen der Dichtung zum Kranz.

Sondern: Dies Buch nennt sich nicht nur »eine Sammlung«. Es ist Sammlung!: Sammlung der Erschütterungen und Leidenschaften, Sammlung von Sehnsucht, Glück und Qual einer Epoche — unserer Epoche. Es ist gesammelte Projektion menschlicher Bewegung aus der Zeit in die Zeit. Es soll nicht Skelette von Dichtern zeigen, sondern die schäumende, chaotische, berstende Totalität unserer Zeit.

Stets war die Lyrik das Barometer seelischer Zustände, der Bewegung und Bewegtheit der Menschheit. Voranzeigend kündete sie kommendes Geschehen..., die Schwingungen der Gemeinschaftsgefühle..., das Auf, Ab und Empor des Denkens und Sehnens. Dies empfand man in Deutschland so deutlich, daß man die Kultur ganzer Epochen nach der Art ihrer Dichtung charakterisierte: Empfindsamkeit, Sturm und Drang, Romantik, Junges Deutschland, Butzenscheibenpoesie...

Dieses Buch will auf andere Weise zur Sammlung kommen: Man horche in die Dichtung unserer Zeit..., man horche quer durch, man blicke rund herum, ...nicht vertikal, nicht nacheinander, sondern horizontal; man scheide nicht das Aufeinanderfolgende auseinander, sondern man höre zusammen, zugleich, simultan. Man höre den Zusammenklang dichtender Stimmen: man höre symphonisch. Es ertönt die Musik unserer Zeit, das dröhnende Unisono der Herzen und Gehirne.

Ebensowenig wie die Anordnung der Gedichte nach dem äußerlichen Schema des Alphabets erfolgte, durfte sie deshalb nach der Chronologie der einzelnen Gedichte oder Dichter, nach der Gruppierung literarischer Cliquen, nach der Feststellung gegenseitiger Beeinflussung oder formaler Gemeinsamkeiten geschehen. Keine mechanische, historische Folge ward angestrebt, sondern dynamisches, motivisches Zusammenklingen: Symphonie!

Man möge also nicht nur auf die einzelnen Instrumente und Stimmen des lyrischen Orchesters lauschen: die aufschwebende Sehnsucht der Violinen, die herbstlich klagende Melancholie der Celli, die purpurnen Posaunen der Erweckung, das ironische Staccato der Klarinetten, die Paukenschläge des Zusammensturzes, das zukunftlockende Marciale der Trompeten, das tiefe, dunkle Raunen der Oboen, den brausenden Sturzbach der Bässe, das rapide Triangelgeklingel und die bleckenden Beckenschläge genußgieriger Totentanzes. Sondern es kommt darauf an, aus den lärmenden Dissonanzen, den melodischen Harmonien, dem wuchtigen Schreiten der Akkorde, den gebrochensten Halb- und Vierteltönen — die Motive und Themen der wildesten wüstesten Zeit der Weltgeschichte herauszuhören. Diese bewegenden Motive (zeugte sie ein inneres Geschehen aus uns heraus, oder ließ nur ein gleichgültiges Werden sie ungeheuer in uns erklingen?) variieren sich je nach Wesen und Wollen der Dichter, rauschen empor zum zersprengenden Fortissimo oder schwinden hin im beglückenden Dolce. Das Andante des Zweifels und der Verzweiflung steigert sich zum befreienden Furioso der Empörung, und das Moderato des erwachenden, erweckten Herzens erlöst sich zum triumphalen Maestoso der menschenliebenden Menschheit.

Wenn in diesem Buche weder wahllos und ungesichtet die Stimmen der in unserer Zeit Dichtenden ertönen, noch die Dichtungen einer bewußt sich zusammenschließenden literarischen Gruppe oder Schule gesammelt sind, so soll dennoch ein Gemeinsames die Dichter dieser Symphonie einen. Diese Gemeinsamkeit ist die Intensität und der Radikalismus des Gefühls, der Gesinnung, des Ausdrucks, der Form; und diese Intensität, dieser Radikalismus zwingt die Dichter wiederum zum Kampf gegen die Menschheit der zu Ende gehenden Epoche und zur sehnsüchtigen Vorbereitung und Forderung neuer, besserer Menschheit.

Man erwarte also weder ein Gesamtbild der lyrischen Dichtung unserer Zeit, noch eine nach (lügnerischen) absoluten Maßstäben der Qualitätsbeurteilung zusammengestellte Auswahl der besten zeitgenössischen Gedichte. Sondern charakteristische Dichtung jener Jugend, die recht eigentlich als die junge Generation des letzten Jahrzehnts zu gelten hat, weil sie am schmerzlichsten an dieser Zeit litt, am wildesten klagte und mit leidenschaftlicher Inbrunst nach dem edleren, menschlicheren Menschen schrie...

Doch schon fühlten die gereizten und überempfindlichen Nerven und Seelen dieser Dichter deutlich auf der einen Seite das dumpfe Heranrücken der liebe- und freudeberaubten proletarischen Massen, von der anderen Seite den heranrollenden Zusammenbruch einer Menschheit, die ebenso hochmütig wie gleichgültig war. Aus der strotzenden Blüte der Zivilisation stank ihnen der Hauch des Verfalls entgegen, und ihre ahnenden Augen sahen bereits als Ruinen eine wesenlos aufgedunsene Kultur und eine ganz auf dem Mechanischen und Konventionellen aufgetürmte Menschheitsordnung. Ein ungeheurer Schmerz schwoll empor — und am frühesten und klarsten in denen, die in dieser Zeit, an dieser Zeit starben: Heym hämmerte (noch nach Baudelaires strengem Vorbild) Visionen des Todes, des Grauens, der Verwesung in zermalmenden Strophen; Trakl glitt, nichtachtend der realen Welt, hölderlinisch in ein unendlich blaues Strömen tödlichen Hinschwindens, das ein Herbstbraun vergeblich zu rahmen trachtete; Stadler sprach und rang mit Gott und der Welt, sehnsuchtgemartert, inbrünstig wie Jakob mit dem Engel; Lichtenstein quirlte in leidvoller Heiterkeit die Gestalten und Stimmungen der Stadt zu bitterlustigen Tränken schon in der beseligenden Gewißheit, »groß über alles wandelt mein Menschenangesicht«; und Lotz unter Wolken, aus Drangsal bürgerlichen Daseins, rief nach Glanz und Aufbruch. Immer fanatischer und leidenschaftlicher donnerte zerfleischende Klage und Anklage. Die Verzweiflungen Ehrensteins und Bechers rissen die düstere Welt mitten entzwei; Benn höhnte das faulende Abgebrauchtheit des Kadavermenschen und pries die ungebrochenen Ur-Instinkte; Stramm löste seine Leidenschaft vom Trugbild der Erscheinungen und Assoziationen los und ballte reines Gefühl zu donnernden Ein-Worten, gewitternden Ein-Schlägen. Der wirkliche Kampf gegen die Wirklichkeit hatte begonnen mit jenen furchtbaren Ausbrüchen, die zugleich die Welt vernichten und eine neue Welt aus dem Menschen heraus schaffen sollten.

Man versuchte, das Menschliche im Menschen zu erkennen, zu retten und zu erwecken. Die einfachsten Gefühle des Herzens, die Freuden, die das Gute dem Menschen schafft, wurde gepriesen. Und man ließ das Gefühl sich verströmen in alle irdische Kreatur über die Erdoberfläche hin; der Geist entrang sich der Verschüttung und durchschwebte alles Geschehen des Kosmos — oder tauchte tief in die Erscheinungen hinab, um in ihnen ihr göttliches Wesen zu finden... Immer deutlicher wußte man: der Mensch kann nur gerettet werden durch den Menschen, nicht durch die Umwelt. Nicht Einrichtungen, Erfindungen, abgeleitete Gesetze sind das Wesentliche und Bestimmende, sondern der Mensch! Und da die Rettung nicht von außen kommen kann — von dort ahnte man längst vor dem Weltkrieg Krieg und Vernichtung —, sondern nur aus den inneren Kräften des Menschen, so geschah die große Hinwendung zum Ethischen.

Während im Weltkrieg der gewußte Zusammenbruch sich in der Realität ereignete, war bereits die Dichtung wiederum der Zeit vorangestürmt: Aus den Ausbrüchen der Verfluchung brachen die Schreie und Aufforderungen zur Empörung, zur Entscheidung, zur Rechenschaft, zur Erneuerung... nicht aus Lust an der Revolte, sondern um durch die Empörung das Vernichtende und Vernichtete ganz zu vernichten, so daß Heilendes sich entfalten konnte. Aufrufe zum Zusammenschluß der Jugend, zum Aufbruch einer geistigen Phalanx ertönten; nicht mehr das Individuelle, sondern das allen Menschen Gemeinsame, nicht das Trennende, sondern das Einende, nicht die Wirklichkeit, sondern der Geist, nicht der Kampf aller gegen alle, sondern die Brüderlichkeit wurden gepriesen. Die neue Gemeinschaft wurde gefordert. Und so gemeinsam und wild aus diesen Dichtern Klage, Verzweiflung, Aufruhr aufgedonnert war, so einig und eindringlich posaunten sie in ihren Gesängen Menschlichkeit, Güte, Gerechtigkeit, Kameradschaft, Menschenliebe aller zu allen. Die ganze Welt und Gott bekommen Menschenangesicht — die Welt fängt im Menschen an, und Gott ist gefunden als Bruder —, selbst die Steinfigur steigt menschlich herab, die Stadt der Qualen wird zum beglückenden Tempel der Gemeinschaft, und triumphierend steigt das erlösende Wort empor: Wir sind!

Jeder erkennt, wie ungeheuer weit der Bogen ist von Calés Verzweiflung »Und keine Brücke ist von Mensch zu Mensch«, von Werfels »Fremde sind wir auf der Erde alle« bis zu Bechers »Keiner dir fremd / Ein jeder dir nah und Bruder«, Klemms »Wir kommen uns so nahe, wie sich nur Engel kommen können«, Heynickes »Ich fühle / endelos / daß ich nicht einsam bin... so nahe bist du / Bruder Mensch«...»Doch das Lächeln schlägt Bogen von mir zu dir / .... wir schenken einander das Ich und das Du – / ewig eint uns das Wort: / Mensch«...

Niemals war das Ästhetische und das L'art pour l'art-Prinzip so mißachtet wie in dieser Dichtung, die man die »jüngste« oder »expressionistische« nennt, weil sie ganz Eruption, Explosion, Intensität ist – sein muß, um jene feindliche Kruste zu sprengen. Deshalb meidet sie die naturalistische Schilderung der Realität als Darstellungsmittel, so handgreiflich auch diese verkommene Realität war; sondern sie erzeugt sich mit gewaltiger und gewaltsamer Energie ihre Ausdrucksmittel aus der Bewegungskraft des Geistes (und bemüht sich keineswegs, deren Mißbrauch zu meiden). Sie entschleudert ihre Welt... in ekstatischem Paroxismus, in quälender Traurigkeit, in süßestem musikalischen Gesang, in der Simultaneität durcheinanderstürzender Gefühle, in chaotischer Zerschmetterung der Sprache, grausigster Verhöhung menschlichen Mißlebens, in flaggelantisch schreiender, verzückter Sehnsucht nach Gott und dem Guten, nach Liebe und Brüderlichkeit. So wird auch das Soziale nicht als realistisches Detail, objektiv etwa als Elendsmalerei dargestellt (wie von der Kunst um 1890), sondern es wird stets ganz ins Allgemeine, in die großen Menschheitsideen hingeführt. Und selbst der Krieg, der viele dieser Dichter zerschmetterte, wird nicht sachlich realistisch erzählt; – er ist stets als Vision da (und zwar lange vor seinem Beginn), schwelt als allgemeines Grauen, dehnt sich als unmenschlichstes Übel, das nur durch den Sieg der Idee vom brüderlichen Menschen aus der Welt zu schaffen ist...

Und immer wieder muß gesagt werden, daß die Qualität dieser Dichtung in ihrer Intensität beruht. Niemals in der Weltdichtung scholl so laut, zerreißend und aufrüttelnd Schrei, Sturz und Sehnsucht einer Zeit, wie aus dem wilden Zuge dieser Vorläufer und Märtyrer, deren Herzen nicht von den romantischen Pfeilen des Amor oder Eros, sondern von den Peinigungen verdammter Jugend, verhaßter Gesellschaft, aufgezwungener Mordjahre durchbohrt wurden. Aus irdischer Qual griffen ihre Hände in den Himmel, dessen Blau sie nicht erreichten; sie warfen sich, sehnsuchtsvoll die Arme ausbreitend, auf die Erde, die unter ihnen auseinanderbarst; sie riefen zur Gemeinschaft auf und fanden noch nicht zueinander; sie posaunten in die Tuben der Liebe, so daß diese Klänge den Himmel erbeben ließen, nicht aber durch das Getöse der Schlachten, Fabriken und Reden zu den Herzen der Menschen drangen. Freilich wird die Musik dieser Dichtung nicht ewig sein wie die Musik Gottes im Chaos. Aber was wäre die Musik Gottes, wenn ihr nicht die Musik des Menschen antwortete, die sich ewig nach dem Paradies des Kosmos sehnt... Von den vielen, vielen Dichtungen dieser Generation werden fast alle mit den verebbenden

Stürmen ihrer Epoche untergegangen sein. Statt einiger großer leuchtender wärmender Gestirne wird Nachlebenden ihre Menge wie die von unzähligen kleinen Sternen erschimmernde Milchstraße erscheinen, die fahlklärenden Glanz in wogende Nacht gießt.

Keiner dieser Dichter kokettiert mit der Unsterblichkeit, keiner wirft sich den Triumphmantel mit distanzierend heroischer Gebärde um, keiner will als Olympier in edler Haltung entschweben; und wenn diese Dichter in ausschweifender Weitschweifigkeit, und unmäßigem Fortissimo psalmodieren, stöhnen, klagen, schreien, fluchen, rufen, hymnen — so geschieht es niemals aus Hochmut, sondern aus Not und Demut. Denn nicht sklavisches Kriechen, untätiges Warten ist Demut; sondern es ist Demut, wenn einer hintritt und öffentlich aussagt, bekennt und fordert vor Gott und den Menschen, und seine Waffen sind nur sein Herz, sein Geist und seine Stimme.

Als einer, der mitten unter ihnen stand, vielen durch Freundschaft und allen durch Liebe zu ihren Werken verbunden, trete ich vor und rufe: Laßt es genug sein, die Ihr Euch selbst nicht genügtet, denen der alte Mensch nicht mehr genügte; laßt es genug sein, weil Euch diese zerklüftete, ausbrechende, zerwühlende Dichtung nicht genügen darf! Laßt es nicht genug sein! Sondern helft, alle, voraneilend dem Menschheitswillen, einfacheres, klareres, reineres Sein zu schaffen. Denn jener Augenblick wird, muß kommen, da aus Beethovens Symphonie, die uns den Rhythmus unserer Jugend gab, im wildesten Chaos der tobenden Musik plötzlich die vox humana emporsteigt: Freunde, nicht diese Töne! Lasset uns andere anstimmen und freudenvollere!

Ihr Jünglinge aber, die Ihr in freierer Menschheit heranwachsen werdet, folgt nicht diesen nach, deren Schicksal es war, im furchtbaren Bewußtsein des Unterganges inmitten einer ahnungslosen, hoffnungslosen Menschheit zu leben, und zugleich die Aufgabe zu haben, den Glauben an das Gute, Zukünftige, Göttliche bewahren zu müssen, das aus den Tiefen des Menschen quillt!

So gewiß die Dichtung unserer Zeit diesen Märtyrerweg wandeln mußte, so gewiß wird die Dichtung der Zukunft anders sich offenbaren: sie wird einfach, rein und klar sein müssen. Die Dichtung unserer Zeit ist Ende und zugleich Beginn. Sie hat alle Möglichkeiten der Form durchrast — sie darf wieder den Mut zur Einfachheit haben. Die Kunst, die durch Leidenschaft und Qual der unseligsten Erdenzeit zersprengt wurde —, sie hat das Recht, reinere Formen für eine glücklichere Menschheit zu finden.

Diese zukünftige Menschheit, wenn sie im Buche »Menscheitsdämmerung« (»Du Chaos-Zeiten schrecklich edles Monument«) lesen wird, möge nicht den Zug dieser sehnsüchtigen Verdammten verdammen, denen nichts blieb als die Hoffnung auf den Menschen und der Glaube an die Utopie.

ELSE LASKER-SCHÜLER · *Die Verscheuchte*

Es ist der Tag im Nebel völlig eingehüllt,
Entseelt begegnen alle Welten sich —
Kaum hingezeichnet wie auf einem Schattenbild.

Wie lange war kein Herz zu meinem mild...
Die Welt erkaltete, der Mensch verblich.
— Komm bete mit mir — denn Gott tröstet mich.

Wo weilt der Odem, der aus meinem Leben wich?
Ich streife heimatlos zusammen mit dem Wild
Durch bleiche Zeiten träumend — ja ich liebte dich...

Wo soll ich hin, wenn kalt der Nordsturm brüllt?
— Die scheuen Tiere aus der Landschaft wagen sich
Und ich vor deine Tür, ein Bündel Wegerich.

Bald haben Tränen alle Himmel weggespült,
An deren Kelchen Dichter ihren Durst gestillt —
Auch du und ich.

Gott hör

Um meine Augen zieht die Nacht sich
Wie ein Ring zusammen.
Mein Puls verwandelte das Blut in Flammen
Und doch war alles grau und kalt um mich.

O Gott und bei lebendigem Tage,
Träum ich vom Tod.
Im Wasser trink ich ihn und würge ihn im Brot.
Für meine Traurigkeit gibt es kein Maß auf deiner Waage.

Gott hör... In deiner bláuen Lieblingsfarbe
Sang ich das Lied von deines Himmels Dach —
Und weckte doch in deinem ewigen Hauche nicht den Tag.
Mein Herz schämt sich vor dir fast seiner tauben Narbe.

Wo ende ich? — O Gott!! Denn in die Sterne,
Auch in den Mond sah ich, in alle deiner Früchte Tal.
Der rote Wein wird schon in seiner Beere schal...
Und überall — die Bitternis — in jedem Kerne.

ELSE LASKER-SCHÜLER · *Mein blaues Klavier*

Ich habe zu Hause ein blaues Klavier
Und kenne doch keine Note.

Es steht im Dunkel der Kellertür,
Seitdem die Welt verrohte.

Es spielen Sternenhände vier
— Die Mondfrau sang im Boote —
Nun tanzen die Ratten im Geklirr.

Zerbrochen ist die Klaviatür...
Ich beweine die blaue Tote.

Ach liebe Engel öffnet mir
— Ich aß vom bitteren Brote —
Mir lebend schon die Himmelstür —
Auch wider dem Verbote.

[23] **Der neue Mensch**

GEORG KAISER · *Die Koralle*

Der Milliardär hat sich aus bitterster Armut mit brutaler Ellbogengewalt nach oben gearbeitet. Angst treibt ihn, daß er das Erraffte nicht bewahren könne; darüber rafft er immer mehr zusammen. Sohn und Tochter hat der Milliardär »abseits geführt«. Er läßt sie »ein helles Leben leben«. Als sie jedoch von den »sonnigen Gestaden« ihrer Jugend zum Vater kommen, entdecken sie die leidvolle und ungerechte Wirklichkeit.

MILLIARDÄR: Du hast dich auf deiner Reise über manches gewundert?
SOHN: Wie Schuppen ist es mir von den Augen gefallen. Das ganze Unrecht, das wir begehen, wurde mir offenbar. Wir Reichen — und die andern, die ersticken in Qualm und Qual — und Menschen sind, wie wir. Mit keinem Funken Recht dürfen wir das — weshalb tun wir es? Ich frage dich, warum? Sage mir eine Antwort, die dich und mich entschuldigt?
MILLIARDÄR *starrt ihn an*: Das fragst du?
SOHN: Ich frage dich — und höre nicht wieder auf zu fragen. Ich bin dir heute wie noch nie in meinem Leben dankbar. Du hast mir diese Reise geschenkt — ohne die ich blind geblieben wäre.
MILLIARDÄR: Du wirst wieder vergessen.
SOHN: Was in mir ist — mich erfüllt durch und durch? Erst müßte ich mich selbst auslöschen.
MILLIARDÄR: Was — ist in dir?
SOHN: Das Grauen vor diesem Leben mit seiner Peinigung und Unterdrückung.
MILLIARDÄR: Deine Reiseerlebnisse genügen nicht —

SOHN: Genügen nicht?

MILLIARDÄR: Du übertreibst flüchtige Erfahrungen.

SOHN: Im Blute brennen sie mir! Nach allem andern das schlagendste Bild: Da am Kai liegt die »Meeresfreiheit«. Bewimpelt, Musik. Auf Deck spazieren die Passagiere in hellen Kleidern, schwatzen – sind lustig. Wenige Meter tiefer die Hölle. Da verbrennen Menschen zuckenden Leibes in heißen Schächten vor fauchenden Feuerlöchern. Damit wir eine schnelle und flotte Fahrt haben! – Ich hatte meinen Fuß schon auf die »Meeresfreiheit« gesetzt – aber ich mußte umkehren – und erst auf diesem »Albatros« schlug mein Gewissen ruhiger!

MILLIARDÄR: Und jetzt hast du diese Erschütterungen überwunden?

SOHN: Hier erhalten sie die äußerste Steigerung! Hier – auf deiner Luxusjacht! Scham preßt mir das Blut unter die Stirn! In Sesseln liegen wir träge – und jammern über die Hitze, die von der Sonne kommt. Eiswasser schlürfen wir und sind von keinem Staube im Halse gereizt! – Hier unter den weichen Sohlen deiner weißen Schuhe brodelt das Fieber. Halbe Dunkelheit herrscht! – Reiße diese Wand von Holzplanken auf – die so dünn ist und so grauenhaft trennt! – und sieh hinab – seht alle hinab – und erlebt es auch: daß euch das Wort im Munde stockt, mit dem ihr euch vor einem da unten brüsten wollt!

Arzt schlendert herein.

SOHN *rasch zu ihm*: Was hat es gegeben, Doktor?

ARZT: Ein gelber Heizer ist zusammengebrochen.

SOHN: Tot?

ARZT *schüttelt den Kopf*: Hitzschlag.

SOHN: Wohin haben Sie ihn gebracht?

ARZT: Ich habe ihn vor den Luftschacht unten legen lassen.

SOHN: Nicht auf das Verdeck geschafft?

ARZT: Nein.

SOHN *kurz*: Warten Sie hier ...

Matrosen bringen den halbnackten gelben Heizer ...

Tochter und Sängerin kommen.

SOHN *zur Tochter*: Willst du uns nicht helfen, Schwester? Ein Mensch kann hier sterben!

Tochter tritt heran.

SOHN: Tauche deine Hände in das Eiswasser und lege sie ihm auf die heiße Brust. Es ist deine Pflicht, zu der ich dich aufrufe!

Tochter tut es.

SOHN *außer sich zum Arzt*: Doktor, Sie müssen ihn retten – sonst bin ich ein Mörder!

MILLIARDÄR *starrt auf die Gruppe – bewegt den Mund – murmelt endlich*: Das Furchtbare!

SÄNGERIN *stellt den Kodak ein – zum Museumsdirektor*: Solche Aufnahme habe ich noch nicht gemacht. *Sie knipst.*

. . . . . .

Quadratischer Raum, dessen Hinterwand Glas ist: Arbeitszimmer des Milliardärs. Rechts und links auf den Wänden, vom Fußboden bis an die Decke hoch, mächtige brauntonige Photographien, Fabrikanlagen darstellend. Breiter Schreibtisch mit Rohrsessel; ein zweiter Sessel seitlich. Draußen Schornsteine, dicht und steil wie erstarrte Lavasäulen. Rauchwolkengebirge stützend. . . .

Einer der Diener öffnet rechts eine unsichtbare gepolsterte Tür. Tochter tritt ein. Diener ab.

MILLIARDÄR *sich umsehend*: Dein erster Besuch im väterlichen Geschäftshaus?

TOCHTER *sich umsehend*: Ja – zum ersten Male sehe ich das.

MILLIARDÄR: Eine fremde Welt! – Ist es so dringend, daß du es dir nicht bis zum Abend vor dem Kamin aufsparen willst?

TOCHTER: Ich kann es dir nur hier erklären.

MILLIARDÄR: Soll ich mich auf die froheste Nachricht vorbereiten?

TOCHTER: Welche ist das?

MILLIARDÄR: Ich bat dich damals um etwas, als wir deinen Bruder erwarteten. Auf der Jacht.

TOCHTER *kopfschüttelnd*: An das habe ich nicht mehr gedacht.

MILLIARDÄR *seine Unruhe unterdrückend – heiter*: Wirklich nicht?

TOCHTER: Auf der Jacht gab es mir den Anstoß.

MILLIARDÄR: Zu deinem hellsten Glück?

TOCHTER: Zu meiner unabweisbaren Pflicht!

MILLIARDÄR *hebt abwehrend eine Hand gegen sie hoch*: Nein – nicht das!

TOCHTER *ruhig*: Als ich meine Hände von der kochenden Brust des gelben Heizers aufhob, waren sie gezeichnet. Das Mal ist in meinem Blut bis zum Herzen zurückgesunken. Ich habe nicht mehr eine Wahl. Ich fühle die Bestimmung. Ich unterwerfe mich auch willig. Den Platz sollst du mir anweisen, wo ich es erfülle.

MILLIARDÄR: Was willst du tun?

TOCHTER: Schicke mich zu den Elendsten, die krank liegen. Die in deinen Fabriken verunglücken. Ich will sie pflegen . . . Ich danke dir heute für Jahre heller Jugend –

MILLIARDÄR: Mit heller Zukunft!

TOCHTER *stark*: Die in meiner neuen Pflicht leuchtet! *Sie steht auf, reicht ihm die Hand.* Mein Entschluß ist mir so leicht geworden. Willst du es mir schwer machen, wenn ich ihn ändern soll?

MILLIARDÄR *nimmt ihre Hand nicht*: Wohin gehst du jetzt?

TOCHTER: Zu meinen Schwestern und Brüdern.

MILLIARDÄR *tonlos*: Dahin gehst du – – –

TOCHTER: Wirst du mich bei den Ärmsten der Armen kennen?

MILLIARDÄR *gegen den Schreibtisch gestützt*: Dahin – – –

Tochter zögert noch – wendet sich zur Tür. Der Diener öffnet. Tochter ab.

Alfred Döblin · *Berlin Alexanderplatz*

Dies Buch berichtet von einem ehemaligen Zement- und Transportarbeiter Franz Biberkopf in Berlin. Er ist aus dem Gefängnis, wo er wegen älterer Vorfälle saß, entlassen und steht nun wieder in Berlin und will anständig sein.

Das gelingt ihm auch anfangs. Dann aber wird er, obwohl es ihm wirtschaftlich leidlich geht, in einen regelrechten Kampf verwickelt mit etwas, das von außen kommt, das unberechenbar ist und wie ein Schicksal aussieht.

Dreimal fährt dies gegen den Mann und stört ihn in seinem Lebensplan. Es rennt gegen ihn mit einem Schwindel und Betrug. Der Mann kann sich wieder aufrappeln, er steht noch fest.

Es stößt und schlägt ihn mit einer Gemeinheit. Er kann sich schon schwer erheben, er wird schon fast ausgezählt.

Zuletzt torpediert es ihn mit einer ungeheuerlichen äußersten Roheit.

Damit ist unser guter Mann, der sich bis zuletzt stramm gehalten hat, zur Strecke gebracht. Er gibt die Partie verloren, er weiß nicht weiter und scheint erledigt.

Bevor er aber ein radikales Ende mit sich macht, wird ihm auf eine Weise, die ich hier nicht bezeichne, der Star gestochen. Es wird ihm aufs deutlichste klargemacht, woran alles lag. Und zwar an ihm selbst, man sieht es schon, an seinem Lebensplan, der wie nichts aussah, aber jetzt plötzlich ganz anders aussieht, nicht einfach und fast selbstverständlich, sondern hochmütig und ahnungslos, frech, dabei feige und voller Schwäche.

Das furchtbare Ding, das sein Leben war, bekommt einen Sinn. Es ist eine Gewaltkur mit Franz Biberkopf vollzogen. Wir sehen am Schluß den Mann wieder am Alexanderplatz stehen, sehr verändert, ramponiert, aber doch zurechtgebogen.

Dies zu betrachten und zu hören wird sich für viele lohnen, die wie Franz Biberkopf in einer Menschenhaut wohnen und denen es passiert wie diesem Franz Biberkopf, nämlich vom Leben mehr zu verlangen als das Butterbrot...

*

...Wir sind am Ende dieser Geschichte. Sie ist lang geworden, aber sie mußte sich dehnen und immer mehr dehnen, bis sie jenen Höhepunkt erreichte, den Umschlagspunkt, von dem erst Licht auf das Ganze fällt.

Wir sind eine dunkle Allee gegangen, keine Laterne brannte zuerst, man wußte nur, hier geht es lang, allmählich wird es heller und heller, zuletzt hängt da die Laterne, und dann liest man endlich unter ihr das Straßenschild. Es war ein Enthüllungsprozeß besonderer Art, Franz Biberkopf ging nicht die Straße wie wir. Er rannte drauflos, diese dunkle Straße, er stieß sich an Bäume, und je mehr er ins Laufen kam, um so mehr stieß er an Bäume. Es war schon dunkel, und wie er an Bäume stieß, preßte er entsetzt die Augen zu. Und je mehr er sich stieß, immer entsetzter klemmte er die Augen zu. Mit zerlöchertem Kopf, kaum noch bei Sinnen, kam er schließlich doch an. Wie er hinfiel, machte er die Augen auf. Da brannte die Laterne hell über ihm, und das Schild war zu lesen.

Er steht zum Schluß als Hilfsportier in einer mittleren Fabrik. Er steht nicht mehr allein am Alexanderplatz. Es sind welche rechts von ihm und links von ihm, und vor ihm gehen welche, und hinter ihm gehen welche.

Viel Unglück kommt davon, wenn man allein geht. Wenn mehrere sind, ist es schon anders. Man muß sich gewöhnen, auf andere zu hören, denn was andere sagen, geht mich auch an. Da merke ich, wer ich bin und was ich mir vornehmen kann. Es wird überall herum um mich meine Schlacht geschlagen, ich muß aufpassen, ehe ich es merke, komm ich ran.

Er ist ein Hilfsportier in einer Fabrik. Was ist denn das Schicksal? Eins ist stärker als ich. Wenn wir 2 sind, ist es schon schwerer, stärker zu sein als ich. Wenn wir 10 sind, noch schwerer. Und wenn wir 1000 sind und eine Million, dann ist es ganz schwer.

Aber es ist auch schöner und besser, mit andern zu sein. Da fühle ich und weiß alles noch einmal so gut. Ein Schiff liegt nicht fest ohne großen Anker, und ein Mensch kann nicht sein ohne viele andere Menschen. Was wahr und falsch ist, werd ich jetzt besser wissen. Ich bin schon einmal auf ein Wort reingefallen, ich habe es bitter bezahlen müssen, noch einmal passiert das dem Biberkopf nicht. Da rollen die Worte auf einen an, man muß sich vorsehen, daß man nicht überfahren wird, paßt du nicht auf den Autobus, fährt er dich zu Appelmus. Ich schwör sobald auf nichts in der Welt. Lieb Vaterland, kannst ruhig sein, ich habe die Augen auf und fall sobald nicht rein.

Sie marschieren oft mit Fahnen und Musik und Gesang an seinem Fenster vorbei, Biberkopf sieht kühl zu seiner Türe raus und bleibt noch lange ruhig zu Haus. Halt das Maul und fasse Schritt, marschiere mit uns andern mit. Wenn ich marschieren soll, muß ich das nachher mit dem Kopf bezahlen, was andere sich ausgedacht haben. Darum rechne ich erst alles nach, und wenn es soweit ist und mir paßt, werde ich mich danach richten. Dem Mensch ist gegeben die Vernunft, die Ochsen bilden statt dessen eine Zunft.

Biberkopf tut seine Arbeit als Hilfsportier, nimmt die Nummern ab, kontrolliert Wagen, sieht, wer rein- und rauskommt.

Wach sein, wach sein, es geht was vor in der Welt. Die Welt ist nicht aus Zucker gemacht. Wenn sie Gasbomben werfen, muß ich ersticken, man weiß nicht, warum sie geschmissen haben, aber darauf kommts nicht an, man hat Zeit gehabt, sich drum zu kümmern.

Wenn Krieg ist, und sie ziehen mich ein, und ich weiß nicht warum, und der Krieg ist auch ohne mich da, so bin ich schuld, und mir geschieht recht. Wach sein, wach sein, man ist nicht allein. Die Luft kann hageln und regnen, dagegen kann man sich nicht wehren, aber gegen vieles andere kann man sich wehren. Da werde ich nicht mehr schrein wie früher: das

Schicksal, das Schicksal. Das muß man nicht als Schicksal verehren, man
muß es ansehen, anfassen und zerstören.

Wach sein, Augen auf, aufgepaßt, tausend gehören zusammen, wer
nicht aufwacht, wird ausgelacht oder zur Strecke gebracht.

Die Trommel wirbelt hinter ihm. Marschieren, marschieren. Wir ziehen
in den Krieg mit festem Schritt, es gehen mit uns 100 Spielleute mit, Morgenrot, Abendrot, leuchtest uns zum frühen Tod.

Biberkopf ist ein kleiner Arbeiter. Wir wissen, was wir wissen, wir
habens teuer bezahlen müssen.

Es geht in die Freiheit, die Freiheit hinein, die alte Welt muß stürzen,
wach auf, die Morgenluft.

Und Schritt gefaßt und rechts und links und rechts und links, marschieren, marschieren, wir ziehen in den Krieg, es ziehen mit uns 100 Spielleute
mit, sie trommeln und pfeifen, widebum, widebum, dem einen gehts
grade, dem andern gehts krumm, der eine bleibt stehen, der andere fällt
um, der eine rennt weiter, der andere liegt stumm, widebum, widebum.

[25] **Der Weltfreund**

Franz Werfel · *Lächeln Atmen Schreiten*

Schöpfe du, trage du, halte
Tausend Gewässer des Lächelns in deiner Hand!
Lächeln, selige Feuchte ist ausgespannt
All übers Antlitz.
Lächeln ist keine Falte,
Lächeln ist Wesen vom Licht.
Durch die Räume bricht Licht, doch ist es noch nicht.
Nicht die Sonne ist Licht,
Erst im Menschengesicht
Wird das Licht als Lächeln geboren.
Aus den tönenden, leicht, unsterblichen Toren,
Aus den Toren der Augen wallte
Frühling zum erstenmal, Himmelsgischt,
Lächelns nieglühender Brand.
Im Regenbrand des Lächelns spüle die alte Hand,
Schöpfe du, trage du, halte!

Lausche du, horche du, höre!
In der Nacht ist der Einklang des Atems los,
Der Atem, die Eintracht des Busens groß.
Atem schwebt
Über Feindschaft finsterer Chöre.
Atem ist Wesen vom höchsten Hauch.
Nicht der Wind, der sich taucht

In Weid, Wald und Strauch,
Nicht das Wehn, vor dem die Blätter sich drehn...
Gottes Hauch wird im Atem der Menschen geboren.
Aus den Lippen, den schweren,
Verhangen, dunkel, unsterblichen Toren,
Fährt Gottes Hauch, die Welt zu bekehren.
Auf dem Windmeer des Atems hebt an
Die Segel zu brüsten im Rausche,
Der unendlichen Worte nächtlich beladener Kahn.
Horche du, höre du, lausche!

Sinke hin, kniee hin, weine!
Sieh der Geliebten erdenlos schwindenden Schritt!
Schwinge dich hin, schwinde ins Schreiten mit!
Schreiten entführt
Alles ins Reine, alles ins Allgemeine.
Schreiten ist mehr als Lauf und Gang,
Der sternenden Sphäre Hinauf und Entlang,
Mehr als des Raumes tanzender Überschwang.
Im Schreiten der Menschen wird die Bahn der Freiheit geboren
Mit dem Schreiten der Menschen tritt
Gottes Anmut und Wandel aus allen Herzen und Toren.
Lächeln, Atem und Schritt
Sind mehr als des Lichtes, des Windes, der Sterne Bahn,
Die Welt fängt im Menschen an.
Im Lächeln, im Atem, im Schritt der Geliebten ertrinke!
Weine hin, kniee hin, sinke!

[26] **Aus dem bürgerlichen Heldenleben**

KARL KRAUS · *Beethoven und Goethe — Vorbilder und Lebensführer*

Heiratsgesuch

»Ich lebe als vielbeschäftigter Rechtsanwalt in rhein. Kleinstadt unweit der Großstadt. Mein Wohnort, meine starke berufl. Inanspruchnahme und das Brachliegen des gesell. Lebens sind der Grund meiner Ehelosigkeit. Ich habe gutes Einkommen und Privatvermögen. Alter 36 J., Größe 1,73 m, dunkelblond u. gesund. Ich stamme aus vornehmer christl. Akademikerfamilie. Bei aller Energie bin ich recht verträglich u. anpassungsfähig. Ein Freund der Künste, bevorzuge ich die Musik, die ich selbst mit Passion ausübe. Ohne mich im politischen Leben zu beteiligen, stehe ich der Deutschen Volkspartei nahe. Ich bin gut deutsch gesinnt, Kriegsteilnehmer und Anhänger eines Königtums nach engl. Muster. Ich bekenne mich zu keiner Kirche, ohne deswegen unreligiös zu sein. Männer wie

Friedrich der Große und Bismarck, Goethe und Schiller, Beethoven und Wagner sind mir Vorbilder und Lebensführer.

Seit langem geht mein tiefstes Sehnen nach einer herzlieben Frau, die Verständnis für meine Art hat. Eine solche Gattin zu finden, wäre mir höchstes Erdenglück! In Betracht kommt nur eine Tochter aus ebenbürtiger Familie, die gleich mir im Elternhause die sorgfältigste Erziehung genossen hat. Ihre Anschauungen müssen den meinen verwandt sein. Ich habe eine ausgesprochene Vorliebe für hübsche (!) Blondinen von ungefähr 1,70 m Größe. Hellblondine bevorzugt. Meinem Geschmack entspricht, was Äußeres angeht, Henny Porten, Margarete Schön. Vor allem muß meine Frau Sinn für ein gemütliches Heim haben. So sehr ich gelegentl. Besuch von Konzert und Theater schätze, so zuwider ist mir eine Frau, die ihre Lebensaufgabe im Vergnügen außerhalb des ehelichen Heims sieht. Bei aller Freude an schicker Kleidung mag ich keine Modepuppe, deren ganze Seligkeit ein vollgepfropfter, ständig neue Zufuhr erhaltender Kleiderschrank ist; meine Frau muß den Haushalt führen, dazu auch wirklich in der Lage sein und darf im Kochen kein Stümper sein.

So wie ich meinen Beruf verstehe, so soll sie den ihrigen beherrschen. Es wäre mir lieb, wenn meine Frau etwas vom Klavierspiel verstünde. Ich wünsche, daß meine Braut die Sachen in genügender Menge mit in die Ehe bringt, die zu ihrem ausschließlichen Gebrauch bestimmt sind, also z. B. Garderobe, Leibwäsche, Schuhe usw. Davon abgesehen sind die Vermögensverhältnisse meiner Zukünftigen Nebensache. Nur darf sie keine Schulden haben.

Junge Damen, die ein wahres Familienglück suchen, Eltern, die ihre Tochter einem zuverlässigen Manne anvertrauen wollen, mögen mir eingehend unter Beifügung eines Bildes schreiben. Strengste Verschwiegenheit u. Rückgabe des Bildes sichere ich ehrenwörtlich zu. Angebote u. M. V. 3179 an die Exped. d. Bl.«

Es ist vor allem nicht zu verstehen, warum solche 1,73 m lange und episch breite Individualitäten, die in einem Inserat sich ganz ausströmen, bis zu dem ständig neue Zufuhr erhaltenden Kleiderschrank — warum sie sich gelegentl. Buchstaben vom Mund absparen. Das kommt freilich von der berufl. Inanspruchnahme und vom Brachliegen des gesell. Lebens in einer rheinischen Kleinstadt u. namentlich, wenn man aus einer christl. Akademikerfamilie stammt. Dafür wird man sonst deutl. Das Rufzeichen nach den hübschen (!) Blondinen soll ausdrücken, daß nicht etwa jede Blondine von ungefähr 1,70 m schon glauben darf, daß sie da in Betracht kommt. Vor allem müssen ihre Anschauungen den seinen verwandt sein, sie hat also der Deutschen Volkspartei nahezustehen und Anhängerin eines Königtums nach engl. Muster zu sein. Nebenbei bemerkt, schwärmen jetzt alle Kapitalkälber, alle Terrorzitterer, die den Sack und darum die Hosen voll haben und die wissen, daß ihre Sehnsucht nach den alten Zeiten ungestillt bleiben muß, für ein Königtum nach engl. Muster. Sie gleichen sich mit dem republikanischen Gedanken zu 50% aus. Offenbar ist der Hosenbandorden eine besondere Sicherheitsvorkehrung gegen die Folgeerscheinungen des »Bolschewismus«, der ihnen zumal dann unsympatisch ist, wenn er »schleicht« und sich infolgedessen zu einer andauernden Bedrohung auswächst, anstatt wie es sich gehört, durch einen kurzen Hagelschauer des roten Terrors die Sonne des weißen heraufzuführen. Diese Gesellschaft ist natürlich in allen Ländern von der gleichen Wesenswiderwärtigkeit, man erkennt sie an den Reflexbewegungen und Gurgellauten der Eigentumsangst, die sie, wie manche Insekten einen übelriechenden Saft, von sich geben, sobald nur das Problem der Not an ihrem schäbigen Horizont auftaucht. Sie wollen vom Krieg »nichts mehr wissen«, es wäre denn, daß es ihn wieder herbeizuführen gälte oder daß sie als »Kriegsteilnehmer« gern auf die wilden Abenteuer im Etappenraum zurückblicken; und wenn neben ihnen ein Invalide verhungert, so trösten sie sich mit dem Gedanken, daß die Sanierung eben Opfer erfordert und zwar jene, die die Ruinierung übrig gelassen hat. Denn es geschieht alles fürs Vaterland, welches eine praktikable Dekoration ist, bestehend aus zwei Teilen, dem Vorteil für die einen und dem Nachteil für die anderen. Dies ist die Gesinnung, deren Urgemeinheit die Kraft hatte, alle Feindschaft aufzuheben und selbst die nationalen Gegensätze zu versöhnen. Aber wenngleich sie den Bürgersinn der ganzen Welt bezeichnet, am greulichsten zeigt sich die Naturfarbe doch in unseren Klimaten. Wehe der Frau, die in solchen Belangen das wahre Familienglück sucht! Denn wenn sie nicht von Haus aus Verständnis für die Art hat, also nicht eo ipso ein Mißgeschöpf ist, wird sie in ihrer hellblonden Ahnungslosigkeit heillos in den Strudel dieser Konzessivsätze gerissen: bei aller Freude an schicker Kleidung mag er nicht und so sehr er gelegentlich, so zuwider ist ihm, bei aller Energie ist er und ohne sich zu betätigen steht er, und ohne etwas zu sein, bekennt er sich — und sie geht in der Langeweile einer Ehrbarkeit unter, die in ihrem ganzen Leben keinen anderen romantischen Einfall hatte als den, Friedrich den Großen und Bismarck, Goethe und Schiller, Beethoven und Wagner als ihre Vorbilder und Lebensführer anzusprechen und zu wünschen, daß auch die Braut die Sachen in genügender Menge mitbringt, die wieder ausschließlich zu ihrem Gebrauch bestimmt sind. Also die Garderobe bis zur silbernen Hochzeit: damit nämlich der Kleiderschrank nicht ständig neue Zufuhr erhalte. So grauenhaft nun die Möglichkeit ist, daß Frauen an solchen Auswurf des Kosmos, der die Stützen der Gesellschaft repräsentiert, ihre Instinkte vergeben — weit grauenhafter als die, daß sie sich an so etwas verkaufen —, so findet man doch wieder einigen Trost in der Vorstellung, daß sie dann möglichst oft ihr Vergnügen außerhalb des ehelichen Heims finden. Es wäre ihm lieb, wenn sie etwas vom Klavierspiel verstünde: dem Manne kann geholfen werden, wenn ein Klavierlehrer nachhilft. Wo so viel verlangt wird, soll schon etwas gewährt sein. Seinem Geschmack entspricht Henny Porten, natürlich nur »was Äußeres angeht«, das Innere hat besser zu sein, und er hat die Frechheit, zur Kennzeichnung seines erotischen Bedarfs auch noch auf eine dem Plakatruhm ferne Darstellerin klassischer Gestalten hinzuweisen. Könnte man sich nun im Ernst vorstellen, daß dergleichen außer-

halb der christl.-germanischen Kulturzone, sagen wir in China möglich
wäre? Daß dort so um Frauen geworben wird, solches Spülicht von
Glücksverheißung sich durch die Presse, diese Cloaca maxima der öffentlichen Meinung wälzt? Aber an all der Schmach sind nur die Frauen schuld,
weil sie, anstatt die Natur, der sie doch näherstehen als die Verdiener,
durch Verzicht auf die Ausübung ihrer Funktionen in übelster Gemeinschaft zu rächen, sich diesen bürgerl. Geschlechtstieren hingeben, um sie
gar noch fortzupflanzen.

[27] Der Sturz in die Leere

R O B E R T   M U S I L · *Der Mann ohne Eigenschaften*

Ulrich, der »Mann ohne Eigenschaften«, entstammt einer Offiziersfamilie und befindet
sich in guten wirtschaftlichen Verhältnissen. Seine Entscheidungslosigkeit und »Welt-
müdigkeit« steht zugleich für die Situation des Staates, in dem er lebt: Österreichs, das
in dem Roman als Kakanien (kaiserlich-königlich) erscheint.

Walter und er waren jung gewesen in der heute verschollenen Zeit kurz
nach der letzten Jahrhundertwende, als viele Leute sich einbildeten, daß
auch das Jahrhundert jung sei.

Das damals zu Grabe gegangene hatte sich in seiner zweiten Hälfte
nicht gerade ausgezeichnet. Es war klug im Technischen, Kaufmännischen
und in der Forschung gewesen, aber außerhalb dieser Brennpunkte seiner
Energie war es still und verlogen wie ein Sumpf. Es hatte gemalt wie die
Alten, gedichtet wie Goethe und Schiller und seine Häuser im Stil der
Gotik und Renaissance gebaut. Die Forderung des Idealen waltete in der
Art eines Polizeipräsidiums über allen Äußerungen des Lebens. Aber ver-
möge jenes geheimen Gesetzes, das dem Menschen keine Nachahmung
erlaubt, ohne sie mit einer Übertreibung zu verknüpfen, wurde damals
alles so kunstgerecht gemacht, wie es die bewunderten Vorbilder niemals
zustandegebracht hätten, wovon man ja noch heute die Spuren in den
Straßen und Museen sehen kann, und, ob das nun damit zusammenhängt
oder nicht, die ebenso keuschen wie scheuen Frauen jener Zeit mußten
Kleider von den Ohren bis zum Erdboden tragen, aber einen schwellenden
Busen und ein üppiges Gesäß aufweisen. Im übrigen kennt man aus allerlei
Gründen von keiner gewesenen Zeit so wenig wie von solchen drei bis fünf
Jahrzehnten, die zwischen dem eigenen zwanzigsten Jahr und dem zwanzigsten Lebensjahr der Väter liegen. Es kann deshalb nützen, sich auch daran
erinnern zu lassen, daß in schlechten Zeiten die schrecklichsten Häuser
und Gedichte nach genau ebenso schönen Grundsätzen gemacht werden
wie in den besten; daß alle Leute, die daran beteiligt sind, die Erfolge
eines vorangegangenen guten Abschnitts zu zerstören, das Gefühl haben,
sie zu verbessern; und daß sich die blutlosen jungen Leute einer solchen
Zeit auf ihr junges Blut genauso viel einbilden wie die neuen Leute in allen
anderen Zeiten.

Und es ist jedesmal wie ein Wunder, wenn nach einer solchen flach
dahinsinkenden Zeit plötzlich ein kleiner Anstieg der Seele kommt, wie

es damals geschah. Aus dem ölglatten Geist der zwei letzten Jahrzehnte des 19. Jahrhunderts hatte sich plötzlich in ganz Europa ein beflügelndes Fieber erhoben. Niemand wußte genau, was im Werden war; niemand vermochte zu sagen, ob es eine neue Kunst, ein neuer Mensch, eine neue Moral oder vielleicht eine Umschichtung der Gesellschaft sein solle. Darum sagte jeder davon, was ihm paßte. Aber überall standen Menschen auf, um gegen das Alte zu kämpfen. Allenthalben war plötzlich der rechte Mann zur Stelle; und was so wichtig ist, Männer mit praktischer Unternehmungslust fanden sich mit den geistig Unternehmungslustigen zusammen. Es entwickelten sich Begabungen, die früher erstickt worden waren oder am öffentlichen Leben gar nicht teilgenommen hatten. Sie waren so verschieden wie nur möglich, und die Gegensätze ihrer Ziele waren unübertrefflich. Es wurde der Übermensch geliebt, und es wurde der Untermensch geliebt; es wurden die Gesundheit und die Sonne angebetet, und es wurde die Zärtlichkeit brustkranker Mädchen angebetet; man begeisterte sich für das Heldenglaubensbekenntnis und für das soziale Allemannsglaubensbekenntnis; man war gläubig und skeptisch, naturalistisch und preziös, robust und morbid; man träumte von alten Schloßalleen, herbstlichen Gärten, gläsernen Weihern, Edelsteinen, Haschisch, Krankheit, Dämonen, aber auch von Prärien, gewaltigen Horizonten, von Schmiede- und Walzwerken, nackten Kämpfern, Aufständen der Arbeitssklaven, menschlichen Urpaaren und Zertrümmerung der Gesellschaft. Dies waren freilich Widersprüche und höchst verschiedene Schlachtrufe, aber sie hatten einen gemeinsamen Atem; würde man jene Zeit zerlegt haben, so würde ein Unsinn herausgekommen sein wie ein eckiger Kreis, der aus hölzernem Eisen bestehen will, aber in Wirklichkeit war alles zu einem schimmernden Sinn verschmolzen. Diese Illusion, die ihre Verkörperung in dem magischen Datum der Jahrhundertwende fand, war so stark, daß sich die einen begeistert auf das neue, noch unbenützte Jahrhundert stürzten, indes die anderen sich noch schnell im alten wie in einem Hause gehen ließen, aus dem man ohnehin auszieht, ohne daß sie diese beiden Verhaltungsweisen als sehr unterschiedlich gefühlt hätten.

Wenn man nicht will, braucht man also diese vergangene »Bewegung« nicht zu überschätzen. Sie vollzog sich ohnehin nur in jener dünnen, unbeständigen Menschenschicht der Intellektuellen, die von den heute Gott sei Dank wieder obenauf gekommenen Menschen mit unzerreißbarer Weltanschauung, trotz aller Unterschiede dieser Weltanschauung, einmütig verachtet wird, und wirkte nicht in die Menge. Aber immerhin, wenn es auch kein geschichtliches Ereignis geworden ist, ein Ereignislein war es doch, und die beiden Freunde Walter und Ulrich hatten, als sie jung waren, gerade noch einen Schimmer davon erlebt. Durch das Gewirr von Glauben ging damals etwas hindurch, wie wenn viele Bäume sich in *einem* Wind beugen, ein Sekten- und Besserergeist, das selige Gewissen eines Auf- und Anbruchs, eine kleine Wiedergeburt und Reformation, wie nur die besten Zeiten es kennen, und wenn man damals in die Welt eintrat, fühlte man schon an der ersten Ecke den Hauch des Geistes um die Wangen . . .

Es kam Ulrich vor, daß er beim Beginn der Mannesjahre in ein allgemeines Abflauen geraten war, das trotz gelegentlicher, rasch sich beruhigender Wirbel zu einem immer lustloseren, wirren Pulsschlag verrann. Es ließ sich kaum sagen, worin diese Veränderung bestand. Gab es mit einemmal weniger bedeutende Männer? Keineswegs! Und überdies, es kommt auf sie gar nicht an; die Höhe einer Zeit hängt nicht von ihnen ab, zum Beispiel hat weder die Ungeistigkeit der Menschen der sechziger und achtziger Jahre das Werden Hebbels und Nietzsches zu unterdrücken vermocht, noch einer von diesen die Ungeistigkeit seiner Zeitgenossen. Stockte das allgemeine Leben? Nein; es war mächtiger geworden! Gab es mehr lähmende Widersprüche als früher? Es konnte kaum mehr davon geben! Waren früher keine Verkehrtheiten begangen worden? In Mengen! Unter uns gesagt: Man warf sich für schwache Männer ins Zeug und ließ starke unbeachtet; es kam vor, daß Dummköpfe eine Führer- und große Begabungen eine Sonderlingsrolle spielten; der deutsche Mensch las unbekümmert um alle Geburtswehen, die er als dekadente und krankhafte Übertreibungen bezeichnete, seine Familienzeitschriften weiter und besuchte in unvergleichlich größeren Mengen die Glaspaläste und Künstlerhäuser als die Sezessionen; die Politik schon gar kehrte sich nicht im geringsten an die Anschauungen der neuen Männer und ihrer Zeitschriften, und die öffentlichen Einrichtungen blieben gegen das Neue wie von einem Pestkordon umzogen. — Könnte man nicht geradezu sagen, daß seither alles besser geworden sei? Menschen, die früher bloß an der Spitze kleiner Sekten gestanden haben, sind inzwischen alte Berühmtheiten geworden; Verleger und Kunsthändler reich; Neues wird immer weiter gegründet; alle Welt besucht sowohl die Glaspaläste wie die Sezessionen und die Sezessionen der Sezessionen; die Familienzeitschriften haben sich die Haare kurz schneiden lassen; die Staatsmänner zeigen sich gern in den Künsten der Kultur beschlagen, und die Zeitungen machen Literaturgeschichte. Was ist also abhanden gekommen?

Etwas Unwägbares. Ein Vorzeichen. Eine Illusion. Wie wenn ein Magnet die Eisenspäne losläßt und sie wieder durcheinandergeraten. Wie wenn Fäden aus einem Knäuel herausfallen. Wie wenn ein Zug sich gelockert hat. Wie wenn ein Orchester falsch zu spielen anfängt. Es hätten sich schlechterdings keine Einzelheiten nachweisen lassen, die nicht auch früher möglich gewesen wären, aber alle Verhältnisse hatten sich ein wenig verschoben. Vorstellungen, deren Geltung früher mager gewesen war, wurden dick. Personen ernteten Ruhm, die man früher nicht für voll genommen hätte. Schroffes milderte sich, Getrenntes lief wieder zusammen, Unabhängige zollten dem Beifall Zugeständnisse, der schon gebildete Geschmack erlitt von neuem Unsicherheiten. Die scharfen Grenzen hatten sich allenthalben verwischt, und irgendeine neue, nicht zu beschreibende Fähigkeit, sich zu versippen, hob neue Menschen und Vorstellungen empor. Die waren nicht schlecht, gewiß nicht; nein, es war nur ein wenig zu viel

Schlechtes ins Gute gemengt, Irrtum in die Wahrheit, Anpassung in die Bedeutung. Es schien geradezu einen bevorzugten Prozentsatz dieser Mischung zu geben, der in der Welt am weitesten kam; eine kleine, eben ausreichende Beimengung von Surrogat, die das Genie erst genial und das Talent als Hoffnung erscheinen ließ, so wie ein gewisser Zusatz von Feigen- oder Zichorienkaffee nach Ansicht mancher Leute dem Kaffee erst die rechte gehaltvolle Kaffeehaftigkeit verleiht, und mit einemmal waren alle bevorzugten und wichtigen Stellungen des Geistes von solchen Menschen besetzt, und alle Entscheidungen fielen in ihrem Sinne. Man kann nichts dafür verantwortlich machen. Man kann auch nicht sagen, wie alles so geworden ist. Man kann weder gegen Personen noch gegen Ideen oder bestimmte Erscheinungen kämpfen. Es fehlt nicht an Begabung noch an gutem Willen, ja nicht einmal an Charakteren. Es fehlt bloß ebensogut an allem wie an nichts; es ist, als ob sich das Blut oder die Luft verändert hätte, eine geheimnisvolle Krankheit hat den kleinen Ansatz zu Genialem der früheren Zeit verzehrt, aber alles funkelt von Neuheit, und zum Schluß weiß man nicht mehr, ob wirklich die Welt schlechter geworden sei oder man selbst bloß älter. Dann ist endgültig eine neue Zeit gekommen.

So hatte sich also die Zeit geändert, wie ein Tag, der strahlend blau beginnt und sich sacht verschleiert, und hatte nicht die Freundlichkeit besessen, auf Ulrich zu warten. Er vergalt es seiner Zeit damit, daß er die Ursache der geheimnisvollen Veränderungen, die ihre Krankheit bildeten, indem sie das Genie aufzehrten, für ganz gewöhnliche Dummheit hielt. Durchaus nicht in einem beleidigenden Sinn. Denn wenn die Dummheit nicht von innen dem Talent zum Verwechseln ähnlich sähe, wenn sie außen nicht als Fortschritt, Genie, Hoffnung, Verbesserung erscheinen könnte, würde wohl niemand dumm sein wollen, und es würde keine Dummheit geben. Zumindest wäre es sehr leicht, sie zu bekämpfen. Aber sie hat leider etwas ungemein Gewinnendes und Natürliches. Wenn man zum Beispiel findet, daß ein Öldruck eine kunstvollere Leistung sei als ein handgemaltes Ölbild, so steckt eben auch eine Wahrheit darin, und sie ist sicherer zu beweisen als die, daß van Gogh ein großer Künstler war. Ebenso ist es sehr leicht und lohnend, als Dramatiker kräftiger als Shakespeare oder als Erzähler ausgeglichener als Goethe zu sein, und ein rechter Gemeinplatz hat immerdar mehr Menschlichkeit in sich als eine neue Entdeckung. Es gibt schlechterdings keinen bedeutenden Gedanken, den die Dummheit nicht anzuwenden verstünde, sie ist allseitig beweglich und kann alle Kleider der Wahrheit anziehen. Die Wahrheit dagegen hat jeweils nur ein Kleid und einen Weg und ist immer im Nachteil.

Nach einer Weile hatte Ulrich aber in Verbindung damit einen wunderlichen Einfall. Er stellte sich vor, der große Kirchenphilosoph Thomas von Aquino, gestorben 1274, nachdem er die Gedanken seiner Zeit unsäglich mühevoll in beste Ordnung gebracht hatte, wäre damit noch gründlicher in die Tiefe gegangen und soeben erst fertig geworden; nun trat er, durch besondere Gnade jung geblieben, mit vielen Folianten unter dem

Arm aus seiner rundbogigen Haustür, und eine Elektrische sauste ihm an der Nase vorbei. Das verständnislose Staunen des Doctor universalis, wie die Vergangenheit den berühmten Thomas genannt hat, belustigte ihn. Ein Motorradfahrer kam die leere Straße entlang, o-armig, o-beinig donnerte er die Perspektive herauf. Sein Gesicht hatte den Ernst eines mit ungeheurer Wichtigkeit brüllenden Kindes. Ulrich erinnerte sich dabei an das Bild einer berühmten Tennisspielerin, das er vor einigen Tagen in einer Zeitschrift gesehen hatte; sie stand auf der Zehenspitze, hatte das Bein bis über das Strumpfband entblößt und schleuderte das andere Bein gegen ihren Kopf, während sie mit dem Schläger hoch ausholte, um einen Ball zu nehmen; dazu machte sie das Gesicht einer englischen Gouvernante. In dem gleichen Heft war eine Schwimmerin abgebildet, wie sie sich nach dem Wettkampf massieren ließ; zu Füßen und zu Häupten stand ihr je eine ernst zusehende Frauensperson in Straßenkleidung, während sie nackt auf einem Bett am Rücken lag, ein Knie in einer Stellung der Hingabe hochgezogen, und der Masseur daneben hatte die Hände darauf ruhen, trug einen Ärztekittel und blickte aus der Aufnahme heraus, als wäre dieses Frauenfleisch enthäutet und hinge auf einem Haken. Solche Dinge begann man damals zu sehen, und irgendwie muß man sie anerkennen, so wie man die Hochbauten anerkennt und die Elektrizität. Man kann seiner eigenen Zeit nicht böse sein, ohne selbst Schaden zu nehmen, fühlte Ulrich. Er war auch jederzeit bereit, alle diese Gestaltungen des Lebendigen zu lieben. Was er niemals zustande brachte, war bloß, sie restlos, so wie es das soziale Wohlgefühl erfordert, zu lieben; seit langem blieb ein Hauch von Abneigung über allem liegen, was er trieb und erlebte, ein Schatten von Ohnmacht und Einsamkeit, eine universale Abneigung, zu der er die ergänzende Neigung nicht finden konnte. Es war ihm zuweilen geradeso zumute, als wäre er mit einer Begabung geboren, für die es gegenwärtig kein Ziel gab.

[28] **Satirische Waffengänge**

Erich Kästner · *Die Entwicklung der Menschheit*

Einst haben die Kerls auf den Bäumen gehockt,
Behaart und mit böser Visage.
Dann hat man sie aus dem Urwald gelockt
Und die Welt asphaltiert und aufgestockt,
Bis zur dreißigsten Etage.

Da saßen sie nun, den Flöhen entflohn,
In zentralgeheizten Räumen.
Da sitzen sie nun am Telefon.
Und es herrscht noch genau derselbe Ton
Wie seinerzeit auf den Bäumen.

Sie hören weit. Sie sehen fern.
Sie sind mit dem Weltall in Fühlung.
Sie putzen die Zähne. Sie atmen modern.
Die Erde ist ein gebildeter Stern
Mit sehr viel Wasserspülung.

Sie schießen die Briefschaften durch ein Rohr.
Sie jagen und züchten Mikroben.
Sie versehn die Natur mit allem Komfort.
Sie fliegen steil in den Himmel empor
Und bleiben zwei Wochen oben.

Was ihre Verdauung übrigläßt,
Das verarbeiten sie zu Watte.
Sie spalten Atome. Sie heilen Inzest.
Und sie stellen durch Stiluntersuchungen fest,
Daß Cäsar Plattfüße hatte.

So haben sie mit dem Kopf und dem Mund
Den Fortschritt der Menschheit geschaffen.
Doch davon mal abgesehen und
Bei Lichte betrachtet sind sie im Grund
Noch immer die alten Affen.

ERICH KÄSTNER · *Kennst du das Land*

Kennst du das Land, wo die Kanonen blühn?
Du kennst es nicht? Du wirst es kennenlernen!
Dort stehn die Prokuristen stolz und kühn
In den Büros, als wären es Kasernen.

Wenn dort ein Vorgesetzter etwas will,
Und es ist sein Beruf, etwas zu wollen,
Steht der Verstand erst stramm und zweitens still.
Die Augen rechts und mit dem Rückgrat rollen!

Die Kinder kommen dort mit kleinen Sporen
Und mit gezognem Scheitel auf die Welt.
Dort wird man nicht als Zivilist geboren,
Dort wird befördert, wer die Schnauze hält.

Kennst du das Land? Es könnte glücklich sein.
Es könnte glücklich sein und glücklich machen!
Dort gibt es Äcker, Kohle, Stahl und Stein
Und Fleiß und Kraft und andre schöne Sachen.

Selbst Geist und Güte gibt's dort dann und wann!
Und wahres Heldentum, doch nicht bei vielen.
Dort steckt ein Kind in jedem zweiten Mann,
Das will mit Bleisoldaten spielen.

Dort reift die Freiheit nicht. Dort bleibt sie grün.
Was man auch baut, es werden stets Kasernen.
Kennst du das Land, wo die Kanonen blühn?
Du kennst es nicht? Du wirst es kennenlernen.

KURT TUCHOLSKY · *Das Ideal*

Ja, das möchste:

Eine Villa im Grünen mit großer Terrasse,
Vorn die Ostsee, hinten die Friedrichstraße;
Mit schöner Aussicht, ländlich-mondän,
Vom Badezimmer ist die Zugspitze zu sehn —
Aber abends zum Kino hast du's nicht weit.

Das Ganze schlicht, voller Bescheidenheit:

Neun Zimmer — nein, doch lieber zehn!
Ein Dachgarten, wo die Eichen drauf stehn,
Radio, Zentralheizung, Vakuum,
Eine Dienerschaft, gut gezogen und stumm,
Eine süße Frau voller Rasse und Verve
(Und eine fürs Wochenend, zur Reserve) —
Eine Bibliothek und drumherum
Einsamkeit und Hummelgesumm.

Im Stall: zwei Ponys, vier Vollbluthengste,
Acht Autos, Motorrad — alles lenkste
Natürlich selber — das wär ja gelacht!
Und zwischendurch gehst du auf Hochwildjagd.

Ja, und das hab ich ganz vergessen:

Prima Küche — erstes Essen —
Alte Weine aus schönem Pokal —
Und egalweg bleibst du dünn wie ein Aal.
Und Geld. Und an Schmuck eine richtige Portion.
Und noch 'ne Million und noch 'ne Million.
Und Reisen. Und fröhliche Lebensbuntheit.
Und famose Kinder. Und ewige Gesundheit.

Ja, das möchste!

Aber, wie das so ist hienieden:

Manchmal scheint's so, als sei es beschieden,
Nur pöapö, das irdische Glück.
Immer fehlt dir irgendein Stück.
Hast du Geld, dann hast du nicht Käten;
Hast du die Frau, dann fehl'n dir Moneten.
Hast du die Geisha, dann stört dich der Fächer;
Bald fehlt uns der Wein, bald fehlt uns der Becher.
Etwas ist immer. Tröste dich.
Jedes Glück hat einen kleinen Stich.
Wir möchten so viel: Haben. Sein. Und gelten.
Daß einer alles hat: das ist selten.

KURT TUCHOLSKY · *Mutterns Hände*

Hast uns Stulln jeschnitten
un Kaffee jekocht
    un de Töppe rübajeschohm —
un jewischt un jenäht
un jemacht und jedreht . . .
    alles mit deine Hände.

Hast de Milch zujedeckt,
uns Bonbongs zujesteckt
    un Zeitungen ausjetragen —
hast die Hemden jezählt
und Kartoffeln jeschält . . .
    alles mit deine Hände.

Hast uns manches Mal
bei jroßen Schkandal
    auch 'n Katzenkopp jejeben.
Hast uns hochjebracht.
Wir warn Stücker acht,
sechse sind noch am Leben . . .
    alles mit deine Hände.

Heiß warn se un kalt
nu sind se alt
    nu bis du bald am Ende.
Da stehn wa nu hier,
und denn komm wir bei dir
    und streicheln deine Hände.

Bertolt Brecht · *Der gute Mensch von Sezuan*

Die Götter sind auf die Erde herabgestiegen, um einen guten Menschen ausfindig zu machen. Sie glauben ihn in Shen Te, dem Freudenmädchen, gefunden zu haben. Um aber mit ihrer Güte nicht selbst untergehen zu müssen, spielt Shen Te in Verkleidung zeitweise die Rolle eines bösen Vetters: des Shui Ta.

Shui Ta *(ist auf seinen Stuhl gesunken)*: Ich kann nicht mehr. Ich will alles aufklären. Wenn der Saal geräumt wird und nur die Richter zurückbleiben, will ich ein Geständnis machen.

Alle: Er gesteht! Er ist überführt!

Der erste Gott *(schlägt mit dem Hammer auf den Tisch)*: Der Saal soll geräumt werden. *(Der Polizist räumt den Saal.)*

Die Shin *(im Abgehen lachend)*: Man wird sich wundern!

Shui Ta: Sind sie draußen? Alle? Ich kann nicht mehr schweigen. Ich habe euch erkannt, Erleuchtete!

Der zweite Gott: Was hast du mit unserm guten Menschen von Sezuan gemacht?

Shui Ta: Dann laßt mich euch die furchtbare Wahrheit gestehen, ich bin euer guter Mensch! *(Er nimmt die Maske ab und reißt sich die Kleider weg Shen Te steht da.)*

Der zweite Gott: Shen Te!

Shen Te: Ja, ich bin es. Shui Ta und Shen Te, ich bin beides.
Euer einstiger Befehl
Gut zu sein und doch zu leben
Zerriß mich wie ein Blitz in zwei Hälften. Ich
Weiß nicht, wie es kam: gut sein zu andern
Und zu mir, konnte ich nicht zugleich.
Andern und mir zu helfen, war mir zu schwer.
Ach, eure Welt ist schwierig! Zu viel Not, zu viel Verzweiflung!
Die Hand, die dem Elenden gereicht wird
Reißt er einem gleich aus! Wer den Verlorenen hilft
Ist selbst verloren! Denn wer könnte
Lang sich weigern, böse zu sein, wenn da stirbt, wer kein Fleisch ißt?
Aus was sollte ich nehmen, was alles gebraucht wurde? Nur
Aus mir! Aber dann kam ich um! Die Last der guten Vorsätze
Drückte mich in die Erde. Doch wenn ich Unrecht tat
Ging ich mächtig herum und aß vom guten Fleisch!
Etwas muß falsch sein an eurer Welt. Warum
Ist auf die Bosheit ein Preis gesetzt und warum erwarten den Guten
So harte Strafen? Ach, in mir war
Solch eine Gier, mich zu verwöhnen! Und da war auch
In mir ein heimliches Wissen, denn meine Ziehmutter
Wusch mich mit Gossenwasser! Davon kriegte ich
Ein scharfes Aug. Jedoch Mitleid
Schmerzte mich so. daß ich gleich in wölfischen Zorn verfiel

Angesichts des Elends. Dann
Fühlte ich, wie ich mich verwandelte und
Mir die Lippe zur Lefze wurd. Wie Asch im Mund
Schmeckte das gütige Wort. Und doch
Wollte ich gern ein Engel sein den Vorstädten. Zu schenken
War mir eine Wollust. Ein glückliches Gesicht
Und ich ging wie auf Wolken.
Verdammt mich: alles, was ich verbrach
Tat ich, meinen Nachbarn zu helfen
Meinen Geliebten zu lieben und
Meinen kleinen Sohn vor dem Mangel zu retten.
Für eure großen Pläne, ihr Götter
War ich armer Mensch zu klein.

DER ERSTE GOTT *(mit allen Zeichen des Entsetzens)*: Sprich nicht weiter, Unglückliche! Was sollen wir denken, die so froh sind, dich wiedergefunden zu haben!

SHEN TE: Aber ich muß euch doch sagen, daß ich der böse Mensch bin, von dem alle hier diese Untaten berichtet haben.

DER ERSTE GOTT: Der gute Mensch, von dem alle nur Gutes berichtet haben!

SHEN TE: Nein, auch der böse!

DER ERSTE GOTT: Ein Mißverständnis! Einige unglückliche Vorkommnisse. Ein paar Nachbarn ohne Herz! Etwas Übereifer!

DER ZWEITE GOTT: Aber wie soll sie weiterleben?

DER ERSTE GOTT: Sie kann es! Sie ist eine kräftige Person und wohlgestaltet und kann viel aushalten.

DER ZWEITE GOTT: Aber hast du nicht gehört, was sie sagt?

DER ERSTE GOTT *(heftig)*: Verwirrtes, sehr Verwirrtes! Unglaubliches, sehr Unglaubliches! Sollen wir eingestehen, daß unsere Gebote tödlich sind? Sollen wir verzichten auf unsere Gebote? *(Verbissen:)* Niemals! Soll die Welt geändert werden? Wie? Von wem? Nein, es ist alles in Ordnung. *(Er schlägt schnell mit dem Hammer auf den Tisch. Und nun — auf ein Zeichen von ihm — ertönt Musik. Eine rosige Helle entsteht.)*
Laßt uns zurückkehren. Diese kleine Welt
Hat uns sehr gefesselt. Ihr Freud und Leid
Hat uns erquickt und uns geschmerzt. Jedoch
Gedenken wir dort über den Gestirnen
Deiner, Shen Te, des guten Menschen, gern
Die du von unserm Geist hier unten zeugst
In kalter Finsternis die kleine Lampe trägst.
Leb wohl, mach's gut!

(Auf ein Zeichen von ihm öffnet sich die Decke. Eine rosa Wolke läßt sich hernieder. Auf ihr fahren die Götter sehr langsam nach oben.)

SHEN TE: Oh, nicht doch, Erleuchtete! Fahrt nicht weg! Verlaßt mich nicht! Wie soll ich den beiden guten Alten in die Augen schauen, die ihren Laden verloren haben, und dem Wasserverkäufer mit der steifen Hand?

Und wie soll ich mich des Barbiers erwehren, den ich nicht liebe, und wie Suns, den ich liebe? Und mein Leib ist gesegnet, bald ist mein kleiner Sohn da und will essen? Ich kann nicht hier bleiben! *(Sie blickt gehetzt nach der Tür, durch die ihre Peiniger eintreten werden.)*

DER ERSTE GOTT: Du kannst es. Sei nur gut, und alles wird gut werden! *(Herein die Zeugen. Sie sehen mit Verwunderung die Richter auf ihrer rosa Wolke schweben.)*

WANG: Bezeugt euren Respekt! Die Götter sind unter uns erschienen! Drei der höchsten Götter sind nach Sezuan gekommen, einen guten Menschen zu suchen. Sie hatten ihn schon gefunden, aber . . .

DER ERSTE GOTT: Kein Aber! Hier ist er!

ALLE: Shen Te!

DER ERSTE GOTT: Sie ist nicht umgekommen, sie war nur verborgen. Sie wird unter euch bleiben, ein guter Mensch!

SHEN TE: Aber ich brauche den Vetter!

DER ERSTE GOTT: Nicht zu oft!

SHEN TE: Jede Woche zumindest!

DER ERSTE GOTT: Jeden Monat, das genügt!

SHEN TE: Oh, entfernt euch nicht, Erleuchtete! Ich habe noch nicht alles gesagt! Ich brauche euch dringend!

DIE GÖTTER *(singen das Terzett der entschwindenden Götter auf der Wolke)*:
Leider können wir nicht bleiben
Mehr als eine flüchtige Stund:
Lang besehn, ihn zu beschreiben
Schwände hin der schöne Fund.
Eure Körper werfen Schatten
In der Flut des goldnen Lichts
Drum müßt ihr uns schon gestatten
Heimzugehn in unser Nichts.

SHEN TE: Hilfe!

DIE GÖTTER: Und lasset, da die Suche nun vorbei
Uns fahren schnell hinan!
Gepriesen sei, gepriesen sei
Der gute Mensch von Sezuan!

(Während Shen Te verzweifelt die Arme nach ihnen ausbreitet, verschwinden sie oben, lächelnd und winkend.)

BERTOLT BRECHT · *Legende von der Entstehung des Buches Taoteking auf dem Weg des Laotse in die Emigration*

1
Als er siebzig war und war gebrechlich,
Drängte es den Lehrer doch nach Ruh.
Denn die Güte war im Lande wieder einmal schwächlich,
Und die Bosheit nahm an Kräften wieder einmal zu.
Und er gürtete den Schuh.

2

Und er packte ein, was er so brauchte:
Wenig. Doch es wurde dies und das.
So die Pfeife, die er immer abends rauchte,
Und das Büchlein, das er immer las.
Weißbrot nach dem Augenmaß.

3

Freute sich des Tals noch einmal und vergaß es,
Als er ins Gebirg den Weg einschlug.
Und ein Ochse freute sich des frischen Grases,
Kauend, während er den Alten trug.
Denn dem ging es schnell genug.

4

Doch am vierten Tag im Felsgesteine
Hat ein Zöllner ihm den Weg verwehrt:
»Kostbarkeiten zu verzollen?« — »Keine.«
Und der Knabe, der den Ochsen führte, sprach: »Er hat gelehrt.«
Und so war auch das erklärt.

5

Doch der Mann in einer heitren Regung
Fragte noch: »Hat er was rausgekriegt?«
Sprach der Knabe: »Daß das weiche Wasser in Bewegung
Mit der Zeit den mächtigen Stein besiegt.
Du verstehst, das Harte unterliegt.«

6

Daß er nicht das letzte Tageslicht verlöre,
Trieb der Knabe nun den Ochsen an.
Und die drei verschwanden schon um eine schwarze Föhre,
Da kam plötzlich Fahrt in unsern Mann
Und er schrie: »He, du! Halt an!

7

Was ist das mit diesem Wasser, Alter?«
Hielt der Alte: »Interessiert es dich?«
Sprach der Mann: »Ich bin nur Zollverwalter,
Doch wer wen besiegt, das interessiert auch mich.
Wenn du's weißt, dann sprich!

8

Schreib mir's auf! Diktier es diesem Kinde!
So was nimmt man doch nicht mit sich fort.
Da gibt's doch Papier bei uns und Tinte.
Und ein Nachtmahl gibt es auch: Ich wohne dort.
Nun, ist das ein Wort?«

9
Über seine Schulter sah der Alte
Auf den Mann: Flickjoppe. Keine Schuh.
Und die Stirne eine einzige Falte.
Ach, kein Sieger trat da auf ihn zu.
Und er murmelte: »Auch du?«

10
Eine höfliche Bitte abzuschlagen,
War der Alte, wie es schien, zu alt.
Denn er sagte laut: »Die etwas fragen,
Die verdienen Antwort.« Sprach der Knabe: »Es wird auch
    schon kalt.«
»Gut, ein kleiner Aufenthalt.«

11
Und von seinem Ochsen stieg der Weise.
Sieben Tage schrieben sie zu zweit.
Und der Zöllner brachte Essen (und er fluchte nur noch leise
Mit den Schmugglern in der ganzen Zeit).
Und dann war's soweit.

12
Und dem Zöllner händigte der Knabe
Eines Morgens einundachtzig Sprüche ein.
Und mit Dank für eine kleine Reisegabe
Bogen sie um jene Föhre ins Gestein.
Sagt jetzt: kann man höflicher sein?

13
Aber rühmen wir nicht nur den Weisen,
Dessen Name auf dem Buche prangt!
Denn man muß dem Weisen seine Weisheit erst entreißen.
Darum sei der Zöllner auch bedankt:
Er hat sie ihm abverlangt.

[30] **Die Zeitbühne**

CARL ZUCKMAYER · *Der Hauptmann von Köpenick (Nachwort)*

Wilhelm Voigt, ein Schustergeselle in der großen Stadt Berlin, in
die er mit 17 Jahren geraten war, bekam von seiner Mutter drei Taler
geschickt. Er brauchte aber mehr als drei Taler, denn er war sehr jung,
und bei seinem Meister hatte er nur schmale Kost und Schlafstatt. Damals
wurden die Postanweisungen nur in Ziffern ausgeschrieben. Eine Drei
war mit Tinte aufs Formular gemalt, dann kam ein weißer Zwischenraum,

dann das vorgedruckte Wort »Thaler«. Da nahm er Feder und Tinte und malte hinter die Drei eine Null.

Als ein Schutzmann nach ihm gefragt hatte, während er mit Stiefeln unterwegs war, riß er aus und ging über Land. Bald war sein Geld zu Ende. Da schickte er seinen letzten Taler per Post an sich selbst, Adresse »Herberge zur Heimat«, in der nächstgelegenen Stadt. Dort malte er wieder eine Null und holte zehn Taler ab. Schließlich erwischten sie ihn und machten ihm den Prozeß. Er hatte die Reichspost alles in allem um 300 Mark geschädigt. Dafür sperrte man ihn wegen wiederholten Betruges 15 Jahre ins Zuchthaus.

Als er herauskam, war er 32 Jahre alt. Seine Mutter war tot, und es gab niemand, der etwas von ihm wissen wollte. Da ging er ins Ausland, zu Fuß, ohne Paß über die Grenze, erst nach Böhmen, dann weiter, arbeitete fleißig und verdiente stets, was er zum Leben brauchte. Aber die Leute sprachen dort eine fremde Sprache, und nur, wenn er allein war, konnte er so reden, wie er es von der Mutter gelernt hatte. So trieb's ihn, ob er wollte oder nicht, wieder nach Deutschland zurück. Dort aber erging es ihm schlecht. Man konnte es ihm nicht vergessen, daß er die fünfzehn besten Jahre seines Lebens im Zuchthaus gesessen hatte. Zwar fanden sich Leute, die ihm Arbeit gaben, aber die Behörde, ohne deren Einverständnis nichts erlaubt ist, auch die Arbeit nicht, wollte einem vorbestraften Manne kein Vertrauen schenken.

Immer wieder, wenn er an einem Ort seßhaft werden wollte, versagte man ihm den Aufenthalt und wies ihn aus. Weil er nun ohne ordentliche Abmeldung nirgends Arbeit fand und ohne Arbeitsnachweis nirgends zur Anmeldung zugelassen wurde, mußte er immer weiter, wie der ewige Jude, und hatte, wie der, keine Hoffnung auf einen Ruhepunkt. Da versuchte er es mit falschem Namen. Das war aber wieder gegen das Gesetz, er wurde erwischt und bestraft. Als er dann wieder herauskam, wollte er ins Ausland zurück. Nun aber gaben sie ihm keinen Paß, und es gelang ihm nicht mehr, über die Grenze zu kommen. Er mußte im Lande bleiben, wo man ihm jedoch nirgends den Aufenthalt bewilligte. Schließlich versuchte er, was man ihm nicht geben wollte, mit Gewalt zu nehmen. Bei einem Einbruch in ein Polizeibüro, in dem man Pässe, Papiere, Geld aufbewahrte, wurde er erwischt und mußte wieder auf lange Zeit ins Zuchthaus. Als er 56 Jahre alt war, hatte er mehr als 30 Jahre seines Lebens im Zuchthaus oder im Gefängnis verbracht, den Rest, der, zieht man die Kindheit ab, nicht mehr groß ist, teils im Ausland, teils in ewig aussichtslosem Kampf um eine Erlaubnis zum Leben.

Und als er wieder einmal in einem Ort, in dem es ihm fast gelungen wäre, Heimat zu finden, seine Ausweisung bekam, verschwand er ganz und war, da man ihn nirgends haben wollte, nicht mehr da.

Es lebt aber in der Stadt Berlin eine Uniform, gemacht vom besten Schneider zu Potsdam für einen Hauptmann vom 1. Garde-Regiment zu Fuß. Die wollte auch keiner mehr haben, denn sie hatte ein gutes Alter auf dem Buckel und hatte bis zum Nähteplatzen ihre Pflicht getan. In einem Trödlerladen, der letzten Zuflucht alles Ausrangierten, trafen beide zusammen, und da jeder allein zu nichts mehr nütze war, heirateten sie.

So wurde der Hauptmann von Köpenick geboren.

Warum nun dieser vorbestrafte Schuster Wilhelm Voigt, der Mann ohne Paß und ohne Aufenthalt, nicht ins Wasser ging oder in einem Säuferheim verfaulte, sondern, mit einer alten Montur vermählt, ein ganz anderer, Neuer war:

Wieso man ihn, das Stiefkind aller Amtsstuben, gleich nach dieser Hochzeit, als ihren unumschränkten Herrn und Herrscher anschaute:

Weshalb gerade er, der Wilhelm Voigt, etwas gemerkt hatte, was 60 Millionen guter Deutscher auch wußten, ohne etwas zu merken: all das versucht das Schauspiel »Der Hauptmann von Köpenick« im Ablauf weniger Stunden zu zeigen.

Es hält und hängt sich nicht an die Einzelheiten tatsächlicher Geschehnisse, es zeichnet nicht die dürftigen Buchstaben der Dokumente nach, denn aus ihnen ist nur der äußere Ablauf, niemals das Wesen und die Quersumme eines Menschen oder der irdischen Geschichte zu erkennen.

Es ist ja auch nichts Neues, was es erzählt, sondern es ist ein deutsches Märchen, längst vorbei — vielleicht überhaupt nicht wahr? — und nur ein Gleichnis für das, was nicht vorbei ist! An dem Schluß und zu allem neuen Beginnen steht der Spruch aus den »Bremer Stadtmusikanten« der Brüder Grimm: »Komm mit! Etwas Besseres als den Tod findest du überall!«

[31] Die verlorene Generation

Wolfgang Borchert · *Draußen vor der Tür*

Ein Mann kommt nach Deutschland.

Er war lange weg, der Mann. Sehr lange. Vielleicht zu lange. Und er kommt ganz anders wieder, als er wegging. Äußerlich ist er ein naher Verwandter jener Gebilde, die auf den Feldern stehen, um die Vögel (und abends manchmal auch die Menschen) zu erschrecken. Innerlich — auch. Er hat tausend Tage draußen in der Kälte gewartet. Und als Eintrittsgeld mußte er mit seiner Kniescheibe bezahlen. Und nachdem er nun tausend Nächte draußen in der Kälte gewartet hat, kommt er endlich doch noch nach Hause. Ein Mann kommt nach Deutschland.

Und da erlebt er einen ganz tollen Film. Er muß sich während der Vorstellung mehrmals in den Arm kneifen, denn er weiß nicht, ob er wacht oder träumt. Aber dann sieht er, daß es rechts und links neben ihm noch mehr Leute gibt, die alle dasselbe erleben. Und er denkt, daß es dann doch wohl die Wahrheit sein muß. Ja, und als er dann am Schluß mit leerem Magen und kalten Füßen wieder auf der Straße steht, merkt er, daß es eigentlich nur ein ganz alltäglicher Film war, ein ganz alltäglicher Film. Von einem Mann, der nach Deutschland kommt, einer von denen. Einer von denen, die nach Hause kommen und die dann doch nicht nach Hause kommen, weil für sie kein Zuhause mehr da ist. Und ihr Zuhause ist dann draußen vor der Tür. Ihr Deutschland ist draußen, nachts im Regen, auf der Straße.

Das ist ihr Deutschland.

WOLFGANG BORCHERT · *Nachts schlafen die Ratten doch*

Das hohle Fenster in der vereinsamten Mauer gähnte blaurot voll früher Abendsonne. Staubgewölke flimmerte zwischen den steilgereckten Schornsteinresten. Die Schuttwüste döste. Er hatte die Augen zu. Mit einmal wurde es noch dunkler. Er merkte, daß jemand gekommen war und nun vor ihm stand, dunkel, leise. Jetzt haben sie mich! dachte er. Aber als er ein bißchen blinzelte, sah er nur zwei etwas ärmlich behoste Beine. Die standen ziemlich krumm vor ihm, daß er zwischen ihnen hindurchsehen konnte. Er riskierte ein kleines Geblinzel an den Hosenbeinen hoch und erkannte einen älteren Mann. Der hatte ein Messer und einen Korb in der Hand. Und etwas Erde an den Fingerspitzen.

Du schläfst hier wohl, was? fragte der Mann und sah von oben auf das Haargestrüpp herunter. Jürgen blinzelte zwischen den Beinen des Mannes hindurch in die Sonne und sagte: Nein, ich schlafe nicht. Ich muß hier aufpassen. Der Mann nickte: So, dafür hast du wohl den großen Stock da?

Ja, antwortete Jürgen mutig und hielt den Stock fest.

Worauf paßt du denn auf?

Das kann ich nicht sagen. Er hielt die Hände fest um den Stock.

Wohl auf Geld, was? Der Mann setzte den Korb ab und wischte das Messer an seinem Hosenboden hin und her.

Nein, auf Geld überhaupt nicht, sagte Jürgen verächtlich. Auf ganz etwas anderes.

Na, was denn?

Ich kann es nicht sagen. Was anderes eben.

Na, denn nicht. Dann sage ich dir natürlich auch nicht, was ich hier im Korb habe. Der Mann stieß mit dem Fuß an den Korb und klappte das Messer zu.

Pah, kann mir denken, was in dem Korb ist, meinte Jürgen geringschätzig, Kaninchenfutter.

Donnerwetter, ja! sagte der Mann verwundert, bist ja ein fixer Kerl. Wie alt bist du denn?

Neun.

Oha, denk mal an, neun also. Dann weißt du ja auch, wieviel drei mal neun sind, wie?

Klar, sagte Jürgen, und um Zeit zu gewinnen, sagte er noch: Das ist ja ganz leicht. Und er sah durch die Beine des Mannes hindurch. Dreimal neun, nicht? fragte er noch mal, siebenundzwanzig. Das wußte ich gleich.

Stimmt, sagte der Mann, und genau soviel Kaninchen habe ich.

Jürgen machte einen runden Mund: Siebenundzwanzig?

Du kannst sie sehen. Viele sind noch ganz jung. Willst du?

Ich kann doch nicht. Ich muß doch aufpassen, sagte Jürgen unsicher.

Immerzu? fragte der Mann, nachts auch?

Nachts auch. Immerzu. Immer. Jürgen sah an den krummen Beinen hoch. Seit Sonnabend schon, flüsterte er.

Aber gehst du denn gar nicht nach Hause? Du mußt doch essen.

Jürgen hob einen Stein hoch. Da lag ein halbes Brot. Und eine Blechschachtel.

Du rauchst? fragte der Mann, hast du denn eine Pfeife?

Jürgen faßte seinen Stock fest an und sagte zaghaft: Ich drehe. Pfeife mag ich nicht.

Schade, der Mann bückte sich zu seinem Korb, die Kaninchen hättest du ruhig mal ansehen können. Vor allem die Jungen. Vielleicht hättest du dir eines ausgesucht. Aber du kannst hier ja nicht weg.

Nein, sagte Jürgen traurig, nein, nein.

Der Mann nahm den Korb hoch und richtete sich auf. Na ja, wenn du hierbleiben mußt — schade. Und er drehte sich um.

Wenn du mich nicht verrätst, sagte Jürgen da schnell, es ist wegen den Ratten.

Die krummen Beine kamen einen Schritt zurück: Wegen den Ratten?

Ja, die essen doch von Toten. Von Menschen. Da leben sie doch von.

Wer sagt das?

Unser Lehrer.

Und du paßt nun auf die Ratten auf? fragte der Mann.

Auf die doch nicht! Und dann sagte er ganz leise: Mein Bruder, der liegt nämlich da unten. Da. Jürgen zeigte mit dem Stock auf die zusammengesackten Mauern. Unser Haus kriegte eine Bombe. Mit einmal war das Licht weg im Keller. Und er auch. Wir haben noch gerufen. Er war viel kleiner als ich. Erst vier. Er muß hier ja noch sein. Er ist doch viel kleiner als ich.

Der Mann sah von oben auf das Haargestrüpp. Aber dann sagte er plötzlich: Ja, hat euer Lehrer euch denn nicht gesagt, daß die Ratten nachts schlafen?

Nein, flüsterte Jürgen und sah mit einmal ganz müde aus, das hat er nicht gesagt.

Na, sagte der Mann, das ist aber ein Lehrer, wenn er das nicht mal weiß. Nachts schlafen die Ratten doch. Nachts kannst du ruhig nach Hause gehen. Nachts schlafen sie immer. Wenn es dunkel wird, schon.

Jürgen machte mit seinem Stock kleine Kuhlen in den Schutt. Lauter kleine Betten sind das, dachte er, alles kleine Betten.

Da sagte der Mann (und seine krummen Beine waren ganz unruhig dabei): Weißt du was? Jetzt füttere ich schnell meine Kaninchen, und wenn es dunkel wird, hole ich dich ab. Vielleicht kann ich eins mitbringen. Ein kleines oder, was meinst du?

Jürgen machte kleine Kuhlen in den Schutt. Lauter kleine Kaninchen. Weiße, graue, weißgraue. Ich weiß nicht, sagte er leise und sah auf die krummen Beine, wenn sie wirklich nachts schlafen.

Der Mann stieg über die Mauerreste weg auf die Straße. Natürlich, sagte er von da, euer Lehrer soll einpacken, wenn er das nicht mal weiß.

Da stand Jürgen auf und fragte: Wenn ich eins kriegen kann? Ein weißes vielleicht?

Ich will mal versuchen, rief der Mann schon im Weggehen, aber du mußt hier solange warten. Ich gehe dann mit dir nach Hause, weißt du? Ich muß deinem Vater doch sagen, wie so ein Kaninchenstall gebaut wird. Denn das müßt ihr ja wissen.

Ja, rief Jürgen, ich warte. Ich muß ja noch aufpassen, bis es dunkel wird. Ich warte bestimmt. Und er rief: Wir haben auch noch Bretter zu Hause, Kistenbretter, rief er.

Aber das hörte der Mann schon nicht mehr. Er lief mit seinen krummen Beinen auf die Sonne zu. Die war schon rot vom Abend und Jürgen konnte sehen, wie sie durch die Beine hindurchschien, so krumm waren sie. Und der Korb schwenkte aufgeregt hin und her. Kaninchenfutter war da drin. Grünes Kaninchenfutter, das war etwas grau vom Schutt.

[32] Die Kinder des Wirtschaftswunders

FRIEDRICH DÜRRENMATT · *Der Besuch der alten Dame*

Claire Zachanassian, die »alte Dame«, ist in den Ort ihrer Jugend zurückgekehrt, um das Leben des Kaufmanns Ill zu fordern, der sie seinerzeit verführte und sitzen ließ. Dafür bietet sie einen Scheck, welcher der wirtschaftlich zurückgebliebenen Kleinstadt einen konjunkturellen Aufstieg verschaffen wird.

DER BÜRGERMEISTER: Wer reinen Herzens die Gerechtigkeit verwirklichen will, erhebe die Hand.
(Alle außer Ill erheben die Hand.)
DER RADIOREPORTER: Andächtige Stille im Theatersaal. Nichts als ein einziges Meer von erhobenen Händen, wie eine gewaltige Verschwörung für eine bessere, gerechtere Welt. Nur der alte Mann sitzt regungslos von Freude überwältigt. Sein Ziel ist erreicht, die Stiftung dank der wohltätigen Jugendfreundin errichtet.
DER BÜRGERMEISTER: Die Stiftung der Claire Zachanassian ist angenommen. Einstimmig. Nicht des Geldes,
DIE GEMEINDE: Nicht des Geldes,
DER BÜRGERMEISTER: Sondern der Gerechtigkeit wegen.
DIE GEMEINDE: Sondern der Gerechtigkeit wegen.
DER BÜRGERMEISTER: Und aus Gewissensnot.
DIE GEMEINDE: Und aus Gewissensnot.
DER BÜRGERMEISTER: Denn wir können nicht leben, wenn wir ein Verbrechen unter uns dulden.

DIE GEMEINDE: Denn wir können nicht leben, wenn wir ein Verbrechen unter uns dulden.

DER BÜRGERMEISTER: Welches wir ausrotten müssen.

DIE GEMEINDE: Welches wir ausrotten müssen.

DER BÜRGERMEISTER: Damit unsere Seelen nicht Schaden erleiden.

DIE GEMEINDE: Damit unsere Seelen nicht Schaden erleiden.

DER BÜRGERMEISTER: Und unsere heiligsten Güter.

DIE GEMEINDE: Und unsere heiligsten Güter.

ILL *(schreit auf)*: Mein Gott!

(Alle stehen feierlich mit erhobenen Händen da, doch nun hat es bei der Kamera der Filmwochenschau eine Panne gegeben.)

DER KAMERAMANN: Schade, Herr Bürgermeister. Die Beleuchtung streikte. Bitte die Schlußabstimmung noch einmal.

DER BÜRGERMEISTER: Noch einmal?

DER KAMERAMANN: Für die Filmwochenschau.

DER BÜRGERMEISTER: Aber natürlich.

DER KAMERAMANN: Scheinwerfer in Ordnung?

EINE STIMME: Klappt.

DER KAMERAMANN: Also los.

(Der Bürgermeister setzt sich in Pose.)

DER BÜRGERMEISTER: Wer reinen Herzens die Gerechtigkeit verwirklichen will, erhebe die Hand.

(Alle erheben die Hand.)

DER BÜRGERMEISTER: Die Stiftung der Claire Zachanassian ist angenommen. Einstimmig. Nicht des Geldes,

DIE GEMEINDE: Nicht des Geldes,

DER BÜRGERMEISTER: Sondern der Gerechtigkeit wegen.

DIE GEMEINDE: Sondern der Gerechtigkeit wegen.

DER BÜRGERMEISTER: Und aus Gewissensnot.

DIE GEMEINDE: Und aus Gewissensnot.

DER BÜRGERMEISTER: Denn wir können nicht leben, wenn wir ein Verbrechen unter uns dulden.

DIE GEMEINDE: Denn wir können nicht leben, wenn wir ein Verbrechen unter uns dulden.

DER BÜRGERMEISTER: Welches wir ausrotten müssen.

DIE GEMEINDE: Welches wir ausrotten müssen.

DER BÜRGERMEISTER: Damit unsere Seelen nicht Schaden erleiden.

DIE GEMEINDE: Damit unsere Seelen nicht Schaden erleiden.

DER BÜRGERMEISTER: Und unsere heiligsten Güter.

DIE GEMEINDE: Und unsere heiligsten Güter.

(Stille.)

DER KAMERAMANN *(leise)*: Ill! Na?

(Stille.)

DER KAMERAMANN *(enttäuscht)*: Dann nicht. Ein Jammer, daß der Freudenschrei »mein Gott« nicht kam, der war besonders eindrucksvoll.

DER BÜRGERMEISTER: Die Herren von der Presse, vom Rundfunk und vom Film sind zu einem Imbiß eingeladen. Im Restaurant. Sie verlassen den Theatersaal am besten durch den Bühnenausgang. Den Frauen ist im Garten des goldenen Apostels ein Tee serviert.

(Die Presse, Rundfunk und Filmleute gehen nach hinten rechts hinaus. Die Männer bleiben unbeweglich auf der Bühne. Ill steht auf, will gehen.)

DER POLIZIST: Bleib! *(Er drückt Ill auf die Bank nieder.)*

ILL: Ihr wollt es noch heute tun?

DER POLIZIST: Natürlich.

ILL: Ich dachte, es würde am besten bei mir geschehen.

DER POLIZIST: Es geschieht hier.

DER BÜRGERMEISTER: Ist niemand mehr im Zuschauerraum?

(Der Dritte und Vierte spähen nach unten.)

DER DRITTE: Niemand.

DER BÜRGERMEISTER: Auf der Galerie?

DER VIERTE: Leer.

DER BÜRGERMEISTER: Schließt die Türen. Den Saal darf niemand mehr betreten.

(Die zwei gehen in den Zuschauerraum.)

DER DRITTE: Geschlossen.

DER VIERTE: Geschlossen.

DER BÜRGERMEISTER: Löscht die Lichter. Der Mond scheint durch die Fenster der Galerie. Das genügt.

(Die Bühne wird dunkel. Im schwachen Mondlicht sind die Menschen nur undeutlich zu sehen.)

DER BÜRGERMEISTER: Bildet eine Gasse.

(Die Güllener bilden eine Gasse, an deren Ende der Turner steht, nun in eleganten weißen Hosen, eine rote Schärpe über dem Turnerleibchen.)

DER BÜRGERMEISTER: Herr Pfarrer, darf ich bitten.

(Der Pfarrer geht langsam zu Ill, setzt sich zu ihm.)

DER PFARRER: Nun, Ill, Ihre schwere Stunde ist gekommen.

ILL: Eine Zigarette.

DER PFARRER: Eine Zigarette, Herr Bürgermeister.

DER BÜRGERMEISTER *(mit Wärme)*: Selbstverständlich. Eine besonders gute.

(Er reicht die Schachtel dem Pfarrer, der sie Ill hinhält. Der nimmt eine Zigarette, der Polizist gibt ihm Feuer, der Pfarrer gibt die Schachtel wieder dem Bürgermeister zurück.)

DER PFARRER: Wie schon der Prophet Amos gesagt hat —

ILL: Bitte nicht.

(Ill raucht.)

DER PFARRER: Sie fürchten sich nicht?

ILL: Nicht mehr sehr.

(Ill raucht.)

DER PFARRER *(hilflos)*: Ich werde für Sie beten.

ILL: Beten Sie für Güllen.

(Ill raucht. Der Pfarrer steht langsam auf.)

DER PFARRER: Gott sei uns gnädig.

(Der Pfarrer geht langsam in die Reihen der andern.)

DER BÜRGERMEISTER: Erheben Sie sich, Alfred Ill.

(Ill zögert.)

DER POLIZIST: Steh auf, du Schwein.

(Er reißt ihn in die Höhe.)

DER BÜRGERMEISTER: Polizeiwachtmeister, beherrschen Sie sich.

DER POLIZIST: Verzeihung. Es ging mit mir durch.

DER BÜRGERMEISTER: Kommen Sie, Alfred Ill.

(Ill läßt die Zigarette fallen, tritt sie mit dem Fuß aus. Geht dann langsam in die Mitte der Bühne, kehrt sich mit dem Rücken gegen das Publikum.)

DER BÜRGERMEISTER: Gehen Sie in die Gasse.

(Ill zögert.)

DER POLIZIST: Los, geh.

(Ill geht langsam in die Gasse der schweigenden Männer. Ganz hinten stellt sich ihm der Turner entgegen. Ill bleibt stehen, kehrt sich um, sieht wie sich unbarmherzig die Gasse schließt, sinkt in die Knie. Die Gasse verwandelt sich in einen Menschenknäuel, lautlos, der sich ballt, der langsam niederkauert. Stille. Von links vorne kommen Journalisten. Es wird hell.)

PRESSEMANN I: Was ist denn hier los?

(Der Menschenknäuel lockert sich auf. Die Männer sammeln sich im Hintergrund, schweigend. Zurück bleibt nur der Arzt, vor einem Leichnam kniend, über den ein kariertes Tischtuch gebreitet ist, wie es in Wirtschaften üblich ist. Der Arzt steht auf. Nimmt das Stethoskop ab.)

DER ARZT: Herzschlag.

(Stille.)

DER BÜRGERMEISTER: Tod aus Freude.

PRESSEMANN I: Tod aus Freude.

PRESSEMANN II: Das Leben schreibt die schönsten Geschichten.

PRESSEMANN I: An die Arbeit.

(Die Journalisten eilen nach rechts hinten. Von links kommt Claire Zachanassian, vom Butler gefolgt. Sie sieht den Leichnam, bleibt stehen, geht dann langsam nach der Mitte der Bühne, kehrt sich gegen das Publikum.

CLAIRE ZACHANASSIAN: Bringt ihn her.

(Roby und Toby kommen mit einer Bahre, legen Ill darauf und bringen ihn vor die Füße Claire Zachanassians.)

CLAIRE ZACHANASSIAN *(unbeweglich)*: Deck ihn auf, Boby.

(Der Butler deckt das Gesicht Ills auf. Sie betrachtet es, regungslos, lange.)

CLAIRE ZACHANASSIAN: Er ist wieder so, wie er war, vor langer Zeit, der schwarze Panther. Deck ihn zu.

(Der Butler deckt das Gesicht wieder zu.)

CLAIRE ZACHANASSIAN: Tragt ihn in den Sarg.

(Roby und Toby tragen den Leichnam nach links hinaus.)

CLAIRE ZACHANASSIAN: Führ mich in mein Zimmer, Boby. Laß die Koffern packen. Wir fahren nach Capri.

(Der Butler reicht ihr den Arm, sie geht langsam nach links hinaus, bleibt stehen.)

CLAIRE ZACHANASSIAN: Bürgermeister.

(Von hinten, aus den Reihen der schweigenden Männer, kommt langsam der Bürgermeister nach vorne.)

CLAIRE ZACHANASSIAN: Der Check.

(Sie überreicht ihm ein Papier und geht mit dem Butler hinaus.)

Der Surrealismus

[33] Ungeborgenheit

RAINER MARIA RILKE · *Die Aufzeichnungen des Malte Laurids Brigge*

Daß ich es nicht lassen kann, bei offenem Fenster zu schlafen. Elektrische Bahnen rasen läutend durch meine Stube. Automobile gehen über mich hin. Eine Tür fällt zu. Irgendwo klirrt eine Scheibe herunter, ich höre ihre großen Scherben lachen, die kleinen Splitter kichern. Dann plötzlich dumpfer, eingeschlossener Lärm von der anderen Seite, innen im Hause. Jemand steigt die Treppe. Kommt, kommt unaufhörlich. Ist da, ist lange da, geht vorbei. Und wieder die Straße. Ein Mädchen kreischt: Ah tais toi, je ne veux plus. Die Elektrische rennt ganz erregt heran, darüber fort, fort über alles. Jemand ruft. Leute laufen, überholen sich. Ein Hund bellt. Was für eine Erleichterung: ein Hund. Gegen Morgen kräht sogar ein Hahn, und das ist Wohltun ohne Grenzen. Dann schlafe ich plötzlich ein.

Das sind die Geräusche. Aber es gibt hier etwas, was furchtbarer ist: die Stille. Ich glaube, bei großen Bränden tritt manchmal so ein Augenblick äußerster Spannung ein, die Wasserstrahlen fallen ab, die Feuerwehrleute klettern nicht mehr, niemand rührt sich. Lautlos schiebt sich ein schwarzes Gesimse vor oben, und eine hohe Mauer, hinter welcher das Feuer auffährt, neigt sich, lautlos. Alles steht und wartet mit hochgeschobenen Schultern, die Gesichter über die Augen zusammengezogen, auf den schrecklichen Schlag. So ist hier die Stille . . .

Ich liege in meinem Bett, fünf Treppen hoch, und mein Tag, den nichts unterbricht, ist wie ein Zifferblatt ohne Zeiger. Wie ein Ding, das lange verloren war, eines Morgens auf seiner Stelle liegt, geschont und gut, neuer fast als zur Zeit des Verlustes, ganz als ob es bei irgend jemandem in Pflege gewesen wäre: so liegt da und da auf meiner Bettdecke Verlorenes aus der Kindheit und ist wie neu. Alle verlorenen Ängste sind wieder da.

Die Angst, daß ein kleiner Wollfaden, der aus dem Saum der Decke heraussteht, hart sei, hart und scharf wie eine stählerne Nadel; die Angst, daß dieser kleine Knopf meines Nachthemdes größer sei als mein Kopf, groß und schwer; die Angst, daß dieses Krümchen Brot, das jetzt von meinem Bette fällt, gläsern und zerschlagen unten ankommen würde, und die drückende Sorge, daß damit eigentlich alles zerbrochen sei, alles für immer; die Angst, daß der Streifen Rand eines aufgerissenen Briefes etwas Verbotenes sei, das niemand sehen dürfe, etwas unbeschreiblich Kostbares, für das keine Stelle in der Stube sicher genug sei; die Angst, daß ich, wenn ich einschliefe, das Stück Kohle verschlucken würde, das vor dem Ofen liegt; die Angst, daß irgendeine Zahl in meinem Gehirn zu wachsen beginnt, bis sie nicht mehr Raum hat in mir; die Angst, daß das Granit sei, worauf ich liege, grauer Granit; die Angst, daß ich schreien könnte und daß man vor meiner Türe zusammenliefe und sie schließlich aufbräche, die Angst, daß ich mich verraten könnte und alles das sagen, wovor ich mich fürchte, und die Angst, daß ich nichts sagen könnte, weil alles unsagbar ist — und die anderen Ängste ... die Ängste ...

Die Existenz des Entsetzlichen in jedem Bestandteil der Luft. Du atmest es ein mit Durchsichtigem; in dir aber schlägt es sich nieder, wird hart, nimmt spitze, geometrische Formen an zwischen den Organen; denn alles, was sich an Qual und Grauen begeben hat auf den Richtplätzen, in den Folterstuben, den Tollhäusern, den Operationssälen, unter den Brückenbögen im Nachherbst: alles das ist von einer zähen Unvergänglichkeit, alles das besteht auf sich und hängt, eifersüchtig auf alles Seiende, an seiner schrecklichen Wirklichkeit. Die Menschen möchten vieles davon vergessen dürfen; ihr Schlaf feilt sanft über solche Furchen im Gehirn, aber Träume drängen ihn ab und ziehen die Zeichnungen nach. Und sie wachen auf und keuchen und lassen einer Kerze Schein sich auflösen in der Finsternis und trinken, wie gezuckertes Wasser, die halbhelle Beruhigung. Aber, ach, auf welcher Kante hält sich diese Sicherheit. Nur eine geringste Wendung, und schon wieder steht der Blick über Bekanntes und Freundliches hinaus, und der eben noch so tröstliche Kontur wird deutlicher als ein Rand von Grauen. Hüte dich vor dem Licht, das den Raum hohler macht; sieh dich nicht um, ob nicht vielleicht ein Schatten hinter deinem Aufsitzen aufsteht wie dein Herr. Besser vielleicht, du wärest in der Dunkelheit geblieben und dein unabgegrenztes Herz hätte versucht, all des Ununterscheidbaren schweres Herz zu sein ... Wie ein Käfer, auf den man tritt, so quillst du aus dir hinaus, und dein bißchen obere Härte und Anpassung ist ohne Sinn.

RAINER MARIA RILKE · *Der Panther*

(Im Jardin des Plantes, Paris)

Sein Blick ist vom Vorübergehn der Stäbe
So müd geworden, daß er nichts mehr hält.
Ihm ist, als ob es tausend Stäbe gäbe
Und hinter tausend Stäben keine Welt.

Der weiche Gang geschmeidig starker Schritte,
Der sich im allerkleinsten Kreise dreht,
Ist wie ein Tanz von Kraft um eine Mitte,
In der betäubt ein großer Wille steht.

Nur manchmal schiebt der Vorhang der Pupille
Sich lautlos auf —. Dann geht ein Bild hinein,
Geht durch der Glieder angespannte Stille —
Und hört im Herzen auf zu sein.

[34] **Schatten des Todes**

RAINER MARIA RILKE · *An Gräfin Margot Sizzo*

6. I. 1923

Worte . . . können es solche der Tröstung sein? — Ich bin dessen nicht
sicher, ich glaube auch nicht recht, daß man sich über einen Verlust von
der Plötzlichkeit und Größe dessen, den Sie erlitten haben, trösten kann
oder soll . . .

Ich werf' es allen modernen Religionen vor, daß sie ihren Gläubigen
Tröstungen und Beschönigungen des Todes geliefert haben, statt ihnen
Mittel ins Gemüt zu geben, sich mit ihm zu vertragen und zu verständigen.
Mit ihm, mit seiner völligen, unmaskierten Grausamkeit: diese Grausamkeit ist so ungeheuer, daß sich gerade bei ihr der Kreis schließt: sie rührt
schon wieder an das Extrem einer Milde, die so groß, so rein und so vollkommen klar ist (aller Trost ist trübe), wie wir nie, auch nicht im süßesten
Frühlingstag, Mildigkeit geahnt haben. Aber zur Erfahrung dieser tiefsten
Milde, die, empfänden sie nur einige von uns mit Überzeugung, vielleicht
alle Verhältnisse des Lebens nach und nach durchdringen und transparent
machen könnte: zur Erfahrung dieser reichsten und heilsten Milde hat die
Menschheit niemals auch nur die ersten Schritte getan — es sei denn in
ihren ältesten, arglosesten Zeiten, deren Geheimnis uns fast verloren
gegangen ist. Nichts, ich bin sicher, war je der Inhalt der »Einweihungen«,
als eben die Mitteilung eines »Schlüssels«, der erlaubte, das Wort »Tod«
ohne Negation zu lesen; wie der Mond, so hat gewiß das Leben eine uns
dauernd abgewendete Seite, die nicht sein Gegen-teil ist, sondern seine
Ergänzung zur Vollkommenheit, zur Vollzähligkeit, zu der wirklichen
heilen und vollen Sphäre und Kugel des Seins.

Man sollte nicht fürchten, daß unsere Kraft nicht hinreiche, irgendeine, und sei es die nächste und sei es die schrecklichste Todeserfahrung zu ertragen; der Tod ist nicht über unsere Kraft, er ist der Maßstrich am Rande des Gefäßes: wir sind voll, sooft wir ihn erreichen — und Vollsein heißt (für uns) Schwer-sein ... das ist alles. — Ich will nicht sagen, daß man den Tod lieben soll; aber man soll das Leben so großmütig, so ohne Rechnen und Auswählen lieben, daß man unwillkürlich ihn (des Lebens abgekehrte Hälfte) immerfort mit einbezieht, ihn mitliebt — was ja auch tatsächlich in den großen Bewegungen der Liebe, die unaufhaltsam sind und unabgrenzbar, jedesmal geschieht! Nur weil wir den Tod ausschließen in einer plötzlichen Besinnung, ist er mehr und mehr zum Fremden geworden, und da wir ihn im Fremden hielten, ein Feindliches.

Es wäre denkbar, daß er uns unendlich viel näher steht als das Leben selbst ... Was wissen wir davon ?! Unser effort (dies ist mir immer deutlicher geworden mit den Jahren, und meine Arbeit hat vielleicht nur noch den einen Sinn und Auftrag, von dieser Einsicht, die mich so oft unerwartet überwältigt, immer unparteiischer und unabhängiger ... seherischer vielleicht, wenn das nicht zu stolz klingt ... Zeugnis abzulegen) ... unser effort meine ich, kann nur dahin gehen, die Einheit von Leben und Tod vorauszusetzen, damit sie sich uns nach und nach erweise. Voreingenommen, wie wir es gegen den Tod sind, kommen wir nicht dazu, ihn aus seinen Entstellungen zu lösen ... glauben Sie nur, liebe gnädigste Gräfin, daß er ein Freund ist, unser tiefster, vielleicht der einzige durch unser Verhalten und Schwanken niemals, niemals beirrbare Freund ... und das, versteht sich, nicht in jenem sentimentalisch-romantischen Sinn der Lebensabsage, des Lebens-Gegenteils, sondern unser Freund, gerade dann, wenn wir dem Hier-Sein, dem Wirken, der Natur, der Liebe ... am leidenschaftlichsten, am erschüttertsten zustimmen. Das Leben sagt immer zugleich: Ja und Nein. Er, der Tod (ich beschwöre Sie, es zu glauben!) ist der eigentliche Ja-Sager. Er sagt nur: Ja. Vor der Ewigkeit.

Denken Sie an den »Schlafenden Baum«. Ja, wie gut, daß es mir einfällt. Denken Sie alle die kleinen Bilder und die Zuschriften dazu — wie haben Sie da, im jugendlichen arglosen Vertrauen, immerfort beides in der Welt erkannt und bejaht: das Schlafende und das Wache, das Lichte und das Dunkle, die Stimme und das Schweigen ... la présence et l'absence. Alle die scheinbaren Gegenteile, die irgendwo in einem Punkte zusammenkommen, die an einer Stelle die Hymne ihrer Hochzeit singen — und diese Stelle ist — vor der Hand — unser Herz!

RAINER MARIA RILKE · *Die Sonette an Orpheus*

Erster Teil, VII

Rühmen, das ist's! Ein zum Rühmen Bestellter,
Ging er hervor wie das Erz aus des Steins
Schweigen. Sein Herz, o vergängliche Kelter
Eines den Menschen unendlichen Weins.

Nie versagt ihm die Stimme am Staube,
Wenn ihn das göttliche Beispiel ergreift.
Alles wird Weinberg, alles wird Traube,
In seinem fühlenden Süden gereift.

Nicht in den Grüften der Könige Moder
Straft ihm die Rühmung Lügen, oder
Daß von den Göttern ein Schatten fällt.

Er ist einer der bleibenden Boten,
Der noch weit in die Türen der Toten
Schalen mit rühmlichen Früchten hält.

IX

Nur wer die Leier schon hob
Auch unter Schatten,
Darf das unendliche Lob
Ahnend erstatten.

Nur wer mit Toten vom Mohn
Aß, von dem ihren,
Wird nicht den leisesten Ton
Wieder verlieren.

Mag auch die Spieglung im Teich
Oft uns verschwimmen:
Wisse das Bild.

Erst in dem Doppelbereich
Werden die Stimmen
Ewig und mild.

Zweiter Teil, I

Atmen, du unsichtbares Gedicht!
Immerfort um das eigne
Sein rein eingetauschter Weltraum. Gegengewicht,
In dem ich mich rhythmisch ereigne.

Einzige Welle, deren
Allmähliches Meer ich bin;
Sparsamstes du von allen möglichen Meeren, —
Raumgewinn.

Wie viele von diesen Stellen der Räume waren schon
Innen in mir. Manche Winde
Sind wie mein Sohn.

Erkennst du mich, Luft, du, voll noch einst meiniger Orte?
Du, einmal glatte Rinde,
Rundung und Blatt meiner Worte.

XIV

Siehe die Blumen, diese dem Irdischen treuen,
Denen wir Schicksal vom Rande des Schicksals leihn, —
Aber wer weiß es! Wenn sie ihr Welken bereuen,
Ist es an uns, ihre Reue zu sein.

Alles will schweben. Da gehn wir umher wie Beschwerer,
Legen auf alles uns selbst, vom Gewichte entzückt;
O was sind wir den Dingen für zehrende Lehrer,
Weil ihnen ewige Kindheit glückt.

Nähme sie einer ins innige Schlafen und schliefe
Tief mit den Dingen —: o wie käme er leicht,
Anders zum anderen Tag, aus der gemeinsamen Tiefe.

Oder er bliebe vielleicht; und sie blühten und priesen
Ihn, den Bekehrten, der nun den Ihrigen gleicht,
Allen den stillen Geschwistern im Winde der Wiesen.

RAINER MARIA RILKE

Letzte Verse (Val-Mont, Dezember 1926)

Komm du, du letzter, den ich anerkenne,
Heilloser Schmerz im leiblichen Geweb:
Wie ich im Geiste brannte, sieh, ich brenne
In dir; das Holz hat lange widerstrebt,
Der Flamme, die du loderst, zuzustimmen,
Nun aber nähr' ich dich und brenn in dir.
Mein hiesig Mildsein wird in deinem Grimmen
Ein Grimm der Hölle nicht von hier.
Ganz rein, ganz planlos frei von Zukunft stieg
Ich auf des Leidens wirren Scheiterhaufen,
So sicher nirgend Künftiges zu kaufen
Um dieses Herz, darin der Vorrat schwieg.
Bin ich es noch, der da unkenntlich brennt?

Erinnerungen reiß ich nicht herein.
O Leben, Leben: Draußensein.
Und ich in Lohe. Niemand der mich kennt . . .
[Verzicht. Das ist nicht so wie Krankheit war
Einst in der Kindheit. Aufschub, Vorwand um
Größer zu werden. Alles rief und raunte.
Misch nicht in dieses was dich früh erstaunte.]

[35] **Weltinnenraum**

RAINER MARIA RILKE · *Es winkt zu Fühlung*

Es winkt zu Fühlung fast aus allen Dingen,
Aus jeder Wendung weht es her: Gedenk!
Ein Tag, an dem wir fremd vorübergingen,
Entschließt im künftigen sich zum Geschenk.

Wer rechnet unseren Ertrag? Wer trennt
Uns von den alten, den vergangnen Jahren?
Was haben wir seit Anbeginn erfahren,
Als daß sich eins im anderen erkennt?

Als daß an uns Gleichgültiges erwarmt?
O Haus, o Wiesenhang, o Abendlicht,
Auf einmal bringst du's beinah zum Gesicht
Und stehst an uns, umarmend und umarmt.

Durch alle Wesen reicht der *eine* Raum:
Weltinnenraum. Die Vögel fliegen still
Durch uns hindurch. O, der ich wachsen will,
Ich seh hinaus, und *in* mir wächst der Baum.

Ich sorge mich, und in mir steht das Haus.
Ich hüte mich, und in mir ist die Hut.
Geliebter, der ich wurde: an mir ruht
Der schönen Schöpfung Bild und weint sich aus.

[36] **Realitätszerfall und Artistik**

GOTTFRIED BENN · *Verlorenes Ich*

Verlorenes Ich, zersprengt von Stratosphären,
Opfer des Ion —: Gamma-Strahlen-Lamm —
Teilchen und Feld —: Unendlichkeitschimären
Auf deinem grauen Stein von Notre-Dame.

Die Tage gehn dir ohne Nacht und Morgen,
Die Jahre halten ohne Schnee und Frucht
Bedrohend das Unendliche verborgen —
Die Welt als Flucht.

Wo endest du, wo lagerst du, wo breiten
Sich deine Sphären an — Verlust, Gewinn —:
Ein Spiel von Bestien: Ewigkeiten,
An ihren Gittern fliehst du hin.

Der Bestienblick: die Sterne als Kaldaunen,
Der Dschungeltod als Seins- und Schöpfungsgrund,
Mensch, Völkerschlachten, Katalaunen
Hinab den Bestienschlund.

Die Welt zerdacht. Und Raum und Zeiten
Und was die Menschheit wob und wog,
Funktion nur von Unendlichkeiten —
Die Mythe log.

Woher, wohin — nicht Nacht, nicht Morgen,
Kein Evoë, kein Requiem,
Du möchtest dir ein Stichwort borgen —
Allein bei wem?

Ach, als sich alle einer Mitte neigten
Und auch die Denker nur den Gott gedacht,
Sie sich den Hirten und dem Lamm verzweigten,
Wenn aus dem Kelch das Blut sie rein gemacht,

Und alle rannen aus der einen Wunde,
Brachen das Brot, das jeglicher genoß —
O ferne zwingende erfüllte Stunde,
Die einst auch das verlorne Ich umschloß.

GOTTFRIED BENN · *D-Zug*

Braun wie Kognak. Braun wie Laub. Rotbraun. Malaiengelb.
D-Zug Berlin-Trelleborg und die Ostseebäder.

Fleisch, das nackt ging.
Bis in den Mund gebräunt vom Meer.
Reif gesenkt, zu griechischem Glück.
In Sichel-Sehnsucht: wie weit der Sommer ist!
Vorletzter Tag des neunten Monats schon!

Stoppel und letzte Mandel lechzt in uns.
Entfaltungen, das Blut, die Müdigkeiten,
Die Georginennähe macht uns wirr.

Männerbraun stürzt sich auf Frauenbraun:

Eine Frau ist etwas für eine Nacht:
Und wenn es schön war, noch für die nächste,
Oh! Und dann wieder dies Bei-sich-selbst-sein!
Diese Stummheiten! Dies Getriebenwerden!

Eine Frau ist etwas mit Geruch.
Unsägliches! Stirb hin! Resede.
Darin ist Süden, Hirt und Meer.
An jedem Abhang lehnt ein Glück.

Frauenhellbraun taumelt an Männerdunkelbraun:

Halte mich! Du, ich falle!
Ich bin im Nacken so müde.
Oh, dieser fiebernde süße
Letzte Geruch aus den Gärten.

GOTTFRIED BENN · *Astern*

Astern — schwälende Tage,
Alte Beschwörung, Bann,
Die Götter halten die Waage
Eine zögernde Stunde an.

Noch einmal die goldenen Herden
Der Himmel, das Licht, der Flor,
Was brütet das alte Werden
Unter den sterbenden Flügeln vor?

Noch einmal das Ersehnte,
Den Rausch, der Rosen Du —
Der Sommer stand und lehnte
Und sah den Schwalben zu,

Noch einmal ein Vermuten,
Wo längst Gewißheit wacht:
Die Schwalben streifen die Fluten
Und trinken Fahrt und Nacht.

Gottfried Benn · *Einsamer nie*

Einsamer nie als im August:
Erfüllungsstunde — im Gelände
Die roten und die goldenen Brände,
Doch wo ist deiner Gärten Lust?

Die Seen hell, die Himmel weich,
Die Äcker rein und glänzen leise,
Doch wo sind Sieg und Siegsbeweise
Aus dem von dir vertretenen Reich?

Wo alles sich durch Glück beweist
Und tauscht den Blick und tauscht die Ringe
Im Weingeruch, im Rausch der Dinge —:
Dienst du dem Gegenglück, dem Geist.

[37] **Im Tunnel des Lebens**

Franz Kafka · *Der Prozeß*

Gegen K. ist ein Prozeß von Unbekannt eingeleitet; auch das Vergehen bleibt ungenannt.
In surrealistischen Szenen wird das verzweiflungsvolle Suchen des K. nach seinen Richtern geschildert. Einmal trifft er in einem Dom einen Priester, mit dem er ins Gespräch
kommt.

»Du bist sehr freundlich zu mir«, sagte K., und sie gingen nebeneinander
im dunklen Seitenschiff auf und ab. »Du bist eine Ausnahme unter allen,
die zum Gericht gehören. Ich habe mehr Vertrauen zu dir als zu irgend
jemandem von ihnen, so viele ich schon kenne. Mit dir kann ich offen
reden.« — »Täusche dich nicht«, sagte der Geistliche. »Worin sollte ich mich
denn täuschen?« fragte K. »In dem Gericht täuschst du dich«, sagte der
Geistliche, »in den einleitenden Schriften zum Gesetz heißt es von dieser
Täuschung: Vor dem Gesetz steht ein Türhüter. Zu diesem Türhüter
kommt ein Mann vom Lande und bittet um Eintritt in das Gesetz. Aber
der Türhüter sagt, daß er ihm jetzt den Eintritt nicht gewähren könne. Der
Mann überlegt und fragt dann, ob er also später werde eintreten
dürfen. ›Es ist möglich‹, sagt der Türhüter, ›jetzt aber nicht.‹ Da das Tor
zum Gesetz offensteht wie immer, und der Türhüter beiseitetritt, bückt
sich der Mann, um durch das Tor in das Innere zu sehen. Als der Türhüter
das merkt, lacht er und sagt: ›Wenn es dich so lockt, versuche es doch,
trotz meinem Verbot hineinzugehen. Merke aber: Ich bin mächtig. Und
ich bin nur der unterste Türhüter. Von Saal zu Saal stehen aber Türhüter,
einer mächtiger als der andere. Schon den Anblick des dritten kann nicht
einmal ich mehr vertragen.‹ Solche Schwierigkeiten hat der Mann vom
Lande nicht erwartet, das Gesetz soll doch jedem und immer zugänglich

sein, denkt er, aber als er jetzt den Türhüter in seinem Pelzmantel genauer ansieht, seine große Spitznase, den langen, dünnen, schwarzen, tartarischen Bart, entschließt er sich doch, lieber zu warten, bis er die Erlaubnis zum Eintritt bekommt. Der Türhüter gibt ihm einen Schemel und läßt ihn seitwärts von der Tür sich niedersetzen. Dort sitzt er Tage und Jahre. Er macht viele Versuche, eingelassen zu werden, und ermüdet den Türhüter durch seine Bitten. Der Türhüter stellt öfters kleine Verhöre mit ihm an, fragt ihn nach seiner Heimat aus und nach vielem anderen, es sind aber teilnahmslose Fragen, wie sie große Herren stellen, und zum Schlusse sagt er ihm immer wieder, daß er ihn noch nicht einlassen könne. Der Mann, der sich für seine Reise mit vielem ausgerüstet hat, verwendet alles, und sei es noch so wertvoll, um den Türhüter zu bestechen. Dieser nimmt zwar alles an, aber sagt dabei: ›Ich nehme es nur an, damit du nicht glaubst, etwas versäumt zu haben.‹ Während der vielen Jahre beobachtet der Mann den Türhüter fast ununterbrochen. Er vergißt die anderen Türhüter, und dieser erste scheint ihm das einzige Hindernis für den Eintritt in das Gesetz. Er verflucht den unglücklichen Zufall in den ersten Jahren laut, später, als er alt wird, brummt er nur noch vor sich hin. Er wird kindisch, und da er in dem jahrelangen Studium des Türhüters auch die Flöhe in seinem Pelzkragen erkannt hat, bittet er auch die Flöhe, ihm zu helfen und den Türhüter umzustimmen. Schließlich wird sein Augenlicht schwach, und er weiß nicht, ob es um ihn wirklich dunkler wird oder ob ihn nur die Augen täuschen. Wohl aber erkennt er jetzt im Dunkel einen Glanz, der unverlöschlich aus der Türe des Gesetzes bricht. Nun lebt er nicht mehr lange. Vor seinem Tode sammeln sich in seinem Kopfe alle Erfahrungen der ganzen Zeit zu einer Frage, die er bisher an den Türhüter noch nicht gestellt hat. Er winkt ihm zu, da er seinen erstarrenden Körper nicht mehr aufrichten kann. Der Türhüter muß sich tief zu ihm hinunterneigen, denn die Größenunterschiede haben sich sehr zuungunsten des Mannes verändert. ›Was willst du denn jetzt noch wissen?‹ fragt der Türhüter, ›du bist unersättlich.‹ — ›Alle streben doch nach dem Gesetz‹, sagt der Mann, ›wie kommt es, daß in den vielen Jahren niemand außer mir Einlaß verlangt hat?‹ Der Türhüter erkennt, daß der Mann schon am Ende ist, und um sein vergehendes Gehör noch zu erreichen, brüllt er ihn an: ›Hier konnte niemand sonst Einlaß erhalten, denn dieser Eingang war nur für dich bestimmt. Ich gehe jetzt und schließe ihn.‹«

»Der Türhüter hat also den Mann getäuscht«, sagte K. sofort, von der Geschichte sehr stark angezogen. »Sei nicht übereilt«, sagte der Geistliche, »übernimm nicht die fremde Meinung ungeprüft. Ich habe dir die Geschichte im Wortlaut der Schrift erzählt. Von Täuschung steht darin nichts.« — »Es ist aber klar«, sagte K., »und deine erste Deutung war ganz richtig. Der Türhüter hat die erlösende Mitteilung erst dann gemacht, als sie dem Manne nicht mehr helfen konnte.« — »Er wurde nicht früher gefragt«, sagte der Geistliche, »bedenke auch, daß er nur Türhüter war und als solcher hat er seine Pflicht erfüllt.« — »Warum glaubst du, daß er seine Pflicht erfüllt hat?« fragte K., »er hat sie nicht erfüllt. Seine Pflicht war es vielleicht, alle Fremden abzuwehren, diesen Mann aber, für den der Eingang bestimmt war, hätte er einlassen müssen.« — »Du hast nicht genug Achtung vor der Schrift und veränderst die Geschichte«, sagte der Geistliche. »Die Geschichte enthält über den Einlaß ins Gesetz zwei wichtige Erklärungen des Türhüters, eine am Anfang, eine am Ende. Die eine Stelle lautet: daß er ihm jetzt den Eintritt nicht gewähren könne, und die andere: dieser Eingang war nur für dich bestimmt. Bestände zwischen diesen beiden Erklärungen ein Widerspruch, dann hättest du recht, und der Türhüter hätte den Mann getäuscht. Nun besteht aber kein Widerspruch. Im Gegenteil, die erste Erklärung deutet sogar auf die zweite hin. Man könnte fast sagen, der Türhüter ging über seine Pflicht hinaus, indem er dem Mann eine zukünftige Möglichkeit des Einlasses in Aussicht stellte. Zu jener Zeit scheint es nur seine Pflicht gewesen zu sein, den Mann abzuweisen, und tatsächlich wundern sich viele Erklärer der Schrift darüber, daß der Türhüter jene Andeutung überhaupt gemacht hat, denn er scheint die Genauigkeit zu lieben und wacht streng über sein Amt. Durch viele Jahre verläßt er seinen Posten nicht und schließt das Tor erst ganz zuletzt, er ist sich der Wichtigkeit seines Dienstes sehr bewußt, denn er sagt: ›Ich bin mächtig‹, er hat Ehrfurcht vor den Vorgesetzten, denn er sagt: ›Ich bin nur der unterste Türhüter‹, er ist nicht geschwätzig, denn er während der vielen Jahre stellt er nur, wie es heißt, ›teilnahmslose Fragen‹, er ist nicht bestechlich, denn er sagt über ein Geschenk, ›ich nehme es nur an, damit du nicht glaubst, etwas versäumt zu haben‹, er ist, wo es um Pflichterfüllung geht, weder zu rühren noch zu erbittern, denn es heißt von dem Mann, ›er ermüdet den Türhüter durch sein Bitten‹, schließlich deutet auch sein Äußeres auf einen pedantischen Charakter hin, die große Spitznase und der lange dünne, schwarze, tartarische Bart. Kann es einen pflichttreueren Türhüter geben? Nun mischen sich aber in den Türhüter noch andere Wesenszüge ein, die für den, der Einlaß verlangt, sehr günstig sind und welche es immerhin begreiflich machen, daß er in jener Andeutung einer zukünftigen Möglichkeit über seine Pflicht etwas hinausgehen konnte. Es ist nämlich nicht zu leugnen, daß er ein wenig einfältig und im Zusammenhang damit ein wenig eingebildet ist. Wenn auch seine Äußerungen über seine Macht und über die Macht der anderen Türhüter und über deren sogar für ihn unerträglichen Anblick — ich sage, wenn auch alle diese Äußerungen an sich richtig sein mögen, so zeigt doch die Art, wie er diese Äußerungen vorbringt, daß seine Auffassung durch Einfalt und Überhebung getrübt ist. Die Erklärer sagen hiezu: ›Richtiges Auffassen einer Sache und Mißverstehen der gleichen Sache schließen einander nicht vollständig aus.‹ Jedenfalls aber muß man annehmen, daß jene Einfalt und Überhebung, so geringfügig sie sich vielleicht auch äußern, doch die Bewachung des Einganges schwächen, es sind Lücken im Charakter des Türhüters. Hiezu kommt noch, daß der Türhüter seiner Naturanlage nach freundlich zu sein scheint, er ist durchaus nicht immer Amtsperson. Gleich in den ersten Augenblicken macht er den Spaß, daß er den Mann trotz dem ausdrücklich aufrechterhaltenen Verbot zum Eintritt einlädt, denn er schickt ihn nicht etwa fort, sondern gibt ihm, wie es heißt, einen Schemel und läßt ihn seitwärts von der Tür sich niedersetzen. Die Geduld, mit der er durch alle die Jahre die Bitten des Mannes erträgt, die kleinen Verhöre, die Annahme der Geschenke, die Vornehmheit, mit der er es zuläßt, daß der Mann neben ihm laut den unglücklichen Zufall verflucht, der den Türhüter hier aufgestellt hat — alles dieses läßt auf Regungen des Mitleids schließen. Nicht jeder Türhüter hätte so gehandelt. Und schließlich beugt er sich noch auf einen Wink hin tief zu dem Mann hinab, um ihm Gelegenheit zur letzten Frage zu geben. Nur eine schwache Ungeduld — der Türhüter weiß ja, daß alles zu Ende ist — spricht sich in den Worten aus: ›Du bist unersättlich.‹ Manche gehen sogar in dieser Art der Erklärung noch weiter und meinen, die Worte ›Du bist unersättlich‹ drücken eine Art freundschaftlicher Bewunderung aus, die allerdings von Herablassung nicht frei ist. Jedenfalls schließt sich so die Gestalt des Türhüters anders ab, als du es glaubst.« — »Du kennst die Geschichte genauer als ich und längere Zeit«, sagte K. Sie schwiegen ein Weilchen. Dann sagte K.: »Du glaubst also, der Mann wurde nicht getäuscht?« — »Mißverstehe mich nicht«, sagte der Geistliche, »ich zeige dir nur die Meinungen, die darüber bestehen. Du mußt nicht zu viel auf Meinungen achten. Die Schrift ist unveränderlich und die Meinungen sind oft nur ein Ausdruck der Verzweiflung darüber. In diesem Falle gibt es sogar eine Meinung, nach welcher gerade der Türhüter der Getäuschte ist.« — »Das ist eine weitgehende Meinung«, sagte K. »Wie wird sie begründet?« — »Die Begründung«, antwortete der Geistliche, »geht von der Einfalt des Türhüters aus. Man sagt, daß er das Innere des Gesetzes nicht kennt, sondern nur den Weg, den er vor dem Eingang immer wieder abgehen muß. Die Vorstellungen, die er von dem Innern hat, werden für kindlich gehalten, und man nimmt an, daß er das, wovor er dem Manne Furcht machen will, selbst fürchtet. Ja, er fürchtet es mehr als der Mann, denn dieser will ja nichts anderes als eintreten, selbst als er von den schrecklichen Türhütern des Innern gehört hat, der Türhüter dagegen will nicht eintreten, wenigstens erfährt man nichts darüber. Andere sagen zwar, daß er bereits im Innern gewesen sein muß, denn er ist doch einmal in den Dienst des Gesetzes aufgenommen worden, und das könne nur im Innern geschehen sein. Darauf ist zu antworten, daß er wohl auch durch einen Ruf aus dem Innern zum Türhüter bestellt worden sein könnte und daß er zumindest tief im Innern nicht gewesen sein dürfte, da er doch schon den Anblick des dritten Türhüters nicht mehr ertragen kann. Außerdem wird auch nicht berichtet, daß er während der vielen Jahre außer der Bemerkung über die Türhüter irgend etwas von dem Innern erzählt hätte. Es könnte ihm verboten sein, aber auch vom Verbot hat er nichts erzählt. Aus alledem schließt man, daß er über das Aussehen und die Bedeutung des Innern nichts weiß und sich darüber in Täuschung befindet. Aber auch über den Mann vom Lande soll er sich in Täuschung befinden, denn er ist diesem Mann untergeordnet und weiß es nicht. Daß er den Mann als seinen Untergeordneten behandelt, erkennt man aus vielem, das dir noch erinnerlich sein dürfte. Daß er ihm aber tatsächlich untergeordnet ist, soll nach dieser Meinung ebenso deutlich hervorgehen. Vor allem ist der Freie dem Gebundenen übergeordnet. Nun ist der Mann tatsächlich frei, er kann hingehen, wohin er will, nur der Eingang in das Gesetz ist ihm verboten, und überdies nur von einem einzelnen, vom Türhüter. Wenn er sich auf den Schemel seitwärts vom Tor niedersetzt und dort sein Leben lang bleibt, so geschieht dies freiwillig, die Geschichte erzählt von keinem Zwang. Der Türhüter dagegen ist durch sein Amt an seinen Posten gebunden, er darf sich nicht auswärts entfernen, allem Anschein nach aber auch nicht in das Innere gehen, selbst wenn er es wollte. Außerdem ist er zwar im Dienst des Gesetzes, dient aber nur für diesen Eingang, also auch nur für diesen Mann, für den dieser Eingang allein bestimmt ist. Auch aus diesem Grunde ist er ihm untergeordnet. Es ist anzunehmen, daß er durch viele Jahre, durch ein ganzes Mannesalter gewissermaßen nur leeren Dienst geleistet hat, denn es wird gesagt, daß ein Mann kommt, also jemand im Mannesalter, daß also der Türhüter lange warten mußte, ehe sich sein Zweck erfüllte, und zwar so lange warten mußte, als es dem Mann beliebte, der doch freiwillig kam. Aber auch das Ende des Dienstes wird durch das Lebensende des Mannes bestimmt, bis zum Ende also bleibt er ihm untergeordnet. Und immer wieder wird betont, daß von alledem der Türhüter nichts zu wissen scheint. Daran wird aber nichts Auffälliges gesehen, denn nach dieser Meinung befindet sich der Türhüter noch in einer viel schwereren Täuschung, sie betrifft seinen Dienst. Zuletzt spricht er nämlich vom Eingang und sagt: ›Ich gehe jetzt und schließe ihn‹, aber am Anfang heißt es, daß das Tor zum Gesetz offensteht wie immer, steht es aber immer offen, immer, das heißt unabhängig von der Lebensdauer des Mannes, für den es bestimmt ist, dann wird es auch der Türhüter nicht schließen können. Darüber gehen die Meinungen auseinander, ob der Türhüter mit der Ankündigung, daß er das Tor schließen wird, nur eine Antwort geben oder seine Dienstpflicht betonen oder den Mann noch im letzten Augenblick in Reue und Trauer setzen will. Darin aber sind viele einig, daß er das Tor nicht wird schließen können. Sie glauben sogar, daß er, wenigstens am Ende, auch in seinem Wissen dem Manne untergeordnet ist, denn dieser sieht den Glanz, der aus dem Eingang des Gesetzes bricht, während der Türhüter als solcher wohl mit dem Rücken zum Eingang steht und auch durch keine Äußerung zeigt, daß er eine Veränderung bemerkt hätte.« — »Das ist gut begründet«, sagte K., der einzelne Stellen aus der Erklärung des Geistlichen halblaut für sich wiederholt hatte. »Es ist gut begründet, und ich glaube nun auch, daß der Türhüter getäuscht ist. Dadurch bin ich aber von meiner früheren Meinung nicht abgekommen, denn beide decken sich teilweise. Es ist unentscheidend, ob der Türhüter klar sieht oder getäuscht wird. Ich sagte, der Mann wird getäuscht. Wenn der Türhüter klar sieht, könnte man daran zweifeln, wenn der Türhüter aber getäuscht ist, dann muß sich seine Täuschung notwendig auf den Mann übertragen. Der Türhüter ist dann zwar kein Betrüger, aber so einfältig, daß er sofort aus dem Dienst gejagt werden müßte. Du mußt doch bedenken, daß die Täuschung, in der

sich der Türhüter befindet, ihm nichts schadet, dem Mann aber tausendfach.« — »Hier stößt du auf eine Gegenmeinung«, sagte der Geistliche.
»Manche sagen nämlich, daß die Geschichte niemandem ein Recht gibt,
über den Türhüter zu urteilen. Wie er uns auch erscheinen mag, ist er doch
ein Diener des Gesetzes, also zum Gesetz gehörig, also dem menschlichen
Urteil entrückt. Man darf dann auch nicht glauben, daß der Türhüter dem
Manne untergeordnet ist. Durch seinen Dienst auch nur an den Eingang
des Gesetzes gebunden zu sein, ist unvergleichlich mehr, als frei in der Welt
zu leben. Der Mann kommt erst zum Gesetz, der Türhüter ist schon dort.
Er ist vom Gesetz zum Dienst bestellt, an seiner Würdigkeit zu zweifeln,
hieße am Gesetz zweifeln.« — »Mit dieser Meinung stimme ich nicht über-
ein«, sagte K. kopfschüttelnd, »denn wenn man sich ihr anschließt, muß
man alles, was der Türhüter sagt, für wahr halten. Daß das aber nicht
möglich ist, hast du ja selbst ausführlich begründet.« — »Nein«, sagte der
Geistliche, »man muß nicht alles für wahr halten, man muß es nur für notwendig halten.« — »Trübselige Meinung«, sagte K. »Die Lüge wird zur
Weltordnung gemacht.«

K. sagte das abschließend, aber sein Endurteil war es nicht. Er war zu
müde, um alle Folgerungen der Geschichte übersehen zu können, es
waren auch ungewohnte Gedankengänge, in die sie ihn führte, unwirkliche
Dinge, besser geeignet zur Besprechung für die Gesellschaft der Gerichts-
beamten als für ihn. Die einfache Geschichte war unförmlich geworden, er
wollte sie von sich abschütteln, und der Geistliche, der jetzt ein großes
Zartgefühl bewies, duldete es und nahm K.s Bemerkung schweigend auf,
obwohl sie mit seiner eigenen Meinung gewiß nicht übereinstimmte.

Franz Kafka · *Auf der Galerie*

Wenn irgend eine hinfällige, lungensüchtige Kunstreiterin in der Manege
auf schwankendem Pferd vor einem unermüdlichen Publikum vom peit-
schenschwingenden erbarmungslosen Chef monatelang ohne Unterbrechung im Kreise rundum getrieben würde, auf dem Pferde schwirrend,
Küsse werfend, in der Taille sich wiegend, und wenn dieses Spiel unter
dem nichtaussetzenden Brausen des Orchesters und der Ventilatoren in
die immerfort weiter sich öffnende graue Zukunft sich fortsetzte, begleitet
vom vergehenden und neu anschwellenden Beifallsklatschen der Hände,
die eigentlich Dampfhämmer sind — vielleicht eilte dann ein junger
Galeriebesucher die lange Treppe durch alle Ränge hinab, stürzte in die
Manege, riefe das: Halt! durch die Fanfaren des immer sich anpassenden
Orchesters.

Da es aber nicht so ist; eine schöne Dame, weiß und rot, hereinfliegt
zwischen den Vorhängen, welche die stolzen Livrierten vor ihr öffnen; der
Direktor, hingebungsvoll ihre Augen suchend, in Tierhaltung ihr entgegen-
atmet; vorsorglich sie auf den Apfelschimmel hebt, als wäre sie seine über
alles geliebte Enkelin, die sich auf gefährliche Fahrt begibt; sich nicht

entschließen kann, das Peitschenzeichen zu geben; schließlich in Selbstüberwindung es knallend gibt; neben dem Pferde mit offenem Munde
einherläuft; die Sprünge der Reiterin scharfen Blickes verfolgt; ihre
Kunstfertigkeit kaum begreifen kann; mit englischen Ausrufen zu warnen
versucht; die reifenhaltenden Reitknechte wütend zu peinlichster Acht-
samkeit ermahnt; vor dem großen Salto mortale das Orchester mit auf-
gehobenen Händen beschwört, es möge schweigen; schließlich die Kleine
vom zitternden Pferde hebt, auf beide Backen küßt und keine Huldigung
des Publikums für genügend erachtet; während sie selbst, von ihm gestützt, hoch auf den Fußspitzen, vom Staub umweht, mit ausgebreiteten
Armen, zurückgelehntem Köpfchen ihr Glück mit dem ganzen Zirkus
teilen will — da dies so ist, legt der Galeriebesucher das Gesicht auf die
Brüstung und, im Schlußmarsch wie in einem schweren Traum versinkend,
weint er, ohne es zu wissen.

[38] **Hinter dem Paravent**

ILSE AICHINGER · *Rede unter dem Galgen*

Geh weg! Was soll die Eile, wie viele hängst du heute? Bin ich nicht der
letzte? Und dann? Was hast du vor, daß du so eilen mußt — legst du dich
nieder? Ich auch, Bruder, ich auch, wir legen uns beide nieder. Daß du
mir nachher nicht in meinem Traum erscheinst, du siehst so ängstlich aus,
ich könnt' erschrecken und wäre früher wach als du. Geh weg mit deinem
Strick!

Und ihr da unten? Um welche Ecken hat euch der sanfte Morgenwind
geblasen? Ihr solltet auch nicht um die Milch gehen, wenn es so windig ist,
die Sanftmut täuscht. Bin ich nicht auch nur um die Milch gegangen, als
mich die Mutter schickte? Aber ich bin zufrieden, ihr nicht?

Ihr steht zu sehr im Schatten, da unten in dem Hof ist es so finster.
Kommt doch zu mir herauf, damit ihr seht, wie farbig eure eigenen Röcke
sind, wie grell das Weiß von euren Blusen leuchtet — wie Feuer — soviel
Unschuld erträgt der Himmel nicht! Kommt doch zu mir, daß eure
Wangen röter brennen, und wartet nicht, bis erst die Sonne, vom Schweiß
erstickt, in alle eure Winkel kriecht. Hier oben ist sie früher. Hier ist ihr
Lachen ehrlich und ihre Glut noch kühl, hier spielt sie mit dem Wind,
bevor sie ihn erstickt, hier ist er noch ihr Bruder, und ich sage euch: Hier
weht die Sonne noch, hier glänzt die Luft. Und ist es auch der letzte Tag,
so ist's die erste Stunde!

Laßt eure Kinder schreien, kommt herauf! Steht nicht so still da unten,
starrt nicht so gierig her zu mir, Höfe und Scheunen hab' ich angezündet,
damit ich hier auf diese Bretter darf, und viele Nächte lang bin ich allein
gewesen, in jeder so allein wie auf dem Grund der See, auf den kein
Funken mehr von meinem eigenen Feuer fällt. Und ihr? Habt ihr gemordet? Nein! Habt ihr gebrannt, gestohlen? Nichts? Das glaub' ich

nicht, weshalb müßt ihr dann sterben, wenn ihr sterben müßt? Ich weiß, warum ich sterben muß, kommt doch herauf zu mir!

Ihr wollt noch immer nicht? Aber ich sage euch, die Bretter biegen sich, wenn ihr nur tanzen wollt, und alle Stricke geben nach, wenn man erst eure Leiber von den Galgen schneidet. Und früh am Abend schreien schon die Krähen eure Träume über alle Höfe, habt ihr keine Lust? Will keiner von euch wissen, weshalb er stirbt? Habt ihr gebrannt vor der Geburt, daß ihr zum Tod geboren seid? Gebt ihr's dann zu, daß eure Mütter euch schon in den Wehen das Ende leichter machen? Ihr gebt mir keine Antwort. Ihr steht so still da unten, als wärt ihr schon gehängt, als wärt ihr nur so viele, daß ihr enger steht und eure eigenen Leichen sich nicht zu Tode fallen. Bewegt euch doch!

Habt ihr die Milch vergessen? Eure Kinder schreien, geht nach Hause, sonst könnt' es sein, daß eins ein Feuer macht, bevor's noch alt genug ist, um gehängt zu werden. Weint alle Lüsternheit aus euren Augen, damit sie nicht erschrecken. Seid ihr so gierig nach dem Schweigen, das mich erwartet? Versucht es doch, an eurem eigenen Hunger satt zu werden, geht heim, zerrt eure Schatten weiter!

Wie viele Jahre habt ihr noch zu leben? Wie viele Tage und wie viele Stunden? Viele, viele — wie viele noch? Ich will euch helfen. Darf ich euch aus den Fäusten lesen, darf ich die Kreuze auf euren Stirnen zählen? Ihr Mörder, die ihr nie gemordet habt, ihr Brandstifter, die ihr nicht brennt, ihr Diebe, die ihr es nicht wagt, zu stehlen — still! Wie lange lebst du noch, da unten, du, der links von dir, dich mein' ich — wie viele Jahre hast du noch zu leben? Du weißt es nicht, soll ich dir's sagen? Eins! Und jetzt der rechts, wie viele Stunden? Eine! Und der daneben — wie viele Augenblicke? Einen, sag' ich dir! Ihr glaubt mir's nicht? So schwör ich's bei dem Boden, der mir unter den Füßen weggezogen wird, und bei der Luft, die viel zu hell ist, als daß ich sie noch lang in meine finstern Lungen saugen will, und bei dem Himmel, der sich unter meine Sohlen legt, wenn erst die Bretter weichen: Keiner von euch lebt nur um einen halben Vogelschrei länger als ich, keiner von euch lebt länger als noch einen Augenblick.

Versucht es doch, geht heim, setzt eure Füße voreinander, so oft ihr wollt — es bleibt doch jeder Schritt der letzte, den ihr eben tut, und jede Handvoll Luft die letzte, die ihr atmet, und jedes Mal, wenn ihr die heißen Köpfe von den Polstern hebt, ist es das letzte Mal. Zählt, zählt, es wird nicht mehr, macht, was ihr wollt, es bleibt doch eins in diesem hellen Licht, das nur der Abschied schenkt, in diesem Licht, das euch erst sichtbar macht und euch in eure Grenzen hebt wie in ein Maß, und immer neu erschafft.

Ist's nicht ein Henkersmahl vor jeder Nacht, wenn ihr zu Abend eßt? Und zeugt ihr nicht das Ende in euren Söhnen? Darum liebt ihr sie: Weil sie verurteilt sind wie ich, weil nur aus ihren Schatten der feste Boden wird.

Wo wäret ihr denn, wenn ihr kein Ende hättet? Wo? Nirgends wärt ihr, denn euer eigenes Ende hat euch geschaffen, wie mich der Strick um meinen Hals — wart' Bruder, warte noch! Laß mich zu Ende reden, laß

mich das Ende preisen in dieser hellen Früh! Laß mich dich lieben, Bruder
mit dem ängstlichen Gesicht, die Angst ist's, die dein Grinsen Ehrfurcht
werden läßt, das Licht vor allem Abschied, denn, bevor du warst, war
schon dein Ende, Bruder. Und hat dich wachsen lassen, hat dich geborgen
und gehütet und genährt, hat dich geliebt und deine Lügen wahrgemacht
und macht sie heut noch wahr und liebt dich immer noch und birgt dich,
hütet dich, und fiel es ab von dir, so wärst du nicht! So aber bist du, bist,
weil du vergehst, weil du gewesen bist, drum wirst du sein, und weil das
Ende nie ein Ende hat, so hast auch du kein Ende. Drum häng noch viele,
Bruder, näh Flicken auf zerrissene Sohlen oder schreibe Verse — wie vergeblich wärst du, wenn nicht alles, was du tust, vergeblich wäre! Ging
denn die Sonne auf, wenn sie nicht unterging? Laß mich dich lieben,
Bruder, laß mich mein Ende lieben, das mich lebendig macht, das erst die
weißen Tauben weiß sein läßt — seht ihr die weißen Tauben? Auch ihr da
unten, eh ihr eure Köpfe dreht, sind sie vorbei. Mein Kopf ist schneller,
meiner dreht sich leichter, nehmt doch den Strick um eure Hälse, daß ihr
die weißen Tauben fliegen seht, den Wind, der sichtbar wird! Daß euch die
roten Rosen röter leuchten, die grünen Blätter grüner — daß ihr die
Früchte allemal für einmal sät und daß ihr erntet ein für allemal. Laßt
mich jetzt ernten, Brüder, laßt mich den Himmel ernten, der nirgends
höher ist als über Galgenhöfen. Die Tauben steigen, sobald die Krähen
niederstürzen, die Nacht erlischt, mir bleibt der blanke Morgen, so blank
wie ein Stück Gold, das ich nicht tauschen will. Ich will kein Haus dafür
und keine Felder, nicht einen Abend will ich für diese Früh.

Es eilt. Schon kriecht die Sonne das Gebälk hinunter und drängt sich
zwischen euch und macht sich billig, fällt tief und tiefer, steigt, fällt und
will sich wehren, steigt höher und fällt durch ihr eigenes Steigen nur
immer tiefer über euch, bis sie am hohen Mittag erst erkennt, daß nur ihr
eigener Fall sie wieder aus dem Staub reißt, daß sie erst sinken muß, um
über ihre eigenen Schatten den Himmel wieder zu erreichen — doch solang
wart' ich nicht. Mich soll das Licht nicht brennen, mir soll es nie mehr den
Schweiß aus allen Poren treiben. Stoßt jetzt die Bretter unter meinen
Füßen weg und geht! Was steht ihr noch und reißt mir meine Lippen mit
eurem Gaffen wund? Verbrannt hab' ich, was nicht das meine war, ein
Lied hab' ich gesungen, das nicht von mir ist, drum vergeßt mich, hört
ihr — ich will in eurer Erinnerung nicht bleiben, sie langt mir nicht, sie
fließt nicht über, läßt mich nicht auferstehen, im Lallen eurer Enkel will
ich nicht leben — nein — und will doch leben, drum vergeßt, laßt mir das
Fleisch von meinen Knochen faulen, damit sie leuchten können, leben
will ich!

Schnell, zieh den Strick noch enger, damit's mich nie mehr nach dem
Schweiß gelüstet und nach dem Schrecken in der halben Nacht. Daß es
mich nicht verlangt, noch einmal durch das Tor zu gehen, mit euch zu
gehen, nein, das Land ist hier! Die hellsten Felder wachsen aus dem Abschied, die tiefsten Wälder treiben aus dem Galgenholz.

So glaubt mir doch, kommt her zu mir, laßt euch nur lieben, Brüder, von einem, den ihr nicht mehr täuschen könnt, von einem, der es wagt, euch, wie ihr seid, in seinen Schlaf zu nehmen. Kommt, kommt, bewegt euch endlich und reißt die Gasse für euch selber auf, Platz für den Boten, den der König schickt!

Platz für den Boten — still, äfft mich nicht nach — Platz, Platz — für wen? Was willst du, Bruder? Willst du mich höhnen, daß du tust, worum ich bitte? Was bringst du mir, was hältst du in den leeren Händen? Sprich — nein, sag nichts, laß mein Gelächter nie zu Tränen werden und meine Tränen nie mehr zum Gelächter. Laß deinen eigenen Atem das Wort erdrosseln, das du sagen willst. An deinen irren Augen seh ich, was du bringst: Heißt nicht dein Urteil Gnade? Ich soll leben?

Geh zurück! Sag dem, der dich zu mir schickt, ich will's nicht wissen. Ich hab's verlernt, dem Land die Furcht zu glauben, dem Mond sein Licht, dem Frieden seine Ruh. Sag ihm, ich ließ mich nicht zu seinem Narren machen, Burgen aus nassem Sand will ich nicht für ihn bauen, die Flut an seinen Küsten ist mir zu stark geworden. Und auf der Ebbe, die sie gnädig schenkt, pflanz' ich den Hafer nicht. Sag ihm, sein Land läg' da, wo seine Flut für einen Augenblick zurückgewichen wär, und wenn ich alle Scheunen verbrennen würde, so könnt' das Licht nicht reichen, wenn sie erst wiederkommt. Sag ihm, ich wollte lieber mit offenen Augen schlafengehen, als mit geschlossenen wachen, ich wär' den König suchen gegangen, der keine Narren braucht. Die Engel lachen nicht, drum geh, steh nicht, als wolltest du mich spiegeln!

Wer bist du? Bist du Verlassenheit, aus der die Gier sich immer wieder zeugt? Zu dürftig bist du, als daß du mir noch einmal schenken könntest, was ich nicht verlange, die Gier aus der Verlassenheit will ich nicht sein! Heb nicht so lässig deine Schultern, sag meinem Henker lieber, daß er mich hängen soll, damit ich hier verschwinde, damit du endlich wieder zu dir selber reden kannst, sag ihm — wo ist er hin? Wo ist mein Henker?

Mein Henker ist gegangen, wie ein Dieb ist er gegangen und hat den Strick von meinem Hals gestohlen, ruft ihn zurück! Den Strick soll er mir wiedergeben, den roten Striemen darf er mir nicht nehmen, bevor ich ihn noch habe, die bloße Armut darf mir keiner aus den Händen winden!

Bleibt, bleibt, schleicht euch nicht weg! Laßt mich jetzt nicht allein in der geschenkten Trauer, im Schein der Gnade, die kein Erbarmen hat. Zum zweitenmal bin ich zurückgestoßen in das Verlangen, das ich nicht verlangte, noch immer hat der Himmel mich nicht für leicht genug befunden, daß ich den Boden unter meinen Füßen verlieren darf, weiter muß ich auf Steinen gehen, auf dieser Erde, die mich nicht fest genug an sich zieht, als daß ich in ihr ruhen könnte und mich doch nicht zu anderen Sternen läßt! Zum zweitenmal bin ich zur Welt gekommen, wer säugt mich jetzt, wer sagt mir noch einmal, der Mond wäre eine Lampe, der Himmel wäre ein Zelt? Wer lehrt mich, der ich nur das Meer um alle Felsen kenne, dem Fels im Meer zu trauen?

Laßt mich jetzt nicht allein, nehmt mich mit euch! Sagte ich nicht, als noch die Schlinge um meinen Hals gelegt war, daß euer Leben nicht länger als das meine sei? Sagte ich nicht, daß jeder eurer Schritte der letzte bliebe?

So bleiben es auch die meinen, wenn ich mit euch gehe. So hebt die Gnade nicht das Urteil auf, das Urteil nicht die Gnade, so ragt das Holz nicht nutzlos, so wirft es seinen Schatten über uns alle und teilt den Schein der Lichter, wo er ruht.

Flieht nicht vor mir, habt keine Angst, daß ich noch einmal Feuer an eure Ernte lege — sie wird zu Licht und Asche auch ohne mich! Ich will es ruhig erwarten.

Ich will den Hafer im Sand der Ebbe säen und in verbrannte Scheunen ernten, und ich will Burgen bauen, der Flut zum Fraß. Ich will ein Narr für meinen König sein, ich will in seinen traurigen Gärten lustwandeln, ich will geborgen sein in seiner Flucht. Ich will die Segel spannen in der stillen Luft, will meinen Pflug durch alle Sümpfe treiben. Ich will auf morgen warten, das heute ist, und meine Söhne dürfen mich verlassen. Ich will die Mütze ziehen, wenn die gefangenen Klöppel in den Glocken toben, und meiner Wege gehen, als ging ich heim.

Ob er das Zelt oder das Feuer ist, an dem das Zelt verbrennt, ich will den Himmel ernten, der verheißen ist.

BUCHHINWEISE

Abkürzungen häufiger vorkommender Reihentitel:

KDN. Deutsche Nationalliteratur. Historisch-kritische Ausgabe.
Hrsg. v. Jos. Kürschner. 163 Bde. Stuttgart 1882—1898.
DL. Deutsche Literatur. Sammlung literarischer Kunst- und Kultur-
denkmäler in Entwicklungsreihen. Hrsg. v. H. Kindermann.
Weimar, Leipzig 1928 ff. (105 Bde. erschienen).
BLV. Bibliothek des Literarischen Vereins. Tübingen, Stuttgart u. a.

ALTDEUTSCHE DICHTUNG

Sammelwerke: P. VON WINTERFELD: Dt. Dichter des lat. Mittelalters,
[4]1922; HANS NAUMANN: Frühgermanentum, Heldenlieder u. Sprüche,
München 1926; E. STEINMEYER: Die kleineren althochdt. Sprachdenk-
mäler, Berlin 1916; G. EIS: Mittelhochdt. Lieder und Sprüche, 1949;
Althochdt. Lesebuch, hrsg. v. Braune-Helm, Tübingen [13]1958; Älteste dt.
Dichtungen, übers. u. hrsg. v. K. Wolfskehl u. Frdr. v. d. Leyen, Wies-
baden 1956; H. BRINKMANN: Liebeslyrik der deutschen Frühe in zeitl.
Folge, Düsseldorf 1952/56.
Archipoeta: Übersetzung v. B. Schmeidler, Leipzig 1911; v. W. Stapel,
Hamburg 1927 (lat. u. dt. m. Komm.); Die Gedichte des A., hrsg. v.
H. Krefeld, o. O. 1958; *Meister Eckhart:* Dt. Schriften, hrsg. v. F. Pfeiffer,
Leipzig [4]1924; Schriften u. Predigten, übers. v. H. Büttner, Jena [45]1938;
Dt. Predigten u. Traktate, hrsg. u. übers. v. J. Quint, München 1955;
Meister Eckhart, ein Breviarium aus seinen Schriften, ausgew. u. übertr.
v. A. Bernt, Wiesbaden [32]1951; *Edda:* übertr. v. F. Genzmer, m. Einl. u.
Anm. v. A. Heusler, Düsseldorf [13]1956; übertr. v. K. Simrock, neu bearb.
v. H. Kuhn, Stuttgart 1947; *Eike von Repgow:* »Sachsenspiegel«, hrsg. v.
K. A. Eckhardt, Hannover 1933; übers. v. H. C. Hirsch, 2 Bde., Berlin
1936, Halle 1939; *Gottfried von Straßburg:* Krit. Textausgabe v. F. Ranke,
Berlin [4]1959; übers. v. W. Hertz, Stuttgart [13]1923; *Hartmann von Aue:*
»Der arme Heinrich«, hrsg. v. E. Gierach, Heidelberg [2]1925; Epische Dichtungen, übertr. v. R. Fink, Jena 1939; *Heliand:* hrsg. v. O. Behaghel, Halle
[7]1958; übers. v. K. Simrock, Berlin 1934; übertr. v.W. Stapel, München
1953; bearb. u. eingel. von Andr. Heusler, Leipzig [8]1935; *Minnesang:* Des
Minnesangs Frühling, hrsg. v. Lachmann u. Haupt, Leipzig 1857; neubearb. Leipzig 1911, [30]1950; Dt. Liederdichter des 12. bis 14. Jhds. Auswahl, hrsg. v. K. Bartsch, Leipzig [8]1928; Dt. Liederdichter des 13. Jhds.,
hrsg. v. C. v. Kraus u. H. Kuhn, 2 Bde., Tübingen 1952 ff.; Dt. Lyrik d.
Mittelalters, hrsg. u. übers. v. M. Wehrli, Zürich 1955; *Neidhart von*

Reuental: hrsg. v. M. Haupt, neu bearb. v. E. Wiessner, Leipzig 1923; Die Lieder, hrsg. v. E. Wiessner, Tübingen 1955; *Nibelungenlied:* hrsg. v. K. Lachmann, Berlin ¹⁴1927; nach K. Bartsch, hrsg. v. H. de Boor, Wiesbaden 1956; übers. v. F. Genzmer, Stuttgart 1955; erneuert v. H. Stodte,Stuttgart ²1956; *Walther von der Vogelweide:* hrsg. v. K. Lachmann, Berlin 1827; ¹¹von C. v. Kraus 1950; Gedichte, hrsg. v. H. Böhm, Berlin 1944; hrsg. v. H. Paul, Tübingen ⁸1953; *Wernher der Gartenaere:* »Meier Helmbrecht«, hrsg. v. F. Panzer, Halle 1902; ⁵1949; übers. v. J. Ninck, Stuttgart ²1937; nacherz. v. Josef Hofmiller, München 1937; *Wolfram von Eschenbach:* hrsg. v. K. Lachmann, Neudruck d. 5. Aufl., Hamburg 1947, 7. Aufl. neu bearb. v. E. Hartl, 1952; hrsg. v. A. Leitzmann, 5 Bde., Tübingen 1953 ff.; »Parzival«, übertr. v. W. Stapel, München ⁴⁶1958; übertr. v. W. Hertz, Stuttgart ¹⁵1930.

DER HUMANISMUS

Englische Komödianten: Die Schauspiele der Engl. Komödianten in Deutschland, hrsg. v. J. Tittmann, Leipzig 1880; Die Schauspiele der Engl. Komödianten, hrsg. v. W. Kreizenach, KDN. Bd. 23, Stuttgart 1889; Die Singspiele der Engl. Komödianten und ihrer Nachfolger in Deutschland, Holland und Skandinavien, hrsg. v. J. Bolte, Hamburg 1893; *Erasmus von Rotterdam:* Gesamtwerk, hrsg. v. J. Clericus, 10 Bde., Leiden 1703—06; Ausgew. Werke, hrsg. v. H. Holborn, München 1933; »Vertraute Gespräche«, übers. v. H. Schiel, Köln 1947; Auswahl aus seinen Schriften, übers. v. A. Gall, Düsseldorf 1948; *Faust-Volksbuch:* Das Faustbuch von Johann Spies, Neuausgabe v. W. Scherer, Berlin 1884, v. R. Petsch, Halle ²1911; »Historia von D. Johann Fausten«, in Gestaltungen des Faust, hrsg. v. H. W. Geißler, Bd. 1 München 1927; *Johann Fischart:* Auswahl, hrsg. v. H. Kurz, 3 Bde., Leipzig 1866/67; »Flöhhatz, Weibertratz«, Neudruck, Halle 1877; hrsg. v. K. Pannier, Reclam Nr. 1656; *Nikodemus Frischlin:* Deutsche Dichtungen, hrsg. v. D. F. Strauss, Stuttgart 1857; *Ulrich von Hutten:* Alte Kraftworte an Fürsten u. Volk, hrsg. v. M. C. A. Peschek, Bautzen 1845; Jugenddichtungen, übers. v. E. Münch, Schwäbisch-Hall ²1850; Auswahl, hrsg. v. E. Böcking, 7 Bde.,Leipzig 1859–70; Ausgewählte Gespräche u. Briefe, übers. v. O. Stäckel, Berlin 1869; Die deutschen Dichtungen, hrsg. v. G. Balke, KDN. Bd. 17, Stuttgart 1890; Deutsche Schriften, hrsg. v. F. Szamatolski, Straßburg 1891; Universitätsjahre und Jugenddichtungen, hrsg. v. H. Grimm, Frankfurt a. O. u. Berlin 1938; Aus dem Briefe an W. Pirkheimer, Geschichtliche Quellenhefte 4, hrsg. v. W. Hoffmann, Frankfurt a. M. ²1959; *Johann von Neumarkt:* »Buch der Liebkosung«, hrsg. v. K. Burdach u. J. Klapper, Prag 1930; *Johann von Tepl:* »Der Ackermann aus Böhmen«, hrsg. v. A. Bernt, Leipzig 1919; K. Burdach, Vom Mittelalter zur Reformation III,1, Berlin 1917; A. Bernt, Heidelberg 1929; L. L. Hammerich u. G. Jungbluth, Heidelberg 1951; R. Raab, Karlsruhe 1958; *Martin Luther:* Krit. Gesamtausgabe, 57 Bde., hrsg. v. J. Knaake, G. Kawerau u.a., Weimar 1883ff.; Auswahl hrsg. u. übers. v. O. Clemen, 8 Bde., Berlin 1912/30; Deutsche Schriften, ausgew. v. L. Goldscheider, Wien 1927; Münchener Luther-Ausgabe v. H. H. Borcherdt, 8 Bde., München ³1948ff.; Lieder u. Gedichte, hrsg. v. W. Stapel, Stuttgart 1950; Die Hauptschriften, hrsg. v. K. Aland, Berlin 1951; *Meistersingen:* Einladung zu einem Meistersingen, Geschichtliche Quellenhefte 17, hrsg. v. R. Meier u. A. Weber, Frankfurt a.M. 1959; *Thomas Murner:* »Narrenbeschwörung«, hrsg. v. K. Goedeke, Leipzig 1879, Ges. Werke, KDN., Bd. 17, hrsg. v. G. Balke, Stuttgart 1890; *Hans Sachs:* Deutsche Dichter des 16. Jahrhunderts, 4. Bd., hrsg. v. Karl Goedeke, Leipzig 1870; Ges. Werke, hrsg. v. J. Tittmann, Leipzig 1870; krit. Ausgabe v. A. Keller u. E. Goetze, 26 Bde., BLV., Stuttgart 1870/1908; Ausgew. Werke, hrsg. v. P. Merker u. R. Buchwald, 2 Bde., Leipzig ²1923/24; *Jörg Wickram:* Ges. Werke, hrsg. v. J. Bolte u. W. Scheel, 8 Bde., BLV., Stuttgart 1901/06; *Niklas von Wyle:* »Translationen«, hrsg. v. A. Keller, Stuttgart 1861.

DAS BAROCK

Abraham a Santa Clara: Sämtl. Werke, 21 Bde., Passau 1835/47; Ges. Werke, 6 Bde., hrsg. v. H. Strigl, Wien 1904/07; Auswahl, hrsg. v. K. Bertsche, Freiburg ²1922/23; Auswahl, hrsg. v. R. v. Kralik, Inselbücherei 1922; Werke aus d. handschriftl. Nachlaß, hrsg. v. K. Bertsche, 3 Bde., Wien 1943/45; *Angelus Silesius (Johannes Scheffler):* »Cherubinischer Wandersmann«, krit. Ausg. v. G. Ellinger, Halle 1895; Sämtl. poetische Werke, hrsg. v. G. Ellinger, 2 Bde., Berlin 1924; Sämtl. poet. Werke, hrsg. v. H. L. Held, 3 Bde., München 1949/52; »Cherubinischer Wandersmann«, hrsg. v. W.-E. Peuckert, Bremen 1956; *Jakob Bidermann:* »Cenodoxus«, in Deutsche Dichtung des Barock, hrsg. v. E. Hederer, München 1954; Bericht über eine »Cenodoxus«-Aufführung in München 1609, Geschichtliche Quellenhefte 17, hrsg. v. R. Meier u. A. Weber, Frankfurt a.M. 1959; *Jakob Böhme:* »Morgenröte im Aufgang«, »Von den drei Prinzipien«, »Vom dreifachen Leben«, hrsg. v. J. Grabisch, München ³1912; Auswahl, hrsg. v. H. Kayser, Leipzig 1920; Sämtl. Werke, hrsg. v. K. W. Schiebler, 7 Bde., Leipzig 1922; Das Böhme-Lesebuch, hrsg. v. P. Hankamer, Berlin 1925; Faksimile-Neudruck der großen Amsterdamer Ausgabe von 1730/31, hrsg. v. W.-E. Peuckert, Stuttgart 1955ff.; *Simon Dach:* Bibliothek deutscher Dichter des 17. Jahrhunderts, hrsg. v. W. Müller, Leipzig 1823; Gedichte, hrsg. v. H. Oesterley, BLV., Stuttgart 1876; krit. Ausgabe, hrsg. v. W. Ziesemer, Berlin 1936/38; *Paul Fleming:* Deutsche Gedichte, hrsg. v. J. M. Lappenberg, BLV. Stuttgart 1865; Gedichte, hrsg. v. J. Tittmann, Leipzig 1870; Religiöse Dichtungen, hrsg. v. R. Eckardt, Zwickau 1909; *Paul Gerhardt:* Geistliche Lieder, histor.-krit. Ausgabe v. J. Bachmann, Berlin ²1877; Lieder u. Gedichte, hrsg. v. W. Nelle, Hamburg 1907; Auswahl, hrsg. v. K. Gerock, Leipzig ⁷1911; krit. Ausgabe v. E. v. Cranach-

Sichart, München 1957; *Grimmelshausen:* »Simplicius Simplicissimus«, hrsg. v. F. Bobertag, KDN., Bd. 34, Stuttgart 1890; hrsg. v. J. H. Scholte in Neudrucke dt. Literaturwerke des 16. u. 17. Jahrhunderts, Tübingen ³1954; in sprachl. Neufassung v. R. Buchwald, Wiesbaden ⁴⁸1956 u. A. Kelletat, München 1958; *Andreas Gryphius:* Lustspiele, Trauerspiele, hrsg. v. H. Palm, BLV., Tübingen 1878/82; Werke, hrsg. v. H. Palm, KDN., Bd. 29, Stuttgart 1883; »Horribilicribrifax«, hrsg. v. W. Braune, Halle ²1883; *Christian Günther:* Gedichte, hrsg. v. J. Tittmann, Leipzig 1874; Histor.-krit. Ausgabe v. W. Krämer, 6 Bde., BLV., Leipzig 1939/37; *Christian Hofmann von Hofmannswaldau:* »Auserlesene Gedichte«, hrsg. v. B. Neukirch, 7 Bde., Leipzig 1695/1727; Auswahl, hrsg. v. F. Bobertag, KDN., Bd. 36, Stuttgart 1883; »Auserlesene Gedichte«, hrsg. v. F. P. Greve, Leipzig 1907; *Friedrich von Logau:* Auswahl, hrsg. v. G. Eitner, Leipzig 1870; krit. Ausgabe, hrsg. v. G. Eitner, BLV., Stuttgart 1872; Auswahl, hrsg. v. O. E. Hartleben, München 1904, u. A. Lubos, München 1960; *Daniel Casper von Lohenstein:* Auswahl, KDN., Bd. 36, hrsg. v. F. Bobertag, Stuttgart 1885; Türkische Trauerspiele, hrsg. v. K. G. Just, Stuttgart 1953; Römische Trauerspiele, hrsg. v. K. G. Just, Stuttgart 1955; *Hans Michael Moscherosch:* Ausgew. Werke, hrsg. v. F. Bobertag, KDN., Bd. 32, Stuttgart 1884; *Martin Opitz:* Ausgew. Dichtungen, hrsg. v. J. Tittmann, Leipzig 1869; Weltliche u. geistl. Dichtungen, hrsg. v. H. Oesterley, KDN., Bd. 27, Stuttgart 1889; »Buch von der deutschen Poeterey«, Halle 1876; hrsg. v. W. Braune, Tübingen ³1955; *Christian Reuter:* Ges. Werke, hrsg. v. G. Witkowski, 2 Bde., Leipzig 1916; »Schelmuffsky«, hrsg. v. P. v. Polenz, Tübingen 1956.

DIE AUFKLÄRUNG

Johann Jakob Breitinger: In: DL., Reihe Aufklärung, Leipzig 1928ff.; *Barthold Heinrich Brockes:* In: DL., Reihe Aufklärung, Leipzig 1928ff.; *Matthias Claudius:* Sämtl. Werke, hrsg. v. C. Redlich, 2 Bde., Gotha ¹³1902; Werke, hrsg. v. U. Roedl, Stuttgart 1954; »Gläubiges Herz. Sein Werk für uns«, hrsg. v. W. Koch, Stuttgart 1936; Briefe, 2 Bde, Berlin 1937/40; *Christian Fürchtegott Gellert:* Sämtl. Schriften, 10 Bde., Leipzig 1769/74; Sämtl. Schriften, hrsg. v. J. L. Klee, 10 Bde., Leipzig 1839; Dichtungen, hrsg. v. A. Schullerus, Leipzig 1891; Werke, Auswahl in 2 Teilen, m. Einl. u. Anm. v. F. Behrend, Berlin 1910; Fabeln und Erzählungen, ausgewählt v. F. Behrend, Berlin 1925; *Salomon Geßner:* Schriften, 3 Bde., Reutlingen 1775; Idyllen, hrsg. v. H. T. Kröber, Potsdam 1916; Dichtungen, hrsg. v. H. Hesse, Frauenfeld 1922; Werke, hrsg. v. A. Frey, Stuttgart 1941; *Johann Christoph Gottsched:* Ges. Schriften, hrsg. v. E. Reichel, 6 Bde., Berlin 1902—06; *Albrecht von Haller:* Gedichte mit Briefen und biograph.-literargesch. Einleitung hrsg. v. L. Hirzel, Frauenfeld 1882; Gedichte, krit. Ausgabe v. H. Maync, Leipzig 1923; *Immanuel Kant:* Vermischte Schriften, 3 Bde., Halle 1799; Ges. Schriften, hrsg. v. d. Preuß. Akademie d. Wissenschaften, Berlin 1900 ff.; Werke, hrsg. v. E. Cassirer, 11 Bde., Berlin 1912—23; Werke, hrsg. v. W. Weischedel, 6 Bde., Wiesbaden 1956—58; *Friedrich Gottlieb Klopstock:* Auswahl, 4 Bde., hrsg. v. R. Hamel, Stuttgart 1884; »Der Messias«, Nachdruck d. Ausg. v. 1748, hrsg. v. F. Muncker, Heilbronn 1883; Oden, hrsg. v. P. Merker, 2 Bde., Leipzig 1913; Ausgew. Werke, hrsg. v. K. A. Schleiden, Nachwort v. F. G. Jünger, München ²1961; *Gottfried Wilhelm von Leibniz:* Die philosophischen Schriften, hrsg. v. C. J. Gerhardt, 7 Bde., Berlin 1875—90; Sämtl. Schriften u. Briefe, hrsg. v. d. Preuß. Akademie d. Wissenschaften, Berlin 1923 ff.; Die Hauptwerke, zusammengef. u. übertr. v. G. Krüger, Stuttgart ³1949; Übersetzung in 7 Bden., Hamburg 1956 ff.; *Gotthold Ephraim Lessing:* Sämtl. Schriften, hrsg. v. K. Lachmann, 3. Aufl. bearb. v. F. Muncker, 23 Bde., Stuttgart 1886–1924; Werke, hrsg. v. J. Petersen u. W. v. Olshausen, 25 Bde., Berlin 1925—35; Ges. Werke, hrsg. v. W. Stammler, 2 Bde., München 1958; *Georg Christoph Lichtenberg:* »Tag und Dämmerung«, Aphorismen, Schriften, Briefe, Tagebücher, hrsg. v. E. Vincent, Slg. Dieterich 1931; Aphorismen, Briefe, Schriften, hrsg. v. P. Requadt, Stuttgart ³1953; Ges. Werke, hrsg. u. eingel. v. W. Grenzmann, 3 Bde., Frankfurt 1949; *Christoph Martin Wieland:* Werke, 40 Teile, Berlin 1879; histor.-krit. Ausg., hrsg. v. d. Preuß. Akademie d. Wissenschaften (B. Seuffert), 50 Bde., Berlin 1909 ff.; Werke in 10 Teilen, hrsg. v. B. v. Jacobi, Berlin 1910.

DER STURM UND DRANG

Johann Georg Hamann: Schriften, hrsg. v. F. Roth, 8 Bde., Berlin 1821 bis 1843; C. H. Gildemeister, H.'s Leben und Schriften, 6 Bde., Gotha 1857—73; Sämtl. Werke, histor.-krit. Ausg. v. J. Nadler, Bd. 1—6, Wien 1949—57; *Johann Wolfgang Goethe:* Siehe unter »Klassik«! *Johann Gottfried Herder:* Sämtl. Werke, hrsg. v. B. Suphan, 33 Bde., Berlin 1877 bis 1913; Werke, Auswahl in 15 Tln., hrsg. m. Einl. u. Anm. v. E. Naumann, Berlin 1912; Werke in 2 Bdn., hrsg. v. K. G. Gerold, München 1953; *Ludwig Christoph Heinrich Hölty:* Sämtl. Werke, krit. u. chronol. hrsg. v. W. Michael, 2 Bde., Weimar 1914—18; Auswahl, m. 9 Kupferstichen v. D. Chodowiecki, Hannover 1920; *Friedrich Schiller:* Siehe unter »Klassik«! *Christian Friedrich Daniel Schubart:* Auswahl v. H. Hesse u. K. Isenberg, o. O. 1927; Auswahl v. K. Gaiser, o. O. 1929; *Friedrich Leopold Graf zu Stolberg:* Auswahl v. O. Hellinghaus, o. O. 1921.

DIE KLASSIK

Johann Wolfgang Goethe: Werke, hrsg. im Auftrag der Großherzogin Sophie von Sachsen, 143 Bde., Weimar 1887/1919; Großherzog-Wilhelm-Ernst-Ausgabe, 17 Bde., Leipzig 1905/25; Gedenkausgabe hrsg. v. E. Beutler, 24 Bde., Zürich 1948/54 (Artemis-Ausgabe, auch Taschenbuch);

Gesamtausgabe d. Werke und Schriften, 22 Bde., Stuttgart 1950 ff.; Werke, hrsg. von E. Trunz, 14 Bde., Hamburg 1948/59; Werke, 6 Bde., im Auftrage der Goethe-Gesellschaft, [130]1953 (Volksgoethe); Goethe erzählt sein Leben. Nach Selbstzeugnissen Goethes und Aufzeichnungen seiner Zeitgenossen zusammengestellt von H. E. Gerlach und O. Herrmann, Frankfurt 1956. *Friedrich Schiller:* krit. Ausgabe, hrsg. v. L. Bellermann, 14 Bde., Leipzig 1895/97; neubearb. v. B. v. Wiese, Leipzig 1936/37; Sämtl. Werke, Säkular-Ausgabe, hrsg. v. E. v. d. Hellen, 16 Bde., Stuttgart 1904; Großherzog-Wilhelm-Ernst-Ausgabe, 6 Bde., Leipzig 1905/6; Horen-Ausgabe, hrsg. v. C. Höfer, 22 Bde., München 1910/26; Nationalausgabe, 33 Bde., Weimar 1943 ff. (ersch. 12 Bde.); Sämtl. Werke, hrsg, v. G. Fricke u. H. G. Göpfert, 5 Bde., München 1958 f. *Johann Joachim Winkelmann:* Werke hrsg. v. C. L. Fernow, 9 Bde., Dresden 1808/20; Kleine Schriften und Briefe, 2 Bde., hrsg. v. H. Uhde-Bernays, Leipzig 1925; Ausgew. Schriften und Briefe, hrsg. v. W. Rehm, Wiesbaden 1948.

DIE ROMANTIK

Achim von Arnim: Werke, hrsg. v. M. Jacobs, Berlin 1908; Werke, hrsg. v. R. Steig, 3 Bde., Leipzig 1911; Ausgew. Werke, hrsg. v. M. Morris, 4 Bde., Leipzig [2]1916; Werke, hrsg. v. A. Schier, 3 Bde., Leipzig 1925; *Clemens Brentano:* Sämtl. Werke, hrsg. v. C. Schüddekopf, 8 Bde., München 1909 ff.; Gedichte, hrsg. v. A. Schaeffer, Leipzig 1914; Werke, hrsg. v. M. Preitz, 3 Bde., Leipzig 1914; Ausgew. Gedichte, hrsg. v. S. Brentano u. R. A. Schröder, Berlin 1943; Werke in 4 Bdn., hrsg. v. Fr. Kemp, 1948; Ausgew. Werke, hrsg. v. C. Hohoff, München 1950; *Joseph von Eichendorff:* histor.-krit. Ausgabe, hrsg. v. W. Kosch, 8 Bde., Regensburg 1908 ff.; Ges. Werke, hrsg. v. H. Amelung, 6 Bdn., Berlin [2]1920; Gedichte, hrsg. v. W. v. Scholz, Stuttgart 1924; Ausgew. Werke, hrsg. v. A. v. Grolman, 2 Bde., Leipzig 1928; Gedichte, hrsg. v. W.-E. Peuckert, Berlin 1943; Anmut und Adel der Poesie, Aus Schriften zur Literatur, hrsg. v. P. Stöcklein, München 1955; Werke in 1 Bd., hrsg. v. W. Rasch, 1958; *Friedrich de la Motte Fouqué:* Ausgew. Werke, Berlin 1908; »Undine«, München 1920; Romantische Erzählungen, München 1922; »Undine«, Potsdam 1943; *Joseph Görres:* Ges. Schriften, krit. Ausg., hrsg. v. W. Schellberg i. Auftr. d. Görres-Gesellschaft, Köln 1926 ff.; Auswahl aus Werken u. Briefen, hrs. v. W. Schellberg, Köln 1927; Auswahl aus Schriften, hrsg. v. M. Tau, Berlin 1931; *Wilhelm Grimm:* Briefe der Brüder Grimm an Savigny, hrsg. v. W. Schoof, Berlin 1953; *Wilhelm Hauff:* Sämtl. Werke, hrsg. v. H. Fischer, 6 Bde., Stuttgart 1893; Werke, hrsg. v. M. Drescher, 6 Tle., Berlin 1908, u. O. Heuschele, 4 Bde., Karlsruhe 1925; *Johann Peter Hebel:* Werke, hrsg. v. W. Zentner, 3 Bde., Karlsruhe, 1923/24, u. W. Altwegg, 3 Bde., Zürich 1943; Werke u. Briefe, hrsg. v. E. Meckel, Leipzig 1943; Briefe, hrsg. v. W. Zentner, Karlsruhe [2]1957; Werke in 1 Bd., hrsg. v. P. Alverdes, 1960; *E. T. A. Hoffmann:* hist.-krit.

514

Ausgabe, hrsg. v. K. G. v. Maassen, 8 Bde., München 1908 ff.; Dichtungen,
Schriften, Briefe u. Tagebücher, hrsg. v. W. Harich, 15 Bde., Weimar 1924;
Werke in 15 Teilen, hrsg. v. G. Ellinger, Berlin [2]1927; *Justinus Kerner:*
Briefwechsel mit seinen Freunden, 2 Bde., Stuttgart 1897; Sämtl. Werke,
8 Teile, hrsg. v. W. Heichen, Berlin 1903; 4 Teile, hrsg. v. J. Gaismaier,
Leipzig 1905; J. K. und sein Münchener Freundeskreis, Eine Sammlung
von Briefen, hrsg. v. X. F. Pocci, Leipzig 1928; *»Nachtwachen des Bonaventura«:* hrsg. v. H. Michel, Berlin 1904; hrsg. v. F. Schultz, Leipzig
[3]1921; Heidelberg 1955; *Novalis:* »Hymnen an die Nacht«, Inselbücherei,
1912; Werke in 4 Teilen, hrsg. v. H. Friedemann, Berlin [2]1920; Schriften,
hrsg. v. P. Kluckhohn, 4 Bde., Leipzig 1939; »Heinrich von Ofterdingen«,
Stuttgart 1953; *Friedrich Schlegel:* »Lucinde« mit Schleiermachers Briefen, hrsg. v. R. Frank, Leipzig [2]1919; »Lucinde« Inselbücherei 1920; Ausgew. Werke, hrsg. v. E. Sauer, Berlin 1923; Schriften u. Fragmente,
hrsg. v. E. Behler, Stuttgart 1956; Krit. Schriften, hrsg. v. W. Rasch,
München 1956; krit. Gesamtausgabe, hrsg. v. E. Behler, Paderborn
1958; Wissenschaft d. Europ. Literatur, Vorlesungen, Aufsätze u. Fragmente aus d. Zeit von 1795–1804, hrsg. v. E. Behler, Zürich 1958; *Ludwig
Tieck:* Werke in 28 Bdn., Berlin 1828/54 u. in 2 Bdn., hrsg. v. H. Kasack u.
A. Mohrhenn, Berlin 1943; *Ludwig Uhland:* Werke, hrsg. v. L. Fränkel,
2 Bde. Leipzig 1893; krit. Ausg. d. Gedichte, hrsg. v. E. Schmidt u. J. Hartmann, 2 Bde., Stuttgart 1898; Werke, 3 Teile, hrsg v. A. Silbermann, Berlin
1908; Ausgew. Gedichte, hrsg. v. H. Schneider, Stuttgart 1923; Gedichte
u. Dramen, 2 Bde., Stuttgart [2]1927; *Wilhelm Heinrich Wackenroder:*
Werke u. Briefe, hrsg. v. F. v. d. Leyen, 2 Bde., Jena 1910; Ges. Werke,
hrsg. v. E. L. Schellenberg, Weimar 1917; »Herzensergießungen eines
kunstliebenden Klosterbruders«, hrsg. v. O. Walzel, Leipzig 1921, u. E. L.
Schellenberg, Weimar [18]1925; Werke u. Briefe, Berlin 1938.

IM UMKREIS VON KLASSIK UND ROMANTIK

Franz Grillparzer: histor.-krit. Ausgabe, hrsg. v. A. Sauer u. R. Backmann
42 Bde., Wien 1909/44; Ges. Werke, hrsg. v. E. Rollet u. A. Sauer, 9 Bde.
Wien 1923/25; Werke i. 9 Teilen, hrsg. v. S. Hock, Berlin 1927; Sämtl.
Werke, hrsg. v. A. Sauer u. R. Backmann, 24 Bde., Wien 1941; Sämtl.
Werke, ausgew. Briefe, Gespräche, Berichte, hrsg. v. P. Frank u. K. Pörn-
bacher, München 1960 ff.; *Heinrich Heine:* Sämtl. Werke, hrsg. v. O.
Walzel, 11 Bde., Leipzig 1910/15; krit. Ausgabe, hrsg. v. E. Elster, 7 Bde.,
[2]1925; Gedichte, hrsg. v. J. Fränkel, Leipzig 1925; Werke, hrsg. v. W.
Vontin, Hamburg [3]1957; *Paul Heyse:* »Die Märtyrerin der Phantasie«,
Deutsche Dichtungen, 3. Bd., hrsg. v. K. E. Franzos, Stuttgart 1888;
Ges. Werke, 38 Bde., Stuttgart 1899/1914, u., 15 Bde., Stuttgart 1924;
Friedrich Hölderlin: Sämtl. Werke u. Briefe, hrsg. v. F. Zinkernagel,
6 Bde., Leipzig 1914 ff.; »Hyperion«, hrsg. v. F. Michael, Leipzig [14]1932;
Sämtl. Werke, hrsg. v. F. Michael, Leipzig [34]1941; Kleine Stuttgarter

Ausg., hrsg. v. F. Beissner, Stuttgart 1944; Sämtl. Werke, hrsg. v. F. Beissner, Stuttgart 1946ff.; Gedichte, hrsg. v. E. Müller, Stuttgart 1952; *Jean Paul:* »Leben des Quintus Fixlein«, hrsg. v. F. Drexl, Regensburg 1916; Werke, hrsg. v. E. Berend, 5 Bde., Berlin 1923; histor.-krit. Ausgabe d. Preuß. Akad. d. Wiss., 23 Bde., Weimar 1927ff.; Dichtungen, hrsg. v. P. Requadt, Leipzig 1940; Werke in 6 Bdn., hrsg. v. N. Miller, München 1960ff.; *Heinrich von Kleist:* Werke und Briefe, hrsg. v. E. Schmidt, 5 Bde., Leipzig 1904/05; »Penthesilea« (Bühnenausgabe), hrsg. v. H. Schlag, Weimar 1907; »Michael Kohlhaas«, hrsg. v. J. Körner, Reichenberg 1928; Sämtl. Werke, hrsg. v. F. Michael, Leipzig ^{13}1938; Sämtl. Werke u. Briefe, hrsg. v. H. Sembdner, München 1952; *Heinrich Laube:* Ges. Werke, hrsg. v. H. Houben, Leipzig 1908; *Nikolaus Lenau:* Werke i. 2 Teilen, hrsg. v. C. A. v. Bloedau, Berlin 1908; krit. Ausgabe, hrsg. v. E. Castle, 6 Bde., Leipzig 1910/23; Gedichte, hrsg. v. H. Bischoff, Stuttgart 1924; *Johann Nepomuk Nestroy:* histor.-krit. Ausgabe, hrsg. v. F. Brukner u. O. Rommel, 15 Bde., Wien 1924/30; Ges. Werke, hrsg. v. F. H. Mautner, Wien 1937; *August Graf von Platen:* histor.-krit. Ausgabe, hrsg. v. M. Koch u. E. Petzet, 4 Bde., Leipzig 1910; Gedichte, hrsg. v. R. Schlösser, 2 Bde., Leipzig 1910, u. A. H. Rausch, Frankfurt ^{2}1921; *Friedrich Rückert:* Ges. poetische Werke, hrsg. v. H. Rückert, 12 Bde., Frankfurt 1867/69; Auswahl, hrsg. v. E. Groß, 3 Bde., Berlin 1910; Gedichte, hrsg. v. O. Loerke, Berlin 1925; *Victor von Scheffel:* »Säckinger Episteln«, Deutsche Dichtungen, Bd. 3, hrsg. v. K. E. Franzos, Stuttgart 1888; Ges. Werke u. nachgel. Dichtungen, hrsg. v. J. Prölß, 7 Bde., Stuttgart 1907/08; krit. Ausgabe, hrsg. v. F. Panzer, 4 Bde., Leipzig ^{2}1925.

DER REALISMUS

Georg Büchner: Sämtl. Werke u. handschr. Nachlaß. Erste krit. Gesamtausgabe, hrsg. v. K. E. Franzos, Frankfurt 1879; Sämtl. Werke und Briefe, hrsg. v. F. Bergemann, Wiesbaden ^{41}1958; Ges. Werke, hrsg. u. eingel. v. K. Edschmid, München o. J.; *Wilhelm Busch:* Sämtl. Werke, hrsg. v. O. Nöldeke, 8 Bde., München ^{2}1949; *Annette von Droste-Hülshoff:* Ges. Schriften, hrsg. v. L. Schücking, 3 Bde., Stuttgart 1878—79; Sämtl. Werke, hrsg. v. K. Schulte-Kemminghausen, 4 Bde., München 1925—30; Sämtl. Werke, hrsg. v. J. Schwering, 2 Bde., Berlin 1912; Sämtl. Werke, Leipzig 1939; Sämtl. Werke, hrsg. v. C. Heselhaus, München ^{3}1959; *Marie von Ebner-Eschenbach:* Ges. Schriften, 9 Bde., Berlin 1892—1905; Sämtl. Werke, 6 Bde., Berlin 1920; 12 Bde., Leipzig 1928; Auswahl in 3 Bdn. hrsg. v. J. Klein, München 1956—58; Werke in Einzelausgaben, hrsg. v. E. Gross, 5 Bde., München 1956—58; *Theodor Fontane:* Ges. Werke, 22 Bde., Berlin 1905—11; Gesamtausgabe der erzählenden Schriften, 9 Bde., Berlin 1925; Ausgew. Werke, 6 Bde., Leipzig 1929; Werke in 2 Bdn., hrsg. v. W. Keitel, München 1955; *Jeremias Gotthelf:* Ges. Schriften, 24 Bde., Berlin 1855—58; Sämtl. Werke, hrsg. v. R. Hunziker u. H. Bloesch in 24 Bdn., Erlenbach-Zürich 1911—32; dazu 14 Erg.-Bde.; Werke, hrsg. v. W. Muschg, 20 Bde., Basel 1948–49; Erzählungen und Kalendergeschichten, 2 Bde., Erlenbach 1952; *Christian Dietrich Grabbe:* Sämtl. Werke, hrsg. v. O. Nieten, 6 Bde., Leipzig 1908; Werke, hrsg. v. A. Franz u. P. Zaunert, 3 Bde., Leipzig 1910; Werke in 6 Tln., hrsg. v. S. Wukadinowic, Berlin 1912; Ges. Werke, hrsg. v. P. Friedrich, 4 Bde., Weimar 1923; Aus seinem Leben und seinem Werk, hrsg. v. H. Kindermann, Berlin 1939; Werke und Briefe, Göttinger Akademie-Ausg., bearb. v. A. Bergmann, 1960f.; *Friedrich Hebbel:* Sämtl. Werke, 12 Bde., Hamburg 1865—67; Sämtl. Werke, hrsg. v. R. M. Werner, 12 Bde., Berlin 1901—03; Sämtl. Werke, hist.-krit. Ausg. v. R. M. Werner, 19 Bde., Berlin 1911—22; Werke in 10 Tln., hrsg. v. T. Poppe, Berlin 1923; Werke, nach der hist.-krit. Ausg. v. R. M .Werner, system. geordnet v. B. v. Wiese, 9 Bde., Leipzig 1941; Werke, hrsg. v. G. Fricke, 2 Bde., München 1952; *Karl Leberecht Immermann:* Ges. Schriften, 14 Bde., Düsseldorf 1835—43; Werke, hrsg. v. R. Boxberger, 20 Bde., Berlin 1883; Werke, hrsg. v. H. Maync, 5 Bde., Leipzig 1906; Werke, Ausw. in 6 Tln., hrsg. v. W. Deetjen, Berlin 1923; *Gottfried Keller:* Ges. Werke, 10 Bde., Berlin 1889/90; Sämtl. Werke, hrsg. v. J. Fränkel u. C. Helbling, 24 Bde., Erlenbach, Bern 1926 bis 1948; Ges. Werke, 10 Bde., Zürich 1947/48; Werke, krit. durchges. u. erl. v. H. Maync, 6 Bde., Berlin 1921/22; Werke in 10 Teilen, hrsg. v. M. Zollinger, Berlin 1926; Sämtl. Werke u. ausgew. Briefe, hrsg. v. C. Heselhaus, 3 Bde., München 1957—58; *Conrad Ferdinand Meyer:* Sämtl. Werke, hist.-krit. Ausg. in 15 Bdn., hrsg. v. H. Zeller u. A. Zäch, Bern 1958ff.; Sämtl. Werke, 14 Bde., Leipzig 1925; Sämtl. Werke, mit Einf. v. R. Faesi, 4 Bde., Leipzig 1940; Sämtl. Werke in 6 Tln., hrsg. v. W. Linden, Berlin 1939; Werke, hrsg. v. G. Steiner, 4 Bde., Basel 1946; Ausgew. Werke, hrsg. v. W. Brandl, Stuttgart 1953; *Eduard Mörike:* Werke, hrsg. v. H. Maync, 3 Bde., Leipzig 1914; Sämtl. Werke, hrsg. v. G. Baumann, 2 Bde., Stuttgart 1954; Sämtl. Werke, hrsg. v. G. Göpfert, München 1954; Werke in 4 Tln., hrsg. v. A. Leffson, Berlin 1925; Sämtl. Werke, hrsg. v. H. Geiger, 1959; *Wilhelm Raabe:* Sämtl. Werke, histor. krit. Ausg., hrsg. v. K. Hoppe, Freiburg 1951ff.; Sämtl. Werke, 18 Bde., Berlin 1913—16; Sämtl. Werke, 15 Bde., Berlin 1934; Werke in 4 Bdn., krit. durchges., m. Anm. hrsg. v. K. Hoppe, Freiburg 1954; *Adalbert Stifter:* Sämtl. Werke, begr. v. A. Sauer, 25 Bde., Reichenberg 1901–39; Werke, mit sämtl. Urfassungen, hrsg. v. M. Stefl, 9 Bde., Augsburg 1952—57; Ges. Werke in 6 Bdn., hrsg. v. M. Stefl, Leipzig 1959; Briefe, 8 Bde., Reichenberg 1916—40; *Theodor Storm:* Sämtl. Schriften, 19 Bde., Braunschweig 1868—89; neue Ausg., 8 Bde., Braunschweig 1898, 9. Bd. 1913; Sämtl. Werke, hrsg. v. A. Köster, 8 Bde., Leipzig [15]1921; 3 Bde. [26]1939; Werke, hrsg. v. F. Lorenz, 3 Bde., Berlin 1939; Sämtl. Werke, 2 Bde., München 1951—52.

DIE MODERNE

Die Texte der nachstehenden Autoren wurden mit freundlicher Genehmigung der betreffenden Verlage folgenden Ausgaben entnommen: *Ilse Aichinger:* »Der Gefesselte. Erzählungen«, Frankfurt/Main 1958 (S. Fischer); *Gottfried Benn:* »Astern«, »Einsamer nie«, »Verlorenes Ich« in »Statische Gedichte«, Zürich 1948 (Verlag Die Arche); »D-Zug« in »Trunkene Flut«, Wiesbaden 1949 (Limes Verlag); *Wolfgang Borchert:* Das Gesamtwerk, Hamburg 1949 (Rowohlt); *Bertolt Brecht:* »Der gute Mensch von Sezuan« in »Spectaculum. Sieben moderne Theaterstücke«, Berlin und Frankfurt/Main (Suhrkamp); »Bertolt Brechts Gedichte und Lieder«, Berlin und Frankfurt/Main 1956 (Suhrkamp); *Hans Carossa:* Gesammelte Werke, Erster Band, Wiesbaden 1949 (Insel Verlag); *Hermann Conradi:* Ges. Werke, hrsg. v. P. Ssymank u. G. W. Peters, München u. Leipzig 1911; *Max Dauthendey:* Ges. Werke, München 1925 (Albert Langen-Georg Müller); *Alfred Döblin:* »Berlin Alexanderplatz«, Freiburg/Breisgau 1961 (Walter); *Friedrich Dürrenmatt:* »Der Besuch der alten Dame«, Zürich o. J. (Verlag Die Arche); *Stefan George:* Werke in 2 Bänden, Düsseldorf und München 1958 (Helmut Küpper vormals Georg Bondi); *Gerhart Hauptmann:* Centenar-Ausgabe der sämtlichen Werke, Berlin u. Frankfurt/Main u. Wien 1962ff. (Propyläen Verlag); *Hermann Hesse:* »Das Glasperlenspiel«, Berlin u. Frankfurt/Main (Suhrkamp); Gesammelte Schriften in 7 Bänden, Frankfurt/Main 1957 (Suhrkamp); *Georg Heym:* Gesammelte Gedichte, Band 1 der vierbändigen Gesamtausgabe, München (Heinrich Ellermann); *Hugo von Hofmannsthal:* Gedichte und lyrische Dramen, Frankfurt/Main 1952 (S. Fischer); Prosa II, Frankfurt/Main 1951 (S. Fischer); *Arno Holz:* »Papa Hamlet«, hrsg. v. B. Franzius, Leipzig 1889; eine Arno-Holz-Gesamtausgabe erscheint im Hermann Luchterhand Verlag, Neuwied; *Ernst Jünger:* »Das abenteuerliche Herz«, Frankfurt/Main o. J. (Vittorio Klostermann); *Erich Kästner:* »Doktor Erich Kästners Lyrische Hausapotheke«; »Bei Durchsicht meiner Bücher«, Berlin o. J.; (Cecilie Dressler); *Franz Kafka:* Gesammelte Werke, Frankfurt/Main 1953 (S. Fischer); *Georg Kaiser:* »Die Koralle« (mit Genehmigung des Verlags Kiepenheuer & Witsch, Köln-Berlin u. des Georg-Kaiser-Archivs, Berlin-Dahlem); *Karl Kraus:* Auswahl aus dem Werk, München 1957 (Kösel); *Else Lasker-Schüler:* Gedichte 1902—1943, München 1959 (Kösel); *Wilhelm Lehmann:* Meine Gedichtbücher, Frankfurt/Main 1957 (Suhrkamp); *Detlev von Liliencron:* Gesammelte Werke, Berlin 1911f.; *Oskar Loerke:* Werke in zwei Bänden, Frankfurt/Main 1958 (Suhrkamp); *Thomas Mann:* »Versuch über Schiller«, o.O. 1955 (S. Fischer); Stockholmer Gesamtausgabe der Werke, 12 Bände 1945—1956 (S. Fischer); *Robert Musil:* »Der Mann ohne Eigenschaften«, Hamburg 1952 (Rowohlt); *Friedrich Nietzsche:* Werke in 3 Bänden, hrsg. v. K. Schlechta, München 1954ff. (Hanser); Gedichte und Sprüche, Leipzig 1898; *Kurt Pinthus:* »Menschheitsdämmerung. Ein Dokument des Expressionismus«, neu herausgegeben, Hamburg 1959 (Rowohlt); *Rainer Maria Rilke:* Briefe, Wies-

baden 1950 (Insel Verlag); Sämtliche Werke, Wiesbaden 1955 ff. (ebda.);
Ausgewählte Werke, Wiesbaden 1950 ff. (ebda.); *Reinhold Schneider:*
»Verhüllter Tag«, Köln 1954 (Jakob Hegner); *Rudolf Alexander Schröder:*
Gesammelte Werke, Berlin u. Frankfurt/Main 1953 ff. (Suhrkamp); *Ina
Seidel:* »Das Wunschkind«, Stuttgart 1930 (Deutsche Verlagsanstalt);
Hermann Sudermann: »Die Ehre«, Stuttgart 1894 (mit freundlicher Geneh-
migung von Frau Irmela Fliedner; Neuauflage in der Naturalisten-Antho-
logie des Lechte Verlags, Emsdetten 1962); *Georg Trakl:* Die Dichtungen,
Salzburg ⁶1948 (Otto Müller); *Kurt Tucholsky:* Zwischen gestern und
morgen. Eine Auswahl aus seinen Schriften und Gedichten; Panter,
Tiger & Co. Eine neue Auswahl aus seinen Schriften und Gedichten —
beide hrsg. von M. Gerold-Tucholsky, Hamburg 1952 und Hamburg 1954
(Rowohlt); *Franz Werfel:* Gesammelte Gedichte 1908—1945, Frankfurt
1953 (S. Fischer); *Carl Zuckmayer:* »Der Hauptmann von Köpenick —
Ein deutsches Märchen in drei Akten«, Frankfurt/Main 1952 (S. Fischer).

Die Herausgeber haben ferner nachstehenden Verlagen für Abdrucks-
genehmigungen zu danken:

Eugen Diederichs Verlag, Düsseldorf: F. Genzmer (Edda, Heldendichtung
und Götterdichtung, 1922); H. Büttner (Meister Eckhart, Schriften u.
Predigten, ⁴⁵1938); *Insel Verlag, Frankfurt/Main:* K. Wolfskehl u. Frdr.
v. d. Leyen (Älteste deutsche Dichtungen, 1949); *R. Piper & Co., München:* H. Naumann u. E. Schönfelder (H. Naumann: Frühgermanentum
Heldenlieder und Sprüche, 1926); *Philipp Reclam jun., Stuttgart:* K. E.
Meurer (Deutscher Minnesang, Reclams Universal-Bibliothek Nr. 7857/58);
Carl Hanser Verlag, München: Edgar Hederer (Jakob Bidermann, Cenodoxus, in: Deutsche Dichtung des Barock, ²1957); *Winkler-Verlag, Mün-
chen:* Marie von Ebner-Eschenbach (»Das Gemeindekind, Novellen,
Aphorismen«).

ANMERKUNGEN
ZU DEN MITTELHOCHDEUTSCHEN TEXTEN

Zur Aussprache: Alle Selbstlaute sind kurz zu sprechen, außer den mit einem ô bezeichneten (â, ê, ô usw.) und den Doppellauten æ (= ä), œ (= ö), iu (= ü). Die Doppellaute ei, ou, öu, ie, uo, üe werden bei der Aussprache in ihre Einzellaute zerlegt; also li-ebe gu-ote brü-eder.

ȝ wird wie stimmloses s oder ß gesprochen, z. B. daȝ, fuoȝ, eȝȝen. h wird am Wortende zum Reibelaut (= ch), ebenso vor t und s; z. B. durh (= durch), naht (= Nacht), sehs (= sechs). Am Anfang des Wortes ist es Hauchlaut (= h) wie im Neuhochdeutschen. c bzw. f am Wort- und Silbenende lauten wie nhd. k bzw. f; ebenso k bzw. v am Wortanfang; z. B. danc, kunst, hof, frouwe. ph bezeichnet den gleichen Doppellaut wie pf (= pf); also phlegen = pflegen. sc neben sch wird wie nhd. sch gesprochen.

Der arme Heinrich

Seite 24 links,	Zeile 1	was	war
	Zeile 2	an	in
	Zeile 3	swaȝ	alles, was
	Zeile 4	dienstmann	Ministeriale, Lehensmann
	Zeile 6	schouwe	Schauen
		er nam im manige...	er guckte sich überall um
	Zeile 7	mislîch	verschieden, verschiedenartig
	Zeile 8	begunde	er begann
	Zeile 9	iht des	etwas von dem
	Zeile 10	swære:	leidvoll, schmerzlich
	Zeile 12	von sô gewanten sachen	von solcher Art, etwas Derartiges
	Zeile 13	töhte	würde nützen
	Zeile 15	sich gelieben	sich beliebt machen, Gunst erwerben
Seite 24 rechts,	Zeile 1	iu	euch
		diuten	deuten, berichten, auslegen
	Zeile 2	rede	Rede, Unterredung, Geschichte
	Zeile 4	ar(e)beit	Mühe
	Zeile 6	iht	nicht
	Zeile 7	lîp, lîbes	Leben
	Zeile 9/10		daß er um sein Seelenheil bei Gott für ihn bitte
	Zeile 11	seit	sagt
		er sî sîn selbes bote	er sei sein eigener Fürsprecher
	Zeile 13	swer	wer nur immer
Seite 25 links,	Zeile 2	enwas	war nicht
	Zeile 3	deheiner	irgendeiner
	Zeile 6	dô	da, damals
	Zeile 8	ze sînen handen	verfügte über
	Zeile 9	rîcheit	Reichtum, Vermögen, Besitz
	Zeile 10	tugent	Tüchtigkeit
	Zeile 11	swie	wie auch immer
	Zeile 12	unwandelbære	ohne Tadel
	Zeile 14	unnâch	bei weitem nicht
	Zeile 17	erkennelich	weit und breit bekannt
	Zeile 20	versworn	abgeschworen, entsagt
	Zeile 21	dörperheit	das unhöfische Benehmen der Bauern (= dörper)
	Zeile 22	vaste	fest
		eit	Eid, Schwur

520

	Zeile 23	stæte	stetig, beständig, treu
	Zeile 24	âne	ohne
		missewende	Makel, Tadel
	Zeile 26	wunsch	Streben nach Vollkommenheit
	Zeile 28	gemêren	vermehren, vergrößern, steigern
	Zeile 32	triuwe	Treue
		adamas	Diamant
	Zeile 33	ganziu	vollkommen (eine vollkommene Krone der höfischen Zucht)
	Zeile 34	nôthaft	in Not befindlich
		vluht	Zuflucht
	Zeile 35	mâge	Verwandte
	Zeile 36	milte	Freigebigkeit
		glîchiu wâge	gleich (gerecht) abwägend
	Zeile 37	im enwart über noch gebrast	er war nicht zu freigebig, noch fehlte es ihm daran
	Zeile 41	sanc	sang
Seite 25 rechts,	Zeile 1	alsus	auf diese Weise, derart, so
	Zeile 3	hövesch	konnte sich bei Hof benehmen
	Zeile 5	geniete sich	erfreute sich
	Zeile 8	wünne	Wonne, Freude
	Zeile 9	vür	mehr als
		künne	Geschlecht
	Zeile 11	hôchmuot	Selbstbewußtsein
		verkêret	umgewandelt
	Zeile 12	geneiget	geneigt, herabgestimmt
	Zeile 15	üppic	eitel, vergänglich
	Zeile 18	abe	herab von
		werdekeit	Wertschätzung, Ansehen
	Zeile 23	diutet	deutet, bedeutet
	Zeile 26	schîn	offenbar, sichtbar
	Zeile 28	dirre	dieser
	Zeile 29	derst	der ist
	Zeile 32	versmæhelîch	schmählich, schmachvoll, schimpflich
	Zeile 33	miselsuht	Aussatz
	Zeile 37	widerzæme	zuwider, unerträglich
	Zeile 40	unmære	unliebsam, gleichgültig

Nibelungenlied

Seite 30

Strophe 2353,	Zeile 2	bî der hant	in die Hand
Strophe 2354,	Zeile 1	neic	verneigte sich
	Zeile 2	sælic	glücklich, gesegnet
	Zeile 4	mich ensûme's...	wenn mich nicht der Tod daran hindert
Strophe 2355,	Zeile 3	ergetzet	entschädigt für
Strophe 2356,	Zeile 1	ungemach	Unbequemlichkeit (hier: Gefängnis)
	Zeile 4	war kom	wohin ging
Strophe 2357,	Zeile 2	ellen	Kraft, Mut, Tapferkeit
	Zeile 3	beit	er wartete
Strophe 2358,	Zeile 1	swie	wie auch immer, obgleich
	Zeile 3	wande	denn, weil
		vîent	Feind
Strophe 2359,	Zeile 2	dôz	erdröhnte
	Zeile 3	hiuwen	hauten
	Zeile 4	muot	Sinn, Gesinnung
Strophe 2360,	Zeile 1	sît	später
		sam	gleich wie
		ê	früher, vorher

	Zeile 4	müede	Müdigkeit

Seite 31

Strophe 2361,	Zeile 2	lîden	erleiden, ertragen
	Zeile 4	bestân	bleiben, bekämpfen
Strophe 2362,	Zeile 3	erwant	abgewendet, abgebracht von
Strophe 2363,	Zeile 1	nîgen	sich verneigen, danken
Strophe 2364,	Zeile 4	ellenden	die in anderen Ländern, Fremden, Unglücklichen
		mîn	meinetwegen
Strophe 2365,	Zeile 1	jach	sagte
Strophe 2366,	Zeile 1	lie sunder	ließ gesondert
	Zeile 2	dewedere	keiner von beiden
	Zeile 3	unz	bis
Strophe 2368,	Zeile 3	iht	nicht
	Zeile 4	sô	so lange
Strophe 2369,	Zeile 2	sâ	sofort, alsbald

Seite 32

Strophe 2370,	Zeile 1	ungemuot	böse, zornig
Strophe 2371,	Zeile 4	vâlandinne	Teufelin
		verholen	verheimlicht, verborgen
Strophe 2372,	Zeile 1	gelt	Zahlung, Ersatz (So habt ihr mich auf üble Weise um meinen Lohn gebracht)
	Zeile 3	vriedel	Geliebter
		jungest	zuletzt
Strophe 2373,	Zeile 2	behern	berauben
Strophe 2374,	Zeile 1	wâfen	Zu den Waffen! Wehe!
Strophe 2375,	Zeile 2	torste	wagte
Strophe 2376,	Zeile 2	swanc	Schwung, Hieb, Schlag
Strophe 2377,	Zeile 1	veige	zum Tode bestimmt, tot
Strophe 2378,	Zeile 1	michel	groß
	Zeile 4	gît	gibt
Strophe 2379,	Zeile 1	sider	seitdem, nachher
	Zeile 2	wan	außer, nur, sondern

Tristan und Isolde

Seite 33 links,	Zeile 18	under in	unter sich
	Zeile 19	var	Fahrt
	Zeile 20	fröuwîne	aus Frauen zusammengesetzt
	Zeile 23	des ungevertes	der Reisestrapazen
	Zeile 24	unlanges	in kurzer Zeit
	Zeile 27	schielte	rudere
	Zeile 29	gelante in eine habe	landete in einem Hafen
	Zeile 31	durch banekie	zur Unterhaltung
	Zeile 32	zehant	sogleich
Seite 33 rechts,	Zeile 19	diu wernde swære	die währende Schwere, bleibende Bekümmernis
	Zeile 27	vürbaჳ	mehr, weiter
	Zeile 31	iemitten	indessen
	Zeile 34	erkam	kam außer sich, geriet außer sich
	Zeile 36	var	gefärbt (bleich)
Seite 34 links,	Zeile 3	sâ	sofort
	Zeile 5	lâgærin	Nachstellerin
	Zeile 8	sigevane	Siegespanier
	Zeile 10	einvalt	einfach, rein, unvermischt, arglos
Seite 34 rechts,	Zeile 7	durchlûter	»durchhellter«, lichter
	Zeile 11	einbære	einhellig

So die Blumen

Seite 35	Zeile 2	spil(n)den	spielend, leuchtend, strahlend
	Zeile 6	waʒ wünne	welch eine Wonne
	Zeile 9	dicke baʒ	oft noch mehr, besser
Seite 36	Zeile 1	swâ	wo immer
	Zeile 2	wol gebunden	mit schönem Kopfputz
	Zeile 3	dur kurzewîle	zur Kurzweil, zum Fest
	Zeile 4	niht eine	nicht allein, nicht ohne Begleitung
	Zeile 5	under stunden	bisweilen
	Zeile 8	wünneclich	wonniglich, wundervoll
	Zeile 11	kapfen an	starren an, bestaunen
	Zeile 13	hôchgezît	Fest
	Zeile 16	wederʒ	welches von beiden
	Zeile 19	deich	daß ich
	Zeile 20	rehte schiere	gar bald, rasch, schnell

Frau vernehmet

Seite 36	Zeile 3	swære	Schwere, Schmerz, Leid, Kummer
	Zeile 18	sît	da

Unter der Linde

Seite 37 links,	Zeile 12	friedel	Liebster
	Zeile 16	tusentstunt	tausendmal
Seite 37 rechts,	Zeile 9	houbet	Haupt, Kopf
	Zeile 11	wesseʒ iemen	wüßte es jemand
	Zeile 12	nu enwelle Gott	Gott verhüte

Klagegedicht

Seite 37	Zeile 2	dahte	deckte
	Zeile 4	gesmogen	geschmiegt
Seite 38	Zeile 1	ange	enge, genau
	Zeile 3	dehein	irgendeiner, keiner
	Zeile 6	varnde guot	fahrende (bewegliche) Habe
	Zeile 7	ietweder	jeder von beiden
	Zeile 9	übergulde	»Übergoldung«, das Höchste
	Zeile 16	sâʒe	Hinterhalt
	Zeile 19	diu zwei enwerden...	bevor die zwei nicht gesunden

Elegie

Seite 38	Zeile 3	daʒ	von dem
		wânde	wähnte, annahm
	Zeile 4	dar nâch	somit, demnach
	Zeile 6	hie vor	vorher
		kündic	kundig, vertraut, bekannt
	Zeile 10	vereitet	verödet, liegt verlassen
		verhouwen	geschlagen
	Zeile 11	wan daʒ	nur daß
		wîlent	weiland, früher
	Zeile 13	trâge	träge, lässig, säumig
		bekande	kannte
	Zeile 14	ungenâden	Elend, Mißgeschick, Plage
	Zeile 15	als	wenn
	Zeile 16	enpfallen	entfallen, entschwunden

Seite 39	Zeile 1	gebende	Kopfschmuck der Frauen
	Zeile 2	dörpellîche wât	bäuerische Kleidung
	Zeile 5	müet	bemüht
	Zeile 6	kiesen	wählen, prüfen
	Zeile 12	vergeben	hier: wir sind vergiftet
	Zeile 19	rinc	Panzerring
	Zeile 20	gewîhten	geweihten
	Zeile 21	sigenunft	»Siegnahme«, Sieg
	Zeile 22	nôtic	in Nöten
	Zeile 23	joch	jedoch, fürwahr
		huoben	Güter
	Zeile 24	sælden krone	die Krone der Glückseligkeit, des Heiles
	Zeile 25	mohte	konnte
	Zeile 26	reise	hier: Kreuzzug

Wintertanz

Seite 39	Zeile 2	schrage	Gestell, Tisch (auf dem die Spielleute standen)
	Zeile 3	vürder	nach vorn
	Zeile 5	ûfwerfen	aufmachen
	Zeile 8	übermüeder	Mieder
Seite 40	Zeile 5	losen	lauschen, horchen
	Zeile 8	trünne	Schwarm, Schar
	Zeile 9	ridewanzen	den ridewanz tanzen (ein provenzalischer Tanz mit Schritten vor- und rückwärts)
	Zeile 12	geil	mutwillig, aufgelegt, ausgelassen
		getelinc	Bauernbursche
	Zeile 13	ze zeche	der Reihe nach
	Zeile 17	gemeit	fröhlich, stattlich
	Zeile 21	vezzel	Schwertband
	Zeile 24	treie	Wams, Jacke
	Zeile 28	œde	öde, eitel, dumm
		krage	Halskragen, Tor, Narr

Meier Helmbrecht

Seite 40 links,	Zeile 1	gâȝen	gegessen hatten
	Zeile 4	hovewîse	die Weise, sich bei Hof zu benehmen
	Zeile 8	etewenne	früher
	Zeile 10	gebâren	gebärdeten, benahmen sich
Seite 40 rechts,	Zeile 5	wîlen	einstmals
	Zeile 6	ene	(Ahne), Großvater
Seite 41 links,	Zeile 2	geverte	Art, sich zu benehmen, Lebensweise
	Zeile 4	schalcheit	»Schalkheit«, knechtische, böse Gesinnung
	Zeile 8	sich lieben	sich beliebt machen
	Zeile 9	buhurdieren	Kampfspiel mit zwei Parteien
	Zeile 13	fuoren	sie ritten
	Zeile 17	enen	jenen
	Zeile 23	hôchvertic	hochgestimmt, froh, heiter
	Zeile 45	jeite	jagte
		birste	pirschte
	Zeile 46	wirste	der schlechteste
Seite 41 rechts,	Zeile 2	etewenne	ehemals, vordem
		weste	wußte
	Zeile 5	lôsen	die »Losen«, die ohne Zucht

	Zeile 6	verbösen	verderben
	Zeile 7	list	Wissen, Schlauheit
	Zeile 8	gunden	gönnten
	Zeile 11	lôsen	heucheln
	Zeile 14	michels	um vieles
	Zeile 20	entriuwen	wirklich, wahrhaftig
	Zeile 30	pîne	Pein, Sorgen
	Zeile 33	ob des wînes zerinne	wenn der Wein ausgeht
	Zeile 38	lîtgebinne	Schenkin (lît: Fruchtwein)
	Zeile 39	maser	Holzbecher
	Zeile 40	waser	war er
	Zeile 41	senen	sich sehnen, härmen
	Zeile 46	versnîden	verwunden, verletzen
Seite 42 links,	Zeile 8	hâhære	Henker
	Zeile 11	gekleit	geklagt
	Zeile 13	turnei	Turnier
		verslagen	zerschlagen, verachtet
Seite 42 rechts,	Zeile 1	für getragen	an ihre Stelle gesetzt
	Zeile 2	kroyieren	rufen
	Zeile 3	wis	sei
		et (eht)	eben, nun mal
	Zeile 7	stümbeln	verstümmeln, blenden
	Zeile 9	tuo mir dem der hende buoz	schlag mir dem die Hände ab!
	Zeile 10	hâhen	hängen
	Zeile 11	vâhen	fangen

Von den zwei Büchern

Seite 43	Zeile 11	gehiure	geheuer, lieblich angenehm
	Zeile 15	gernde	verlangend, sehnsüchtig
Seite 44	Zeile 18	swenne	wann auch, sobald, wenn
	Zeile 31	treit	trägt
	Zeile 38	flîzen	befleißigen
Seite 45	Zeile 3	aspe	Espe
	Zeile 4	klaffen	klappern, schwatzen
	Zeile 13	uns niuwen	uns Wankelmütigen, Wetterwendischen
	Zeile 14	gesneren	schwatzen
	Zeile 15	gebrehten	lärmen
	Zeile 16	geturren	sich getrauen
		sumelîch	einige

Sachsenspiegel
(geschrieben in mittelniederdeutscher Sprache)

Seite 48 links,	Zeile 1	zimbern	zimmern, bauen
	Zeile 3	nucze	nützliche
	Zeile 15	beschelden	herabsetzen, tadeln
Seite 48 rechts,	Zeile 9	enhan ich	habe ich nicht
	Zeile 10	von aldere	von alters her
	Zeile 12	mag ich	kann ich
	Zeile 14	verwerden	verderben, untergehen
	Zeile 18	lit	verleiht
		bescermene	beschirmen
		pavese	Papst
	Zeile 19	gesat	gesetzt, bestimmt
		wertlike	weltliche

	Zeile 20	ridene	reiten
		to bescedener tiet	zu bestimmter Zeit
	Zeile 21	stegerep	Steigbügel
		winde	sich verdrehe, verschiebe
Seite 49	Zeile 1	beteknisse	Bedeutung
	Zeile 2	gedwingen	zwingen
	Zeile 3	ok	auch
	Zeile 4	of	wenn
	Zeile 7	an wilder wage	mit frevelndem Wagen
		wandel	Buße
	Zeile 8	diken	Teichen
	Zeile 9	barende böme	(frucht)tragende Bäume
		ovet	Obst
	Zeile 10	malbome	Mal-, Grenzbäume
		grevet up	gräbt aus
	Zeile 11	vint man ene in der stat	findet, ertappt man einen an Ort und Stelle
	Zeile 12	panden	pfänden
		orlof	Erlaubnis
	Zeile 14	mit der weden	mit der Weide (aufhängen)
		it gat to hut unde to hare	es geht ihm an Haut und Haare (er wird geschunden)
	Zeile 15	strames flüt	im Strom fließt
	Zeile 18	orkünde	Urkunde, Zeugnis
	Zeile 19	gesunt	Gesundheit
	Zeile 20	stede	Stellen
	Zeile 21	vrede geworht	Friede gewirkt (gewährt)
		sunder	außer
	Zeile 22	Hart	Harz
	Zeile 23	Magetheide	Heide bei Wittenberg
		veit	fängt
		die	der
		wedden	wetten, entrichten, bezahlen
	Zeile 25	bedan	bedeckt, verschlossen
	Zeile 26	winde	Windhunde
		bracke	Spürhund

AUTOREN-REGISTER

INHALT

534

536